AF497381

# URKUNDENBUCH
## DER REICHSSTADT FRANKFURT.

# CODEX DIPLOMATICUS MŒNOFRANCOFURTANUS.

# URKUNDENBUCH
## DER REICHSSTADT FRANKFURT.

HERAUSGEGEBEN

VON

## JOHANN FRIEDRICH BŒHMER.

## NEUBEARBEITUNG

AUF VERANLASSUNG UND AUS DEN MITTELN DER ADMINISTRATION DES
DR. JOHANN FRIEDRICH BŒHMER'SCHEN NACHLASSES.

## ERSTER BAND
### 794—1314.

BEARBEITET

VON

## FRIEDRICH LAU.

FRANKFURT AM MAIN

VERLAG VON JOSEPH BAER & CO.

1901.

Druck von Gebrüder Knauer in Frankfurt a. M.

DEM ANDENKEN

AN

JOHANN FRIEDRICH BŒHMER,

DEM DIE VATERLÆNDISCHE GESCHICHTSFORSCHUNG

DIE REGESTEN DER DEUTSCHEN KAISER IM MITTELALTER,

DIE VATERSTÆDTISCHE ABER DAS ERSTE URKUNDENBUCH VERDANKT,

DER HOCHHERZIG SEIN VERMŒGEN

DER FŒRDERUNG DEUTSCHER GESCHICHTSKUNDE BESTIMMTE,

WIDMEN

DIE ADMINISTRATOREN SEINES NACHLASSES

DIESE NEUBEARBEITUNG IN DER GEWISSEN HOFFNUNG,

MIT IHR DER FRANKFURTER GESCHICHTSSCHREIBUNG

NEUEN STOFF UND NEUE ANREGUNG

IM SINNE BŒHMERS

ZU GEBEN.

# Vorwort.

*Der „Codex diplomaticus Moenofrancofurtanus" Johann Friedrich Böhmer's nahm
zur Zeit seines Erscheinens im Jahre 1836 eine bedeutende Stellung ein. Das Werk
eröffnete die heute zu einer stattlichen Zahl angewachsene Reihe der städtischen Urkunden-
bücher, es war ein Zeugniss von Böhmer's reiner und wahrer Liebe zu seiner Vaterstadt,
der er damit nicht nur ein Opfer an Zeit und Arbeit, sondern auch an materiellen
Mitteln brachte, da das Werk ohne finanzielle Unterstützung von anderer Seite allein auf
des Verfassers Kosten erschienen ist. Es ist damit ein unvergängliches Denkmal wissenschaftlicher Aufopferung und des Eifers für das hohe Ziel der Wahrheitserkenntniss
geworden, der Böhmer in der ganzen Zeit seines Lebens erfüllte. Was der Herausgeber
durch sein Werk zu erreichen hoffte, hat sich grösstentheils erfüllt. Das Frankfurter
Urkundenbuch hat auch in anderen Städten den Anstoss zur Herausgabe der dortigen
Urkundenschätze gegeben, es hat insbesondere den Frankfurter Geschichtsfreunden die
urkundliche Grundlage für eine stattliche Reihe von Einzeluntersuchungen geboten. Wenn
in dieser letzteren Beziehung mit dem von Böhmer gegebenen Material nicht alles, was
sonst wünschenswerth und möglich erscheinen konnte, erreicht worden ist, so ist das in
einigen Mängeln des Böhmer'schen Codex begründet. Zunächst darin, dass das Werk
in seinem ersten Bande ein Torso geblieben ist, da Böhmer den in seiner Vorrede ver-
heissenen zweiten Band, welcher eine Auswahl von Urkunden des fünfzehnten Jahrhunderts und chronologische Regesten aller in seinem und anderen Werken gedruckten
frankfurtischen Urkunden enthalten sollte, nicht mehr ausarbeiten konnte, weil seine
grösseren und weiteren Zwecken dienenden Kaiserregesten später seine ganze Arbeitskraft
in Anspruch nahmen. Sodann darin, dass Böhmer das Ziel sich selbst etwas weit
gesteckt hatte. Er würde noch mehr der Sache gedient haben, wenn er sich darauf
beschränkt hätte, nur alle ihm erreichbaren Urkunden bis 1300 zur Ausgabe zu bringen,
statt, wie es geschehen, darüber hinaus bis zum Jahre 1400 eine Reihe von Urkunden
zu veröffentlichen, die ihm „in den verschiedenen Zeiten jedesmal als Hauptgegenstand"
erschienen. Er glaubte zwar in gewiss ehrlicher Selbsttäuschung, dass sein Urkundenbuch bis „zum dritten Viertel des vierzehnten Jahrhunderts" das „wichtigste noch ziemlich
vollständig" enthalte, indessen war dies doch ein Irrthum, da es als unmöglich bezeichnet
werden muss, nur auf Grund der bei Böhmer gedruckten Urkunden eine Frankfurter
Verfassungs- und Verwaltungs-Geschichte des vierzehnten Jahrhunderts zu schreiben.
Endlich ist es als ein empfindlicher Mangel des Werkes zu bezeichnen, dass ihm kein
Register beigegeben war, so dass ein jeder Bearbeiter eines Einzelthemas sich in der
unerwünschten Nothwendigkeit sah, die seinem Gegenstand dienlichen Urkunden aus der
grossen Masse auszusondern.*

*Aus diesen Gründen ergab sich bei aller Anerkennung, die dem Werke Böhmer's
zu zollen ist, die Nothwendigkeit einer Neubearbeitung des „Codex Moenofrancofurtanus",
der auch sonst in mancher Beziehung den im Laufe der Jahrzehnte erheblich gesteigerten*

*Anforderungen der Editionstechnik nicht mehr vollständig entspricht. Deshalb fassten die Nachlass-Administratoren und Testaments-Executoren Böhmer's im Jahre 1880 den Entschluss, eine Neubearbeitung des Urkundenbuches in die Wege zu leiten, und betrauten mit dieser Arbeit den damaligen Frankfurter Stadtarchivar, jetzigen Geheimen Archivrath in Schwerin, Dr. H. Grotefend, dem im Jahre 1884 ein Mitarbeiter in der Person des jetzigen Bibliothekars Dr. H. von Nathusius-Neinstedt zur Seite trat. Grotefend setzte sich zunächst zur Aufgabe, die in auswärtigen Archiven beruhenden Frankfurter Urkunden zu sammeln. Er hat zu diesem Zwecke die Archive zu Coblenz, Marburg, Wiesbaden, Wetzlar, Mainz, Darmstadt, Würzburg, Nürnberg, Karlsruhe, Wernigerode und München besucht und aus diesen Orten vieles und schätzbares Material zusammengebracht. Von Nathusius beutete insbesondere das Stuttgarter Archiv aus, daneben auch das seiner speciellen Obhut unterstellte, ungemein reichhaltige Familienarchiv der Freiherren von Holzhausen zu Frankfurt. Zugleich nahmen die beiden Herren auch zahlreiche Collationirungen der in Frankfurt bewahrten Original-Urkunden mit dem Böhmer'schen Texte vor, kopirten eine Reihe der dort nicht gedruckten Urkunden und begannen die Litteratur-Durchsicht. Aus dieser Arbeit, die übrigens öfters durch grössere Pausen unterbrochen war, schied Grotefend infolge seiner im Jahre 1887 erfolgten Berufung nach Schwerin aus, und der Fortgang des Unternehmens, welchem von Nathusius nur einen Bruchtheil seiner durch Berufsgeschäfte und auch durch sonstige Arbeiten in Anspruch genommenen Zeit zu widmen vermochte, schien in Frage gestellt. Daher legten die vorher genannten Herren Nachlass-Administratoren am 1. Februar 1897 die Fortführung der Arbeit in meine Hand. Zugleich wurde mir das von meinen beiden Vorgängern zusammengebrachte Material von Urkunden und Regesten überwiesen. Durch die Liberalität der Administration wurde es mir ermöglicht, während der siebzehn Monate bis zum 1. October 1898 meine Zeit ungetheilt dieser Aufgabe widmen zu können. Meine Berufung in den Preussischen Archivdienst, die zu dem genannten Termine nach Berlin erfolgte, machte allerdings eine Pause in der Frankfurter Arbeit nothwendig, die ich erst im Januar 1899, nun indessen nur als Beschäftigung in meinen dienstfreien Stunden, wieder aufnehmen konnte.*

*Das von den Herren Grotefend und von Nathusius gesammelte Material bestand für die von diesem Band behandelte Zeit aus etwa 300 vollständigen Urkunden-Abschriften und einer grösseren Zahl von Collationirungen, welche in einem Exemplar des Böhmer-schen Codex und des Hessischen Urkundenbuches von Baur zumeist mit Bleistift eingetragen waren. Diese zweite Gruppe musste daher von mir, um ein druckfähiges Manuskript zu erzielen, nochmals abgeschrieben werden. Ich habe sämmtliche Urkunden, die ich nicht selbst eingesehen habe, mit dem Namen des betr. Herren, von dem die Abschrift resp. Collationirung herrührte, am Fusse der Urkunde kenntlich gemacht. Die im Frankfurter Stadtarchiv (St. A. Fr.) selbst bewahrten Originale und Vorlagen habe ich sämmtlich nochmals verglichen. Grade dieses Archiv war übrigens erst zum kleinsten Theile durchgearbeitet. So entfallen die nach Grotefend's Abschriften gegebenen Stücke jetzt nur auf solche aus den Archiven zu Darmstadt, Mainz, Marburg, Wernigerode, Wetzlar, Karlsruhe, München und dem früheren Deutschordensarchiv zu Sachsenhausen, das zum Theil noch dort verblieben ist, von mir aber, trotz wiederholter Versuche dort Zutritt zu erlangen, nicht persönlich eingesehen werden konnte. Die von v. Nathusius bearbeiteten Urkunden entstammen den Archiven zu Stuttgart und dem Holzhausen'schen Archiv zu Frankfurt, vereinzelte Stücke auch den Archiven zu Darmstadt und Wiesbaden. Da eine Durchsicht der gedruckten Litteratur mich belehrte, dass aus einem Theile der schon erwähnten Archive noch eine Nachlese zu erhoffen war, erschien es nothwendig, einzelne derselben nochmals aufzusuchen. Zu diesem Zwecke unternahm ich in den Monaten Juli und August 1898 eine längere Archivreise nach Würzburg (Kreisarchiv), Nürnberg (Germanisches Museum), Wien (Deutschordens-Centralarchiv) und München (Reichsarchiv). Die Ergebnisse dieser Reise werden allerdings zumeist den späteren Bänden zu Gute kommen. So habe ich in Wien sämmtliche auf das Deutschordenshaus zu Sachsenhausen bezüglichen Urkunden bis zum Jahre 1400 kopirt, in München lieferte die Urkunden-Abtheilung „Mainzer Erzstift", vorwiegend aber das in diese Abtheilung noch ungesondert eingereihte Archiv des Klosters Patershausen, reiche Erträge. Auf dieser Reise wurde mir auch in das Freiherrlich von Franckenstein'sche Archiv zu Ullstadt bereitwilligst Zutritt verstattet. Von Frankfurt aus habe ich ausserdem die Archive zu Assenheim, Lich und Mainz aufgesucht. Einzelne Nachträge, die ich in Frankfurt bezw. Berlin nach freundlicher Übersendung aufarbeiten konnte, lieferten noch die Archive zu Coblenz, Darmstadt und Wiesbaden. In Birstein und Büdingen nahm Herr Grossh. Haus- und Staatsarchivar Dr. Dieterich freundlichst einige Collationirungen vor. So darf ich denn hoffen, dass dank der mir überall bereitwilligst gewährten Unterstützung der jetzt vorliegende Band im wesentlichen die noch erhaltenen Urkunden vollständig enthält. Für den Nachweis etwaiger Nachträge werde ich stets dankbar sein.*

*Es mögen mir noch einige Bemerkungen über die von mir befolgte Editionsmethode gestattet sein. Da es sich bei diesem Bande noch im wesentlichen um eine Neubearbeitung des Böhmer'schen Urkundenbuches handelt, so schien es mir nothwendig, mit der Umgestaltung möglichst schonend zu verfahren. Die Art der Textwiedergabe konnte im allgemeinen beibehalten werden. Nur darin glaubte ich von Böhmer abweichen zu sollen, dass ich Schreibfehler der Vorlagen nicht wie er stillschweigend verbessert habe, sondern entweder durch ein Ausrufungszeichen oder ein „So!" in den Anmerkungen als solche kennzeichnete. Varianten mehrerer Vorlagen sind ausnahmslos, soweit sie irgend erheblich waren, angeführt. Ebenso schien es für die praktische Benutzbarkeit vortheilhaft, das Verhältniss einzelner Urkunden zu ihren Vorurkunden auch im Drucke durch kleinere Typen für die aus den Vorurkunden übernommenen Sätze kenntlich zu machen. Stellen, wo die Abbreviaturen auch eine andere Auflösung zulassen, sind in Kursive wiedergegeben. Die Regesten beabsichtigte ich zunächst wörtlich nach Böhmer zu wiederholen. Indessen stellte es sich im Laufe des Druckes heraus, dass sie in ihrer etwas alterthümlichen Form dem modernen Sprachempfinden z. Th. stark widersprechen, so dass ich mich doch entschlossen habe, wenigstens einige Härten schonend zu mildern. Auch war nur so eine etwas grössere Gleichmässigkeit in der äusseren Form zu erzielen. Ich habe alle bei Böhmer gedruckten Urkunden wiederholt, mit Ausnahme einiger ganz allgemein gehaltener Papstbullen für geistliche Orden, die seitdem übrigens mehrfach gedruckt waren, und der jetzt in den Monumenta Germaniae veröffentlichten Urkunden des Rheinischen Städtebundes. Bei diesen schien die Anführung in Regestenform vollständig ausreichend. Dieselbe Form ist auch bei denjenigen neu aufgenommenen Urkunden angewandt, die für die Frankfurter Geschichte nur von geringerer Bedeutung sind. In den Anmerkungen sind vorwiegend Verweise auf das Vorkommen einzelner Personen, besonders der Schultheissen und anderer Beamten, in solchen Urkunden gegeben, deren Aufnahme in Regestenform m. E. eine zu grosse Raumverschwendung gewesen wäre. Die Art der Besiegelung habe ich in folgender Weise angegeben. „Anhängend" bedeutet, dass die Siegel an einem besonderen Siegelstreifen aus Pergament angebracht sind, „abhangend", dass der Siegelstreifen aus dem unteren Ende der Urkunde selbst ausgeschnitten ist. Bei anderer Befestigungsart der Siegel ist diese stets angegeben. Die Farbe des Siegels ist nur dann erwähnt, wenn sie*

*von der gewöhnlichen Naturfarbe abweicht. Die Litteraturangaben sind nach der Seiten-
zahl, nur bei Regestenwerken nach der Nummer gegeben. Wegen der abgekürzt citirten
Werke verweise ich auf die weiterhin gegebene Übersicht.*

*Die zeitliche Grenze dieses Bandes nach unten bildet der Regierungsantritt König
Ludwigs des Bayern. Dieser Zeitpunkt ist erkennbar ein höchst wichtiger Einschnitt auch
für die eigentliche Frankfurter Stadtgeschichte. Kein Herrscher vor ihm und nach ihm hat
die städtische Entwicklung so nachhaltig durch eine Reihe der wichtigsten Privilegien geför-
dert, durch die dann erst im 14. Jahrhundert, unterstützt durch den gewaltigen Aufschwung
des Handels und Verkehrs, Frankfurt über seine Schwesterstädte in der Wetterau siegreich
emporstieg. Für die Zeit von 794 bis 1314 September bringt dieser Band 972 Nummern,
während Böhmer's I. Band nach seiner Zählung für die Zeit bis 1400 1026 Urkunden
enthält. Durch dieses Zahlenverhältniss dürfte die vorher betonte Nothwendigkeit der Neubearbeitung auch für diesen ersten Theil des Urkundenbuches erwiesen sein.*

*Bei der Anlegung des Registers bin ich den von Reimer und Wyss bei den Hessischen
Urkundenbüchern angewandten Regeln gefolgt. K, T, V im Wortanfange sind bei C, D,
F eingereiht. Y, y ist I, i gleichgesetzt, auch im Inlaut, ausgenommen sind ausländische
Ortsnamen wie „Lyon". Personen findet man unter dem Familiennamen, wenn dieser
unbekannt ist, nur unter dem Vornamen. Die Ortsnamen sind möglichst nach der heutigen
Schreibung angeführt und zur besseren Orientierung die Lage nach anderen grösseren
Orten und die jetzige Staatsangehörigkeit angegeben. Die Citate beziehen sich auf die
Nummern. Ein Stern über den Nummern bei Ortsnamen bedeutet, dass der Ort nur
als Ausstellungsort vorkommt.*

*Es bleibt mir schliesslich noch die angenehme Pflicht, den Förderern meiner Arbeit
meinen verbindlichsten Dank auszusprechen. Es sind das in Frankfurt insbesondere die
jetzigen Dr. Joh. Friedrich Böhmer'schen Testaments-Executoren und Nachlass-Administratoren, die Herren Justizrath Dr. Adolf von Harnier und Dr. iuris Friedrich Schmidt-
Polex, die mich durch stetige Liberalität und bereitwillige Erfüllung aller Wünsche in
meiner Arbeit förderten und ermunterten, Herr Stadtbibliotheksdirektor Prof. Dr. Ebrard,
der als wissenschaftlicher Berather der genannten Herren mir stets wohlwollende und
freundliche Unterstützung gewährte, und der Frankfurter Stadtarchivar Herr Dr. R. Jung,
der weit über die Verpflichtungen seines Amtes hinaus meine Arbeit förderte und besonders
noch während der Drucklegung des Werkes mich durch fortwährende Auskünfte und
Unterstützung bei der Korrektur erfreute. Auch ausserhalb Frankfurts habe ich überall
das liebenswürdigste Entgegenkommen bei den Besitzern adeliger Familienarchive, bei den
Beamten und Behörden gefunden. Allen gelte mein bester Dank auch an dieser Stelle!*

*So möge denn dieser Band, dem hoffentlich bald ein zweiter wird folgen können,
im Sinne Böhmer's der Erkenntniss der historischen Wahrheit dienen.*

*Stettin, den 26. Juli 1901.*

*Friedrich Lau.*

# Verzeichniss der abgekürzt citirten Bücher.

Archiv für Frankfurts Geschichte und Kunst, I. Folge Heft 1—8, II. Folge Bd. I—XI, III. Folge Bd. I—VII. (Frankf. Arch.)

Battonn, Joh. Georg, Oertliche Beschreibung der Stadt Frankfurt am Main. Herausgegeben von L. H. Euler. Bd. I—VII. Frankfurt. (Battonn.)

Baur, Ludwig, Urkunden zur Hessischen Landes-, Orts- und Familiengeschichte. Bd. I—V. Darmstadt. 1846—1873. (Baur, Hess. Urk.)

— — Urkundenbuch des Klosters Arnsburg in der Wetterau. Darmstadt. 1849 ff. (Arnsb. Urkb.)

Beschreibung der Hanau-Münzenberg. Lande. 1720. I, II. (Hanau-Münzenb. Landesbeschr.)

Bodmann, F. J., Codex epistolaris Rudolfi I. Leipzig. 1806. (Bodmann, Cod. ep.)

Böhmer, Joh. Friedrich, Codex Moenofrancofurtanus I. Frankfurt am Main. 1836. (B.)

— — Acta imperii selecta. Herausgegeben von J. Ficker. Innsbruck. 1870. (Böhmer, Acta.)

— — Kaiser-Regesten. Die älteren Ausgaben sind citirt: B. Reg. mit dem Namen des betr. Herrschers in Abkürzung, z. B.: B., Reg. Alb., Heinr. u. s. w., die Neubearbeitungen: B.-F. = Böhmer-Ficker; B.-M. = Böhmer-Mühlbacher; B.-R. = Böhmer-Redlich; B.-W. = Böhmer-Winkelmann.

— — Regesta archiepiscoporum Maguntinensium, bearb. von C. Will. Bd. I, II. Innsbruck. 1877, 1886. (Will, Mainz. Reg )

Boos, Urkundenbuch der Stadt Worms. Bd. I, II. Berlin. 1886—90. (Boos.)

Buri, F. K. v., Behauptete Vorrechte der alten Königl Bann-Forste, insbesondere des Reichs-Lehnbaren Forst- und Wildbannes zu der Drey-Eich etc. Offenbach. 1744. (Buri, Bannforsten, Dreyeich.)

Fichard, J. C. v., Die Entstehung der Reichsstadt Frankfurt a. M. Frankfurt. 1819. (Fichard, Entstehung.)

— — Frankfurter Archiv für ältere deutsche Litteratur und Geschichte. Frankfurt. 1811—1815. (Fichard, Archiv.)

Goerz, Mittelrheinische Regesten. T. 1—4 Coblenz. 1876—86. (Goerz, Mittelrh. Reg.)

Gründliche Gegeninformation, dass der Wildtbann in der Dreyeich sich über die Frankfurter Waldungen und Felder nicht erstrecke. I—III. Frankfurt. 1738. (Gegeninformation.)

Grüsner, Diplomatische Beiträge. Bd. I—IV. Frankfurt. 1775. (Grüsner, Beiträge.)

Gudenus, Valent. Friedrich de., Codex diplomaticus anecdotorum etc. Bd. I—V. Goth. Francof. et Lips. 1743—58. (Guden, Cod. Dipl.)

— — Sylloge I variorum diplomatorum etc. Francof. 1728. (Guden, Sylloge.)

Günther, W., Codex diplomaticus Rheno-Mosellanus. Bd. I—V. Coblenz. 1822—26. (Günther, Cod Rheno-Mosell.)

Hennes, J. H., Codex diplomaticus ordinis sanctae Mariae Teutonicorum. 2 Bde. Mainz. 1845, 1862. (Hennes.)

Huillard-Bréholles, A., Historia diplomatica Friderici secundi. 6 T. Paris. 1852—61. (Huillard-Bréh.)

Inventare des Frankfurter Stadtarchivs, herausgegeben vom Verein für Geschichte und Alterthumskunde. Bd. I—IV. Frankfurt. 1888—1894. (Fr. Inv.)

Joannis, G. Chr., Rerum Moguntiacarum scriptores. T. I—III. Francof. 1722—1727. (Joannis, Res Mog.)

— — Spicilegium tabularum veterum. Francof. 1724. (Joannis, Spicilegium.)

Kirchner, Geschichte der Stadt Frankfurt. Frankfurt a. M. 1807. (Kirchner.)

Kuchenbecker, J. Ph., Analecta Hassiaca etc. Coll. I—XII. Marburg. 1728—42. (Kuchenbecker, Anal. Hass.)

Kurze Beleuchtung in Sachen v. Frankenstein contra Frankfurt wegen der Cleenschen Güter. Frankfurt 1777.

Lersner, Der weitberühmten freien Reichs-, Wahl- und Handelsstadt Frankfurt Chronica. (Lersner, Iᵃ, Iᵇ, IIᵃ, IIᵇ.)

Lünig, Deutsches Reichsarchiv. Bd. I—XXIV. Leipzig. 1713 ff. (Lünig, R.-A.)

Müller, J. B., Historische Nachrichten von dem St. Bartholomäi-Stift zu Frankfurt. 1745. (Müller, Barth.-Stift.)

Niedermayer, Andreas, Die Deutsch-Ordens-Commende Frankfurt am Main. Frankfurt a. M. 1874. (Niedermayer.)

Pettenegg, E. G. Graf v., Die Urkunden des Deutsch-Ordens-Centralarchivs zu Wien. Bd. I. Prag und Leipzig. 1887. (Pettenegg.)

Potthast, A., Regesta pontificum Romanorum inde ab a. 1198 ad a. 1304. 2 V. Berol. 1874, 1875. (Potthast.)

Privilegia et pacta der heiligen römischen Reichsstadt Frankfurt. I. Ausgabe 1614, II. Ausgabe 1728. (P. et P. I, II.)

Reimer, H., Hessisches Urkundenbuch. Zweite Abtheilung: Urkundenbuch zur Geschichte der Herren von Hanau und der ehemaligen Provinz Hanau. Bd. I—IV. Leipzig. 1891—97. (Reimer.)

Rossel, Urkundenbuch der Abtei Eberbach im Rheingau. I, II¹, II². Wiesbaden. 1862—70. (Rossel, Eberb. Urkb.)

Roth, F. W. E., Geschichtsquellen von Nassau. Bd. I. Th. 1—4. Wiesbaden. 1880—1884. (Roth, Quellen.)

Sauer, W., Codex diplomaticus Nassoicus. Nassauisches Urkundenbuch. Bd. I 1—2, 3. Wiesbaden. 1884 - 87. (Sauer, I, bezw. I²).

Scriba, H. E., Regesten der bis jetzt gedruckten Urkunden zur Landes- und Ortsgeschichte des Grossherzogthums Hessen. 4 Abth. Darmstadt 1847—54. (Scriba.)

Senckenberg, H. Ch. de, Selecta juris et historiarum. 6 T. Francof. 1734—42. (Senckenberg, Selecta iur.)

Simon, G., Die Geschichte des reichsständischen Hauses Ysenburg und Büdingen. 3 Bde. Frankfurt a. M. 1865. (Simon, Büdingen.)

Stumpf, K. F., Die Kaiserurkunden des X., XI. und XII. Jahrhunderts. Innsbruck. 1865—1883. Zweiter Band des Werkes: Die Reichskanzler. (Stumpf)

Thomas, J G. Ch., Der Oberhof zu Frankfurt a. M. Frankf. 1841. (Thomas, Oberhof.)

—    —    Frankfurter Annalen 793—1300 (im Archiv für Frankfurts Geschichte und Kunst I, Heft 2). (Thomas, Frankf. Ann.)

Wenck, H. B., Hessische Landesgeschichte. 3 Th. Darmstadt und Giessen. 1783 - 1803. (Wenck, Landesgesch.)

Winkelmann, Ed., Acta imperii inedita seculi XIII. Bd. I, II. Innsbruck, 1880, 1885. (Winkelmann, Acta.)

Würdtwein, S. A., Subsidia diplomatica. 13 T. Heidelberg. 1772—1780. (Würdtwein, Subs. dipl.)

—    —    Nova subsidia diplomatica. 14 T. Heidelberg. 1781—1792. (Würdtwein, Nova Subs.)

—    —    Chronicon diplomaticum monasterii Schoenau. Mannheim. 1792. (Würdtwein, Chron. Schonau.)

—    —    Dioecesis Moguntina. T. I—III. Mannheim. 1769—1777. (Würdtwein, Dioc. Mog.)

—    —    Diplomataria Moguntina. Bd. I, II. Mogunt. 1788. (Würdtwein, Dipl. Mog.)

—    —    Monasticon Palatinum. Bd. I—VI. Mannheim. 1793 ff. (Würdtwein, Monast.)

**1.** *Karl der Grosse schenkt dem Kloster St. Emmeran zu Regensburg verschiedene in dessen Nähe gelegene Aecker und Wiesen. Frankfurt, 794 Februar 22.*

Dat. VIII kalend. martii, anno XXVI et XX regni nostri. Actum super fluvium Moin in loco nuncupante Franconofurd. In dei nomine feliciter, amen.

*Regest: B., 1. Drucke verz.: B.—M. Reg. No. 312.*

**2.** *Gutachten der Italienischen Bischöfe über die Ketzerei des Elipandus, welches nach Verordnung des zu Frankfurt vereinigten Conciliums nach Spanien geschickt wurde. Frankfurt, 794.*

Incipit libellus sacrosyllabus, catholico salubriter editus stylo, in concilio divino nutu habito in suburbanis Moguntiae metropolitane civitatis, regione Germaniae, in loco celebri, qui dicitur Franconofurd, sub praesentia clementissimi principis domini Karoli gloriosique regis, anno felicissimo regni eius XXVI. . Placuit igitur sancto venerandoque concilio, quatenus hic libellus pro causa fidei ad provincias Galliciae ac Spaniarum mitti deberet, ob noxios resecandos errores, specialiter autem ad Elipandum, Toletanae sedis episcopum, in quo omnis huius negotii constat materia quaestionum. Sancto incitante spiritu ac zelo fidei catholicae scintillatim sub pectore fervescente clementissimi et tranquillissimi gloriosique Karoli regis, domini terrae, imperii eius decreto per diversas provincias regni eius ditioni subiectas summa celeritate praecurrente, multitudo antistitum, sacris obtemperando praeceptis, in uno collegio aggregata convenit. Quadam die residentibus cunctis in aula sacri palatii, assistentibus in modum coronae presbyteris, diaconibus cunctoque clero, sub praesentia praedicti principis, allata est epistola missa ab Elipando, auctore noxii sceleris, Toletanae sedis pseudo-episcopo. Cumque iubente rege publica voce recitata fuisset, statim surgens venerabilis princeps de sella regia, stetit supra gradum suum, ac locutus est de causa fidei prolixo sermone, et adiecit: Quid vobis videtur? etc.

*Gedr.: B, 1 nach Hartzheim, I, 295. Vgl. über die sonstigen Drucke: Werminghoff, Neues Archiv XXIV, 472.*

**3.** *Ludwig der Fromme tauscht Güter mit dem Kloster Fulda, darunter auch solche bei Frankfurt.* „Sed et illi *(d. h. das Kloster)* nobis de rebus suis dederunt iuxta fiscum nostrum Franchonfurt quasdam proprietates in villis, quarum vocabula sunt Horheim et Stetine, — quę omnia sunt in pago Nithehgou super fluvium Nita." *Ingelheim, 817 August 4. (II. non. aug.)*

*Auszug nach Dronke, Trad. Fuld., 158,159.*
*Vers.: B.—M., Reg. No. 642. Vgl. Fichard, Entstehung 13.*

**4.** *Ludwig der Fromme urkundet für Kloster Murhard. Worms, 817. In der gefälschten Urkunde heisst es:* „necnon de omni familia eorum de Frankenvurt, Ludewicus, Adelgerus, Richerus etc."

*Drucke verz.: B.—M., Reg. No. 643. Irrig verwerthet bei Fichard, Entstehung, 16.*

**5.** *Ludwig der Fromme restituirt dem Kloster Hornbach gewisse Ländereien, welche der Actor dominicus Nantcarius als zum Fiscalgut Frankfurt gehörig eingezogen hatte. 823 Januar 8.*

In nomine domini dei et salvatoris nostri Jesu Christi. Hludowicus divina ordinante providencia imperator augustus. Notum esse volumus cunctis fidelibus nostris, praesentibus scilicet et futuris, quia adiens serenitatem culminis nostri vir illustris Lantbertus comes suggessit nobis, eo quod quidam actor dominicus nomine Nantcharius[a] ex fisco nostro Franconofurd proprisset tempore domini et genitoris nostri Karoli bonae memoriae piissimi imperatoris quasdam res, id est terras et silvas et prata, super marcham suam, quae est ex monasterio suo, quod dicitur Orombach. Nos vero hanc rem iussimus investigari dilecto filio nostro Hlothario imperatori, necnon et Mantfredo[b] inlustri[c] viro. Postea veniens ad nos Wyrundus praedicti venerabilis monasterii abba eandem causam nobis suggessit. Nos iterum iussimus Mantfredo[d] et alios fideles nostros hanc rem diligenter atque subtiliter inquirere. Qui sicut nobis renunciaverunt, invenerunt per Hruotbertum comitem et ceteros nobiles ac veraces homines circa manentes, quod praedictus Nantcharius[a] cum servis dominicis iniuste ipsam investituram de potestate praedicti monasterii abstulisset et per iusticiam et rectitudinem inter nostram et praedicti monasterii partem esse debebat, et quod predicta marcha divisa esset in via, quae dicitur Talanweck, et inde ad Geroldisphad, deinde ad Wisigartaweck. Sed et Gheroldus actor noster, qui praedictum fiscum nostrum in ministerio habet, interrogatus ab eis, nullam rei certitudinem potuit demonstrare, qualiter ad nostram partem legibus tenere potuisset. Et ideo placuit nobis secundum hanc inquisicionem eandem marcham predicto monasterio reddi, sicut inquisitum et testificatum est. Proinde hanc auctoritatem praeceptionis nostrae fieri iussimus, per quam praecipimus atque iubemus, ut sicut a fidelibus nostris inquisitum et nobis nunciatum est, ita ab hodierno die in potestate praedicti monasterii consistat et nullam deinceps commocionem aut calumpniam aut aliquod impedimentum a parte fisci nostri pars praedicti monasterii se habituram penitus pertimescat. Et ut haec auctoritas firmior habeatur et a fidelibus nostris verius certiusque credatur atque conservetur, de annulo[e] nostro subter eam iussimus sigillari.

Durandus diaconus ad vicem Fridugisi recognovit.

Data VI idus ianuarii, anno christo propicio VIIII., imperii domini Hludowici piissimi augusti.

*Gedr.: Croll, Or. Bipont., I, 98, (Tabouillot), Hist. de Metz, IV, 23 = Migne, 104, 1107, Acta Palat., VI, 250 zu 822, B., 2, ohne Quellenangabe, Mon. Boic. XXXI, 48 „ex codice Dankartiano".*

*Verz.: B.—M. Reg. No. 745, Sickel No. 194. Vgl. Fichard, Entstehung, 13.*

**6.** *Ludwig der Deutsche beurkundet, dass die Frau Ruotlint mit seiner Erlaubniss der heiligen Maria in der königlichen Kapelle zu Frankfurt acht Mansen zu Hornau im Niedgau geschenkt habe. Tribur, 874.*

In nomine sanctae et individuae trinitatis. Hluduvvicus divina favente gratia rex. Notum sit omnibus sanctae dei ecclesie fidelibus nostrisque presentibus scilicet et futuris, qualiter quedam femina nomine Rŏtlint per nostram licentiam tradidit ad sanctam Mariam ad nostram // capellam in Franconofurt quasdam res propriaetatis suae, consistentes in Francia in pago Nitichevve in comitatu Liutfridi, in villa, que vocatur Hurnovva, id est mansa VIII cum omnibus ibidem adiacentiis vel pertinentibus in terris secus Briubahc // pascuis, pratis, vineis, silvis, aquis, aquarumve decursibus,

exitibus et regressibus, mobilibus et inmobilibus, cum mancipiis utriusque sexus, quorum
nomina sunt: Reginbald.et coniux eius filiique illorum, fratremque eius Seginhilt cum
sororibus suis Vvicbald, Ottrud, // et conplacitavit inde, ut per unumquemque anum(!)
ei daretur de frumento mod. xl, de spelta mod. XXX, de avena mod. lx, et quatuor
carrad. de vino, et libram unam argenti, friskingas XIIII, sex ad bacones faciendos,
si pascio esset, et si hoc non esset, tunc darentur ei friskingas XX et per unumquemque annum de lignis carrad. c. Et idcirco iussimus ei fieri hoc nostrae auctoritatis preceptum, per quod decernimus adque(!) iubemus, ut firmum et stabile permaneat.
Et ut hęc auctoritas verius credatur et diligentius observetur, anuli nostri inpressione
subter eam assignari iussimus.

Hebarhardus cancellarius ad vicem Liutberti archicappellani recognovi et s. . (S. R.)
(L. S.)

Data ᵃ anno XXXVII regni domni Hluduvvici serenissimi regis in orientali
Francia regnante, indictione VII. . Actum Triburias. In dei nomine feliciter, amen.

*Or. Pgmt. mit wohlerhaltenem, durchgedrückten Siegel. Reichsarchiv München. In dorso:*
Ludovvici regis preceptum de VIII mansis in Hurnovva, quas Ruotlint ad cappellam in
Franconofurt per convenientiam tradidit. *Grotefend.*

*Gedr.: Würdtwein, Dioec. Mog., II, 409, Kirchner, I, 609 nach Abschrift des XIV. Jahrh.,*
*zu 854!, Müller, Barth.-St., 159, B., 3, Mon. Boic., XXVIII, 2, 58, Sauer, Cod. Nass.,*
*I, 29, alle drei nach dem Or. Vgl. Wiener Sitzungsber. 39, 115, nr. 1.*
*Verz.: B.-M., Reg. No. 1460.*

**7.** *Ludwig der Jüngere beurkundet, dass sein Vater Ludwig der Deutsche der königlichen
Salvatorskapelle in Frankfurt hier genannte Güter geschenkt und bestätigt, zwölf
Cleriker daselbst verordnet und verfügt habe, dass Abt Williher die gedachte Kapelle
lebenslänglich zu Lehen behalten solle, welchen sämmtlichen Satzungen er seine Genehmigung ertheilt. Frankfurt, 880 November 17.*

C. ⸋ In nomine sanctae et individuae trinitatis. Hluduouicus, divina favente
gratia rex. Si locis deo dicatis nostrae regiae potestatis compendium impenderimus,
hoc nobis ad aeternae retributionis praemia capessenda profuturum ⸋ liquido credimus.
Quapropter noverit omnium fidelium nostrorum, tam praesentium quam et futurorum,
industria, qualiter piissimus genitor noster ob amorem domini et pro suae mercedis
augmento tradidit traditasque firmavit quasdam res proprietatis suae ad cappel//lam
suam ad Franconofurt, quae est constructa in honore salvatoris domini nostri Jesu
Christi. Hoc es[t illa]m cappellam ad Cufstein, et illud monasterium ad Ursella, et
illam aecclesiam in villa, quae vocatur Steti; et illam aecclesiam ad Plagestat; et illam//
villam, quae dicitur Pargilla, cum aecclesia et decima ad eam pertinente, sicut eam
Ruotkerus in beneficium habuit; et illam aecclesiam ad Sprendilingun cum illo manso,
qui ad eam pertinet; et illam aecclesiam ad Biscofesheim, cum omni decimatione, cum
mancipiis et terris ad eam ‘pertinentibus; et quod Ruotkerus habuit in villa Seckibah,
[et]ᵇ illam aecclesiam ad Sueinheim ᶜ cum omni decimatione, cum mancipiis et terris
ad eam pertinentibus; et tres mansos ad Gelstrebah; et illam cappellam ad Nerenstein
cum omnibus ad eam pertinentibus, sicut eam Aaron ibi in beneficium habuit, [et]ᵇ
illam villam, quae dicitur Kadelcamf, cum omnibus appenditiis; et illam cappellam in
Bunna; et sicut Heririhᵈ in beneficium habuit in Osterenaha; et quod Ruotlind ad
ipsam cappellam tradidit: scripto confirmavit. Has itaque praescriptas res cum omni
integritate; id est, cum omnibus ad eas pertinentibus, in domibus, aedificiis, mancipiis,

a) *An dieser Stelle ist eine Lücke von ca. 35 mm. für das Monatsdatum freigelassen. Chrismon
und königliche Beglaubigung fehlen.* b) *Das Wort ist verblasst.* c) *Das erste i von derselben Hand
über der Zeile.* d) *Das Wort ist von anderer, wohl gleichzeitiger Hand in frei gelassenem Raume
nachgetragen.*

campis, agris, pratis, pascuis, vineis, silvis, cultis et incultis, aquis aquarumque decursibus, mobilibus et immobilibus, ad iam dictam cappellam pius genitor noster tradidit atque transfudit, ut deinceps perpetualiter ad dei servitium peragendum ibi permaneant absque ullius contradicentis obstaculo. Et constituit, ut in eodem loco[a] ad serviendum domino consistant clerici XII, exceptis praesbiteris, qui in illis locis illuc pertinentibus domino famulantur. Et hi omnes de praescriptis rebus habeant stipendia necessaria, et ab illo abbate, cui ipsa cappella commissa fuerit, nulla umquam hostilis expeditio exigatur. Insuper etiam praecepit, ut abba Uuilliherius,[1] cui ipsa cappella commissa est, diebus vitae suae eam securiter habeat cum omnibus ad eam pertinentibus; nec ullus inde ei quicquam auferre praesumat, sicuti regiae partis tunc in beneficium habere visus fuit, cum omnibus praescriptis et iure ac legitime ad ea pertinentibus, in decimationibus seu aliis appenditiis. Nos igitur paternae traditioni consentientes, iussimus fieri hoc nostrae consensionis conscriptum, per quod volumus atque praecipimus, ut sicut pius genitor noster praescripta omnia constituit atque firmavit, ita deinceps firmata et stabilita permaneant, absque ullius contradicentis aut inquietantis obstaculo. Et ut haec nostrae consensionis auctoritas firmior habeatur, et per futura tempora a fidelibus nostris melius credatur et diligentius observetur, manu propria nostra subter eam fir[mavim[b]]us et anuli nostri impressione assignari iussimus.

 Signum Hludouuici (M  ) serenissimi regis. Arnolfus cancellarius ad vicem
    Liutberti archicappellani recognovi et s. . (S. R.)

                  (L. S.)

  Data XV. kal. decembr. . Anno dominicae incarnationis DCCCLXXX, indictione XIII. Anno V. regni Hludouuici serenissimi regis. Actum Franconofurt, in dei nomine feliciter. Amen.

*Or. Pgmt. mit durchgedrücktem Siegel. Paris, Bibliothèque Nationale. Nach einer von Prof. Mühlbacher in Wien freundlichst zur Verfügung gestellten Abschrift von Perls nach dem Or., collationirt durch Prof. Dopsch.*

*Gedr.: Hontheim, I, 218, Martene, Coll., II, 211, B., 3 nach Abschrift Bodmanns aus dem Or. . Verz.: Scriba, I nr. 180, II nr. 217, III nr. 853. B.-M. Reg. Nr. 1528 Vergl. Lersner, I² 104, Kirchner, I, 610, Wetteravia, I¹, 20.*

**8.** *Karl der Dicke beurkundet, dass sein Vater Ludwig der Deutsche der königlichen Salvatorskapelle zu Frankfurt genannte Güter geschenkt und bestätigt, zwölf Kleriker daselbst verordnet und verfügt habe, dass Abt Williher die gedachte Kapelle lebenslänglich zu Lehen behalten solle, welchen sämmtlichen Satzungen er seine Genehmigung ertheilt, und ausserdem noch der gedachten Kapelle die Nona von den königlichen Villen Frankfurt, Tribur, Ingelheim, Kreuznach, Lautern, Gernsheim, Nierstein, und was zu Worms aus den Vogesen gehörig ist, verleiht. Frankfurt, 882 December 2.*

 C. In nomine sanctae et individuae trinitatis. Karolus divina favente clementia imperator augustus. Notum esse volumus cunctis[c] fidelibus sanctae dei aecclesiae[d] et nostris praesentibus[e] scilicet et futuris, qualiter piissimus[f] genitor noster ob amorem domini et pro suae mercedis augmento tradidit traditasque firmavit quasdam res proprietatis suae ad capellam suam ad Franconofurt,[g] quae[h] est constructa in honore salvatoris domini nostri Jesu Christi; hoc est: illam capellam ad Kuffstein[i], et illud

---

a) *Verbessert aus „loca" von derselben Hand und Tinte.* b) *Flecken im Pgmt.* c) *„cunctis" fehlt* (γ). d) ecclesiae (γ) *ebenso weiterhin* „ecclesia". e) presentibus (γ) f) pius (γ). g) Franchonofurt (β, γ). h) *Ursprünglich* „qua est". i) Cufstein (β, γ).

[1] *„*Williheri, abbas Francofurt cappellanus," *wird in den Libri confrat. s. Galli, Mon. Germ. 4° S. 35/36. genannt. (880).*

monasterium ad Ursella, et illam aecclesiam[a] in villa, quae[b] dicitur Steti, et illam aecclesiam[a] ad Plagestat //, et illam villam,[c] quae dicitur[d] Pargilla, cum aecclesia[a] et decima ad eam pertinente, sicut eam Ruotkerus[e] in beneficium habuit, et illam aecclesiam[a] ad Sprendilingun[f] cum manso ad eam pertinente,[g] et illam aecclesiam[a] ad Biscofesheim cum omni decimatione, cum mancipiis et terris ad eam pertinentibus, et quicquid Ruotkerus[e] habuit // in Seckibah,[h] et illam[i] aecclesiam[a] ad Sueinheim[k] cum omni decimatione, cum mancipiis et terris ad eam pertinentibus, et tres mansos ad Gelstrebah,[l] et illam capellam ad Nerinstein[m] cum omnibus ad eam pertinentibus, sicut eam Aaron[n] ibi in beneficium habuit, et illam villam, quae[o] dicitur Kadelcamf,[p] cum omnibus appenditiis,[q] et illam capellam in Bunna, et sicut Heririh[r] in beneficium habuit in Osterenaha,[s] et quod Ruodlind[t] ad ipsam capellam tradidit, scripto confirmavit. Has itaque [prae]scriptas res[u] c[um] omni integritate, id est cum omnibus ad eas pertinentibus, in domibus, aedificiis,[v] mancipiis, campis, agris, pratis, pascuis,[w] vineis, silvis, cultis et incultis, aquis, aquarumque decursibus, mobilibus et immobilibus, ad iam dictam capellam pius genitor noster tradidit,[x] ut deinceps perpetualiter ad dei servitium peragendum ib[i[y] per]maneant absque ullius contrarietatis obstaculo; et constituit, ut[z] in eodem loco ad serviendum domino consistant clerici XII, exceptis praesbiteris,[a1] qui in locis illuc pertinentibus domino famulantur, et hi homines[b1] de praescriptis rebus habeant stipendia necessaria, et ab illo abbate, cui ipsa capella commissa fuerit, nulla umquam hostilis expeditio exigatur. Insuper etiam praecepit, ut abba Uuilliherius, cui ipsa capella commissa est, diebus vitae suae eam securiter habeat cum omnibus ad eam pertinentibus, nec ullus inde ei[c1] quicquam auferre praesumat[d1] sicuti regiae partis tunc in beneficium habere visus fuit, cum omnibus praescriptis[e1] et iure ac legitime ad ea pertinentibus in decimationibus seu aliis[f1] appenditiis. Nos igitur paternae traditioni consentientes, iussimus fieri hoc nostrae consensionis conscriptum, per quod volumus atque praecipimus, ut sicut pius genitor noster praescripta omnia constituit[g1] atque firmavit, ita deinceps firmata et stabilita permaneant,[h1] absque ullius contradicentis[i1] inquietudine. Nec non et insuper pro retributione aeternae[k1] beatitudinis augmentamus ad praescriptum sanctum locum nonam[l1] partem de omni conlaboratu, videlicet de annona,[m1] vino, friskingis[n1] et argento[o1] et in quibuscumque rebus sit,[p1] ex nostris indominicatis villis, quarum[q1] haec sunt nomina: Franconofurt,[r1] Triburias, Ingilenheim, Crutcinacha,[s1] Lutra, Gerinesheim,[t1] Neristein[u1] et quicquid pertinet ad Uuormacia et ex partibus Vosagi.[v1] Et ut[w1] haec auctoritas nostrae confirmationis et concessionis[x1] inviolabilem in dei nomine optineat[y1] firmitatem, manu propria subter eam firmavimus et anuli nostri impressione assignari[z1] iussimus.

   ⁑ Signum domni Karoli (M.) serenissimi imperatoris. ⁑

a) ecclesiam (β), eclesiam (γ).   b) „quę“ (γ).   c) *In* (γ) *steht* „illam villam“ *auf Rasur von anderer Hand, an Stelle des* „i“ *in* „illam“ *stand ehemals ein* „ę“. d) „quae dicitur“ *fehlt in* γ. e) „Ruotgerus“ (γ). f) „e“ *aus* „i“ *corrigirt* (γ).   g) „cum illo manso qui ad eam pertinet“ (β). h) „in villa Seckibach“ (β), „in villa Seggibah“ (γ). i) „illam“ *fehlt* γ).   k) „Suinheim“ (β). l) „Gelstrebach“ (β). m) „Nerenstein“ (β γ). n) „Aaro“ (γ).   o) „que“ (γ).   p) „Kadelcamph“ (γ).   q) „appendiciis“ (β, γ). *In* „γ“ *ist hier eingeschoben* „et illam ęcclesiam in villa, quae dicitur Uochenheim, cum omnibus ad eam pertinentibus.“ r) „H[er]rih“ (β).   s) „Hosterenaha“ (γ).   t) „Ruotlind“ (β, γ).   u) *Loch im Pgmt.* . v) „edificiis“ (γ). w) „paschuis“ (γ).   x) „tradidit atque transfudit“ (β, γ).   y) „ib“ (γ).   z) uit (γ).   a1) „presbiteris“ (γ). b1) „omnes“ (γ).   c1) „ei inde“ (γ).   d1) presumat“ (γ).   e1) „prescriptis“ (γ).   f1) „alii (!)“ (γ).   g1) „constitni“ (!) (γ). h1) „permaneat“ (β).   i1) „contradicentis aut inquietantis obstaculo“ (β, γ). k1) „aeternę“ (β). l1) „n[ona]m“ (γ). m1) „anona“ (β). n1) „freskingis, foeno et“ (β), „fresgingis, foeno et“( γ). *Das erste* „s“ *ist aus* „c“ *corrigirt* (γ). o1) „et argento“ *steht in* β *mit anderer Tinte in einer Lücke.* p1) *Die Worte* „et in — sit“ *fehlen in* β *und* γ. q1) „quorum (!)“ (β, γ).   r1) „Franchonofurt“ (β).   s1) „Chruolnacho“ (β). t1) „Kerinesheim“ (β).   u1) „Neristein“ *fehlt in* β *und* γ.   v1) Uosige (β). *Bei* γ *lautet die ganze Stelle abweichend:* „Franchonofurt cum locis illuc pertinentibus, Triburias et villis illuc pertinentibus, Ingilenheim cum locis illuc pertinentibus, Cracenacho similiter, Luittra similiter, Kerinesheim similiter et quicquid pertinet ad episcopalem sedem in Uuormacia, ex partibus Uuosagi“. w1) „ut“ *fehlt in* γ. x1) „haec auctoritas nostrae confirmationis concessionisve inviolabilis (β) „hęc nostrae confirmationis auctoritas concessionisve inviolabilis“ (γ).   y1) „obtineat“ (β, γ).   z1) „sigillari“ (β, γ).

Uualto[a] cancellarius ad vicem Liutuuardi[b] recognovi (S. R.)  (L. S.)

Data IIII. non. decb. .[c]  Anno incarnationis domini DCCCLXXXII,[d] indictione XV.,[e] anno[f] imperii piissimi imperatoris Karoli II.[g]  Actum Franconofurt[h] curte imperiali, in dei nomine feliciter.  Amen.

> *Von dieser Urkunde gab es vier Ausfertigungen, von denen α und β sich jetzt im Stadtarchiv zu Frankfurt befinden, die dritte, am meisten abweichende, γ, war früher in St. Maximin bei Trier, jetzt in Paris, die vierte, δ, früher ebenfalls in St. Maximin, scheint verloren. Diese letzte Ausfertigung soll nach Hontheim Hist. Trev. I, 49 mit „α" übereingestimmt haben. Alle drei erhaltenen Originale, (von γ. stand mir eine Abschrift Pertzs nach dem Or., collationirt durch Dopsch, durch freundliche Vermittlung Mühlbachers zur Verfügung) tragen das durchgedrückte Siegel des Kaisers (M 2). Der Druck ist hier nach α erfolgt. Die Varianten von β. und γ. sind in den Anmerkungen wiedergegeben.*
>
> *Gedr.: Lersner, II², 104 (α), Müller, Barth.-St., 160, Kirchner, I, 613, Guden, Cod. Dipl., I, 2. (α), Buri, Wildbann Dreyeich Beil. No. 51., B., 5 (α), Grotefend. Festgabe für Euler, 1884, 9, Auszug: Sauer, I, 32, Reimer, I, 18. Das Or. α ist abgebildet bei Sybel und Sickel, Kaiserurkunden, Lief. VII, Tafel 16, und bei Grotefend l. c.*
>
> *Verz.: B.—M. Reg. No. 1602.  Vgl. auch Bresslau, Westdeutsche Zeitschr., V, 24.*

**9.** *Otto II schenkt seinem Getreuen Otbrecht zur Belohnung seiner Dienste die dem Gerricus zu Gunsten des Fiscus abgesprochene Besitzung Reiskirchen in Hildilins Grafschaft und im Lahngau gelegen.  Frankfurt, 975 Mai 24.*

C § In nomine sanctae et individuae trinitatis, Otto divina favente clementia imperator augustus.  Noverit industria omnium fidelium nostrorum § tam presentium quam et futurorum, qualiter nos ob interventum Hildilini comitis fideli nostro Otbrehto nominato quandam nostrae proprietatis partem, quam // antea quidam Gerricus[i] tenuit et modo iuste in nostrum fiscum diiudicatum[k] est, hoc illi nunc pro recompensatione eius digni servitii concedimus // firmiterque donamus, proprietatem quippe Richolveschiricha nominatum[k] in comitatu Hildilini comitis et in pago Logenahe situm cum utriusque sexus mancipiis, aedificiis, terris cultis et incultis, pratis, pascuis, silvis, aquis, aquarumve decursibus, exitibus et reditibus, molendinis, mobilibus et inmobilibus, quesitis et inquirendis.  Eo videlicet tenore, ut libero ipse deinceps perfruatur arbitrio hęc tenendi, dandi, vendendi, commutandi vel quicquid voluerit inde faciendi.  Et ut haec nostrae donationis auctoritas firma stabilisque permaneat, hoc presens preceptum conscribi iussimus anulique nostri inpressione signatam manu propria subtus eam firmavimus.

§ Signum domni Ottonis (M) imperatoris augusti. §

§ Folgmarus cancellarius vice Uuilligisi archicappellani notavi. §  (L. S.)  (S. R.)

Data VIIII[l] kl. iun., anno dominice incarnationis DCCCLXXV, indictione II, anno vero regni domni Ottonis XIIII, imperii VII.  Actum Frakanafort.

> *Or. Pgmt. Das durchgedrückte Siegel ist stark beschädigt. St. A. Fr. Barth. St. No. 3.*
> *Gedr.: Würdtwein Nova Subsidia, XII, 6., B., 7 nach dem Or., Mon. Germ. Diplom. O. O. No. 102.*
> *Verz.: B., Reg. No. 487, Stumpf, No. 649, Scriba, II No. 232.*

---

a) „Uualdo" (β, γ).  b) „ad vicem Liutuuardi archicancellarii recognovi et" (β)  *Ebenso, aber* „recognovit et" (γ).  c) „Data III id. decb." (γ).  d) „DCCCLXXXI" (γ).  e) „XIV" (γ).  f) „anno vero imperii" (β, γ).  g) „I" (γ).  h) „Franchonofurt (β, γ).  i) *In ursprünglich gelassener Lücke nachgetragen, die dadurch nur zu einem Drittel ausgefüllt ist.*  k) *So!*  l) *Ursprünglich VI.*

**10.** *Otto II bestätigt auf Bitte des Erzbischofs Willigis von Mainz der königlichen Salvatorskapelle zu Frankfurt das von König Karl dem Dicken am 2. December 882
ertheilte Privileg und gestattet den Chorbrüdern dieser Kapelle sich aus dem Reichs-
forste Dreieich mit dürrem Holze zu versehen. Ingelheim, 977 April 12.*

## I

C⸭ In nomine sanctae et individuae trinitatis. Otto divina favente clementia imperator augustus. Notum esse volumus cunctis fidelibus sanctae dei aecclesiae[a] et nostris presentibus scilicet ac futuris, qualiter Uuilligisus Mogontine sedis archiepiscopus nostris obtutibus quoddam preceptum Karoli imperatoris ⸭ repręsentans,[b] ut traditas res in eodem precepto conscriptas nostra[c] imperiali auctoritate confirmando recuperaremus, imploravit, quas Ludowicus[d] imperator pro aeternę mercedis spe ad cappellam suam in loco Franconofurt[e] in honorem salvatoris domini nostri Jesu Christi constructam // tradidit traditasque firmavit, hoc est illam cappellam ad Kufstein,[f] et illud monasterium ad Ursellam, et illam aecclesiam in villa, quę dicitur Steti, et illam aecclesiam ad Plagestat, et illam cappellam ad Nerinstein cum omnibus ad eam pertinentibus, sicut eam Aaron ibi in beneficium habuit, // et illam villam, quę dicitur Pargilla, cum ęcclesia et decima ad eam pertinente, et illam aecclesiam ad Sprendilingun cum manso ad eam pertinente, et illam aecclesiam ad Piscofesheim cum omni decimatione cum mancipiis et terris ad eam pertinentibus, et quicquicquid[g] Ruodkerus habuit in Seckinbah, et illam aecclesiam ad Sueinheim cum omni decimatione cum mancipiis et terris[h] ad eam pertinentibus, et tres mansos ad Gelstrebah, et illam villam, que dicitur Kadelcamf, cum omnibus appenditiis, et illam cappellam in Bunna, et sicut Heririh in beneficium habuit in Osterenaha, et quod Ruodlind[i] ad ipsam cappellam tradidit[k] et scrpto[l] confirmavit. Has itaque praescriptas res cum omni integritate, id est cum omnibus ad eas pertinentibus in domibus, aedificiis, mancipiis, campis, agris, pratis, pascuis, vineis, silvis, cultis et incultis, aquis, aquarumque decursibus, mobilibus et inmobilibus et[m] iam dictam cappellam prefatus[n] imperator

## II

C⸭ In nomine sanctae et individuae trinitatis. Otto divina favente clementia imperator augustus. Notum esse volumus cunctis fidelibus sanctae dei ecclesiae nostris presentibus scilicet et futuris, ⸭ qualiter Uuilligisus Mogontinae sedis archiepiscopus nostris obtutibus quoddam preceptum Karoli imperatoris representans, ut traditas res in eodem precepto conscriptas nostra imperiali auctoritate confirmando recuperaremus, imploravit,[a] quas Loduunicus imperator pro ęternę mercedis spe ad capellam suam Franconeuurt in honorem // salvatoris domini nostri Jesu Christi constructam tradidit traditasque firmavit, hoc est illam capellam ad Kufstein cum decima et terris ad eam pertinentibus, et illud monasterium ad Ursellam cum omnibus utensilibus illuc pertinentibus, et illam ęcclesiam in villa, que dicitur Stetin, et illam ęcclesiam ad Plagesstat, et illam capellam // ad Nerestein[b] cum omnibus ad eam pertinentibus, et illam ęcclesiam in Uuechenheim cum decima, et illam villam, quę dicitur Pargilla, cum ęcclesia et decima ad eam pertinente, et illam ęcclesiam ad Sprendelincon cum terris et decima ad eam pertinentibus, et illam ęcclesiam ad Biscovesheim cum decimatione et terris ad eam pertinentibus, et tres mansos in Siccenbach cum vineis, et illam ęcclesiam ad Sueinheim cum omni decimatione et terris ad eam pertinentibus, et tres mansos ad Gelstrebach cum utensilibus, et illam villam, quę dicitur Cadelcanf, cum omnibus apenditiis, et illam capellam in Bonna, et illam ęcclesiam in Osternaha cum decima et terris, et quod Ruotlint ad ipsam capellam in Ovenbach tradidit et scripto confirmavit, et tres mansos in Franconovurt[c] cum omnibus utensilibus illuc pertinentibus. Has itaque prescriptas res cum omni integritate, id est cum omnibus ad eas pertinentibus in domibus, ędifitiis, mancipiis, agris,

---

a) *Or. „aecclae" ohne Abbreviaturzeichen.* b) *„repre" auf Rasur.* c) *„a" verbessert aus „o".* d) *Verbessert über Rasur von späterer Hand aus „Karolus" (?).* e) *Das zweite „o" über der Zeile sofort zugefügt.* f) *„Kuf" auf Rasur.* g) *So!* h) *Das zweite „r" über der Zeile sofort hinzugefügt.* i) *Das letzte „d" aus „t" verbessert.* k) *„dit" über Rasur.* l) *So! für „scripto"* m) *So! für „ad"* n) *„p" verbessert aus „k".*

a) *„loravit" auf Rasur.* b) *„erest" auf Rasur.* c) *„co" über der Zeile.*

tradidit, ut deinceps perpetualiter ad dei servitium peragendum illuc permaneant absque ullius contrarietatis obstaculo, et constituit, ut in eodem loco ad serviendum domino consistant clerici XII, exceptis prespiteris, qui in locis illuc pertinentibus domino famulantur, et hi omnes de praescriptis rebus habeant stipendia necessaria, et ab illo abbate, cui ipsa cappella commissa fuerit, nulla umquam hostilis expeditio exigatur. Nos igitur praememorato archiepiscopo eiusque petitioni assensum[a] praebentes et insuper ad communem utilitatis usum fratribus in iam dicto loco deo famulantibus arida et infructuosa ligna[b] in nostro foresto Trieich nuncupato supernę remunerationis inspectu, ministerialium nostrorum omni molestia remota, prout[c] illis necesse sit, perpetualiter concedentes, iusimus[d] hoc nostrę confirmationis vel concessionis fieri conscriptum, per quod volumus firmiterque iubemus, ut sicut ille iam dictus imperator prescripta omnia constituit atque firmavit, ita deinceps firmata et stabilita permaneant absque[e] ullius contradicentis inquietudine. Quę vero in eodem invenimus precepto Karoli imperatoris pro ęternę beatitudinis spe ad prescriptum locum eius audagta[f] concessione, id est nonam partem de omni conlaboratu, videlicet de annona, friskingis, vino et argento et in quibuscumque rebus sit, ex[g] nostris indominicatis villis, quarum hęc sunt nomina: Fraconofurt,[h] Triburias, Ingilenheim,[i] Krucinacha, Luttera, Gerinesheim, Sueinheim;[k] Nerinstein, et quicquid pertinet ad Uuormaciam et ex partibus Vosagi, tam firma et stabilita ut predicta iussimus et hec volumus permanere. Et ut hęc auctoritas nostrę confirmationis et concessionis inviolabilem in dei nomine obtineat firmitatem, manu propria subter eam[l] et anuli nostri inpressione assignari iussimus

⁙ Signum domni Ottonis invictissimi (M) imperatoris augusti. ⁙

⁙ Egbertus cancellarius ad vicem Uuilligisi archicapellani notavi. ⁙   (L. S.)

Datum II. id. arr.,[m] anno dominicę

campis, areis, pratis, pascuis, vineis, silvis, cultis et incultis, aquis, aquarumque decursibus, mobilibus[a] et inmobilibus ad iam dictam[b] capellam prefatus imperator tradidit, ut deinceps perpetualiter ad dei servitium peragendum illuc permaneant absque ullius contrarietatis obstaculo; et constituit, ut in eodem loco ad serviendum domino consistant clerici duodecim,[c] et hi omnes [de prescriptis rebus habe]ant stipendia necessaria, et ab illo abbate, cui ipsa capella commissa fuerit, nulla umquam hostilis expeditio exigatur. Nos igitur preme[d] [morato archiepiscopo eiusque peti]cioni assensum prebentes et insuper ad communem utilitatis usum fratribus in iam dicto loco deo famulantibus arida et infructuosa ligna in nostro voresto Trieich nuncupato supernę remunerationis inspectu, ministerialium nostrorum omni molestia remota, prout illis necesse sit, perpetualiter concedentes, iussimus hoc nostrę concessionis vel confirmationis fieri conscriptum, per quod volumus firmiterque iubemus, ut sicut illę iam dictus imperator prescripta omnia constituit adque[e] firmavit, ita deinceps firmata et stabilita permaneant absque ullius contradicentis inquietudine, quę vero in eodem invenimus precepto Karoli imperatoris pro ęternę beatitudinis spe ad prescriptum locum eius audacta concessione, [i]d est nonam partem de omni conlaboratu, videlicet de annona, vino, frisgingis, feno, denariis, et in quibuscumque rebus sit, ex nostris indominicatis villis, quarum hęc sunt nomina: Triburias cum omnibus ad eam pertinentibus, Ingelenheim cum omnibus apenditiis, Krucinacha similiter, Lutera cum omni[b]us ad eam pertinentibus, Gerinesheim, Sueinheim, Neristein cum omnibus adiacentiis, in Franconevurt quoque cum omnibus locis illuc pertinentibus nonam partem et decimam, ex foresto nostro Trieich nuncupato nonam partem et decimam de denariis, frisgingis et in omnibus utensilibus, et quicquid pertinet ad Uuormatiam et ex partibus Vosai,[e] tam firma et stabilita ut predicta iussimus et hęc volumus permanere. Et ut hęc auctoritas nostrę confirmationis inviolabilem in dei nomine obtineat

---

incarnationis DCCCCLXXVII., indic. IIII.,
anno regni* domni imperatoris XVI., imperii vero X. . Actum Ingilenheim, feliciter.

*Or. Pgmt. Das durchgedrückte Siegel ist gut
erhalten St. A. Fr. Barth. St. No. 2 ª.*

firmitatem, manu propria subter eam firmavimus
et anuli nostri inpressione assignari iussimus.

⸓ Signum domni Ottonis (M) imperatoris augusti. ⸓

⸓ Egbertus cancellarius advicem Uuilligisi archicappellani notavi. ⸓  (L. S.)

Datum II. id. apr., anno dominice incarnationis DCCCCLXXVII., indict. IIII.,
anno regni domni inperatoris(!) XVI., imperii vero X. . Actum Ingelenheim, feliciter.

*Or. Pgmt.  ib No. 2 ᵇ.*

*Gedr.: Ausfertigung I · Lersner, II ᵇ, 166 nach Cartular = Buri, Dreyeich UB. 62 No. 37,
Müller, Barth.-St., 162 nach dem Or., ebenso Würdtwein, Dioec. Mog., II, 415, B., 8
mit den Varianten von Ausfertigung II, Bresslau, Dipl. Centum, 14 No. 11, Mon.
Germ. Dipl. II, 170 ff.*

*Verz.: B., Reg. No. 519, Stumpf, No. 700.*

*Ausfertigung II: Lersner I ᵇ 105 zu 974 nach Lehmann und II ᵇ 165 nach Cartular
zu 870 = Buri, Dreyeich, UB 63 nr. 38 zu 970, Würdtwein, l. c. II, 412 nach dem
Or. zu 974. Bresslau l. c. 14, nr. 12, und Mon. Germ. l. c.*

*Ich habe das Verhältnis der Ausfertigung I zu der Vorurkunde (oben No. 8 β) nach dem
Vorgange Sickel's durch Petitdruck sichtbar gemacht. Die Ausfertigung II erklärte Böhmer
für eine Fälschung, nach Sickel ist sie eine echte Wiederholung der Ausfertigung I in
der königlichen Kanzlei, bei der auch das Exemplar γ, bez. dasjenige, was es mehr bot,
berücksichtigt wurde. Ich möchte trotzdem darauf hinweisen, dass es bei dieser Erklärung
noch immer unsicher bleibt, woher die zwei Stellen, wo es sich um Besitzungen in Frankfurt handelt, in die Ausfertigung II gekommen sind, da für sie γ kein Gegenstück bietet.
Die Urkunde scheint bei der weittragenden Bedeutung dieser Einschiebsel, wenn auch
formell echt, doch zu den erschlichenen Urkunden zu gehören.*

**11.** *Otto II. schenkt dem Bischof Hildebold von Worms, seinem Kanzler, einen an der West-
seite des Reichspalastes zu Frankfurt gelegenen Porticus. Frankfurt, 979 Februar 8.*

In nomine sancte et individue trinitatis. Otto divina favente clementia imperator
augustus.    Notum sit omnibus fidelibus nostris presentibus scilicet atque futuris,
qualiter nos ob petitionem et interventum dilecte coniugis nostre Theophanie
fideli nostro Hildiboldo videlicet Wormatiensis ecclesie venerabili episcopo, simul etiam
nostre maiestatis publico cancellario, in loco nostro Franconofurt nominato porticum
quandam, palatio nostro acclinem occidentali plaga sitam, in proprietatem donavimus
extraque eandem porticum, per quam gradatim ascensus et descensus est in palatium,
quantum capi potest undique secus spatio XX pedum ad augmentandum ipsius porticus
edificium, devotioni illius insuper concessimus, ea videlicet ratione, ut quotienscumque
loco superius nominato regia vel imperialis collocutio aut sollempnium dierum celebratio
contingat, ipse prefatus pontifex Hildiboldus ac noster fidelis cancellarius ob frequens
ministerium, quod benigno studio nobis sepius impendebat, commodam sibi suique
successores perpetuam ibi mansionem in memoriam nostri nominis habeant.  Et ut
hec nostre traditionis condonatio firmior in futuris temporibus ac stabilior a cunctis
credatur, hoc nostre auctoritatis preceptum inde conscribi ac manu propria subtus
notatum sigilli nostri inpressione iussimus insigniri.

Signum domni Ottonis invictissimi imperatoris augusti.

Hildiboldus episcopus et cancellarius advicem Willigisi archicapellani recognovi.

---

*ª) „r" aus „v" verbessert.*

Data VL. id. febr., anno dominice incarnationis DCCCCLXXVII,[a] indictione VI., anno vero regni secundi Ottonis XVII, imperii autem XVI., actum Franconofurt, in dei nomine feliciter, amen.

*Gedr.: Mon. Germ, Dipl., II, 207 nach Copie in einem Kartular aus der Mitte des 12. Jahrh in der Königl. Bibliothek zu Hannover. Hier wiederholt. B. benutzte zu seinem Drucke (S. 10) den älteren Druck Schannat's, Hist. Wormatiensis, II, 25 mit Hinzuziehung der oben genannten Copie.*

*Verz.: B., Reg. No. 540, Stumpf, No. 734　Vgl. Fichard, Entstehung, 19.*

**12.** *Otto II schenkt zum Seelenheil seiner Tochter der grösseren, dem Salvator geweihten Kapelle zu Frankfurt die Kapelle der heiligen Marcellin und Peter (zu Seligenstadt) nebst dem Kleriker Otmar und seinem Besitzthum.　Tribur, 980 October 8.*

C ¦ In nomine sanctae et individuae trinitatis. Otto divina favente clementia imperator augustus. Notum sit omnibus nostris fidelibus presentibus ac futuris, ¦ qualiter nos ob divino intuitu[a] ac pro anima filię nostre ad maiorem capellam, quę et[b] constructa in Franconofurt ac dedicata in honore salvatoris domini nostri Jesu Christi, donavimus // illam capellam, quę et[b] consecrata in honore sanctorum Marcellini et Petri, cum omnibus ad eam pertinentibus, terris cultis et incultis, mancipiis, pratis, pascuis, silvis, aquis, aquarumque decursibus, molendinis, mobilibus et inmobilibus, et Otmarum clericum cum omni adquisitu suo, et aream, in qua ipse clericus habitat. Et ut hoc nostre concessionis preceptum firmum stabileque permaneat, sigillo nostro sigillare iussimus et propria manu subtus firmavimus.

¦ Signum domni Ottonis (M) imperatoris augusti. ¦ (L. S.)　(S. R.)

¦ Hildibaldus episcopus ac cancellarius advicem Uuilligisi archicapellani notavi. ¦

Data VIII idus octobris. Anno dominicę incarnationis DCCCCLXXX. Regni Ottonis secundi XX, imperii vero XIII.　Indic. VII.　Actum Triburie.

*Or. Pgmt. Das durchgedrückte Siegel ist nur zur Hälfte erhalten. St. A. Fr. Barth. St. No. 4.*

*Gedr.: Lersner, I[b], 105 nach Lehmann, Würdtwein, Dioec Mog., II, 417 nach dem Or. , B., 11. desgl, Mon. Germ., Diplom., II, 257 desgl. .*

*Verz.: B., Reg. No. 570. Stumpf, No. 775　Scriba, I No. 211. Vgl Fichard, Archiv, I, 280, Steiner, Seligenstadt, 87.*

**13.** *Otto III. schenkt seinem Vetter Otto den Wasgauforst und den Hof Kaiserslautern, unter Vorbehalt des Zehnten und Neunten für die Kirchen zu Worms und Frankfurt.*
„Forastum nostrum Vuasago nuncupatum et curtem Luthara nominatam in pagis Vuormazuelde et Nachgouue dictis atque in comitatibus Ceizolfi et Emichonis comitum sitam, exceptis decimis, quae pertinent ad aecclesiam Vuormaciensem, et nonis, quae pertinent ad Franconofurt." *Mühlhausen, 985 Februar 6.　(VIII idus febr.)*

*Bester Druck: Mon Germ. Diplom., II, 405.*

*. Verz.: Stumpf, No. 880.*

**14.** *Otto III. schenkt den Chorbrüdern des heiligen Salvators im Castell Frankfurt und ihrem Abt Obbert die königliche Fischereigerechtigkeit im Mainfluss, dergestalt, dass alle Fische, welche Freitags gefangen werden, den Beschenkten gehören sollen. Frankfurt, 994 Mai 9.*

C ¦ In nomine sanctae et individuae trinitatis. Otto divina favente clementia rex. Omnium fidelium nostrorum tam praesentium quam et futurorum piae devotioni ¦

a) *So!*　b) *So! für „est".*

pateat, quemadmodum nos pro remedio nostrae et animarum parentum nostrorum, avi videlicet et eius aequivoci Ottonis genitoris nostri // imperatorum augustorum,[a] et elemosina beatae memoriae genitricis nostrae Theophanu imperatricis augustae, et[b] maxime ob ho[c, ut in qualibet sext[c]a feria per totum annum nobis communiter missam celebrent cum hostiarum oblationibus, et im[d] psalteriis cęterisque orationibus, insuper cotidie septem horis diei totidem psalmos[e] decantantes, fratribus, qui sancto // salvatori in castello nostro Frankonovurt nominato die noctaeque[f] serviunt, et Obberto abbati, quibus ipse praesidet, suisque successoribus dedimus omnem piscationem, quae ad nostrum regium ius pertinet in flumine Moynus vocato, a quibuscumque piscatoribus nostris sive aliis in sexta feria, hoc est die Ueneris, per totam noctem et diem illum aliqui pisces aliqua arte sive retibus sive hamo seu neste, quod vulgariter riusam vocant, capi possunt. Ea videlicet ratione, ut omnes piscatores per hanc nostram praeceptionem cum ratione deferant ad ius abbatis et fratrum pisces, quos praedicto die et nocte Ueneris aliqua arte[g] comprehendere possunt, sicut antea soliti fuerant ad regiam servitutem pręsentare. Et ut haec nostra donatio praesenti ac futuro tempore firma consistat, hoc praeceptum inde con[scrip[h]]tum si[gi[h]]lli nostri inpressione signare iussimus manuque propria, ut infra videtur, corroboravimus.

    § Signum domni Ottonis (M) gloriosissimi regis. § (L. S.)

    § Hildibaldus episcopus et cancellarius vice Uuilligisi archiepiscopi recognovi. §

Data VII id. mai. Anno dominicae incarnationis DCCCCXCIIII. Indict. VII. Anno autem tertii Ottonis regnantis undecimo. Actum Franconouurt.

> *Or. Pgmt. Das Siegel hat einen Sprung. St. A. Fr. Barth. St. No. 5.*
> *Gedr.: Buri, Dreyeich, U.B. 186, Beilage No. 175 nach dem Or. (?), Würdtwein, Dioec.*
> *Mog., II, 418 nach dem Or., ebenso B., 12 und Mon. Germ. Diplom., II, 554 No. 144.*
> *Verz.: B., Reg. No. 731, Stumpf, No. 1016. Vgl. Sauer I, 48, Fichard, Archiv I, 290,*
> *Entstehung, 18, 22.*

**15.** *Konrad II. verleiht dem St. Ferrutiuskloster zu Bleidenstadt u. a. Zollfreiheit auf dem Rhein und Main, „cum immunitate a theloneo in alveis Reni et Meni". Worms, 1034 Januar 30 (III kal. febr.)*

> *Gedr. u. a.: Stumpf, Acta imp., 47, Sauer, I, 59.*
> *Verz.: Stumpf, No. 2052.*

**16.** *Abgaben des Reichshofes zu Frankfurt für den königlichen Tisch. 1064—65.*

*In dem* „indiculus curiarum ad mensam regiam pertinentium" *heisst es:* „Iste sunt curie, que pertinent ad mensam regis Romani: — Iste sunt curie de Francia circa Rhenum: — item Frankenevort III [regalia servitia]".

*Als Betrag eines jeden Dienstes wird angegeben:* „Tantum dant: XL porcos, VII porcellos lactantes, L gallinas, V vaccas, quingenta ova, X anseres, V libras piperis, nonaginta caseos, X libras cere, IIII carratas vini magnas."

> *Vollständig gedruckt: Mon. Germ., Constit, I, 647 ff.*

**17.** *König Heinrich IV. erklärt in einem den Einwohnern von Worms ertheilten Privileg, dass diese an sämmtlichen königlichen Zollstätten, namentlich auch zu Frankfurt, zollfrei sein sollen.* „Teloneum siquidem, quod teutonica lingua interpretatum est

---

zol, quod in omnibus locis regiae potestati assignatis, videlicet Franchenevurt, Boparten, Hamerstein, Drutmunne, Goslarie, Angere, Judei et coeteri Uuormatienses solvere praetereuntes debiti erant, Uuormatiensibus, ne ulterius solvant zol, remisimus, in principum nostrorum — praesentia firmavimus." *Worms, 1074 Januar 18. (XV kal. febr.)*

*Neuester Druck: Boos, Urkb. der Stadt Worms, I, 47, B., 12. Die übrigen Drucke sind verzeichnet bei Boos, l. c., B., Reg. No. 1859, Stumpf, No. 2770, Scriba, III No. 990.*

**18.** *Kaiser Heinrich V bestätigt der Stadt Worms die Zollfreiheit.* "Teloneum, quod pater noster eis remisit, nos etiam eis remittimus et Judeis ibidem demorantibus et stabili privilegio confirmamus, in omnibus locis imperiali potestati assignatis, si quidem Franchennevort, Boparten, Hamerstein, Drutmunni, Goslarię, Angere et Nuorenberc." *Frankfurt, 1112 October 16. (XVII kal. nov.)*

*Neuester Druck: Boos, Urkb. der Stadt Worms, I, 52.*<br>*Verz.: B., Reg. No. 2024, Stumpf, No 3091, Scriba, III No. 1020.*

**19.** *König Lothar III. schenkt dem Reichsministerialen Konrad von Hagen, sodann der Gattin desselben Liukard, und ihren Erben sieben Mansen im Reichswald Dreieich zwischen Schwanheim[1] und dem Main an der Königsbach, im Waldbann, mit welchem Konrad beliehen ist, gelegen.* "In proprium tradidimus terram quandam estimatione septem mansorum, sitam in regio foresto nostro Driech nuncupato, inter Suinhagen et Mogonum fluvium, iuxta rivum quendam Cuningesbach dictum, in banno foresti nostri predicti, quem idem Cuonradus a manu nostra tenet." *Worms, 1128 December 27. (VI. kal. ian.)*

*Gedr.: B., 13 nach Koeler, Comment. hist. ad priv. Norimb. de castro imper. forestali, 8. Ausserdem nach dem Or.: Simon, Büdingen, III, 4. Verz.: B., Reg. No. 2103, Stumpf, No. 3238, Scriba, I No. 250.*

**20.** *Papst Innocenz II. nimmt das Kloster Ilbenstadt in seinen Schutz und bestätigt seine Besitzungen, darunter* "teloneum vel naulum, quod dilectus filius noster Lotharius imperator bonę memorię Frankenvorde pro animę suę salute donavit." *Lateran, 1139 December 12. (II idus decembris, a. X^{mo}.)*

*Gedr.: Reimer, I, 52 nach Or.-Pgmt. in Ilbenstadt. B., 14 im Auszug nach Würdtwein, Ilbenstadt, 24. Die übrigen Drucke verz. bei Reimer, l. c. und Jaffé, 2 Aufl. No. 8060. Vgl. auch Scriba, II, No. 270.*

**21.** *Aufzeichnung über den Hausbesitz des Heinrich von Rüsselsheim in Frankfurt. c. 1150.*

Hic incipiunt possessiones, quas possidet grangia nostra[2] in Haselach et quas percepit largitione fidelium in hunc modum: Heinricus de Rûcelensheim et mater eius Jûdda collecta manu tradiderunt II mansos ecclesie sanctę Marię in Eberbach, qui sunt hereditaria proprietas et pertinent ad sanctum Albanum. Ut autem sorores Heinrici voluntarie renuntiarent omni iuri sive proprietati, quam ratione hereditaria videbantur habere in eisdem mansis, tali recompensatione redemit domina Jûdda hoc predium a filiabus suis. Curiam quandam, quam habebat in Frankenvûrt, vendidit Eberhardo Albo[a] de Hagen, qui erat frater Cunradi et Dragebodonis, et de pecunia

a) *Ueber der Zeile von anderer Hand „Rufo".*

---

[1] *Nach Grotefend „die untere Schweinstiege" (?).*      [2] *D. h. des Klosters Eberbach.*

illa sive precio filiabus suis recompensavit proprietatem hereditariam huius possessionis, et abrenuntiaverunt bonis istis coram iudicio et civibus suis. Heinricus quoque et mater eius plus quam XX annos secure possidere fecerunt ecclesiam nostram predictos mansos sine calumpnia et reclamatione, antequam Heinricus ad conversionem veniret.

> *Oculus Memoriae I, f. 75 a.  St. A. Wiesbaden.*
> *Gedr.: Wenck, Hess. Gesch., Urkb., II, 102 zu 1150—55.*

**22.** *Heinrich, Erzbischof von Mainz, beurkundet die Stiftung des Klosters Aldenburg, wobei Liegenschaften in der Nähe von Frankfurt genannt werden:* „[Cunradus de Hagen et Liutgardis] tradiderunt . . vineam unam Berge iuxta Ennicheim, quam emerunt a Folmaro de Frankenfurt, . . . in novo rure, qui dicitur Rode, iuxta Frankenfurt VII mansos etc." *1151 (vor März 13).*

> *Gedr.: Rossel, I, 29. Auszug: B, 14, Reimer, I, 62.*
> *Verz.: Scriba II No. 281, Will, Mainz. Reg., XXVIII. No. 136.*

**23.** *Kaiser Friedrich I. hebt nach dem Spruch des Fürstenrathes alle Mainzölle zwischen Bamberg und Mainz auf, mit Ausnahme derer zu Neustadt, Aschaffenburg und Frankfurt.* „Nos ex iudicio principum omnia thelonea a Babenberc usque Maguntiam perpetualiter dampnavimus. Exceptis tribus, quorum unum est apud Nuwestat, semper in mense augusto per VII dies ante assumptionem sanctę Mariae et VII post, et dantur de singulis novis navibus singuli IIII^or denarii, et apud Ascaffenburc similiter, tercium theloneum est apud Frankenfort, quod est imperiale. Ad tollendam itaque omnis inconsueti thelonei occasionem seu nefandę exactionis insolentiam, imperiali auctoritate precipimus, ut mercatores per Mogum ascendentes seu per ripam fluminis, quę via regia esse dinoscitur, funes trahentes, nullus umquam occasione thelonei aut aliter quomodolibet inquietare presumat." *Worms, 1157 April 6. (VIII id. apr.)*

> *Gedr.: B., 15 nach Schultes, Histor. Schriften, 362. Neuester Druck: Mon. Germ., Constit. I, 225 nach Or. im Reichsarchiv München.*
> *Verz.: B., Reg. No. 2370, Stumpf, No. 3767, Scriba, III No. 1100. Regest.: Sauer, I, 173.*

**24.** *Derselbe bestätigt dem Kloster Ilbenstadt, u. a. den Zoll zu Frankfurt.* „Preterea theloneum in Franckenfurt, quod eisdem fratribus a predecessoribus nostris donatum est, et nos perpetim indulgemus." *Frankfurt, 1158 [März].*

> *Gedr.: Guden, Sylloge, 570, Würdtwein, Ilbenstadt, 48.*
> *Verz.: B., Reg. No 2396, Stumpf, No. 3805. Vgl. Orth, Reichsmessen, 167, Note 6, Frankf. Arch. II, 61.*

**25.** *Derselbe verleiht den Bewohnern von Amberg und Bamberg die Zollfreiheit der Nürnberger.* „Sanccimus, ut negociatores Babembergenses et Ambergenses sive alii ad predictam ecclesiam pertinentes . . . ., quod a nostris Nurembergensibus non exigitur, nusquam locorum ab illis exigatur, tributi aut vectigalis aut cuiuslibet alterius prestationis nomine." *Nürnberg, 1163 März 13 (III idus marcii.)*

> *Gedr.: Fries, Pfeifergericht, 203, Mon. Boica XXXI^a, 416.*
> *Verz.: Stumpf, No. 3977, B., Reg. No. 2473. Vgl. Frankf. Arch. II, 61.*

**26.** *Kaiser Friedrich I. verleiht den Bürgern von Wetzlar u. a., wenn sie als Kaufleute reisen, gleiches Recht und gleiche Freiheit, wie die Frankfurter haben.* „Preterea auctoritate nostra statuimus, ut prescripti homines nostri in eundo et redeundo cum mercibus suis eodem iure et libertate gaudeant, qua homines nostri de Frankinfurt potiuntur." *Gelnhausen, 1180 April 1 (kal. apr.).*

> Gedr.: Guden, Sylloge, 470, = B., 17.
> Verz.: B., Reg. No. 2623, Stumpf, No. 4300, Görz, Mittelrhein Reg., II No. 439

**27.** *Derselbe bestätigt die Zollfreiheit der Wormser, und bestimmt, dass auch die Bürger der genannten Orte (darunter auch Frankfurt) in Worms zollfrei sein sollen.* „Item — statuimus et, sicut in privilegio predecessoris et proavi nostri Heinrici quarti divi imperatoris indultum legitur, eis auctoritate imperiali confirmamus, ut cives Wormatienses in locis imperio pertinentibus nullum theloneum persolvant, nominatim vero in his: Frankinvurt, Bopardin, Hamirstein, Tramonię, Goslarię, Angere, Numage, Duspurc et in locis reliquis ad imperium spectantibus. Similiter earundem civitatum seu opidorum cives nullum apud Wormatienses theloneum persolvant, ut hec equa vicissitudo inter loca imperio specialiter pertinentia et inter Wormatienses perpetuo inviolata permaneat." *Strassburg, 1184 Januar 3. (III. non. ian.)*

> Neuester Druck nach dem Or. im St. A. Worms: Boos, Urkb. der Stadt Worms, I, 73.
> B., 17 (Auszug), irrthümlich zu 1180 Januar 3. Fries, Pfeifergericht, 201 zu 1183.
> Verz.: B., Reg. No. 2619, Stumpf, No. 4370, Scriba III zweimal No. 1133 und 1134 zu 1180.

**28.** *Derselbe befreit das Kloster Gottesthal von allen Reichszöllen am Rhein und Main.* „Concedimus etiam predicte ecclesie, ut omnia bona sua, que per alveum Reni vel Mogi sursum et deorsum navigio deducuntur, in eis locis, ubi nobis et imperio telonium solvi solet, ab omni huiusmodi exactione libera sint et immunia." *Gelnhausen, 1186 November 28 (IV kal. dec.)*

> Gedr.: Bodmann, Rheingauische Alterth, 177, Sauer, I, 207.
> Verz.: Stumpf, No. 4471, Will, Mainz. Reg., XXX No. 176.

**29.** *König Heinrich VI. verleiht den Bürgern von Gelnhausen Zollfreiheit für das ganze Reich.* „Eis indulgemus, ut per totum imperium transeuntes vel negociantes ab omni theloneo atque exactione liberi et absoluti permaneant." *Frankfurt, 1190 Juli 17 (XVI kalend. augusti).*

> Bester Druck: Reimer, I, 90.
> Verz.: B., Reg. No. 2745, Stumpf, No. 4658, Görz, Mittelrhein. Reg., II No 643.

**30.** *Kaiser Heinrich VI. schenkt dem von dem Reichsministerialen Cuno von Minzenberg zu Sachsenhausen errichteten Hospital das kaiserliche Allodialgut am Frauenwege und gestattet den Hospitalbrüdern täglich einen Wagen voll Urholz aus dem Reichswald Dreieich zu empfangen. Speyer, 1193 März 29.*

‖ Heinricus sextus divina favente clementia Romanorum imperator et semper augustus. ‖ Ad eterni regni premium et temporalis imperii incrementum apud regem regum nobis proficere non am//bigimus, si ad sustentationem pauperum Cristi largam munificentię manum extendere procuraverimus. // Cognoscat igitur tam presens etas fidelium imperii quam successura posteritas, quod nos fide ac devotione dilecti ministerialis nostri Cunonis de Minzenberc diligentius considerata pro salute anime nostre atque memorati Cunonis interventu allodium nostrum in Frowenwege donavimus in perpetuum hospitali, quod dictus fidelis noster Cuno construxit in Sassenhusen prope Franchenfurt iuxta ripam Mogi in honore gloriose genitricis dei Marię. Adicientes et imperiali liberalitate concedentes, quatenus fratres hospitalis omni tempore ad sustentationem pauperum usum lignorum ad unius plaustri vecturam de arboribus, que fructifere non sunt, que in vulgari urhulze appellantur, in nemore nostro Drieihc percipiant. Ad cuius rei certam in posterum evidentiam presentem inde paginam conscribi iussimus et maiestatis nostre sigillo communiri. Testes sunt: Wolfcherus Pattaviensis episcopus, Bertoldus Cicencis episcopus, Sigelous prothonotarius, Cunradus Goslariensis prepositus, Cunradus dux Swevorum, Otto comes palatinus Burgundie, Teodericus comes de Hoestaden, Hermannus comes de Ravensberc, Mauritius comes de Aldenburc, Boppo comes de Wertheim, Godefridus comes de Veingen, Rupertus de Durne, Henricus pincerna de Lutra, Heinricus marscalcus de Callendin, et alii quam plures. Acta sunt hec anno dominice incarnationis M̊. C̊. X̊C̊. I̊I̊I̊., indictione XI.,ᵃ regnante domino Henrico sexto Romanorum imperatore gloriosissimo, anno regni eius X̊X̊I̊I̊I̊I̊., imperii vero tercio.

Datum apud Spiream, quarto kl. aprilis.

*Or. Pgmt. Das Siegel fehlt, nur noch das schwarze Hanfband anhängend. Wien. Deutsch-ordenscentralarchiv. Verz.: Pettenegg No. 5.*

*Gedr.: Fichard, Archiv II, 90 „ex Copia“, B., 18 n. d. Or. .*

*Verz.: B., Reg. No. 2795, Stumpf, No. 4802.*

**31.** *Kaiser Heinrich VI. schenkt dem Frankfurter Schultheiss Wolfram, dessen Frau Paulina und deren Erben den Riederhof bei Frankfurt. 1193 Mai 13.*

Heinricus * sextus * divina favente clementia Romanorum imperator et semper augustus //. Consuevit imperialis clementia devota fidelium suorum obsequia perspicua benignitatis sue mente prospicere // eisque ad meritorum suorum retributionem utilia munificentie sue beneficia liberaliter impertiri. Quapropter // noverit universorum imperii fidelium tam presens etas quam successura posteritas, quod nos sincere devotionis intuitu et ferventis obsequii, quod fidelis sculthetus noster Wolframus de Frankenfort[1] felicis memorie patri nostro F., Romanorum imperatori divo augusto, et nobis a prima iuventute sua indesinenter exhibuit, ipsi et eius uxori Pauline eorumque proli et here-dibus imperiali gratia damus et concedimus curtim illam in Riederin prope Frankenfort cum universis pertinentiis in agris, pratis, pascuis, aquis et silvis ad omnem usum, quem ibi poterunt elaborare. Unum tamen mansum forestem excipimus, de quo censum impositum volumus anno quolibet ab ipsis persolvi. Statuimus igitur et imperiali edicto sanctimus, ut nulla omnino persona, alta vel humilis, ecclesiastica vel secularis, predictum sculthetum W. uxoremque suam P., prolem quoque et heredes eorum in hac maiestatis nostre concessione gravare audeat vel aliquo modo perturbare. Ad cuius rei certam in perpetuum evidentiam presentem inde paginam conscribi iussimus et sigillo nostre maiestatis communiri. Huius reiᵃ testes sunt: Ottho Frisingensis epis-copus, Waltherus Troianus episcopus, Heinricus dux Lovanie, Heinricus marchio

a) *Das l mit dunklerer Tinte nachgetragen.*

[1] *Der Schultheiss Wolfram kommt schon 1189 (v. Sept. 25) als Z. in einer Urk. Eb. Konrads v. Mainz für Kl. Eberbach vor, Rossel, Eberbacher Urkb. I, 89, II, 394, vgl. Will, Mainzer Reg. XXX, No. 213, weiter 1193 Dec. 12 o. T. als Z., in einer Urk. des Abts Heinrich v. Fulda, Grüsner, Beiträge, III, 142, Wenck I, Urkb. 291, 1196 Juli 6, Be-sançon, m. T. als Z., in einer Urk. K. Heinrichs VI. für Kl. Schönau, Guden, Sylloge, 46, Stumpf, No. 5015. 1207 Januar 15 erscheint sein Sohn Johannes als Zeuge in einer Urk. König Philipps. Böhmer, Acta, 201. B—F. Reg. No 138.*

Moravie,[a] Rubertus de Durne, Godefridus de Eppenstein, Cunradus de Luzelenhart, Cûno de Minzenberc cum duobus filiis suis Cûnone et Rûberto, Marquardus dapifer de Annenwilre, Heinricus pincerna de Lutra, et alii quam plures. Data apud Frankenfort. Anno dominice incarnationis M. C̊. XC. III., indictione X.,[a] III. idus maii.

> *Or. Pgmt. Das Siegel Heinrichs VI. hängt an rothen Seidenfäden an. St. A. Fr. Heil. Geist. Hosp. Litt. R No. 1.*
>
> *Gedr.: Böhmer, 19, Lersner, II [b], 46 = Buri, Bannforsten, 67, Beilagen No. 44, Grüsner, Beiträge, III, 142.*
>
> *Verz.: B., Reg. Nr. 2800, Stumpf, No. 4812.*

**32.** *Hezechin, Abt des St. Jacobsklosters zu Mainz, beurkundet, dass er mit Anselm und Bertold von Breungesheim, als den Erben des Bamberger Decans Wilhelm, vor dem kaiserlichen Gericht zu Frankfurt in Bezug auf die streitigen Güter zu Gensen dahin übereingekommen sei, dass diese Güter der gedachten Kirche verbleiben, diese aber den genannten Erben acht Mark zur Entschädigung zahle. 1194 (Mai).*

§ In nomine sancte individue trinitatis. Hezechinus dei gratia abbas sancti Jacobi in monte specioso in Mogontia. § Quoniam in rebus humanis nichil firmum, nichil est stabile, litterarum suffragiis utendum est, ut, quod humana memoria non // retinet, scripture stabilitas omnibus inculcet. Unde tam presentibus quam futuris ad memoriam revocamus, qualiter pię recordationis Willemmus, // Babenbergensis maor(!) decanus, questionem movit super quibusdam bonis in villa Gensen, pertinentibus ecclesię beati Jacobi in monte specioso Maguntie, asserens, eadem bona proprietatis iure sibi pertinere. Questionem quidem et litem super eisdem bonis movit, sed causa nequaquam (ter [b])minata et lite indecisa, migrans ad dominum diem clausit extremum. Cum itaque sibi succedentes heredes, videlicet Anselmus et Bertolfu(s) de Bruningesheim, super eorundem bonorum proprietate nobiscum et cum ecclesia nostra contenderent, ipsis tandem et nobis lite postposita, ad bonum pacis convenimus hac pacti forma: ut ecclesie nostre omni contradictione remota bona eadem perpetua proprietate accederent, et ipsi, videlicet Anselmus et Bertolfus, de nostra ecclesia per manum nostram VIII marcas per duos annos, videlicet primo anno IIII et sequenti anno IIII marcas, in restaurum reciperent. Quia igitur ista in Frankenvurt, in iudicio domini imperatoris [Henrici][c] huius nominis V, Wolframo sculteto et reliquis iudicibus presentibus, acta sunt, ut firmiori muniantur robore, placuit et expedire visum est, presentem super ipsis paginam conscribi et sigillo ecclesie communiri, testibus adiectis, quorum nomina sunt hec: Wernherus decanus in Frankenvurt,[1] Fridericus, Cûnradus, Regenoldus. Laici: Everhardus War. de Hagene, Wolframus scultetus, Cûnradus advocatus, Marquardus de Bruningesheim, Harmudus de Sasenhusen, Marquardus Silvestris, Bertolfus de Bruningesheim, Wernherus Scelmo de Bergen, Henricus de Bonemese, Albero de Sekebach, Henricus de Burnheim, Willemmus(!) Roir, Wolfwinus et duo filii eius, Wolfwinus et Wolfwinus de Bricenheim, Arnodus(!) filius Winzonis de Maguntia, Erpho de Castelo. Acta sunt hec anno dominice incarnatione(!) millesimo centesimo nonogesimo IIII[to]., indictione XII., regnante ipso domino Henrico imperatore, anno vero ipsius imperii quarto. Amen.

> *Or. Pgmt. Das durchgedrückte Siegel ist halb zerstört. St. A. Darmstadt. Bodmann's Nachlass. „St. Jakob." Grotefend.*
>
> *Gedr.: Fichard, Entstehung 349 ex Copia = B., 10.*
>
> *Verz.: Stumpf, No. 4856 [a] zu Mai.*

---

a) *Das „v" ist aus „a" verbessert.*  b) *Loch durch Mäusefrass.*  c) *Der Name fehlt im Or. .*

---

[1] *Der Vorgänger Werners, „Gotzwinus, decanus de Frankenvort" wird 1189 in einer Urk. Erzbischof Konrads von Mainz als Zeuge genannt. Gedr. u. a. Joannis, Res Mog., II, 469. Verz. Will, Mainz. Reg., XXX. No 222.*

**33.** *Kaiser Heinrich VI. verleiht Kuno von Münzenberg die Hälfte der Münze in Frankfurt. Kaiserslautern (Landau?), 1194.*

Wir Heinrich von godes gnaden romescher keyser, alwege merer. Is gezymmet wol der keyserlichen mildikeyt, daz sie werdeclich ansehe die flissigen dienste irer getruwen und die sich mit hitzigem flisse hant bewiset, daz man die gnûcliche begabe. Darumme wollen wir, daz allen getruwen luden des riches, die da geinwortig sint oder hernach komen, kunt werde, das wir an han gesehen die lutteren truwe und die dorchschinenden dienste unsers getruwen ('ûnen von Mûntzenberg und hand ymme daz halbe teil der muntzen zu Francfurd zû rechtem lehen geluhen ledeclichen zû besitzen und zû behaben. Und setzen ouch und gebieden vesteclichen mit keyserlichen gebode, daz alzo male keyne persone, (sie) sy grosz oder cleyne, wertlich oder geistlich, widder dise unsere vriheyt unser lihungen sich seczen oder underwinden sie vrevelichen zû laszen. Und das daz ewiclichen stede werde gehalden und unzerbrochen blibe, darumme han wir geboden disen brif schriben und mit insigele unser keyserliche gewalt dûn besigelen. Gegeben zû Landauw, nach godes geburte elf hundert iar in deme vier und nuntzigestem iar.

*Deutsche Uebersetzung saec. XV. im Falkensteiner Copiar. Würzburg, Kreisarchiv.*
*Gedr.: Archiv f. hess. Gesch., VIII, 228, Fr. Arch., 2ᵇ, 196 nach Abschrift B.'s aus der-selben Vorlage.*
*Verz.: Stumpf No. 4858.*

**34.** *König Otto IV. bestätigt den Bürgern von Worms die ihnen von seinen Vorgängern verliehene Zollfreiheit, u. a. auch in Frankfurt.* „Privilegia . . . de thelonei exemptione, quod lingua Theutonica interpretatum est zol, in omnibus locis regno Romano assignatis, videlicet Frankenvort, Boparten, Hamerstein, Drutmunde, Goslarie, Angeren, Dusburc, Werde, sicut domini imperatoris Heinrici quarti autenticum privilegium eis traditum continet, [confirmamus]. Volumus, statuimus et firmiter precipimus, ut ab omni theloneo in memoratis locis in perpetuum sint absoluti." *Speyer, 1208 [December].*

*Gedr. u. a.: Boos, Urkb. der Stadt Worms, I, 87.*
*Verz.: B.-F. No. 248.*

**35.** *Derselbe befreit das Kloster Rommersdorf von den kaiserlichen Rhein- und Main-zöllen.* „Concedimus, . . ut omnia bona eorum, que ducta fuerint per alveum Reni sive Mogi, sursum et deorsum in hiis locis, ubi nobis et imperio theloneum solet exsolvi, . . libera sint ab omni thelonei solutione." *Speyer, 1209 Juni 30 (prid. kal. iul.).*

*Gedr. u a.: Mittelrhein. Urkb., II, 282.*
*Verz.: B.-F. No. 285. Die gleiche Vergünstigung wurde 1210 Mai 2 (B.-F. No. 395) erneuert.*

**36.** *Der Deutschorden kauft zwei Mansen in Okarben und Lichen vom Mariengredenstift zu Mainz um 106 Mr. . 1209.*

*Regest.: Niedermayer, 163 nach dem Deutschordens-Saalbuch.*

**37.** *Erzbischof Siegfried v. Mainz bekundet, dass Eberhard Waro v. Hagen dem Kl. Eber-bach den Wald Eberhardeswarenbruch geschenkt habe. Unter den Zeugen: De*

Frankenvurt: Johannes sculthetus, Cunradus advocatus, Rûcgerus, Godeboldus, Ludhwicus Monachus. [1]   *Mainz, 1211.*

*Vollständig gedr. B., 20 nach Wenck, I, 12. Ausserdem gedr. Rossel, Eberbacher Urkb., I, 146, vgl. Will, Mainzer Regesten XXXII, No. 162, Thomas, Frankfurter Ann., 69. Scriba, I, No. 300*

*Die Nennung der Frankfurter Zeugen erklärt sich wohl aus ihrer Anwesenheit auf dem „placitum generale" zu Haselberch, nicht Haselbach. Die Zeugenreihe ist ergänzt nach einer Collation Grotefends mit einem Vidimus des Abts Gerlach v. Arnsburg d. d. 1330 Des. 20 im St.-A. Wiesbaden.*

**38.** *Beschluss des Klosters Eberbach über die Verwendung der Einkünfte eines dem Kloster in Frankfurt gehörigen Hauses. 1212.*

Noverint universi Christi fideles tam futuri quam presentes, quoniam ecclesia Eberbacensis quandam domum in Frankenvûrt aliquantis annis possederat, sed per voluntariam venundationem, quam fecerat Gerungo de Colonia pro XXX marcis, exigente quadam necessitate se privarat eadem. Procedente vero tempore familiaris noster Embricho de Albecho animi ductus devotione pro iugi memoria apud nos habenda prefatam domum in Frankenvûrt ecclesię nostrę pro XXX marcis redemit. Superadditis tamen ab Arnoldo cellerario nostro XV marcis. Statutum quoque est, ut in festo Marci ewangelistę conventui in Eberbach ipso die in divinis laboranti detur a cellerario una pitantia in piscibus, albo pane et vino, cum ipse percepturus sit annuum censum ab eadem domo provenientem. Huius rei testes sunt: Theobaldus abbas, Erckenberthus prior, Nibelungus subprior, Gerhardus sacrista, Arnoldus cellerarius, Wernherus de Eltevila, Gerhardus cantor, magister Eberhardus, magister Heinricus, frater Helfricus. frater Karl, frater Franko. Et sigillum ecclesię nostrę appensum. Acta sunt anno dominicę incarnationis M̊. CC̊. XĪI.

*Abschrift von ca. 1220 im Oculus Memoriae I f. 126. Ueber der Abschrift steht in rother Tinte: „De domo in Frankenwrt." Am Rande von anderer Hand: „De area Hezelini et Adelheidis habemus scriptum civium in Frankenvort duplex." [2]*

*Die Abschrift selbst ist durchstrichen und von einer Hand von ca. 1230 die Bemerkung hinzugesetzt: „Iterum vendita est hec domus." St.-A. Wiesbaden.*

*Gedr.: Rossel, Eberb. Urkb., I, 153 nach derselben Vorlage.*

*Vers.: Roth, Quellen, I, 40.*

**39.** *König Friedrich II. bestätigt dem Deutschorden das diesem von König Philipp geschenkte halbe Patronatsrecht zu Mörle in der Wetterau. 1213 October 19. (XIIII kal. nov.)*

*Gedr. u. a.: Baur, Hess. Urkb., I, 64. B.-F. No. 713. In einer Abschrift im Stuttgarter Deutschordensbuche f. 69ᶜ· heisst es nach von Nathusius: in castris Apido wohl verderbt aus „apud O . . . ." (Die Besitzungen in Mörle wurden später der Kommende Sachsenhausen unterstellt.) Friedrich II. bestätigte diese Urkunde mit Hinzufügung des halben Patronats zu Holzburg (Holzburc) d. d Würzburg, 1218 Juli 12 (IV id. iulii). Vgl. Baur, I, 67, B.-F. No. 939. Willebriefe zu der Schenkung von Mörle gaben Erzbischof Siegfried von Mainz d. d. Mainz, 1219 November 19 (XIII kal. dec.) (Gedr.: Würdtwein, Dioec. Mog, III, 59 — Hennes, I, 42, Wenck, 3, 338 zu November 24. Vgl. Will, XXXII No. 337, Scriba, II, No. 330) und der Propst von Mariengreden zu Mainz, 1219 o. T. (Würdtwein, l c. III, 60) 1220 April 30 (Frankfurt, prid. kal. maii) überträgt Heinrich von Isenburg dem Deutschorden sein*

a) [est] *fehlt.*

[1] *Die folgenden Zeugen sind aus Rüsselsheim, (Ruzzelensheim).*

*Anrecht an den Kirchen von Mörle (Moirle) und Holzburg (Hoilsburch). Gedr.:*
*Baur, I, 67, Hennes, I, 48, Buri, Bannforsten, 92. Vgl.: Görz, Mittelrhein. Reg.*
*No. 1475, Scriba, II No. 331, 1220 Mai 6, (pridie non. maii) schenkt Gräfin Euphemia*
*von Kleberg die andere Hälfte des Patronats zu Mörle demselben Orden. Gedr.:*
*Hennes, I, 49, Baur, I, 68. Vgl. Scriba, II, No. 332.*

**40.** *König Friedrich II. befiehlt den Reichsministerialen und dem Volk in Ingelheim,*
*Gernsheim und Nierstein, dem Stiftscapitel zu Frankfurt die Nona der kaiserlichen*
*Einkünfte von den genannten Orten verabfolgen zu lassen. Frankfurt, 1215 Mai 19.*

F. dei gratia Romanorum rex, semper augustus et rex Sicilie, Ph. de Boinlandin,
Hugoni de Starkinberc . .,[a] sculteto in Neirstein, universisque ministerialibus et plebi
in Ingilnheim, in Gerinsheim et in Nerstein constitutis, gratiam suam et omne bonum.
Querela gravis decani totiusque capituli in Frankinvurt[b] nobis patefecit, quod cum
a trecentis annis retroactis et eo amplius predecessorum nostrorum sanctę memorię
imperatorum et regum liberalis munificentia nonam partem proventuum de bonis
imperialibus in predictis villis ad subsidium sustentamenti in ipsa ecclesia deo famu-
lantium libere contulisset, sicut per ipsa privilegia a memoratis imperatoribus et
regibus concessa nobis in Frankinvurt liquido fuit monstratum, et eosdem proventus
extunc usque ad tempora nostra pacifice possedissent, iam per plures annos ipsis proventibus sunt violenter destituti. Unde cum quadam ammiratione sumus non immerito
indignati,[c] quod ecclesia ista vel alia elemosinis de tam pia largitate[d] regalis munificentie sibi erogatis temporibus nostris deberet destitui, cum potius elemosinę de
nostra benignitate tenentur non imminui, sed augeri. Volentes igitur pia predecessorum
nostrorum facta non irritari, set inviolabiliter observari et sepedictam ecclesiam prefatorum proventum(!) nona sua diutius non fraudari, universitati vestre sub obtentu
gratie nostre mandando firmiter precipimus, quatinus capitulo prememorato, sicut dictum
est, nonam partem omnium proventuum de bonis ipsis[e] in tribus villis prenominatis
sine diminutione pariter et contradictione integraliter assignetis et[f] ablata, ne de
his querelam audiamus, restituatis. Datum Frankinvurt, XIIII. kal. junii, anno
domini M. CC. XV., indictione III. .

    *Or. Pgmt. Auf der Rückseite Spur des aufgedrückten Siegels. St. A. Fr. Barth. St. No. 2861.*
*Nach demselben gedr. B., 22. Würdtwein, Dioec. Mog., II, 419.*
*Verz.: B.-F. No. 799.*

**41.** *König Friedrich II. verleiht der Abtei Altenberg u. a. Zollfreiheit auf dem Rhein*
*und Main.* „Confirmamus, ut quecunque bona fratres sive monachi ipsius [sc.
abbatie] per alveum Rheni et Mogi sursum sive deorsum duxerint, illa libera sint
et sine omni theloneo et exactione qualibet ducantur." *Neuss, 1215 August 2*
*(quarto non. augusti).*

    *Gedr. u. a.: Lacomblet, Urkb., II, 27.*
*Verz.: B.-F. No. 823.*

**42.** *Dietrich, ein Priester und Kanonikus der Frankfurter Kirche, verschafft derselben*
*den Grundzins aus einem Garten und aus einem andern Garten, vorbehältlich des*
*Niessbrauchs für sich und zwei seiner Schüler Dietrich und Peter. 1215.*

Notum sit tam futuris quam presentibus scriptum hoc intuentibus, quod Didricus,
sacerdos et Frankenfurdensis ecclesię canonicus, cen//sum cuiusdam orti ad VIII uncias

---

a) *Hinter „Starkinberc" ist ein freier, nur mit zwei Dignitätspunkten gefüllter Raum, wohl zum*
*Nachtrag eines Namens gelassen.* b) Frankinwrt, *ebenso im weiteren Verlaufe der Urk. .* c) *Das* n
*in* „indignati" *sofort verb. aus Ansatz zu* t. d) *Ueber* i *in* „largitate" *ein überflüssiger Abbrev.-Strich.*
e) „ipsis in tribus" *über Rasur.* f) *Die Worte von* „et ablata . . . restituatis" *sind über Rasur mit*
*hellerer Tinte nachträglich eingetragen, gleichzeitig mit der ganzen Datumzeile.*

et II pullos, dandum ex dimidietate in festo sancti Jacobi apostoli, altera parte in die
sancti Martini, // apud Ottonem, civem Frankenfurdensem, et suos liberos, quos tunc
temporis habuit, eidem ecclesie comparavit, hac interposita conditione, ut iamdictus
sacerdos et duo scolares sui, Didricus et Petrus, quamdiu in ista vita sint et ubicunque
locorum consistant, censum illum nullo contradicente in suos usus redigant. Hoc quoque
notandum, quod nullius necessitatis occasione eundem censum vendere, vel in vadio
alicui obligare presumant et quod annuatim in die sancti Martini ecclesię solidum inde
persolvere iuxta promissum tenentur, post decessum autem eorum trium ecclesia censum
illum totaliter et absque omni vexatione in perpetuum possidebit, hac postulata pietate.
ut memoria eorum cum ceteris defunctis in ea iugiter agatur. Et ne aliqua potestativa
presumptione ecclesia sive prefatus sacerdos cum suis scolaribus super huiusmodi
indebite possint vexari, ratum duxerunt canonici illius temporis sigillum ecclesie eorum
et decanus specialiter suum huic cedule inprimere, quorum etiam nomina ob confirmationem testimonii subnotantur: dominus Godescalcus decanus, [1] Rupertus parrochianus
et custos, Cunradus, Fridericus, Regenoldus, Regenhardus scolasticus, Godefridus,
Nicolaus, Eberhardus de Bergo, Heinricus de Betenhusen, Berhtoldus de Minzenberc.
Laici: Heinricus Viol,[a] Walterus de Mersevelt,[b] Otto, venditor census, Folcart, exa-
minator precii, Wahsmut Gzroggo,[c] Hertwin pan*ifex*,[d] Cunrat wurzelere, Ludewicus
carn*ifex*,[e] et alii quam plures. — . Item idem sacerdos alium ortum apud Nudungum
de Sahsenhusen et suam legittimam eidem ecclesie emit, post resignationem autem
communicata manu utriusque factam prefati canonici eundem ortum sub pari forma
prioris conditionis et lege qua supra possidendum sepedicto sacerdoti et duobus scolaribus suis, D[iderico] et P[etro], porrecta dextera voluntarie annuerunt, hoc excepto,
ut nullus inde, sicut de priori, solidus solvatur usque ad tempus illud, quo post mortem
eorum trium ortus ille ecclesie libere vacabit. Huius rei testes sunt, primo canonici
supramemorati, deinde laici: Hartmudus miles de Sahsenhusen, Heinricus, gener Helphrici,
Hartmut Presto, Heinricus, filius suus, Hermannus Niger, Ludewicus, gener Harberni,
Behrtoldus Blasenbergere, Heinricus edituus,[f] Cunradus wurcelere, Ludewicus de Ditburc
in domo monachorum, Wortwinus, formator vestium, Cunradus et Willehelmus confratres
dicti Cleinesmide, ortulani, Sigeboldus, Gerlacus et Didricus de Bergo, Sigefridus
preco, Heinricus arator, cum reliquis omnibus. Acta[g] sunt hec anno dominice incarnationis millesimo CC. XV., indictione III., regnante Friderico glorioso rege, necnon
presidente Moguntinę ecclesię Sigefrido venerabili archiepiscopo, et sub domino Cunrado
preposito nostro.

Or. Pgmt. Anhängend 1) Siegel des Dechanten, 2) älteres Siegel des Bartholomäusstifts.
St. A. Fr. Barth. Stift No. 51.  Danach gedr. B., 22.


**43.** *König Friedrich II. genehmigt die Schenkung des Hofes Riedern von Seiten der
Paulina, der Wittwe des Frankfurter Schultheissen Wolfram, ihres Sohnes Johann
und ihrer Enkelin an das Kloster Aulisberg, sowie den von den Schenkenden gemachten Vorbehalt eines Fruchtzinses. Gelnhausen, 1216 Januar 31.*

⸭Fridericus secundus⸭ dei gracia Romanorum rex et semper augustus et rex
Sicilie. In eminenti rerum specula (!) et fastigio mun//dane dignitatis constituti, ad

<hr>



[1] *Der Vorgänger Gottschalks „E." (Eberhardus?,     zwei Urkunden. Vgl. Rossel, I, 126, 129, Will,
so Oc. Mem. I, f. 103) erscheint 1209 als Zeuge in     Mainz. Reg., XXXII No. 109.*

gaudia felicitatis perpetue viam nobis preparare, gloriam quoque vite perhennis mereari[a] indubitanter // confidimus, si locis religiosis et eorum personis iugiter deo famulantibus consilium et auxilium gracie nostre porrigimus et ipsis auctoritate // regia confirmamus, que largicione fidelium vel quolibet acquisicionis titulo iuste consecuntur. Noverint igitur fideles nostri presentes et futuri, nos edoctos ex quodam publico et autentico instrumento, quod vidimus, legimus et intelleximus, quod felicis recordacionis dominus et pater noster Heinricus, gloriosus Romanorum imperator et semper augustus et rex Sicilie, Vuolframo, condam (!) scolteto in Frankenvort, et Pauline uxori sue ipsorumque legitimis heredibus curtim in Riederin contradiderit cum universis pertinenciis suis, in agris, pratis, pascuis, aquis, silvis, ad omnem usum, quem ibi valeant proprio consequi labore. Nunc vero prefato Vuolframo sublato de medio Paulina eius relicta superstes adhuc cum Johanne filio suo et nepte sua, filia scilicet filie sue, aliique ipsorum heredes in presencia nostra predictam curtim in Ridrin Vuilhelmo abbati suisque fratribus et ecclesie sancte Marie virginis in Aulisburch pari et prompta obtulerunt voluntate in suorum remissione peccaminum cum omni iure condam(!) ipsis tradito a prememorato domino et patre nostro H., inclito Romanorum imperatore semper augusto. Eo tamen pacto, quod predicti fratres de quolibet manso, hyemali annona fructificato, solvant annuatim dicte Pauline et Johanni filio suo neptique ipsius tria maldra syliginis et unum maldrum tritici, nisi forte hanc pensionem, vel hii qui nunc vivunt vel eorum posteri, prefate ecclesie in Aulisburch libere propter deum remittant. Additum est preterea, quod si prenominatus Johannes suive pueri sine prole legitima decesserint, dicti census pars media mortua sit, de cetero non solvenda a fratribus prescriptis. Similiter de filia sororis eius et ipsius heredibus legitime succedentibus adiunctum est. Hanc vero donacionem, quia sine nostre voluntatis consensu perfici non potuit, accedente nostre pietatis affectu ratam habuimus et firmam in perpetuum iudicamus. Mandamus igitur et districte precipimus, ut nemo pretaxatos fratres de Aulisburch in prefatis bonis audeat gravare vel molestare presumat. Quod si quisquam attemptare contra iusticiam presumpserit, XX marcas puri auri componat, mediam partem camere nostre, reliquam passis iniuriam persolvenda. Ut autem hec omnia perpetue firmitatis robur obtineant, presens publicum et autenticum instrumentum iussimus conscribi et nostra bulla sygnari. Huius rei testes sunt: Hermannus lantgrabius Turingie, Ludvicus comes de Cigenhagen, Ludvicus comes de Vuertenberch, Anshelmus de Justingin, Gerlacus de Bûtengin, Olricus de Mincenberch, Philippus de Bonlandia, Gualterus pincerna, Conradus frater suus, et alii quam plures. Acta sunt hec anno incarnacionis dominice M. CC. XVI., indictione IIII.. Data apud Geilenhusen, II kal. februarii.



**44.** *König Friedrich II. verkündigt dem Burggrafen Gisilbert und den Burgmannen zu Friedberg, dem Schultheissen in Frankfurt und den Getreuen des Reichs in der Wetterau, dass er dem Ulrich von Minzenberg seine Grafschaft und alle Güter, welche sein Vater und Bruder zuvor besessen, wieder gegeben habe. Leipzig, 1216 October 26.*

Fr. dei gratia Romanorum rex, semper augustus et rex Sicilie, fidelibus suis, Gisilberto bur//cravio et aliis castellanis de Wridburc, sculteto quoque de Wrankinfurt

a) „mercari“ ?

et // omnibus imperii fidelibus per Wetreibiam constitutis, gratiam suam et omne bonum. //
Notum sit vobis, quod nos de gratia nostra restituimus Ulrico de Minzinburc, fideli
nostro, cometiam suam et omnia bona, que pater et frater eius olim usque ad nostra
tempora tenuerunt. Quare mandamus et precipimus fidelitati vestre, quatinus predictam
cometiam et alia bona, que pater et frater eius hactenus tenuisse noscuntur, eidem
Ulrico pacifice permittatis et quiete tenere et eum exinde nullatenus molestetis. Datum
apud Lipizk. VII. kals. novembr., ind. V. .

Or. Pgmt. mit Resten des auf der Rückseite aufgedrückten Siegels im Archive der Grafen<br>
von Solms-Rödelheim zu Assenheim. Danach gedr. Neues Archiv 11, 580 (Arnold).<br>
Verz.: B.-F. Reg. No. 883. Der Druck bei B., 25 zu 1217 Oct. 26 ist eine Rücküber-<br>
setzung nach Grüsner, Beitr. III, 147.

**45.** *Gerbodo, Propst von St. Peter in Mainz, verkündigt einen schiedsrichterlichen Spruch
zwischen Ulrich von Minzenberg und Eberhard Waro, in Betreff des Patronatsrechtes
zu Ober-Eschbach. Frankfurt, 1219 Juli 14.*

G. dei gratia prepositus sancti Petri Maguntini. Universis hoc scriptum intuentibus
salutem in auctore salutis. Litigantibus domino Ulrico de Minzinberc et domino Eberhardo // Waren super patronatu ecclesie in superiori Askebach, die ipsis peremptorio
constituto in Frankinvort, cum non potuissemus eidem personaliter interesse, // magistrum
Waltherum decanum et Giselmarum cellerarium ecclesie sancti Petri transmisimus ad
diem et locum eumdem. Partibus itaque coram iam dictis delegatis // nostris constitutis
et diversis hinc inde propositis, ad decidendam sine gravamine partium litem, predictus
E. Waro arbitrio domini Ulrici reliquit, quod si proprie manus iuramento ius patronatus memorate ecclesie vellet optinere, ipse Waro cederet a lite. Ad quod prenotato
Ulrico parato, videlicet quod ius patronatus eiusdem ecclesie iuramento vellet optinere.
sepedicti delegati nostri cum aliis viris discretis, pro bono pacis et concordie se inter-
ponentes, partes litigantium ad hoc induxerunt, quod de unanimi consensu causam
finaliter decidendam arbitris commiserunt. Qui sic arbitrati sunt: Quod predicti
nobiles, dominus Ulricus et dominus E. Waro, eamdem ecclesiam Burchardo sacerdoti.
cui et ipsam dominus Ulricus inantea contulerat, communicata manu ambo conferrent.
Si autem postmodum, ambobus eis superstitibus, Burchardo vero sacerdote moriente,
eamdem ecclesiam contingeret vacare, domino Ulrico de iure patronatus eiusdem ecclesie
competat collatio. Ita tamen, quod si dominus E. Waro hoc contradicat, iuramentum,
sicut prius debuit et voluit, dominus Ulricus pro sui iuris conservatione prestabit.
Ceterum, si domino Ulrico moriente, domino autem E. Waren superstite, contingat
eamdem ecclesiam vacare, heredes domini Ulrici eodem iure et condicione, quibus pater
gaudebat, in ipsa ecclesia debent gaudere. Si autem dominus Ulricus domino E. Waren
supervixerit, eo iure, quod apud filiam suam Adelheidim primogenitam emit, libere et
sine consorte in eadem ecclesia gaudere debet dominus Ulricus cum suis heredibus.
Ad sopiendum igitur tocius cavillationis malum, quod super hiis posset emergere,
presentem scedulam conscriptam sigilli nostri et sigillorum predicti W. decani et
ecclesie Frankinvordensis impressionibus cum testium annotacione fecimus communiri.
Testes sunt: predicti W. decanus et G. cellerarius sancti Petri Maguntini. Frankinvordenses vero canonici: Cunradus, magister Nicolaus, Godfridus, Bertoldus, Cunradus.
De Sprendelingen: Burchardus plebanus. Wolframus parrochianus de Prumheim, Wernherus sacerdos, Gerlacus sacerdos de Ascebach. Laici: Heinricus sculthetus de
Frankinvort, [1] Bertholdus de Bruningesheim, Ripertus de Sahsenhusen, Folnandus et

<hr>

[1] Derselbe wird genannt als Zeuge in Urk. des    d. d. 1216 October 31 (II. kal. nov.). Gedr.: Rossel,<br>
Erzbischofs Siegfried von Mainz für Eberbach,    I, 177. Verz.: Will, Mains. Reg., XXXII, No. 266.

Hermannus de Ovenbach, Folradus miles, Ordo et Heinricus Brisinc de Diepurch, Johannes filius advocati, Hartmûdus Bresto, Hermannus Niger, Heinricus Viola, Heinricus Storkelin, et alii quam plures. Acta sunt hec in maiori choro in Frankinvort. Anno dominice incarnationis M. CC. XIX., pridie idus iulii.

Or. Pgmt.: Die 3 anhängenden Siegel sind zerbrochen. München, Reichsarchiv.
Gedr.: Würdtwein, Dioec. Mog., II, 34, Guden, Sylloge, 585, Grüsner, Dipl. Beitr., III, 148, Simon, Büdingen I, 225, B., 25 nach Guden.
Verz.: Scriba II No. 326.

**46.** *König Friedrich II. entscheidet einen Streit zwischen dem Kloster Aulisburg und dem Ritter Konrad von Hagen in Betreff des Riederhofes zu Gunsten des ersteren. Frankfurt, 1219 August 11.*

Fridericus dei gracia Romanorum rex, semper augustus et rex Sicilie. Dilectis fidelibus abbati Fuldensi, Godefrido de Eppenstein et omnibus nobilibus, ministerialibus Romani imperii, civibus quoque in Frankenvort, Geilinhusen et Frideberg, necnon omnibus nostris fidelibus hoc scriptum intuentibus, graciam suam et omne bonum. Litigantibus abbate de Aulisburg et C. milite de Hagen pro curte in Riderin, a nobis dati sunt iudices super eodem negotio, videlicet dominus Gerlacus de Bûtingin et B. burchravius de Frideberg et H. villicus de Frankenvort; ad cuius rei executionem in dictam civitatem Frankenvort convenerunt et, requisitis concientiis veracium laicorum, nobilium et imperii ministerialium, sunt instructi, quod abbatem dictum et ecclesiam in Aulisburg ab omni infestatione memorati C. militis liberos exigente iusticia adiudicaverunt. Nos igitur hoc ipsum ratum habentes sub optentu gracie nostre vobis precipimus, quatinus ab hac, si necesse fuerit, dictum claustrum in peticione defendatis, de cetero nulli verbo dicti militis intendentes. Vestre preterea fidei cenobium memoratum specialiter committimus, mandantes, ut in omnibus ipsum defendatis sagaciter, scientes, quod pro hoc divine remunerationis intuitum et nostre maiestatis plenum recipietis affectum. Data apud Frankevort, tercio idus augusti. Indictione septima.

Abschrift in Uffenbach. MSS. No. 34, Camentz. Acta varia f. 131 (St. A. Fr.), mit der Bemerkung: Descriptum ab originali quam fidelissime per me J. E. de Glauburg., d. 2. Decemb. anno 1719, communicato a generoso Dr. . . . . . de Fiscard. Das Siegel fehlte damals.
Gedr.: Lersner I, 319, B., 27, nach derselben Vorlage, Fichard, Archiv, I, 205, Reimer, I, 108.
Verz.: B.-F. No. 1035, Scriba II, No. 328.

**47.** *König Friedrich II. schenkt den Bürgern von Frankfurt eine dem Reich gehörige, am Kornmarkt gelegene Hofstätte, um darauf eine Kapelle zu Ehren der heiligen Jungfrau Maria und des heiligen Märtyrers Georg zu erbauen; zugleich nimmt er diese Kapelle mit ihrem Zubehör in des Reichs unmittelbaren Schutz und giebt den genannten Bürgern das Recht, den in derselben dienstwaltenden Priester zu ernennen. Frankfurt, 1219 August 15.*

‖ Fridericus ‖ secundus divina favente clementia Romanorum rex, semper augustus et rex Sicilie. Quia tunc et apud deum salu//tis eterne premia, et apud homines, reges et principes, maxima preconia promerentur, quando ecclesiis sua beneficia largiuntur, et ad earum incremen//tum dant operam efficacem. Ea igitur consideratione inducti notum facimus universis tam presentibus quam futuris fidelibus nostris, quod nos, ad supplica//tionem fidelium nostrorum universorum civium de Frankinfort, pro remedio quoque anime nostre donavimus ipsis civibus aream unam seu curtem imperio et nobis attinentem et iacentem inxta forum frumenti, ut in ipsa curte capella una dictis civibus commoda et necessaria ad honorem sancte dei genitricis et virginis Marie et beati Georgii martiris construatur; capellam ipsam cum curte et omnibus bonis suis, que impresentiarum habet,[a] et que in posterum iusto acquisitionis titulo poterit adipisci, sub nostram et imperii recipientes specialem protectionem. Ipsam etiam capellam cum dote et omnibus appenditiis suis ab omni volumus exemptam esse dominio, et solumodo[b] ad imperium et ad nos et nostros successores, Romanorum imperatores et reges, habere respectum. Ipsis civibus nostris indulgentes et omnimodam tradentes facultatem, ut tam ipsi quam eorum posteri in eadem capella pro voluntate sua, quotiens vacaverit, instituant ydoneum sacerdotem, divina ibidem celebrantem. Statuimus igitur et sub interminatione gratie nostre precipimus, ut nulla umquam persona, humilis vel alta, ecclesiastica vel secularis, antefatam civium nostrorum universitatem super eadem capella molestare audeat, vel huic nostro privilegio temere obviare. Quod qui fecerit, in vindictam reatus sui centum marchas auri purissimi componat, dimidium camere nostre, reliqum[c] vero passis iniuriam. Ad huius etiam nostre concessionis et donationis perpetuam stabilitatem hanc paginam inde constructam nostro sigillo iussimus communiri. Testes huius rei sunt: Sifridus Maguntinus archiepiscopus, Tidericus Treverensis archiepiscopus, Conradus Spirensis et Metensis episcopus, imperialis aule cancellarius, Cono abbas Fuldensis et Elwacensis, Hermannus marchio de Baden, Gerardus comes de Dietis, Gerlacus de Bûtingen, Godefridus de Eppinstein, Ansalmus marscalcus de Justingen, Wernherus dapifer de Bollandia, Philippus frater eius, et alii quamplures. Datum apud Frankinfort. Anno dominice incarnationis millesimo ducentesimo nonodecimo. Indictione septima, octavodecimo kalendas septembris.

Or. Pgmt. Das Majestätssiegel hängt guterhalten an rothen Seidenfäden an. St. A. Fr.<br>Priv. No. 1.<br>Verz.: Invent., III, 1. B.-F. No. 1036. Ausserdem gedr. Lersner, II, 112, Goldast.<br>Reichssatzungen, II, 2. Auszug: Fichard, Archiv, III, 169.

**48.** *König Friedrich II. schenkt dem Deutschorden die Kapelle zu Rödelnheim. Nürnberg, 1219 November 3.*

‡Fridericus‡ secundus divina favente clementia Romanorum rex, semper augustus et rex Sicilie. Inter varia humane // sollicitudinis exercitia ea nobis proficere ac prevalere ad anime salutem confidimus, que christiane religioni de clementia nostra // conferimus et ecclesiis ac religiosis personis ad fidem catholicam ampliandam misericorditer elargimur. Ea igitur consideratione // inducti notum facimus tam presentibus quam futuris, quod nos attendentes religionem et honestatem fratrum hospitalis sancte Marie Theotonicorum in Jherusalem, pro remedio quoque anime nostre et divorum augustorum felicis memorie patris et matris nostre, ipsi hospitali et fratribus ibidem deo militantibus damus et regio munimine in perpetuum confirmamus cappellam in Rutilnheim cum dote, decimis et mancipiis utriusque sexus et omnibus iustitiis seu rationibus, que ad cappellam pertinere noscuntur, ut ad proprios usus et utilitates predicti hospitalis fratres ipsi eamdem cappellam cum omnibus iustitiis et rationibus suis de cetero teneant et possideant. Statuentes et presentis privilegii auctoritate mandantes, ut nullus sit, qui de ipsa capella deinde prenotatum hospitale impedire aut molestare presumat. Quod qui presumpserit, iram dei omnipotentis et indignationem celsitudinis nostre se sentiat graviter incursurum. Ut autem hec nostra donatio et confirmatio firma permaneat, presens inde privilegium fieri fecimus sigillo nostre magnificencie roboratum. Huius rei testes sunt: Evirhardus Salseburgensis archiepis-

a) t über Rasur.    b) So!    c) So!

copus, Sifridus Augustensis episcopus, Otto Frisingensis episcopus, Engilhardus Nivenburgensis episcopus, Odacrius Boemorum rex, Liupoldus dux Austrie et Stirie, Bernardus dux Carinthie, Hermannus marchio de Baden, Evirhardus comes de Helfinstein, Conradus burgravius de Nŭrenberc, Anselmus marscalcus de Justingen, Wernherus dapifer de Bollandia, Philippus frater eius, et alii quamplures.

⸗ Signum domini Friderici dei gracia Romanorum regis, semper augusti (LM) et regis Sicilie. ⸗

Ego Conradus Metensis et Spirensis episcopus, imperialis aule cancellarius, vice domini Sifredi Maguntine sedis archiepiscopi et totius Germanie archicancellarii recognovi.

Acta sunt hec anno dominice incarnationis millesimo ducentesimo nono decimo, indictione octava, regnante domino Friderico Romanorum et Sicilie rege, semper augusto, anno Romani regni eius in Germania septimo et in Sicilia vicesimo secundo. Datum apud Nŭrenberc, tertio nonas novembris.

> *Or. Pgmt. mit wohlerhaltenem Majestätssiegel in rothem Wachs an rothen Seidenschnüren.*
> *St. A. Wiesbaden (früher in Darmstadt).*
>
> *Gedr.: B., 29 nach dem Or. = Hennes, Cod. ord. Theut., I, 41 = Huillard-Bréh., I, 697.*
> *Sauer, I, 256 nach dem Or.*
>
> *Verz.: B.-F. Reg. No. 1067, Scriba, II, 329.*

**49.** *Heinrich der Schultheiss, Rutger der Vogt und die übrigen Richter und Bürger in Frankfurt bekunden, dass Conrad von Steinach in die von seinem Schwiegervater Eberhard Waro dem Kloster Eberbach im Eberhardeswarenforst gemachte Schenkung eingewilligt habe. 1219 November 26.*

H. scultetus, R. advocatus ceterique iudices et cives in Frankenvort. Quoniam veritati falsitas et vivaci memorie ceca oblivio solent novercari,[a] litterarum testimonio sane committitur, quidquid ratihabitione dignum fore censetur. Nos igitur presentium testimonio litterarum tam futuris quam presentibus innotescere cupimus, quod dominus Cŭnradus de Steinaha donationi,[b] quam fecerat socer suus, dominus E. Waro, beate Marie in Eberbach, in nemore illo, quod[c] dicitur Eberhardes-Waren-vorst, iuxta Haselach sito, assensum pro se et uxore sua Adelheidi apposuit, immo liberaliter[d] manu sua in manum abbatis Eberbacensis in claustro illo libere contradidit. Ad maiorem igitur huius facti evidentiam[e] presentem cedulam conscribi et sigillo civitatis cum testium annotacione fecimus communiri. Testes vero sunt hii[f]: Erkinbertus abbas in Arnisburg, Dytherus de Herbordisheim, Ebirhardus de Dorinburg, Her. de Stekelinberg, Cunradus de Hagin, Rukerus de Crumpach, Petrus de Hettingesetze, Heroldus de Ludenbrach, Bertoldus de Bruningisheim, Hartmudus de Askeborne, Heinricus de Bonemese, Hartmudus Presto, Heinricus Viola, et alii quam plures. Acta sunt hec anno dominice incarnationis[g] M. CC. XIX., VI kl. decemb.

> *Oc. mem. II f. XlIV b (40 b.) o. Z, danach gedruckt: Rossel, II, 406. Guden, Cod. Dipl., V,*
> *754 = B., 30. St. A. Wiesbaden.*
>
> *Verz.: Scriba, I, No. 312. Vgl. Thomas, Oberhof, 432.*

---

a) „novercarcari (!)“ *Oc. Mem.* b) „donacioni“ *Oc. M.* c) „qui“ *Oc. Mem.* d) „fŭk“ *Oc. Mem.* e) „evidenciam“ *Oc. Mem.* f) *Zeugen nach Eberbacher Copiar, III, 230. (Gr.)* g) „incarnacionis“ *Oc. Mem.*

**50.** *Abt Wilhelm von Aulisburg bekundet einen zwischen seinem Kloster und der Stadt Frankfurt über die am Hofe Riedern gelegene Lache und eine zu demselben gehörige Wiese geschlossenen Vertrag. 1219.*

Frater Wilhelmus abbas in Aulisburg, universis Christi fidelibus. Scripto presenti pandimus his, qui nunc sunt, et futuris, quod nos quodam // pacto cum honestis hominibus civibus de Frankenvort convenimus, ut arbusta, campi,[a] lacus[a] et prata prope curtim nostram Riderin sita, // ab ipsorum concivibus et etate maturioribus nobis demonstrata et vulgari vocabulo lache ab eisdem designata, dicte curie nostre ad // omnem usum deservire debeant in perpetuum, unde nostri fratres inibi commorantes lx[ta] solidos denariorum monete de Frankenvort omni anno in festo beati Remigii nominatis burgensibus persolvent. Adiunctum preterea est accedente eorundem consensu voluntario, ut pratum dicte curie nostre in ipsorum pascua communi situm ad suam retineant communionem, ita dumtaxat ut nobis condigno restauro et competenti respondeant de palude[b] prope pomerium nostre curie sita. Prout[c] hoc scriptum et hec pactio inconcusse stabilitatis robur obtineat, ipsorum civium bulla confirmari effecimus, nostrum pariter[d] sigillum affigentes. Testes huius rei et qui hec nomine civitatis sunt executi, hi sunt: Henricus villicus, Rukerus advocatus, Ripertus de Sasenhusen, Johannes filius advocati, Henricus Viol, Hartmůdus Bresto, Henricus Gerildis, Herimannus Niger, Baldemarus, Wigandus pistor. Ductores in distinctione locorum hi sunt: Henricus Bokkenheimere, Rudolfus Munke, Albero, Cunradus, Ernestus, Zeizolfus, qui nobis nostroque cellerario fratre Theoderico et fratre Henrico de Ameneburg infirmario nostrisque conversis Henrico et Heidenrico loca terminorum apertissime demonstrarunt. Nec pretereundum, quod in pactione annexum est, scilicet ut si in distinctione terminorum aliquid agrorum[a] arbustorumve[a] nobis subtraheretur, tantumdem ipsis de censu pretaxato deperire videretur. Acta sunt hec anno incarnationis domini millesimo C̊C̊.XIX̊., regnante gloriosissimo Romanorum rege Friderico.

*Or. Pgmt.: Anhängend 1) Stadtsiegel (1) (besch.). 2) Klostersiegel (gut erh.) St. A. Fr. Heil. Geist Hosp. Litt. R, No. 2.*

*Gedr.: Lersner, II[b], 47, Fichard, Archiv, I, 206, B., 27 nach dem Or. .*

**51.** *Schultheiss Heinrich von Frankfurt beurkundet, dass Gerhard von Eschbach und Frau dem Kloster Eberbach eine Hufe und einen Hof in Eschbach geschenkt haben. [1219.]*

Heinricus dei gratia scultetus in Frankenfurt. Scire volumus omnes scriptum hoc intuentes, quod Ger//lacus de Asschebac et uxor sua Guta collecta manu et pari consensu dederunt ecclesie in Eberbach // unum mansum proprium situm in eadem villa et curiam suam pro salute animarum suarum coram nobis, presente abbate // Dippoldo et Erkenberto cellerario, Cunrado notario, fratre Francone et Giselberto. Et nos ex parte inperii(!) suscepimus ipsa bona sub protectionem nostram et testes subscribi fecimus, in quorum facta sunt presentia: Eberhardus de Dornburg, Hartmudus Bresta, Berdoldus de Brunickesheim, Ruggerus advocatus, Cunradus miles de Erlbac.

*Or. Pgmt.: Das älteste Stadtsiegel ist auf der Rückseite durch ein schmales Pergamentstreifchen befestigt. St. A. Wiesbaden. Nach durch das Staatsarchiv gütigst erfolgter Collation.*

*Gedr.: Rossel, I, 219.*

*Verz.: Roth, Quellen, I, 47.*

a) *Ueber Rasur.* b) *Ueber der Zeile für gestrichenes „lacu".* c) *Verbessert durch gleichzeitigen Corrector.* d) *Das t hinzugefügt durch Corrector.*

**52.** *Heinrich, der Schultheiss, die Schöffen und die Bürger von Frankfurt beurkunden, dass Berthold von Bruningesheim und seine Ehegattin Jutta dem Kloster Eberbach die Hofstätte des Hezzelin und der Adelheid übergeben haben. (1219.)*

Heinricus scultetus, scabini universique burgenses in Frankenvort. Notum esse cupimus presentem cartam intellecturis, quoniam dilecti fratres nostri de Eberbach aream Hezzelini et Adelheidis, quam concives nostri Bertholdus de Bruningesheim et uxor eius Jutda, pro remedio animarum suarum communicata manu resignantes, eisdem contulerunt, in generali placito nostre civitatis coram nobis in legittimam possessionem acceperunt. Super hoc accedit eis in munimentum sigillum nostre civitatis appensum. Testes sunt: Cunradus advocatus, Wigandus de Ascheburnun, Hermannus Niger, Baldemarus, Ludewicus, et alii quam plures.

*Copie im Ocul. memorie II, f. XXIX. St. A. Wiesbaden.*
*Gedr.: B., 26.*


**53.** *Besitzung der Kommende Sachsenhausen in Buchen. 1219.*

*Wigand von Heldebergen verkauft den Deutschherren zu Sachsenhausen einen Garten und eine halbe Hube Geländes zu Buchen, das ihm diese wieder um 7 Achtel Korn in Pacht geben.*

*Vers.: Niedermayer, 155 nach dem Deutschordens-Saalbuch, danach Reimer, I, 109.*


**54.** *Aufzeichnung über Schenkungen an das Kloster Padershausen. 1210—1220.*

Subscripte persone tam laici quam clerici anime consulentes bona eorum ecclesie beate et // perpetue virginis Marie in Phatenshûsen, iuxta quod in presentibus patet, delegaverunt: . . . Heinricus decanus in Frankinfort contulit domum illam apud Harbernum. . . . C. dominus Giselbertus dei sacerdos et canonicus in Frankinfort, abrenuncians omnibus que illic habuit, se contraxit ad Phatenshusen hasque dotes illi ecclesie constituit: In Frankinfort aream et domum in ea fundatam, cuius census X solidi. Item aliam aream secus Mogum et huius census II solidi. Item ipse curtim illam, que dicitur Rendingeshusen, cum pascuis, arvis, silvis et omnibus attinentibus in dimensione amplius XXIIII mansis habentibus, molendinum etiam et piscinam ampliori pecunia quam XXIIII libris conparavit. Item apud Heinricum de Sprendelingin et uxorem suam conparavit quedam bona sita in Ippingeshusen pro V marcis, partim areas, partim prata, partim agros. Testes huius: Herman de Ovenbach et Cunradus frater suus, Hildebrant senior scultetus in Dicenbach, et alii quam plures . . . C. Nitardus et Emercho frater suus contulerunt mansum in Husinstam, quem habuerunt in wetescazze XI unciis, item ipsi agrum, qui dicitur Bernagger, et alium secus stratam ducentem versus Rotaha et alia patrimonia eorum. C. Gerlindis de Inferiori Rotaha contulit II agros predii ibidem sitos in quantitate duorum ûhhardorum. C. Herman Niger de Frankinvort comparavit III iugera agrorum in Rendingeshusen sita. C. Item Eberhart mercator et uxor sua Sophya III iugera ibidem comparaverunt . . . . C. Hermannus de Ovenbahc et Cunegund, uxor eius, cum [a] . . . . . contulerunt nobis aream et domum in foro, ubi frumentum [b] venditur, que solvit II solidos. . [c]

*Or. Pgmt. St. A. Darmstadt.*
*Gedr.: Reimer, I, 109. (Auszug.) Vgl. Frankf. Mitth., V, 592.*

---

*a) Zweite Worte unleserlich „oas omo" (?). b) Ueber der Zeile, gemeint ist wohl der „Kornmarkt" in Frankfurt. c) Dieser Passus ist von einem andern, aber fast gleichzeitigen, Schreiber niedergeschrieben. Die übrigen Eintragungen gehören nicht hierher.*

**55.** *Kaiser Friedrich II. schenkt dem Deutschorden das Haus in Sachsenhausen mit dem Hospital und der Kirche samt Zugehör, die ihm Ulrich von Minzenberg zu diesem Behufe übergeben hat; desgleichen einen Mansus in der Gemarkung von Frankfurt, täglich zwei Wagen voll Brennholz und das Weiderecht im Reichswald bei Sachsenhausen. Tarent, 1221 April 10.*

C ⌇ In nomine sancte et individue trinitatis. Fridericus secundus divina favente clementia Romanorum imperator, semper augustus ⌇ et rex Sicilie. Quotiens illorum commodis et utilitati prospicimus, qui veros se comprobant actu et habitu servos Christi, veraciter debitum munificencie // regalis exequimur et nostre efficatius providemus saluti, ut, dum eorum indigentiam relevamus temporalem, ipsi nostre fiant spiritualis indigentie supplementum.  Eapropter // notum facimus universis imperii fidelibus, tam presentibus quam futuris, quod nos meditatione piissima attendentes, qualiter sacra domus hospitalis sancte Marie Teotonicorum in Jerusalem, a divo quondam augusto, domino imperatore Friderico, avo nostro, pietatis intuitu propagata, in multiplices fructus prodiit laude dignos et a domino quondam imperatore Henrico inclite recordationis, patre nostro, rebus ac libertatibus premunita et incrementum suscepit spiritualiter et temporaliter domino famulando et erga nostram magnificentiam fratrum dedicatorum ibidem ad divina servicia cum fide devotio semper crevit, necnon celebrem vitam et honeste religionis cultum, quibus dilectus nobis in domino frater Hermannus, magister hospitalis eiusdem, et fratres sui clarere noscuntur, labores eciam et sudores assiduos, quos pro fide christianorum et gloria sustinent incessanter, pro remedio animarum divorum augustorum, progenitorum nostrorum memorie recolende, et pro nostre salutis et glorie incremento ac hospitalis eiusdem augmento liberaliter intendentes, concedimus, donamus et in perpetuum confirmamus eidem domui hospitalis domum in Sahsenhusen cum hospitali et ecclesia omnibusque pertinenciis eorundem, quam videlicet domum, hospitale et ecclesiam Ulricus de Mincemberc nobis contulit dicte domui hospitalis libere conferenda.  De maiori quoque gracia nostra damus, concedimus et in perpetuum confirmamus eidem domui hospitali mansum unum in territorio oppidi nostri Frankenforten[a] et duas cotidie plaustratas siccorum lignorum ad comburendum et pascua animalibus eius, exceptis ovibus et pecoribus, in silva nostra, que adiacet ipsi loco in Sanhenhusen(!). Statuentes et sub obtentu gracie nostre firmiter iniungentes, ne quis ipsam domum hospitalis et fratres super hac nostra concessione, donatione et confirmatione molestare, vel modo quolibet perturbare presumat.  Quod qui presumpserit, in sue temeritatis vindictam centum libras auri componat. dimium(!) camere nostre et dimidjum prelibato hospitali passo iniuriam et offensam.  Ad cuius rei certam evidenciam et perpetuam firmitatem, presens privilegium scribi et sigillo maiestatis nostre iussimus communiri.  Huius rei testes sunt: Ulricus Pataviensis episcopus, Albertus Tridentinus electus, Ludewicus dux Bawarie comes palatinus Reni, Hermannus markio de Baden, Diobuldus markio de Voburch, comes Eberhardus de Elphenstein, comes Yldebrandus, Anselmus de Justingen marescalcus, et alii quam plures.

⌇ Signum domini Friderici secundi dei gratia invictissimi Romanorum imperatoris, semper augusti (LM.) et regis Sicilie. ⌇

Acta sunt hec anno dominice incarnationis millesimo ducentesimo vicesimo primo, quarto idus aprilis, indictione nona.  Imperante domino nostro Friderico secundo, dei gracia invictissimo Romanorum imperatore, semper augusto et rege Sicilie, anno imperii eius primo, regni vero Sicilie vicesimo tercio. Feliciter, amen. Datum apud Tarentum, anno, mense et indictione prescriptis.

---

a) *Das Abbreviaturzeichen fehlt.*

*Or. Pgmt. mit wohlerh. rothem Wachssiegel an roth-gelber Seidenschnur.*
*Wien. Deutschordenscentralarchiv. Verz.: Pettenegg No. 64.*
*Gedr. nach dem Or.: B., 31 = Hennes, I, 58 = Huillard-Bréh., II, 157.*
*Verz.: B.-F. Reg. No. 1314. Regest.: Grüsner, Beitr., III, 150, Buri, Bannforsten, 93.*
*Neben dieser Urkunde existirt im St. A. Fr. Deutschherren Urk. No. 1 eine nur in einer*
*    Abschrift des 15. Jahrh. (Mitte) überlieferte Ausfertigung, in welcher in die allgemeine*
*    Privilegienbestätigung des Kaisers vom gl. Tage, die bei Wyss, Hess. Urkb., I, 9 gedruckt*
*    ist, hinter dem Satze, der die allgemeine Bestätigung der kaiserlichen und königlichen*
*    Schenkungen enthält (Wyss, l. c. Z. 32—37—adipisci.), folgender Passus eingeschoben*
*    ist: „Specialiter quoque eidem sacre domui perpetuo duximus confirmandam domum in*
*    Sassenhusen cum hospitali et ecclesia et omnibus pertinenciis suis et mansum unum in*
*    territorio opidi nostri Frankfordensis et duas quotidie plaustratas nostrorum lignorum*
*    ad burendum ad usum fratrum et hominum ipsorum et libera pascua animalibus eorum,*
*    exceptis ovibus et pecoribus, in silva nostra, que adiacet ipsi loco in Sassenhusen, prout*
*    in privilegio maiestatis nostre eidem domui [data continetur]“. In dem folgenden Satz ist*
*    nach „permanere“: „sicut in privilegio super hoc eidem domui a nostra maiestate in-*
*    dulto plenius dinoscitur contineri,“ eingeschoben. Diese angebliche Copie eines Originals*
*    ist bei Fichard, Archiv, II, 91 ff. abgedruckt. Es handelt sich entweder um eine spätere*
*    Interpolation mit Benutzung der bei Wyss und hier abgedruckten Urkunden, oder um*
*    eine Specialausfertigung des allgemeinen Privilegs für das Haus zu Sachsenhausen.*
*    Das Citat aus Fichard ist irrthümlich bei B.-F. No. 1314 auf die oben abgedruckte*
*    Urkunde bezogen und dort zu streichen.*

**56.** *Siegfried, Erzbischof von Mainz, Dietrich, Erzbischof von Trier, und Conrad,*
*Bischof von Metz und Speyer, beurkunden, dass Ulrich von Minzenberg seine früher*
*durch Vermittlung des Kaisers Friedrich II vollzogene Schenkung an den Deutsch-*
*orden in ihrer Gegenwart erneuert habe, und bestimmen den Umfang dieser Schenkung*
*in genauerer Weise. 1221 November 25.*

❦ In nomine domini amen. ❦ Sifridus dei gracia sancte Maguntine sedis, Theodericus
Treverensis, archiepiscopi, Cunradus Metensis et Spirensis episcopus, // imperialis aule
cancellarius. Propter temporum mutationem et heredum successionem frequenter et
summa cautione solet provideri, ut ea, que ad honorem dei // omnipotentis per fidelium
piam fiunt donationem, per vivum et scriptorum testimonium munita, perpetue stabilitatis robore perfruantur. Siquidem persepe intelleximus // et vere scimus, quod dominus
Cůno de Minzenberc edificia, videlicet curiam, hospitale et ecclesiam, in Sassenhusin [a]
construxit in proprietate imperii et eidem curie, hospitali et ecclesie cum manibus
heredum suorum honestas et laudabiles contulit proprietates, ut inde tam in refectione
pauperum quam in celebratione divinorum deo ibidem sedulum fieret servitium. [b] Procedente vero tempore Ulricus de Minzenberc, postquam factus est heres patris, predictam
curiam, hospitale et ecclesiam in Sassenhusin [a] cum omnibus pertinentiis ad inductionem
domini Friderici Romanorum imperatoris, tunc regis, regie potestati sue resignavit,
domui Teutonice iure perpetuo conferenda, turri in aqua et advocatia [c] et silva Hanbach tunc sibi tantummodo reservatis. Hanc itaque [d] resignationem et domini regis
donationem idem Ulricus postmodum coram nobis et fratribus domus Teutonice presentibus recognovit. Verumtamen, [e] ut in posterum omnis auferretur dubitatio, an
resignatio ad instantiam domini regis facta voluntaria esset an invita, idem Ulricus
ad commonitionem nostram sepedictam curiam, hospitale et ecclesiam cum omnibus
pertinentiis coram nobis cum omni iure propria manu libere et absolute et [f] sine omni
exceptione contulit domui Teutonice ad honorem beate virginis et matris domini [g] Jesu
Christi. Constat etiam [h] predictis fratribus esse indultum et ab imperatoribus privi-
legiatum, ut bona feudalia ab imperio derivata domui Teutonice tamquam propria

possint dari. Ad conpescendas igitur malitiosas quorumcunque attemptationes in posterum super predictis omnibus, quia coram nobis facta sunt, per continentiam presentis scripti et sigillorum nostrorum inpressiones de visis et auditis ad petitionem utriusque partis testimonium duximus perhibendum. Huius rei testes sunt etiam:[a] Cunradus maior prepositus Spirensis, Gerhardus comes de Dits, Fridericus de Kelberovva,[b] Eberhardus de Lutera,[c] Heinricus de Cimiterio[d] in Confluentia, Heinricus scultetus de Frankenfort,[e] Cunradus de Treisa, Wigandus de Ovenbach, Cunradus de Beldersheim, Heinricus de Birchenlar, Wernherus Bargeseile, et alii quam plures. Acta sunt hec anno ab incarnatione domini M. CC. XXI., septimo kalend. decembris.

Or. Pgmt. (A) im Deutschordens-Centralarchiv zu Wien mit den 3 guterhaltenen Siegeln I u. II roth an gelben Fäden, III gelb an rothen Fäden. Verz.: Pettenegg No. 67. Eine zweite Ausfertigung (B) ebendort mit gleicher Besiegelung (alle drei Siegel roth, I u. II an rothen, III an grünen Fäden) weist die in den Anmerkungen vermerkten Abweichungen auf.

Gedr.: B., 32 nach A, Fichard, Archiv, II, 95 ex copia, Hennes, I, 62 nach Böhmer. Verz.: B.-F. No. 3865, Will, Mainzer Reg., XXXII No. 409.

**57.** *Elisabeth, die Wittwe von Johann und Conrad, schenkt den Deutschordensbrüdern zu Sachsenhausen[1] ihren Hof in Frankfurt nebst sieben, Vorwerk genannten, Huben und ausserdem genannte Liegenschaften in Bergen und Preungesheim. 1222 Mai.*

{In nomine domini amen.} Ad tollendum dubietatis scrupulum et conpescendum in futuro tempore cavillationis vitium pia facta hominum perpetuam // stabilitatem desiderantia scripti testimonio necessario muniuntur. Ego itaque Elizabet vidua et concivis in Frankenvort, considerans brevem vitam hominis // super terram et desiderans post transitum meum vitam perpetuam adipisci, firmum concepi propositum, seminare in terris, quod cum multiplicato fructu in celis reciperem confi//denter. Bona igitur deliberatione habita et pietatis spiritu inspirata, allodia mea, curtim videlicet in Frankenvort cum septem hubis, que vulgo vorevverc dicuntur; in Bergen septem hubas cum curti attinente; in Bruningesheim quatuor hubas et curtim et quinque iugera vinearum, libera proprietate ad me devoluta, cum omni iure, quo ego et antecessores mei possedimus, contuli liberaliter fratribus domus Teutonice. Spetialiter inquam illis, quos ex predictis fratribus nunc et in posterum hospitali in Sassenhusin preesse continget, ob remedium anime mee et maritorum meorum Johannis et Cunradi omniumque parentum meorum; hoc pacto, quod proprietas predictorum bonorum erit libere et absolute fratrum domus Teutonice in perpetuum, sed proventus eorundem bonorum servient mihi tantum, quamdiu vixero, pro decem solidis in censu annuatim fratribus persolvendis. Me vero de medio sublata, predicti fratres de bonis eisdem lumen de nocte tantum ardens et sacerdotem preter eum, quem prius ibidem habere consueverant, procurabunt. Ut igitur hec ordinatio mea tam futuris quam presentibus Christi fidelibus nota sit et in perpetuum rata permaneat, presentem paginam conscribi et sigillis capituli videlicet Frankenvordensis ecclesie et civitatis et meo feci cautius conmuniri. Huius rei testes sunt: Godescalcus decanus, Cunradus de Wachenheim, Fridericus, Reinoldus, magister Nicolaus, canonici in Frankenvort; Hermannus Cnuftinc[f] imperialis aule marscalcus, Heinricus de Rotenburc inperatoris(!) coquine

a) eciam. b) Kelberovven. c) Eberhardus de Radekopf. d) Cimiterio (!) e) in Frankenvort. f) B. las: Cnuftinc. Die Lesung bleibt in beiden Fällen unsicher.

[1] Der erste Comthur und Präceptor in Sachsenhausen Heinrich wird 122[1 October 5] (vgl. Guden, Cod. Dipl., IV, 869, 871, Verz.: Will, XXXII, No. 388 zu 1220, Mittheil. des Erfurter Geschichtvereins V, 161), 1225 (Wyss, I, 13), 1231 (ib. I, 18) und 1037 Januar 1 (in circumcis. domini) (Sauer, I, 310) erwähnt.

magister, Heinricus scultetus, Rudolfus de Hollär, Ruppertus, Cunradus Meisebuch, Johannes filius advocati, Wigandus de Neuheim, Marquardus de Buche, milites; Hermannus Niger, Hartmudus Bresto, Johannes Goltstein, Heinricus, Guntramus Hungerus, Ulricus carnifex, Cunradus Ruesere, Nidungus, Wigandus de Aschebrunnin, Baldemarus in Fronhove, Stephanus serviens domine Elizabet, et alii quamplures. Acta sunt hec anno dominice incarnationis M. CC. XXII., mense maio.

> *Or. Pgmt. Anh.: 1) Siegel des Bartholomaeusstifts (1). 2) Stadtsiegel (1). 3) Siegel der Elisabeth. II besch. . Alle siegelroth an rothen Seidenfäden. Wien. Deutschordenscentralarchiv. Vers.: Pettenegg No. 72.*
>
> *Gedr.: B., 33 nach dem Or. = Hennes, I, 66, Hess. Archiv, VI, 275, Reimer, I, 145 nach dem Or. Erw. Lersner, I, 59.*

**58.** *Zeugniss des Frankfurter Schöffengerichtes, dass Ritter Friedrich von Seligenstadt gen. der Römer mit seinen Ansprüchen auf eine dem Magister Nikolaus gehörige Hofstätte an der Brücke abgewiesen worden sei. 1222.*

In nomine domini amen. Controversie, que transactione sopiuntur, ne iterato in questionem veniant, racioni proximum est, formam decisionis earum in ore testium reponi et testimonio scripturarum commendari. Notum sit igitur universis cartulam presentem conspecturis, quod cum magister Nikolaus aream quandam, aput pontem sitam, summis piscatoribus pertinentem, ab eis, quorum iuri spectabat, legatam recepisset, ipsam XIII annis et amplius sine omni contradictione possedisset, a quodam milite Friderico videlicet de Seiligenstat, qui Romanus cognominatur, pro area eadem in causam tractus est. Quibus cum dies peremptorius fuisset prefixus, iamdictus F. non comparuit, nec responsalem mittere procuravit, unde area predicta a sculteto, scabinis et universis civibus Frankinvordensibus magistro N. fuit adiudicata. Procedente vero tempore prenominatus F., lite resuscitata comparens, in causa cecidit, quamobrem memoratus N., superpellicium suum scabinis pro iure suo porrigens, secundam ab eis recepit confirmationem. Ne igitur factum tam rationabile temporum vetustate aut iniqua cuiuspiam queat aboleri dolositate, presens pagina sigilli civitatis munimine est insignita. Testium quoque tituli sunt subscripti, quorum nomina sunt hec: Henricus de Prumheim scultetus, Johannes filius advocati, Ruckerus, milites; Hermannus Niger, Hartmudus Presto, Guntramus Hunger, Baldemarus de Fronhobe, Nidungus, Cunradus de Gisinheim, Wigandus de Asseburne, Johannes Golstein, Hartpernus, Henricus de Langestat, Ulricus carnifex, Degenardus, scabini, et cives quamplures. Acta sunt hec anno incarnationis domini M. CC. XXII.

> *St. A. Fr. Barth.-Stift, Bücher Serie II No. 7 f. 67 a.*
> *Gedr.: nach derselben Vorlage B., 34.*

**59.** *Philipp,[1] Propst der Frankfurter Kirche, schenkt dem dortigen Stiftscapitel das bisher zur Propstei gehörige Patronat der Kirche zu Bischofsheim. 1222.*

Universis presentem cartulam inspecturis, Philippus, prepositus in Frankenvurt,[a] in perpetuum. Quoniam labilis // est hominum memoria et novis supervenientibus

a) Frankenwrt, *ebenso weiterhin.*

[1] *Die Reihe der bekannten Vorgänger dieses Propstes ist folgende: 1) Ludewicus, 1127—1146. Erste Nennung als Zeuge: 1127 Febr. 4. Guden, Cod. Dipl., I, 65; vgl. Will, Mainz. Reg., XXV No. 186, letzte Nennung: 1146 Nov. 20. Sauer, I, 157, Will, l. c. XXVIII No. 64. 2) Giselbert, 1151 [vor Sept. 1] unter den Kaplänen, Sauer, I, 169, Will, XXVIII No. 143. Wahrscheinlich ist dieser Propst identisch mit dem seit 1133 Juni 18 (Guden, Cod. Dipl., I, 107, Will, l. c. XXV No. 256) in vielen*

veterum pariter succedit oblivio, quorum noticiam ad posteros // volumus pervenire, in ore testium reponi et testimonio scripturarum solent commendari. Innotescat igitur omnibus tam // presentis etatis quam future posteritatis, quod nos, tenuitatem stipendiorum fratrum in Frankenvurt respicientes[a] eique pro modulo nostro pie consulere desiderantes, ius patronatus ecclesie in Bishovesheim, quod racione prepositure nobis pertinuit, ob remedium anime nostre parentumque nostrorum ad emendacionem prebendarum fratrum in loco predicto deo militancium libere consignavimus. Ne autem factum tam racionabile[b] temporum vetustate aut cuiuspiam dolositate queat aboleri, paginam presentem conscribi nostrique sigilli munimine statuimus roborari. Acta autem sunt hec anno dominice incarnacionis M. CC. XXII.

*Or. Pgmt : Das abhangende Siegel des Ausstellers ist beschädigt.*
*St. A. Fr. Barth. St. No. 2421.*
*Gedr.: Würdtwein, Diœc. Mog , III, 122, B., 35 nach dem Or , Reimer, I, 117 nach dem Or. .*

**60.** *Erzbischof Siegfried von Mainz bestätigt die Schenkung des Patronatsrechtes in Bischofsheim von Seiten des Frankfurter Propstes Philipp von Dietz an das dortige Stiftscapitel. 1222 November 22.*

In nomine sancte et individue trinitatis.[c] Sifridus dei gratia sancte Maguntine sedis archiepiscopus. Ad uni//versorum noticiam[d] scripto volumus pervenire presenti, quod dilectus filius Philippus de Diets, Frankenvordensis pre//positus, pio ductus proposito et spe divine retributionis accinctus, iuri patronatus ecclesie de Bischovesheim, quod perti//nuit ad eundem, nostro accedente consensu renuntiavit omnino, ut Frankenvordense capitulum eundem perhenniter optineat patronatum et proventus ipsius ecclesie ad amminiculum prebendarum cedant fratribus in communi, postquam is decesserit, qui nunc percipit eos solus. Cum igitur iustis petentium desideriis et votis honestis celerem prebere teneamur assensum et favorem benivolum impertiri, prefati prepositi piis precibus inclinati factum idem, sicut pie ac rationabiliter est peractum, beati Bartholomei confisi suffragiis auctoritate metropolitica confirmamus una cum preposito apud Frankenvordensem ecclesiam perhenni memoria fruituri. Sub interminatione igitur anathematis inhibemus, nequis huic confirmationi nostre presumat ausu temerario contraire. Quod si quis attemptaverit, indignationem omnipotentis dei et beatorum Petri et Pauli apostolorum eius, sancti Martini[e] et excommunicationis nostre sententiam se noverit incursurum. Testes sunt: Bopelinus[f] maior prepositus, Theodericus[g] prepositus sancte Marie ad Gradus, Albertus de Kuglenberc, Sifridus de Eppenstein, Heinricus de Hagenowa,[h] Reinoldus[i] de Puzalia sancti Severi prepositus, Wernherus de Liebesberc, Fridericus de Eberstein, canonici Maguntini. Datum Maguncie,[k] decimo kalendas decembris, pontificatus nostri anno vicesimo primo.

a) „respicientes“ *steht doppelt im Or., einmal durch Strich ungültig gemacht.* b) „tam racionabile“ *über der Zeile nachgetragen.* c) „In — trinitatis“ *fehlt in* B. d) B. „notitiam“. e) Martini *von* „a“ *an* — „incursurum“ *auf Rasur.* f) B. „Boppelinus“. g) B. „Theodricus“. h) B. „Hagenowe“. i) B. „Reinaldus“. k) B. „Maguntie“.

*Urkunden der Mainzer Erzbischöfe genannten Kaplan Giselbert, der seit 1147 Febr. 5 (Will, l. c. XXVIII No. 71) als Propst zu Weilburg erscheint. 3) Gottfried 1151—1181. Erste Nennung als Zeuge: Stumpf, Acta Magunt., 47, Will, l. c. 149 und Henneberger Urkb., I, 7, Will, l. c. No. 144, letzte Erwähnung: Stumpf, Acta Mag., 94, Will, l. c. XXXI No. 195. Auch Gottfried wird einmal als erzbischöflicher Kaplan bezeichnet, Rossel, I, 37, Will, l. c. XXIX, No. 65. 4) Conrad, 1186—1213. Erste Nennung: Senckenberg, Med., Fasc. I, 62, Will, l. c. XXX No 183, 1196 wird er als Dompropst von Mainz und Frankfurt erwähnt: Sauer, I, 219, Will, l. c. No. 361, später nur noch mit dem ersteren Titel, zuletzt 1213 Mai 20, Joannis, Res Mog., II, 273, 757.*

*Die Urkunde ist in zwei Originalausfertigungen erhalten (St. A. Fr. Barth. St. No. 2422 A u. B),*
*die, bis auf das Fehlen der in Elongata geschriebenen Invocatio von A in B, nur in*
*sachlich unwesentlichen Punkten von einander abweichen.*
*An beiden Urkunden hängt das wohlerhaltene erzbischöfliche Siegel an gelben und rothen*
*Seidenfäden.*
*Gedr.: Guden, Cod. Dipl., I, 480 = Würdtwein, Dioec. Mog., III, 126. B., 35, Reimer, I, 117*
*nach dem Or. .*
*Vers.: Will, Mainz. Reg , XXXII, No. 433.*

**61.** *Die Pröpste der Domkirche, der St. Peterskirche und St. Marienkirche zu Mainz*
*bekunden, dass Erzbischof Siegfried von Mainz unter ihrem Mitwissen die Schenkung*
*des Patronatsrechtes zu Bischofsheim an das Stiftscapitel zu Frankfurt genehmigt*
*habe. 1222 November 22.*

B. dei gratia maioris ecclesie, G., sancti Petri, T., sancte Marie ad Gradus in
Maguntia, prepositi. // Universis hanc paginam visuris salutem in domino perpetuam.
Attestatione presentis scripti testimonium perhi//bemus, quod dominus noster, S. archiepiscopus, de conscientia nostra adhibuit assensum, ut patronatus ecclesie // in Biscovis-
heim communibus fratrum usibus in Frankenvort perpetuo deserviret. In huius igitur
testimonii nostri evidentiam presentem paginam conscriptam sigillorum nostrorum
impressionibus duximus muniendam. Acta sunt hec anno domini M̊. C̊C. XX̊II.,
X. kalendas decembris.

> *Or. Pgmt. Die drei Siegel der Aussteller hängen an der Urkunde, das des Gerbodo ist*
> *beschädigt. St. A. Fr. Barth. St. No. 2423.*
> *Gedr.: Würdtwein, Dioec. Mog., III, 123. B., 36, Reimer I, 118, beide nach dem Or. .*
> *Vers.: Will, Mainz. Reg., XXXII No. 434.*

**62.** *Siegfried,[1] Propst zu Frankfurt, bestätigt die Uebertragung des Patronatsrechtes in*
*Bischofsheim von Seiten seines Vorgängers an das Frankfurter Stiftscapitel. 1222.*

S. dei gracia Frankenvordensis ecclesie prepositus. Universis hanc paginam
[visuris][a] salutem in vero salutari. Confir//macione presentis scripti ordinacionem,
quam predecessor noster pie memorie, domino nostro S., venerabili ar//chiepiscopo,
assensum prebente, ordinavit, ut patronatus ecclesie in Biscovisseim communibus fratrum
usibus in Franken//vort deserviret,[b] perpetuo confirmamus. Ad huius igitur confirmacionis roboracionem presentem paginam conscriptam sigilli nostri impressione duximus
muniendam. Acta sunt hec anno gratie M̊. C̊C. XX̊II.

> *Or. Pgmt. mit anhängendem wohlerhaltenen Siegel des Ausstellers. St. A. Fr. Barth. St.*
> *No. 2428.*
> *Gedr.: Würdtwein, Dioec. Mog., III, 126, B., 37, Reimer, I, 118.*
> *Vers.: Will, Mainz. Reg., XXXII No. 435.*

**63.** *Papst Honorius III. bestätigt dem Frankfurter Stiftscapitel die Schenkung des*
*Patronatsrechtes zu Bischofsheim. Im Lateran, 1223 Januar 17.*

Honorius episcopus servus servorum dei. Dilectis filiis . . decano et capitulo
ecclesie de Fran//kenford salutem et apostolicam benedictionem. Cum a nobis petitur,
quod iustum est et honestum, // tam vigor equitatis, quam ordo exigit rationis, ut id

---

a) „Visuris“ oder „inspecturis“ fehlt im Or. .    b) „de“ verbessert aus „vi“.

[1] *Propst Siegfried kommt auch 1222 nach*    (Will, Mainzer Reg., XXXII, No. 432, Sauer I,
*Sept. 30 als Z. in Urk. Eb. Siegfriede von Mainz*    269) vor.

per sollicitudinem officii nostri ad // debitum perducatur effectum. Ea propter, dilecti in domino filii, vestris iustis postulationibus gratum impertientes assensum, ius patronatus, quod habetis in capella de Biscossheim a bone memorie Ph., preposito eiusdem ecclesie, loci diocesani et eius capituli accedente consensu, vobis pia liberalitate donatum, sicut in litteris eorundem plenius dicitur contineri, vobis et per vos eidem ecclesie auctoritate apostolica confirmamus et presentis scripti patrocinio communimus. Nulli ergo omnino hominum liceat, hanc paginam nostre confirmationis infringere vel ei ausu temerario contraire. Si quis autem hoc attemptare presumpserit, indignationem omnipotentis dei et beatorum Petri et Pauli apostolorum eius se noverit incursurum. Datum Laterano, XVI. kalendas februarii, pontificatus nostri anno septimo.

*Or. Pgmt. mit Bulle an rothen und gelben Fäden. St. A. Fr. Barth. St. No. 2424.*
*Gedr. nach dem Or.: B., 37, Reimer, I, 120.*
*Vers.: Potthast, No. 6936.*

**64.** *Papst Honorius III. bestätigt dem Stiftscapitel zu Frankfurt die Schenkung der Einkünfte der Kapelle zu Bischofsheim. Im Lateran, 1223 Februar 3.*

⁅Honorius⁆ episcopus servus servorum dei. Dilectis filiis, . . decano et capitulo ecclesie in // Frankenfort, salutem et apostolicam benedictionem. Cum a nobis petitur, quod iustum est et honestum, tam // vigor equitatis, quam ordo exigit rationis, ut id per sollicitudinem officii nostri ad debitum perducatur // effectum. Ex vestra sane insinuatione didicimus, quod bone memorie Ph., ecclesie vestre prepositus, vestrorum reddituum tenuitate pensata, vobis capellam de Biscofsheim de assensu venerabilis fratris nostri, . . Maguntini archiepiscopi loci diocesani, et capituli sui pia liberalitate concessa constituit, ut ipsius proventus in vestrorum cedant beneficiorum augmentum. Nos igitur vestris iustis precibus inclinati, quod super hoc ab eodem preposito pie ac provide factum est, sicut in ipsius et eiusdem archiepiscopi litteris plenius continetur, auctoritate apostolica confirmamus et presentis scripti patrocinio communimus. Nulli ergo omnino hominum liceat, hanc paginam nostre confirmationis infringere vel ei ausu temerario contraire. Si quis autem hoc attemptare presumpserit, indignationem omnipotentis dei et beatorum Petri et Pauli apostolorum eius se noverit incursurum. Datum Laterano, III. nonas februarii, pontificatus nostri anno septimo.

*Or. Pgmt. mit Bulle an roth-gelben Fäden. Rückseite ✠ St. A. Fr. Barth. St. No. 2425.*
*Gedr. nach dem Or.: B , 38, Reimer, I, 120.*
*Vers.: Potthast, No. 6962, Will, Mainz Reg., XXXII, No. 437.*

**65.** *Papst Honorius III. nimmt das Stiftscapitel zu Frankfurt mit allen seinen Besitzungen, namentlich der Kapelle zu Bischofsheim, in seinen Schutz. Im Lateran, 1223 Februar 11.*

⁅Honorius⁆ episcopus servus servorum dei. Dilectis filiis, . . decano et capitulo ecclesie de Frankenfort, salutem // et apostolicam benedictionem. Sacrosancta Romana ecclesia devotos et humiles filios ex assuete pietatis officio propensius dili//gere consuevit et, ne pravorum hominum molestiis agitentur, eos tanquam pia mater sue protectionis // munimine confovere. Eapropter, dilecti in domino filii, vestris iustis precibus inclinati, personas vestras et locum, in quo divino estis obsequio mancipati, cum capela de Biscofsheim et omnibus bonis, que impresentiarum rationabiliter possidetis aut in futurum iustis modis prestante domino poteritis adipisci, sub beati Petri et nostra protectione suscipimus et presentis scripti patrocinio communimus. Nulli ergo omnino hominum liceat, hanc paginam nostre protectionis infringere vel ei ausu temerario contraire. Si quis autem hoc attemptare presumpserit, indignationem omnipotentis

dei et beatorum Petri et Pauli apostolorum eius se noverit incursurum. Datum
Laterano, III. idus februarii, pontificatus nostri anno septimo.

*Or. Pgmt. mit Bulle an rothgelben Fäden. St. A. Fr. Barth. St. No. 2440.*
*Gedr.: B., 38, Reimer, I, 121, beide nach dem Or. .*
*Verz.: Potthast, No. 6966.*

**66.** *Der ' Dechant Gottschalk und das Stiftscapitel, Heinrich der Schultheiss und die
Bürger zu Frankfurt beurkunden die Beilegung eines Streites zwischen dem Stifte
St. Mariengreden zu Mainz und der Familie von Bergen in Betreff eines Zinses zu
Nidda. Frankfurt, 1223 April 28.*

In nomine domini amen. Godscalcus decanus et capitulum, Heinricus scultetus
et cives in Frankenvort. Ad universorum noticiam presencia scripta transmittant,
quod discordia, que vertebatur inter prepositum et ecclesiam sancte Marie Maguntie
ad Gradus ex parte una, Cunradum seniorem et filios eius Cunradum, Gerhardum et
Ortwinum, item filios Marquardi fratris sui Wernherum, Marquardum, Waltherum,
Gerhardum, Godefridum, Hermannum et Helfricum de Bergen, ex parte altera, super
duobus talentis in Nithe, que sibi contendebant titulo feodi pertinere, coram nobis
amicabilis composicio intervenit, ita quod dicti laici renunciaverint omni iuri, quod
habebant vel habere videbantur in predictis talentis,. et propter renunciacionem huiusmodi prepositus et ecclesia dederunt eis IX marcas. Testes sunt: Godefridus parochianus,
Burkardus, Reinoldus, Cunradus, Heinricus, canonici de Frankenvort; Johannes filius
advocati, Rupertus de Sassenhusen, Heinricus de Bonemesen, Cunradus Meisenbug,
Marquardus de Buchen, Rukerus de Birkelar, Wortwinus de Wirzeburc, milites;
Johannes Goltstein, Hermannus Niger, Wigandus de Escheburne, Ulricus, Baldemarus,
Cunradus Rusere, Tegenhardus, Nidungus, Heinricus de Langestat, scabini, et quam
plures alii nostri concives. Ne autem super hoc negocio lis aliqua in posterum oriatur,
sigillis nostris fecimus hanc paginam communiri. Acta sunt hec Frankenvort, anno
incarnacionis dominice M. CC. XXIII., IIII kal. maii.

*Gedr.: Joannis, Res Mogunt., II, 656, = B., 39, Sauer, I, 272, Wetteravia, I, 121.*
*Verz.: Scriba, III, No. 1285 zu April 29.*

**67.** *Der Frankfurter Bürger Baldemar und dessen Frau Cristantia vermachen dem
Kloster Arnsburg ihr neuerbautes Haus bei der Brücke mit der ganzen Hofstätte.
1223 Juni 30.*

Ego Baldemarus burgensis in Frankinvort et uxor mea Cristantia communicata
manu et pa//ri consensu legavimus ecclesie in Arnesburc intuitu divine remunerationis
ac pro remedio animarum // nostrarum, necnon parentum nostrorum, novam domum
nostram, quam apud pontem edificavimus, et totam aream illam, // quam domus eadem
occupat, ita sane, ut sive prolem genuerimus, seu ego premortua iam dicta coniuge
mea de altera genuero heredem, sive ipsa me premortuo de altero marito pepererit,
nichilominus prenominata ecclesia in Arnesburc domo legata et area gaudeat libere
et absolute. Hoc etiam adiecimus, ut quamdiu nos duo vixerimus, vel alter nostrum
altero defuncto superstes fuerit, de eadem domo tres solidos in die sancti Johannis
baptiste sepedicte ecclesie, a qua iure hereditario tres oboli Frankinvordenses preposito
solvendi sunt, annuatim persolvamus, sed nobis ambobus defunctis libere et absolute
pro sua voluntate domo et area prelibata utatur. Ad huius igitur facti robur et
cautelam appensa sunt huic scedule sigilla ecclesie et civitatis de Frankinvort. Cuius
rei testes sunt: Godscalcus decanus, Gotfridus parrochianus, magister Nicolaus, Heinricus sculthetus, Johannes filius advocati, H. Bresto, Hermannus Niger, Hartpernus,

Ulricus, Guntramus, Wigandus de Askeburnen, Heinricus de Langestad, Guntramus monetarius, Bertoldus[a] filius Harperni, et alii quam plures. Acta sunt hec anno dominice incarnationis M̊. CC̊. XXI̊II. In commemoratione sancti Pauli.

*Or. Pgmt. Es hängen beschädigt an: Siegel des Bartholomäusstifts (1), Stadtsiegel (1). St. A. Fr. Mgb. C. 30. No. 1 (Arnsburg).*

*Gedr.: Lersner II b, 199. Senckenberg. Disq. testamenti publici orig., Göttingen 1736, S. 70 Lit. B., B., 40 nach dem Or. Regest. nach B.: Arnsb. Urkb., 200.*

**68.** *Der Frankfurter Bürger Harpernus vermacht mit Einwilligung seiner Frau Christine dem Kloster Arnsburg sechs Tagwerk Weinberge bei Bergen und seinen vor Frankfurt bei dem Frohnhof gelegenen Hof, ausserdem seinen genannten Verwandten Liegenschaften bei Frankfurt, Rockenberg, Bergheim, Dorfgüll und Fauerbach. Frankfurt, 1223 October 23.*

In nomine domini amen. Ego Harpernus civis Frankenfurdensis considerans, quia sicut folium, quod vento rapitur, // sic et repentino casu labitur humana mortalitas, ad consolationem fratrum beate et gloriose semper virgini // Marie in Arnesburc deservientium pro remedio parentum meorum, videlicet Harperni et Petirse, per quos eadem // bona mihi iure hereditatis pertinebant, et meorum et uxoris mee peccaminum contuli eidem monasterio cum consensu et manu uxoris mee Cristine sex iurnales vinearum apud Bergen libere et absolute in perpetuum possidendos, ita ut de proventibus earumdem vinearum semel in anno, videlicet in commemoratione sanctarum animarum, toti conventui cum librata piscium et dimidia carrata vini, me vivente seu mortuo, beneficium consolacionis inpendatur. Item contuli eidem cenobio curtem meam extra Frankenfort iuxta Fronehoven sitam, de qua solvent(!) annuali censu curie, que dicitur Fronehof, sex leves denarios. Preterea legavi fratri meo Bertoldo omnem agriculturam meam apud Frankenfort, sorori mee Heidendrudi mansum in Rokenberc et mansum in Berckeim,[b] sorori mee Reinhedi mansum in Gulle et mansum in Förbach. Tali condicione, ut si forte medio tempore decessero, sine omni impulsatione prefatorum heredum meorum uxor mea C. prefata bona usque ad obitum suum libere et absolute possideat, si vero divina cooperante misericordia ad aliquod cenobium quodcunque sit, ut ibidem domino et beate virgini deserviam, me transtulero, eadem bona eidem ecclesie, tam me vivente quam uxore mea, tali libertate, sicut ipsis frueremur in seculo, deserviant, ita ut prenominate uxori mee et familie, qua ipsa opus habuerit, tam in victu quam in vestitu de eodem monasterio quoad vixerit habundanter provideatur. Post obitum vero meum et uxoris mee sepefata bona mea possessioni prenominatorum heredum meorum cedant, sicut per presens scriptum est determinatum, hoc interposito, ut nec per mortem sepedictorum heredum meorum nec per mortem puerorum suorum ad heredes extraneos eadem bona devolvantur, sed ad eos, qui de meis superstites sunt proximos, redeant. Ut autem hec mea ordinacio nulla presentium seu posterorum cavillacione vel astutia possit retractari, communicata manu et consensu predicte coniugis mee presentem cedulam sigillis ecclesie Frankenfurgensis(!) nec non civitatis eiusdem et abbatis de Arnesburc feci communiri. Testes huius rei sunt: Abbas, Bertoldus, Rudolfus, fratres predicti monasterii; magister Nicholaus, Ripertus miles, Meisenbûc, Marquardus de Bûchen, Heinricus scultetus, Johannes filius advocati, Johannes Goltstein, Hartmudus Bresto, Bertoldus frater meus, Hermannus Niger, Baldemarus, Wigandus de Ascheburnun, Embrico gener suus, Theodericus de Massenheim, Cunradus Clobeloch, Heinricus Storkelin, Heinricus Albus, Gernodus de Hoste, et alii quam plures. Acta sunt hec anno domini M̊. CC̊. vicesimo tercio, decimo kalend. novembris, in civitate Frankenfort.[c]

a) *Von Bertoldus an mit hellerer Tinte geschrieben.* b) *c überschrieben.* c) *In civitate Frankenfort ist nachgetragen.*

*Or. Pgmt. Die Siegel 1) Barth.-Stift (1), 2) Stadtsiegel (1), 3) Abtssiegel hängen an
weissen Schnüren an, das dritte ist zerbrochen. Lich.
Gedr.: B., 40 nach dem Or., Reimer, I, 122, gekürzt, desgl.. Regest: Baur, Arnsb. Urkb., 200.
Vers.: Scriba II, No. 338. Auszug: Thomas, Oberhof, 432.*

**69.** *Das Domcapitel zu Mainz genehmigt die Uebertragung des Patronatsrechtes zu
Bischofsheim von Seiten des verstorbenen Frankfurter Propstes Philipp an das
Frankfurter Stiftscapitel. (1223.)* [1]

G. dei gratia prepositus, C. decanus totumque maioris ecclesie in Moguntia
capitulum. Universis Christi fidelibus tam futuris,[a] quam presentibus // presens
scriptum audituris. Notum esse volumus, quod nos collationi capelle de Bissovesheim
ecclesie Frankenvordensi, in augmentum[b] // prebendarum fratrum deo ibi servientium
facte a domino Ph. quondam Frankenvordensi preposito bone memorie, et confirmationi // . . venerabilis domini nostri, S. dei gratia sancte Moguntine sedis archiepiscopi, super eadem facte, quoniam tale factum est pium[c] et licitum, ne de contin-
gentibus forte aliquid omittatur, plenum consensum liberum et benivolum adhibemus.
Nos igitur, ne forte in posterum super hoc aliquod dubium possit oriri in predicte
ecclesie gravamen, presentem paginam sigillo capituli nostri dignum ducimus cor-
roborare.[d]

*Or. Pgmt. mit anhängendem wohlerhaltenen Capitelssiegel St. A. Fr. Barth. St. No. 2426.
Gedr.: Würdtwein, Dioec. Mog., III, 124, B., 37, Reimer, I, 119, beide nach dem Or..*

**70.** *Das Frankfurter Stiftscapitel verpachtet dem Herrn Walther von Merselt auf seine
Lebzeiten die Nona von den kaiserlichen Aeckern zu Tribur für vierzehn Malter
Weizen jährlich. 1223.*

In nomine domini, amen. Godescalcus decanus, Cûnradus, Fridericus, Theodericus,
Reinoldus, // magister Nikolaus custos, Godefridus parrochianus, Heinricus, Burkardus,
canonici. Quoniam tum // processu temporis, tum eciam fraudulentorum quorundam
dolositate facta discretorum sepius solent inmutari, ea, que // pie ac provide ordinantur,
testimonio scripturarum necessario muniuntur. Universis igitur cartulam presentem
conspecturis constare volumus, quod cum nos nonam[e] de agris imperialibus in Triburia
tempore aliquo violenter nobis ablatam iudicio tandem domini pape in pensione, qua
Karolus imperator ipsam ecclesie Frankinvordensi legaverat, recuperassemus, domino
Waltero de Mersevelt pro XIIII maldris tritici Maguntine mensure concessimus. Sane
quia dictus Wal(terus) prefatorum bonorum in magna parte possessor extitit et, ab
iniuria sua, sicut sui convicini, eorundem agrorum possessores, resipiscendo, pensionem
debitam ecclesie nostre manifeste recognovit, in summam memoratam convenimus. Ita
tamen ut sepedictus W(alterus) eadem bona suis tantumodo diebus possidendo triticum
supradictum vel denarios equipollentes in festo sancti Bartholomei in Frankinvurt
nobis presentet. Post obitum vero ipsius eadem bona sine omni heredum suorum
reclamacione ad ecclesiam revolvantur. Ut igitur hec ordinacio nostra rata permaneat,
presens scriptum ecclesie nostre et burgensium sigillo munivimus. Testes autem sunt
hii: Heinricus scultetus, Johannes filius advocati, Ruckerus, milites; Hartmudus presto,

a) *Or.* futuris. b) *Or.* agmentum. c) *Ueber der Zeile.* d) *Or.* corrroborare. e) *Im Or. stand*
quintam, *das von gleichzeitiger Hand gestrichen und durch* nonam *verbessert wurde.*

[1] *Da Gerbodo am Ende des Jahres 1222 noch
Dechant ist, ist die Urkunde wohl erst im folgenden Jahre ausgestellt. (Sauer I, 269).*

Hermannus Niger, Johannes Golstein, Nidungus, Ulricus carnifex, Cûnradus de Gysen-
heim, Hartpernus, Degenhardus, Baldemarus de Vronhobe, Heinricus de Langestat,
Wigandus de Asseburne, Guntramus Hunger, scabini; Michahel, Cûnradus Klobelouch,
Marquardus, cives, et alii quam plures. Acta sunt hec anno domini M. CC. XXIII.

*Or. Pgmt. Nur das Stiftssiegel hängt an, für das zweite nur Einschnitt. St. A. Fr.*
*Barth. St. No. 3124.*
*Gedr.: B., 41 nach dem Or. .*
*Verz.: Scriba, IV, 1, No. 2621, Fr. Arch., II, 80.*

**71.** *Die Frankfurter Bürgerin Elisabeth, Wittwe des Johannes und des Konrad, schenkt
dem Kloster Arnsburg genannte Liegenschaften zu Kirchdorf, Bergen und Rendel. 1223.*

In nomine domini amen. Ego Elysabet vidua et concivis in Frankinvort, considerans, // breves esse dies hominis super terram, innotescere cupio universis hoc
scriptum inspecturis, quod super egestate et penu//ria, quibus opprimitur ecclesia in
Arnesburc Cisterciensis ordinis, spiritu mota pietatis ad sustentationem fratrum deo
et // gloriose genitrici sue ibidem servientium partem allodii mei, videlicet quatuor
mansos in Kirchdorf cum omnibus attinentiis suis, et duo iugera vinearum in Bergen.
que dicuntur hovegarto, et duos mansos in Rendelo, ob remedium anime mee et maritorum meorum Johannis et Cunradi necnon omnium parentum meorum libere et absolute contuli prenominate ecclesie nunc et in perpetuum cum omni usu proprietatis
possidenda. Ad sopiendum igitur tocius cavillationis et calumpnie malum et ut rata
permaneat tam pia et deliberata donatio, presentem scedulam conscribi et sigillis,
videlicet ecclesie Frankinvordensis et civitatis eiusdem necnon meo, dignum duxi confirmari. Testes huius rei sunt: Gotscalcus decanus, Gotfridus parrochianus, magister
Nicholaus, Reinoldus, Cunradus de Fegenheim, Burchardus, Heinricus de Ditse, Harpernus, canonici; Heinricus sculthetus, Johannes filius advocati, Johannes Golstein,
Hermannus Niger, Hartmudus Bresto et filius suus Heinricus, Rûkerus, Harpernus et
frater suus Bertoldus, Ulricus, Guntramus, Heinricus de Langestad, Baldemarus,
Wigandus de Askeburnen, Heinricus Storkelin, Stephanus servus meus, et alii quam
plures. Acta sunt hec anno dominice incarnationis M. CC. XXIII.

*Or. Pgmt. Die drei Siegel hängen an rothen Leinenfäden an. Lich.*
*Gedr.: B., 42 nach dem Or., desgl. Reimer, I, 123. Regest: Baur, Arnsb. Urkb., 201.*
*Verz.: Scriba, II, No. 339.*

**72.** *Elisabeth, Wittwe Konrads von Hagen, verkauft den Deutschordensbrüdern zu
Sachsenhausen ihren Weinberg in Rode für 20 Mark kölnisch. 1225 März 1.*

Universis Christi fidelibus tam presentibus quam futuris, ad quos presens scriptum
pervenerit, ego Elyzabeth, // relicta Cûnradi quondam de Hagen, sincere karitatis
affectum cum salute. Presenti scripto cupio pro//testari, quod ego vendidi et per
manus Riperti sculteti de Frankenfurt contradidi vineam meam in Rode // fratribus
domus Theutonice in Sassenhusen pro viginti marcis monete Coloniensis, hoc pacto,
ut quamdiu ego pecunia carere voluero, percipiam fructus vinee memorate, quando
autem fructibus carere voluero, predicta pecunia infra duos menses michi, vel cuicunque
loco vel persone eam vel in vita dedero vel in morte legavero, sine difficultate persolvetur. In cuius rei evidentiam presentem paginam conscribi et sigilli mei et ecclesie
beati Bartholomei, necnon sigilli civitatis Frankenfurt munimine feci communiri.
Testes autem huius rei sunt: Godescalcus decanus, Nycolaus custos,[1] Godefridus

[1] *Die beiden hier Genannten und der Canonikus*
*Burchard werden auch erwähnt 1225 Mai (Guden,*
*Cod. Dipl., II, 42).*

plebanus, canonici Frankenfordenses; Ripertus scultetus, Johannes filius advocati, Johannes Goltstein, Hartmodus Bresto, Hermannus Niger, Henricus de Langenstat, burgenses in Frankenfurt; Cûnradus Tûgel, Wigandus de Nuheim, Albertus de Kuningestein, Cunradus de Rendele, Rupertus de Honstat, et alii quam plures. Actum anno gracie M̊. C̊C̊. XX̊V., kl. marcii.

*Or. Pgmt. Anhängend 1) ältestes Siegel des Bartholomaeus-Stift, 2) ältestes Stadtsiegel 3) Siegel der Elisabeth. Wien, Deutschordens-Centralarchiv. Verz.: Pettenegg, No. 97. Gedr. nach dem Or.: B., 47 = Hennes, I, 72.*

**73.** *Der Schultheiss Ripert und die Bürger zu Frankfurt bekunden eine vor dem Frankfurter Gericht getroffene Entscheidung eines Rechtsstreites zwischen dem Kloster Eberbach und den Rittern von Wolfskehlen, betr. die Ansprüche der letzteren an den Hof Leheim. 1225.*

Ripertus sculthetus et universi cives in Frankenvort. Notum esse cupimus omnibus hoc scriptum intuentibus, quod abbas // et fratres de Everbach aliquando moverunt querimoniam coram nobis de militibus germanis in Wolveskelen, quod violenciam // et iniuriam eis facerent in curte sua, que Leheim vocatur. Nos ergo citantes eos ad iudicium nostrum, auctoritate regia in//duximus, quod abbati et conventui de illatis iniuriis in omnibus satisfecerunt, et ut in posterum firma pax inter eos et fratres predicte curtis stare possit, tam abbas quam ipsi milites de communi consensu arbitrio bonorum virorum se submiserunt. Convenientes ergo in unum arbitri hoc statuerunt, ut quitquid ecclesia de Everbach a temporibus Friderici imperatoris iam mortui possedit usque ad annum presentem, dominice incarnationis videlicet M̊. C̊C̊. XX̊V., de cetero quiete et sine omni contradictione possideat, tam in agris quam in pascuis, et silvis communibus et privatis, et arbustis hinc inde adiacentibus; et a militibus prefatis fideiussores receperunt pro XX$^{ti}$ marcis, ut si aliquando contra statutum hoc venire presumpserint infestando fratres, XX$^{ti}$ marcas solvant ecclesie et venientes in Frankenvort satisfaciant scultheto et civitati secundum ius imperii. Si vero querimoniam aliquam habuerint contra fratres in Leheim, coram scultheto proponant in Frankenvort et ad iudicium civitatis eis satisfiat et simili modo fratres contra ipsos procedant. Et in huius facti firmitatem scriptum hoc sigillo nostro et ecclesie confirmavimus et testes subscripsimus, quorum hec sunt nomina: Godescalcus decanus, Nicholaus custos, Johannes filius advocati, Wigandus de Nuheim, Hartmudus Bresto, Nidungus, Johannes Guldenstein, Baldemarus, Wigandus Pistor, Heinricus de Langhenstat, Heinricus Storkelin, Guntramus, Erkenbertus abbas, Gerardus cellerarius, Cunradus monachus de Sconaugia, Wilhelmus Tongrensis, frater Wigandus de Haselach, Betzelo de Gebenbrunne, Meinardus de Leheim, Bertramus, Diethericus et Embrico conversi. Fideiussores huius cause sunt: Heinricus de Prumen, sororius eorundem militum, et Wigandus de Nuheim.

*Or. Pgmt. Es hängen folgende Siegel an: 1) Aeltestes Siegel des Bartholomäusstifts, 2) Stadtsiegel (1), 3) Siegel des Schultheissen Ripert. Or. Pgmt. Darmstadt, Grotefend. Gedr.: Fichard, Entstehung, 351 ex copia. B, 44 nach dem Eberbacher Copiar. Saec. XV. auf der Bibliothek zu Mainz. Rossel, Eberb. Urkb, I, 245 nach dem Or. . Verz.: Scriba, I, No. 323. Vgl. Period. Blätter der Vereine zu Darmstadt, Kassel etc., No. 7, 246 (1855), Roth, Quellen, I, 52.*

**74.** *Conrad von Steina und dessen Frau Adelheid verzichten auf Bitten der Frau Elisabeth, der Stieftochter Conrads, auf alle Ansprüche an die Güter zu Preungesheim, Hapirshofen und anderwärts, die auf Elisabeth von ihrem Vater Wortwin von Hohenberg gekommen sind. 1226 April 29 (tercio kal. maii).*

*Gedr.: B., 44 nach einem „Vidimus von 1251 Jan. 13 in Arnsburg". Reimer, I, 125 nach dem Or. im St. A. Stuttgart. Auszug: Thomas, Oberhof, 432. Böhmers Ms. hat zu dieser Urkunde eine längere Anmerkung, worin er auf die Identität der Elisabeth mit der gleichnamigen, schon vorher öfters genannten Frau hinweist. Jedoch kann ich mich dem daraus gezogenen Schlusse, dass deswegen diese Urkunde den Frankfurter Urkunden zuzuzählen sei, keineswegs anschliessen. Das Regest wird jedenfalls vollkommen hinreichen.*

**75.** *Der Abt C[onrad] von Arnsburg, der dortige Prior G. und der Pfarrer C. von Diebach fällen als delegirte Richter einen Spruch in einem Streite des Klosters Haina und des Ritters Rudolf von Hollar über die von dem Riederhofe zu entrichtenden Grundzinsen. Frankfurt, 1226 Mai 4.*

Frater C. dictus abbas de Arnesburg, G. prior, C. plebanus de Dyppach, iudices delegati, omnibus in perpetuum. Litigantibus coram nobis ex // parte una abbate de Hagenehe, Cysterciensis ordinis, et ex parte altera Rudolfo milite de Hollar, super quibusdam conpromissionibus factis inter se su//per grangia et bonis in Ryderen, nobis consentientibus causa est quorundam honestorum virorum arbitrio commendata. Qui arbitrati sunt, // quod abbas et conventus de Hagenehe census, qui de nemore eidem grangie pertinenti burgensibus de Frankenvort debentur, cum omni integritate persolvant, Rudolfo militi et suis heredibus pensionem consuetam, videlicet decem maltra tritici, triginta et unum maltra siliginis, annis singulis solvant, et si aliquis ipsos super bonis eiusdem grangie inpecierit, sine omni preiudicio predicti R. querimonie illius satisfaciant et plenarie respondeant, et quicquid contra eos optentum fuerit, in dampnum ipsius R. seu heredum suorum non cedat. Prescriptus vero R. campum, qui dicitur sabulum, abbati prenominato et conventui cum omni integritate contulit, ut quicquid fructus sive utilitatis ex cultura eiusdem sabuli aut aliis omnibus iamdicte grangie attinentibus ipsis in perpetuum provenerit, nichil sepe dicto R. vel suis heredibus, nisi tantum pensionem prescriptam, solvere teneantur. Ne autem huius decisionis succrescat oblivio aut posteritate succedentium ulla possit suboriri calumpnia, presentem cedulam nostro, abbatis de Hagene et ecclesie in Frankenvort sigillis duximus communiri. Acta sunt hec anno domini M̊. C̊C̊. X̊XVI., quarto nonas maii, in choro Frankenvort. Testes: Gotdesalcus(!) decanus, Godefridus parrochianus, magister Nicolaus, Reinoldus, Conradus Rufus, Burchardus, canonici Frankenvordenses; Cunradus et Cuno de Hachechenstein, Marquardus Scelme, Henricus de Bonemese, Gerlacus de Bomershem, Conradus filius Kunegundis de Bruningisheim, Cunradus Tugil, milites; Ripertus scultetus, Johannes filius advocati, Hartmut Bresto, Hermannus Niger, Baldemarus de Fronehove, Ulricus Longus, et alii quam plures.

*Or. Pgmt. Anhängend 1) Siegel des Abtes (zerbrochen). 2) Siegel v. St. Bartholomaeus (1) (gut erhalten) St. A. Fr. Heil. Geist Hosp. Litt. R No. 3.*
*Gedr.: Fichard, Arch., I, 207, B., 45 nach dem Or. .*

**76.** *Elisabeth, Wittwe Konrads von Hagen, verkauft dem Kloster Arnsburg Güter in Bergen und Wilhelmishusen (Rendel) und einen Grundzins in Frankfurt. 1226 Mai 4.*

Universis Christi fidelibus tam presentibus quam futuris, ad quos presens scriptum pervenerit, ego Elyzabeth, relicta // Cůnradi quondam de Hagen, sincere karitatis affectum cum salute. Presenti scripto cupio protestari, quod ego vendidi // et per manus Riperti sculteti de Frankenfurt contradidi duo iugera vinearum in Bergen et pomerium meum ibidem, et dimi//dium mansum in Wilchelmishusen, et decem solidos levis monete redituum in Frankenfurt, fratribus in Arnesburg Cysterciensis ordinis pro triginta marcis monete Coloniensis. Hoc pacto, ut quamdiu ego pecunia carere voluero, percipiam fructus vinee memorate, quando autem fructibus carere voluero, predicta pecunia infra duos menses mihi, vel cuicunque loco vel persone eam vel in vita dedero vel in morte legavero, sine difficultate persolvetur. In cuius rei evidentiam presentem paginam conscribi et sigilli mei et ecclesie beati Bartholomei, necnon sigilli civitatis Frankenfurtensis munimine feci communiri. Testes autem huius rei sunt: Godescalcus decanus, Nycolaus custos, Godefridus plebanus, canonici Frankenfurtenses; Ripertus scultetus, Johannes filius advocati, Johannes Goltstein, Hartmûdus Bresto, Hermannus Niger, Baldemarus, Ulricus Carnifex, burgenses in Frankenfurt; Cûnradus Meisenbug, Henricus de Elvestat, Rûpertus de Honstat, Cûnradus de Rendele, Marquardus de Bûchen, Markolfus de Vlishoven, milites in Sassenhusen, et alii quam plures. Acta sunt hec anno gratie M̊. C̊C̊. XXV̊I., IIÎI. nonas maii.

*Gleichzeitige Rückaufschrift:* De bonis Elizabeth in Frankenfort sitis in Bergun et in Rendele.

> *Or. Pgmt. An rothen und grünen Seidenfäden hängen die drei Siegel an, von denen nur das dritte gut erhalten ist. Lich.*
> *Gedr.: B., 46, Reimer, I, 125 nach dem Or. .*
> *Verz.: Arnsb. Urkb., 201. Scriba, II, No. 344.*

**77.** *Abt Ludwig von Hersfeld überträgt dem Dechanten, Custos und Pfarrer zu Frankfurt das ihm vom Papst Honorius III. mittelst wörtlich inserirter Bulle vom 3. Februar 1223, Lateran, (Potthast No. 6963) übertragene Richteramt zum Schutze des Klosters Arnsburg für die Dauer von sechs Jahren. Hersfeld, 1226 Mai 25 (octavo kal. iunii).*

> *Or. Pgmt. mit anhängendem schönen, nur am Rande leicht beschädigten Siegel des Abtes an rothen Fäden. St. A. Fr. Barth. St. No. 4016.*
> *Gedr.: B., 46 ff. Regest.: Baur, Arnsb. Urkb., 201. In dem Abdruck Böhmers ist S. 47 Z. 11 zu lesen: „tribulacionibus“ st. „turbationibus“, in der zwölften Z. von unten: „sunt“ st. „sint“, in der fünften Z. von unten: „precipientes“ st. „percipientes“.*

**78.** *König Heinrich (VII.) verbietet die Leute des Erzbischofs Siegfried von Mainz in der Stadt Oppenheim aufzunehmen, und hebt den Bund auf, welchen die Städte Mainz, Bingen, Worms, Speyer, Frankfurt, Gelnhausen und Friedberg zum Nachtheil der Mainzer Kirche unter einander gemacht haben.* „Volumus etiam confederationes sive iuramenta, quibus se civitates Maguntia, Pinguia, Wormatia, Spirea, Frankinvort, Geilinhusin, Fridiberc in preiuditium ecclesie Maguntine invicem obligarunt, rescindi penitus et in irritum revocari.“ *Würzburg, 1226 Nov. 27 (V. kal. decembr.).*

> *Gedr.: B., 48 aus Guden, Cod. Dipl., I, 493. Reimer, I, 126, M. G. 4º. Constit., II, 409.*
> *Auszug: Boos, I, 103, Hilgard, Urkb. v. Speier, 38.*
> *Verz.: B.-F. No. 4028, Will, Mainz. Reg, XXXII, No. 522.*

**79.** *Hermann Schwarz, Bürger von Frankfurt, beurkundet, dass er gemeinschaftlich mit seiner Frau Heidendrudis dem Kloster Arnsburg genannte Güter zu Rockenberg, Bergheim und Bergen verkauft habe. (1226.)*

Ego Hermannus Niger burgensis de Frankenfurt filius Hermanni Nigri et Gûde. Notum esse cupio uni//versis hoc scriptum inspicientibus, quod ego et uxor mea Heidendrudis collecta manu et consensu pari vendidimus // monasterio de Arnsburg Cysterciensis ordinis mansum in Rochenberg, quem hereditario iure possidere debebamus // a fratre Harperno eiusdem ordinis videlicet, et alium in Bercheim, et vineas in Berge ad nos devolutas hereditario iure a patre Harperno et matre Petrissa uxoris mee, et omnem hereditatem, quam nos possidere debebamus a fratre Harperno, et

quartam partem curie ibidem pro quadam summa pecunie, quam abbas et fratres
eiusdem monasterii nobis integraliter persolverunt. Ad cuius rei cautelam et confirmationem presentem scedulam conscribi, testes annotari, sigillo ecclesie Frankenfordensis necnon et burgensium impetravimus communiri. Huius rei testes sunt:
Godescalcus decanus, Nycolaus custos, Cûnradus Rufus, Godefridus parrochianus,
Reinoldus diaconus, Burchardus sacerdos, canonici eiusdem ecclesie; laici: Ripertus
scultetus,[1] Johannes filius advocati, Hartmûdus Bresto, Johannes Goltstein, Baldemarus
de Summa Curia, Ulricus Carnifex, Gundramus Hunger, Bertoldus filius Harperni,
Wigandus de Ascheburne, Cûnradus Knûbelouh, et alii quam plures; Hermannus
cellerarius et Harpernus monachi in Arnsburg.

> *Or. Pgmt. Die Siegel des Bartholomäusstifts (1) und der Stadt (1) sind beschädigt. Lich.*
> *Gedr.: B., 48, Reimer, I, 129, beide nach dem Or. . Regest.: Arnsb. Urkb., 202. Auszug:*
> *Thomas, Oberhof, 433.*
> *Verz.: Scriba, II, No. 3255.*

**80.** *Bertold, Bürger von Frankfurt, beurkundet, dass er dem Kloster Arnsburg genannte*
*Güter in Fauerbach, Bergheim und Bergen verkauft habe. (1226.)*

Ego Bertoldus burgensis de Frankenvort filius Hartperni et Petirse. Notum esse
cupio univer//sis hoc scriptum inspicientibus, quod ego et uxor mea Gerhildis collecta
manu et consensu pari // vendidimus monasterio de Arnesburc Cisterciensis ordinis
totum allodium nostrum, quod in Furbach ha//buimus, videlicet mansum unum, et in
Bercheim mansum unum, et quartam* partem curie in Berge,* pro quadam summa
pecunie et quantitate annone, quam abbas et fratres eiusdem monasterii nobis integraliter persolverunt. Ad cuius rei cautelam et confirmationem presentem scedulam
conscribi, testes annotari, sigillis ecclesie Frankenvordensis necnon burgensium
impetravimus communiri. Testes huius rei sunt: Cunradus abbas, Gebeno prior,
Peregrinus supprior, frater Hartpernus, Hermannus cellerarius, Heinricus minor
cellerarius, frater Giselbertus, frater Rudolfus Sutor. In Frankenvort: Godescalcus
decanus, Nicolaus custos, Cunradus Rufus, Godefridus parrochianus, Burchardus,
canonici; laici: Ripertus scultetus, Johannes filius advocati, Hartmudus Bresto, Johannes
Goltstein, Baldemarus, Ulricus Carnifex, Guntrammus Hunger, Wigandus de Asceburnen,
Cunradus Knobeloich, et alii quam plures.

> *Or. Pgmt. Anhängend Stiftssiegel (1) und Stadtsiegel (1), das erste zerbrochen. Lich.*
> *Gedr.: B., 49, Reimer I, 130, beide nach dem Or. . Regest.: Arnsb. Urkb., 202. Auszug:*
> *Thomas, Oberhof, 433*
> *Verz : Scriba II, No. 3254.*

**81.** *Schultheiss Eberwin und die Bürger von Frankfurt erlassen auf Ersuchen des*
*römischen Königs, der Königin und des Herrn Gerlach von Büdingen dem Kloster*
*Haina den Zins dreier Pfunde, welchen dasselbe von dem Wald und der Weide bei*
*dem Riederhofe ihrer Stadt jährlich schuldig war. 1227 Juli 31.*

Eberwinus scultetus cum universitate civium de Frankenford. Universis presens
scriptum inspectu//ris. Quoniam vite presentis quantumcunque discrete fiant negotia,
nisi scripto committantur, diuturnitate // temporis oblivione novercante plerumque
consueverunt irritari, presenti pagine decrevimus inserere, // quod nos ad peticionem

> a) „et — Berge“ über der Zeile von gleicher Hand.

[1] Ribertus (Ripertus) scultetus de Francevurt (Franchewort) *wird 1226 als Zeuge in zwei Ur-* kunden für den Deutschorden genannt. *(Württemb. Urkb., III, 189, 190.)*

incliti domini nostri Romanorum regis et clarissime domine nostre Romanorum regine, necnon et domini G. de Budingen de communi nostro consensu remisimus reverendis in domino fratribus ordinis Cisterciensis in claustro Hegenehi Jesu Christo ac sancte Marie devote servientibus census trium librarum, quibus nostre civitati de quodam rubo, pascuis et pratis, Ridern vicinis, annuatim solvendis rationabiliter tenebantur; dicta bona ipsis nomine vere proprietatis relinquentes. Huius vero facti testes sunt: Heinricus de Bonemese, Fridericus et Marquardus de Bruningisheim, Riperdus de Sahsinhusen, milites; Johannes Goltstein, Hermannus Niger, Ulricus, Baldemarus, Guntramus Hunger, Guntramus monetarius, H. Brestro, Cunradus Rvisere, [a] Rudolfus Blic, Rudolfus Merddin, Clobelouch, Cunradus de Gisenheim et Svicgerus, scabini, et preterea quamplures ydonei. Ut autem hec tam rationabiliter acta semper ammodo rata et firma permaneant, sigillis nostris ea decrevimus roborare. Actum anno ab incarnatione domini M̊. CC̊. XXV̊II., II. kalendas augusti.

*Or. Pgmt. Anhängend 1) Stadtsiegel (1) beschädigt. 2) Siegel des Schultheissen Eberwin*
*St. A. Fr. Heil. Geist. Hosp. Litt. R, No. 4.*
*Gedr.: Lersner II [b], 47, B., 50 nach dem Or., vgl. Sauer, Nachtr. S. 14 zu No. 373. Mader,*
*Friedberg, I, 35.*
*Verz.: B.-F., No. 4068.*

**82.** *König Heinrich (VII.) beurkundet, dass auf seine Veranlassung die Bürger von Frankfurt zu Gunsten des Klosters Haina auf ihre Ansprüche an den Wald und die Weide, welche zum Riederhofe gehören, verzichtet haben. Gelnhausen, 1227 August 3.*

Henricus * septimus * divina favente clementia Romanorum rex et semper augustus. Universis in perpetuum. // Quanto nos fidem ac devotionem ordinis Cisterciensis in multis simus experti, tanto amplius ea, que a predecessoribus et paren//tibus nostris eis amore virtutum collata sunt, augmentare proponimus et ab omni scrupulo conservare in posterum eisdem. Hac itaque // ratione ducti ad noticiam universorum ex insinuatione presentium cupimus pervenire, quod, cum a serenissimo domino imperatore patre nostro dilectis nostris abbati et conventui de Hegenehe curia, que Riderin dicitur, cum omnibus attinentiis, videlicet pratis, silvis et pascuis, divine remunerationis intuitu collata fuissent, cives de Franchenfurt, asserentes, quod ad ipsorum iuridictionem et conmunitatem pratum, silva et pascua iam dicte curie pertinerent, et prenotato abbati et suo conventui in predictis attinentiis per aliquod tempus non modicam iniuriam intulerunt, tandem prelibati cives mandato et peticioni nostre acquiescentes ab infestatione sepefati abbatis et sui conventus desistebant et, quicquid iuris in eisdem bonis habere videbantur, penitus renunciabant et ad maiorem evidentiam et certitudinem litteras cum sigillo sue civitatis abbati et suo conventui in nostra presentia contulerunt. Nos vero attendentes laudabilem collationem domini imperatoris et remissam qualemcunque inpeticionem civium de Franchenfurt, ad instantiam et peticionem abbatis et sui conventus presentem litteram scribi fecimus et, ne in posterum tractu temporis aliquis scrupulus posset suboriri, sigilli nostri patrocinio eandem iussimus conmuniri. Auctoritate regia nichilominus firmissime precipientes, ne quis ausu ductus temerario sepefatum abbatem et suum conventum in curia sepedicta et suis attinentiis, pratis, silvis ac pascuis, gravare presumat vel iniuriam irrogare, quod qui attemptaverit, indignationem et gravem offensam nostre celsitudinis se noverit incurrisse. Testes autem, qui premissis interfuerunt, hii sunt: venerabiles S. Moguntinensis, T. Threvensis(!) archiepiscopi, H. Eistetensis, H. Wormatiensis, episcopi, illustris L. dux Bavvarie, H. marchio de Baden, C. burgravius de Nurinberc, L. de Cigenahe, H. de Dilingen, comites, G. de

---

a) *Das v oder u (?) steht über der Zelle.*

Bůtingen, L. burgravius de Frideberc, E. scultetus de Franchenfurt, et alii quam plures. Datum apud Geilnhusen, anno dominice incarnationis M̊. C̊C̊. XXV̊II., tercio nonas augusti, indictione quintadecima.

*Or. Pgmt. mit dem an rothen Seidenfäden anhängenden Siegel des Königs. St. A. Fr., Heil. Geist Hosp., Litt. R, No. 5.*
*Gedr.: Fichard, Entstehung, 354, B., 50 nach dem Or. .*
*Vers.: B.-F., No. 4069, Will, Mains. Reg., XXXII, No. 547, Görz, Mittelrhein. Reg., II, No. 1814.*

**83.** *König Heinrich (VII.) benachrichtigt die Stadt Regensburg, dass er dem Bischof Hermann von Würzburg die Errichtung einer Allerheiligen-Messe gestattet habe, und fordert sie zum Besuch derselben auf, unter dem Geleit, das er den Königsmessen zu Frankfurt und Donauwörth zugesagt habe („*ad modum nundinarum regiarum apud Franchenfurt et Werde"). Wimpfen, 1227 September 21. (undecimo kal. oct.)*

*Gedr.: Mon. Boic., 30ᵃ, 151.*
*Vers.: B.-F., No. 4078. Vgl. Thomas, Frankf. Arch., II, 86, Note, Oberhof, 161.*

**84.** *Derselbe gebietet dem Schultheiss zu Frankfurt und dem Burggrafen zu Friedberg, das Kloster Arnsburg bei der diesem für sein Haus in Wetzlar von ihm verliehenen Freiheit von der exactio regia zu schützen. Friedberg, 1228 Mai 1 (kal. maii).*

*Gedr.: Böhmer, Acta I, 283. Regest.: Arnsb. Urkb., 202.*
*Vers.: B.-F., No. 4102. Scriba, II, No. 351.*

**85.** *Derselbe bestätigt der Kirche zu Frankfurt die dieser von seinen Vorgängern Karl und Otto verliehene Villa Kelkheim. Frankfurt, 1228 (Mai).*

H. dei gratia Romanorum rex et semper augustus. Universis tam presentibus quam futuris hoc presens scriptum inspecturis in perpetuum. Cum que//dam villecula, nomine Kadelcamp, in quadam nostra cometia sita, a predecessoribus nostris regibus, scilicet Karolo Magno et . . Ottone, ob remedium animarum // suarum ecclesie in Frankenvort fuerit collata, et hoc nobis constiterit per privilegia ipsorum nobis ostensa antiqua annorum octingentorum et octoginta; nos // tantorum[a] virorum tam pium factum ratum habentes, quoniam iura ecclesiarum, discreta deliberatione a nostris predecessoribus pie ac legitime instituta, et libertates diminuere nolumus, sed augere in anime nostre remedium, eciam nostra auctoritate et regia maiestate confirmamus et nostri sigilli appositione roboramus. Inhibentes sub obtentu gratie regie maiestatis, ne quis ministerialium nostrorum sive officiatorum predictam villeculam vel exactionibus, vel aliis gravaminibus, quicquid hactenus actum sit ibidem, nostra auctoritate deinceps aliquatenus molestare sive gravare presumat. Quod si quis contra hoc fecerit, sciat se offensam regiam incurrere et indignationem. Datum Frankenvort. Anno domini M̊. C̊C̊. XX. V̊III., indictione prima.

*Or. Pgmt. mit anhängendem Majestätssiegel. Reichsarchiv, München. Grotefend. Im Frankfurter Archive findet sich nur ein Transsumpt des Frankfurter Rathes von 1348 Febr. 13. auf Papier mit Rest des hinten aufgedrückten Stadtsiegels. (Barth. St., No. 2876.)*
*Gedr.: Würdtwein, Dioec. Mog., II, 421. B., 53, der nach dem Transsumpt und der Abschrift in Barth. Bücher, Serie II, No. 7 druckte. Sauer, I, 288.*
*Vers.: B.-F., No. 4103.*

---

a) *Or.: „tantorum" doppelt, einmal durchstrichen.*

**86.** *Papst Gregor IX. belobt die Frankfurter Bürger wegen der den reuigen Schwestern der heiligen Maria Magdalena (den Weissfrauen) gewährten Unterstützung und ermahnt sie damit fortzufahren.    Assisi, 1228 Juni 10.*

Gregorius episcopus servus servorum dei. Dilectis filiis civibus in Vronkenvort, Maguntine diocesis, salutem et apostolicam // benedictionem. Timor domini, qui est initium sapientie, sanum vobis tribuit intellectum, dum [a] tamquam diligentius attendentes, // quod feneratur domino, qui pauperibus miseretur, dilectis in Christo filiabus sororibus penitentibus sancte Marie Magdalene in // Alamannia, fugientibus a seculo, grata subsidia pie ac liberaliter contulistis, sicut dilecto filio Rodolfo earum preposito accepimus referente. Ut igitur gratiam regis celestis, quam ex hoc meruisse noscimini, plenius assequi valeatis, universitatem vestram rogandam duximus et hortandam, in remissionem vobis peccaminum iniungentes, quatinus sorores ipsas de bono in melius habeatis pro dei et nostra reverentia commendatas, scituri utique, quod ipsa pietatis opera, si ea prudenter et finaliter curaveritis exercere, vos celestis patris heredes constituent felicitatis eterne gaudia percepturos. Datum Asisii, IIII idus iunii, pontificatus nostri anno secundo.

> *Or. Pgmt. mit Bulle an Hanffäden. Rückaufschrift: „Maria“ auf dem Buge rechts:*
> *„B.“ St. A. Fr., Weissfrauenkloster, Freiheitsbriefe und Urkunden, No. 1.*
> *Gedr.: B., 51 nach dem Or.*
> *Verz.: Potthast, No. 8206, Frankf. Mitt., VI, 314. Erwähnt: Lersner, II [b], 85.*

**87.** *Schultheiss Eberwin, die Schöffen und Bürger von Frankfurt beurkunden, dass sie dem Kloster Arnsburg die Abgaben und Zölle von Wägen und anderen Sachen auf ewige Zeit erlassen haben.    1228.*

E. scultetus, scabini et universi burgenses Frankenvordenses. Notum sit // omnibus hoc scriptum cernentibus, quod nos ob honorem et laudem domini // nostri Jesu Christi monasterio de Arnesburc Cysterciensis ordinis, quicquid // exactionis et thelonei de curribus et ceteris rebus eiusdem monasterii nobis imperpetuum posset evenire, indulsimus et communi [b] consilio dimisimus absolutu[m]. [c] Et ne succedente temporum curriculo hec nostra concessio possit revocari, presentem scedulam sigilli nostri munimine roboravimus. Acta sunt anno domini M̊. C̊C. XX. V̊III. Testes. Clerici: Nycholaus custos, Godefridus plebanus, H. scolasticus. Milites: E. scultetus,[1] C. Meisenbuch, R. de Sahsenhusen. Burgenses: H. Niger, H. Bresto, J. Goltstein, W. de Ascheburnen, Guntramus Hunger, Ulricus Longus, Baldemarus de Fronehoven, Heinricus Storkelen, et alii quam plures.

> *Or. Pgmt. Anhängend: 1) ältestes Stadtsiegel. 2) das Siegel des Schultheissen Eberwin,*
> *an den beiden oberen Ecken und an der Spitze abgestossen, aber in schöner Prägung.*
> *Auf der Rückseite der Urkunde steht von Hand von c. 1270: „De exactionibus et*
> *theloneo non dandis Frankinvort“, darunter „Cella Frankinvort.“ Geheimes Staats-*
> *archiv, Berlin.*
> *Gedr.: Lersner, II [b], 198, Wallacher, Dissert. de iure circa sacra civitatum imperii, 21,*
> *B., 52. „ex orig.“ Regest.: Arnsb. Urkb., 202.*

---

a) *Lesung unsicher.* b) *Or. „comuni“, das Abbreviaturzeichen fehlt.* c) *„m“ abgerieben.*

---

[1] *„Ebirwinus scultetus de Frankinfurt“ wird 1228 auch als Zeuge in einer Urkunde der Stadt Wetzlar für das Kloster Arnsburg erwähnt. Gedr.: Guden, Cod. Dipl., III, 1096, Mittelrhein. Urkb., III, 291. Verz.: Scriba, II, No. 355, Görz, Mittelrhein. Reg., II, No. 1861, B.-F., No. 4011. Vgl. Lersner, II [b], 52.*

**88.** *Der Schultheiss Eberwin, die Schöffen und Bürger von Frankfurt ersuchen Jeder-
mann, die Mönche von Arnsburg als Frankfurter Bürger zu behandeln. (1228.)*

Eberwinus schultetus, scabini et universi cives de Frankenvort. Ad universorum
notitiam cupimus pervenire litteras per presentes, quod domini et fratres de Arnsburg
nostri notorii sunt concives. Unde rogamus nostri amoris et obsequii intuitu, ut eosdem
ipso iure et eadem libertate, quibus nos gaudemus, colletari per omnia concedatis etc.

*St. A. Fr. Abschrift Saec. XVIII init. in Mglb., C. 22, T. IV, S. 65, danach B., 53. Regest.:
Arnsb. Urkb., 202.*
*Verz.: Scriba, II, No. 3256.*

**89.** *Der Kardinaldiacon und päpstliche Legat Otto verleiht den Wohlthätern des Weissfrauenklosters zu Frankfurt einen vierzigtägigen Ablass.   Tournay, (1230) Mai 13.*

Otto * miseratione divina sancti Nicholai in Carcere Tulliano diaconus cardinalis,
apostolice sedis legatus. Univer//sis Christi fidelibus presentes litteras inspecturis
salutem in domino. Quoniam, ut ait apostolus, omnes stabimus ante tribunal Christi. //
recepturi prout in corpore gessimus, sive bonum fuerit sive malum, oportet nos diem
messionis extreme misericordie // operibus prevenire ac eternorum intuitu seminare in
terris, quod reddente domino cum multiplicato fructu recolligere debeamus in celis,
firmam spem fiduciamque tenentes, quoniam, qui parce seminat, parce et metet, et qui
seminat in benedictionibus, de benedictionibus et metet vitam eternam. Cum igitur
dilécte in Christo pauperes sorores penitentes sancte Marie Magdalene in Vrankenvort
Maguntine diocesis proprias non habeant facultates, unde valeant sustentari, universitatem vestram rogamus et exhortamur in domino ac in remissione vobis iniungimus
peccatorum, quatinus de bonis a deo vobis collatis pias elemosinas et grata eis caritatis subsidia erogetis, ut per subventionem vestram earum inopie consulatur et vos
per hec et alia bona, que domino feceritis inspirante, ad eterna possitis gaudia pervenire. Nos enim de omnipotentis dei misericordia ct beatorum Petri et Pauli apostolorum meritis et intercessione confisi omnibus, qui ad loca ipsarum accesserint vel
elemosinas suas per nuntios suos destinaverint, quadraginta dies de inuncta sibi penitentia legationis auctoritate, qua fungimur, misericorditer relaxamus. Datum Tornaci,
tercio idus maii.

*Or. Pgmt. Das Siegel (roth) an rothen Fäden ist schön erhalten. St. A. Fr., Weissfrauen-
kloster, Ablassbriefe, Lade 13, No. 18. Vgl. Frankf. Mitth., VI, 314. Diese Urkunde
ist bei Böhmer-Winkelmann hinter No. 10108 einzureihen; an demselben Tage empfing
auch die Wormser Niederlassung der Weissfrauen eine Ablassindulgenz.*

**90.** *Abt Wigand und das Kloster Aulisburg (Haina) verkaufen dem Kloster Arnsburg
den Riederhof bei Frankfurt für 150 Mark.   1230 Mai 20.*

Frater Wigandus dictus abbas totusque conventus de Aulisburch Cysterciensis
ordinis. Universis hoc // scriptum inspecturis. Cum dignum sit et rationi consentaneum,
ut facta memorie digna scripturarum // testimoniis fulciantur, innotescere cupimus universis tam presentibus quam futuris, quod nos communi consilio // et consensu vendidimus conventui de Arnesburch grangyam nostram in Riederen cum suis pertinentiis,
terris, pascuis et nemore, similiter et pensione et censibus inde annuo persolvendis, et
terras, si quas circumiacentes possedimus, exceptis sex iurnalibus vinearum * in Sekebach, pro centum et quinquaginta marcis Coloniensis monete. Cuncta privilegia et
confirmationes et testimonia scripturarum, quibus super eadem grangya et universis

a) „vi“ mit dunklerer Tinte nachgezogen.

prediis eius seu pensione et censibus inde annuo dandis utebamur, ipsis assignantes, ut quieta tamquam nos earumdem possessionum gaudeant libertate. Et ne aliquando huius facti succrescat oblivio aut conventus de Arnesburch ab aliquo successorum nostrorum, aut eorum, quorum privilegiis super eisdem possessionibus usi sumus, impetitione possint aut debeant fatigari, presentem scedulam conscribi et sigillo nostro duximus roborari. Acta sunt hec anno gratie M̊. C̊C̊. XXX̊., XI̊II. kalendas iunii. Testes de nostro conventu: Johannes prior, Eginolfus supprior, Cunradus cellarius, Ortwinus grangyarius, H. vestiarius, W. sacrista totusque conventus. De secularibus: Ludolfus scultetus de Frankenvort,[1] Ripertus de Sahsenhusen, Conradus Meinsenbuch, Richwinus, Erkinboldus de Heldeberge, milites; burgenses: Hermannus Niger, Johannes Goltstein, Baldemarus, Ulricus, Guntramus Hunger, Berdoldus filius Harperni, Wigandus de Asscheburnen, Swikerus, et alii quam plures.

*Or. Pgmt. Das anhängende Siegel des Abtes ist leicht beschädigt. St. A. Fr., Heil. Geist Hosp., Litt. R, No. 6.*

*Gedr.: Fichard, Archiv, I, 209, B., 53 nach dem Or., = Reimer, I, 132. Regest.: Arnsb. Urkb., 203.*

*Vers.: Scriba, II, No. 360.*

**91.** *Der Schultheiss L(udolf), die Schöffen und Bürger von Frankfurt erlassen freiwillig dem Kloster Arnsburg den jährlichen Zins dreier Pfunde vom Riederhof, welchen sie bereits vorher dem Kloster Haina, als früherem Besitzer, jedoch nur auf Befehl König Heinrichs und nicht freiwillig erlassen hatten. 1230 Mai 20.*

L. sculthetus, scabini et universi burgenses de Frankenvort, omnibus hoc scriptum inspecturis. Innotescere cupi//mus tam presentibus quam futuris, quod cum conventus de Arnesburch predia in Riederen cum suis pertinentiis ab // abbate et conventu de Hegenehe comparassent, nos ob reverentiam sanctissime dei genitricis Marie et specialem fa//miliaritatem, qua fratres de Arnesburch amplectimur, nemus et pascua iuxta Riederen sita, unde annuo censu tria talenta nobis debebant provenire, que fratres de Hegene ex mandato domini nostri H. Romanorum regis nobis invitis absoluta obtinuerunt, fratribus de Arnesburch communi assensu et de bona voluntate dedimus imperpetuum libere et absolute possidenda, ipsis benigno affectu et unanimi consilio confirmantes, quod fratres sepedicti de Hegene nobis invitis et reclamantibus possederunt. Ut et nos et posteri nostri participatione orationum suarum semper gaudere debeamus. Ne autem conventus de Arnesburch super hiis ulla successorum nostrorum impeticione possit aut debeat fatigari, presentem scedulam conscribi et sigillis nostris fecimus communiri. Acta sunt hec anno gratie M̊. C̊C̊. XXX̊., XI̊II kalendas iunii. Testes: Cunradus decanus, N. custos, Godefridus plebanus, Burcardus, Heidenricus scolasticus, Cunradus de Prumheim, clerici. Milites: Ludoldus(!) sculthetus,[2] Ripertus de Sasenhusen, Conradus Meisenbuch, Erkinboldus de Heldeberge, Richwinus, Albertus de Kunigisstein, Rugerus de Birkenlar. Burgenses: Hermannus Niger, Johannes Goltstein, Ulricus Longus, Baldemarus, Guntramus Hunger, Wigandus de Ascheburne, Berdoldus Harperni filius, Nidunc, Swigerus, Cunradus Ruwesere, Cunradus Clobeloch, Rudolf Mertin, tunc temporis scabini, Heinricus Bresto, Guntramus monetarius et Fridericus frater eius, Emercho subsculthetus, et universa plebis multitudo.

*Or. Pgmt. Anhängend 1) Siegel des Schultheissen Ludolf, 2) Stadtsiegel (1). St. A. Fr., Heil. Geist Hosp., Litt. R, No. 7.*

*Gedr.: Fichard, Archiv, I, 210, B., 54 nach dem Or. Regest.: Arnsb. Urkb., 203.*

*Vers.: Scriba, II, No. 361.*

---

[1] *1230 April 9. erscheint Ludolf als Burggraf von Friedberg in einer in Gelnhausen ausgestellten Urkunde König Heinrichs VII. Guden, Sylloge, 592, Oberrhein. Zeitschr., 11, 284. Verz.: B.-F., No. 4152.*

[2] *1230 October 23. (in die b. Severini) kommt Schultheiss Ludolf in einer Urkunde als Zeuge vor. (Mittelrhein. Urkb., III, 318.)*

**92.** *König Heinrich (VII.) gestattet dem Bruder Rudolf und seinen Nachfolgern, Pröpsten des Ordens der heil. Maria Magdalena (der Weissfrauen oder Reuerinnen) in Alemannien, reichslehnbare Güter zu erwerben. Gelnhausen, 1231 Juli 15.*

Heinricus septimus, divina favente clementia Romanorum rex et semper augustus. Universis imperpetuum. Ut ad nostros posteros et successores // perveniant firmiora ea, que a nobis indulgentur, litterarum testimonio commendamus, ne tractu temporis evanescant seu calliditate cuiuspiam // infirmentur. Meminerint igitur presentes et cognoscant futuri, quod nos fratri Rudolfo et successoribus suis prepositis ordinis sancte Marie Magdalene in Ale//mannia talem fecimus gratiam et dedimus libertatem. ut recipere possint de magnatibus[a] nostris et imperii seu ministerialibus omnia bona, que ipsis devotionis intuitu duxerint conferenda, licet ipsis a[b] nobis sint vel fuerint infeodati, et in[c] ampliori beneficio si vixerimus ordinem premissum intendimus exaltare et promovere. Mandantes et per gratiam nostram firmissime precipientes, ut nullus sit, qui premissis gratiam seu libertatem a nostra serenitate provisam infringere audeat vel perturbare. Quod qui fecerit, iram nostram sentiet cum offensa. Ad huius itaque gratie ipsis indulte presentem litteram sigillo nostro conmunitam ipsis fecimus assignari. Testes sunt hii: marchio Hermannus de Baden,[d] H. marchio de Burgow, C. Burgravius de Nurinberc, L. et E. fratres de Grindellaha, C. de Stophe, Burchardus prepositus de Ascaphenburc capellanus noster, Wernherus notarius noster, Hermannus visicus(!). et alii quam plures clerici et laici. Actum[e] aput Geylenhusen, anno ab incarnatione domini millesimo ducentesimo tricesimo primo, idus iulii, indictione IIII.

<blockquote>

*Or. Pgmt. mit Siegel an rothgelben Fäden. St. A. Fr., Weissfrauenkloster, Freiheitsbriefe und Urkunden, No. 3.*

*Gedr.: Lersner, II[b], 86, B., 55 nach dem Or. mit einigen Druckfehlern.*

*Vers.: B.-F., No. 4209, wo die Bemerkung Fickers wegzufallen hat, da im Or. und ebenso auch in B.'s Manuscript das Wort „primo" sich findet, das also nur durch Druckfehler ausgefallen ist. Deshalb und wegen einiger sonstigen Unebenheiten in dem Abdruck B.'s ist diese Urkunde, welcher die specielle Beziehung auf Frankfurt fehlt, hier wiederholt.*

</blockquote>

**93.** *Derselbe befreit das Kloster Arnsburg von der Pflicht, das königliche Hofgesinde zu Frankfurt in seinem Hofe zu beherbergen. Gelnhausen, (1231) Juli 23.*

H. dei gracia Romanorum rex et semper augustus. Omnibus imperpetuum. Cum rex // regum dominus Christus nos ad Romani imperii apicem elegerit gubernandam. ipsum // in omnibus tamquam creatorem nostrum et dominatorem honorare cupientes, remittimus monasterio de Arnesburg Cysterciensis ordinis, quem specialiter adamamus, omnes hospitalitates, quibus a familia nostra apud Frankenvort in curte sua posset aggravari. Auctoritate regia firmiter inhibentes, ne quis de cetero in hiis. quibus iam dictum monasterium liberum et absolutum statuimus, molestare presumat. Transgressores se nostram sciant offensam incurrisse et de contemptu regie maiestatis se graviter puniendos. Datum Geilenhusen, X. kal. augusti.

<blockquote>

*Or. Pgmt. Das Siegel ist mit dem Streifen abgerissen. Lich.*

*Gedr.: Guden, Cod. Dipl., III, 1074, zu 1191 Juli 23, B., 52 nach dem Or. zu (1228) Juli 23.*

*Vers.: B.-F., No. 4213, wo die Datirung zu 1231 als die wahrscheinlichste bezeichnet wird. Scriba, IV[a], Nr. 3327 irrthümlich zu 1191 und II, No. 352 zu 1228. Auszug bei Fichard, Entstehung, 35. Regest.: Arnsb. Urkb., 202.*

</blockquote>

---

<blockquote>

a) „gn" über Rasur. b) Hinter a ein Buchstabe ausradiert. c) Ueber Rasur. d) „B" über Rasur.
e) Ueber Rasur.

</blockquote>

**94.** *König Heinrich (VII.) verspricht den Städten Frankfurt, Wetzlar, Friedberg und Gelnhausen künftig keinen ihrer Angehörigen mehr zwingen zu wollen, dass er seine Tochter oder Enkelin einem von dem königlichen Hofgesinde oder einem andern zur Ehegattin gebe. Insbesondere befreit er die Tochter des Johann Goldstein von der erzwungenen Ehe mit einem Hofdiener. Nürnberg, 1232 Januar 15.*

H. dei gratia Romanorum rex et semper augustus. Fidelibus suis scultetis et universis civibus de Frankinfort, de // Wepflaria, de Frideberc et de Geilinhusen, gratiam suam et omne bonum. Constantiam devotionis vestre et // fervorem fidei, quam multa iam per tempora circa nos et imperium habuistis, salubriter advertentes, talem // vobis damus gratiam et concedimus libertatem, ut numquam aliquem vestrum pauperem vel divitem cogamus aut artemus, filiam vel neptem suam alicui de curia nostra seu extra curiam nostram copulare aut tradere legitimam in uxorem; et in presenti filiam fidelis nostri Johannis Goltstein de Frankinfort a coactione, quam inceperamus pro R. servo nostro, dimittimus absolutam; nolentes deinceps aliquem civem nostrum ad talia cogere vel artare, sed quantum possumus per simplicem peticionem proficere, faciemus, nulla tamen mala adhibita voluntate. Ad cuius itaque facti et gratie nostre certiorem evidentiam presens exinde scriptum fieri iussimus et sigilli nostri munimine roborari. Datum apud Nŭrenberc. Anno dominice incarnationis M̄. C̄C̄. XXXII., XVIII. kalendas februarii. Indictione V.

> *Or. Pgmt. mit Siegel an roth-gelben Seidenfäden. St. A. Fr., Priv., No. 2. Verz.: Fr. Invent., III, 1.*
>
> *Gedr.: P. & P., I, 2, II, 2. Lünig, R. A., XIII, 5, B., 55 nach dem Or., Reimer, I, 134 desgl.*
>
> *Verz.: B.-F., No. 4225, Scriba, II, 368, Görz, Mittelrhein. Reg., II, No. 2010. Auszug: Lersner, I ᵃ, 59.*

**95.** *A., Propst von Mariengreden zu Mainz, bekundet einen Vergleich zwischen dem Pastor der Kirche zu Diebach, Walther von Eschborn (Asceburnen), und dem Deutschorden [zu Sachsenhausen] um Güter in Hulshofen. Mainz, 1232 Juni 13.*

> *Gedr.: Baur, Hess. Urkb., I, 70, nach Or. in Darmstadt, Abschrift im Deutschordensbuch aus Frankfurt im St. A. Stuttgart f. 90 b. Regest. bei Niedermayer, 162.*

**96.** *Papst Gregor IX. fordert die Gläubigen der Mainzer Diöcese zur Unterstützung der Reuerinnen (Weissfrauen) zu Frankfurt auf und ertheilt den Wohlthätern derselben einen vierzigtägigen Ablass. Spoleto, 1232 Juli (8).*

Gregorius episcopus servus servorum dei. Universis Christi fidelibus per Maguntinam provinciam constitutis salutem et apostolicam // benedictionem. Quoniam, ut ait apostolus, omnes stabimus ante tribunal Christi recepturi, prout in corpore gessimus, sive bonum fuerit sive // malum, oportet nos diem messionis extreme misericordie operibus prevenire ac eternorum intuitu seminare in terris, quod // reddente domino cum multiplicato fructu recolligere debeamus in celis, firmam spem fiduciamque tenentes, quoniam, qui parce seminat, parce et metet, et qui seminat in benedictionibus, de benedictionibus et metet vitam eternam. Cum igitur, sicut ex parte dilectarum [in Christi filiarum] pauperum sororum penitentium sancte Marie Magdalene in Vranchenvort sub monachali vita degentium nostris fuit auribus intimatum, eedem, que mundi vanitatibus abnegatis obtulerunt domino laudis sacrificium semetipsas, facultates non habeant, de quibus sustentare valeant vitam suam, universitatem vestram rogandam duximus attentius et monendam, in remissionem vobis peccaminum iniungentes, quatinus de bonis vobis collatis a deo pias eis elemosinas et grata subsidia conferatis, ut per

hec et alia bona, que domino inspirante feceritis, ad eterne felicitatis gaudia pervenire
possitis. Nos autem [de omnipotentis] dei misericordia et beatorum Petri et Pauli
apostolorum eius ac ea quam nobis concessit auctoritate co[nfisi, omnibus, qui per] se
vel per alios ad ipsarum monasterium pro earum sustentatione pias elemosinas et [grata
subsi]dia duxerint deportanda, quadraginta dies de iniuncta sibi penitentia relaxamus.
Datum Spoleti, [VIII.][1] idus iulii, pontificatus nostri anno sexto.

*Or. Pgmt. mit Bulle an rothgelben Fäden. Die Urkunde ist verschiedentlich durchlöchert, die
so entstandenen Lücken sind in eckigen Klammern soweit möglich ergänzt. Auf dem
Buge unten: „b. m.", auf der Rückseite oben: „frater Rodolfus". St. A. Fr., Weissfrauenkloster, Ablassbriefe, Lade 13, No. 14.*

*Gedr.: B., 56 nach dem Or. .*

*Verz.: Potthast, No. 8969, Frankf. Mitth., VI, 315.*

**97.** *Der Schultheiss L(udolf), die Schöffen und Bürger in Frankfurt beurkunden, dass
Ritter Heinrich von Wickstadt und Kunigunde, seine Gemahlin, dem Kloster Arnsburg
ihre sämmtlichen Besitzungen in Sterrenbach und in Wickstadt geschenkt haben.
Frankfurt, 1232.*

L. scultetus, scabini et universi cives de Frankenvort. Innotescere cupimus tam
presenti//bus quam futuris, quod Heinricus miles de Wikenstat et Kunegundis uxor
sua communicata // manu et communi consensu in remissionem suorum peccaminum et
parentum suorum contulerunt // monasterio de Arnespurg Cysterciensis ordinis omnia
bona sua, que in Sterrenbach et in Wi//kenstat iure hereditario sive proprietatis in
agris, pratis sive quibuscumque possessionibus nunc possident aut in futurum deo dante
possidebunt, libere et absolute imperpetuum possidenda. Tali hinc inde conditione
interposita, ut eadem predia ab abbate et conventu numquam debeant alias venundari
aut commutari, sed perpetuo fratribus ibidem deo famulantibus in usus necessarios
conservari et impendi. Acta sunt hec anno domini M̊. ĊĊ. XX̊X. ÌI., ante gradus
ecclesie in Frankenvort. Et ne presens donatio tam sollempniter celebrata ulla possit
posterorum cavillatione irritari, presentem scedulam conscribi et civitatis nostre sigillo
fecimus commuri(!) Testes: C. decanus, N. custos, C. plebanus, Burchardus, Berhdoldus
notarius, canonici Frankenvordenses; Ripertus, Cunradus Meisenbuch, Marquardus,
Richwinus, milites; Hermannus Niger, Johannes Goltstein, Ulricus, Baldemarus, Berdoldus Harperni, Wigandus de Ascheburne, Guntramus Hunger, Swigerus, Rudolfus
Mertin, Conradus Ruwesere, Guntramus monetarius et Fridericus frater suus, Heinricus
Wobelinus, et alii quam plures.

*Or. Pgmt. An ungewöhnlich langen Seidenfäden hängt das Stadtsiegel (1) wohlerhalten ver-
kehrt an. Lich.*

*Gedr.: nach dem Or. . B., 57. Regest.: Arnsb. Urkb., 203. Auszug: Thomas, Oberhof, 433.*

**98.** *Johann von Heusenstamm verpfändet seinem Verwandten, dem Herrn Ulrich von
Minzenberg, alle seine Güter innerhalb des Schlosses Hain nebst dem Garten vor
demselben für zwanzig Mark und empfängt dieselben Güter als Burglehen wieder
zurück. 1232.*

Omne, quod inter diversas partes bonis moribus sanisque consiliis diffinitum fuit,
necesse est, ut propter opprimenda iurgia conscriptionis vinculo muniatur. Noverint

---

[1] *Loch im Pgmt. Das Datum ist ergänzt nach
einem durch „Siboto, Augustensis ecclesie episcopus"
ausgestellten, im übrigen sehr ungenauem Transsumpt (Lade 13, No. 17). Hier wird die Bulle
wohl irrthümlich auf den 23. Juni (VIIII kal.
iulii) 1232 datirt. Die Datirung VIIII idus iulii
würde den 7. Juli (d. h. nonis iulii) ergeben, deshalb ist hier unter Voraussetzung eines weiteren
Irrthums VIII idus iulii (8. Juli) als Vermuthung
eingesetzt.*

igitur tam futuri quam presentes, quod ego Johannes dictus de Husenstam omnia bona
mea sita infra murum castri Hagen et ortum ante valles eisdem bonis attinentem una
cum matris mee et omnium coheredum meorum consensu et manuum appositione cognato
meo domino Ulrico de Minzenberc pro viginti marcis Coloniensibus titulo pignoris
obligavi et quod ipsa bona ab eo recepi sub castrensis beneficii nomine possidenda.
Si autem a dicto Ulrico sine licentia recessero et pecuniam prefatam sibi non reddidero,
prelibata bona mea debent esse pro triginta marcis Coloniensibus eidem deinceps obligata. Et ne huius obligationis mee succedente posteritate succrescat oblivio, presentem
cedulam inscribi et sigillo meo volui roborari. Testes huius rei sunt: Cunradus et
Sifridus fratres mei, Ludolfus scultetus in Frankinvord, Pretus[a] de Hittenseze, Arnoldus
de Benstat, Richwinus de Koycheno, Johannes Goltsteyn, Hermannus Niger, Ulricus
Longus, Baldemarus de Fronehove, Berhtoldus gener Brestonis, Herbordus et Wicgerus
fratres de Ovenbach, Cûnradus de Burnheym, Otwinus de Gunsse, Starcgeradus de
Solzbach, Cûnradus de Wedero, Wernherus de Colnhusen, Johannes et Ebernandus
fratres de Rumphenheym, Wintherus de Rumphenheym, Rupertus de Hohenstat,
Andreas, Fridericus de Ecgenheym, Anshelmus Cygelen, Rucgerus Hanenbuto, Rudegerus notarius domini Ulrici, Rupertus Hasensela, Dimo venator, Fridericus, Baldemarus, Hartwicus, Ulricus filius Benigne, Heynricus de Langestorf, Hartwicus de
Otsberc, Rucgerus de Birkelar, et ceteri quam plures, quos tediosum esset presenti
cedule annotare. Acta sunt hec anno dominice incarnationis M̊. C̊C̊. XX̊XII̊., indictione XV̊.

*Or. Pgmt. mit anhängendem gut erhaltenen Siegel des Ausstellers. Birstein. Collationirt von
Herrn Dr. Dietrich.*
*Gedr.: B., 57 nach Kopp, I. A.: De insigni different. II ed., 537, ausserdem Wenck, Hess.
Landesgesch., I, Urkb., 15.*
*Vers.: Scriba, I, No. 338, Auszug: Thomas, Oberhof, 433.*


**99.** *König Heinrich (VII.) befreit die Klosterbrüder zu Bronnbach von den Rhein- und
Mainzöllen und ebenso den Landzöllen für ihre eigenen Güter und befiehlt seinen
Zollbeamten (officiales nostri) in Frankfurt, Oppenheim, Boppard und Wertheim
dieses Privileg zu beachten. Gelnhausen, 1233 Januar 19. (V. id. ian.)*

*Gedr.: Aschbach, Gesch. der Grafen von Wertheim. II, 27. Huillard-Bréholles, IV, 595.
Vers.: B.-F., No. 4264, Scriba, III, Nr. 1354. Görz, II, No. 2051.*


**100.** *Derselbe verleiht den Deutschordensbrüdern zu Frankfurt den Röderbruch, zwischen
dem Frauenwege und Niederrad gelegen. Frankfurt, 1233 Juli 28.*

H. dei gracia Romanorum rex et semper augustus. Universis imperii fidelibus,
quibus presens litera fuerit ostensa, graciam // suam et omne bonum. Ut in nostris
temporibus collata a nostra munificencia rata permaneant et ad nostros successores
perveniant illibata, // literarum indiciis fecimus etternari(!) ea, que conferimus propter
deum. Tenore igitur presencium tam modernis quam futuris innotescat, quod nos //
fratribus hospitalis sancte Marie domus Teutonice in Frainkinfört contulimus de
liberalitate regia Rubeam paludem, de Vrowinwegin usque ad villulam, que vocatur
Rodin, attingentem, ut ipsam paludem in usus suos redigant et convertant et possideant
pleno iure. Ad huius itaque collationis evidenciam et certitudinem presentem literam
sigilli nostri munimine fecimus communiri. Testes sunt hii: Th. venerabilis Treverensis

a) *So!*

archiepiscopus, Gerlacus de Bûttingin, Cûnradus pincerna de Clinginburc, Dietho de Ravinsburc, et alii quam plures. Actum apud Frainkinfôrt, anno ab incarnacione domini millesimo ducentesimo tricesimo tercio, quinto kal. augusti, indictione sexta.

> *Or. Pgmt. Das Siegel hängt an violetten und gelben Fäden guterhalten an. Wien. Deutsch-ordens-Centralarchiv. Verz.: Pettenegg, No. 139.*
>
> *Gedr.: Fichard, Archiv, II, 97, ex Copia. B., 58 nach dem Or. = Hennes, I, 99 = Huillard-Bréh., IV, 618.*
>
> *Verz.: B.-F., No. 4289.*

**101.** *Burggraf Ludolf und die Burgmannen zu Friedberg bekennen, dass Ritter Richwin von Guntershausen und dessen Bruder, der Cleriker Wigand, bezeichnete Güter in Gontershausen, Niederofleiden, Haarhausen, Bergen, Heldenbergen, Windecken (Dezeln-heim), Altenstadt und Kirchgöns an das Kloster Haina überlassen haben. Zeugen:* Ludolfus burgravius, Rupertus de Carben, Cunradus de [B]erge, . . [Ever]winus [Gr]us et filius suus, et insuper universi castellani et cives de Frideberc, et in Frankenfor: Richardus de Buchees et Richvinus et universi cives de Franken-fort, et universi milites de Heldebergen. *1234 Januar 28 (V. kal. februarii).*

> *Gedr. nach dem Or. Pgmt. im St. A. Marburg: Reimer, I, 139; über dieselbe Handlung wurde noch eine Urkunde durch die Städte Homberg an der Ohm und Grünberg ausgestellt. ib., 142.*

**102.** *König Heinrich (VII.) verkündigt dem Burggrafen von Friedberg, den Schultheissen von Frankfurt, Wetzlar und Gelnhausen, sowie den Bürgern daselbst, dass er die in den Reichsstädten belegenen Güter des Klosters Arnsburg von allen Steuern befreit habe. Würzburg, 1234 Mai 29.*

Heinricus dei gracia Romanorum rex et semper augustus. Dilectis fidelibus suis Ludolfo burgravio de Frideberch et scoltetis // de Frankenfort, de Wetflaria et Geilin-husen et universis civibus earundem pro tempore constitutis graciam suam // et omne bonum. Innata nobis benivolencia nos compellit, ut ordinem Cisterciensem ad imi-tationem progenitorum nostrorum sin//cerius diligamus et fratrum in eo deo militancium intendamus commodo et honori. Qua de re noverit universitas vestra, quod nos ad instanciam et peticionem dilecti fidelis nostri Alberti abbatis de Arnspurc eidem ecclesie talem fecimus graciam et dedimus libertatem, ut de omnibus bonis eiusdem ecclesie in quocunque nostro oppido constitutis nullam prorsus precariam seu steiuram(!) aut exactionem aliquam requiramus vel requiri aut accipi permittamus, sed volumus, ut ab omni exactionum genere sint liberi penitus et immunes. Mandantes et sub inter-minatione gracie nostre precipientes, ut nulla umquam persona humilis vel alta hanc nostram libertatem sepe dicte ecclesie collatam infringere audeat, aliquam a bonis eius precariam exigendo. Quod qui facere presumpserit, iram nostram gravissimam senciet et offensam. Ad huius itaque facti nostri perhennem memoriam presens privilegium conscribi et sigillo nostro iussimus insigniri. Testes hii sunt: Sifridus Maguntinus archiepiscopus, Hermannus Herbipolensis episcopus, Cunradus abbas sancti Galli, Deigenhardus imperialis aule prothonotarius et prepositus sancti Johannis in Houge, Wernerus prepositus de Gicheburc; laici: comes Heinricus de Seyne, Rupertus comes de Kastele, Heinricus de Nipha, Eberhardus de Eberstein, Gerlacus de Butingen, Heinricus de Hagenhowe, Philippus* de Bolandia, Lutolfus burgravius de Frideberc, et alii quam plures. Datum apud Wirzeburc, anno domini M. CC. XXXIIII., quarto kalendas iunii, indictione VII.

> a) „Philippus" Or.

*Or. Pgmt. Das jetzt nicht mehr vorhandene Siegel hing an roth-weissen Seidenfäden an. Lich.*
*Gedr.: Lersner, II b, 198, B., 58, Reimer, I, 139; beide nach dem Or. ,  Huillard-*
*Bréh., IV, 656 nach B. .*
*Verz.: B.-F., No. 4322, Will, Mainz. Reg., XXXIII, 137, Görz, Mittelrhein. Reg., II,*
*No. 2115, Scriba, II, No. 379. Regest.: Arnsb. Urkb., 205.*

**103.** *Papst Gregor IX. befiehlt dem Mainzer Erzbischof auf die Beschwerde der Deutschordensbrüder zu Frankfurt, von der Erhebung des Zwanzigsten ihrer kirchlichen
Einkünfte abzustehen und das aus diesem Anlass gegen sie verhängte Interdict
aufzuheben, ferner die von ihnen für ihre Patronatskirchen präsentirten Geistlichen
unweigerlich anzustellen. Im Falle der Widersetzlichkeit des Erzbischofs habe er
den Aebten zu Eberbach und Bronnbach und dem Dechanten zu Hauge Befehl
gegeben, gegen den Erzbischof selbst einzuschreiten. Reate, 1234 Juni 19.*

Gregorius episcopus servus servorum dei. Venerabili fratri . . archiepiscopo
Maguntino, salutem et apostolicam benedictionem. Significantibus // dilectis filiis . .
preceptore ac fratribus domus sancte Marie Teutonicorum in Francnefort(!) nos noveris
accepisse, quod tu contra li//bertates et immunitates eis ab apostolica sede concessas
de proventibus ecclesiarum suarum vicesimam exigens pro tue libito voluntatis, // hac
occasione in eos interdicti sentenciam promulgasti. Statuisti preterea, ut si eis ius
patronatus alicuius ecclesie sine assensu tuo ab aliquo in tua diocesi concedatur, tu
ad presentacionem ipsorum ad eam personam aliquam non admittas, super quo sibi
petierunt auctoritate apostolica provideri. Cum igitur quanto in ecclesia dei locum
obtines digniorem, tanto te deceat religiosos viros diligere propensius ac fovere,
fraternitatem tuam rogandam duximus attencius et monendam per apostolica tibi
scripta mandantes, quatinus, ab eorum gravaminibus et iniuriis conquiescens, relaxes
sine difficultate qualibet dictam sentenciam interdicti. Alioquin dilectis filiis . . de
Everbach et . . de Brunnebach abbatibus et . . decano de Houge Maguntine et Herbipolensis diocesis nostris damus litteris in mandatis, ut, sentenciam ipsam sicut iustum
fuerit relaxantes, te ab huiusmodi eorum gravaminibus et iniuriis super premissis
sublato appellacionis obstaculo auctoritate nostra cognita veritate compescant. Datum
Reate, XIII. kalendas iulii, pontificatus nostri anno octavo.

*Or. Pgmt. mit Bulle an Hanffäden. St. A. Stuttgart. Urkunden, Preussen No. 80. —*
*Von Nathusius.*

**104.** *König Heinrich (VII.) verleiht der Stadt Oppenheim gleiche Freiheiten, wie die Stadt
Frankfurt besitzt, namentlich in Bezug auf die Steuerpflichtigkeit der Bewohner.
Boppard, 1234 September 11.*

Heinricus dei gratia Romanorum rex et semper augustus. Fidelibus suis, universis
civibus de // Oppenheim, gratiam suam et omne bonum. Devotionem vestram prosequi
volentes serenita//tis nostre gratia speciali, ecce omnes libertates pariter et honores,
quos habet // civitas nostra Frankenvord, vobis ac civitati Oppenheim per presens
privilegium tradimus et donamus, ut ad instar civium de Frankenvord perpetuo
gaudeatis eisdem, ita videlicet, quod sicut illic sturas et precarias dare solent, sic et
hic existentes conditionis eiusdem similiter dent vobiscum. Qui autem illic sture vel
precarie sunt expertes, debent et vobiscum esse illarum liberi et immunes. Ut igitur
hec gratia vobis facta robur obtineat debite firmitatis, presentem paginam inde conscriptam sigilli nostri munimine fecimus insigniri. Datum apud Bopardiam, anno
gracie millesimo C̊C. XXXIIII., III. idus septembris, indictione septima.

*Or. Pgmt. Siegel an gelbem Seidenband zerbrochen anhängend. St. A. Darmstadt. Grotefend.*
*Gedr.: Böhmer, 59 aus dem Or. = Huillard-Bréh., IV, 689. Auszug: Andreae, Oppen-*
*hemium illustratum, 1778, 7.*
*Vers.: B.-F, No. 4350, Scriba, III, No. 1373. Vgl. Thomas, Oberhof, 149.*

**105.** *Der Schultheiss Ludolf, die Schöffen und Bürger von Frankfurt beurkunden, dass*
*Ritter Theoderich von Wickstadt und dessen Frau Agnes dem Kloster Arnsburg*
*genannte Güter in Wickstadt und in Alstadt geschenkt haben. Frankfurt, 1234.*

Ludolfus scultetus, scabini et universitas burgensium in Frankenvort. Tenore
presentium innotescere // cupimus tam presentibus quam futuris, quod Theodericus
miles de Wikkenstat et Agnetis uxor eius communicata manu et communi consensu
pro remedio peccaminum suorum et parentum suorum contulerunt monasterio // de
Arnespurg Cysterciensis ordinis predia sua, in Wikkenstat duos mansos preter iugerum
et dimidium et in Alstat viginti et quatuor iugera cum pratis eisdem pertinentibus.
imperpetuum libere et absolute possidenda. Tali conditione interposita, quod prelibatus
miles Theodericus et uxor eius Agnetis in predictis bonis usumfructum sibi retinebunt
quoad vixerint, et quod predia in Wikkenstat ab abbate et conventu monasterii de
Arnespurg nullatenus cambientur aut ab ecclesia distrahentur. Non licebit etiam
sepedicto militi et uxori sue altero eorum decedente prescripta predia alicui preter
quam donata sunt contradere aut in usus alios commutare. Acta sunt hec anno
domini millesimo ducentesimo XXX. IIII$^{\mathrm{to}}$. Donatione rite celebrata in claustro Frankenvort. Ne autem huius facti succrescat oblivio, presentem scedulam conscribi et sigillis
domini Ludolfi sculteti et nostre civitatis fecimus communiri. Testes: Ludolfus scultetus.
cuius sigillum appositum est, Richardus de Buche, Johannes Goltstein, Hermannus
Niger, Ulricus, Baldemarus, Berdoldus filius Harperni, Wigandus de Ascheburnen.
Guntramus Hunger, Swigerus, Cunradus Riewesere, Rudolfus Mertin, Berdoldus de
Heldebergen, Hartmudus de Nithe, tunc temporis scabini, et universitas burgensium
in Frankenvort

*Gedr.: B., 60 nach dem Or. in Berlin, das sich im Geh. Staatsarchiv nicht mehr befindet.*
*Regest.: Arnsb. Urkb., 205. Auszug: Thomas, Oberhof, 434, Frankf. Arch., II, 97.*
*Vers.: Scriba, II, No. 382.*

**106.** *Genannte Schiedsrichter entscheiden einen Streit zwischen Propst Reinald von Frank-*
*furt[1] auf der einen, und Walter von Vilbel und seinen Söhnen auf der andern*
*Seite, in Betreff des Zehntens der Villa Hausen und Niederbommersheim zu Gunsten*
*des erstern. 1235 April.*

Nos C. dei gracia decanus, W. de Assheburnen canonicus Moguntinus. . .
abbas de Arnesburc, H. de Hagenowe, H. de // Cronenberc et C. Vulpes[a] de
Rudensheim, milites. Notum esse volumus omnibus huius pagine inspectoribus.
quod littigantes diu coram // W. decano sancti Petri Moguntini suisque coniu-
dicibus a sede apostolica delegatis Reinaldus prepositus de Frankenvort ex parte

a) *Or. „Wlpes“.*

[1] *Propst Reinald wird 1233 Febr. 21. von Papst*
*Gregor IX. als „Rainaldus de Puzall, subdiaconus*
*suus et canonicus Maguntinus“ beauftragt, einem*
*genannten Cleriker eine Präbende am St. Florins-*
*stift in Koblenz zu verschaffen. Gedr.: Würdt-*
*wein, Nova Subs., VI, 19, Potthast, No. 9100, Auvrey,*
*Registres de Grégoire IX., No. 1116, 1236 Juni 3*
*erhält er als „Rainaldus de Puzalia, subdiaconus*
*noster, prepositus de Francofort“ einen sachlich*
*ähnlichen Befehl. Gedr.: Würdtwein, l. c. IX, 11*
*= B., 63. Wetteravia, I, 65 zu 1237. Potthast,*
*No. 10177. Er war zugleich Propst zu St. Severus*
*in Erfurt, vgl. Joannis, Res Mog., II, 387, Reimer, I,*
*147, 1235 Nov. 22, und unten Urk. No. 113. 1238 Juni.*

una, et Walterus // suique filii, scilicet Rûdolfus et Walterus de Velewile, ex parte
altera, super decima in villa Husen et in inferiori Bomersheim sita, tandem se nostro
arbitrio submiserunt, promittentes fide data et nichilominus obligantes se ad penam
quadraginta marcarum, quam pars nolens servare arbitrium nostrum dabit parti volenti
servare idem, se velle servare, quicquid inter eos concorditer ordinaremus. Nobis
itaque in forma arbitrii concordantibus statuimus et pronuntiavimus, quod dictus
W. et filii sui renuntiare deberent dicte decime; quod et fecerunt, obligantes se
ad dictam penam et quod nichilominus eorum feoda, que ab ecclesia Moguntina tenerent,
ipso facto vacarent, si de cetero dictum prepositum vel aliquem successorum suorum
perturbarent, intromittendo se iterum de decima memorata. Insuper statuimus, quod
dictus prepositus de Frankenvort propter bonum pacis dabit predicto W. temporibus
vite sue tantum, exclusis filiis suis et omnibus aliis heredibus, annuatim in octava
epiphanie tres marcas Coloniensium denariorum. Ut autem hoc factum nostrum firmum
et inconvulsum secundum formam et penam pretaxatam permaneat, hanc litteram conscribi fecimus et sigillis nostris sigillisque partium duximus roborari. Actum anno
domini M̊. C̊C̊. XX̊X̊. quinto, mense aprile.

*Or. Pgmt. Anhangend: 1) Siegel des Dechanten Cristianus, 2) des Waltericus, 3) des
Abtes von Arnsburg, 4) des Heinricus de Hagenovve (Reitersiegel), 5) nur Siegelstreifen,
6) Siegel des Emericho W[lpe]s de Rudens[h]eim, 7) nur Siegelstreifen, 8) Siegel des
Walterus de Velewile, alle gut erhalten. St. A. Fr. Barth. St. No. 176.*

*Gedr. nach dem Or.: B., 60 = Sauer, I, 304, Reimer, I, 145. Erwähnt: Joannis, Res
Mog., II, 357.*

**107.** *König Heinrich (VII.) überlässt seinen getreuen Bürgern in Frankfurt zur sofortigen
Wiederherstellung und Unterhaltung der dortigen Brücke das halbe Einkommen von
der Münze daselbst und das nöthige Holz aus dem Reichswald. Frankfurt, 1235 Mai 10.*

In nomine domini amen. Heinricus septimus dei gratia Romanorum rex et semper
augustus. Fidelibus suis, uni//versis civibus in Frankenvord pro tempore constitutis,
gratiam suam et omne bonum. Sicut pre ceteris civitatibus // et hominibus nostris
civitas vestra nobis hactenus obsequiosior ac devotior extitisse dinoscitur, sic et gratia
nostra // debet vos amplioribus beneficiis honorare, ut per hoc favoris nostri plenitudinem experiamini per effectum.[a] Cum igitur ex repentina inundatione aquarum
pons vester aliquociens destruatur in parte, et tandem forte corrueret, sicut iam per-
penditur manifeste ex eo, quod quedam pile medie sunt destructe, hanc vobis gratiam
intuitu pietatis ac vestre devotionis respectu duximus faciendam et ea in perpetuum
volumus vos gaudere, scilicet ut medietatem proventuum monete nostre in Frankenvord
ad reparationem ipsius[a] pontis annis singulis habeatis perpetuo, et de silvis nostris
adiacentibus ligna, siqua vel quanta ad id necessaria erunt vobis. Ideoque volumus
et mandamus vobis districte, ut de hiis proventibus reparetis continue pontem ipsum.
Ut autem super hac gratia vobis facta perpetuam certitudinem habeatis, et vobis
firmiter observetur id, quod[a] per presens privilegium indulgemus, appensione sigilli
nostri dictum privilegium fecimus communiri. Testes huius rei sunt: Hermannus
Herbipolensis, Conradus Spirensis, episcopi; Thegenhardus imperialis aule prothonotarius,
Lutolfus Burggravius de Vrideberg, Rodolfus de Vûnemberg, et alii quamplures. Acta
sunt hec apud Frankenvord. Anno incarnationis dominice millesimo CC. XXXV., VI. idus
maii. Indictione VI̊II.

*Or. Pgmt. mit wohlerhaltenem Siegel an roth-gelben Seidenfäden. St. A. Fr. Priv. No. 3.*
*Vers.: Fr. Inv, III, S. 2.*

a) *Ueber Rasur.*

*Gedr. nach dem Or.: P. et P., I, 3, II, 3, == Gegründete Gegeninformation, III, Beilage No. 69 = Buri, Bannforsten, Urk. No. 89 = Reductio historica wegen des Leinwandhauses 1726, 66. Lünig, R. A. 13, 558. B., 61. == Huillard-Bréh., IV, 725. Verz.: B.-F., No. 4382.*

**108.** *Papst Gregor IX. nimmt den Propst und die reuigen Schwestern im Kloster der heiligen Maria Magdalena zu Frankfurt, nebst ihren Besitzungen in seinen besonderen Schutz. Perugia, 1235 August 3.*

Gregorius episcopus servus servorum dei. Dilectis filiis . . preposito et sororibus penitentibus mona//sterii sancte Marie Magdalene in Vranchenfurt, Maguntine diocesis, salutem et apostolicam benedictionem. Cum a nobis petitur // quod iustum est et honestum, tam vigor equitatis quam ordo exigit rationis, ut id per sollici//tudinem officii nostri ad debitum perducatur effectum. ' Eapropter, dilecti in domino filii, vestris iustis postulationibus grato concurrentes assensu, personas vestras et monasterium, in quo divino vacatis obsequio, cum omnibus bonis, que impresentiarum rationabiliter possidet aut in futurum iustis modis prestante domino poterit adipisci, sub beati Petri et nostra protectione suscipimus. Specialiter autem terras, possessiones ac alia bona, que monasterium ipsum ex pia concessione fidelium canonice proponitis assecutum, sicut ea omnia iuste ac pacifice possidetis, vobis et eidem monasterio per vos auctoritate apostolica confirmamus et presentis scripti patrocinio communimus. Nulli ergo omnino hominum liceat hanc paginam nostre protectionis et confirmationis infringere vel ei ausu temerario contraire. Siquis autem hoc attemptare presumpserit, indignationem omnipotentis dei et beatorum Petri et Pauli apostolorum eius se noverit incursurum Datum Perusii, III. nonas augusti, pontificatus nostri anno nono.

*Or. Pgmt. mit Bulle an gelbrothen Fäden. St. A. Fr. Weissfrauenkloster: Freiheitsbriefe und Urkunden No. 4.*
*Gedr.: Lersner, II b, 86. B., 62 aus dem Or. .*
*Verz.: Potthast, No. 9981. Frankf. Mitth. VI, 315.*

**109.** *Der Schultheiss Ludolf, die Schöffen und Bürger von Frankfurt verkünden, dass die Brüder des heiligen Antonius ihre Mitbürger geworden sind und daher unter kaiserlichem Schutze stehen. Zugleich beurkunden sie, dass Berthold Bresto den Brüdern seinen vor dem Thore gegen Preungesheim zu gelegenen Hof geschenkt habe. 1236 März 1.*

C. Ludolfus[a] scultetus, scabini et universi cives de Frankenfort.[b] Tenore presencium innotescere cupimus universis presentem paginam visuris, quod fratres domus beati Antonii nostre civitatis concives sunt effecti et eodem iure, quo et nos, gaudebunt pariter et honore. Quicumque igitur iam dictos fratres aut in [in][c] personis aut in rebus aliquo modo gravare presumpserit, offensam et indignacionem imperatorie celsitudinis se noverit graviter incurrisse. Preterea Bertholdus[d] Bresto ductus bono zelo eisdem fratribus curtim[e] suam, que sita est iuxta portam versus Bruningisheym,[f] in remedium anime sue, necnon uxoris sue, Gerhildis videlicet, contulit proprietatis titulo libere possidendam. Huius itaque legacionis testes sunt: Hermannus Niger, Johannes dictus Golstein, Ulricus Longus, Wigandus de Asceburnen, et ceteri quam plures viri ydonei et discreti. Ut autem hec rata permaneant in perpetuum, presentibus sigillis nostris ea roboramus.[g] Actum anno domini M. CC. XXXVI., kalendis marcii.

a) A. B. „Ludolffus“. b) A. B. „Franckenfort“. c) „in“ *fehlt in* A. *und* B. d) B. „Bertoldus“ e) B. „curtem“. f) B. „Bruningisheim“. g) B. „roboravimus“.

*St. A. Fr. Abschrift im Copialbuch, II, No. 38 (A) (darnach der Druck) und in Copialb., I,
No. 184, wahrscheinlich nur aus II übertragen (B). Verz.: Fr. Invent., III, 146.
Drei Abschriften aus dem 17. Jahrh. befinden sich im St. A. Wiesbaden (Reimer).
Gedr.: Fichard, Archiv. I, 212. B., 62 nach A. Reimer, I, 148.*

**110.** *Die geistlichen Richter zu Mainz bezeugen, dass Walter, Pfarrer zu Langendiebach,
dem Deutschorden Güter zu Hulshofen verkauft habe. Mainz, 1236 März 11.
(V. id. martii.)*

*Gedr.: Reimer, I, 148 nach Or. Pgmt. im Deutschordens-Centralarchiv. Wien.*

**111.** *Conrad von Dornburg, ein Reichsministeriale, verkauft dem Kloster Arnsburg den
grossen und kleinen Zehnten zu Fechenheim für 100 Mr. 1236 (vor Mai 24).*[1]

In nomine sancte et individue trinitatis, amen. Ego Conradus de Dornburg
imperialis aule ministerialis. Quoniam dignum et ydoneum[a] est, ut facta memoria[b]
digna scripturarum testimoniis fulciantur, innotescere cupio tam presentibus quam
futuris, quod de communi consensu et communicata manu uxoris mee Jutte et sororis
mee Alheidis[c] vendidi monasterio de Arnsburg Cisterciensis[d] ordinis decimam meam
in Vechenheim maiorem et minutam pro centum marcis Coloniensis monete. Hanc
decimam in castro meo Dorenburg coram castellanis nostris: Ebernando, Johanne,[e]
Henrico Tuchen.[f] Walbruno,[g] Colbone, Nibelungo, Alberto abbati de Arnsburg[h] et
suis monachis Hertwico et Hermanno cellerario tam ego quam uxor mea Jutta et
soror mea Alheidis[c] communicata manu resignavimus et perpetua libertate contra-
didimus. Acta sunt hec anno domini millesimo C̊C̊. X̊X̊X̊. V̊I̊. Ne igitur prelibato
monasterio in decima prefata a successoribus meis ulla possit suboriri calumpnia,[i] presens
scriptum sigillis civitatis Frangkenfurdensis[k] et meo feci communiri. Testes huius
rei sunt: Ludoldus scultetus, Rupertus de Sazsenhusen,[l] Marquardus, C. Meisenbuch,
Albertus de Konigstein, Gotfridus[m] de Liederbach, Hermannus Halbir, Richwinus,
Wigandus de Nuheim.[n] Item scabini: Johannes[o] Goltstein, Hermannus[p] Niger, Ulricus
Longus, Baldemarus, Bertoldus Bresto, Wigandus de Ascenborne,[q] Guntramus Hunger,
Swigerus, Rudolfus[r] Mertin, Cunradus Ruweserer,[s] Henricus Clobeloch, Guntramus
Monetarius, Hartmudus[t] de Nithe, Herbordus de Ovenbach et sui germani Harpernus
et Wigerus, et universitas burgensium in Frangkenfort.[u]

*Gedr.: Nach Bodmanns Abschrift ex Or. in Frankfurt. Die Vorlage B.'s., 63, konnte
nicht ermittelt werden. Gedr.: Reimer, I, 149 nach zwei Abschriften des 16. Jahrh. in
Marburg (siehe die Varianten in den Anmerkungen). Ausserdem: Guden, Cod. Dipl.,
III, 1107. Auszug: Thomas, Oberhof, 434, Fr. Arch., II, 98.
Verz.: Scriba, II, No. 384.*

**112.** *Papst Gregor IX. bestätigt dem Stiftscapitel zu Frankfurt den Besitz des Patronatsrechtes in Bischofsheim. Im Lateran, 1238 Mai 12.*

⸗ Gregorius ⸗ episcopus servus servorum dei. Dilectis filiis, decano et capitulo
ecclesie Frankenwordensis Ma//guntinensis diocesis, salutem et apostolicam benedictionem.
Justis petentium desideriis dignum est nos facilem prebere consensum // et vota, que
a rationis tramite non discordant, effectu prosequente complere. Eapropter, dilecti in

a) „Idoneum“.  b) „memorie“.  c) „Adelheidis“.  d) „Cistertiensium“.  e) „Joanne“.  f) „Cuchen“.
g) „Walburno“.  h) „Arnspurg“.  i) „calumnia“.  k) „Francvordensis“.  l) „Ripertus de Sachsenhusen“.
m) „Godefridus“  n) „Nuveheim“.  o) „Joannes“.  p) „Herman“.  q) „Aschenburne“.  r) „Rudolphus“
s) „Ruwesere“.  t) „Harmudus“.  u) „Franckfurt“.

[1] *Vgl. Reimer, l. c, 150.*

domino fi//lii, vestris iustis postulationibus grato concurrentes assensu, ius patronatus, quod in capella de Bishovesheim ex donatione quondam Philippi prepositi ecclesie vestre, venerabilis fratris nostri .. archiepiscopi Maguntinensis, diocesani loci, et capituli sui accedente consensu, prout in eorum litteris plenius dicitur contineri, canonice proponitis vos adeptos, sicut illud iuste ac pacifice obtinetis, vobis et per vos eidem ecclesie vestre auctoritate apostolica confirmamus et presentis scripti patrocinio communimus. Nulli ergo omnino hominum liceat hanc paginam nostre confirmationis infringere vel ei ausu temerario contraire. Siquis autem hoc attemptare presumpserit, indignationem omnipotentis dei et beatorum Petri et Pauli apostolorum eius se noverit incursurum. Datum Laterani, IIII. idus maii, pontificatus nostri anno duodecimo.

> *Or. Pgmt. mit Bulle an gelbrothen Fäden. St. A. Fr. Barth. St. No. 2427.*
> *Gedr. nach dem Or.: B., 64, Reimer, I, 155.*
> *Vers.: Potthast, No. 10597.*

**113.** *Reinald, Propst zu Frankfurt, giebt der Schenkung des Patronatsrechts in Bischofs-*
*heim von Seiten seiner Vorgänger Philipp und Siegfried an das Stiftscapitel zu*
*Frankfurt seine Zustimmung. 1238 Juni.*

Reinaldus dei gratia Frankenfordensis ecclesie prepositus. Ordinationi, quam pie memorie dominus // Philippus et Sifridus prepositi, predecessores nostri, de consensu venerabilis domini Sifridi Maguntini // archiepiscopi et capituli ibidem fecerunt super ecclesia in Bischovisheim, ipsam videlicet libere // conferendo communibus usibus fratrum ecclesie Frankenfordensis, liberum et affectuosum adhibemus consensum, intuitu divine remunerationis. In cuius rei evidentiam pleniorem scriptum presens hoc nostro sigillo communimus. Datum anno domini M. CC. XXXVIII., mense iunio.

> *Or. Pgmt. mit anhängendem Siegel des Ausstellers, als Propst von St. Severus in Erfurt.*
> *St. A. Fr. Barth St. Nr. 2429.*
> *Gedr. nach dem Or.: B., 64, Reimer, I, 159, erw. Würdtwein, Dioec. Mog., III, 126.*

**114.** *Papst Gregor IX. ermahnt alle Gläubigen der Mainzer Kirchenprovinz, dem Stifts-*
*capitel zu Frankfurt mit Almosen zur Wiederherstellung der dortigen Kirche und*
*ihrer Thürme beizustehen, und verleiht allen Wohlthätern der Kirche einen zwanzig-*
*tägigen Ablass. Anagni, 1238 September 16.*

[Gregorius] episcopus servus servorum dei. Universis Christi fidelibus per Maguntinam provinciam constitutis salutem // et apostolicam benedictionem. Quoniam, ut ait apostolus, omnes stabimus ante tribunal Christi recepturi, prout in corpore gessimus, // sive bonum fuerit sive malum, oportet nos diem messionis extreme misericordie operibus prevenire ac eternorum intuitu // seminare in terris, quod reddente domino cum multiplicato fructu recolligere debeamus in celis, firmam spem fiduciamque tenentes, quoniam, qui parce seminat, parce et metet, et qui seminat in benedictionibus, de benedictionibus et metet vitam eternam. Cum igitur, sicut dilecti filii Raymaldus(!) de Puzallia, subdiaconus noster, prepositus, et capitulum ecclesie Franckefordensis nobis exponere curaverunt, eadem ecclesia et turres ipsius, in quibus campane pendebant, nimia sint vetustate consumpte, ita quod de turribus ipsis campanis amotis de casu vehementer timeatur earum, et eas inceperint reparare nec ad tanti consumationem operis sibi proprie suppetant facultates, universitatem vestram monendam duximus attentius et hortandam, in remissionem vobis peccaminum iunge[ntes],ª quatinus cum nuntii predictorum prepositi et capituli propter hoc ad vos accesserint helemosinam

ª) *Loch im Pgmt.*

petituri, de bonis a deo v[obi]s[a] collatis pias elemosinas et grata eis[b] subsidia caritatis erogetis, ut per subventionem vestram opus tam pium valeant feliciter consumare et vos per hec et alia bona, que domino inspirante feceritis, ad eterne possit[is][c] felicitatis gaudia pervenire. Nos enim de omnipotentis dei misericordia et beatorum Petri et Pauli, apostolorum eius, ac ea, quam nobis concessit, auctoritate confisi omnibus, qui eis manum porrexerint caritatis, viginti dies de iniuncta sibi penitentia misericorditer relaxamus. Datum Anagnie. XVI. kalendas octobris, pontificatus nostri anno duodecimo.

*Or. Pgmt. mit Bulle an rothgelben Fäden. St. A. Fr. Barth. St. No. 3566.*
*Gedr. nach dem Or.: B., 65. Wolff, Der Kaiserdom, 113.*
*Verz.: Potthast, No. 10654.*

**115.** *Schultheiss Rupert von Karben,[1] die Schöffen und Bürger zu Frankfurt beurkunden, dass Ulrich Lange und dessen Frau Gertrud ihre Güter zu Seckbach, und die Wittwe Lugardis von Kebele ihr Haus zu Frankfurt auf dem Markte dem Kloster Haina geschenkt haben. Frankfurt, 1238 December 3.*

Rupertus dictus de Carben scultetus in Frankenford, scabini et universi cives ibidem. // Universis, ad quos presens scriptum p[erveneri]t, innotescere cupimus, nos eo scripto publice profiteri // et protestari, quod Ulricus dictus Longus noster concivis communicata uxoris sue nomine Gerdrudis ma//nu ducti bono zelo omnia [b]o[n]a, que habuerunt in Sekebach, post mortem ipsorum liberaliter cenobio Hagenehe ordinis Cisterciensis contulerunt perpe[tu]o possidenda. Item recognoscimus, quod Lugardis vidua, concivis nostra dicta de Kebel[e], dom[u]m, qua[m] habet in foro nostro, dicto cenobio [a]bsque ulla co[ntradiction]e post m[ortem suam liberaliter d]onavit [perpe]tuo possidendam. Huius itaque rei testes sunt: frater Heinricus [dictus de Ybach] procurator domus Theutonie apud nos Frankenford, Hartmudus et Otto fratres [de Crone]nbe[rc]h, Erkenboldus de Heildebergen, Cunradus miles dictus Meisenbug, et [alii quam p]lures viri ydonei et discreti. In cuius evidentiam presentem cedulam sigil[li]s nostris duximus muniendam. Acta sunt hec coram nobis Frankenford in mall[o], quod a volgo b u w e d i n g vocatur, supradicta bona sub bannum et protectionem domini imperatoris co[m]prehendo. Anno dominice incarnationis M̊. C̊C̊. XXXVIII., IĬI. nonas decembris.

*Or. Pgmt. (Hainaer Urk.) im St. A. Marburg. Stark beschädigt. Die Lücken sind nach*
*Reimer aus dem Hainaer Copialbuch, II, ergänzt.*
*Gedr. nach dem Or.: Reimer, I, 159, hier wiederholt. Kuchenbecker, Analecta, VIII, 275.*
*B., 65 nach dem Copialbuch. Auszug: Thomas, Oberhof, 434.*

**116.** *Propst Arnold von Mariengreden zu Mainz überträgt mit Zustimmung des Mainzer Erzbischofs Siegfried und des Frankfurter Propstes Reinald die Kirche zu Bischofsheim auf das Stift Frankfurt. Mainz, 1239 Mai 4.*

Arnoldus, dei gratia prepositus sancte Marie ad Gradus in Maguntia. Universis presentem paginam inspec//turis salutem in domino. Ad universorum tam presentium, quam futurorum notitiam volumus pervenire, quod // ecclesiam in Bischvisheim (!) Maguntine dyocesis, cuius ad nos spectabat institutio, ad liberam resigna//tionem

a) *Loch im Pgmt.* b) „*grata eis*" *durch einen neueren Tintenfleck verdeckt.* c) *Durch Wurmfrass letzte Silbe zerstört.*

[1] *Rupert von Karben urkundet 1239 Mai 20 (XIII. kal. iun.) als Burggraf von Friedberg für das Kloster Eberbach, besiegelt diese Urkunde jedoch mit seinem Siegel als Schultheiss von Frankfurt. (Baur, I, 18, Rossel, I, 334. Verz.: Scriba, I, No. 349.) Derselbe kommt als Burggraf in einer Urkunde von 1239 Mai 22 (Guden, II, 636, Sauer, I, 1, 314) vor. Vgl. auch Will, Mainzer Regesten, XXXIII, No. 271. (1237 December 15.)*

magistri Nicolai, qui tanquam plebanus ipsam ecclesiam possidebat, de consensu
venerabilis patris Sifridi, dei gratia Maguntini archiepiscopi, et Reinaldi prepositi
Frankenfordensis, ad quem ius patronatus in dicta ecclesia pertinebat, necnon et de
voluntate capituli maioris ecclesie Maguntine, decano et capitulo ecclesie Frankenfordensis contulimus, ipsius capituli communibus usibus ad aucgmentationem prebende
sue omnimodis profuturam, ita tamen, quod vicarium, qui in ipsa ecclesia debeat
ministrare, nobis vel nostris successoribus representent, qui de proventibus ipsius
ecclesie congruam percipiat portionem. In cuius rei testimonium ipsis decano et capitulo
Frankenfordensibus presens scriptum concessimus sigilli nostri, necnon et iudicum
sancte Maguntine sedis, qui huic interfuere negotio, impressione munitum. Datum
Moguntie in claustro maioris ecclesie, anno M. CC. XXXIX., IIII. nonas maii.

> *Or. Pgmt. Anhängend 1) Siegel Arnolds 2) Siegel der Mainzer geistlichen Richter. St. A. Fr.*
> *Barth. St. No. 2431.*
>
> *Gedr.: Würdtwein, Dioec. Mog., III, 123. B, 66 nach dem Or. Reimer, I, No. 207.*
> *Erw. Joannis, Res Mog., II, 339.*
> *Verz : Will, Mainz. Reg., XXXIII, No. 320.*

**117.** *Propst Arnold von Mariengreden zu Mainz und zwei dortige Domcanoniker beurkunden, dass Nicolaus, der bisherige Pfarrer zu Bischofsheim, diese Kirche
vom Frankfurter Stifte unter gewissen Bedingungen von Neuem erhalten habe.
Mainz, 1239 Mai 4.*

Arnoldus dei gratia prepositus sancte Marie ad Gradus, magister Philippus
decretorum doctor, et Berhardus, canonici // maioris ecclesie Maguntine. Ad notitiam
universorum tam presentium quam futurorum volumus pervenire, quod, cum magister //
Nicolaus, quondam plebanus in Bischovisheim, ipsam ecclesiam in Bischovisheim in
manus supradicti prepositi li//bere et sine omni conditione resignasset, ad petitionem
nostram decanus et capitulum ecclesie Frankenfordensis dicto magistro N. prefatam
ecclesiam commiserunt, ita quod ipse omnia onera ecclesie ipsius tam in kathedratico,
quam in sartistectis, necnon et in aliis debeat sustinere; et in signum possessionis et
dominii dictis decano et capitulo ecclesie Frankenfordensis XII maltra siliginis Maguntine
mensure et I carratam vini hunici annuatim tempore messium et vindemiarum persolvat
nomine pensionis. Et ne qua dubitatio super hoc facto possit in posterum suboriri,
sepedictis decano et capitulo presens scriptum concessimus sigillorum nostrorum
munimine roboratum. Datum Maguntie in claustro maioris ecclesie, anno domini
M. CC. XXXIX., IIII. nonas maii.

> *Or. Pgmt. Anhängend 1) wohlerhaltenes Siegel Arnolds. 2) Siegelrest. 3) Siegel Berhards*
> *St. A. Fr. Barth. St. No. 2430.*
>
> *Gedr.: Joannis, Res Mog., I, 339. B., 66, Reimer, I, S. 160, No. 208, beide nach dem Or. .*

**118.** *Bischof Ludolf von Ratzeburg beurkundet, dass er am 24. August 1239 die Frankfurter Kirche zu Ehren des Heilands Jesus Christus und des heiligen Bartholomäus
eingeweiht habe, verlegt die jährliche Feier dieser Einweihung auf den Sonntag vor
Mariae Himmelfahrt, und verleiht allen, welche dieser beiwohnen und Almosen
zum Kirchenbau spenden, vierzig Tage Ablass.*

Liudolfus dei gratia Razzeburgensis episcopus. Universis presens scriptum visuris
notum // esse volumus, quod nos anno domini M. CC. XXXIX., IX. kalendas septembris
ecclesiam Franken//fordensem dedicavimus in honorem salvatoris domini nostri Jesu
Christi et sancti Bartholomei. // Cuius dedicationem transposuimus singulis annis
dominica die ante assumptionem beate Marie virginis celebrandam. Omnibus enim

ibidem venientibus et ad edificationem ecclesie elemosinam oferentibus(!) per tricesimum
et de mense ad mensem et de anniversario in anniversarium XL dierum indulgentiam
de iniuncta sibi penitentia largientes. In cuius rei evidentiam presentem paginam
sigilli nostri munimine fecimus roborari.

*Or. Pgmt. Anhängend das guterh. Siegel an gelbgrünen Fäden. St A. Fr. Barth. St. No. 3563.*
*Gedr.: Würdtwein, Dioec. Mog., II, 11. B., 67 nach dem Or. = Mecklenb. Urkb., IV, 199.*
*Müller, Barth. St., 161.*
*Vers.: Will, Mainz. Reg., XXXIII, No. 338. Wolff, Der Kaiserdom, 114. Vgl. Latomus,*
*Böhmer, Fontes, IV, 399, Froning, Frankf. Quellen, I, 75, 76 u. 138.*

**119.** *Schultheiss Rupert von Carben, die Schöffen und Bürger von Frankfurt bekunden,
dass Ritter Heinrich von Kinzheim und dessen Gemahlin Adelheid dem Kloster
Aulisburg ihre sämmtlichen Besitzungen in Buchen geschenkt haben. Frankfurt, 1239.*

Rûbertus dictus de Carben scultetus in Frankenfort, scabini et universi cives
ibidem. Universis, ad quos scriptum hoc // pervenerit. Presentium auctoritate volumus
declarari, quod Heinricus miles de Kenshem, qui dicitur Scobelin, // et uxor eius Adelheidis omnem proprietatem, quam possident in Buchen, cum universis pertinentiis
eiusdem proprietatis do//naverunt ecclesie de Aulisburg Cysterciensis ordinis possidendam
inperpetuum, in presentia dominorum suorum, domini scilicet Gerlaci de Budingen et
domini Reyz de Bruberg, filiis ac generis ipsorum consentientibus eisdem. Postmodum
vero in nostrum commune convenientes iure regio ac civili consuetudine factam
donationem reformaverunt coram nobis et confirmaverunt eandem. Nos igitur illam
donatam cum tota eiusdem pertinentia sub regalem protectionem suscipientes, ut rata
et inconvulsa inperpetuum permaneat, presentem cartam sigillorum nostrorum testimonio
roboratam dedimus ecclesie memorate, tempore gestorum et testibus qui aderant fideliter
assignatis. Actum in Frankenfort, anno gratie M̊. C̊C̊. XX̊X. IX̊. Huius rei testes
sunt: Cunradus decanus, Bertoldus parrochianus, magister Nycholaus, Arnoldus custos,
Otto canonicus, hii clerici; Rupertus burcgravius, Otto de Asenburnen, Rupertus,
Marquardus, Cunradus dictus Mesenbug, Johannes Goltsten, Ulricus Longus, Rudolfus
Martinus, Heinricus Cloveloch, Hermannus Niger, Baldemarus, Hartpernus, Herbordus,
scabini, et alii quam plures.

*Or. Pgmt. Anhängend das sehr schöne Siegel Ruperts (leicht beschädigt). 2) Stadt-*
*siegel (1) (beschädigt). München, Reichsarchiv.*
*Gedr.: Guden, Cod. Dipl., I, 558, vgl. II, 636, 678 = B., 67. Reimer, I, 162 nach dem Or.*
*Auszug: Hess Zeitschr., I, 3, 385, Thomas, Oberhof, 434, Fr. Arch, II, 100 Note,*
*Simon, Büdingen, I, 122 zu 1238.*

**120.** *König Konrad IV. verspricht den Schöffen und Bürgern von Frankfurt, ihre Töchter
und Wittwen fernerhin nicht zu Ehen mit seinen Hofdienern zu zwingen. Bischofsheim, 1240 Januar 6.*

Conradus divi augusti imperatoris Fr. filius, dei gratia Romanorum in regem
electus, semper augustus // et heres regni Jerusalemitani. Scabinis et universis civibus
de Frankinvort, fideli//bus suis, gratiam suam et omne bonum. Precibus vestris, quas
nostro culmini porrexistis // super illo gravamine, quod filias vestras ac relictas concivium vestrorum famulis curie nostre nuptui traderemus, favorabiliter inclinati, promittimus vobis de innata nobis benignitatis clementia, quod nullomodo aliquas de
filiabus aut relictis vestris ulterius volumus ad huiusmodi matrimonium coartare, nisi
ad id voluntas bona vestra et earundem interveniat concorditer et consensus. Volumus

enim in hac parte deinceps vestro gravamini precavere. Datum apud Byschovisheim, VI. ianuarii. XIII. indictionis.

*Or. Pgmt. mit Spur des rückseitig aufgedrückten Siegels. St. A. Fr. Priv. No. 4. Verz.:*
*Fr. Invent., III, 1.*
*Gedr.: B., 68 nach dem Or. = Huillard-Bréh., V, 1186.*
*Verz.: B.-F. No. 4408. Thomas, Fr. Arch., II, 102. Gleichzeitig erhielt Friedberg das-*
*selbe Privileg.*


**121.** „Conradus, decanus in Franckenfort, pastor ecclesie in Vechenheim", *beurkundet*
*ein unter Zustimmung* „domini Bernhardi Romani, canonici maioris ecclesie
Maguntine, gerentis sollenniter vices domini Reinoldi prepositi Franckenfordensis"
*mit dem Kloster Arnsburg getroffenes Abkommen. 1240 Februar 27 (II. p. cath.*
*s. Petri).*

*Gedr.: Reimer, I, 163.*


**122.** *Kaiser Friedrich II. verkündigt, dass er alle Besucher der Frankfurter Messe in*
*seinen und des Reichs besonderen Schutz nimmt. Im Lager vor Ascoli, 1240 Juli 11.*

Fr. dei gratia Romanorum imperator semper augustus, Jerusalem et Sicilie rex.
Per presens scriptum notum fieri volumus universis, quod nos universos et singulos
ad // nundinas aput Frankenfurth venientes sub nostra et imperii protectione recipimus
speciali. Mandantes, quatinus nullus sit, qui eos in eundo et redeundo // ab eisdem
nundinis molestare in aliquo vel inpedire presumat. Quod qui presumpserit, indignacionem
nostri culminis se noverit incursurum. // Ad cuius rei memoriam presens scriptum inde
fieri fecimus et sigillo nostre magestatis iussimus communiri. Datum in castris in
obsidione Esculi, XI. iulii, XIII. indictionis.

*Or. Pgmt. Siegel an Pgmtstreifen anhangend. St. A. Fr. Priv. No. 5. Vers.: Fr. Invent., III, 1.*
*Gedr.: P. et P., I, 2, II, 3 — Lünig, R. A., XIII, 557. Magerus a Schönberg, De ad-*
*vocatia arm. Ed., II, 654. B., 68 nach dem Or. = Huillard-Bréh. V, 1013.*
*Verz.: B.-F., No. 3128, Thomas, Fr. Arch., II, 102. Die Urkunde ist in der älteren*
*Litteratur öfters fälschlich Friedrich I. zugeschrieben worden, so von Sagittarius (Moser,*
*Belustigungen, VII, 74), Lersner, I ª, 426.*


**123.** *Schultheiss Rupert, die Schöffen und Bürger von Frankfurt bekunden einen vor*
*ihnen zwischen dem Kloster Ilbenstadt einerseits und Herbord von Ovenbach und*
*dessen Tochter Elsbeth, Wittwe Ulrichs von Issigheim, getroffenen Vergleich über*
*Güter zu Issigheim. Frankfurt, 1240 September 20.*

Ruppertus burcgravius de Vrideberc, . . scabini et universi cives de Frankinvort.
Univer//sis, ad quos littere presentes pervenerint, notum fieri volumus, quod de unanimi
con//sensu domini Heinrici prepositi et totius conventus de Elvinstat ex una parte,
ac Her//bordi de Ovinbach necnon et filie sue Elsibedis, relicte quondam Ulrici
de Üssincheim, ex altera, super bonis dicti prepositi et conventus apud Üssincheim
sitis hec ordinatio ac conpositio coram nobis facta est. Memorata Elsibedis omnia
bona predictorum apud Üssincheim sita libere ac sine omni contradictione possidebit
usque ad terminum vite sue. Ea vero mortua tam bona eorum que possedit quam
edificia, siqua in eisdem bonis construxit vel forsitan conparavit, sine omni contradictione ac redemptione dicte Elsibedis heredum ad manus premissorum prepositi
videlicet et conventus integraliter revolventur. Ut ergo super prelibatis in posterum

non valeat aliqua altercatio suboriri, presentem paginam conscribi et sigillis nostris iussimus conmuniri. Actum et datum apud Frankinvort, anno domini M. CC. XL., mense septembre, XIII. indictionis, in vigilia Mathei apostoli.

*Or. Pgmt. Die zwei Siegel fehlen. Ilbenstadt, gräfl. Alt - Leiningen - Westerburg. Archiv. Gedr. danach: Reimer, I, 167, hier wiederholt.*

**124.** *Die Bürgergemeinde in Wetzlar beurkundet, dass das Kloster Haina von Herrn Friedrich von Marburg, Herrn Conrad von Willandesdorf und deren Gemahlinnen einen Hof zu Frankfurt, am Kirchhof gelegen, erkauft habe. 1240.*

Universitas civium in Wetflaria, omnibus presentem paginam inspecturis. Quoniam mutabilitate temporum hominum quoque successio permutatur, cautum est scriptis et testibus firmari, que ad posterorum noticiam fuerint deducenda. Hinc est, quod presenti literarum testimonio declaramus, quod ecclesia de Hegenehe Cisterciensis ordinis Maguntinensis diocesis curiam quandam in Vrankenvort iuxta cimiterium sitam apud dominum Fridericum de Marburg et uxorem suam dominam Methildim, necnon apud dominum Cunradum de Willandeßdorff et Irmengardim coniugem suam [pro] summa quadam pecunie comparavit, abrenuntiantibus Cunrado et Ignebilde, pueris domine Methildis, privignis domini Friderici, aliisque liberis ipsorum, quos pariter genuerunt, necnon Conrado, filio domini C. et uxoris sue domine J. iam predictorum, omni iuri suo, quod eis in eadem curia competere videbatur. [Actum] anno gracie M. CC. XL. Huius rei testes sunt: dominus Cunradus archipresbiter, dominus Wernherus plebanus, Everwinus de Garbenheim et Everwinus filius suus, Wezelo et frater suus Everwinus. Gerlacus Lesche, Sifridus de Blasbach, Heinricus Rufus, Ekehardus de Linden, Heinricus Scobelin, Godefridus de Linden, milites; Ludewicus scultetus, Hartmannus de Iberdal, Gerbertus, Heinricus Beatricis, Wigandus sub Tuguriis, Ortolfus, Wezelo de Pemberg, Weidemannus, cives. Ut autem predicta emptio robur habeat et munimen, sigillum civitatis nostre presenti pagine duximus appendendum.

*Marburg, Hainaer Copialbuch f. 1. Grotefend. Die in [ ] gesetzten Worte fehlen in der Vorlage*
*Gedr. nach derselben Vorlage: B., 69, ausserdem Guden, Cod. Dipl., I, 452, Kuchenbecker, Analecta, VIII, 276.*
*Verz.: Goerz, Mittelrh. Reg., III, No. 193. Auszug: Thomas, Oberhof, 434.*

**125.** *Notiz über die Reichssteuer von Frankfurt und der Juden in der Wetterau. [Vor 1241.]*

*In dem von Jakob Schwalm (Neues Archiv, XXIII, 522) edirten Eingangsverzeichniss von Steuern der königlichen Städte steht an erster Stelle:* „De Frankenfurt CC et L mr." *Weiterhin:* „Judei de Weitterebia C et L mr."

**126.** *König Konrad IV. bestätigt einen von den Frankfurter Bürgern Johann Goldstein und dem verstorbenen Ulrich Lange über das von ihnen um 100 Mark erkaufte Dorf Fechenheim geschlossenen Vertrag. Frankfurt, 1242 April 6.*

Conradus divi augusti imperatoris Friderici filius, dei gracia Romanorum in regem electus, semper augustus et heres // regni Jerosolimitani. Universis imperii fidelibus graciam suam et omne bonum. Supplicavit celsitudini // nostre Johannes Golstein civis de Frankenford fidelis noster, quod cum ipse et quondam Ulricus Longus civis ibi//dem villam de Vechenheim cum appendiciis suis pro centum marcis concorditer comparaverint. statuentes inter eos, ut uno ipsorum decedente alter dictam villam cum omnibus appendiciis, persoluta altera medietate nominate pecunie heredibus suis, sibi usurpare et possidere libere deberet, tale pactum et statutum sibi de nostra gracia confirmare dignaremur. Nos igitur supplicationibus suis favorabiliter inclinati idem pactum et statutum ratum et gratum habemus presentibus litteris illud confirmando, firmiter inibentes, ne quis ipsum contra hanc nostre confirmationis auctoritatem in dictis bonis gravare vel molestare presumat. In cuius rei memoriam presentem cedulam sigillo nostre celsitudinis duximus muniendam. Datum apud Frankenford, anno domini M̊. C̊C̊. XLI̊., VI̊. aprilis, XV<sup>e</sup>. indictionis.

Or. Pgmt. mit stark beschädigtem anhängenden Siegel.  St. A. Marburg, Hanauer Urk. Ortsrepositur.

Gedr. u. a.: Lersner, II ª, 177 nach der „Beschreibung der Hanau-Münzenb. Lande, 106“.
B., 69 nach dem Or. zu 1241 = Huillard-Bréh., V, 1208. Reimer, I, 170.
Verz.: B.-F., No 4455, mit Begründung der Ansetzung zu 1242.  Hier nach Reimer.

**127.** *König Konrad IV. bestätigt den Bürgern von Frankfurt alle bisherigen und besonders die von seinem Vater verliehenen Rechte, Freiheiten und Gewohnheiten. Rotenburg; 1242 Mai.*

Conradus divi augusti imperatoris Fr. filius, dei gratia Romanorum in regem electus, semper augustus, et // heres regni Jerusalem. Universis, ad quos presentes littere pervenerint, imperii fidelibus, // gratiam suam et omne bonum. Universitati vestre notum fieri volumus per presentes, // quod nos civibus de Frankinvort, fidelibus nostris, omnia iura, libertates et consuetudines suas, tam antiquas, quam novas, a domino nostro et genitore, Fr. Romanorum imperatore serenissimo, eisdem indultas. de innata nobis benignitate duximus confirmandas. Mandantes et auctoritate paterna nostraque firmiter et districte precipientes, quatinus nullus eosdem cives in suis iuribus et libertatibus hactenus obtentis contra hanc nostre confirmationis paginam quoquam ausu temerario molestare presumat. Quod qui presumpserit, indignationem nostram se noverit graviter incurrisse. Precipimus autem tibi, burgravie, ac ceteris officiatis nostris postmodum ibi existentibus, ut eosdem in predictis auctoritate nostra manuteneas et defendas. Actum et datum apud Rodinburc. Anno domini M. C̊C̊. XLII., mense maio. XV. indictione.

Or. Pgmt. Das Siegel hängt zerbrochen an.  St. A. Fr. Priv. No. 6. Verz.: Fr. Inv., III, 1.
Gedr.: P. et P., I, 4, II, 4 = Lünig, R. A., XIII, 558. B., 70 nach dem Or. .
Verz.: B.-F. No. 4459.  Gleichzeitig erhielt Wetzlar ein gleiches Privileg, l. c. No. 4460. Die zu No. 4459 gegebene Anmerkung Böhmers ist insofern nicht ganz einwandsfrei, als der damalige Frankfurter Schultheiss Rupert zugleich Burggraf von Friedberg war, und die Anrede desselben als Burggraf wenigstens für das Frankfurter Privileg nichts Auffallendes hat. Es könnte deshalb der Burggraf auch in das Wetzlarer Privileg aus dem für Frankfurt ausgefertigten Formular eingesetzt worden sein. Die Annahme Böhmers, dass auch Friedberg ein gleichlautendes Privileg erhalten habe, ist also wohl möglich, aber es liegen keine zwingenden Gründe dafür vor.

**128.** *Die Schöffen und Bürger von Frankfurt bekunden, dass Herr Konrad Meisenbuch und dessen Gemahlin Gertrud auf den Fall, dass sie kinderlos sterben, dem Kloster Arnsburg einen Mansus zu Langengöns geschenkt haben.  1242 Juni 11.*

Scabini et universi cives de Frankenford. Tenore presentium constare volumus universis tam presentibus quam // futuris. quod dominus Cunradus Meisenbuch et Gerdrudis uxor sua in presentia nostra constituti communicata manu // ecclesie Arnspurgensi unum mansum in Langengunse situm in remedium animarum suarum in hunc modum legaverunt, // quod si forte domino volente sine communi partu discesserint. idem mansus post obitum ipsorum cedet ecclesie supradicte. Et medio tempore dictus C. et uxor sua unum solidum levis monete nomine census eidem ecclesie in festo beati

Martini solvent[a] annuatim. Verumtamen si iam dictos legatores communem partum medio tempore habere contigerit, ad illum hereditario iure devolvetur mansus supradictus. Ne igitur huius rei succrescat oblivio, presentem paginam nostre civitatis sigillo iussimus insigniri. Acta sunt hec anno domini M̊. C̊C̊. XLII., IIĬ. idus iunii. Testes huius rei sunt: Ripertus de Sassenhusen, Johannes de Sualebach, Bertoldus de Bonemese, Henricus Schobelen, Hermannus Halbir, milites; de civibus: Johannes Goltstein, Baldemarus de Fronhove, Wikerus de Ovenbach, et alii quam plures.

*Or. Pgmt. mit anhängendem Stadtsiegel (1). Lich.*
*Gedr.: B., 70 nach dem Or. Regest. danach: Arnsb Urkb., 206, die ib. S. 29 zu 1245 Juni 11 verzeichnete Urk. ist zweifellos mit dieser identisch.*
*Verz.: Scriba, II, No. 400 = IV², No. 3372. Auszug: Thomas, Oberhof, 434 nach B. .*


**129.** *Die Schöffen und Bürger in Frankfurt bekunden, dass die Frau Gertrud vor dem Richter und den Schöffen im Frohnhofe dem Kloster Arnsburg ihre Güter in Bischofsheim unter einem zu Gunsten ihrer Enkelin Gertrud gemachten Vorbehalt geschenkt habe. Frankfurt, 1242 Juli.*

Scabini et universi cives de Frankenford. Tenore presentium constare volumus universis tam presentibus quam futuris, quod Gerdrudis // femina religiosa coram iudice et scabinis in Fronehove constituta contulit ecclesie Arnspurgensi bona sua in Bischovesheim sita in re//medium anime sue, inter que etiam contulit Gerdrudi nepte sue duos iurnales vinearum et dimidium sitos ibidem. Tali hinc inde conditio//ne interposita, quod predicta ecclesia eosdem iurnales in sua habens potestate predicte G. portionem vini, que sibi contingit, quamdiu vixerit persolvet annuatim. Si vero iam dicta G. processu temporis per successionem prolis heredes habere contigerit, nullam prorsus in predictis hereditatis(!) habebunt portionem. Sed postquam de medio fato mortis sublata fuerit, predicti iurnales ad ecclesiam memoratam absque ulla reclamatione et cavillatione revertentur. In cuius rei evidentiam et ne sepefata ecclesia a quoquam hominum aut successorum memorate G. super iam dicta donatione molestiam aut impeticionem sustinere debeat, presentem paginam conscribi et nostre civitatis sigillo nec non et abbatis de Arnspurg fecimus communiri. Testes huius rei sunt: Rupertus burgravius de Frideberg, Walterus de Velewila, Hartmudus de Cronenberg, Rupertus de Heydersheim, Henricus de Butensheim, milites; Baldemarus de Fronhove, Guntramus Sperwere, Henricus de Bückenheim, Walpertus Wergot, Fr. Ortolanus, Henricus de Burenchein, Reynoldus de Ursela, Bernoldus de Ursela, Henricus de Ursela, Ortwinus de Ursela, Arnoldus de Bomersheim, Wasmudus de Steinbach, Henricus de Ursela, et alii quam plures. Actum in Fronhove aput Frankenford, anno domini M̊. C̊C̊. XL̊. II.̊, mense iulio.

*Or. Pgmt. Die Siegel fehlen. Lich.*
*Gedr.: B., 71, Reimer, I, 170, beide nach dem Or. Regest.: Arnsb. Urkb., 206.*
*Verz.: Scriba, II, No. 401.*


**130.** *Die vom Papst verordneten Conservatoren und Richter des Ordens der reuigen Schwestern der heiligen Maria Magdalena ermahnen alle Gläubigen, den Boten des Frankfurter Ordenshauses Almosen zu spenden, um dadurch den vom Papste verliehenen Ablass zu gewinnen. Mainz, 1242 October 4.*

B. decanus, C. cantor, G. custos sancti Petri Maguntini, conservatores et iudices ordinis sancte Marie Magdalene a domino // papa instituti. Universis ecclesiarum

_______________
a) *Ursprünglich „solveat".*

rectoribus ceterisque Christi fidelibus presens scriptum visuris salutem in Christo.  Ad
noticiam Christi fidelium // credimus pervenisse, quod dominus papa super conversione
sororum penitentum gavisus multis privilegiis ordinem ipsarum et indulgentiis robora//vit.
Ita ut tam pietatis intuitu quam tantarum inductu indulgentiarum ad impendenda eis
karitatis opera populus fidelium excitetur, cum proprias facultates non habeant, unde
miseram vitam valeant sustentare.  Tenor indulgentiarum talis est: videlicet cottidiana
XL dierum indulgentia omnibus earum benefactoribus a domino papa misericorditer
indulta, speciales autem sunt hee: in annuntiatione sancte Marie XX dies, item in
septimana paschali annus, item in festo sancte Marie Magdalene XX dies, item in
assumptione beate Marie XX dies, item in dedicatione centum dies, item in prima
dominica cuiuslibet mensis XL dies ad comparanda predia, sicut fuit in concilio
Maguntino publice recitatum.  Item a domino Ottone, apostolice sedis legato, XL dies.
qui a domino papa sunt confirmati.  Auctoritate igitur domini pape qua fungimur
universitatem vestram exhortamur in domino, in remissionem vobis peccaminum iniungentes, quatenus intuitu dei et ob domini pape reverentiam nuntios sororum penitentum
in Frankenworth, cum ad vos declinaverint pro petendis elemosinis, dignemini promovere, karitatis eis opera impendentes.  Clerici quoque, qui[a] vice Jesu Christi sanctam
regunt ecclesiam, populum suum ad compassionem predictarum pauperum Christi
propensius exhortentur, ipsis predictas indulgentias publicando.  Cum itaque ipsa
auctentica ad singula loca commode deferri non possint, in ipsius rei testimonium
presenti scripto sigilla nostra duximus apponenda.  Omnibus quoque Christi fidelibus
ipsarum benefactoribus auctoritate qua fungimur communionem orationum ordinis
cum indulgentia sedis apostolice concedimus.  Et ut pro hiis et aliis bonis, que
domino annuente fecerint, mercedem in celis consequantur eternam.  Datum Maguntie,
anno domini M̊. CC̊. XLII., quarto nonas octobis(!).

*Or. Pgmt. mit Bruchstücken der 3 Siegel (roth) an roth-weiss-grünen Schnüren.  St. A. Fr.
Weissfrauenkloster.  Ablassbriefe, Lade 13, No. 1.*
*Gedr.: B., 71 nach dem Or. .*
*Verz.: Fr. Mitth., VI, 315.  Thomas, Fr. Arch., II, 104.*

**131.** *Schultheiss Eberhard, die Schöffen und Bürger zu Frankfurt bekunden einen
Vergleich des Klosters Arnsburg mit Arnold von Rossbach über genannte Güter.
1242 November.*

· · Eberhardus scultetus, scabini ac universi cives in Frankenfort.  Tenore presencium protes//tamur, quod cum Arnoldus de Rosbac[b] matrimonium contraxisset cum
Adelhedi, quam nunc habet, super bonis, que cum Yrmengardi priori muliere sua
contulerat eclesie[c] in Arnesburc, taliter fu//it in presencia nostra ordinatum,[d] videlicet
ut eclesia[c] dicta octo iugera cum quadam curti sita in inferiori Rosbac ammodo libere
possideat et quiete.  Testes huius sunt: dictus scultetus, Johannes Goltten,[c] Baldemarus.
Wigerus de Ovenbac, Cunradus de Gisenhem,[e] Betdoldus de Heldebergen.  Actum
anno domini M̊. CC̊.[f] XLII., mense novenbri.[c]

*Or. Pgmt. mit abhangendem ältesten Stadtsiegel.  Lich.*
*Gedr.: Arnsb. Urkb., 22.*
*Verz.: Scriba, IV ², No. 3361 zu Juni 6.*

a) *Ueber der Zeile.*  b) *Hinter dem Namen sind die Worte „colonus noster" durch Punkte getilgt.*
c) *So!*  d) *Verbessert aus „ta".*  e) *Verbessert aus „hein".*  f) *Rasur.*

**132.** *Die Schöffen und Bürger von Frankfurt bezeugen, dass Albert von Rüdigheim bei seinem Eintritte in den Antoniter-Orden dem Hause zu Rossdorf Güter zu Butterstadt übertragen habe. [Vor 1243.]*

Nos scabini et universi cives Frankenvordenses. Per presens scriptum innotescere // cupimus presentibus et futuris, quod dominus Albertus, filius domini Heinrici militis // de Rûdenkeim, contulit ecclesie beati Antonii martiris gloriosi, ad cuius ordinem se // reddiderat, in iudicio Frankenvordensi nobis presentibus tres mansos et dimidium sitos in Bodderstat tempore sempiterno libere possidendos, quos dominus Heinricus de Hagenowa et magister Richardus ibidem susceperunt ab eo loco monasterii pretaxati. In cuius facti robur et memoriam presentes litteras dedimus sigilli nostri munimine roboratas.

*Or. Pgmt. mit dem anhängenden ältesten Stadtsiegel. St. A. Wiesbaden. Rossdorf, Höchst, No. 7. — Grotefend.*
*Gedr.: Reimer, I, 171 nach dem Or. . Datirung nach Reimer.*

**133.** *Erzbischof Siegfried von Mainz gestattet den Dominikanern, die sich kürzlich in Frankfurt angesiedelt haben, in seiner Dioecese Beichte zu hören und zu predigen, ermahnt alle Prälaten seiner Dioecese dieselben liebevoll aufzunehmen, und ertheilt allen, welche ihrer Predigt reumüthig beiwohnen, zwanzig Tage Ablass. Bingen, 1243.*

Sifridus dei gratia sancte Moguntine sedis archiepiscopus, sacri inperii(!) per Germaniam ar//chicancellarius. Universis abbatibus, prepositis, archidyaconis, decanis ac aliis ecclesiarum prelatis // in sua dyocesi constitutis salutem in domino. Quoniam, ut ait apostolus, quosdam quidem // posuit deus in ecclesia, primum apostolos, secundo prophetas, tercio doctores, ut ad honorem et gloriam sacrosancte matris ecclesie multiformi gratia sancti spiritus heredes Christi et adoptionis filii mutuo sibi subserviant universi, nos in eam, quam eius dono consecuti sumus dignitatis gratiam, conferre totaliter cupientes, immo scientes, quod ea, que per ministrorum nostrorum fidelium manus operatur deus, nobis proficiant ad salutem, carissimis filiis fratribus ordinis Predicatorum, qui nuper fixo in Vrankenvort tabernaculo contra malignos spiritus verbo et opere dimicantes in altissima paupertate domino famulantur, confessiones audiendi et predicandi in nostra dyocesi auctoritate presentium liberam concedimus potestatem. Rogantes et in remissionem omnium peccaminum iniungentes, ut cum ipsos, tanquam animalia celestia, seu ad predicationem ire seu ad contemplationem redire contigerit, eos recipiatis in amplexibus caritatis, eam quam decet Christi pauperibus reverentiam taliter exhibentes, ut vestram devotionem laudabilem valeamus in domino commendare. Ut autem iam dicti fratres iniunctum sibi predicationis officium valeant efficatius exercere, de omnipotentis dei gratia et beatorum apostolorum Petri et Pauli et beatissimi Martini confessoris omnibus, qui ad eorum predicationem accesserint, vere contritis et confessis, XX dies de iniuncta sibi penitentia misericorditer relaxamus. Datum apud Pinguiam, anno gratie M. CC. XLIII., pontificatus nostri anno . . .[1]

*Or. Pgmt. mit anhängendem Siegelrest. St. A. Fr. Dominikaner Urk. No. 2.*
*Gedr.: B., 72 nach dem Or. .*
*Verz.: Will, Mainz. Reg., XXXIII, No. 453, Weidenbach, Bingen, No. 135, Roth, Quellen, I, 510. Vgl. Battonn, II, 134, Thomas, Fr. Arch., II, 105.*

---

[1] *Die Zahl fehlt.*

**134.** *Die Bürger-Gemeinde zu Frankfurt beurkundet, dass Ritter Heinrich Scoubelin (von Kinzheim) und dessen Gemahlin Adelheid sich und ihre Güter in Buchen dem Kloster Haina übergeben haben, wogegen ihnen dieses seinen Hof in Frankfurt zu lebenslänglicher Bewohnung eingeräumt hat. Frankfurt, 1243.*

Universis Christi fidelibus presentem paginam inspecturis, universitas burgensium in Frankenvort, eternam in domino salutem. Noverint universi fideles, quod Henricus miles dictus Scoubelin et uxor eiusdem Aldeheidis se et bona sua in Buchin sita contulerunt ecclesie in Hegenehe Cisterciensis ordinis. Huius familiaritatis gracia mediante fratres predicte ecclesie locaverunt prefatos H. et A. in curia sua Frankenvort, quam pretaxata ecclesia iam dudum tenuit in possessione quieta et post obitum ipsorum tenebit, tam heredum quam aliorum quorumcunque omni penitus contradictione remota. Et ne ulla ambiguitas super hoc habeatur, presentem litteram conscribi fecimus et sigilli nostri munimine roborari. Testes vero huius rei sunt: Rupertus burcgravius, Eberhardus villicus, Johannes Goltsteyn, Walterus de Mersevelt, Baldemarus, Conradus de Gysenheim, Wikerus de Obenbach, Heinricus Clobelouch. Datum Frankenvort, anno domini M̊. CC. XLIII.

> *Hainaer Copialb. II. St. A. Marburg. — Grotefend, verglichen mit Reimer.*
> *Gedr.: B., 43 nach derselben Vorlage. Reimer, I, 173 ebenso.*
> *Verz.: Thomas, Fr. Archiv, II, 105.*

**135.** *Die Richter, Schöffen und Bürger in Frankfurt verkaufen dem Kloster Haina die dessen Haus und Hof zu Frankfurt umgebende Mauer und verleihen demselben einen daranstossenden Garten gegen Zins. 1243.*

Judices, scabini et cives universi in Frankinvort, omnibus Christi fidelibus hanc literam inspecturis salutem in eo, qui est salus omnium. Quoniam ea, que a mortalibus aguntur, nisi scripto commendentur, ex facili oblivionis obfuscuntur nebula, hinc est, quod tam presentibus quam futuris huius scripti declaratione innotescere volumus, quod nos ecclesie in Hegenhe murum, qui circuit domum et curiam quam habet sitam in Frankinvort, vendidimus tempore sempiterno libere possidendum. Ortum quoque adiacentem ipsi muro eidem ecclesie concessimus, ut censum hactenus de eodem orto solutum persolvat, qui non auferetur ei, quamdiu nobis pro censu videbitur concedendus. Ne igitur a nostris posteris revocari possit in irritum, literarum nostrarum et sigilli munimine roboramus. Huius rei testes sunt: Conradus decanus, Arnoldus de Redelenheim, Hartmannus filius Ruprechti, Fridericus, canonici; Eberwinus scultetus, Ripertus, Conradus filius eius de Sassenhusen, Helwicus et Hinricus frater suus, Wulframus, milites; Johannes Goltsteyn, Wikerus, Baldemarus, Hinricus, Waltherus, Conradus, Bertoldus, Hartmodus, Conradus, scabini, et alii cives quam plures. Datum anno domini M̊. CC. XLIII.

> *Hainaer Copialbuch f 4v. St. A. Marburg. — Grotefend.*
> *Gedr. nach derselben Vorlage: B., 73.*
> *Verz.: Thomas, Fr. Arch., II, 105.*

**136.** *Schultheiss Eberhard von Frankfurt befreit die Mönche in Haslach von einem nichtbegründeten Zins,[1] den sie vom Wald Sluctere zahlten. 1244 October 1.*

Eberhardus scultetus de Frankenvort. Cum relatione maiorum veraciter intellexerimus, fratres de Haselach IIII^or maldra siliginis per aliquos annos de silva,

---

[1] *Ein weiterer Zins an den Frankfurter Schultheissen wird im Oc. Mem. I, f. 73 (c. 1250) erwähnt:* „Haselach pro censu dabit: De prato Huserbrucke scultheto de Frankenfort ipsa die [Martini] XXIIII denarios Maguntinos."

qui(!) vulgo dicitur Sluctere, minus iuste dedisse et ideo a domino Rûperto burcgravio[a] de Frideberg et Eberwino sculteto antecessore meo de Frankenvort absolutos,
et eos absolvimus, exactoribus predicte annone perpetuum silentium imponentes. Datum
anno domini M̊. CC̊. XLIIII., in festo Remigii.

*St. A. Wiesbaden.   Ocul. Mem., II, fol. XLIII a (40 a).*
*Danach gedr.: Eberbacher Urkb., II, 415, B., 74 ohne Quellenangabe.*


**137.** *Der Schultheiss Eberwin, die Schöffen und Bürger zu Frankfurt bekunden, dass
der Frankfurter Bürger Berthold Bresto an seinen Mitbürger Heinrich Knoblauch
seine Güter in Bockenheim verkauft habe. 1245 Februar.*

Ebbe[rwin]us, scultetus, scabini et universi cives de Frankinvort. Ad universorum
noticiam // volu[mus perveni]re, nos publice profiteri ac protestari, quod Bechdoldus Bresto
concivis // noster [unan]imi consensu et communicata manu uxoris sue, puerorum et
generorum // suorum vendidit bona sua sita in Bukinheim Heinrico Allio civi in Frankinvort et suis heredibus tempore sempiterno libere possidenda. Testes sunt: Johannes Goltstein, Walterus de Mersevelt, Conradus de Gisinheim, Baldemarus de Fronehove,
Wicgerus d[e] Ovinbach, Hartmudus de Nithe, Bechdoldus de Heildebergin, Conradus Ble[. . . .], Conradus de Wllinstat, Conradus Blassinbergere, Siffridus de Gisinheim, Con-[radus? de] Ovinbach, Epprath de Peterwila, Heinricus de Holzhusin,
Jacobus filius [. . . . .], Rudolf dictus Meirthin, Conradus dictus Cumer, et alii quam
plures viri [honesti? et di]screti. Ut autem hec tam rationabiliter acta perhenne
robur obtineant et [rata per] maneant, presentem paginam conscribi et hiis sigillis
fecimus insigniri. [Actum an]no domini M̊. CC̊. XLV̊., in mense februarii.

*Or. Pgmt. Anhängend 1) Siegel des Schultheissen Ebberwin.   2) Stadtsiegel, (1) beschädigt.
3) Stadtsiegel von Wetzlar.
Auf der Rückseite: „Donatio Heinrici Klobelaûch. Cella Frank.“ (13. Jahrh. 2. Hälfte).
Die Urkunde ist am Rande links abgerissen und durch ein weiteres Loch stark be-
schädigt. St. A. Fr. Familiensachen, Knoblauch.
Gedr.: Reimer, IV, 807.*


**138.** *Der Schultheiss Eberwin,[1] die Schöffen und Bürger in Frankfurt beurkunden, wie
Johann Goldstein eidlich ausgesagt, dass das Kloster Arnsburg in seiner Gegenwart
dem Burggrafen Rupert von Friedberg vierzig Mark gezahlt habe, um damit den
Zehnten, welchen das Kloster von Ulrich Carnifex, und die Güter, welche dasselbe
von Wetzelo von Phumberg erhalten hatte, auszulösen. Frankfurt, 1245 August 3.*

Everwinus sculthetus, scabini et burgenses in Frankenvort. Constare facimus
Christi fidelibus univer//sis, quod dominus Johannes Goltstein concivis noster pro-
testatus est sub iuramento sollempniter coram nobis et re//cepit in animam suam, quod
abbas et conventus in Arnesburg Cysterciensis ordinis dederunt XL marcas Colonienses
domino // Ruperto quondam burcgravio in Fredenberg pro eo, quod deobligaret eis
decimam illam, quam Ulricus dictus Carnifex quondam concivis noster pari manu
Gertrudis uxoris sue adhuc vivens et bene sanus contulit monasterio in Arnesburg
in puram elemosinam propter deum, et insuper deobligaret eis bona illa omnia Wetzelonis de Phumberg, que tam eis vendiderat quam legaverat. Et hec promissio facta

     a „c“ *über der Zeile.*

   [1] *Schultheiss Eberwin wird 1245 in einer Arnsburger Urkunde als Zeuge genannt. Gedr.: Arnsb.
Urkb., 32.*

fuit in ecclesia coram altari sancte Marie in Frankenvort, presentibus domino Heinrico abbate, Hermanno quondam cellerario in Arnesburg, ipso Johanne Goltstein, Alberto solitario et ipso domino Ruperto.  Nec debuit hec promissio per unius anni ac diei spacium terminari, sed continue perdurare, ita, quod si aliquis super decima et super eisdem bonis Wetzelonis abbatem et conventum inpetat, burcgravius idem vel heredes sui, si ipse decesserit, monasterio in Arnesburg XL marcas Colonienses restituere teneantur.  Igitur frater Hermannus quondam cellerarius in Arnesburg requisitus coram nobis ab abbate suo per observantiam et sub pena tremendi iudicii concordat per omnia cum domino Johanne supradicto.  Testes huius rei sunt: Waltherus de Mersevelt. Erpragtus de Peterwile, Heinricus Cloveloug, Baldemarus de Froenhove, Wickerus de Ovenbach, scabini; Wilhelmus abbas et Didericus conversus in Arnesburg, Sifridus plebanus, Rudegerus notarius in Minzenberg, Hermannus de Berge, Godefridus de Liderbach, milites; Wigandus sculthetus de Berge, et alii quam plures.  In evidentiam geste rei sigillo nostre civitatis presentem fecimus paginam confirmari.  Actum anno domini M. CC. XL. quinto, apud Frankenvort, III. non. augusti.

*Or. Pgmt.  Das anhängende Stadtsiegel (1) ist sehr schön erhalten.  Lich.*

*Gedr.: B., 74 nach dem Or. .  Regest.: Arnsb. Urkb., 206.*

*Verz.: Scriba, II, No. 411 zu Aug. 5.*

**139.** *Papst Innocenz IV. gestattet dem Meister und den Prioren der Dominikaner, aus-gestossenen oder ausgetretenen Ordensbrüdern den Uebergang zu andern Orden zu erlauben, mit Ausnahme der Orden des heiligen Augustin, der Templer, der Hospitaliter und anderer, welche Waffen tragen.  Lyon, 1245 September 17.· (XV. kal. octobris, p. a. 3.)*

— Paci et tranquillitati etc. —

*Gedr.: B., 75 nach dem Or. Pgmt. mit Bulle an rothgelben Schnüren.  St. A. Fr. Domini-kaner Urk. No. 5.*

*Verz.: Potthast. No. 11876.*

**140.** *Derselbe verordnet auf Bitte des Meisters und der Prioren der Dominikaner, dass aus diesem Orden ausgestossene oder ausgetretene Mitglieder weder predigen noch Beichte hören dürfen, es sei denn, dass sie nach erhaltener Erlaubniss zu einem andern Orden übergegangen sind.  Lyon, 1245 September 21.  (XI. kal. octobris. p. a. 3.)*

— Justis petentium desideriis —

*Gedr.: B., 76 nach dem Or. Pgmt. mit Bulle an rothgelben Schnüren.  St. A. Fr. Domini-kaner Urk. No. 4.*

*Verz.: Potthast, No. 11898.*

**141.** *Gutda, Wittwe Heinrichs, des Centgrafen („centurio") in Holzhausen, und der Frank-furter Bürger Heinrich von Holzhausen schenken dem Kloster Marienhagen Güter (zu Holzhausen) und zu Erlebach unter bestimmten Bedingungen.  [1245.]*

Confirmari debent perenni littera, que in presenti tempore videntur solemniter ordinata. // Notum igitur sit universis presens scriptum visuris, quod Gutda, relicta quondam Henrici // centurionis in Holzusen, ad claustrum, quod dicitur Marienhagin, cum filia sua ibidem ha//bitu religionis vestiretur, I mansum contulit et legavit. Tali condicione subiuncta, ut si filia matre vivente carnis debitum persolveret, idem tamen mansus antedicto claustro debeat cedere et ei in perputuum(!) servire.  Item si mater filia vivente humane condicionis debitum compleret, dictus mansus priorem locum sorciatur. Salvo tamen eo, quod prenominatum claustrum de omnibus bonis, que eadem domina post obitum suum relinquit, similem recipiet porcionem sicut ceteri coheredes. Preterea notum sit cuntis(!) huius littere inspectoribus, quod Henricus dictus de Holzusen civis in Frankenfurt sepefato claustro, cum filia sua ibidem velaretur, in curia sua Erlebach X octalia siliginis annis singulis assignavit. Hanc tamen condicionem subiunxit, ut si eidem claustro alibi in tanto provideat, dicta bona in Erlebach libera sint penitus et exempta. Testes huius rei sunt: Eberwinus scultetus in Franckenfurt, Johannes Golstein, Baldemarus, Walterus dictus de Mersevelt, Cunradus de Gisenheim, Henricus Clobelochus, Bechdoldus de Heldebergen, Wigerus de Ovinbach, Hartmudus de Nitde. Ut autem hec semper maneant indivulsa, presens littera sigillo civium Franckenfordensium est munita.

Or. Pgmt. Das Siegel fehlt. In dorso von späterer Hand. „De uno manso in Holzhusen et XIIII. octalibus siliginis in Erlebach. Cella Frankenfurdensis". St. A. Wiesbaden. Homburger Urk. — Von Nathusius.

**142.** *König Konrad IV. erlässt den Frankfurter Bürgern in Ansehung ihrer bewährten Treue aus besonderem Auftrag seines Vaters allen Schaden und die Verletzung, welche sie bei der Vertilgung der Juden in Frankfurt als königlicher Kammerknechte begangen haben könnten. Rotenburg, 1246 Mai.*

Conradus divi augusti imperatoris Friderici filius, dei gratia Romanorum in regem electus, semper augustus et // heres regni Jerusalem. Per presens scriptum notum facimus universis imperii fidelibus tam pre//sentibus quam futuris, quod pro merito fidei et devotionis civium nostrorum de Frankenfurt, attendentes // quoque eorum grata servicia, que omni tempore domino patri nostro, progenitoribus eius et nobis devotissime prestiterunt et inantea prestare poterunt gratiora, auctoritate ac speciali mandato serenissimi cesaris domini patris nostri, nobis apud ipsum pro ipsis civibus devotissime supplicantibus, remisimus eis omnem noxam et si quam offensam visi sunt ipsi cives in cedem et exterminium iudeorum de Frankenfurt, servorum camere nostre, negligenter et contingenter potius quam voluntarie commisisse. De habundantiori quoque gratia celsitudinis nostre promittimus eis, super huiusmodi scripto remissionis et gratie nostre, privilegium imperatorie maiestatis liberaliter inpetrare pro ipsorum civium et heredum suorum perpetua securitate. Ad huius itaque remissionis nostre memoriam et robur inposterum valiturum, presens scriptum fieri et sigillo nostre serenitatis iussimus communiri. Datum apud Rotinburc. Anno dominice incarnationis millesimo ducentesimo quadragesimo sexto, mense maii, quarte indictionis.

Or. Pgmt. mit Siegel an rothgelben Seidenfäden. St. A. Fr. Priv. No. 7. Verz.: Fr. Inv., III, 1. Gedr.: P. et P., I, 4, II, 4. Schudt, Jüdische Denkwürdigkeiten, II, 41. Lünig, R. A. 13, 558. B., 76 nach dem Or. Verz.: B.-F. No. 4506. Grotefend, Fr. Mitth., VI, 60 ff.

**143.** *Papst Innocenz IV. ertheilt allen Gläubigen, welche den Dominikanern zu Frankfurt zur Vollendung ihrer Klostergebäude und zu ihrem Unterhalt mit Almosen behülflich sind, vierzig Tage Ablass. Lyon, 1246 Juni 26.*

Innocentius episcopus servus servorum dei. Universis Christi fidelibus presentes litteras inspecturis salutem et apostolicam benedictionem. Quoniam, ut // ait apostolus, omnes stabimus ante tribunal Christi, recepturi prout in corpore gessimus sive bonum fuerit sive malum, oportet nos // diem messionis extreme misericordie operibus prevenire

ac eternorum intuitu seminare in terris, quod reddente domino cum multiplicato fruc//tu
recolligere debeamus in celis, firmam spem fiduciamque tenentes, quoniam, qui parce
seminat, parce et metet, et qui seminat in benedictionibus, de benedictionibus et
metet[a] vitam eternam. Cum igitur dilecti filii fratres ordinis Predicatorum in Frankenvorth Maguntine diocesis ibidem, sicut accepimus, ecclesiam et alia edificia suis usibus
oportuna construere ceperint et ad ipsorum consumationem sueque arte vite sustentationem fidelium indigeant iuvari subsidiis, cum ferant propter Christum voluntarie
sarcinam paupertatis, universitatem vestram rogamus, monemus et hortamur in domino,
in remissionem vobis peccaminum iniungentes, quatinus de bonis vobis a deo collatis
pias elemosinas et grata eis caritatis subsidia erogetis, ut per subventionem vestram
predicta edificia consumari valeant et alias eorum indigentie provideri, ac vos per hec
et alia bona, que domino inspirante feceritis, ad eterne possitis felicitatis gaudia pervenire. Nos enim de omnipotentis dei misericordia et beatorum Petri et Pauli apostolorum eius auctoritate confisi, omnibus vere penitentibus et confessis, qui eisdem pro
dicti consumatione operis vel pro ipsorum necessitatibus relevandis manum porrexerint
adiutricem, quadraginta dies de iniuncta sibi penitentia misericorditer relaxamus. Datum
Lugduni, VI. kalendas iulii, pontificatus nostri anno tertio.

*Or. Pgmt. mit Bulle an rothgelben Seidenfäden. St. A. Fr. Dominikaner Urk. No. 3.*
*Gedr. nach dem Or.: B., 77.*
*Vers.: Potthast, No. 12184. In Jaquin, Cod. Probat. (St. A. Fr.) Abschrift zu 1245!.*


**144.** *Der Gegenkönig Heinrich Raspe meldet den Mailändern einen von ihm am*
*5. August 1246 im Felde vor Frankfurt über den erwählten König Konrad IV.*
*davongetragenen Sieg.*

Henricus dei gratia Romanorum rex semper augustus, Henrico advocato, potestati,
concilio et communi Mediolanensi, fidelibus suis, gratiam suam et omne bonum. Cum
vestre fidei sinceritas et plena devocio inter ceteros fideles nostros circa personam
nostram et sacri imperii culmen tamquam matutinale sydus irradiet, universitati vestre
sereno et hilari animo honorem, quem nobis et Romano imperio tribuit altissimus,
scribimus et mandamus. Die autem eleccionis nostre a nobis solenni principum indicta
curia, in festo beati Jacobi apostoli, Franchonfort, nobilem imperii civitatem, felicibus
auspiciis signa nostra movimus, ad celebracionem dicte curie properantes. Quo audito.
Cunradus, Frederici quondam imperatoris filius, motus intrinseci doloris aculeo in campo
circa Franchenfort nobis occurrit, stipatus multitudine bellatorum, volens nobis indicte
curie celebrationem totis viribus temere prohibere. Verum licet die dominico castra
sua ultra aquam Mogii in loco munito posuisset, aquam et locum pro munimine eligendo.
nos tamen et qui nobiscum erant principes ipsum et eiusdem acies aggressi fuimus,
et ipse subito cum suis versus in fugam tergum nobis et non faciem ostendit fugamque
arripuit, quam solent arripere cum sacro imperio decertantes, nobisque campo relicto
cum curribus, tentoriis et spoliis universis, ex suis DCXXIIII captivavimus preter
occisos in campo et illorum(!), qui metu percussi in Mogio sunt submersi. Gaudeatis
ergo in domino et in potencia virtutis eius, qui in nostra primitiva gubernacione
imperii dignatus est, de filio adversarii nostri dare victoriam gloriosam. Speramus
enim in domino, quod contra patrem eius triumphabimus eo more, quo triumphare
solent principes Romanorum.

*Gedr.: B., 77 nach Hahn, Coll. Mon., I, 253.*
*Vers.: B.-F., No. 4870.*


a) *Rasur.*

**145.** *Graf Diether von Katzenellenbogen bekennt, dass ein von seinen Leuten gegen den Hof des Klosters Eberbach in Haslach begangener Frevel* „coram sculteto et universitate burgensium de Frankenvort" *gesühnt sei. Bei Bruch der Ueber-einkunft sollen die Schädiger des Klosters in Frankfurt Einlager halten,* „donec eiusdem civitatis burgensibus centum marcas solvant". *1247.*[1]

*Gedr.: Rossel, Eberb. Urkb., II, 416.*

*Verz.: Woerner zu Scriba, No. 40, Roth, Quellen, I, 65.*

**146.** *Dietrich Keppler von Rödelheim bekundet, dass er mit den Gebrüdern Rudolf und Winther von Hollar auf alle Ansprüche an den halben Mansus in Oppershofen, welchen das Kloster Arnsburg von einem gewissen Stephan erkaufte, unter Stellung von Bürgen für den Verzicht der minderjährigen Miterben, verzichtet habe. Frankfurt, 1248 Mai.*

Didericus dictus Keppelere de Redelnheim. Universis Christi fidelibus litteras has visuris in perpetuum. Constare vobis facio, quod ego et // Rudolfus ac Wintherus, fratres de Hollor, renunciavimus pariter omni actioni et querimonie, quam habuimus vel habere potuimus contra con//ventum in Arnesburg super dimidio manso in Hopershove sito, quem quidam Stephanus eidem conventui pro quinque marcis dinoscitur vendidisse. // Recepimus autem coram Wolframo scultheto de Frankenvort quatuor marcas a fratribus predicti monasterii et ibidem eis, tam nos quam Wintherus miles de Bruningesheim, fideliter promisimus et fideiussores facti sumus, quod omnes heredes legitimi renunciabunt similiter, cum ad annos discretionis pervenerint, et si aliquis ex nobis mori contigerit, ceteri superstites in eandem fideiussionis sortem plenarie tene-buntur, ita quod, cum ammoniti fuerint, intrabunt suo tempore in Frankenvort, expensas et dampnum suum facturi, donec promissum suum finaliter exequatur. Prefatus autem Wintherus miles ad peticionem predictorum fratrum, Rudolfi scilicet et Wintheri, factus est fideiussor, ita quod deobligabunt eum processu temporis de omnibus dampnis sibi forsitan occurrentibus in hac causa. Testes huius rei sunt: Wolframus sculthetus in Frankenvort, Cunradus Meisenbuch, Rupertus de Heidersheim, Helwicus de Prumheim, Wintherus de Bruningesheim, Wintherus de Rifenberg, milites; Richwinus, Heinricus Clovelouch scabinus in Frankenvort, Wolmarus civis ibidem, Wilhelmus abbas, Hein-ricus prior, Wernerus de Beldersheim, Ciprianus conversus in Arnesburg, et alii quam plures. In evidentiam geste rei sigillo meo et sigillo Wintheri militis de Bruninges-heim presens est pagina sollempniter confirmata. Actum ante portam in Frankenvort, anno domini M. CC. XLVIII., mense maio.

*Gedr.: B., 78 nach dem Or. Lich. Nicht eingesehen. Regest.: Arnsb. Urk., 207. Auszug:*
*Thomas, Oberhof, 435.*

*Verz.: Scriba, II, No. 422.*

**147.** *Der Domcantor und Propst zu Mariengreden in Mainz, W(erner), spricht als Archidiacon das Patronat der Kirche zu Bischofsheim dem Frankfurter Stiftscapitel zu und weist die Ansprüche des Mainzischen Erzpriesters Berhard zurück. Mainz, 1248 Juni 18.*

W. dei gracia cantor maioris ecclesie et prepositus sancte Marie ad Gradus Maguntine. In // causa, que vertitur inter capitulum ecclesie Frankenfordensis ex una parte, et Berhardum // archipresbiterum Maguntinum ex altera, super ecclesia de

<hr>

[1] *In einer Urk. des Klosters Selbold von 1247 November (Reimer, I, 183) werden* „Cunradus Blassenbergere, Vorhtliobus aurifaber, cives de Frankenvürt" *erwähnt.*

Bischoffesheim nostri archidiaconatus, lite // coram nobis legittime contestata et auditis propositis hinc et inde, visis etiam et diligenter examinatis privilegiis et instrumentis productis ex parte capituli memorati, prefatam ecclesiam in Bischoffesheim per diffinitivam sententiam adiudicamus dicte ecclesie Frankenfordensi, prelibato archipresbitero imponentes perpetuum silentium super ea. Acta sunt hec Maguncie, magistro Arnoldo cantore sancte Marie ad Gradus, Willehelmo canonico sancti Petri Maguntini, Gerwino plebano de Birgestad, et aliis quampluribus presentibus. Anno domini M̊. CC̊. XLVIII., XIIII. kalendas iulii.

> *Or. Pgmt. Das abhangende Siegel des Ausstellers ist beschädigt.  St. A. Fr. Barth. St. No. 2432.*
>
> *Gedr.: B., 80, Reimer, I, 188, beide nach dem Or. .*


**148.** *Derselbe wiederholt die vorige Entscheidung und bestimmt, dass das Stift an Berhard 6 Jahre lang jährlich 6 Mark zur Entschädigung zahlen solle.  Mainz, 1248 Juni 18.*

W. dei gracia cantor maioris ecclesie et prepositus sancte Marie ad Gradus Maguntine. Suborta inter // capitulum ecclesie Frankenfordensis ex una parte, et Berhardum archipresbiterum Maguntinum ex altera, super // ecclesia in Bischoffesheim nostri archidyaconatus materia questionis, et ad instantiam ipsius archipresbiteri // prefato capitulo ad nostri presentiam legittime evocato, Cunradus de Etichenstein, Frankenfordensis canonicus, ex parte memorati capituli sui, conparuit coram nobis et habens ad hoc ipsius capituli speciale mandatum, ipse pro eodem capitulo et Berhardus[a] archipresbiter pro parte sua in nos super lite predicta conpromiserunt libere et precise et quod nostre per omnia ordinationi, arbitrio pariter et mandato parerent, sub ypotheca suarum Frankenfordensis ecclesie necnon personarum eius rerum se voluntarie obligarunt, interposito de hoc in suas et fratrum iam dicte ecclesie animas corporali nichilominus iuramento. Nos vero ex utraque parte propositis plenius intellectis, visis etiam et diligenter examinatis privilegiis et instrumentis productis ex parte capituli prelibati, supradictam ecclesiam in Bischoffesheim adiudicamus ecclesie Frankenfordensi. Decernimus etiam, ut capitulum eiusdem ecclesie singulis sex annis proximis sub pena dupli det Maguncie in festo Martini sex marcas denariorum Coloniensium B., archipresbitero sepedicto, et quod primus solucionis terminus sit in festo sancti Martini proxime nunc venturo. Et si aliquo predictorum terminorum prescripta pecunia, ut est dictum, non fuerit persoluta, tres de canonicis Frankenfordensibus, quos ipse archipresbiter ad hoc elegerit, Maguntiam fideiussorio more intrabunt, inde non exituri, donec prenotata principalis pecunia cum accessorio plenarie fuerit persoluta. Adicimus insuper hoc expresse, quod si dictum Ber. archipresbiterum prefatis sex annis nondum elapsis mori contigerit, de residua pecunia annui reditus(!) pro eius anniversario ad usus presentium fratrum Frankenfordensis ecclesie comparentur. Acta sunt Maguncie, presentibus magistro Arnoldo cantore sancte Marie ad Gradus, Willehelmo canonico sancti Petri Maguntini, Gerwino plebano de Birgestad, et aliis quampluribus. Anno domini M̊. CC̊. XLVIII., XIIII. kalendas iulii.

> *Or. Pgmt. mit anhängendem Siegel.  St. A Fr. Barth. St. No. 2435.*
>
> *Gedr.: Würdtwein, Dioc. Mog., III, 124.  B., 79 nach dem Or., ebenso Reimer, I, 188, No. 254.*


**149.** *Die päpstlichen Conservatoren und Richter des Ordens der reuigen Schwestern der heiligen Maria Magdalena ermahnen alle Gläubigen, den Boten des Frankfurter*

---

*a) Verbessert aus „Gerhardus".*

*Ordenshauses, dessen Gebäude kürzlich durch Brand zerstört wurden, Almosen zu spenden, um dadurch den vom Papste verliehenen Ablass zu gewinnen. Mainz, 1248 Juli 28.*

H. decanus, R. cantor et G. custos sancti Petri Maguntini, iudices et conservatores ordinis beate Marie Magdalene in Alemannia a sede // apostolica constituti. Universis ecclesiarum rectoribus ceterisque Christi fidelibus presens scriptum visuris, [a] salutem in Christo Jesu. Ad noticiam multorum [b] Christi fidelium cre//dimus pervenisse, qualiter dominus papa super conversione sororum penitentum gavisus multis privilegiis ordinem ipsarum et indulgentiis roborarit, [c] ita ut tam pie//tatis intuitu quam tantarum indulgentiarum inductu ad danda eis caritatis opera populus excitetur, cum proprias non habeant facultates, unde miseram vitam valeant sustentare. Tenor vero indulgentiarum talis est, videlicet cottidiana XL dierum indulgentia omnibus earum benefactoribus a domino papa paterne [d] indulta. Speciales autem sunt hee: in annuntiatione beate [e] Marie XX dies, in septimana pascali annus, item in festo beate Marie Magdalene XX dies, in assumptione beate virginis XX dies, [f] item in prima dominica cuiuslibet mensis XL dies ad conparanda predia, sicut fuit in Maguntino concilio recitatum. Item a domino Ottone, apostolice sedis olim legato, XL dies, quos dominus papa postea confirmavit. [g] Item a domino papa Innocentio, qui iam est ecclesie sancte pastor, XL dies. Cum igitur domus sororum penitentum in Frankenfurt de ordine supradicto incendio casuali miserabiliter sit destructa, adeo quod [h] sine elemosinis Christi fidelium non possit aliquatenus reparari, auctoritate domini pape qua fungimur universitatem vestram exhortamur in domino, in remissionem vobis peccaminum iniungentes, quatinus propter deum et ob reverentiam sedis apostolice [i] nuntios sororum predictarum, cum ad vos declinaverint, in petendis elemosinis promovere velitis, impendendo eisdem opera caritatis. Clerici quoque, qui vice Jesu Christi sanctam regunt ecclesiam, populum suum ad compassionem Christi pauperum propensius exhortentur, ipsis predictas indulgentias publicando. Quia vero auctentica papalia secure ad loca singula deferri non possunt, in ipsius rei testimonium presenti scripto sigilla nostra duximus apponenda. Omnibus etiam Christi fidelibus ipsarum benefactoribus communionem orationum totius ordinis auctoritate domini pape cum eius indulgentiis impertimur, ut per hec et alia bona, que fecerint domino inspirante, mercedem ab ipso consequantur eternam. [k] Datum Maguntie, anno domini M. CC. XLVIII., V. kalendas augusti.

*Or. Pgmt. An roth-weiss-grünen Schnüren hängen an: 1) Siegel des Dechanten Heinrich, 2) und 3) zerbrochen. St. A. Fr. Weissfrauenkloster. Ablassbriefe, Lade No. 13, No. 3. Gedr.: B., 80 aber nach einer zweiten, etwas abweichenden Ausfertigung, irrig zu Juli 26. Verz.: Fr. Mitth., VI, 316.*

**150.** *Ritter Rupert von Heddernheim und dessen Gemahlin Alberadis verkaufen dem Kloster Arnsburg ihr Haus in Frankfurt, bei der Hofstätte der Dominikaner gelegen, für 16 Mark. 1248 September.*

Actiones, quas mundus ordinat, oblivionem effugere possunt, si munimine litterarum fulciantur. // Noverint igitur universi scripti presentis inspectores, quod ego Rupertus miles dictus de Hederheim // et Alberadis uxor mea communicata manu et pari consilio vendidimus domino . . abbati et con//ventui de Arnsburg domum nostram apud aream Predicatorum in Frankinvort sitam cum omnibus suis attinentiis pro sedecim marcis Colon. den., quas nobis fideliter ex integro statuto tempore persolverunt. Testes huius

a) *Vorlage B's.:* „quibus innotuerit presens scriptum. salutem in domino sempiternam". b) *fehlt.* c) „roboravit". d) „misericorditer". e) „sancte". f) „item in dedicatione centum dies". g) „qui a domino papa sunt confirmati". h) „et sine". i) „domini pape". k) „misericorditer consequantur".

emptionis sunt: dominus Wernerus abbas, Hartmannus cellerarius, Wikerus notarius
domini abbatis, monachi; frater Heinricus de Wileburg, Cûnradus de Kazenfort, conversi de Arnsburg; Wikerus de Ovenbach, Bertoldus Bresto, Herbordus de Ovenbach,
scabini in Frankenvort, et alii quam plures. Actum anno domini M. CC. XLVIII..
mense septenbri.[a] In huius rei evidentiam presens scriptum monasterio Arnspurgensi
meo sigillo tradidi roboratum.

> *Or. Pgmt. mit guterhaltenem schildförmigen Siegel.  Lich.*
> *Gedr.: B., 81 nach dem Or.  Regest.: Arnsb. Urkb., 207.  Auszug: Thomas, Oberhof, 435.*
> *Vers.: Scriba, II, No. 423.*


**151.** *Schultheiss Wolfram, die Schöffen und Bürger von Frankfurt bekunden, dass
Berthold von Heldebergen dem Kloster Thron genannte Güter zu Kaichen und Korngülten zu Erlebach verkauft habe.  1249 Februar.*

Wolframus scoltetus, scabini et universi cives Frankenvordenses.  Innotescere
cupimus universis hanc paginam inspecturis, quod Berhdoldus de Heldebergen // et Ida
uxor sua contulerunt monasterio ad Tronum sancte Marie unum mansum et dimidiam
curiam sita in Coichin tempore perpetuo possidenda.  Pre//terea annuatim X octalia
siliginis dabunt eidem monasterio de bonis eorum in Erlebach, quousque illa in tam
certo vel cerciori loco conventui fuerint de//monstrata.  Testes sunt: Walterus de
Mersevelt, Wikerus de Ovenbach, H. Alleum, C. de Gisenheim, Baldemarus, C. de Wllenstat.
Sifridus de Gisenheim, C. Wikeri filius, H. de Holzhusen, Fr. de Selingestat, Jacobus
Niger, Hartmudus de Nieda, et plures alii.  Ut autem factum tam racionabile perenne
robur teneat, presentem scedulam damus nostri sigilli munimine roboratam.  Actum
anno domini M. CC. XLVIIII., mense februario.

> *Or. Pgmt. mit anhängendem ältesten Stadtsiegel.  Darmstadt. — Grotefend.*
> *Gedr. gekürzt: Baur, Hess. Urkb., I, 74.*


**152.** *König Wilhelm verleiht dem Kloster Thron die Steuerfreiheit für die in den Reichsstädten belegenen Höfe des Klosters.* „Nos enim . . . ab omni exactione prefatas
curias, quas in nostris civitatibus habent vel postmodum poterunt adipisci, duximus liberaliter eximendas.“ *Nassau, 1249 Mai 9.  (VII. id. maii.)*

> *Gedr.: Sauer, I, 345.*
> *Vers.: B.-F. No. 4978.*


**153.** *Ablassbrief des Erzbischofs Konrad von Köln für die Besucher der Dominikanerkirche zu Frankfurt.  1249.*

C. dei gracia sancte Coloniensis ecclesie archiepiscopus, sacri imperii per Ytaliam
archicancellarius et per regnum Allemannie apostolice sedis legatus. // Universis Christi
fidelibus presentes litteras inspecturis salutem in omnium salvatore.  Quoniam, ut ait
apostolus, omnes stabimus ante tribu//nal Christi, recepturi prout in corpore gessimus,
sive bonum fuerit sive malum, oportet nos diem messionis extreme devotionis operibus
preve//nire ac eternorum intuitu seminarę in terris, quod reddente domino cum multiplicato fructu recolligere debeamus in celis, firmam spem fiduciamque tenentes, quoniam
qui parce seminat, parce et metet. et qui seminat in benedictionibus, de benedictionibus

---

a) *So!*

et metet vitam eternam. Cum igitur dilecti nobis fratres iu Christo Predicatorum ordinis ad hoc in vinea Jesu Christi sint positi, ut fructum salutis animarum procurent, et ipsos ad id sollicite intendere videamus, cupientes eos ad hoc modis quibus possumus promovere, universitatem vestram monemus et hortamur in domino atque in remissionem vobis iniungimus peccatorum, quatinus, cum ad vos declinaverint, ipsos hilariter et benigne suscipientes, salubribus eorum monitis cum debita reverentia intendatis atque ecclesiam eorundem in Frankenvurt, ad honorem beate Marie virginis constructam, in festis eiusdem et in festis beatorum apostolorum Petri et Pauli, Augustini episcopi ac Dominici confessoris et in festo dedicationis eiusdem ecclesie cum devocione deo placita visitetis. Nos enim de misericordia dei et beatorum Petri et Pauli apostolorum eius auctoritate confisi, omnibus, qui ad predictam ecclesiam in memoratis festivitatibus causa devotionis accesserint, XL dies, et illis, qui ad prefatorum fratrum predicacionem convenerint, XX dies de iniuncta sibi penitencia relaxamus. Datum anno domini M. CC. XLIX.

> *Or. Pgmt. Siegel abgerissen. St. A. Fr. Dominikaner Urk. No. 6.*
> *Gedr.: B., 82 nach dem Or. Abschrift in Jacquin, Cod. Prob, 29 irrig zu 1299 (!), danach ebenso Römer-Bücher im Fr. Arch., VI, 159.*

**154.** *Die Stadt Oppenheim bekundet, dass das Kloster Ilbenstadt seinen Hof in Riethausen (Riethusen) an das Kloster Eberbach verkauft und diesem* „coram reverendo domino C. dei gratia archiepiscopo Maguntino et coram sculteto,[1] scabinis, militibus et civibus in Frankenvort" *übereignet habe. 1250 März 16 (XVII. kal. aprilis).*

> *Or. Pgmt. St. A. Darmstadt.*
> *Gedr.: Rossel, Eberb. Urkb., I, 263 u. II, 16. Auszug: Baur, Hess. Urkb., I, 21.*

**155.** *Propst Walter und das Capitel zu Ilbenstadt bekunden den Verkauf ihres Hofes in Riethausen (Rihthusen) an das Kloster Eberbach. Unter den Servituten dieses Hofes wird erwähnt:* „Sculteto de Frankenvort annis singulis einen Ber et botas quatuor, ut personas et res in eadem curia positas efficacius tueatur." *1250 März.*

> *Gedr. nach dem Or. Pgmt. im St. A. Darmstadt: Baur, Hess. Urkb., I, 20. Rossel, Eberb. Urkb., II, 14. Verglichen mit dem Or. durch Grotefend.*
> *Der Schultheiss von Frankfurt besiegelte auch eine auf diesen Verkauf bezügliche Urkunde des Klosters Ilbenstadt. 1250 o. T. (Gedr.: Baur, I, 21, nach dem Or. Pgmt. im St. A. Darmstadt.)*

**156.** *Berthold, Graf von Ziegenhain, belehnt den Schultheissen Wolfram von Frankfurt und dessen Brüder erblich mit den durch den Tod des Ritters Sicko in Echzel ihnen zugefallenen Gütern. 1250 October 4.*

Bertholdus comes de Cygenhagen. Universis presens scriptum intuentibus notum esse volumus, quod Wolferamus scul//tetus de Frankenvorth una cum suis coheredibus talia bona, prout ad ipsos de morte Sickonis militis in // Echezile iure hereditario legittime dinoscuntur esse devoluta, ad nostras manus ac heredum nostrorum efficaciter resig//narunt. Quod autem predictis W. et suis fratribus, bonorum supradictorum legittimis heredibus existentibus, nec non successoribus eorumdem, tam filiis quam

---

[1] *Vgl. auch Baur, l. c., 22.*

filiabus, bona sepedicta nos et heredes nostri iure feodali libere concesserimus, tenore presencium protestamur eisdem.   Ut igitur hec pagina nostre concessionis firma perseveret, sigilli nostri appensione ipsam duximus roborandam.   Huius rei testes sunt: Guntramus pincerna de Grunenberc, Heinricus de Abenrode, Heinricus dictus Coboldus, Ludewicus de Wedersheim, Ludewicus de Husen, Wigandus filius Bernhelmi, Volpertus de Berstat, milites, et alii quam plures.  Acta sunt hec anno gracie M̊. ĊĊ. quinquagesimo, IIII. nonas octobris.

*Or. Pgmt. mit anhängendem, leicht beschädigtem Siegel.   Ullstadt.*
*Gedr. nach dem Or.: B., 82.*
*Vers.: Scriba, II, No. 438.*


**157.**  *Ablassbrief des Erzbischofs Konrad von Köln für die Besucher der Frankfurter Dominikanerkirche.  1250.*

Conradus dei gratia sancte Coloniensis ecclesie archiepiscopus, sacri imperii per Italiam archicancellarius et apostolice sedis legatus.  Universis Christi fidelibus salutem eternam.  Etsi generaliter ex cure pastoralis officio cuncta corporis Christi mystici membra oculo benevolentie respicere debeamus, illa nimirum organica membra diligere, nutrire, fovere, honorare non immerito tenemur propensius, que sue virtutis influentia ceteris membris vitam, motum, intellectum communicant, utpote videlicet organa organorum.  Cum igitur per fratres ordinis Predicatorum, electa veritatis organa, capiti Christo paupertatis predicationis officio multa similitudine conformia in edificationem corporis mystici, vite spiritualis profectum, intelligentiae lumina, virtutum dona, gratiarum karysmata diffundavit scientiarum dominus rex virtutum, ipsos amore ampliore dignos decernimus et honore.  Hinc est, quod ad honorem dei et gloriose genitricis eius et ob amorem ordinis memorati fratribus eiusdem ordinis in Frankenvort hanc gratiam facimus, quod universis Christi fidelibus ad locum ipsorum pia devotione convenientibus sex vicibus in anno, videlicet in omnibus festis beate virginis, in festo sancti Dominici, in festo dedicationis ecclesie ipsorum, karenam de poenitentia sibi iniuncta et annum unum peccata oblita, vota fracta, si ad ea pio corde redierint, patrum et matrum offensas sine manuum iniectione violenta misericorditer relaxamus.  Insuper singulis diebus dominicis omnibus ad eundem locum venientibus quadraginta dies indulgentie damus, volentes predictam indulgentiam in loco predicto in perpetuum perdurare.  Datum anno domini millesimo ducentesimo quinquagesimo.

*Abschrift in Jacquin, Cod. prob., No. 6.   St. A. Fr. — Grotefend.*


**158.**  *Graf Berthold von Ziegenhain schenkt dem Deutschordenshause Sachsenhausen 2 Talente Gülten in Geraha als Seelgeräth für seinen Bruder Gottfried und seinen Verwandten Graf Rudolf.  1250.*

*Regest.: Niedermayer, 167.*


**159.**  *Philipp von Hohenfels bekundet, dass er früher in Megersheim von dem Frankfurter Bürger Presto erworbene Güter den Brüdern von St. Lazarus gegen die Güter in Nierstein im Tausch überlassen habe.  1234—50.[1]*

Universis presens scriptum inspecturis vel audituris ego Philippus de Hohenfels /: notum facio, quod bona sita in Mehgersheim cum curia attinente compara//vi sine

[1] *Nach der Schrift gehört die Urkunde eher in den Anfang dieser Zeit.*

omni contradictione a Prestone, cive de Frangenfurth, // que postmodum fratribus de
s. Lazaro pro bonis sitis in Nerstein ipsorum per concambium comutavi(!). Ne igitur
ambiguitas vel aliqua controversia super hoc oriri possit,[a] presentem paginam munimine mei sigilli feci roborari. Astiterunt huic contradictioni[b] viri honorabiles: frater
Hartmannus de Kronnenberc, . villicus de Frangenfurth et scabini ibidem, et villicus
Marcwardus de Hopenheim, Jacobus et frater eius Eberhardus, et alii quam plures
honesti viri de eodem, qui huius rei testes sunt.

> *Or. Pgmt. mit abhängendem beschädigten Siegel. St A. Darmstadt.*
> *Gedr.: Baur, Hess. Urkb., II, 75. Vgl. Euler, Fr. Mitth., II, 325, 386.*

**160.** *Das Frankfurter Stiftscapitel verkauft den Dominikanern einen auf deren Hofstätte
zu Frankfurt lastenden Zins. 1251 Januar 20.*

Nos Fridericus decanus totumque capitulum ecclesie Frankenfordensis. Tenore
presentium publice profitemur, // quod census ecclesie nostre, quos in area domus
Predicatorum infra muros Frankenford habuimus, videlicet decem // solidos illius monete,
ipsis fratribus vendidimus pro quatuor marcis et dimidia pecunie numerate // et in
usus dicte ecclesie nostre convertimus potiores. Ut autem huiusmodi venditionis
contractus robur habeat, presentes nostras litteras dictis Predicatoribus dedimus
sigillorum nostrorum munimine roboratas. Actum anno domini millesimo ducentesimo
quinquagesimo primo, XIII. kalendas februarii.

> *Or. Pgmt. Siegeleinschnitte für drei Siegel. St. A. Fr. Dominikaner Urk., No. 7.*
> *Gedr. nach dem Or.: B., 83. Vgl. Wetteravia, I, 88.*

**161.** *Papst Innocenz IV. fordert die Frankfurter* (consiliarii et populus de Frankenforde)
*auf, sich jetzt nach dem Tode Kaiser Friedrichs II. wieder der Kirche zuzuwenden,
verspricht, ihnen die Gnade des Königs Wilhelm zu erwirken, und ermahnt sie,
diesen als König anzuerkennen, da Konrad und Friedrichs weitere Söhne keinen
Rechtsanspruch auf die Krone hätten. Im Falle des Ungehorsams werde er zusammen mit dem Könige gegen sie einschreiten. Lyon, 1251 Februar 19. (XI. kal.
martii, anno VIII°.)*

> *Gedr.: In der Ausfertigung für Worms, Mon. Germ. 4°, Ep. Select., III, 59. Potthast,*
> *No. 14210. Berger, No. 5306. Scriba, III, No. 1588.*
> *Dasselbe Breve erging u. a. an Gelnhausen. An demselben Tage erliess der Papst ein*
> *Schreiben an die „consiliarii de Frankefordia“ im gleichen Sinne. Gedr.: In allgemeiner*
> *Ausfertigung an die „consiliarii civitatum, oppidorum et villarum Alamanie“ l. c., 60.*
> *Potthast, No. 14211, Berger, No. 5307 und 5308, Scriba, IV², No. 3390. Gleiche*
> *Schreiben gingen an Gelnhausen und Friedberg.*

**162.** *Schultheiss Wolfram,[1] die Schöffen und Bürger von Frankfurt beurkunden, dass
Bechthold von Heldebergen und Frau dem Kloster Throu Güter in Bonames und
Kaichen übertragen haben. 1251 März 5.*

W. scoltetus, scabini ac cives universi de Frankenvord. Actiones, quas mundus
ordinat, oblivionem effugere possunt, si // litterarum munimine fulciantur. Clareat
igitur universis presens scriptum visuris, quod in presentia nostra Betdoldus dictus

---

a) *Am Rande hinzugefügt.*  b) *So!*

[1] *Derselbe besiegelte 1251 September 26 (feria   Burgmannen zu Buchen für Kloster Arnsburg.*
*tercia ante festum Michaelis) eine Urkunde der   Arnsb. Urkb., 41, Reimer, I, 201.*

Hel//debergin et Ida, legitima sua, nostri concives, communicata manu et consensu
pari ecclesie ad Tronum sancte Ma//rie contulerunt perpetualiter mansum unum et
dimidium in Bonemese de agris melioribus, quos tenuit ibidem dominus Betdoldus de
eadem villa, et de eisdem bonis solvet idem dominus B. sedecim octalia siliginis singulis
annis, quamdiu voluerit ea tenere. Preterea contulerunt prefato monasterio mansum
unum situm in Cochina possidendum perpetuo libere et quiete. Testes autem sunt
hi: scolthetus, Conradus dictus Meisinbug, H. Alleum, Walterus de Mersevelt, Wicgerus
de Ovinbac, C. filius suus, H. de Holzhusen, Jacobus, Fridericus, Epprathus, Conradus
de Wllinstad, Conradus de Gisinheim et Siffridus, filius ipsius, et plures alii viri idonei
ac discreti. In cuius facti robur et memoriam presens scriptum sigillo nostre civitatis
fecimus insigniri. Actum anno domini M. CC. LI., in quadragesima.

*Or. Pgmt. Das Siegel ist abgefallen. St. A. Wiesbaden. Kloster Thron, No. 7.*
*Gedr.: Sauer, I, 352 nach dem Or. .*

**163.** *König Konrad IV. widerruft die Verleihung der Kirche zu Praunheim an den Sohn
des Theoderich Keppler von Rödelheim. Worms. 1251 März.*

*Gedr.: Böhmer, Acta 291. Sauer, I, 352. B.-F. No. 4540, vgl. ib. 5033 a.*

**164.** *Derselbe giebt dem Schultheissen Wolfram von Frankfurt den Neurottzehnten des
abgeholzten Reichswaldes Lindau bei Frankfurt zu Lehen. Im Lager bei Lachen.
1251 Mai.*

Conradus dei gracia Romanorum in regem electus, semper augustus, Jerusalem
et Sicilie rex. Per presens // scriptum notum facimus universis fidelibus nostris, quod
nos Wolframmo sculteto et fideli nostro de Franken//furt pro fidei et serviciorum
suorum merito decimam novalium resecate silve nostre Lindach prope // Frankenfurt
in feodum concessimus ab excellencia nostra iure feodali amodo possidendam. Mandantes,
quatinus nullus sit, qui predictum Wolframmum scultetum nostrum in ipso feodo
inpediat vel perturbet. Quod qui presumpserit, indignationem nostram et imperii se
noverit incursurum. Ad cuius rei memoriam presens scriptum inde fieri et sigillo
nostro iussimus conmuniri. Datum in castris apud villam Lachen, anno dominice incarnationis millesimo ducentesimo quinquagesimo primo, mense madii(!), none indictionis.

*Or. Pgmt. Das anhängende Siegel ist beschädigt. St. A. Fr. Frankenstein. Urk. No. 1.*
*Gedr.: B., 83 nach dem Or. .*
*Verz.: B.-F. No. 4546.*

**165.** *Friedrich, Pfarrer von St. Quintin und Kanonikus von St. Stephan in Mainz, gebietet im Auftrag des Cardinallegaten Hugo den Reuerinnen zu Frankfurt, welchen
von gewissen Adelichen und andern Verwandtinnen aufgedrungen worden waren,
künftig keine Schwester als nach vor ihm stattgefundener Untersuchung der Geeignet-
heit aufzunehmen. Mainz. 1251 Juli 12.*

Fr. dei gratia plebanus sancti Quintini et canonicus sancti Stephani in Moguntia.
Dilectis in Christo priorisse, fratribus et // sororibus ordinis sancte Marie Magdalene
in Frankinvurt, salutem in Christo Jesu. Mandatum venerabilis patris // et domini H.
sedis apostolice legati recepimus in hec verba: Frater Hugo miseratione divina titulo
sancte // Sabine presbiter cardinalis, apostolice sedis legatus, dilecto in Christo Friderico
plebano ecclesie sancti Quintini, canonico ecclesie sancti Stephani Maguntini, salutem
in domino. Cum, sicut ex parte dilectarum in Christo priorisse et conventus monasterii
sancte Marie Magdalene ordinis Penitentum Frankinvurdensis, Maguntine diocesis, fuit

propositum coram nobis, eedem per minas et terrores a nonnullis nobilibus et aliis, eorum filias in sorores recipere compellantur, nòs earum quieti providere volentes, discretioni tue qua fungimur auctoritate mandamus, quatinus eas super premissis non permittas a talibus molestari, molestatores huiusmodi per censuram ecclesiasticam conpescendo. Datum etc. Huius igitur auctoritate mandati vobis mandamus sub pena excommunicationis iam late sententie precipiendo, ut nullam presumatis de cetero recipere in sororem, donec discutiatur documentis legitimis coram nobis, quod hoc sit ecclesie vestre expediens et honestum. Datum Moguntie, anno domini M̈. CC. LI., IIII. idus iulii.

> *Or. Pgmt. Das guterhaltene Siegel Friedrichs hängt an roth-gelben Fäden an. St. A. Fr.*
> *Weissfrauenkloster: Freiheitsbriefe und Urkunden No. 6.*
> *Gedr. nach dem Or.: B., 84.*
> *Verz.: B.-W. No. 10262.*

**166.** *König Wilhelm befreit die Güter des Klosters Arnsburg in den Reichsstädten von der Bede und sonstigen Abgaben. Friedberg, 1251 September 17. (XV. kal. oct.)*

> *Gedr. u. a.: Arnsb. Urkb., 42.*
> *Verz.: B.-F. No. 5123.*

**167.** *Der Propst Dietrich von Russdorf gebietet, gemäss dem inserirten Befehle des Papstes Innocenz IV. d. d. Lyon, 1251 April 10, genannten Klerikern, die wegen ihrer Anhänglichkeit an Friedrich II. und dessen Sohn Konrad mit dem Interdicte belegte Stadt Frankfurt zu verlassen und sich den Verordnungen der Kirche zu unterwerfen. Fulda, 1251 November 29.*

Th., dei gratia prepositus ecclesie in Rosdorf. Viris discretis C. quondam decano, magistro Sifrido rectori scolarum et Sifrido dicto de // Wedere, Frankenfordensibus, salutem in domino. Noveritis nos mandatum domini pape recepisse in hec verba: Innocentius episcopus servus servorum dei. Dilecto // filio, . . preposito ecclesie de Rosdorf Erbipolensis diocesis, salutem et apostolicam benedictionem. Dilecti filii, nobiles viri . . de Hagenowe et . . de Mincem//berg domini, apostolice sedi devoti, nobis exponere curaverunt, quod cum bone memorie S., archiepiscopus Maguntinus, zelans pro posse promocionem negocii ecclesie generalis, in Cunradum quondam decanum, Henricum de Sundelingen, Arnoldum et quosdam alios canonicos ecclesie de Frankenfort Maguntine diocesis pro eo, quod in opido Frankenfordensi, quondam Fr. se pro imperatore gerenti et C. nato eius publicum prestante favorem ac supposito ecclesiastico interdicto, contra ipsius archiepiscopi mandatum temere remanentes, coram ipsorum F. et C. fautoribus excommunicationis vinculo innodatis celebrabant divina scienter, excommunicacionis sentenciam auctoritate ordinaria promulgarit, iidem Cunradus quondam decanus et alii, adhuc in sua pertinacia persistentes ac morantes in opido memorato huiusmodi excommunicacione ligati, et clavibus ecclesie vilipensis, quosdam temeritate propria in eiusdem ecclesie de Frankenfort canonicos receperunt. Quocirca discretioni tue per apostolica scripta mandamus, quatinus sepedictum Cunradum et alios presumptores monere procures, ut ad mandatum ecclesie infra duos menses post monitionem huiusmodi revertantur. Quodsi monitis tuis acquiescere noluerint in malicia indurati, privationis a beneficiis et suspensionis ab ordinibus et officiis suis proferas auctoritate nostra sentencias in eosdem, perpetuum sic receptis ab eis super iure canonicatus et prebendarum silentium imponendo, contradictores per censuram ecclesiasticam appellatione postposita compescendo. Non obstante,

si aliqui ex indulto habeant apostolico, quod excommunicari aut interdici nequeant vel
suspendi. Super eo vero, quod sic ligati divina celebrasse dicuntur, quod canonicum
fuerit, appellatione remota decernas, faciens quod decreveris per censuram eandem
firmiter observari. Datum Lugduni, IIII. idus aprilis, pontificatus nostri anno octavo.
Huius igitur auctoritate mandati vobis sub pena privationis beneficiorum et ordinum
ac officiorum suspensione precipiendo mandamus, quatinus a receptione presentium
infra duos menses a civitate Frankenfordensi penitus recedatis nec fautoribus supradicti domini F. et C. nati sui ammodo prestetis auxilium vel favorem. Alioquin dictis
sententiis presentibus litteris vos sciatis subiacere. Ceterum vobis, magistre Sifride et
Sifride, sub pena memorata districte precipiendo mandamus, quatinus de prebendis,
sicut tempore cismatis vos procurastis intrudi, nullomodo[a] intromittatis. Dicimus etiam
et sententiando proferimus, electionem vestram in ecclesia Frankenfordensi esse nullam:
decernimus quoque ipsam irritam et inanem et presentibus litteris nichilhominus(!)
revocamus. Datum Fulde, anno domini M. CC. L. primo, in vigilia beati Andree
apostoli.

> *Or. Pgmt. mit abhängendem beschädigten Siegel des Propstes. St. A. Fr. Barth. St. No. 46.*
> *Gedr.: B., 84 nach dem Or. Reimer, I, 202 nach Copie in Barth. Bücher, I, 22ᵇ.*
> *Die inserirte Bulle verz.: B.-W. No. 8374, nicht bei Potthast. Vgl.: Will, Mainz.*
> *Reg., XXXIII, No. 431.*

**168.** *Die Stadt Wetzlar bekundet, dass der frühere Schultheiss zu Wetzlar, Ludwig, ge-*
*nannte Güter an das Kloster Altenburg verkauft habe, darunter auch solche, die seine*
*Brüder Wolfram, Kanonikus zu Wetzlar, und Heinrich Clobeloch, Bürger zu Frank-*
*furt, ihm nach dem Tode ihres Vaters Heinrich überlassen hatten. Wetzlar, 1252 April.*

> *Gedr.: Guden, Cod. Dipl., II, 98, Mittelrhein. Urkb., III, 843.*
> *Verz.: Görz, Mittelrhein. Reg., III, No. 928. Der frühere Schultheiss Ludwig kommt als*
> *„quondam scultetus" oder „olim villicus" in zahlreichen Wetzlarer Urkunden vor, zuletzt*
> *1268 Juni 28 (vig. Petri et Pauli) (vgl. Görz l. c. No. 2363). Er ist vor dem 30. März 1272*
> *(Judica) gestorben (vgl. ib. No. 2493). In Urk. von 1253 Juni wird er als Sohn des*
> *Wetzlarer Bürgers „Heinricus de Platea" bezeichnet. Vgl. Mittelrhein. Urkb., III, 383,*
> *Görz, l. c. No. 1031. Vgl. über seine Frau Elisabeth und Enkel. Guden, Cod. Dipl., V, 41*
> *(1262 Mai) und Arnsb. Urkb, 50 (1256 Febr.).*

**169.** *Schultheiss Wolfram[1] und die Schöffen zu Frankfurt bezeugen eidlich, dass der*
*Eber und die vier Schuhe, welche die Eberbacher Mönche von dem Hofe zu Ried-*
*hausen jährlich liefern, dem zeitigen Schultheissen in Frankfurt zukommen.*
*1253 Februar 12.*

Ego W. scoltetus et universi scabini in Frankenvort. Tenore presencium protestamur et ad noticiam tam presentium quam futurorum cupimus pervenire, quod
aper ille domesticus et quatuor calcei, qui boti vocantur, quos tenentur solvere fratres
in Rithusen, scolteto de Frankenvort, qui tunc pro tempore fuerit, exclusis omnibus
aliis officialibus imperii undecunque fuerint, sunt presentandi. Et quod his premissis
fides possit adhiberi, iuramentum prestitimus in hunc modum: sic nos iuvet deus et
omnes sancti. Et ne in posterum super premissis aliquis scrupulus dubietatis possit
oriri, presentem paginam sigillo civitatis nostre fecimus roborari. Actum anno
domini M. CC. LIII., II. idus februarii.

> a) *Or. „ullomodo".*

[1] *Schultheiss Wolfram wird 1252 als Burgmann*
*zu Königstein erwähnt. Sauer, I, 362.*

*Or. Pgmt. mit anhängendem Stadtsiegel (2).   St. A. Darmstadt. — Grotefend.*
*Gedr.: Fichard, Archiv II, 101, vgl. Entstehung, 63 ff.   B., 85 aus dem Eberbacher Kopiar*
*zu Mainz.*
*Verz.: Scriba, I, No. 386, Roth, Quellen, I, 71.*

**170.** *Der Schultheiss Wolfram, die Schöffen und Bürger von Frankfurt beurkunden,*
*dass ihr Mitbürger Jacob, als er geistlich geworden, sein künftiges väterliches Erbe*
*dem Kloster Arnsburg übertragen habe.   Frankfurt, 1253 April.*

Nos Wolframus scolthetus, scabini ceterique cives Frankinfordenses. Per presens
scriptum ad // universorum noticiam volumus pervenire, profitentes publice atque pro-
testantes, quod Jacobus, // filius Jacobi concivis nostri, coram nobis constitutus eo
tempore, quando proponebat se ad reli//gionem transferre, omnem partem hereditatis
sue, que ipsum contingere deberet, si staret in seculo post mortem patris sui, legavit
et contulit pro peccatis suis parentumque suorum ecclesie in Arnesburg, accedente
pleno consensu et omnimoda voluntate prelibati sui patris, necnon omnium coheredum
suorum.   Ex hac igitur donacione prefatum monasterium percipiet integre portionem
hereditatis loco fratris Jacobi memorati, quandocunque ipsum patrem suum ingredi
contigerit viam universe carnis, posito quod idem Jacobus filius mortuus sit sive vivat.
Testes sunt: Wolframus scultetus, H. Clobeloch, Wicgerus de Ovinbac, H. de Holzhusen, Conradus et Siffridus de Gisinheim, Conradus de Wullinstat, Johannes Goltstein,
Betdoldus de Heldebergin, Folmarus et Conradus frater suus, Heinricus de Wechflaria,
Herbordus Bicgelinus, et plures alii.   In huius facti memoriam presens scriptum dedimus
sigilli nostri munimine roboratum.   Actum anno domini M̊. C̊C̊. LIII., in aprili.

> *Or. Pgmt. Das abhangende Stadtsiegel (2) ist zerbrochen. Lich., Rückaufschrift 13. Jahrh. u. a.*
> *„Cella Frankenfurt".*
> *Gedr.: B., 86 nach dem Or. Regest.: Arnsb. Urkb., 208. Auszug: Thomas, Oberhof, 435.*
> *Verz.: Scriba, II, No. 452.   Görz, Mittelrhein. Reg., III, No. 1017.*

**171.** *Papst Innocenz IV. ertheilt dem Frankfurter Propst, Gerhard von Eppstein, unter*
*Aufhebung des Einspruches betr. die Pluralität der Präbenden und des noch nicht*
*erreichten kanonischen Alters, die Erlaubniss, eine weitere geistliche Stelle anzunehmen.*
*Assisi, 1253 August 28.*

Gerardo, preposito ecclesie Frankenfordensis, nato nobilis viri G., domini de
Eppenstein, germani bone memorie S., archiepiscopi Maguntini. Volentes tibi obtentu
predicti nobilis devoti nostri, patris tui, facere gratiam specialem, auctoritate tibi
presentium indulgemus, ut preter beneficia, que obtines, curam animarum habentia,
unicum adhuc beneficium seu personatum vel aliam dignitatem ecclesiasticam recipere
licite in partibus Alamanie, si tibi canonice offeratur, ac una cum obtentis libere valeas
retinere, non obstante, quod in etate, cum ei dicaris proximus, ac etiam in ordinibus
defectum pati diceris, et constitutione concilii generalis, proviso quod beneficia, personatus
et dignitas huiusmodi debitis, etc., usque: negligatur. Nulli, etc., nostre concessionis,
etc.   Dat. Asisii, ut supra.[a]

> *Gedr.: Berger, Elie. Les Registres d'Innocent IV., Bd. III, No. 6961   Hier nach diesem*
> *Abdruck wiederholt.*

a) V. kalendas septembris, anno XI.

**172.** *Erzbischof Gerhard von Mainz bestätigt dem Deutschorden in seiner Diöcese den Besitz aller Kirchen, Kapellen und Zehnten. Mainz, 1253 November 20.*

Gerhardus dei gracia sancte Moguntinensis sedis archiepiscopus, sacri imperii per Germaniam archicancellarius, universis, ad quos littere iste pervenerint, salutem in domino. Ex consuete pietatis officio dilectis in Christo magistro et fratribus domus Theutonice nostre diocesis cupientes facere graciam singularem, ipsis, ut ecclesias, decimas et capellas, quas in nostra diocesi obtinent, sive curiam animarum habeant sive non, de nostra licencia et capituli nostri consensu voluntario et expresso, pacifice perpetuo possideant et quiete, nostro successorumque nostrorum et archidiaconorum per omnia iure salvo, auctoritate presencium indulgemus. In cuius rei testimonium presentes litteras nostro et capituli nostri sigillis duximus muniendas. Datum Moguncie. anno domini M. CC. LIII., XII. kalendas decembris, pontificatus nostri anno secundo.

*Abschrift im Deutschordens-Dokumentenbuch f. 72. St. A. St. Stuttgart. — Von Nathusius.*

**173.** *Der Mainzer Kanonikus und Erzpriester Berhard bekennt, von dem Frankfurter Stiftscapitel die ihm nach dem früheren Schiedsspruch über die Kirche zu Bischofsheim zustehende Geldsumme erhalten zu haben. Mainz, 1253 November 26.*

Ego Berhardus canonicus et archipresbiter Maguntinus. Tenore presencium publice recognosco, quod // pensionem, quam decanus et capitulum ecclesie Frankenwordensis michi solvere tenebantur, // de compositione ordinata inter me et dictum capitulum super ecclesia in Bijscovisheim tota//liter solverunt, dans eis presens scriptum super eo meo sigillo munimine roboratum. Datum Maguncie, anno domini M. CC. LIII., in crastino Katerine virginis.

*Or. Pgmt. mit abhangendem Siegelrest. St. A. Fr. Barth. St. Nr. 2434.*
*Gedr.: B., 86 nach Copie, Reimer, I, 213 nach dem Or. .*

**174.** *Das Mainzer geistliche Gericht beurkundet die gütliche Beilegung eines vor ihm. zwischen dem Stiftscapitel von Frankfurt und dem Wernher Vogt von Tribur. über die von demselben zu entrichtende Nona, verhandelten Rechtsstreits. Mainz. 1253 December 6.*

Judices sancte Moguntine sedis. Cum decanus et capitulum ecclesie Frankenfordensis Wernherum advocatum de Tri//bure in iudicium traherent coram nobis conquerendo, quod eis decimam, que appellatur nona, de quibusdam bonis, que ha//bebat. ex antiquo debitam non solvisset, advocatus contestata lite coram nobis asseruit, se solvere non debere, nisi // dimidiam nonam tantum, et quod sui antecessores, eorumdem bonorum possessores, quandoque aput Frankenfort de solutione dimidie none per sententiam fuerint absoluti, ad quod probandum tres testes induxit, Hertnidum, Ernestum et Henricum, quorum attestationes et allegationes capituli contra ipsorum testimonium audientes et recipientes dicta partis utriusque, ad ferendam sententiam super eadem causa ipsis diem statuimus, videlicet feriam secundam proximam post dominicam „Gaudete". Advocatus vero predictus, in iure suo diffisus et recognoscens, se. capitulo iniuriam intulisse, habita composicione cum Johanne de Rodabe, canonico et procuratore predicte ecclesie et capituli, ante publicatam a nobis sententiam confessus est manifeste coram nobis, quod ipse et omnes sui heredes in posterum integram nonam de bonis illis, de quibus litigabant, videlicet de manso illo, quem idem advocatus quandoque apud Cunradum de Ovenbach comparavit, perpetuo sine impedimento persolvant, de duobus vero annis novissimis cum Wernhero clerico, filio Walteri de Mersenvelt. composuit et pro expensis capituli factis in lite dedit marcam. Idem etiam advocatus.

ut plus satisfaciat ecclesie de iniuria sibi irrogata, et quidam amici sui, Hertnidus, Ernestus, Henricus, H. Paris et Wernherus, fide data promiserunt, ut ecclesiam Frankenfordensem fideliter in perpetuum promoveant, ubi fuerint requisiti. Et sic omnis actio sopita de cetero cessabit inter ipsos. In cuius rei testimonium presentem cedulam sigillo nostro communimus. Datum apud Moguntiam, anno domini M̊. C̊C̊. L. tercio, VI. idus decembris.

> *Or. Pgmt. mit anhängendem verletzten Siegel der geistlichen Richter. St. A. Fr. Barth. St. No. 3135.*
>
> *Gedr.: B., 87 nach dem Or.*


**175.** *Ulrich von Minzenberg verleiht die ihm von den genannten früheren Lehnsträgern resignirte Mühle zu Kistelberg dem Rudolf, seinem Vogt in Dieburg, und dessen Erben, unter dem Beding, dass davon dem Stiftscapitel in Frankfurt jährlich 5 Schillinge zu seinem, Ulrichs, und seiner Eltern Jahresgedächtniss gezahlt werden. 1253 December 27.*

Ulricus de Mincenberg. Ad universorum noticiam presenti pagina cupimus pervenire, quod nos molendinum Kis//telberg situm, quod Rudolfus Grawesloc et frater suus, Oweman dictus, milites, Rudolfus, Wernherus // et Hermannus dictus Kilian, filii Oweman, in feodo a nobis et progenitoribus nostris optinebant, in manus nostras // resignaverunt, nos ipsum molendinum Rudolfo advocato nostro in Dipburg, Immeche uxori sue, eorumque pueris et heredibus omnibus concessimus hereditario iure perpetuo pacifice possidendum, ita quod ipse R. vel heredes sui · · decano et capitulo Frankenvordensi annis singulis in festo beati Martini quinque solidos levium denariorum dent in remedium anime patris Ulrici et Alhedis matris nostre et representent, et quod memoria nostri post decessum nostrum una cum patre et matre nostra memoria in ecclesia Frankenvordensi habeatur cum vigilia de nocte et in missa mane, ac dicte quinque solidi fratribus presentibus dividantur. Huic concessioni et ordinationi interfuerunt: Fr. de Marburg, Johannes de Husenstam, Wer. de Colenhusen, Wer. scultetus in Mincemberg, E. de Dra, Orto, Herbort Furhulze, Hezecho de Gridelo, Markelo de Colenhusen, Godebolt, Arnolt Wiselo, Geilinc, Dudo, Drabodo, Heinricus scultetus in Babenhusen, Heinricus Furhulze, Wigandus de Dudelsheim, Ulnere, Anshelm, Graloc, Cunradus de Brunigesheim, Johannes notarius. Scabini: Lanzo, Cunradus Ulnere, Wer. centgrevo, Cunradus Colman, Cunradus Dirolf, Heinricus Gremesere, Giselere, Bolso, Hartrat, Wer. Drunkelen, et alii quam plures. In cuius rei memoriam et concessionis ac donacionis nostre memoriam, presens scriptum sigilli nostri munimine roboravimus. Anno domini M. C̊C̊. L̊. IĪII., VI. kal. ianuarii.

> *Or. Pgmt. mit Siegel. St. A. Darmstadt. — Grotefend.*
>
> *Gedr.: B, 87 nach Vidimus des Frankf. Stiftscapitels. Steiner, Bachgau, III, 171 nach dem Or.? zu 1254. Simon, Büdingen, I, 150.*
>
> *Verz.: Scriba, I, No. 390.*


**176.** *Philipp von Falkenstein verzichtet gemeinschaftlich mit seiner Gemahlin Isengard auf alle Ansprüche, welche er von der letzteren her an die von deren Grossvater Cuno von Minzenberg dem Deutschorden geschenkten Güter zu Sachsenhausen und Wöllstadt hat. 1253.*

Ne facta digna memoria processu temporis evanescant et pereant, pruden//tum virorum debent testimonio roborari. Sciant presentes et noscant fu//turi, quod ego Philippus de Valkensthein una cum uxore mea Isengardi, fili//a domini Ulrici pie

memorie, omne ius hereditarium, quod me contingit habere racione dotis iam dicte
uxoris mee, de bonis in Sassenhusen et in Wllenstat, que dominus Cûno pie memorie,
avus uxoris mee, deo et sancte Marie et fratribus de domo Theuthonica contulit, bona
voluntate in remedium peccaminum nostrorum deo et sancte Marie et fratribus de domo
Theuthonica confero imperpetuum. Acta sunt hec anno domini M. CC. L. III.

> *Or. Pgmt. mit zerbrochen abhangendem Siegel des Ausstellers. Wien, Deutschordens-*
> *Centralarchiv. Verz.: Pettenegg, No. 250.*
> *Gedr.: B., 88 nach dem Or. = Hennes, I, 143. Auszug: Buri, Bannforsten 92, Thomas.*
> *Oberhof, 435.*
> *Verz.: Scriba, II, 456.*

**177.** *Das Kloster Meerholz erlässt dem Frankfurter Schultheissen Wolfram und dessen*
*Brüdern gegen die Uebertragung eines Mansus in Nieder-Gründau und drei Mark*
*den Jahreszins von einem steinernen Hause in Frankfurt. 1253.*

Isengardis magistra et conventus sororum cenobii Mieroldis. Per presens scriptum
notum esse volumus universis tam // presentibus quam futuris, quod cum Wolframus miles
scultetus in Frankenvûrt et fratres sui ecclesie nostre mansum in Grinda // inferiori
et tres marcas pecunie numerate contulerint et nihilominus renunciaverint actioni,
quam sibi conpetere asserebant contra // nos super quodam manso, manso contiguo
memorato, nos remittimus censum annuum XX solidorum, quem nobis iidem deputaverant
de quadam domo lapidea in Frankenvûrt recipiendum, et ipsos et domum inantea de
solucione census nominati pronunciavimus et pronunciamus penitus absolutos. In cuius
facti evidenciam eisdem presentes litteras, ad cautelam in posterum valituras, sigillo
domini prepositi de Selbolt et nostro duximus muniendas. Actum anno M. CC. LIII.
Testes: Rudolfus miles de Selbolt, Bertoldus de Heldebergin, Heinricus Clobeloch,
cives in Frankenvûrt, et alii plures.

> *Or. Pgmt. Anhängend 1) Siegel-Rest, zweites Siegel stark beschädigt. St. A. Fr. Frankenstein*
> *Urk. No. 2.*
> *Gedr.: B., 88, Reimer, I, 213, beide nach dem Or. .*

**178.** *Das Kloster Seligenstadt bekundet, dass es dem Deutschordenshause zu Sachsen-*
*hausen eine Hube zu Düdelsheim unter genannten Bedingungen übertragen*
*habe. 1253.*

In nomine sancte trinitatis imperpetuum. Nos Scaredus dei gracia abbas et
conventus in Selingestat constare volumus universis hanc literam inspecturis, quod nos
hubam unam, Dudelnsheim sitam, quam Godebaldus de eadem villa quondam sub
emphiteotico contractu possidebat, ipso annuente, fratribus de domo Teutonica residentibus Sassenhusen concessimus, sub hac forma, quod quattuor unceas in festo sancti
Martini cum debitis serviciis, que de bonis predictis sicut de aliis, que eodem iure
nobis ibidem derserviunt, camerario nostro exhibeant annuatim, preterea mansionario,
qui illic fuerit institutus, mortuo vel translato, dabitur camerario iam dicto melius caput,
quod in eadem curia duxerit eligendum. Ut igitur acta presencia robur perpetue
firmitatis obtineant, presens scriptum eis contulimus sigillis huiusmodi roboratam. Acta
sunt hec anno domini M. CC. LIII., indictione XI.

> *Abschrift im Deutschordens-Dokumentenbuch f. 213. St. A. Stuttgart. — Von Nathusius.*

**179.** *Gerhard, Erzbischof von Mainz, verleiht allen denjenigen, welche zur Vollendung der Dominikanerkirche in Frankfurt beisteuern und deren Einweihung beiwohnen, einen Ablass. Mainz, 1254 Juli 10.*

Nos Gerhardus dei gracia sancte Maguntine sedis archiepiscopus, sacri imperii per Germaniam // archicancellarius. Omnibus vere penitentibus et confessis per Maguntinam provinciam // constitutis, qui ad fabricam ecclesie, in honore sancte Marie virginis apud domum // fratrum Predicatorum in Frankenford nostre diocesis inchoatam, que auxilio fidelium plurimum dinoscitur indigere, quia proprie ad hoc non suppetunt facultates, manum porrexerint karitatis, et qui ad dedicacionem ecclesie ipsius devote convenerint, quadraginta dies de iniuncta sibi penitencia et annum venialium misericorditer relaxamus. Omnes eciam indulgencias, quas venerabiles patres archiepiscopi et episcopi quicumque ad predictam ecclesiam rite contulerint, ratas et gratas habemus presencium testimonio litterarum. Datum Maguntie. Anno domini M̊. C̊C̊. LIĬII., VI. idus iulii, pontificatus nostri anno tercio.

*Or. Pgmt. mit Siegelresten an rothseidenen Schnüren. St. A. Fr. Dominikaner Urk. No. 9.*
*Gedr.: B., 89 nach dem Or. .*

*Verz.: Will, Mainz. Reg., XXXV, No. 102. Thomas, Fr. Archiv, II, 116, Batton, II, 126 mit IV. id. iul.*

**180.** *König Wilhelm bestätigt den Frankfurtern alle Freiheiten und Rechte, deren sie sich bisher erfreuten. Leyden, 1254 August 9.*

Wilelmus dei gracia Romanorum rex, semper augustus. Universis presentes litteras inspecturis graciam suam // et omne bonum. Volentes dilectos fideles nostros cives Frankenvordenses speciali prosequi gracia et favore, // eis tenore presentium promittimus bona fide, quod nos eos in omnibus libertatibus et iuribus ipsorum, // quibus a preclaris predecessoribus nostris imperatoribus et regibus hactenus sunt gavisi, conservabimus absque dolo, dictas libertates dictaque iura non minuendo eis, sed ex regali clementia in omnibus quibus possumus favorabiliter ampliando. Concedentes eis presentes litteras in testimonium predictorum. Datum Leyde, V. idus augusti, indictione XII. Anno domini M̊. C̊C̊. quinquagesimo IIII.

*Or. Pgmt. mit Siegel an Pgmtstreifen. St. A. Fr. Priv. No. 8  Verz.: Fr. Invent., III, 1.*
*Gedr. nach dem Or.: P. et P., I, 5, II, 5 = Lünig, R. A. XIII, 595. B., 89.*
*Verz.: B.-F. No. 5198.*

**181.** *Derselbe befreit die Frankfurter Bürger von der Verpfändung an die Edlen der dortigen Gegend und verspricht ihnen, sie ferner nicht mehr vom Reiche veräussern lassen zu wollen. Leyden, 1254 August 10.*

Wilelmus dei gracia Romanorum rex, semper augustus. Universis inperii(!) fidelibus graciam suam et // omne bonum. Ex benignitate regia provocati, dilectos fideles nostros cives Frankenvordenses, // quos amplectimur affectione sincera, absolvimus liberaliter et benigne ab obligacione, quam feceramus // nobilibus terre illius, nec volumus ipsos ammodo distrahi, vel obligari, sive alienari, aut infeodari, sed ad servicia nostra et inperii decernimus ipsos de cetero conservandos. Datum aput Leyden, IIII. idus augusti, indictione XII. Anno domini M̊. C̊C̊. L̊. quarto.

*Or. Pgmt. mit Siegel an Pgmtstreifen. St. A. Fr. Priv. No. 9. Verz.: Fr. Invent. III, 1.*
*Gedr. nach dem Or.: P. et P., I, 6, II, 5. = Lünig, R. A., XIII, 595. B., 90.*
*Verz.: B.-F. No. 5199. Dieselben beiden Privilegien erhielt Oelnhausen. Reimer, I, No. 295, 296.*

**182.** *Eberhard von Echzel trägt Graf Diether von Katzenellenbogen Güter in Güsen-heim, die er von Adelheid, Mutter des Schultheissen Wolfram von Frankfurt, ge-kauft hatte, zu Lehen auf. 1254 August 23.*

*Abschrift im Katzenellenboger Kopialbuch zu Darmstadt — Grotefend.*
*Gedr.: Wenck I, Urkb. 22, wo im Druck aber 1258 steht. Vgl. Thomas, Fr. Arch., II, 117.*

**183.** *Der Schultheiss Wolfram, die Schöffen und Bürger von Frankfurt bekunden, dass Heinrich Knoblauch und dessen Frau Guda dem Kloster Thron benannte Liegen-schaften in Bockenheim, Rödelheim und Frankfurt geschenkt und ausserdem nach ihrer beider Tode das Kindtheil ihrer Tochter Guda zugewendet haben. 1254 October 4.*

Nos Wolframus scoltetus, scabini et universi cives Frankinfordenses. Notum esse volumus presentium lit//terarum inspectoribus et auditoribus universis, quod Heinricus Clobeloch et Guda uxor sua communicata ma//nu et pari consensu coram nobis con-tulerunt iuste ac rationabiliter pre aliis pueris suis ecclesie ad Tro//num sancte Marie omnia bona eorum in Buckinheim, que fuerunt quondam Betdoldi Brestonis, item novalia in Rethilnhem, item duas marcas censuum Coloniensium denariorum. De quibus solvit domus Selginstederen unam marcam, item Heinricus Pistor octo solidos Colonien-sium, item Conradus de Olmena quatuor solidos Coloniensium. Que omnia tenebit in perpetuum prefatum monasterium libere et quiete. Preterea hereditaverunt eandem ecclesiam rite et legitime, sic quod post mortem ipsorum equalem portionem percipere debet de omnibus bonis eorundem mobilibus et inmobilibus cum reliquis pueris sepe-. dictorum, filia eorum Guda vivat tunc vel migraverit de hac luce. Adiectum est etiam, si dominorum tribulatione[a] et paupertatis sarcina oppressi fuerint, quod sine recla-matione et obstaculo puerorum et heredum suorum et ecclesie memorate possunt et debent dictus H. et G. de omnibus bonis suis suum gravamen, periculum et incom-modum resarcire. Testes sunt: W. scoltetus, Helwicus, Gotscalcus et Rudolfus fratres sui, Wicgerus, C. de Gisinheim, H. de Holzhusen, Jacobus, C. de Wullinstat, H. de Wetflaria, Joannes Golstein, Siffridus de Gisinheim, Herburdus, Folmarus, Conradus de Ovinbac, Bicgelinus, Bechdoldus de Heldebergen, Godefridus de Stockheim, Meisin-bûgus, Conradus de Sahsinhusen, et alii multi. In huius facti robur et testimonium presens scriptum damus nostri sigilli munimine confirmatum. Actum anno domini M. CC. LIIII., in die beati Francisci.

*Or. Pgmt. mit Siegelrest. Eybach, gräfl. Degenfeldisches Archiv.*
*Gedr.: B, 90 nach Abschrift in Fichards Collectaneen, vgl. Frankf. Mitth., V, 237 = Sauer, I, 337. Reimer, I, 215 nach dem Or. (hier wiederholt), Auszug: Thomas, Oberhof, 435. Verz.: Scriba, II, No. 459, Görtz, Mittelrhein. Reg, III, No. 1147.*

**184.** *Das Stiftscapitel zu Frankfurt gewährt seinem Dechanten Friedrich genannte Ver-günstigungen und Vortheile, um denselben für Auslagen im Dienste des Capitels (Neubau des Dechaneihofes, Reise) zu entschädigen. 1254 October 28.*

In nomine sancte et individue trinitatis. Quoniam ea, que geruntur in tempore, ne cum tempore labente a memoria hominum // elabantur, necesse est scripture testi-monio roborari. Ea propter nos capitulum ecclesie Frankenfordensis notum esse volumus tam // presentibus quam futuris, quod domino F., decano nostro, ne edificia circa curiam decanie sumptuose incepta inperfecta relin//quat, pari consensu et voce unanimi concedimus, indulgentes, ut si decanatum suum, quocunque casu contingente,

a) *Or.* „tribulatone".

resignare decreverit, quod successor ipsius, quem ad ipsam dignitatem duxerimus eligendum, ante ingressum curie octo marcas Coloniensium denariorum pro recompensatione expensarum in edificiis eiusdem curie factarum ei conferat, sub hac forma, quod dictus dominus F., concanonicus noster, reditus, vel curiam, sive domum cum denariis ipsius emat, quibus tempore vite sue utatur, et postmodum ad ecclesiam Frankenfordensem redeant absolute. Item adicimus, ut si vitam terminaverit in decanatu existens, de edificiis sumptibus suis circa predictam curiam factis quinque solidos Frankenfordensis monete preter priores quinque solidos ab ipsa curia ab antiquo solutos ecclesie nostre legavit in anniversario suo annuatim solvendos, quod utique a quibuslibet successoribus suis perpetuo statuimus observari. Preterea cum quondam sepedictus dominus F., noster concanonicus, tempore turbationis huius in negotiis ecclesie nostre satis arduis mitteretur et in itinere illo casu fortuito caperetur, labores et incommoda sustinuit infinita, necnon expensas fecit in captivitate, quas ad triginta marcas legalis pecunie estimavit, cum autem huiusmodi dampnum apud ecclesiam requireret cum instantia et ecclesia esset insufficiens in solvendo, ei pro recompensatione huius dampni duximus indulgendum, ut, si decanatum suum resignaverit, sicut predictum est, absentiam suam tamquam simplicis canonici per decennium tolleremus, sub hac conditione et forma, quod medietatem prebende sue annuatim ei cum integritate debita ministremus, de reliqua vero parte ordinemus, quodcunque nobis et ecclesie viderimus expedire. Prefati quoque decem anni incipient currere continue, cum desierit esse decanus, quia eo existente decano absentiam suam nullomodo patiemur. Quocunque autem anno infra terminum sibi indultum hac indulgentia gaudere voluerit, nos prescire faciet mensem unum et vadat. Si vero post decursum aliquorum annorum redire voluerit, nos mensem iterum prescire faciat et redeat prebendam integre percepturus. Item adicimus, quod in absentia sua ei reservabimus ius electionum, in presentia autem eum ad omnia iura, que ratione canonie competunt, admittemus. Hac igitur indulgentia et omnibus aliis prenotatis, nisi forte a superiore aliquo irritentur, gaudebit libere, renunciando pure et absolute omni actioni, quam habuit contra capitulum et personas. Et ut ista omnia robur habeant firmitatis et a partibus, tam decano, quam capitulo, inviolabiliter observentur, presens decretum sigillorum nostrorum munimine roboramus. Actum anno M. ducentesimo quinquagesimo IIII., quarto kalendas novembris.

> *Or. Pgmt. Anhängend 1) das beschädigte Capitelssiegel, 2) Siegel Friedrichs. St. A. Fr. Barth. St. No. 181.*
>
> *Gedr.: B., 91 nach dem Or. Vgl. Fichard, Wetteravia, I, 88.*


**185.** *Bischof Heinrich von Oesel ertheilt für den beabsichtigten Kirchenbau der Dominikaner in Frankfurt ihren Wohlthätern einen Ablass. Worms, 1254.*

Frater Heinricus dei gracia Osiliensis episcopus Livoniensis. universis Christi fidelibus salutem in domino sempiternam. // Quoniam, ut ait apostolus, omnes stabimus ante tribunal Christi, recepturi, prout gessimus in corpore, sive bonum fuerit // sive malum, oportet nos diem messionis extreme misericordie operibus prevenire. Cum igitur dilecti nobis in Christo fratres // nostri ordinis Predicatorum domus Frankenvordensis ecclesiam ad honorem dei et beate virginis Marie edificare proponant, nec eis ad hoc proprie suppetant facultates, universitatem vestram rogamus, monemus et hortamur in domino, in remissionem vobis peccaminum iniungentes, quatenus de bonis vobis a deo collatis pias eis elemosinas erogetis. Nos enim omnibus vere contritis et

confessis, qui eis manum porrexerint adiutricem, annum venialium et X̊L dies criminalium de iniuncta eis penitencia misericorditer relaxamus. Datum Wormacie, anno
domini M̊. C̊C̊. LIII̊I.

*Or. Pgmt mit Hanffäden. Siegel ab. St. A. Fr. Dominikaner Urk. No. 8.*
*Gedr.: B., 92 nach dem Or. .*

**186.** *Ulrich von Minzenberg verpfändet seinem Getreuen, dem Frankfurter Schultheissen*
*Wolfram, seinen Hof in Preungesheim nebst zwei dazu gehörigen Mansen für*
*20 Mark. Minzenberg, 1254 December 31.*

Ulricus de Mincenberg. Universis presentes litteras visuris notum esse volumus.
quod nos // dilecto ac fideli nostro, Wolframo sculteto de Frankenvord, curiam nostram
sitam in villa dicta // Bruningesheim et duos mansos nostros eidem curie attinentes
pro viginti marcis Coloniensium // denariorum titulo pignoris obligavimus; tali conditione
interposita, quod quocunque tempore sibi dictam pecuniam dederimus, ipse curiam
prefatam et mansos eosdem nobis remittat ab huiusmodi obligatione liberos et solutos.
Ad huius obligationis nostre memoriam presentes litteras sigillo nostro fecimus communiri. Testes eciam huius rei sunt: consanguineus noster Gerlacus de Limpurg.
Wernherus de Colnhusen, dominus Cunradus de Solzbach, Rudegerus notarius noster.
et ceteri quam plures. Datum Mincenberg, anno domini M̊. C̊C̊. LV̊., pridie kal. ian.

*Gedr.: B., 92 nach dem Or. = Reimer, I, 217. Das Original war zur Zeit in Ullstadt*
*nicht aufzufinden.*

**187.** *Genannte Erzbischöfe, Bischöfe, Edle und Städte, darunter auch Frankfurt,*
*theilen der Stadt Köln den Abschluss des Landfriedens für die nächsten 10 Jahre*
*vom vergangenen Margarethentag an mit. [1254 Ende.]*

G. Moguntinus et C. Coloniensis dei gratia archiepiscopi, Wormaciensis et Basiliensis episcopi, C. senior ac E. iunior Silvestres comites, Ger. de Lympurg et Ul.
de Mincenberg, viri nobiles, Moguntinensis, Wormaciensis, Spirensis. Hagenowensis.
Argentinensis, Basiliensis, Sletstadensis, Columbariensis, Brisacensis, Frankenvordensis.
Geylenhusensis, Wetslariensis, Vridebergensis, Oppenheymensis, Pinguensis, Wesaliensis,
Bacheracensis, Dietpacensis et Bopardiensis civitatum cives universi. Viris providis
et honestis, iudicibus, scabinis ceterisque consulibus et civibus Coloniensibus salutem
cum dilectione sincera. Tenore presencium recognoscimus et publice protestamur. quod
fide data promisimus et corporaliter prestitimus iuramentum, quod generalem pacem
terre a festo beate Margarete proxime preterito usque ad decem annos futuros
inviolabiliter omni studio et pura fide observabimus et pro nostris viribus faciemus
eandem ab omnibus fideliter, efficaciter et inviolabiliter observari iuxta formas. conditiones et modos, qui in litteris super huiusmodi pacis observacione confectis plenius
continentur. Hec omnia et singula fideliter observabimus et complebimus contra quemlibet hominem nobis aut vobis iniurias vel violencias irrogantem. Ut autem premissis
fides plenior adhibeatur, presentem paginam sigillis(!).

*Or. Pgmt. mit 7 Siegeln. St. A. Köln.*
*Gedr.: Schaab, Städtebund, II, 22, = Reimer, I, 217. Hilgard, Urkb. von Speyer, 62.*
*Mon. Germ., Const., II, 590. Hier wiederholt.*
*Verz.: Görz, Mittelrh. Reg. III, No. 1167, Scriba, II, No. 3261.*

**188.** *Der Scholaster Arnold und Cantor G. an St. Stephan in Mainz bekunden als vom*
*Papst delegirte Richter die Beilegung eines Streites zwischen dem Kloster Eberbach*
*und den Rittern Gerlach und Werner, Gebrüdern von Bommersheim, gen. Schelm*

„de bonis in Redilnem sitis, que Wlricus quondam civis in Frankinwort et uxor sua Gertrudis communicata manu contulerant ecclesie Everbacensi." *1255 Januar 9 (quinto id. ian.).*

*Gedr. u. a.: Sauer, I, 381 nach dem Or. in Wiesbaden.*

**189.** *Die Stadt Köln tritt dem allgemeinen Landfrieden bei, welchen die Erzbischöfe von Mainz und Köln, die Bischöfe von Worms und Basel, die Wildgrafen, Gerlach von Limburg, Ulrich von Minzenberg und andere Edle, neunzehn genannte Städte (darunter Frankfurt) und andere ungenannte Städte von vergangenem 13. Juli an auf zehn Jahre gemacht haben. Köln, 1255 Januar 14.*

Venerabilibus patribus · · Moguntinensi, · · Coloniensi archiepiscopis, · · Wormaciensi, · · Basiliensi episcopis et // honorandis viris · · seniori et · · iuniori · · Silvestribus comitibus, G. de Limpurg et Ul. de Mincenberg // ac aliis nobilibus, Moguntine, Wormaciensi, Spirensi, Hagenowensi, Argentinensi, Basiliensi, Sletstadensi, // Columbariensi, Brisacensi, Frankenfordensi, Geylenhusensi, Wetflariensi, Vridebergensi, Oppenheymensi, Pinguensi, Wesaliensi, Bacheracensi, Dietpacensi, Bopardiensi, et universis civitatibus aliis, pacis federe copulatis. · · Judices, scabini ceterique consules et cives Colonienses, quicquid poterunt obsequii et honoris, cum salute sincera. Tenore presentium recognoscimus et publice protestamur, quod fide data promisimus et corporaliter prestitimus iuramentum, quod generalem pacem terre, quam vos cooperante spiritus sancti gracia ad honorem dei et salutem tocius patrie ordinastis et statuistis a festo beate Margarete proxime preterito usque ad decem annos futuros inviolabiliter observandam omni studio et pura fide observabimus et, quantum poterimus, faciemus eandem ab omnibus fideliter, efficaciter et inviolabiliter observari, iuxta formas, conditiones et modos, qui in litteris vestris super huiusmodi pacis observatione confectis plenius continentur. Hec omnia et singula fideliter observabimus et complebimus contra quemlibet hominem, domino nostro W. rege Romanorum illustri et venerabili patre domino nostro · · archiepiscopo Coloniensi dumtaxat exceptis, quos in hoc specialiter volumus honorare. Si autem ipsi pace huiusmodi non servata nobis vel vobis, quod absit, iniurias vel molestias irrogarent, nos ad propulsationem talis iniurie vel violentie contra ipsos, quantum poterimus, opponemus. In predictorum testimonium et firmitatem commune sigillum civitatis Coloniensis presentibus duximus appendendum. Actum et datum Colonie, anno domini millesimo CC. quinquagesimo quarto, crastino octave epyphanie domini.

*Or. Pgmt. mit zerbrochenem Siegel an grün-rothen Seidenfäden. Stadt-Bibl. Mainz, No. 32. — Grotefend.*
*Gedr.: B., 93 nach dem Or. Ausserdem Boos, Urkb. der Stadt Worms, I, 171 = Mon. Germ., 4°. Constit., II, 590.*
*Verz.: B.-W. No. 11699.*

**190.** *Der Schultheiss Wolfram,[1] die Ritter, die Schöffen und Bürger von Frankfurt bekunden, dass die Gebrüder Werner und Gerlach Schelm auf die 7 Mansen in*

---

[1] *Der Schultheiss Wolfram von Frankfurt wird während des Jahres 1255 in drei anderen Urkunden als Zeuge genannt: a) Wetzlar, 1255 Aug. 10 in Urk. des Grafen Adolph von Waldeck für Kloster Arnsburg, vgl. Hess. Archiv, I, 419. B.-W. No. 11722. b) Mainz, 1255 Sept. 20 (in vig. b. Mathei ap.) in Urk. des Konrad von Dornburg, vgl. Kuchenbecker, Anal. Hass, II, 245. c) Staden, 1255 in Urk. des Gerlach von Isenburg für Kloster Arnsburg, vgl. Arnsb. Urkb., 209, Guden, Cod. Dipl., III, 1124. Verz.: Scriba, II, No. 477.*

*Rödelheim gänzlich verzichtet haben, welche ursprünglich Ulrich Lange und Gertrud,
seine Gattin, dem Kloster Eberbach geschenkt, deren sich aber die genannten Brüder
während der bösen Zeiten unbefugter Weise bemächtigt hatten. 1255 Januar 15.*

Quoniam ea, que geruntur in tempore, ne cum tempore labente a memoria hominum
elabantur, necesse est scripture testimonio roborari. // Ea propter nos Wolframus
scoltetus, milites, scabini ceterique cives Frankenfordenses notum esse volumus tam
presentibus quam futuris, quod Ulricus // Longus et Gerdrudis uxor sua, quondam
nostri concives, legaverunt et donaverunt ob reverenciam beate virginis dei genitricis
Marie et in remissionem suorum pec//caminum ecclesie in Ebberbac semptem(!) mansos
sitos in Redilnheim cum curiis, pratis, et aliis appendiciis suis possidenda liberaliter
ac quiete tempore sempiterno. Que aliquo tempore fratres Wernerus et Gerlacus
dicti Schelmones contra omnem iusticiam indebite tenuerunt, et hoc memoratam ecclesiam de necessitate oportebat sustinere, quia tunc propter statum terre pessimum de
ipsis non potuit aliquatinus consequi iusticie complementum. Nunc vero compulsi per
rigorem iuris, volentes etiam consulere suis conscienciis, prefati fratres W. et G.
renunciaverunt coram nobis eisdem bonis, cum omni integritate illa assignantes et
recognoscentes monasterio prelibato. Testes sunt: Wolframus scoltetus, Conradus
dictus Meisinbûg, Conradus de Sahsinhusen, Heinricus de Gotdele, Gotscalcus, Helwicus et Rudolfus, fratres, villici, milites; Heinricus dictus Alleum, Wicgerus de
Ovinbac, Conradus de Wullinstat,* Conradus et Siffridus de Gisinheim, Jacobus, Betdoldus de Heldebergen, Heinricus de Holzhusen, Joannes Golstein, Herburdus de
Ovinbac, Heinricus de Wetflare, Conradus de Ovinbac, Folmarus suus frater, scabini,
et multi alii. Ut autem hec perhenne robur optineant et memoriter observentur,
presens scriptum damus super eo nostre civitatis sigilli munimine roboratum. Actum
anno domini millesimo ducentesimo quinquagesimo quinto, proxima feria sexta post
octavam epiphanie.

*Or. Pgmt. Anhängend Stadtsiegel (No. 2) zerbrochen. In dorso: „Ponatur cum litteris
de Haselach" (fast gleichzeitig). St. A. Wiesbaden.*

*Gedr.: B., 93 nach Abschrift Fichards „ex copia". Rossel, Eberb. Urkb., II, 63 zu
Jan. 11. Auszug: Sauer, I, 382 zu Jan. 15.*

*Verz.: Scriba, II, No. 465. Roth, Quellen, I, 74 u. 75 zweimal! . Görz, Mittelrhein. Reg., III,
No. 1168.*

**191.** *Ulrich von Minzenberg verzichtet zu Gunsten des Deutschordens auf alle Ansprüche
an das Haus in Sachsenhausen und das Patronat zu Wöllstadt, welche sein Vater
demselben geschenkt hatte. 1255 Januar 19.*

Omnibus presentem paginam inspecturis, ego Ulricus de Mincenberg notum facio,
quod // controversiam, quam habui ad fratres hospitalis sancte Marie de domo Theutonica super donatione // domus in Sachsenhusen, quam dominus Ulricus felicis memorie,
pater meus, eisdem fratribus dedit // cum omnibus appendiciis suis, agris, vineis,
nemoribus, piscationibus et pascuis, et etiam patronatus ecclesie in Wullenstat, quem
similiter eis dedit cum decimis et dotibus et ceteris ad ius ecclesie pertinentibus, ad
consilium bonorum virorum, qui me iniuste moveri iudicant in hac parte, relaxo propter
deum et ad honorem virginis gloriose, ita dumtaxat, ut hospitalitas et opera misericordie indigentibus exhibeantur ibidem, sicut primo fuerat constitutum. Promitto etiam
bona fide, quod omnem inpetitionem et inpedimentum, si quod ab heredibus predictorum
bonorum super donatione predicta, quod absit, ingruerit, removebo. Ut autem hec
rata et inconvulsa permaneant, presens scriptum sigilli mei appensione volui communiri.

a) *Or. „Wllnstat."*

Actum anno gracie M. CC. LV., quartodecimo kal. februarii, presentibus hiis testibus: domino Bertoldo comite de Cigenhagen, domino Friderico de Martburg, domino Johanne de Husenstam, Wernero milite de Colehusen, Francone milite de Morle, Erlewino milite de Draha, Johanne notario, et aliis quampluribus.

*Or. Pgmt. mit Siegelrest an rothseidener Klöppelschnur. Wien, Deutschordens-Centralarchiv. Verz.: Pettenegg, No. 264.*

*Gedr.: B., 94 nach dem Or. = Hennes, I, 147. Vgl. Buri, Bannforsten, 92, Grüsner, Beiträge, III, 88. Auszug: Thomas, Oberhof, 436.*

**192.** *Ulrich von Minzenberg erneuert seinen in der vorigen Urkunde enthaltenen Verzicht unter Zustimmung seiner Gattin Helwigis, bestätigt seinerseits die Schenkung und verspricht die Ansprüche Dritter abzuwehren. 1255 Januar 19.*

In nomine domini, amen. Que fiunt in tempore, ne transeant cum tempore, testimonio literarum debent confirmari, ut in posterum a malignis hominibus non possit calumnia suboriri, ego igitur Ulricus de Minzenberc // notum facio omnibus presentes paginas inspecturis, quod domum illam in Sasseinhusen, quam nunc fratres hospitalis sancte // Marie de ordine domus Theutonice inhabitant, cum omnibus appendiciis suis, agris, vineis, nemoribus, piscationibus et pascuis, et patronatum ecclesie in Wllenstat cum decimis et dotibus et ceteris ad ius ecclesie pertinentibus, sicut a bone memorie avo meo domino Cunone et patruo Cunone similiter predicte domui Theutonice et fratribus tradite sunt, ad serviendum inibi deo et pauperibus, ad sectandam hospitalitatem, et ad exercenda opera misericordie et ad subsidium terre sancte; licet pater meus pie recordationis dominus Ulricus, et frater meus Cuno defunctus, et ego donationem prefatam a predictis parentibus et antecessoribus nostris factam ratam non habuerimus et impugnaverimus eam, tamquam facta fuerit non rite, quia nunc ad me omnis actio, ut michi visum est, est devoluta, renuncio omnino iuri meo, siquod habui vel habere visus sum, propter deum et salutem anime mee, ita duntaxat, ut, sicut antiquitus est statutum, opera misericordie et hospitalitas in pauperes exerceatur ibidem, nec quicquam ex his depereat, ne aliquid videar deo subtrahere de his, que pertinent ad ipsum, confero predicte domui quiete possidenda, promittens bona fide, quod siqui de heredibus aut coheredibus meis impetere vellent, quod absit, et impedire elemosinam parentum nostrorum, omnem removebo actionem et salvabo et liberabo eis sepedicta bona omnia, a quocumque fuerint impetita. Ut autem hec inconvulsa et inconcussa habeatur donacio sive iuris mei abrenunciatio sive composicio vel alio quocunque nomine censeatur, presentem paginam sigilli mei appensione volui communiri. Acta sunt hec de verbo et consensu dilecte coniugis mee Helwigis, anno gracie M. CC. LV., XIV. kalendas februarii, presentibus testibus, domino Bertoldo comite de Cygenhagen, domino Friderico de Marburc, domino Johanne de Husinstam, Wernero milite de Colenhusen, Francone milite de Morle, Eberwino milite de Draha, Johanne notario, et aliis quam pluribus.

*Or. Pgmt. Das Siegel ist von den roth-gelb seidenen Fäden abgerissen. St. A. Darmstadt. — Von Nathusius.*

*Gedr.: Baur, Hess. Urk., I, 77 gekürzt. Diese Urkunde ist bei Scriba, II, No. 466 irrig zusammen mit der vorigen verzeichnet.*

**193.** *König Wilhelm schenkt dem Kloster Thron sechs Pflüge urbares Land in dem abgeholzten Theile des Waldes Lindau bei Frankfurt, unter Vorbehalt der Rückerwerbung für 100 Mark. Gelnhausen, 1255 März 18.*

Willelmus dei gracia Romanorum rex semper augustus. Universis sacri imperii fidelibus presentem paginam inspecturis // graciam suam et omne bonum. Noverit tam presens etas quam successura posteritas, quod nos de providentia // consilii nostri locum et fundum nemoris apud Frankefort,[a] quod Lindehe dicitur, in ea quantitate et esti//matione, quantum competit laboribus sex aratrorum, in ea parte, ubi nemus resecatum est, claustro de Throno sancte Marie contulimus propter deum. Volentes. ut quicquid ibidem excolere poterunt utilitatis, libere deinceps possideant et quiete. Mandamus igitur auctoritate regia firmiter precipientes, ut nullus sit, qui dictum monasterium et sorores ibidem altissimo famulantes in predictis bonis audeat molestare, seu dampnum eis aut gravamen aliquod irrogare. Quod qui facere presumpserit, iram tremendi iudicis nostreque celsitudinis gravem indignationem se noverit incursurum. Preterea id adiciendum duximus et nobis et imperio in donatione huiusmodi reservandum, quod si nos vel successores nostri emere voluerimus[b] predicta bona, pro centum marcis possimus libere rehabere. In cuius rei testimonium presentes litteras exinde fieri fecimus et nostro sigillo muniri. Datum Geylenhusen, XV. kl. april. . Indictione XIII. Anno domini M̊. C̊C̊. L̊. quinto.

> *Or. Pgmt. mit Siegelbruchstück an bunten Seidenschnüren. St.-A. Wiesbaden, Kl. Thron.*
> *Gedr.: Meerman, Geschiedenis, V, 210. Sauer, I, 384 nach dem Or. .*
> *Verz.: B-F. No. 5243.*

**194.** *Werner, Propst am Dom und zu St. Mariengreden in Mainz, bestätigt nach dem Vorgange des Erzbischofs Gerhard und des Mainzer Domcapitels dem Deutschorden den Besitz des Patronats zu Nieder-Wöllstadt (Wullenstat). Mainz, 1255 Juni 10. (IIII id. iun.)*

> *Gedr.: Baur, Hess. Urk., I, 79 gekürzt nach dem Or. zu Darmstadt.*

**195.** *Derselbe gestattet den Deutschordensbrüdern zu Sachsenhausen die Kirchen zu (Nieder)-Mörle und Wöllstadt mit tauglichen Ordensgeistlichen zu besetzen. Steinheim, 1255 Juni 23.*

Religiosis viris, in Christo dilectis · · conmendatori ceterisque fratribus domus Theutonice // in Sassenhusen, W., dei gratia maioris et sancte Marie ad Gradus ecclesiarum prepositus Maguntie, salutem in eo, qui est omnium vera salus. Ut ad ecclesias vestras in Morle et in Wullenstat fratres de vestro ordine, quos ad regimen ipsarum videritis idoneos, instituere et etiam removere possitis pro vestre beneplacito voluntatis, vobis presentium testimonio indulgemus, salvo per omnia nostro iure. Datum apud Steinheim, anno domini M. CC. L. quinto, in vigilia beati Johannis baptiste.

> *Or. Pgmt. mit abhangendem guterhaltenen Siegel. St. A. Darmstadt. — Grotefend.*
> *Gedr., gekürzt und sehr fehlerhaft: Baur, Hess. Urkb., I, 79.*
> *Verz.: Scriba, II, No. 472 irrig zu Juni 25.*

**196.** *Der rheinische Städtebund bittet den König Wilhelm, die auf dem Städtetag zu Mainz am 29. Juni 1255 beschlossenen Satzungen des Landfriedens zu bestätigen. Mainz, 1255 Juni 30.*

Glorioso domino suo, Romanorum regi Wilhelmo. Consules et iudices plus quam LXX. civitatum superioris Germanie, reverenciam et obsequium perhennale. Excellencie vestre tenore presencium declaramus, quod nobis apud Magunciam existentibus die XXIX. mensis iunii ad generale colloquium, mediante nobili viro

A. de Waldecke, imperialis aule iusticiario, firma pax et treuge stabiles super universis guerris et discordiis sunt statute. Quapropter maiestatem vestram regiam humiliter exoramus et consulimus, quantum licet, quatenus pacem terre salubriter inchoatam per litteras magnipotencie vestre iam dignemini confirmare, eo quod vestrum commodum, utilitatem, salutem importare dinoscitur et honorem; scientes, quod vestre serenitatis adventum nobis salubrem ad partes nostras cum ingenti desiderio prestolamur. Datum apud Magunciam, ultima die mensis iunii.

> *Gedr.: Beka, ed. Buchelius, 80 = B., 95. Mon. Germ. 4°. Constit., II., 592. Hier danach wiederholt.*
>
> *Verz.: B.-W. No. 11720.*

**197.** *König Wilhelm beauftragt die Schultheissen in Oppenheim und in Frankfurt mit dem Schutze der Rechte des Klosters Eberbach. Oppenheim, 1255 November 10. (IIII. id. nov.)*

> *Verz.: B.-F. No. 5284, Scriba, I, No. 407, ausserdem gedr. im Auszuge: Sauer, I, 388.*

**198.** *Derselbe bestätigt den vom Rheinischen Städtebund geschlossenen Landfrieden und macht mit Einwilligung der Herrn und Städte verschiedene Satzungen zur Vermeidung von Streitigkeiten. Oppenheim, 1255 November 10.*

Wilhelmus dei gracia Romanorum rex, semper augustus. Universis presentes litteras inspecturis dilectis fidelibus suis graciam suam et omne bonum. Gracias agimus domino deo nostro, graciarum omnium largitori, pro eo, quod, clamoribus pauperum, bellorum et guerrarum temporibus ex affliccione continua per perversorum tirannidem miserabiliter oppressorum, auditis paterne et misericorditer exauditis, tranquillitatem et pacem, que iam dudum exilium passa est, largiflua sue pietatis gracia per ministerium et labores humilium maxime hiis diebus, quibus Romani regni gubernacula feliciter obtinemus, miraculose et potenter induxit et contulit toti mundo ad laudem et gloriam sui nominis ac salutem et commodum tocius populi christiani. Nos igitur in nomine domini nostri Jhesu Christi pacem instauratam salubriter et consulte iuratam totis affectibus et puro corde zelantes auctoritate maiestatis regie confirmamus, volentes et desiderabiliter affectantes, ut clerici seculares, monachi, moniales et omnes religiosi cuiuscunque ordinis, laici eciam et iudei huius pacis et tranquillitatis commodo gaudeant perpetuo et fruantur. Ut autem inter nobiles terre et civitates non possit dissensionis et discordie scrupulus suboriri, per quem hoc sanctum pacis negocium impediri valeat vel turbari, de concordi consensu et unanimi voluntate nobilium et eciam civitatum ex matura deliberacione nostri consilii sic decrevimus statuendum, ut nobiles et domini terre iudiciis suis iuste utantur ac iura sua per omnia obtineant, sicut debent; ab illis eciam hominibus, qui in eorum iurisdiccionibus commorantur, ea servicia et iura recipiant et requirant, que ipsi et progenitores eorum ante triginta vel quadraginta seu quinquaginta annos iuste facere consueverunt, et illis eciam ipsi domini sint contenti. Omnes eciam [ecclesie],[a] civitates [et oppida] et earum quelibet iuxta specialia iura sua gaudeant [perpetuo] et fruantur pacifice et quiete illis libertatibus, honoribus et iuribus generalibus et specialibus, que obtinuerunt hactenus ex antiquo. Si autem nobiles et domini predicti per civitates sibi illatas iniurias conquerantur, ipsi propter hoc nullum captivabunt ex eis, nec eorum pignora capient, nec eciam ex motu proprio contra ipsos procedent aliquatenus ad vindictam, sed coram nobis vel A. comite de Waldecke, nostro iusticiario, aut · · sculteto Bopardiensi, · · sculteto Frankenvordensi, · · Oppenheimensi, · ·

---

a) *Die in Klammern gesetzten Worte finden sich nur in einzelnen der vier Originale. Vgl. Mon. Germ. l. c.*

Hagenowensi vel · · Columbariensi sculteto suas iniurias recto iudicio et per iustam sentenciam prosequentur. Civitates eciam [et oppida] iniurias suas, si que ipsis illate fuerint, iusto iudicio, sicut premissum est, coram nobis vel aliis prosequentur: ita quod quilibet nobilis et unaqueque civitas et oppidum recursum habeat ad iudicem unum de predictis plus sibi vicinum pro suis iniuriis prosequendis. Si autem civitates et oppida propter negligenciam iudicis non poterunt iudicium et iusticiam obtinere, extunc nobiles et civitates propter observacionem pacis iurate totis viribus eorum collectis contra illum iniuriatorem procedent hostiliter, nec ex eo pax censebitur violata. Si vero civitates vel oppida aliqua, nobiles vel quicunque alii pacem violaverint in aliquo predictorum, sub obtentu gracie nostre districtissime precipimus, ab omnibus pacis federe coniuratis procedi hostiliter contra illos, ut sic pax omnimodo reformetur et in posterum inconcussa permaneat et illesa. Ut autem hec salubria et iusta nostra statuta rata et firma permaneant et ab omnibus inviolabiliter observentur, has litteras regie maiestatis sigillo duximus roborandas. Actum apud Oppenheim, anno domini M. CC. LV., in vigilia beati Martini, indictione XIIII.

*Gedr.: B., 95 nach dem Or. Pgmt. im St. A. Worms. Jetzt gedr. nach den Or. Pgmt. im St. A. Köln, im Reichsarchiv zu München (2 Or.) und im St. A. Worms: Mon. Germ. 4°. Constitutiones, II, 477. Hier danach wiederholt.*

*Verz.: B.-F., No. 5282*

**199.** *Gerhard, Propst in Frankfurt, überträgt dem dortigen Stiftscapitel die zu seiner Propstei gehörige Kapelle zu Fechenheim, um aus deren Einkünften die Aemter eines Scholasters und eines Cantors zu dotiren, deren Besetzung dem jeweiligen Propste zustehen soll. 1255 November 13.*

G. dei gratia prepositus in Frankenfort. Noverint universi, quod capellam in Vechenheim//, cuius collatio, institutio, seu presentatio ratione dicte preposalture ad nos pertinere[a] dinos//citur, accedente consensu venerabilis domini ac patris nostri G. archiepiscopi et capituli Moguntini // ecclesie beati Bartholomei in Frankenfort cum omni iure,[b] quod in ipsa capella habemus, libere conferimus propter deum ad honorem sancti Bartholomei, nostram parentumque nostrorum memoriam perpetuo peragendam. Ita tamen, ut duo creentur officia ad divinum cultum necessaria, scolastria videlicet et cantoria, ut in aliis ecclesiis haberi solet, quibus proventus supradicte capelle, cum primum ipsam vacare contigerit, perpetuo debeant deservire. Hoc eciam[c] adiecto, quod ad prepositum loci, qui pro tempore fuerit, officiorum collatio pertineat eorumdem. Actum anno domini M. CC. LV., idus novenbris (!).

*Or. Pgmt. mit abhängendem beschädigten Siegel. St. A. Fr. Barth. St., No. 2755. Der Druck bei B., 96 beruht auf einem anderen, z. Z. nicht auffindbaren Original, von dem eine ungenaue Copie des 16. Jahrh. (Barth. St., No. 285) vorhanden ist.*

*Ausserdem gedr.: Würdtwein, Dioc. Mag., II, 481. Reimer, I, 228 nach diesem Or. . Vgl. Lersner, I[b], 105.*

*Verz.: Will, Mainz. Reg., XXXV, No. 146.*

**200.** *Die Stadt Wetzlar bekundet, dass der dortige Bürger Hartrad Blido und dessen Frau Elisabeth ihre Güter in der Stadt Wetzlar und in Langengöns dem Deutschorden zu Sachsenhausen nach ihrem Tode geschenkt und bis dahin für eine jährliche Recognition an das Ordenshaus in Pacht übernommen haben. 1255 December.*

Judices, scabini et universi cives Wetflarienses, omnibus in perpetuum. Quoniam, que in tempore agitur (!), in oblivionis precipitium subito labitur, // cautum est, ut actus temporales litterarum apicibus perhennentur. Noverint igitur tam presens etas,

a) *Vorlage B.'s „spectare".* b) *„iuri".* c) *Fehlt bei B.*

quam futura posteritas, quod Hartradus Blido et // Elizabet uxor sua, cives Wetflarienses, pia ducti devocione, tradiderunt communicata manu in animarum suarum remedium et salutem // se et universa bona, que in civitate Wetflariensi et in villa Langengunse nunc habent vel possident aut in posterum habituri sunt, fratribus domus Theutonice in Sassenhusen et renunciarunt ipsis bonis coram nobis liberaliter et solute, ita scilicet, quod quamdiu predicti Hartradus et Elizabet vita fungantur, uti debeant ipsis bonis et ea quiete possidere, post mortem vero amborum a fratribus dicte domus sine contradictione qualibet debeant possideri. In cuius recognitionem memorati fratres concesserunt dicta bona coram nobis tam absolute resignata sepedictis, Hartrado scilicet et Elyzabet, ut exinde eis annis singulis unum maldrum annone persolvere teneantur. In cuius facti testimonium deputati sunt: Gotfridus scoltetus Wetflariensis, Richolfus quondam Gerberti filius, Lûdewicus quondam scoltetus, Conradus Reio, Berno, Theodericus Rufus et Rûdolfus Regel, scabini; Heinricus de Munichusen, Gotfridus de Dridorf, Crafto Reio et Conradus Pampelun, cives Wetflarienses. Ne vero huic facto valeat aliquid in posterum a quoquam in contrarium suscitari, presens scriptum exinde confectum est et sigilli civitatis Wetflariensis munimine consignatum. Actum anno domini M. CC. L. quinto, mense decembre.

> *Or. Pgmt. mit zerbrochenem Stadtsiegel von Wetzlar an rothseidener Schnur. St. A. Darmstadt. — Grotefend. Ein weiteres Or. im Reichsarchiv zu München, verz.: Lang, Reg. Boica, III, No. 1246.*
>
> *Gedr., stark und ungeschickt gekürzt: Baur, Hess. Urk., I, 80, deshalb hier wiederholt. Verz.: Scriba, II, No. 475.*

**201.** *Der Dominikanerprior und Minoritenguardian*[1] *zu Frankfurt beglaubigen durch Subscription und Siegel die Urkunde Kaiser Friedrichs II., d. d. Tarent, 1221 April 10*[2] *für den Deutschorden. 1255.*

> *Or. Pgmt. Nur das beschädigte Siegel der Frankfurter Minoriten hängt an. Wien, Deutschordens-Centralarchiv.*
> *Verz.: Pettenegg, No. 265.*

**200.** *Reinhard von Hanau, Philipp von Falkenstein, Engelhard und Konrad von Weinsberg stiften, zugleich im Namen ihrer Miterben, ein Seelgerät für ihren Schwiegervater Ulrich von Münzenberg und dessen Sohn Ulrich bei dem Frankfurter Stiftskapitel und überweisen zu diesem Behuf 10 Schillinge von ihrem, zur Zeit von Konrad Wobelin bewohnten Hof zu Frankfurt. Frankfurt, 1256 Februar 20.*

Nos Reinhardus de Hagenowe, Philippus de Valkenstein, Engenhardus et Cunradus fratres de Wi//nesberg ceterique coheredes nostri. Tenore presencium recognoscimus publice profitentes, quod ducti bono zelo // ecclesie Frankenvordensi legavimus decem solidos illius monete de curia nostra, quam Cunradus dictus Wobe//lin inhabitat, annuatim persolvendos, pro remedio animarum soceri nostri Ulrici de Mincemberg et filii sui Ulrici, ut eorum anniversaria in dicta ecclesia certis temporibus perpetuo celebrentur. Anniversarium videlicet senioris Ulrici in crastino Mathie,[3] et tunc dabuntur quinque solidi presentibus canonicis supradictis. Anniversarium vero iunioris in crastino Laurentii,[4] et tunc residui quinque solidi etiam presentibus assignabuntur de curia antedicta. Ut igitur legatum istud a nobis et successoribus nostris firmum et ratum perpetuo observetur, presentes litteras nostras in testimonium damus ecclesie supradicte, sigillorum nostrorum munimine roboratas. Actum Frankenvort, anno domini M. CC. LVI., decimo kal. marcii.

---

[1] *Die Eigennamen fehlen.*   [2] *Vgl. oben No. 55.*
[3] *Febr. 25.*   [4] *Aug. 11.*

**203.** *Abschied des auf Sonntag Reminiscere (12. März) zu Mainz gehaltenen Städtetages. Mainz, 1256 März 17.*

Universis Christi fidelibus A. camerarius, F. scultetus, iudices, consilium et universi cives Moguntini, Wormacienses, Spirenses, Argentinenses, // Frankenvordenses, Bopardienses, Colonienses, Aquenses, Monasterienses, Susacenses et omnes alii nuncii civitatum congregati Moguncie in colloquio generali, salutem et ob//sequium. Ad laudem et gloriam Jesu Christi, qui est pacis auctor et humane salutis amator, ad honorem eciam sancte Romane ecclesie, matris nostre, que // pacem et iusticiam amplexatur, pro reverencia quoque imperii, cuius rigore iudicii incorrigibiles ad viam rectitudinis reducuntur, ad salutem eciam pauperum ac tocius populi christiani, qui pacis tranquillitatem summo desiderio siciunt et expectant, in nomine domini, qui sperantes in se nullatenus derelinquit, pacem iuratam inviolabiliter bona fide servabimus et ad corroborationem et propagacionem ipsius ex concordi consensu et maturo consilio dominorum et nobilium, qui tunc aderant, fecimus et ordinavimus hec statuta: (1) Quellbet civitates et opida iuxta vires eorum semper erunt parati in equis et armis contra pacis et iusticie turbatores, et insuper statuent et tenebunt pro posse suo stipendiarios, qui suldenere dicuntur vulgariter, ut illi ad loca remota horis singulis, quandocumque necesse fuerit, transmittantur. (2) Et quoniam nunc vacat imperium et domino ac rege caremus, omnia bona imperii, donec vacat imperium, totis viribus tanquam nostra defendere volumus et tueri. (3) Misimus eciam sollempnes nuncios nostros ad principes, ad quos spectat regis electio, rogantes eos sollicite, ut pro salute tocius patrie in unam dignentur concordare personam, ne ex eorum discordia sancte pacis negocium valeat perturbari. (4) Statuimus eciam sub debito iuramenti. quod si in discordia plures electi fuerint, nulli eorum in aliquam civitatem vel opidum pateat[introi]tus, fidelitatem vel servicium eis nullomodo prestabimus, victualia eis non ministrabimus, mutuum eis non dabimus, nec clam vel palam aliquid ipsis auxilium faciemus. (5) Si autem aliqua civitas vel opidum seu eciam singulares persone contra hoc statutum et ordinacionem nostram, quod absit, aliquid presumpserint attemptare, presumptores huiusmodi periuri et infames ac violatores fidei censebuntur, et contra ipsos totis viribus procedemus tamquam contra violatores pacis et nostros publicos inimicos. Et hec omnia unanimiter et firmiter tamdiu servabimus, donec nobis unus presentetur in regem, qui de iure regnum Romanum debeat obtinere, cui de concordi consensu et unanimi consilio tamquam nostro regi et domino fidelitatem et servicia debita libentissime faciemus. (6) Volumus eciam, ut illa quatuor generalia colloquia diu statuta annis singulis observentur. Propter colloquium vero, quod nunc in preterita dominica Reminiscere[1] Moguncie habebatur, decrevimus illud colloquium, quod in octavis pasche[2] ibidem habere debuimus, non servari hac vice, sed in dictis octavis pasche erit in posterum annis singulis observandum. Statuentes, ut omnes illi, qui ad dicta colloquia non venerint, pena debita puniantur. (7) Et quoniam quidam milites et alii in villis et locis aliis residentes pacem iurare non curant, et pro corroboracione et conservacione pacis nolunt facere aliqua servicia vel labores, et tamen volunt pace gaudere, statuimus, ut illi a pacis commodo penitus sint exclusi, nec pax violabitur in eisdem. (8) Hoc statutum eciam renovando statuimus, ut nulli dominorum vel cuicumque alii, qui negocium sancte pacis turbaverint, mutuum detur vel victualia de

---

[1] *März 12.*   [2] *April 13.*

civitatibus vel opidis aliquatenus ministrentur. (9) Item statuimus, ut civitates in eorum passagiis et navibus talem adhibeant custodiam et cautelam, ne ibidem transitus pateat inimicis. (10) Volumus eciam, ut expedicio, que apud Coloniam nuper fuit indicta, processum habeat, sicut exstitit tunc condicta. (11) Placet eciam et gratum est nobis, ut nobiles et domini terre libere gaudeant suis iuribus, sicut debent. (13) Omnia eciam statuta, que hactenus ordinata fuerunt, cum omnibus nunc statutis, sicut iuravimus, volumus inviolabiliter observare et in perpetuum mutuis auxiliis nos iuvabimus bona fide. In testimonium autem omnium predictorum presentem litteram sigillo civitatis Maguntine, quo nos ceteri usi sumus, duximus muniendam. Actum Mag[untie] ad generale colloquium civitatum, anno domini M̊. C̊C̊. LVI., in die beate Ger[drudis.]

*Or. Pgmt. Das abhangende Siegel ist abgefallen. Stadtbibliothek Mainz. — Grotefend.*
*Gedr. nach dem Or.: B., 97. Schaab, Gesch. des Rhein. Städtebundes, II, 36 ff. Boos, Urkb.*
*der Stadt Worms, I, 177. Mon. Germ. 4°., Constit., II, 593.*
*Verz.: B.-W. No. 11729.*

**204.** *Die Brüder des Deutschordenshauses zu Sachsenhausen bekennen vor den Vertretern der Stadt Friedberg und unter deren Siegel, dass Ritter Eckehard von Göns und dessen Frau Mechtild dem Deutschordenshause ihre Güter zu (Lang?)göns und zu Rendel übertragen haben, doch so, dass die Hälfte der Güter zu Rendel nach Mechtilds Tod an die Erben ihres Bruders zurückfallen soll. Friedberg, 1256 März.*

Universi fratres domus Theutunice de Sahsynhusen. Ad noticiam cunctorum cupimus devenire, quod Ekehardus miles de // Gunse et Mehtildis similiter uxor sua universa bona, que in Gunse et Rendelin habuerunt, domui nostre ob ho//norem beate virginis ibidem patrone voluntarie contulerunt, ea nobis unanimiter resignando, ita tamen, quod post obitum domine iam predicte medietas bonorum in Rendelen cedet pueris fratris sui, reliqua vero pars nostre domui remanebit. Testes huius sunt: Rupertus burgravius, Anshelmus de Morle, Hartmudus Kullyne et Heynricus de Kouchene, milites; Fridebertus camerarius, Wigandus de Lymburg, Fridebertus iunior, Ekehardus, Guntramus, Gyselbertus de Wullynstad et Heynricus de Betdynhusen, scabini. Ut autem factum huiusmodi non possit postmodum immutari, presentem paginam sigillo civitatis de Frideberg procuravimus roborari. Acta sunt hec Frideberg, anno domini M̊. C̊C̊. LVI., in mense marcio.

*Or. Pgmt. mit beschädigtem Siegel der Stadt Friedberg. St.-A. Darmstadt. — Grotefend.*
*Gedr. gekürzt: Baur, Hess. Urk., I, 80.*
*Verz.: Scriba, II, No. 479.*

**205.** *Schultheiss Wolfram, die Ritter, Schöffen und Bürger von Frankfurt beurkunden, dass Ritter Konrad Meisenbug und seine Gemahlin Gertrud dem Kloster Eberbach ihre Güter in Bensheim geschenkt haben. 1256 April.*

Wolframus scultetus in Frankinwort, milites, scabini ac universi cives ibidem. Omnibus in perpetuum. Ad noticiam volumus pervenire posterorum, quod // Cunradus miles dictus Mesinbug et uxor eius Gertrudis, manu communicata consensu unanimi et pia devotione inspirati, Eberbacensi monasterio omnia // bona sua sita in villa Besinsheim propter deum et suarum remedio[a] animarum libere contulerunt. Hec bona recepit frater Symon monachus et sacerdos // et frater Reinerus in Frankinwort ex parte monasterii Eberbacensis, coram testibus subnotatis: Henricus frater sculteti, Henricus filius Helfrici de Rudinkeim, milites; Wikerus, Henricus Alleum, Johannes Golsten, scabini; item dominus Wernerus abbas Arnesburgensis, et Wikerus prior, et

a) *So!*

Apolonius, monachi ibidem, et frater Eppertus de Trono,[a] et alii quam plures fide
digni. In huius rei evidenciam ampliorem presentibus sigillum civitatis nostre duximus
apponendum. Actum anno domini m̃. c̃c̃. quinquagesimo sexto, mense aprili.

> *Or. Pgmt. mit anh. Stadtsiegel. St. A. Darmstadt, danach gedr.: Baur, Hess. Urk., I, 27, gekürzt,*
> *Rossel, Eberb. Urkb., II, 82, Fichard, Archiv, II, 102 „ex copia". = B. 99.*
> *Verz.: Scriba, I, 417, IV, 1, 2642. Roth, Quellen, I, 77.*


**206.** *Pfalzgraf Ludwig bei Rhein belehnt die beiden Philipp von Falkenstein und die*
*Brüder Engelhard und Konrad von Weinsberg als Erben des verstorbenen Ulrich*
*von Münzenberg mit der von diesem zu Lehen besessenen Grafschaft Wetterau.*
*Frankfurt, 1256 Mai 28 (quinto kal. iun.)*

> *Gedr.: Grüsner, Beiträge, III, 184 = Sauer, I, Zusätze, 10, vgl. ib., 12 (1274 November 1),*
> *Buri, Bannforsten. 64.*
> *Verz.: Scriba, II, No. 481., B.-W. No. 11736.*


**207.** *Gerhard, Propst in Frankfurt, verleiht dem dortigen Schultheissen Wolfram den*
*zu seiner Propstei gehörigen Zehnten im Lindau zu Lehen. 1256 Juni 4.*

Ego Gerhardus, dei gracia prepositus in Frankenfort, notum esse cu//pio tam
presentibus quam futuris, quod decimam ad Lindehe pertinen//tem mee prepositure
Wolframo sculteto Frankenfordensi, ipsius merita et // promociones circa ecclesiam
nostram ibidem constitutam respiciendo, concessi iure feodali in perpetuum possidendam;
ne autem aliquis hanc paginam mee concessionis infringere valeat ullo modo, ipsam
inpressione sigilli mei communivi. Datum anno domini m̃. c̃c̃. LVI., in diebus pentecostes.

> *Or. Pgmt. mit abhangendem beschädigten Siegel.*
> *St. A. Fr. Frankenstein, Urk. No. 3.*
> *Gedr.: B., 99, nach dem Or. .*


**208.** *Gerhard, Propst in Frankfurt, verleiht dem dortigen Schultheissen Wolfram den zu*
*seiner Propstei gehörigen Zehnten im Lindau für jährlich 10 Schilling in Erb-*
*pacht. 1256 Juni 4.*

Gerhardus dei gracia prepositus Frankenfordensis ecclesie. Notum facio litteras
meas has // visuris, quod ego decimam ad Lindehe pertinentem mee prepositure Wolframo sculteto // in Frankenfort et suis heredibus in pensione sic concessi, quod decem
solidi Frankenfor//densium denariorum michi et meis successoribus ab eisdem solvantur
annuatim; ne autem aliquis hanc paginam concessionis mee infringere valeat ullo modo,
ipsam inpressione sigilli mei communivi. Datum anno domini m̃. c̃c̃. LVI., in diebus
pentecostes.

> *Or. Pgmt. Das abhangende Siegel ist etwas beschädigt.*
> *St. A. Fr. Frankenstein, Urk. No. 2.*
> *Gedr.: B., 99, nach dem Or. .*


**209.** *Genannte Mainzer Geistliche entscheiden als Schiedsrichter einen Streit zwischen*
*dem Frankfurter Stiftskapitel und den Rittern Winter und Eberwin von Preunges-*
*heim inbetreff des Novalzehntens in der Gemarkung von Bockenheim zu Gunsten*
*des ersteren. Mainz, 1256 Juli 24.*

> *a) Lesung zweifelhaft. Im Or. steht „Trocio" oder „Crocio".*

Nos magister Ernvridus scolasticus sancti Victoris Mogunt*ini* et Emmercho de Bomersheim canonicus Mogunt*inus*. // Omnibus presens scriptum visuris in perpetuum. Cum . . decanus et capitulum ecclesie Frankenfordensis super decima novalium // sitorum infra certos terminos ville Buckenheim, quam sibi dicebant attinere nomine Frankenfordensis ecclesie, cum esset in terminis eiusdem, // dominum Winterum militem et Eberwinum cognatum suum dictos de Bruningesheim auctoritate apostolica coram decano et scolastico Aschafenburgensibus traxissent in causam, capitulum, W. et E. propter bonum pacis et concordie volentes parcere laboribus et expensis in nos fide interposita compromiserunt. Nos itaque questionem huiusmodi decidimus in hunc modum, ut idem capitulum pro vexatione redimenda, et ut predicti W. et E. renuncient omni iuri, si quod ipsis competere videbatur in decima eadem, quod et fecerunt, det supradictis octo marcas Coloniensium denariorum. Quas remiserunt capitulo pro quatuor anniversariis, secundum quod decreverint ea ordinare, ita ut pro summa octo marcarum fructus eiusdem decime, qui collecti fuerint, ad singula anniversaria presentibus proporcionaliter dividantur. Ecclesia vero Frankenfordensis, cum ipsa decima infra terminos certos ipsius sit sita, eam possideat pacifice et quiete. In huius rei evidenciam presentem litteram dedimus nostrorum sigillorum munimine roboratam. Datum Moguncie, anno domini ṁ. c̊c̊. LVI., in vigilia beati Jacobi apostoli.

> *Or. Pgmt. mit zwei abhangenden beschädigten Siegeln.*
> *St. A. Fr. Barth St. No. 2540.*
> *Gedr. nach dem Or.: B., 100, Reimer, I, 231. Vgl. Fr. Mitt., I, 238.*

**210.** *Verhandlungen des Rheinischen Städtebundes 1254—1256.*

> *Bester Druck: Mon. Germ. 4⁰. Constit., II, 579—589. B., 100—114 nach Leibniz, Mantissa, II, 93 ff. und Freyberg, Sammlung historischer Schriften, I, 513 ff. .*

**211.** *Gerhard, Komthur zu Sachsenhausen,*[1] *beurkundet, dass der Streit zwischen dem Deutschordenshause zu Sachsenhausen und dem Kloster Arnsburg inbetreff gewisser bei Glauburg gelegener Besitzungen gütlich ausgeglichen ist. 1257 Februar 22.*

Gerhardus commendator de Sasenh*usen*. Universis Christi fidelibus presens scriptum inspecturis, salutem in omnium // salvatore. Recognoscimus et presencium tenore protestamur, quod mediantibus viris discretis et ho//nestis, videlicet domino Gerhardo Duringo, Wickero de Ovenbach, Heinrico Allio et Cunrado de Wllen//stat, scabinis in Frankenf*ord*, lis, que vertebatur inter domum nostram de Sassenh*usen* et conventum de Arnisburg super bonis bone memorie Godeboldi et Hildebergis, uxoris eiusdem, apud Glouberg sitis, in hunc modum de consensu partium est sopita, quod predicta Hildeburge vivente domus nostra in ipsorum bonorum sit perceptione tantum, et post ipsius obitum ipsa bona in proprietate(!) et usus perpetuos cedat(!) monasterii prenotati, et secundum formam aliquando observatam in ipsius proprietatis recognicionem pro censu duas libras cere in media quadragesima dicto conventui annis singulis persolvemus. Hoc adiecto, quod expensas super conservatione bonorum eor*undem* apud dominos et consanguineos Godeboldi et H., uxoris sue, factas, quas denominaverimus dicto conventui, refundet absque aliqua contradictione. Ad removendum *etiam* omnis erroris scrupulum ipsa bona specificamus: tria iugera agri pariter iacent in Linthemerwege, item quinque iugera iuxta Clusenbach, que separari debent de quibusdam aliis XII iugeribus eiusdem G., item III iugera ademhane(!) Glouberg, item iurnalem bi Robachervelde, item III iugera

---

[1] *Noch am 31. Januar 1257 kommt der Komthur Konrad* (frater Conradus domus Theutonice commendator *in Frankenvort) vor. Or. Pgmt.* Vidimus *für Arnsburg, Lich.*

in pratis ibidem et II iugera in vineis. Testes: Paulus, Heinricus de Witerstat, Heinricus de Wollenstat, Rukerus, fratres domus nostre; Herbordus scabinus et tres scabini prenotati; Wernerus abbas, Heinricus quondam cellerarius, Appollimus(!) et Richolfus, monachi; Hemricus(!) de Wilberg, Heinricus magister in Riderin, et alii quam plures. In cuius rei evidentiam presens scriptum nostro sigillo fecimus roborari. Actum anno domini m̃. c̃c̃. LVII., in cathedra sancti Petri.

*Or. Pgmt. mit abhangendem beschädigten Siegel des Praeceptors. Lich.*

*Gedr. B., 114, nach dem Or. Regest: Arnsb. Urkb., 209.*

*Vers.: Scriba II, No. 485, Goerz, Mittelrhein. Reg., III, No. 1372.*

**212.** *Siegfried,[1] Pfarrer in Frankfurt, beurkundet, wie genannte Ritter sich vor ihm dahin verbürgt haben, dass Mechtild, die Schwester Konrads von Sachsenhausen, die von ihr dem Kloster Haina verkauften Güter in Roth bei Gelnhausen binnen Jahresfrist übereignen werde. 1257 Februar 28.*

Ego *Sifridus* plebanus in Frankenfort publice profiteor in cedula hac presenti, quod // dominus Cunradus de Sassenhusen, dominus Heinricus Rufus, dominus Henricus de Godeloch et // Gerhardus de Wolveskelen se coram me cautione fideiussoria obligarunt, quod // Methildis soror dicti domini C. fratribus in Hegenehes bona illa in Rode iuxta Gelnhusen sita, que apud ipsam M. comparaverunt, propria faciat infra annum, et quod pueri predicte domine M., cum ad annos discretionis pervenerint, pure renuntient ipsis bonis. Si autem predictorum fideiussorum aliquis decesserit, quod absit, reliqui in hospicio se recipient, ut mos fideiussorum est, tamdiu soluturi, donec alter fideiussor, ut iustum est, loco mortui statuatur. In cuius rei memoriam sub sigillo meo dedi litteram hanc presentem. Actum anno domini m̃. c̃c̃. LVII., proxima feria quarta post dominicam invocavit.

*Or. Pgmt. mit beschädigtem Siegel.*

*St. A. Marburg: Hainaer Urkunden.*

*Gedr.: B., 115, nach dem Hainaer Copialb. zu Marburg, Reimer I, 233, nach dem Or. Hier wiederholt. Auszug: Thomas, Oberhof, 436. Vgl. die Urk. bei Reimer I, 255. (1258.)*

**213.** *Erzbischof Gerhard von Mainz genehmigt die Uebertragung der Kapelle zu Fechenheim von Seiten des Propstes Gerhard an das Stiftskapitel zu Frankfurt. Mainz, 1257 April 4.*

Gerhardus dei *gratia* sancte Maguntine sedis archiepiscopus, sacri imperii per Germaniam archican//cellarius. Dilectis in Christo . . decano et capitulo ecclesie sancti Bartolomei Vrankenvordensis, salutem // in domino. Cum dilectus in Christo Gerhardus prepositus vester cappellam de Vechenheim nostre diocesis, cuius // collacio pertinebat ad ipsum, vobis tradiderit pleno iure, ut de ipsius proventibus proportionaliter dividendis duo officia, videlicet scolastria et cantoria, ad instar aliarum ecclesiarum in vestra constituantur ecclesia, perpetuis temporibus ad honorem dei et ipsius ecclesie duratura, nos devotis vestris precibus favorabiliter annuentes traditionem suam et ordinationem prefatam ratam habemus et gratam ac presentis scripti testimonio confirmamus, nichilominus statuentes, quod de redditibus memoratis certo capellano congrua portio deputetur, qui eam debitis modis officiet in divinis. Nulli ergo omnino hominum liceat hanc paginam nostre ratihabitationis et confirmationis infringere vel ei ausu temerario contraire. Siquis autem hoc attemptare presumpserit, indignationem omni-

---

[1] *Eine weitere Erwähnung Siegfrieds in diesem Jahre bei Reimer I, 240.*

potentis dei et et nostram se noverit incursurum.   Datum Maguntie, anno domini
m. cc. LVII., II. nonas aprilis.

*Or. Pgmt. mit anhängendem schön erhaltenen Siegel des Erzbischofs mit Rücksiegel an roth-*
*gelben Fäden.*
*St. A. Fr. Barth. St. No. 286.*
*Gedr.: Würdtwein, Dioc. Mag., II, 482, Fichard, Wetteravia I, 66, B., 115, nach dem Or.,*
*ebenso Reimer I, 234.*
*Verz.: Thomas, Fr. Arch , II, 127. Will, Mainz. Reg., XXXV. No. 180. Erwähnt: Joannis,*
*Res Mog., II, 362. Vgl. das bei Reimer l. c. gedruckte Güterverzeichniss.*

**214.** *Das Domkapitel zu Mainz genehmigt ebenfalls die in der vorigen Urkunde erwähnte*
*Schenkung.   Mainz, 1257 April 5.*

Wer. prepositus, Jo. decanus, totumque capitulum ecclesie Maguntine.   Dilectis
in Christo . . decano et capitulo ecclesie sancti Bartholomei Fran//kenfordensis, salutem
in domino.   Cum dilectus in Christo Gerhardus prepositus vester concanonicus noster
capellam de Vechenheim Maguntine diocesis, // cuius collatio pertinebat ad ipsum, vobis
tradiderit pleno iure, ut de ipsius proventibus proporcionabiliter dividendis duo officia,
videlicet sco//lastria et cantoria, ad instar aliarum ecclesiarum in vestra constituantur
ecclesia, perpetuis temporibus ad honorem dei et ipsius ecclesie duratura, nos devotis
vestris precibus favorabiliter annuentes traditionem suam et ordinationem prefatam,
quam venerabilis pater dominus noster Gerhardus archiepiscopus Maguntinus legitime
confirmavit, ratam habemus et gratam.   Ita tamen, quod ad prepositum loci, qui pro
tempore fuerit, officiorum collatio pertineat eorundem, accedente ad eam nostro consensu voluntario et expresso; sub testimonio presencium litterarum sigilli nostri munimine signatarum.   Datum Maguntie, anno domini m̄. c̄c̄. LV̊II., nonas aprilis.

*Or. Pgmt. mit an roth-gelben Fäden anhängendem Stiftssiegel.*
*St. A. Fr. Barth. St. No. 2756.*
*Gedr.: Würdtwein, Dioc. Mag , II, 481, Fichard, Wetteravia, I, 66, B., 116 nach dem Or.,*
*Reimer, I, 235 desgl.*
*Verz.: Will, Mainz. Reg., XXXV No. 181.*

**215.** *Helfrich von Rüdigheim und seine Erben übertragen den Johannitern das Patronats-*
*recht der Kirche zu Rüdigheim.   Frankfurt, 1257 Mai 17.*

Noverint universi presentium inspectatores, quod ego Helffricus miles dictus de
Ruedickheim[a] ac mei liberi Conradus miles, Gerhardus clericus, Henricus Longus[b]
una cum filiabus meis Otilia et Gerdrud,[c] ac ceteris heredibus meis ius patronatus
ecclesie in Ruedickheim, quod ad nos spectare dinoscitur, intuitu dei et beati[d] Joannis
baptiste pro remedio animarum nostrarum fratribus sancti Joannis Hierosolimitani
nullis contradicentibus libere contulimus, presentibus domino Friderico decano totoque
capitulo ecclesie Franckenfurtensis, fratre Petro priore, Hardmuto suppriore, Gerlaco
lectore, Henrico de Vetzzenburg, ceterisque fratribus ordinis fratrum Predicatorum,
nec non fratre Joanne de Wepflaria,[e] fratre Alberto de Dieppurg ordinis fratrum
Minorum ibidem, ac aliis quam pluribus clericis et laicis fide dignis.   In cuius rei
testimonium scriptum sigilli mei munimine roboravi.   Acta sunt hec anno domini
M. CC. LVII., XVI. calendas iunii, in domo fratrum Predicatorum in Franckfurd ect. (!)

*St. A. Fr. Copie des 17. Jahrh. in Johanniterbücher 22ᵃ, f. 16ᵇ.*
*Nach derselben Vorlage gedr.: Reimer I, 236.*

a) *Vorlage:* Ruedictheim.   b) Lnnus.   c) Gertraudt.   d) beatae.   e) Wegflaria.

**216.** *König Richard verspricht den Frankfurter Bürgern innerhalb ihrer Stadt keinen burglichen Bau anzulegen, auch, falls er vom Papste verworfen und ein rechtmässiger König gegen ihn aufgestellt werden sollte, die gedachten Bürger der ihm geleisteten Huldigung entlassen zu wollen. Mainz, 1257 September 8.*

Ricardus dei gracia Romanorum rex, semper augustus. Universis sacri imperii Romani fidelibus // presentes litteras inspecturis, graciam suam et omne bonum. Tenore presentium simpliciter protestamur, // nos civibus Frankenfurden*sibus* dilectis fidelibus nostris legaliter promisisse, quod infra muros civitatis ipsius // de Frankenfurde nullam municionem vel castrum aliquod construemus. Et si forte a sanctissimo patre nostro domino .. summo pontifice fuerimus, quod absit, per diffinitivam senten*ciam* reprobati. et alius rex contra nos erigatur, qui ad obtentum regni et imperii Romani nobis potior sit in iure, dictusque summus pontifex prenominatos cives et alios fideles nostros ad avertendum eos a fidei nostre cultu per senten*ciam* interdicti et excommunicationis artaverit: Nos ipsos extunc a fidelitatis nobis prestito iuramento et ab omni promisso. quo nobis sicut fideles imperii sunt astricti, dimittemus et pronunciabimus penitus absolutos. In cuius rei testimonium presentes litteras exinde conscribi et sigillo maiestatis nostre iussimus com*muniri*. Datum Magunt*ie*, VIII. die septembris, indictione XV. Anno domini m̄. c̄c̄. l*mo*. septimo. Regni vero nostri anno primo.

*Or. Pgmt. mit beschädigtem Siegel (rot) an gelb-grünen Seidenfäden. St. A. Fr. Priv. No. 10.*
*Gedr. nach dem Or.: P. et P., I, 6, II, 5, = Lünig, R. A. 13, 560 = Gebauer, Leben Richards,*
    *350. B., 116.*
*Verz : B.-F. No. 5318.  Fr. Invent., III, 1, 2.*
*Ein gleiches Privileg erhielten am gleichen Tage und Orte die anderen drei Wetterauischen*
    *Reichsstädte, Friedberg, B.-F. No. 5320, Wetzlar, ib. No. 5322 und Gelnhausen, Reimer*
    *I. S. 237 No. 325.*

**217.** *König Richard bestätigt den Bürgern von Frankfurt im allgemeinen ihre Freiheiten, Rechte und Privilegien, sowie ihre guten Gewohnheiten, insbesondere aber gestattet und verspricht er ihnen einzelnes in Bezug auf Ehezwang, Gefangennehmung einzelner Bürger, Unveräusserlichkeit der Wetterauischen Reichsstädte vom Reiche, Steuerpflichtigkeit der Güter, Abschaffung der Vogtei und Einkünfte der Brücke. Mainz, 1257 September 8.*

Ricardus dei gracia Romanorum rex. semper augustus. Universis sacri imperii Romani fidelibus presentes litteras inspecturis, in perpetuum. Cupientes // ad imitationem divorum imperatorum Romanorum et regum predecessorum nostrorum devotos et fideles sacri Romani imperii specialiori prosequi gra*cia* // et favore, dilectis fidelibus nostris universis civibus de Frankenfoert omnes immunitates, libertates, iura et privilegia ipsis a divis imperatoribus // et regibus Romanis predecessoribus nostris concessa et eorum consuetudines approbatas auctoritate regalis culminis confirmamus; predicta iura et libertates non minuere, sed augere pro viribus disponentes. Preterea ipsis specialiter duximus indulgendum, ne aliquis civium predictorum filiam vel neptem sive consanguineam tradere in uxorem alicui per nos absque suo pleno consensu aliquatenus compellatur. Insuper, quod nullus civium predictorum per nos vel per aliquem alium nostro nomine pro aliqua pecunia extorquenda ab ipso singulariter aliquatenus capiatur. Ad hec presentium tenore promittimus et simpliciter protestamur, quod civitate[s] [a] Frankenfurden*sem*, Fridebergen*sem*, Wetflarien*sem* et Gheylenhusen*sem* a nobis et imperio nullatenus alienare seu separare volumus, sed eas inmediate nobis et imperio reservare. Preterea statuimus et mandamus, ut omnia bona et predia, que hactenus cum predictis

a) *Der letzte Buchstabe ist abgesprungen.*

civibus precariam imperio persolverunt, quomodocumque ad loca religiosa vel personas alias, ecclesiasticas vel mundanas, predicta bona devolvi et transferri contingat, sicut ante ad solvendam precariam bona ipsa nichilominus teneantur. Insuper volumus atque permittimus, quod quemadmodum ibi advocacia per Fridericum olim imperatorem de consensu principum deposita fuit, permaneat ut nunc est, fructibus advocacie ipsius scultetatus officio deputandis. Ad hec, cum medietas monete nostre Frankenfurd*ie* et ligna fabricabilia, ut predicti cives in eorum asserunt privilegiis contineri, ad reparationem pontis Frankenford*ie* fuerint hactenus deputata, nos id, prout recte et pie factum est, ratum habemus et gratum et presentis scripti patrocinio confirmamus, presenti edicto universis et singulis districtius inhibentes, ne quis cives eosdem contra hanc nostram confirmationem et gra*c*iam impedire presumat. Quod qui fecerit, nostre celsitudinis gravem indignationem incurret. Datum Maguncie, VIII. die septembris, indictione XV. Anno domini ṁ. c̈c. 1ᵐᵒ. septimo. Regni vero nostri anno primo.

*Or. Pgmt. Das Siegel (roth) an roth-gelben Seidenfäden hängt beschädigt an. St. A. Fr. Priv. No. 11.*

*Gedr. nach dem Or.: P. et P. I, 7, II, 6 = Lünig R. A., XIII, 559 zu Sept. 7. = Kirchner, I, 102 = Fichard, Archiv, I, 295, Gebauer, Leben Richards, 351, B., 117. Verz.: B.-F. No. 5319. Fr. Invent., III, 2.*

*Im wesentlichen ähnliche Privilegien erhielten am gleichen Tage und Orte auch Friedberg, B.-F. Nr. 5321, Wetzlar, ib. No. 5323 und Gelnhausen, ib. No. 5324, jetzt auch Reimer, I, 237 No. 326.*

**218.** *Schultheiss Wolfram, die Schöffen und Bürger von Frankfurt beurkunden, dass Ritter Konrad Meisenbug und dessen Gemahlin Gertrud dem Kloster Altenburg ihre Güter in Gross-Linden geschenkt haben. 1257 October.*

Nos Wolframus scultetus, scabini et universi cives in Frankenvort. Per presens scriptum innotescere volumus universis, quod dominus Cunradus dictus Mesinbug et domina Gertrudis uxor sua communicata manu et pari consilio nobis presentibus propter deum et in suorum remissionem peccaminum dederunt perpetualiter ecclesie in Aldinburg bona sua in Maiori Linden, que colit Eckehardus ibidem. Conferentes eciam dicte ecclesie omne ius, quod habebant in bonis illis, que dominus Gilebertus miles contulit ecclesie sepefate. Testes sunt: Cunradus de Sassinhusen, Helwicus de Prumen, Rudolfus, Gotscalcus, Fridericus de Brunigishem, milites; Wickerus de Ovinbach, Cunradus et Wolmarus filii sui, Cunradus de Wullenstat, Bertoldus de Heldebergen, Cunradus iuxta Graburnen, et alii quamplures. In huius facti robur et testimonium presentem litteram dedimus nostri sigilli munimine confirmatam. Acta sunt hec anno domini m. cc. quinquagesimo septimo, in octobre.

*Gedr.: Guden, Cod. Dipl., II, 128 = B., 118. Mittelrhein. Urkb., III, 1030, nach ungenauer Kopie.*

*Verz.: Scriba II, No. 491, Goerz, Mittelrhein. Reg., III, No. 1431.*

*Auszug: Thomas, Oberhof, 436.*

**219.** *Die Schultheissen, Schöffen und Bürger der Städte Frankfurt, Gelnhausen, Wetzlar und Friedberg entscheiden einen Streit zwischen dem Kloster Arnsburg auf der einen, und Berthold Bresto und Harpernus, seinem Verwandten, auf der andern Seite, inbetreff der von dem verstorbenen Harpernus dem Kloster Arnsburg, wo er Mönch gewesen, vermachten Güter. Frankfurt, 1258 Mai 24.*

Nos Frankenfordenses, Geylenhusenses,[1] Wetflarienses et Fridebergenses scultheti,

---

[1] *Or. Geylenhusergen.*

sca//bini et cives universi. Per presens scriptum ad noticiam universorum cupimus pervenire, // quod dominus Fridericus abbas et conventus in Arnsburg ex una parte, Bertoldus Bresto et Harpernus // cognatus suus eorumque coheredes ex altera, causam et actionem, que movebatur inter ipsos super quibusdam bonis, que Harpernus bone memorie monachus in Arnsburg ipsis quandoque legaverat, in manus nostras dederunt finaliter decidendam. Nos vero, litteris confectis super eo cum omni diligentia examinatis, dicimus, quod dominus abbas in die omnium animarum[1] libram denariorum in piscibus et dimidiam carratam vini ad consolationem fratrum suorum iuxta ordinationem prefati fratris Harperni liberaliter imperpetuum ministrabit. Preterea bona illa, que Hermannus Niger et uxor sua Heidendrudis collecta manu et consensu pari vendiderunt monasterio de Arnsburg Cysterciensis ordinis, videlicet mansum in Rokenberg et mansum in Bercheim et vineas in Berge et quartam partem curie ibidem, sub assertione iuramenti adiudicavimus ecclesie supradicte. Ceterum mansum unum in Furbach et alterum in Bercheim et quartam partem curie in Bergen, que Bertoldus Bresto et Gerhildis uxor sua communicata manu vendiderunt iam dicto monasterio, etiam adiudicavimus fratribus de Arnsburg sub eodem iuramento perpetualiter possidenda. Item dicimus, quod pueri Reinhedis illos duos mansos, videlicet unum in Gulle et alterum in Furbach, quos legaverat frater Harpernus Reinhedi sorori sue, de quibus modo impulsaverunt ecclesiam in Arnsburg, iam possident et possederunt multis annis, sicut coram nobis Bertoldus Bresto et alii sunt confessi. Adicimus etiam, quod fratres de Arnsburg memoratis heredibus Reinhedis tres iurnales vinearum dimiserunt, qui ipsos ex obitu domine Cristine merito contingebant. Ne igitur hec tam rationabiliter et evidenter per nos decisa et discussa ab aliquo heredum infringi debeant vel mutari, presentem litteram super eo fecimus conscribi et nostris sigillis presentibus communiri. Testes huius rei sunt: Wolframus sculthetus, Sifridus canonicus, Heinricus Clobelouch, Wikerus de Ovenbach, Henricus de Holzhusen, Cunradus de Wullenstat, Cunradus de Ovenbach, Bertoldus de Heldebergen, Jacobus, Henricus de Wetflaria, Johannes Goltstein, scabini in Frankenfort. Item Eberwinus advocatus et Cunradus Reige, de Wetflaria. De Geylenhusen Wortwinus Bresto. De Frideberg Henricus de Bettenhusen, Guntramus de Strazheim, Ditmarus, Bertoldus Bresto, Sigelo, et alii quam plures. Acta sunt hec apud Frankenfort, anno domini ṁ. c̈c. quinquagesimo VIII., in vigilia Urbani pape.

*Or. Pgmt. Die runden Siegel der vier Städte hängen an roth-grünen Seidenfäden an, ein Fadenbündel für ein weiteres Siegel. Lich.*

*Gedr. nach dem Or.: B., 118, Reimer, I, 243, hier wiederholt. Regest.: Arnsb. Urkb., 209. Vers.: Scriba, II, No. 498, Goers, Mittelrhein. Reg., III, No. 1492, B.-W. No. 11812.*

**220.** *Bruder Berengar, Stellvertreter des Johanniterpriors für Deutschland, bestätigt den Verkauf der Güter in Dörnigheim von Seiten des Ritters Konrad von Ronneburg an das Stiftskapitel zu Frankfurt, dergestalt, dass dieses nunmehr von den Johannitern wegen dieser Güter jährlich fünfzehn Achtel Weizen zu empfangen hat. 1258 August 1 (5?).*

Frater Berengerius ordinis sancti Johannis, vicem gerens per [a] Allimanniam [a] prioris sancte domus hospitalis Iherosolomitani//. Omnibus presens scriptum visuris, salutem et sinceram in domino karitatem. Noverint universi tam // presentes quam futuri, quod nos emptionem, que facta est inter Cunradum militem de Roneburg//, filium Helferici militis de Rudenkeim, et dominos canonicos ecclesie Frankenvordiensis super bonis in Dorenkeim, scriptis presentibus confirmamus, profitendo manifestissime, quod,

a) *Über der Zeile.*

[1] *Nov. 2.*

cum in dictorum bonorum quieta fuerimus possessione, quindecim octalia siliginis Frankenvordiensis mensure de bonis prehabitis annuatim predictis canonicis solvere nos tenemur. In cuius rei testimonium presentem litteram nostri sigilli munimine duximus roborandam. Acta sunt hec anno domini ṁ. c̄c̄. lVIÍI., kal. augusti, in vigilia beati Sixti.

> *Or. Pgmt. Abhangendes Siegel abgefallen.*
> *St. A. Fr. Barth. St. No. 2687.*
> *Gedr.: Fichard, Archiv, III, 176. B., 120 nach dem Or., ebenso Reimer I, 249. Das Datum "vig. b. Sixti" ist gleich Aug. 5, vielleicht steht, wie auch Reimer annimmt, "kalendis" versehentlich für "nonis".*

**221.** *Magister Albert, Rector der Kirche zu Matren, schenkt der Frankfurter Kirche einen Mansus in Steden für ein Jahrgedächtniss für sich und genannte Verwandte. 1258 August 17.*

Ego magister Albertus, rector ecclesie in Matren, Spirensis diocesis, pia devotione et devota ductus pietate, man//sum meum in Steden situm cum omnibus suis pertinentiis in remedium anime meę necnon parentum meorum // ecclesie Frankenwordensi libere confero et absolute iure proprietatis perpetuo retinendum, ut an//niversaria hec, scilicet Friderici patrui mei IÍI. kalendas marcii,[1] necnon Cûnradi patris mei et Udelgardis matris meę ÍI. kalendas aprilis,[2] et Swigeri sacerdotis VIÍI. idus iulii,[3] cum maiori vigilia perpetuo peragantur et ut eciam mei memoria, postquam decessero, similiter habeatur. Quam donationem presentibus facio ipsarumque testimonio irrevocabiliter protestor et confirmo. In memoriam autem rei gestę presentes conventus sancti Petri et capituli sancti Stephani Wizenburgensium sigillis proprioque sigillo decrevi fideliter et irrefragabiliter muniendas. Actum anno domini ṁ. c̄c̄. L°.VIÍI., XVI. kalendas septembris.

> *Or. Pgmt. Die drei anhängenden Siegel sind wohl erhalten.*
> *St. A. Fr. Barth. St. No. 3089.*
> *Gedr.: B., 120 nach dem Or. .*

**222.** *Die Burgmannen und Bürger von Glauburg beurkunden, dass ihr Mitbürger Godebold von Düdelsheim und dessen Frau ihre sämmtlichen unbeweglichen und beweglichen Güter zu Glauburg unter genannten Bedingungen dem Deutschorden zu Sachsenhausen geschenkt haben. [vor 1258 October 10].*

Universi castellani et cives in Glouburg. Presentibus publice protestamur, quod Godeboldus de Thudelnsheim, noster concivis, presentibus nostris de consensu et admissione manuali Hyldeburgis, uxoris sue, sanctissime dei genitrici semperque virgini Marie fratribusque domus Theutonice in Sassenhusen domum suam, in qua residens dinoscitur, cum omnibus mobilibus, tam annona quam vino et carnibus, equis, pecoribus et pecudibus, lectis et vestibus et universis suppelectilibus, in hora sui exitus in eadem domo apparentibus, duo quoque iugera silvestria vinearum et tria silvestria iugera arve apud Glauburg dinoscitur contulisse, ut annuatim, quamdiu voluerit, de eisdem bonis in censu solidum Coloniensem persolvat. Si vero alterum ipsorum decedere[a] de medio contigerit, alter superstes eadem bona pro eodem censu, quamdiu voluerit, contineat, vel si voluerit, ad eiusdem ordinis disciplinam regularem et fraternitatem est recipiendus superstes vel ambo, et tunc eadem bona ecclesie et fratribus vacabunt, de exequiis vero, si laicali habitu steterint, eisdem, ut ordo deposcit, nichilominus fiet. In cuius facti evidenciam pleniorem presens scriptum sigillis nostris duximus roborandum.

---

[1] *Febr. 27. oder 28.*  [2] *März 31.*  [3] *Iuli 8.*

a) *Vorlage „discere".*

Testes sunt: Rugerus, Johannes, Didericus de Rorbach, Didericus de Barthenhausen, Fridericus de Bleichenbach, Richardus senior et iunior, et Engelhardus de Buches, milites; Wicgerus centurio, Johannes de Dudelnsheim, Godeboldus de Husen, Meffridus, scabini; Henricus preco, Siboldus pistor, et alii plures.

*Abschrift im Deutschordens-Dokumentenbuch f. 212 °. St. A. Stuttgart. — Von Nathusius. Die angegebene Datirung ergiebt sich aus der folgenden Urkunde.*

**223.** *Ludwig von Isenburg verzichtet auf die durch Godebold von Düdelsheim an den Deutschorden [zu Sachsenhausen] verkauften Güter, die er zeitweilig in Anspruch genommen hatte. Büdingen, 1258 October 10.*

Ludewicus de Isenberg. Ad agnicionem universorum, ad quos presens scriptum pervenerit, cupimus pervenire, quod nos de consensu Helwigis uxoris nostre bona, que Godebuldus de Dudelsheim domui fratrum Theutonicorum contulit, per nos aliquando occupata, libera denunciamus et absoluta. In evidenciam cautele presentem scedulam predictis fratribus porreximus, nostri sigilli munimine roboratam. Datum Budingen, anno dominice incarnacionis M´. CC´. quinquagesimo octavo, VI. idus [a] octobris. Testes: Cunradus de Budingen, Hartmannus Meiden, Gernodus de Steinhack, Wernerus [b] Spetel, Gerlacus notarius, et alii quam plures.

*Abschrift im Deutschordens-Dokumentenbuch f. 212 °. St. A. Stuttgart. — Von Nathusius.*

**224.** *Schultheiss Wolfram, die Schöffen und Bürger von Frankfurt beurkunden, dass der vor ihnen zwischen dem Kloster Arnsburg auf der einen, und Bertold Bresto auf der andern Seite, um Güter in Frankfurt, Rödelheim und Hausen, welche der verstorbene Arnsburger Mönch Harpernus seinem Bruder Bresto vermacht hatte, verhandelte Rechtsstreit dergestalt erledigt wurde, dass Bresto gegen Auszahlung von 27 Mark auf diese Güter zu Gunsten des Klosters verzichtete. 1259 März.*

Nos Wolframus sculthetus, scabini et universi cives Frankenfordenses. Constare volumus universis // tam presentibus quam futuris, quod litigantibus coram nobis domino abbate et ecclesia in Arnsburg ex una parte, // Bertoldo Brestone, nostro concive, et pueris suis ex altera, super quibusdam bonis in Frankenfort et in // Redelenheim et in Husen sitis, tam in agris quam in pratis vel etiam in ortis, que frater Harpernus, quondam monachus in Arnsburg, legaverat eidem Brestoni, fratri suo, / mediantibus nobis et aliis viris religiosis et discretis,[c] inter eosdem omnis lis et actio est sopita, sub hac forma, quod prefatus Bresto et pueri sui renunciaverunt omnibus bonis predictis, liberaliter ea resignando · domino abbati et conventui in Arnesburg, dominus abbas vero et conventus dederunt XXVII. marcas numerate pecunie memorato Brestoni et suis pueris versa vice. Ut autem hec ex utraque parte firma permaneant et indivulsa, vallavimus sub pena XI[a]. marcarum, accipientes desuper ex utraque parte fideiussoriam cautionem. Fideiussores ecclesie de Arnsburg sunt hii: dominus Fridericus decanus Frankenfordensis, dominus Henricus de Godelouch et dominus Wikerus de Ovenbach. Fideiussores autem Brestonis: dominus Gotscalcus miles frater scultheti, Henricus de Wetflaria et Henricus de Limpurg. Et hii fideiussores Brestonis obligati sunt, postquam resignaverit Aleydis, filia sua, bona predicta, annum et diem, sicuti consuetum est. A quibus etiam inter predictos hec forma sive arbitrium nostrum non fuerit observatum, eorum fideiussores intrabunt more fideiussorio exsolvendo, donec

---

a) *Vorlage* „idus VI.“ b) *Vorlage:* „Wernvemus“. c) *Die Worte* „mediantibus—discretis“ *sind mit dunklerer Tinte in Lücke eingetragen.*

talis corruptio reformetur. Actum anno domini ṁ. c̊c. l. nono, mense martio. Huius rei testes sunt: Fridericus decanus, Johannes Leo, Sifridus plebanus. Henricus de Hagenowa, Sifridus de Wedera, Rudegerus, canonici; Wolframus scultetus, Henricus de Godeloch, Fridericus de Bruningesheim, Gotscalcus frater scultheti, Helwicus de Prumheim, Wintherus de Bruningesheim, milites; Henricus Clobelouch, Wikerus de Ovenbach, Henricus de Holzhusen, Cunradus de Wullenstat, Henricus de Wetflaria, Cunradus et Volmarus fratres de Ovenbach, Johannes Goltstein, scabini; item Henricus de Limppurg, Cunradus de Alta domo, Cunradus Kummer, Cunradus Ruesere, Rudegerus preco, Johannes de Wedere, Sigelo, et alii quam plures. In huius rei perhennem memoriam sigillis capituli in Frankenfort et nostre civitatis presentem paginam fecimus roborari.

> *Or. Pgmt. Anhängend: 1) Siegel des Barth.-Stifts. 2) Stadtsiegel (2) an roth-grün-gelben Fäden. Lich.*
> *Gedr.: B., 120, nach dem Or. . = Sauer, I, 416. Auszug: Arnsb. Urkb., 210.*
> *Verz.: Scriba, II, No. 505, Goerz, Mittelrhein. Reg., III, No. 1547.*

**225.** *Siegfried, Dechant der Frankfurter Kirche, beurkundet, dass Adelheid, die Wittwe Konrad Blassenbergers, dem Frankfurter Kanonikus Johann von Mainz ihr Haus am Luprandsbrunnen für 12 Schilling jährlich in Erbpacht gegeben habe. 1259 April 29.*

Ego Sifridus, decanus ecclesie Frankenfurdensis, tenore presencium profiteor et protestor, quod Adelheidis, relicta Cun//radi Blassenbergeres, communicata manu et pari consensu omnium puerorum suorum concessit iure hereditario possiden//dam Johanni de Maguntia, canonico ecclesie Frankenfurdensis, domum suam sitam apud fontem Luprandesburnen ᵃ pro // duodecim solidis levis monete in festo beati Martini annis singulis persolvendis, de quibus denariis iam dicta vidua assignavit ad lampadem in choro decem solidos pro se et marito suo, reliquos autem duos solidos eidem vidue et suis heredibus presentabit. Testes sunt: dominus Reinoldus cappellanus sancti Georgii, Emercho dictus Grimmelo, Bertoldus frater predicte vidue, Adelheidis uxor eiusdem Ber*toldi*, Greda pedissequa ipsius Adel*heidis*, soror Hadewigis, et alii quam- plures. In cuius rei facti(!) testimonium presentes litteras dedi sigilli mei munimine roboratas. Actum anno domini ṁ. c̊c. IVIIII., feria tercia ante festum Philippi et Jacobi.

> *Or. Pgmt. mit abhangendem Siegel. St. A. Fr. Barth. St. No. 1704.*
> *Gedr.: B., 121 nach dem Or. . Auszug: Thomas, Oberhof, 436.*

**226.** *Papst Alexander IV. verleiht den Besuchern der Dominikanerkirche zu Frankfurt einen Ablass von 100 Tagen. Anagni, 1259 Mai 30.*

Alexander episcopus servus servorum dei. Universis Christi fidelibus presentes litteras inspecturis, salutem et apostolicam benedictionem. // Vite perennis gloria, qua mira benignitas conditoris omnium beatam coronat aciem civium supernorum, a redemptis pretio // sanguinis fusi de pretioso corpore redemptoris meritorum debet acquiri virtute, inter que illud esse pregrande dinoscitur, quod // ubique sed precipue in sanctorum ecclesiis maiestas altissimi collaudetur. Rogamus itaque universitatem vestram et hortamur in domino, in remissionem vobis peccaminum iniungentes, quatinus ad ecclesiam dilectorum filiorum ·· prioris et fratrum ordinis Predicatorum de Frankenvorde Maguntine diocesis imploraturi a domino delictorum veniam in humilitate spiritus accedatis. Nos enim, ut Christi fideles quasi per premia salubriter ad merita invitemus,

---

ᵃ) *Lesung unsicher, ob nicht auch Luprandesbornen?*

de omnipontentis dei misericordia et beatorum Petri et Pauli apostolorum eius auctoritate confisi, omnibus vere penitentibus et confessis, qui ad ecclesiam ipsam in singulis festivitatibus gloriose Marie virginis et beatorum Augustini et Dominici confessorum ac Petri martiris eiusdem ordinis professoris et in anniversario die dedicationis ipsius ecclesie et septem diebus immediate sequentibus causa devotionis accesserint annuatim, centum dies de iniuncta sibi penitentia misericorditer relaxamus. Datum Anagnie, III. kal. iunii, pontificatus nostri anno quinto.

> *Or. Pgmt. mit Bulle an roth-gelben Seidenfäden. Auf dem Buge: A 6., auf der Rück-*
> *seite: „Th. episcopus Vironensis.“*
> *St. A. Fr. Dominikaner.-Urk. No. 12.*
> *Gedr. nach dem Or.: B., 122.*
> *Verz.: Potthast No. 17586.*

**227.** *Werner, erwählter Erzbischof von Mainz, verspricht dem Frankfurter Stiftskapitel in Bezug auf etwaige Missdeutung der von demselben ihm aus freiwilligen Stücken verwilligten Bede gleichen Rechtsschutz wie den Mainzer Kirchen. Eschersheim, 1260 April 9.*

W. dei gracia sancte Maguntine sedis electus, dilectis in Christo · · decano et capitulo ecclesie Frankenfordensis, // salutem in domino. Cum vos sicut et ecclesie civitatis Maguntine ad relavanda debita ecclesie nostre nobis // precariam unam duxeritis liberaliter conferendam, nos volentes cavere vobis et ecclesie vestre ab omnibus dampnis // et periculis, que propter ipsam precariam possetis forte incurrere in futurum, vobis promittimus per presentes omnem graciam et cautelam illam inviolabiliter observare, quam aliis ecclesiis civitatis Maguntine observaturi sumus, iuxta litterarum nostrarum formam eisdem traditam super eo. Rogamus igitur et mandamus, quatinus pecuniam de dicta precaria nobis debitam Cristiano et Johanni, nostris notariis, vestris concanonicis, assignetis. Datum apud Eischersheim, V. idus aprilis, anno domini m̄. c̄c̄. IX.

> *Or. Pgmt. mit abhangendem gut erhaltenen Siegel des Electen Werner.*
> *St. A. Fr. Barth. St. No. 3375.*
> *Gedr.: B., 122 nach dem Or.*
> *Verz.: Will, Mainz. Reg., XXXVI., No. 14. Auszug: Thomas, Fr. Archiv, II, 130.*
> *Im Anschluss an diese Zusage liess sich das Frankfurter Stiftskapitel am 17. April*
> *(XV. kal. maii) durch die geistlichen Richter zu Mainz ein Transsumpt (Barth. St. No. 3459)*
> *des am 12. April 1260 den Mainzer Kirchen zugebilligten Privilegs des Electen,*
> *betr. die Einbehaltung der Erträge der zuerst freiwerdenden Präbende, (Verz. Will,*
> *l. c. No. 15, gedr. Würdtwein, Nov. Subs., IV, Präf. XXVI) ausstellen. Dem Tenor der trans-*
> *sumirten Urkunde ist folgender Satz hinzugefügt: „Petimus igitur, ut similis tenor*
> *ecclesie Frankenfordensi, sicut aliis Moguntinis, prefati . . domini nostri electi muni-*
> *mine roboretur.“*

**228.** *Kardinalpresbyter Hugo beurkundet, dass die den Dominikanern in Frankfurt für ihre Kirche ertheilten Indulgenzen von der Römischen Kurie zwar nicht bestätigt werden können, dass jedoch deren Gültigkeit nach ausdrücklichem Ausspruche des Papstes nicht zu bezweifeln sei. Anagni, 1260 April 27.*

Frater Hugo miseracione divina tituli sancte Sabine presbyter cardinalis. Dilectis in Christo fratribus · ordinis Predicatorum in Fran//kenvorde, Moguntine diocesis, salutem in dei filio Jesu Christo. Religionis favor *, sub qua virtutum domino deservitis, et communis pro//fessionis vinculum, quo vobiscum unimur, nos ferventer inducunt, ut illa vos prosequamur gracia, que vobis deum // timentibus noscitur oportuna. Sane discretioni vestre cupimus esse notum, quod venerabilis pater episcopus Vironensis,

*a) Über der Zeile.*

nostri ordinis amator precipuus, apud dominum nostrum · summum pontificem et nos efficaciter laboravit et frequenter institit, ut omnium indulgentiarum, quas pro accedentibus ad ecclesiam vestram[a] in anniversario dedicationis et in quibusdam sanctorum festivitatibus ab aliquibus archiepiscopis et episcopis obtinetis, confirmationem ab eodem summo pontifice impetraret, set(!) Romane curie consuetudine repugnante, que non consuevit indulgentias huiusmodi confirmare, quod petiit obtinere nequivit, licet cum multa precum instantia petierit humiliter et frequenter. Valent tamen huiusmodi indulgentie et iuste ac rationabiles existunt, sicut id summus pontifex vive vocis nobis respondit oraculo, et robur in se continent firmitatis, quando de consensu diocesani episcopi conceduntur. In cuius[b] rei firmitatem presentes litteras vobis mittimus sigilli nostri munimine roboratas. Datum Anagnie, V̊. kal. maii, pontificatus domini Alexandri pape IIII. anno sexto.

*Or. Pgmt. mit Siegeleinschnitt.*
*St. A. Fr. Dominikaner-Urk. No. 13.*
*Gedr. nach dem Or.: B., 123.*


**229.** *Eberwin von Preungesheim verzichtet zu Gunsten des Frankfurter Stiftskapitels auf den Zehnten seiner Novalfelder zu Bockenheim. 1260 Juni 6.*

Nos Ebberwinus de Bruningishim(!). Tenore presencium recognoscimus publice profitentes, quod cum lis // super decima novalium bonorum nostrorum quorundam aput Buchenheim inter capitulum Frankenfurdense ex // parte una et nos ex altera verteretur, nunc exhortacione bonorum virorum inducti ob reverenciam omnipoten//tis dei huiusmodi liti cessimus[b] libere et absolute, renunciantes pure decime memorate; hac condicione, ut memoria patris nostri et matris et nostra ac uxoris nostre in ipsa ecclesia perpetuo agatur, ipsam eciam decimam percipiendam presentibus deputantes. In cuius facti evidenciam presens memoriale confecimus, dantes id capitulo ecclesie Frankenfurdensis in testimonium super eo. Actum anno domini m̂. c̊c. IX̊., VIII. idus iunii.

*Or. Pgmt. mit abhangendem beschädigten Siegel.*
*St. A. Fr. Barth. St. No. 2541.*
*Gedr.: B., 123, Reimer, I, 263, nach dem Or..*


**230.** *Eppert, Notar Reinhards von Hanau, verspricht vier genannten Personen nachstehen zu wollen, wenn er auf erste Bitten des Erzbischofs Werner von Mainz zu Frankfurt als Kanonikus aufgenommen werde. Frankfurt, 1260 August 29.*

Ego Eppertus, notarius nobilis viri domini Reinhardi de Hagenowe. Tenore presencium profiteor[c] et protestor,[d] quod fidem dedi et iuramento confirmavi, quod cum ad preces primarias venerabilis domini Wernheri archiepiscopi Maguntini aput Frankenfort reciperer in canonicum et in fratrem, ipsum capitulum nec personas in ecclesia existentes super provisione mea nunquam impetam neque gravem, nisi quatuor personis, videlicet Herbordo de Ovenbach,[e] magistro Petro de Babenberg, magistro Hermanno Shike et Wernhero,[f] filio domini de Valkenstein, primo in ipsa ecclesia sit provisum. Et ut hoc capitulo et personis supradictis ante me receptis inviolabiliter observem, presentes litteras, sigillatas sigillis iudicum Maguntinorum, nobilis viri Reinhardi domini de Hagenowe, et proprio, in testimonium do eisdem. Datum Frankenfort, anno domini m̂. c̊c. IX., in decollacione Johannis baptiste.

<hr>

a) *Über der Zeile.* b) *Über Rasur.* c) *Hs.: „profiteon".* d) *Hs. „protesten"* e) *Der Schluss der Urkunde ist von einer Hand von c. 1320 unten auf dem Pergamentblatt nachgetragen.* f) *In der Hs. steht „et Wernhero" zweimal.*

*Fast gleichzeitige Abschrift in Barth. Bücher, Serie II No. 7 f. 72b.  St. A. Fr.*
*Gedr. nach derselben Vorlage: B., 124, Reimer, I, 264.*
*Verz.: Will, Mainz. Reg., XXXVI. No. 21.*

**231.** *Anselm, Bischof von Ermland, ertheilt den Besuchern der St. Katharinenkapelle an
der St. Bartholomaeus-Kirche zu Frankfurt einen Ablass.  1260.*

Anshelmus dei gracia episcopus Warmiensis,[a] universis Christi fidelibus salutem
in omnium salvatore.  Quoniam ad redimenda peccata et salvandas animas non tantum
bona opera prosunt nobis, sed et eciam sanctorum patrociniis indigemus, dignum est.
sanctos dei congruis honoribus et obsequiis venerari in terris, ut venia, quam non
meremur, eorum nobis intercessione donetur.  Cum igitur gloriosa virgo beata Katherina
cum triumpho martirii obtinuerit, ut tanti sit meriti apud deum, quod eius apud eum
nobis prosit oracio, nos fideles quoslibet premio speciali provocare volentes, ut ob ipsius
sancte virginis reverenciam cappellam eius apud Frankenfurd, diocesis Maguntine,
dignis frequentent honoribus annuatim, omnibus vere penitentibus et confessis, qui ad
cappellam eandem in anniversario dedicacionis ipsius die, in die beate Katherine, in
vinculis et kathedra sancti Petri apostoli ac in die beati Bartholomei apostoli et per
omnes octavas dierum ipsorum pro peccatorum venia postulanda humiliter accesserint
et devote, necnon et omnibus, qui ad opus cappelle predicte suas elemosinas fuerint
elargiti, de omnipotentis dei misericordia et beatorum Petri et Pauli apostolorum eius
auctoritate confisi, accedente consensu reverendi patris domini archiepiscopi Moguntini,
loci diocesani, quadraginta dies de iniuncta penitencia misericorditer relaxamus.  Datum
anno domini m. cc. IX.

*Abschrift in Barth. Bücher, Serie I, No. 22b, f. 193a.  St. A. Fr.*
*Gedr. nach derselben Vorlage: B., 124. Vgl. Würdtwein, Dioc. Mag., II, 677, Fr. Quellen, I, 76.*

**232.** *Der Schultheiss Wolfram[1] und die Schöffen in Frankfurt geben den Erfurtern
eine Rechtsbelehrung über einen streitigen Erbschaftsfall.  Frankfurt, 1261 April 1.*

Wolframus scultetus et schabini civitatis Frankenvordensis, omnibus has litteras
audituris.  Facta fuit ad nos consultacio, quid iuris vel consuetudinis habe//retur apud
nos super casu infrascripto, qui talis est: Heinricus et Gertrudis, uxor eius, habentes
filium Conradum nomine, transtulerunt se in Erfordiam et // cum argento suo, quod
elaboraverant in remotis partibus et secum adduxerant, quandam ibi curiam tytulo
proprietatis emerunt.  Inhabitantibus siquidem ipsis ean//dem curiam, Heinricus ipse
post aliquot annos decessit.  Uxor sua Gertrudis sedit et sedet adhuc hodie in
possessione curie sue.  Filius eius Conradus predictus irrequisita matre sua tandem
duxit uxorem, cui iuxta terre consuetudinem donavit, sicut dingen vulgariter appellatur,
omnia, que tunc habebat vel esset in posterum habiturus.  Numquam fuit nactus
possessionem curie matris sue, tantum habuit expectationem solam in curia, ut post
mortem matris hereditario iure succederet ad curiam supradictam.  Postea ipse Conradus genuit prolem et mortuus est.  Demum proles etiam clausit diem supremum.
Relicta itaque sua extunc alteri viro nupsit.  Modo Gertrudis illa, que cum viro suo
Heinrico prefato curiam per suam pecuniam comparavit et numquam extra suam
possessionem dimiserat vel Conrado suo filio vel · ipsius proli, vult ipsam vendere;
sed relicta filii interdicit, asserens eam sibi competere post mortem Gertrudis, eoquod,

a) *Hs. „Wormaciensis".*

---

[1] *Schultheiss Wolfram wird 1260 Juli 21 (XII.
kal. augusti) in einer Urkunde der Grafen von Rieneck als Zeuge genannt.  Guden, Cod. Dipl., I, 674,*
*Kopp, Lehensproben, II, 77, Archiv für den Unter-
mainkreis III, 3, 20.*

quando Conradus maritus suus, filius eiusdem Gertrudis, sibi donavit, sicut vulgo dicitur dingen, omnia, que tunc habebat vel esset in posterum habiturus, donaverit etiam sibi omne illud ius, quod sibi in ipsa curia competebat. — Nos igitur discusso negocio dicimus et testamur, quod si res est ita, sicut superius continetur, ista relicta Conradi secundum ius et consuetudinem habitam ex antiquo apud nos et hactenus observatam nichil penitus habet iuris aut expectationis in curia supradicta, quare et quia nec Conradus vir eius nec proles sua, dum viverent, ullo umquam tempore nacti fuerant possessionem curie sepedicte. Datum apud Frankenvord, anno domini m̊. c̊c. LXI., kl. aprilis.

> *Or. Pgmt. Es hängen, grösstentheils sehr beschädigt, folgende Siegel an: 1) Schultheiss Wolfram von Frankfurt, 2) Stadt Frankfurt (2), 3) Stadt Gelnhausen, 4) Schultheiss Hermann Fusechin von Gelnhausen, 5) Burgmannen von Friedberg, 6) Ritter Franko von Mörle. St. A. Magdeburg.*
>
> *Gedr.: Lambert, Verfassung von Erfurt, 122, Beyer, Urkundenbuch der Stadt Erfurt, I, 103. Besprochen durch Euler, Frankf. Mitt., IV, 289.*
>
> *Bemerkenswerth ist die Besiegelung für die Gründlichkeit, mit welcher diese Rechtsweisung behandelt wurde, die danach von den Frankfurtern auch noch nach Gelnhausen und Friedberg zur Bestätigung überschickt wurde.*


**233.** *Die Äbtissin Lucardis und das Kloster Himmelskron bezeugen, dass ihr Streit mit Merbodo von Auheim* (Merbotdo miles de Ouheim) *über Güter in Jügesheim* (Guginsheim) *beigelegt sei.*

Huius rei testes sunt: Fridericus decanus in Franck*enfort*,[1] Johannes dictus Leo, Heinricus archipresbiter de Steinheim, Cunradus miles de Husenstam, Hartlibus dictus Bunra, Herbordus civis de Franck*enfort* dictus Ovenbach, Burcardus civis de Selgenstat, et quam plures fide digni. *1261 Juni* (mense iunio).

> *Or. Pgmt. mit 2 Siegeln. München, Reichsarchiv.*
> *Gedr.: Guden, Cod. Dipl., III, 448 nach dem Or. .*


**234.** *Siegfried, Dechant der Frankfurter Kirche, beurkundet, dass die zwei Beghinen Metze und Guda sich und alles, was sie besitzen, dem Kloster Haina übergeben haben. Frankfurt, 1261 August 16.*

Sifridus decanus ecclesie Frankenfordensis. Universis Christi fidelibus, ad quos hoc scriptum pervenerit, in // vero salutari salutem. Ne oblivionis tenebre subripere memoriis aut perversorum maligna tergiversatio, que piis // aguntur studiis, infringere valeat aut immutare, presenti scripto nostri sigilli munimine roborato notum // facimus singulis et universis, feminas religiosas, sororem Metzen, que Wichmeren cognominatur, et sororem Godam eius sodalem, manibus adunatis se ipsas et omnia, que nunc possident et domino dante sunt in posterum possessure, ecclesie in Hegene Cister*ciensis* ordinis Magunt*ine* diocesis et fratribus ibidem domino famulantibus ad possidendum perpetuo ob honorem Jesu Christi et reverentiam gloriose virginis Marie et ob salutem animarum suarum et remedium sempiternum devote et simpliciter tradidisse. Acta sunt hec Frankenforth, anno domini millesimo cc. LXI., feria tercia infra assumptionem beate virginis Marie, in nostri presentia et subscriptorum, domini Hartmanni custodis nostri, domini Heinrici dicti de Hagenowe scolastici nostri,[2] domini Sifridi camerarii nostri, domini Johannis de Maguntia concanonici nostri, Reinboldi sacerdotis fratris

---

[1] *Der Name „Friedrich" für den Dechanten ist auffällig, da in diesem Jahre „Siegfried" in dieser Stellung vorkommt.*

[2] *Auch erwähnt 1261 Mai 1 (Reimer, I, 270) als Zeuge.*

camerarii, Bertoldi Bresten, Bernhelmi, civium Frankenfordensium, et aliorum multorum. Et notandum, quod de domo, quam nunc dicte begine inhabitant, dabuntur annuatim XXVIII. denarii Frankenfordensis monete canonicis Frankenfordensibus.

*Or. Pgmt. stark vermodert, das abhangende Siegel ist abgerissen. St. A. Marburg, Hainaer Urk., Abschrift im Hainaer Copialbuch f. 5 ib. . — Grotefend.*
*Gedr. nach dem Copialbuch: B., 125. Auszug: Thomas, Oberhof, 436.*

**235.** *Der Deutschmeister Konrad von Nürnberg bezeugt, dass das Kloster Haina* „quatuor mansos sitos in Berge, qui tunc temporis pertinebant ad domum nostram in Vrankenvort" *von diesem erkauft habe. Frankfurt, 1261 October* (mense octobris.)

*Gedr.: Reimer, I, 273 nach dem Or. im St. A. Marburg.*

**236.** *Heinrich, Sohn Helfrichs d. ä. von Rüdigheim, verkauft den Johannitern seine Güter in Rüdigheim unter genanntem Vorbehalt. Zeugen:* decanus N., custos, Jo. Leo, Heinricus scholasticus, Sifridus de Weddera, Jo. de Moguntia, Rudegerus, canonici Franckfurtenses, Wigantus carnifex, Helffricus, et alii quam plures. *Das Bartholomäusstift siegelt. 1261 December 5* (in vigilia b. Nicolai).

*Gedr. nach einer sehr ungenauen Abschrift saec. XVII., in Johanniter-Bücher No. 22a f. 20, St. A. Fr.: Reimer, I, 273.*

**237.** *Johannes, Bischof von Prag, ertheilt den Besuchern und Wohlthätern der Katharinenkapelle an der St. Bartholomäus-Kirche zu Frankfurt einen vierzigtägigen Ablass. Prag, 1261 December 24.*

Johannes dei gracia ecclesie Pragensis episcopus, universis Christi fidelibus, salutem in domino sempiternam. Licet is, de cuius munere venit, ut sibi a suis fidelibus digne ac laudabiliter serviatur, de habundancia pietatis sue, que merita supplicum excedit et vota bene servientibus multo maiora retribuit, quam valeant promereri; volentes tamen nichilominus populum domino reddere acceptabilem, fideles Christi ad conplacendum ei quibusdam illectivis muneribus, indulgenciis scilicet et remissionibus, invitamus, ut exinde reddantur divine gracie aptiores. Ex consensu igitur reverendi patris, domini nostri, archiepiscopi Moguntini, loci diocesani, cupientes, ut cappella beate virginis Katherine apud Frankenfurd congruis honoribus frequentetur, modo (!) redditibus quoque ac edificiis emendetur, ut divinum obsequium, quo hactenus caruit, in ea perpetuo celebretur: omnibus Christi fidelibus vere penitentibus et confessis, qui ad cappellam eandem, in anniversario die dedicacionis ipsius, in die beate Katherine, in vinculis et katedra sancti Petri, principis apostolorum, ac in die sancti Bartholomei apostoli et per octavas predictorum dierum reverenter accesserint annuatim, divine propiciacionis graciam petituri, necnon omnibus, qui ad opus ipsius cappelle manum porrexerint adiutricem, de omnipotentis dei misericordia et beatorum Petri et Pauli, apostolorum eius, meritis et auctoritate confisi, quadraginta dies de iniuncta sibi penitencia misericorditer relaxamus. Datum Prage, anno domini m. cc. LXI., in vigilia nativitatis domini.

*Abschrift in Barth. Bücher, Serie I, No. 22h f. 192a b. St. A. Fr.*
*Gedr. nach derselben Vorlage: B., 125.*
*Verz.: Will, Mainz. Reg., XXXVI, No 57.*

**238.** *H., Bischof von Jachwesien,[1] ertheilt für dieselbe Kapelle einen gleichen Ablass. Prag, 1261 December 24.*

H., frater ordinis Cysterciensis, dei gracia episcopus Jachwesie, universis Christi fidelibus, salutem in domino sempiternam. Quoniam, ut ait apostolus, omnes stabimus

[1] *Wahrscheinlich richtiger „Jatwesie, Jatwesonic".*
*Vgl. Eubel, Hierarchia, 293, 545, A. 1.*

ante tribunal Christi, recepturi, prout in corpore gessimus, sive bonum fuerit, sive malum, oportet nos diem messionis extreme misericordie operibus prevenire ac eternorum intuitu seminare in terris, quod reddente domino cum multiplicato fructu recolligere valeamus in celis, firmam spem fiduciamque tenentes, quoniam qui parce seminat, parce et metet, et qui seminat in benediccionibus, de benediccionibus et metet vitam eternam. Cum igitur ad impetrandam veniam peccatorum sanctorum sunt patrocinia oportuna, quoslibet fideles Christi speciali premio provocare volentes, ut kappellam sancte Katherine virginis apud Frankenford, diocesis Maguntine, dignis frequentent honoribus annuatim, de consensu reverendi patris nostri, domini archiepiscopi Maguntini, loci diocesani, omnibus vere penitentibus et confessis, qui ad cappellam ipsam in anniversario dedicacionis eius die, in die beate Katherine, in vinculis et in kathedra sancti Petri apostoli ac in die beati Bartholomei apostoli, et per octavas predictorum dierum in contricione spiritus accesserint annis singulis reverenter, divine propiciacionis graciam petituri, et eis, qui ad cappellam ipsam, ut ad habendum divinum officium, quo hactenus caruit, in redditibus et edificiis emendetur, manum porrexerint adiutricem, de omnipotentis dei misericordia et beatorum Petri et Pauli, apostolorum eius, auctoritate confisi, quadraginta dies de iniuncta sibi penitencia misericorditer relaxamus. Datum Prage, anno domini ṁ. cc. LXI., in vigilia nativitatis domini.

> *Abschrift in Barth. Bücher, Serie I, No. 22ᵇ f. 192ᵇ. St. A. Fr.*
> *Gedr. nach derselben Vorlage: B., 126.*
> *Verz.: Will, Mainz. Reg., XXXVI, No. 56.*

**239.** *Abt Friedrich von Arnsburg schliesst einen Vertrag mit Ritter Rupert von Heidersheim und verpflichtet sich zu einer Conventionalstrafe von 30 Mark, die bei Bruch des Vertrages in jedem Falle an das Stift zu Frankfurt zu entrichten ist. Unter den Zeugen:* Conradus magister in Ryderen. *1262 Januar.* (mense ianuarii.)

> *Bester Druck nach Barth. Bücher, Serie I, No. 22ᵇ f. 198ᵃ. St. A. Fr.: Reimer I, 275.*

**240.** *Papst Urban IV. beauftragt den Dechant und den Schatzmeister der Frankfurter Kirche mit der Untersuchung und Entscheidung eines Streites um das Patronatsrecht zu Babenhausen. Viterbo, 1262 März 31. (II kal. apr., a. 1.)*

> *Gedr.: B. 127 nach (Wolfart,) Untersuchung der Frage, Ob die von Carben, 22ᵃ.*
> *Verz.: Potthast, No. 18263. Scriba, I, 448. Hier nicht wiederholt, weil für Frankfurt unwichtig.*

**241.** *Christian, Bischof von Litthauen,*[1] *ertheilt den Besuchern und Wohlthätern der Katharinenkapelle an der St. Bartholomäus-Kirche zu Frankfurt einen vierzigtägigen Ablass. Mainz, 1262 April 15.*

Cristianus dei gracia episcopus Litowie, universis Christi fidelibus, salutem in auctore salutis. Quoniam ad redimenda peccata et salvandas animas, non tantum bona opera prosunt nobis, sed et eciam sanctorum patrociniis indigemus, dignum esse censemus, sanctos dei taliter venerari in terris, ut venia, quam non meremur, eorum nobis intercessione donetur. Cupientes igitur, ut cappella beate virginis Katherine apud Frankenfort, diocesis Maguntine, dignis in deo laudibus et obsequiis frequentetur, ac ut in ipsa deinceps divinum obsequium, quo hactenus caruit, habeatur, et ut eciam in edificiis emendetur, omnibus vere penitentibus et confessis, qui eidem cappelle manum porrexerint adiutricem, aut qui in anniversario dedicacionis eius die, in die beate Katherine, sancti Petri apostoli ac in die beati Bartholomei apostoli, necnon per octavas

---

[1] *Über diesen Bischof vgl. Eubel, l. c., 316.*

dierum ipsorum ad cappellam eandem in contricione spiritus accesserint reverenter, divine propiciacionis graciam petituri, accedente consensu reverendi patris et domini nostri, Wernheri archiepiscopi Maguntini, loci eiusdem diocesani, de omnipotentis dei misericordia et beatorum Petri et Pauli, apostolorum eius, meritis et auctoritate confisi, quadraginta dies de iniuncta sibi penitencia misericorditer relaxamus. Datum Maguncie, anno domini ṁ. cc. LXII., XVII. kalendas maii.

*Abschrift in Barth. Bücher, Serie I, No. 22ᵇ f. 192ᵇ. St. A. Fr.*
*Nach derselben Vorlage gedr.: B., 127, Joannis, Res Mog., II, 422 zu 1267, danach*
*doppelt verzeichnet: Will, Mainz. Reg., XXXVI, No. 69 u. 179.*


**242.** *König Richard erlaubt den Dominikanern zu Frankfurt sich aus dem Reichswald mit dem nöthigen Bau- und Brennholz zu versehen und ertheilt dem Frankfurter Schultheissen diesbezüglichen Befehl. Frankfurt, 1262 September 17.*

Richardus dei gracia Romanorum rex, semper augustus. Universis sacri imperii Romani fide//libus presentes litteras inspecturis, graciam suam et omne bonum. Meritis sacre religionis inducimur, // ut personas religiosas et loca divino cultui mancipata benigni favoris gracia iugiter prosequentes eorum commo//dis quantum possumus sollicite intendamus. Referente itaque dilecto nobis fratre Eberhardo priore fratrum ordinis Predicatorum in Frankinvort ac prece supplici ᵃ demonstrante, audivimus, quod ad conburendum et ad edificandum ligna difficulter valde conquirant et cum erubescencia mendicent ea domus et ordinis sui fratres. Quod sustinere ex compassione debita non valentes, sed succurrere ipsis regali clemencia satagentes, graciam hanc et plenam licenciam recipiendi ligna in regio nemore, quanta ipsis fratribus ad structuram domus et officinarum suarum et ad conburendum necessaria estimantur, auctoritate presencium indulgemus. Concedentes eis has litteras in testimonium predictorum, eo quod ipsis perpetuo volumus id inviolabiliter observari. Sculteto Frankinvordensi, qui nunc est vel qui pro tempore fuerit, firmiter iniungentes, ut predictos fratres predicta gracia libere uti permittat et sine aliqua contradictione gaudere. Datum Frankinvort. XV. kalendas octobris. Indictione quinta. Anno domini ṁ. ċc. LẊ. secundo. Regni vero nostri anno sexto.

*Or. Pgmt. mit Siegelrest (roth) an roth-gelben Fäden. St. A. Fr. Dominikaner Urk. No. 15.*
*Gedr.: B., 128 nach dem Or. .*
*Verz.: B.-F. No. 5404.*


**243.** *Konrad, Ritter von Sachsenhausen, verzichtet zu Gunsten des Klosters Haina auf alle Ansprüche an die Güter, welche dieses Kloster von den Söhnen seiner Schwester kaufte. 1262 October 19.*

Ego Conradus miles de Sassenhusen. Ad universorum noticiam cupio pervenire, quod renuntiavi omni iuri et actioni, que mihi competere videbatur in monasterium Hanehe et fratrem Conradum de Mumenberg ratione quorundam bonorum, que erga filios sororis mee de Grindahe ipsum monasterium comparavit. Preterea ego, Heinricus de Godeloch et Henricus Rufus de Buchen. milites, sponsores sumus, ut, cum predicti pueri ad annos discrecionis pervenerint, renuntient ipsis bonis, ipsum monasterium nullomodo impediendo. Testes sunt: Sifridus decanus, Sifridus de Weddere, Henricus de Godeloch et Henricus Allium. In huius facti robur et memoriam presentes litteras sigillo domini decani predicti et Hartmanni fratris mei custodis ecclesie Franckfordensis,

---

ᵃ) *Or. „supplice“, der i-Strich ist später hinzugesetzt.*

quia proprium non habui, pecii roborari. Actum anno domini m. cc. LXII., in crastino Luce.

> *Abschrift im Hainaer Copialbuch II, f. 86ᵇ. St. A. Marburg. — Grotefend.*
> *Gedr. nach derselben Vorlage: B., 128, Reimer, I, 282. Auszug: Thomas, Oberhof, 436.*

**244.** *Der Dechant Siegfried des Frankfurter Stiftes und der Prior E. der Frankfurter Dominikaner vidimiren 1) das Privileg Kaiser Friedrichs II., d. d. Tarent, 1221 April 10, 2) die Bulle Papsts Honorius III., d. d. Reate, 1219 Juni 22 für den Deutschorden. Frankfurt, 1263 Februar 21* (nono kal. marcii).

> *Or. Pgmt. mit zwei Siegeln, von denen das zweite, dasjenige des Priors, stark verdrückt ist. Wien, Deutschordens-Centralarchiv.*
> *Verz.: Pettenegg No. 404, wo der Name des Dechanten irrig als „Servaz" angegeben ist.*

**245.** *Schultheiss Hermann von Gelnhausen bezeugt, dass Ritter Philipp von Gründau auf seine Forderungen an Kloster Haina und Ritter Konrad von Sachsenhausen wegen seiner Güter zu Roth (Rode) verzichtet. 1263 Februar 23.* (VII. kalend. marcii.)

> *Gedr.: Wenck, Hess. Landesgesch., II, Urkb., 189, Reimer, I, 284 nach Or. Pgmt. im St. A. Marburg.*

**246.** *Siegfried, Dechant des Frankfurter Stiftes, beurkundet, dass Helfrich von Dörnigheim, ein Frankfurter Bürger, seine Güter in Ravolzhausen dem Propst Wigand von Schmerlenbach übereignet habe. 1263 Mai 31.*

Sifridus, decanus ecclesie Frankenfordensis. Universis presens scriptum visuris protestamur, quod in nostra presencia Helfricus de Durenkeim, civis Frankenfordensis, bona sita in Ranwoldeshusen, que idem ibidem possidebat, una cum coniuge sua domino Wigando, preposito de Smerlenbach, resignavit perpetuo possidenda. In cuius rei evidenciam copiosam ad instanciam ipsius prepositi presens scriptum fecimus conscribi et sigilli nostri munimine roborari. Testes: Hartmannus custos. Sifridus camerarius, Hermannus plebanus, Johannes dictus Moguntinus, Johannes de Colenhusen, Heinricus scholasticus, canonici Frankenfordenses, Cunradus de Auheim, Heinricus scultetus de Babinhusen, Helwicus miles, Manegoldus et Cunradus de Cespite, Heinricus et Wernherus dicti Mol, et Rulemannus, et alii plures. Actum anno gracie m̃. c̃c LXIII., quinta feria post Urbani.

> *Gedr.: Würdtwein, Dipl., I, 306, = B., 285, = Reimer, I, 285. Auszug: Thomas, Oberhof, 437.*

**247.** *Bruder Albert (der Grosse), vormals Bischof von Regensburg, nun Prediger des Kreuzes, ertheilt den Besuchern der Deutschordenskirche zu Frankfurt einen vierzigtägigen Ablass. Frankfurt, 1263 Juni 5.*

Frater Albertus episcopus quondam Ratisponensis, auctoritate sedis apostolice per Alemaniam et Bohemiam predicator crucis. Universis // Christi fidelibus, salutem in domino. Quoniam, ut ait apostolus, omnes stabimus ante tribunal Christi, sive bonum fuerit sive malum, prout // in corpore gessimus, recepturi, oportet nos diem messionis extreme misericordie operibus prevenire ac eternorum intuitu seminare in terris, // quod reddente domino cum multiplicato fructu recolligere valeamus in celis, firmam spem fiduciamque tenentes, quod qui parce seminat, parce et metet, et qui in benedictionibus seminat, de benedictionibus metet vitam eternam. Cum igitur populus domini ad honorem dei ad vos accedere soleat, ne devocio fidelium irremunerata remaneat, in sollempnitatibus beate Marie virginis, beate Elyzabeth et in dedicacione ecclesie domus Theuthon*icorum* in Frankenvort.[a] et per octavas eorumdem : nos, de omnipotentis dei misericordia confisi, auctoritate apostolica nobis concessa, omnibus vere penitentibus et confessis, qui in predictis sollempnitatibus ad vos declinaverint. XL dies de iniuncta sibi penitentia misericorditer relaxamus. Datum aput Frankenvort, anno domini m̊. c̊c̊. LX̊. III., non. iunii.

*Or. Pgmt. Siegeleinschnitt. Wien. Deutschordens-Centralarchiv.*

*Verz.: Petteneg No. 407.*

*Gedr.: B., 129 nach dem Or. = Hennes, I, 177.*

**248.** *Schultheiss Konrad, die Schöffen und die Gemeinde in Frankfurt beurkunden, dass*
*Gertrud, die Wittwe des Frankfurter Bürgers Herold, dem Kloster Arnsburg eine*
*Hufe in Haarheim und das Erbrecht des Mönches Herold, ihres Sohnes, übertragen*
*habe. 1263 September 24.*

Cunradus scultetus, scabini et universitas civium in Frankenvort. Universis, ad quos presens scriptum // devenerit, salutem in eo, sine quo non est salus. Cautum est et ydoneum valde, ut facta, que memorie sunt // digna, litteris attenticis(!) commendentur, ut per lapsum temporis ad noticiam posterorum per ipsa scripta revocentur. // Noverint igitur universi presentis temporis et futuri, quod honoranda matrona domina Gerdrudis, relicta quondam Heroldi nostri concivis, cum consensu et manu communicata Cûnradi et Rudegeri, filiorum suorum, constituta coram nobis ob honorem dei et in remissionem peccaminum suorum contulit ecclesie in Arnspurg mansum unum situm in villa Horheim titulo proprietatis, huiusmodi condicione mediante, perpetuo possidendum, videlicet, quod ipsa G. dictum mansum temporibus vite sue solummodo possideat et extunc ad usus dicti monasterii sine contradictione omnium heredum suorum liberaliter transferatur. Preterea una cum predictis filiis suis recognovit et sollempniter contulit omne ius hereditatis cenobio memorato, quod fratri Heroldo filio suo debebatur ex cessione avie sue, domine Hildemudis, si in seculo permansisset. Testes huius rei sunt: Henricus dictus Clobeloch, Cunradus de Wllenstat, Bertoldus de Heldebergen, Cunradus et Volmarus de Ovenbach fratres, scabini; Cunradus Medebruwere, Cunradus Hovbet, Rudegerus preco, et alii quam plures fide digni. Ut autem hec donatio rata et inconvulsa permaneat, presens scriptum sepememorato monasterio sigillo nostre civitatis contulimus roboratum. Actum anno domini m̊. c̊c̊. LXIII., VIII. kal. octobris.

*Or. Pgmt. mit anhängendem Stadtsiegel (2). Lich.*

*Gedr.: B., 130 nach dem Or. = Sauer, I, 437. Regest: Arnsb. Urkb., 210. Auszug:*
*Thomas, Oberhof, 437.*

*Verz.: Scriba, II No. 534 u. No. 3281.*

**249.** *Konrad, der Sohn des Jacob Schwarz, und seine Frau Benigna schenken dem*
*Kloster der Reuerinnen in Frankfurt von ihren Gütern in Bockenheim 20 Achtel*
*Weizen jährlich und verleihen demselben wegen ihrer in dem Kloster lebenden*
*beiden Töchter ein Kindstheil an ihrem dereinstigen Nachlasse. 1263 November 15.*

Nos Conradus filius Jacobi Nigri et Benigna uxor sua, cives Frankenfurdenses. Omnibus [has][b] litteras percipientibus cupimus esse notum, quod de bonis nostris in

a) *Die Worte „domus—Frankenvort" stehen über Rasur.* b) *Fehlt in der Hs.*

Bockenheim hanc ordinacionem consensu unanimi duximus statuendam, videlicet quod
religiosis dominabus Penitentibus et claustro eorum(!) in Franckenfurt de bonis nostris
supradictis viginti octalia siliginis singulis annis cedant, quousque ipsis bona alia tanta
quantitate in uno aut duobus seu tribus aliis sita locis *comparemus*. Quo facto predicta
bona nostra in Bockenheim ad nos libere revertentur. Item adicimus, quod quicquid
bonorum seu rerum post amborum nostrorum decessum reliquerimus, ad claustrum
supradictum occasione Luccardis et Ymmiche filiarum nostrarum in eodem claustro
existencium de predictis bonis nostris et rebus tantum, quantum uni puero deberet
cedere, devolvetur. Huius rei testes sunt: Conradus scultetus, Wolfframus olim scultetus,[1]
Rudolffus frater dicti Wolfframi, milites; Heinricus Allium, Conradus de Wllenstadt,
Bertoldus de Heldebergen, Bertoldus Bresto, scabini; Wigandus de Wanebach, Hartmundus et Gilebertus fratres de Hoveheim, cives Franckenfordenses, et alii quam
plures ydonei et discreti. [In][a] huius facti robur presentem litteram sigillo civitatis
Franckfurdensis petivimus confirmari. Actum anno millesimo ducentesimo sexagesimo
tercio, feria quinta post festum Martini.

Abschrift in Weissfrauenkloster-Bücher, Abt. IV. No. 2 f. 9ᵃ (Korngültenbuch v. 1488). St. A. Fr.<br>
Gedr. nach derselben Vorlage: B., 130 und Reimer, I, 287. Auszug: Thomas, Oberhof, 437.<br>
Angeführt bei Lersner Iᵇ, 79; IIᵃ, 128; IIᵇ 95.

**250.** *Werner, Erzbischof von Mainz, gestattet jeder Kirche seiner Diöcese, welche zu den
1000 Mark, die er der päpstlichen Kammer schuldig ist, ihren Beitrag zahlt, eine
Präbende oder deren Früchte für einmal zu lebenslänglicher Nutzniessung zu verkaufen. Mainz, 1264 März 14.*

Wernherus dei gracia sancte Maguntine sedis archiepiscopus, sacri imperii per
Germaniam archicancellarius. Recognoscimus et scire cupimus litteras has visuras(!),
quod magister L., decanus Maguntinus, datus a sede apostolica executor ad colligendas
ab ecclesiis et cenobiis Maguntine civitatis et diocesis mille marcas argenti ad pondus
Trecenense(!), in quibus camere papali tenemur, ecclesiis et cenobiis civitatis Maguntine
ac clero archidiaconatuum, spectantium ad ipsas ecclesias, quingentas marcas, duodecim
solidis Colon*iensibus* conputatis pro marca, Maguntie solvendas imposuit de nostro
consilio et consensu, absolvens ipsas ecclesias, cenobia et clerum predictum ab omni
alia contributione facienda ad solutionem dictarum mille marcarum argenti, nostro
consensu ad hoc similiter accedente. Nos quoque firmiter promittimus et promisimus,
quod si reliquum dictarum mille marcarum, aut pars aliqua, quacunque de causa vel
casu aliquo in aliis partibus nostre diocesis non fuerit plenarie persoluta, omnem
defectum de nostro supplebimus, sub nostro periculo et expensis, nos et successores
nostros de consensu capituli nostri ad id presentibus litteris obligantes. Verum quia
cognovimus, dictas ecclesias Maguntinas, Frankenvordensem quoque et alias extra
civitatem nostram Maguntinam, per solutiones multiplices inpensas nobis et antecessoribus nostris, per rapinas quoque a diversis malignis hominibus et predonibus in
bonis earum illatas eisdem, attenuatas plurimum et attritas, ecce, ut ad presens saltem
aliquid consolationis seu restauri videantur habere, indulgemus eisdem, ut earum
quelibet prebendam unam seu fructus prebende pro precaria ad dies ementis valeat
retinere; et si forte ecclesiam aliquam per aliquot annos precariam de suo ministrare

a) *Fehlt in der Hs.*

---

[1] *Wolfram wird noch 1264 Juni 4 (prid. nonas
iunii) schlechtweg als Schultheiss genannt. Guden,*
*Cod. Dipl., II, 149. Die Urkunde kann nicht, wie
Roth, Quellen, I, 453 angiebt, zu 1244 gehören.*

contingat, de singulis postmodum vacaturis prebendis preter id, quod hactenus consuevit recipere, unius anni fructus percipiat, donec illi anni, quibus ministrat de suo, sibi fuerint conpensati. Ego L. decanus predictus confiteor et recognosco taliter, ut est dictum, omnia et singularia acta esse, sigillum meum hiis litteris apponendo. Datum Maguntie, anno domini ṁ. c̊c̊. LXIIII., II. idus marcii.

Abschrift in Barth. Bücher, Serie II, No. 7 f. 72 ᵇ. St. A. Fr.<br>
Gedr. nach derselben Vorlage: B., 131. Weitere Drucke verz.: Will, Mainz. Reg., XXXVI<br>
No. 106. Auszug: Thomas, Fr. Archiv, II, 133.

**251.** *Dechant Heinrich und das Frankfurter Stiftskapitel verkaufen dem Wigand, Rector der Hersfelder Kirche und Notar des Abtes von Fulda, die Einkünfte einer Präbende unter genannten Bedingungen. 1264 Juli 25.*

H. decanus et capitulum ecclesie in Frankenvort. Recognoscimus et litteris presentibus protestamur, quod amico nostro Wigando, rectori ecclesie Hersfeldensis, notario domini abbatis* Fuldensis, vendidimus proventus unius prebende cum omni integritate, scilicet annone, panis, vini, presenciarum, scripturarum et cum omnibus aliis, que canonico uni dantur. Ipse eciam elegit voluntarie, elapsis annis quatuor ad deserviendum eandem prebendam apud nos personaliter residere. Et si forsitan de necessitate evidenti facere hoc non posset, ipse extunc dabit nobis vicarium de nostro consilio pro precio competenti, sicut olim in nostro capitulo moris erat. In cuius facti recognitionem litteram presentem sigillo nostro fecimus roborari. Acta sunt hec anno domini ṁ. c̊c̊. LX. quarto, in die beati Jacobi apostoli.

Abschrift in Barth. Bücher, Serie, II, No. 7 f. 67 ᵇ. St. A. Fr.<br>
Gedr. nach derselben Vorlage: B., 132.

**252.** *Dechant Heinrich und das Frankfurter Stiftskapitel, der Schultheiss Konrad, die Schöffen und Bürger zu Frankfurt beurkunden, dass Ritter Rudolf von Praunheim dem Kantor Christian und dem Kaplan Gottschalk seinen am Frankfurter Pfarrhof gelegenen Hof für 30 Mark verkauft habe. Frankfurt, 1264 September 24.[1]*

Heinricus decanus et capitulum ecclesie Frankenfordensis. Conradus scultetus, scabini et universi cives ibidem. Ad universorum noticiam presenti pagina cupimus pervenire, quod Rudolphus miles dictus de Prumheim curiam suam, iuxta curiam parrochie sitam, Cristano(!) cantori de Frankenford et Godeschalko capellano sancti Nicolai ibidem pro triginta marcis Coloniensium denariorum [vendidit]ᵇ et eam coram nobis in manus C., sculteti nostri, una cum filio suo Heinrico, videlicet seniore annos discrecionis tunc habente, resignavit; quam curiam idem scultetus predictis C. et G. iuxta nostre consuetudinem civitatis porrexit et assignavit titulo proprietatis perpetuo possidendam. Dedit eciam dictus Rudolfus fideiussores, videlicet Wolframum olim scultetum, Godeschalkum et Richwinum, fratres suos, prefatis C. et G., quod alii pueri sui dicte curie simili modo renunciabunt, cum ad annos legitimos producuntur. Promisit insuper prenotatus Rudolfus, quod si unum de fideiussoribus decedere contigerit, quod absit, ipse alium substituet infra quindecim dies loco defuncti. Si vero factum non fecerit, alii duo fideiussores hospicium Frankenfort intrabunt more fideiussorum commesturi, donec alter fideiussor, sicut promissum est, substituatur. Preterea si in aliquo predictorum fideiussorum fuerit defectus, alii omnem

---

a) In der Hs. fehlt das Abbreviaturzeichen.   b) Fehlt in der Hs.

[1] *Vgl. unten die Urk. von 1267 Febr. 1.*

supplebunt defectum. Adiectum est eciam et promisit Rudolfus sepedictus coram nobis, quod si dictam curiam aliquis impetat hominum, census aliquos requirendo ab ipsa, ipse Rudolfus et sui heredes debent eam defendere suis laboribus et expensis. Si vero census aliquis emptus fuerit ab illa, censum illum domus illa dicta ad Gurrengibel,[1] que sita est in foro, solvet et omnem defectum supplebit, quam eciam supranotatus Rudolfus ad hoc deputavit et coram nobis supranotatis C. et G. obligavit. In cuius rei memoriam et sempiternum munimen, sepenotati emptores presentem cartam conscribi fecerunt et tam sigillis nostris, quam sigillo nobilis viri, domini Philippi de Valkenstein senioris, imperialis aule camerarii, una cum sepedicto Rudolfo sibi pecierunt communiri. Et nos Philippus, a partibus rogati, sigillum nostrum apposuimus. Datum et actum Frankenfort, supra domum communitatis, anno domini m̄. c̄c̄. lXIIII., VIII. kalendas octobris.

*Abschrift in Barth. Bücher. Serie I, No. 22ᵇ f. 180ᵇ. St. A. Fr.*
*Gedr. nach derselben Vorlage: B., 132. Auszug: Thomas, Oberhof, 437.*


**253.** *Das Frankfurter Stiftskapitel verordnet, dass der beim Altar der Heiligen Katharina angestellte Vikar täglich sofort nach den Matutinen Messe lesen und dieselbe beendet haben soll, noch ehe der Pfarrer die seinige beginnt. Frankfurt, 1264 September 27.[2]*

In nomine domini, amen. Nos divina providencia Gerhardus prepositus, Henricus decanus, Cristianus plebanus et eciam cantor // totumque Frankenfordensis ecclesie capitulum, universis tam presentibus, quam futuris volumus esse notum, quod deliberatione provida et con//silio diligenti prehabitis super hiis, que expedirent nobis et ecclesie nostre, que non, consideravimus, videntes aperte, quod ex ordinatione illius // vicarie in altari beate virginis Katherine divinum obsequium in nostra ecclesia per augmentum unius persone reciperet incrementum, et quod ad honorem dei multiplicem populus diversis horis missarum sollempnia seu misteria in ipsa nostra ecclesia promptius et certius inveniret, ex voluntate unanimi et consensu concorditer et communiter ordinando statuimus, quod vicarius altaris predicti, immo ecclesie nostre, post dictas in choro sive in ecclesia matutinas, quanto maturius se poterit preparare, continuo missam dicat, ita quod missa eadem sit completa, antequam plebanus, qui pro tempore fuerit, incipiat per se vel per alium missam suam, ne ex vicarii huius missa impedimentum aliquod sustineat misse sue et ut idem vicarius, sicut choro nostro, ex ordinatione domini Johannis de Rodahe, nostri scolastici, qui vicariam eandem instituit, ad obedientiam decani et capituli obligatus existit, horis quibuslibet in ecclesia seu in choro valeat interesse, sollempnitatum iuribus salvis in omnibus ecclesie ac plebano. Volentes autem, ut hec nostra ordinatio seu statutum inviolabiliter perpetuis temporibus observetur, presens scriptum super hiis confectum sigillis nostris G. prepositi, H. decani et C. plebani sive cantoris et capituli nostri duximus muniendum. Actum et datum apud Frankenfort, anno domini m. cc. sexagesimo quarto, V. kalendas octobris.

*Or. Pgmt. An rothen Schnüren anhängend die 4 wohlerhaltenen Siegel.*
*St. A. Fr. Barth. St. No. 1116.*
*Gedr.: Würdtwein, Dioc. Mog., II, 673, B., 133 nach dem Or. .*


**254.** *Landfrieden für die Gebiete zwischen Rhein, Lahn und Main bis zum 24. Juni 1265 und von da auf drei Jahre. 1265 Mai 15.*

---

[1] *Richtig wohl „Durrengibel".*     [2] *Vergl. unten 1267 Juni 27.*

In nomine domini, amen. (1) Hec est forma iurate pacis. Dominus Wer*nerus* archiepiscopus Maguntinus, nobiles viri Gotfridus de Eppenstein senior, Heinricus comes de Wilnowe, Reinhardus // de Hagenowe, Ph*ilippus* de Valkenstein, Ph*ilippus* et Wernherus filii sui, Gerhardus iunior de Eppenstein, sculteti, officiati, scabini et universitates civitatum // de Frankenford, Vrideberg, Wetflar*ia* et de Geylenhusen promiserunt fide data et prestiterunt corporaliter sacramentum, et idem fecerunt homines et castren//ses eorum, quod exnunc usque ad festum beati Johannis baptiste et extunc ad tres annos servabunt pacem generalem omnibus hominibus secundum ius et conditionem ac consuetudinem necnon honorem cuilibet debitum et antiquitus observatum, immo eciam et iudeis. (2) Sunt autem hii termini pacis huius servande. Ab extremis terminis pertinentibus ad officium castri Starkenberg directe in Renum, in descensu per Renum usque ad aquam, que dicitur Wieschebure, prope Lorche. Ab illa aqua directe in aquam, que dicitur Wilne. Ab illa vero directe trans Logenam usque in villam Bischoveskirchen, et ab illa villa versus villam Driedorf. Ab illa vero usque ad silvam, que dicitur Schelterwalt, et ab illa silva usque ad aquam, que dicitur Salzbuide. Ab illa aqua versus claustrum Schiffenburg. Ab illo claustro versus villam Loupach. Ab illa villa usque ad fines silve, que dicitur Budingerwalt. Ab inde usque ad villam Larhoybeten. Ab illa villa usque Aschaffenburg et terminos vicedominatus eiusdem. De vicedominatu Aschaffenburgensi usque Starkenberg et terminos officii eiusdem. (3) Et ne casu aliquo contingente inter nobiles terre, civitates et co*mm*unitates vel co*mm*unes homines in predictis terminis co*mm*orantes discordia oriatur, sed quilibet prelatus, clericus, nobilis, miles, mercator, burgensis, ruris cultor, et iudeus gaudeat suo iure pariter et honore, de co*mm*uni iuratorum consilio est statutum, quod si nobilis, miles vel alius quis habuerit contra civem civitatis alicuius aliquid questionis, suam causam prosequetur in civitate secundum ius et consuetudinem civitatis. Idem servetur nobilibus in [a] eorum hominibus in ipsorum iudiciis e converso. (4) Quod si aliquis alteri super bonis aliquibus moverit questionem, is recipiet et prestabit iusticiam et iudicium coram eo iudice, sub cuius iurisdictione bona consistunt. Nec aliquis occasione offense, quam habet contra personam alterius, movebit querimoniam super bona ipsius, nisi super bona iustam et certam habeat actionem. (5) Siquis eciam alium in terminis cuiuscunque iudicii viderit, ibi potest eum licite pro debitis convenire, salvo unicuique iure suo. (6) Nullus eciam aliquem pro alio occupabit, nisi de licencia illorum octo virorum, qui super pace fovenda ét exequenda sunt co*mm*uniter deputati. (7) Ad hec, si burgenses, cives aut alie qualescu*m*que persone contra comites, liberos, dominos, nobiles sive alios habentes proprias municiones habuerit(!) questionem, illam coram illis octo personis proponent et secundum iusticiam prosequentur. Reus autem, quicu*m*que fuerit, coram eis tenebitur stare iuri, et siquis talium ad iudicium evocatus contempserit co*m*parere, censendus est pacis publicus violator. (8) Nobiles autem trahent minores personas in causam coram illis iudicibus, sub quorum iurisdictione manent et domicilia noscuntur habere. (9) Nullus eciam alium in campo aut alias auctoritate propria captivare presumat occasione quacu*m*que, nisi per prefatos executores licencietur eidem. (10) Item, quia nonnulli effrenes homines in civitatibus pleru*m*que — nec parcentes deo, in cuius passionis memoriam iudeos sustinet ecclesia sancta dei, nec eciam imperio deferentes, ad cuius cammeram pertinere noscuntur — facile tumultuant et insultum faciunt contra eos, interdum ipsos inhumaniter et miserabiliter trucidantes, statutum est, quod siquis tumultuacionem vel insultum huiusmodi fecerit contra eos, is sicut pacis violator publicus puniatur. (11) Preterea si aliquis per spolium pacem forsitan violaret, licet statim restituat spolium, tenetur tamen de temeritate satisfacere, prout executores pacis predicti decreverint iniungendum eidem. (12) Preterea quandocumque iidem pacis executores decreverint procedendum cum armis contra pacis violatores, quilibet pacis consors procedet, secundum quod ipsi sibi pro qualitate sue persone decreverint inponendum; nec eductus exercitus solvi debet, nisi ipsi eum decreverint esse solvendum. (13) Satisfactio eciam et emenda non acceptabitur, nisi ipsi eam reputaverint acceptandam. (14) Item quando executores pacis cuilibet iuxta suum statum expensas dederint de communi, si ille postea plus expendere voluerit, de bursa propria hoc expendat. (15) Quod si aliquis istorum pacis executorum decesserit, is, pro cuius parte idem premortuus fuerat institutus, infra dies quatuordecim alium eque ydoneum subrogabit. (16) Demum in quocumque negocio omnium predictorum supradicti pacis executores nequiverint communiter concordare, stabitur ordinationi maioris et sanioris partis eorundem. Preterea si vota singulorum ab invicem discreparent, eligent aliquem probum virum communiter, et ille tunc habebit potestatem idem negocium terminandi, super quo nequiverant concordare. (17) Ne autem pacis execucio tam extraneis quam indigenis ad commodum et securitatem eorum multipliciter profutura maneat inconpleta ex defectu rerum et inpensarum, quas negocium hoc requiret, dominus archiepiscopus Maguntinus dyocesanus et dominus terre statuit de communi consensu et consilio omnium predictorum in subsidium dicte pacis, quod de singulis centum maltris siliginis Maguntine mensure, que per aquas ad vendendum ducuntur, octo denarii Colonienses et de centum maltris avene Colonienses quatuor persolvantur. Item de carrata vini Frankonici quatuor Colonienses, de carrata vero vini Hunici duo tantum. Item de quolibet curru portante annonam vel avenam in civitatem, si fortasse venditur, levis denarius dabitur, priusquam super domos aliquas reponatur. De biga similiter detur assis. De curru eciam exeunte civitatem et deferente annonam vel avenam in civitate emptam unus denarius Coloniensis persolvetur. Similiter de biga denarius levis detur. Item de equo, mulo vel asino portante in civitatem vel eciam asportante annonam vel avenam ad emendum vel vendendum obulus levis detur. Nemo vinum vel annonam, que in bonis suis sibi creverunt, ducens in civitatem et reponens in domos vel vendens de domibus ipsis, dabit aliquid de eisdem, set si volet per aquas vel per terram [a] deducere ad vendendum, dabit inde, sicut superius est expressum. Item de qualibet carrata vini Franconici empti et vendendi, quod per terras ducitur super currus, quatuor denarii Colonienses dari debent, de singulis vero carratis vini Hunici tantum duo. Item quilibet currus aut biga deferens mercimonia et per terras transiens de qualibet marca secundum rerum suarum taxacionem debitam contribuet denarium unum levem. De mercimoniis per aquas deducendis quibuscumque estimacione simili de marca qualibet idem detur. De vendendis [b] etiam equis, pecoribus et pecudibus, que per terram ducuntur, taxacione simili detur idem. Set et terrarum incole, que de propriis domibus in forum animalia sua huiusmodi duxerint ad vendendum, nichil penitus inde dabunt. (18) Quod si contigerit aliquem spoliari, qui dederat contributionem huiusmodi et constiterit eum dedisse, is indempnitatis sue respectum habebit ad dominum archiepiscopum, nobiles ac civitates prefatas. (19) In singulis autem civitatibus et opidis eligentur duo viri fide digni, qui iurati obvenciones huiusmodi fideliter colligant et reservent, nulli penitus permittentes facultatem aliquam ordinandi de ipsis, nisi solis dumtaxat pacis executoribus supradictis, qui secundum statum personarum, dampnorum et fracturarum de sic collectis ulcionem et vindictam contra pacis violatores, consilia et auxilia instaurabunt, sicut eis principaliter videbitur expedire. (20) Iidem eciam collectores obvencionum istarum nulli de receptis huiusmodi tenebuntur reddere racionem, set super eis simpliciter credetur eorum iuramento, fidei et honori. Post singulos tres menses in anno venient singuli collectores ad pacis executores et fideliter dicent eis, quid vel quantum collegerint, et de illis collectis facient, quicquid pacis executores duxerint iniungendum. (21) Omnes insuper domini tam maiores quam minores huius iurate pacis consortes quilibet pro se consurget suis viribus, sicut supradicti executores pacis eis duxerint inponendum. (22) Ceterum si contingerit deo propitio sic collectam pecuniam non haberi necessariam ad pacis execucionem, set integram et intactam iacere per totum tempus prefinitum ad pacem, sepedicti octo executores pacis habebunt extunc potestatem ordinandi de illa secundum fidem suam et honorem, quod expedire videbitur toti terre ad commodum et quietem. (23) Nos Wer. archiepiscopus Maguntin*us*, Got. de Eppenstein, H. comes de Wilnowe, R. de Hagenowe, Ph. de Valkenstein et filii nostri, Gerhardus de Eppenstein, et universitates de Frankenford, de Vrideberg, de Wetflaria et de Geylenhusen civitatum recognoscimus et publice protestamur, quod iuxta formam predictam fidem dedimus et prestitimus sacramentum, et pacem servare inviolabiliter ac ad execucionem pacis et non ad aliquid aliud convertere contribuciones huiusmodi sic collectas. Ut igitur universaliter singuli et singulariter universi forcius astringamur ad observacionem omnium predictorum, presentem cartam inde conscriptam sigillis nostris fecimus communiri. Ego Eberhardus[a] comes de Katzenelinboin consencio similiter in hanc pacem.[b] Actum anno domini M̊. C°C°. LX°V., in crastino ascensionis.

*Or. Pgmt.: An Pgmtstreifen hängen an die Siegel von 1) Erzbischof von Mainz, 2) Gottfried von Eppstein, 3) u. 4) fehlen, 5) Philipp von Falkenstein, 6) fehlt, 7) Werner d. J. von Falkenstein, 8) fehlt, 9) wohl Katzenelnbogen, fehlt, 10) Frankfurt, 11) Friedberg, 12) Wetzlar, 13) Gelnhausen.*

*St. A. Wetzlar. — Grotefend.*

*Gedr. nach dieser Vorlage: B., 134 zu Mai 6, Sauer, I, 447, Reimer I, 294, = Mon. Germ. 4°. Constit., II, 611.*

*Verz.: B. — W. No. 11976, Will, Mainz. Reg., XXXVI No. 128.*

**255.** *Die vier Wetterauischen Städte beurkunden eine schiedsrichterliche Entscheidung zwischen den Grafen von Katzenelnbogen und den Herren von Falkenstein, dahin lautend, dass die ersteren nicht berechtigt seien, im Wald Dreieich zu jagen. 1265 Juli 12.*

Universis, ad quos presens scriptum pervenerit, Conradus de Frankenfurt, Hermannus dictus Unyzeichen[1] de Geilnhusen, sculteti, Wintherus burggravius de Friedeberg, Eberwinus advocatus de Wetflaria, scabini et universitates civitatum earundem, salutem in domino et credere subnotatis. Ad vestre universitatis notitiam cupimus presentibus pervenire, quod cum inter nobiles viros dominos Dietherum et Eberhardum comites de Katzenelnbogen ex parte una, et Philippum seniorem de Valkenstein imperialis aule camerarium, Philippum et Wernherum filios eius ex parte altera, dudum lis et actio verteretur super eo, quod predicti comites asserebant se habere ius venandi in silva, que Dryeyche volgariter nuncupatur, predictis Philippo et filiis suis de Valkenstein respondentibus, ipsos comites in dicta silva nullum ius venandi habere, tandem coram venerabili patre domino nostro Wernhero archiepiscopo Maguntin*o*, mediantibus pluribus nobilibus, militibus et officialibus nostris et scabinis aliquibus a nobis ad hoc ad petitionem partium destinatis, dicti nobiles de Kazenelnbogen comites et de Valkenstein domini fide data, iuramento interposito compromiserunt in arbitros simpliciter et absque dolo, videlicet in nobiles viros dominos Heinricum comitem de Wilnauwe, Reinhardum

a) *Or. „Eberbarhardus". Grotefend. Der Schluss von „Ego" an ist mit anderer Tinte nachgeschrieben.*
b) *Reimer: „partem".*

[1] *Richtiger Name: Fusechin. Vgl. Reimer l. c.*
*S. 299 a. 1.*

de Hagenauwe, Conradum scultetum de Frankenfurt et Wolframum quondam scultetum
ibidem, qui prestito corporali iuramento investigare deberent de iure, quod dicti comites
se habere dicebant in silva memorata. Prefixo autem die ad hec, videlicet vigilia
beate Margarete, apud Necretorvesbrechin[a] a dictis arbitris pro dicendo iure, quod
investigare possent ipsos comites in dicta silva habere, ipso die in dicto loco in
presentia plurimorum militum et aliorum fide dignorum et predictorum officialium
nostrorum et scabinorum nostrorum ad hec ex rogatu partium specialiter transmissorum
predicti arbitri sub fide et iuramento prestito arbitrando pronunciarunt, se taliter
investigasse, quod antedicti comites, progenitores et antecessores eorum in memorata
silva nullum venandi penitus ius haberent, nisi hoc solum, si quod eis in curia Langena,
ubi sentenciatur de iure eiusdem silve, per sentenciam adiudicatur, et quod in antedicta silva venari de cetero non deberent. Testes huius rei sunt: dominus Gotfridus
senior de Eppenstein, Petrus senior de Dorne, Hartwicus et Rysechin,[b] Conradus et
Hermannus fratres et Raymundus de Hoenstein, Hermannus dapifer in Dornberg,
Halstein, Petrus de Ramstat, Conradus de Buchees, Franko et Gernandus de Morle,
Conradus de Soltzbach, Johannes de Svalebach, Johannes de Ossinheim, Wernherus
et Wernherus de Balderszheim,[c] milites, et alii quam plures fide digni. Ne autem
possit super hiis dubietas in posterum suboriri, presentem literam conscripsimus et
sigillis nostrarum communivimus civitatum. Actum et datum in vigilia beate Margarete,
anno domini millesimo ducentesimo sexagesimo quinto.

*Abschriften im Isenburgischen Rothen Buch in Birstein (I), danach der hier wiederholte
Druck bei Reimer, I, 299, im Falkensteiner Kopialbuch zu Darmstadt (II), Uebersetzung
des 15. Jahrh. im Falkensteiner Kopialbuch in Würzburg (III).*

*Gedr.: Gründlicher Bericht von dem Königsforst Drey Eychen, Beilage 7, Buri, Bannforsten,
Beilage 9 S. 20, Gründliche Gegeninformation, Th. 3 Beil. 49, B., 137, der für seinen
Druck diese drei Drucke benutzte, Reimer, l. c. Regest: Sauer I, 451.*

*Verz.: Will, Mainz. Reg., XXXVI, No. 136, Scriba, I, No. 463 u. IV, 1, No. 2651.*

**256.** *Das Kloster Lorsch überlässt dem Stiftskapitel zu Frankfurt seine Güter in Hochstadt gegen dessen Güter in Gernsheim.   1265 Juli.*

Burkardus prepositus et conventus ecclesie Laurissensis ordinis Premonstratensis.
Tenore presentium // protestamur, quod nos cum vinea nostra sita in Hohinstat ex
parte una et ·· decanus et capitulum ecclesie // Frankenfordensis cum bonis eorum
sitis in Gernsheim ex altera concambium hinc inde fecimus sub hac // forma, ut dictum
capitulum prefatam vineam in Hohinstat possideat perpetuo titulo proprietatis et
ecclesia nostra Laurissensis prefata bona in Gernsheim eodem titulo possideat vice
versa. Ut hec predicta inconcussa permaneant et perpetuam habeant firmitatem,
presens scriptum prefatis decano et capitulo dedimus sigillo ecclesie nostre roboratum.
Actum anno domini m̄. c̄c̄. lXV., mense iulii.

*Or. Pgmt. mit abhangendem beschädigten Siegel des Propstes.
St. A. Fr Barth. St. No. 2848.*

*Gedr.: Würdtwein, Subsidia diplom., II, 426, B., 138 nach dem Or., Sauer I, 451, Reimer I,
301 nach dem Or. . Vgl. Dahl, Lorsch, 110.*

*Verz.: Scriba I, No. 464.*

**257.** *Genannte Schiedsrichter entscheiden den Streit zwischen dem Frankfurter Stifte
und dem Kloster Arnsburg wegen des Novalzehntens zu Fechenheim. 1265 September.*

a) So I. II „Necretocreskirchin", III „Netzecotziakirchen" und am Rande „Netzkiaskirch". Gründlicher Bericht: „Nezecores vespre olim"! b) II „Hartwicus Rysechin" (über R ein Z). c) „Beldersheim"
bei Böhmer wohl nur Verbesserung.

H. decanus ecclesie Francfurtensis, magister et cantor ecclesie sancti Stephani Moguntinensis. Cum ecclesia in Vechenheim attineat officiis sive dignitatibus scholasterie et cantorie ecclesie Francfurtensis, cuius ecclesie ratione decimam petebant idem scholasticus et cantor de novalibus ab abbate et conventu in Arnspurg, tam de novalibus, que propriis manibus colebant, quam que alii incole coluerunt, questione habita super prestatione huiusmodi decime inter eos, in nos compromiserunt sub pena viginti marcarum, quod nostro parebunt arbitrio, secundum quod fuerimus arbitrati. Nos vero habita inquisitione numeri et agrorum et iuris ipsius abbatis et conventus nihilominus privilegiorum indultorum a sede apostolica dicto abbati et conventui, que vidimus de verbo ad verbum et perspeximus diligenter, recognoscentes, quod ad prestationem decime novalium, que propriis manibus excolunt, non tenentur, arbitrati sumus in hunc modum, quod idem abbas et conventus dictis officiis scholasterie et cantorie perpetuo solvent novem octalia siliginis Francfurtensis mensure et presentabunt in civitatem Francfurt singulis annis in omnem eventum sterilitatis, grandinis, exercitus et cuiuscunque casus inopinati, sive sint novalia culta vel inculta, sive pauca vel plura, nunc et in futurum, suis laboribus et expensis. Adiicimus etiam, quod, si sepedicti abbas et conventus in civitate vel extra ad unum miliare reditus assignaverint decano et capitulo ipsisque officiis ad valorem novem octalium pensionis antedicte secundum estimationem communem hominum, scholasticus et cantor, qui pro tempore fuerint in ipsa ecclesia, recipient et contenti erunt ipsis reditibus in recompensationem decime novalium iam prescripte, et in hunc modum abbas et conventus de Arnspurg a prestatione decime novalium, sive aucta fuerint per industriam hominum sive minuta per negligentiam qualemcumque, manebunt liberi perpetuo et in futurum. Adeo, quod nec ab ipso capitulo, nec aliquibus personis eiusdem sive officialibus qualiumcunque moveri debet nec potest questio sepedictis abbati et conventui in Arnspurg occasione questionis istius, quam decidimus de bonorum consilio et deliberatione prehabita inter eos. In cuius rei evidenciam presens scriptum ipsius capituli, scholastici, cantoris et nostris sigillis fecimus communiri. Actum anno domini m. cc. LXV., mense septembri.

*Abschrift des 18. Jahrhunderts nach dem Or. Pgmt., das mit 5 Siegeln versehen war. St. A. Marburg. — Grotefend.*

*Gedr.: Wolfart, Dissertatio de decimis novalium, 36. Reimer I, 302 nach derselben Vorlage.*

**258.** *Ritter Walther von Vilbel (de Velwila) vergleicht sich mit dem Kloster Haina.*

Testes huius rei sunt: dominus Sifridus dictus de Werdera, canonicus ecclesie Frankenfordensis, Erenfridus plebanus de Bergen, Arnoldus scabinus dictus Burmeyster. frater Conradus de Momberg. *Frankfurt, 1265 December 1. (crast. Andr. ap.).*

*Or. Pgmt. mit dem Siegel des Kanonikus Siegfried.*

*Gedr.: Kuchenbecker, Analecta, VIII, 287. Regest hier mit Benutzung einer Abschrift Grotefends nach dem Hainaer Kopialbuch f. 20 und dem zerfressenen Or., beide im St. A. Marburg.*

**259.** *Das Mainzer geistliche Gericht beurkundet, dass das Frankfurter Stiftskapitel gegen Zahlung von acht Mark zu Gunsten der Kirche Mariengreden in Mainz auf die Nona zu Astheim verzichtet habe. 1266 Januar 21.*

Judices sancte Mogun*tine* sedis. Constare volumus universis litteras has visuris, quod exorta questio inter .. decanum et capitulum // ecclesie Frankenfordensis ex una parte ac .. decanum et capitulum ecclesie sancte Marie de Gradibus Mogun*tine* ex altera super // nona, sive iure percipiendi eandem, de quibusdam bonis sitis apud Astheim ad proprietatem dicte ecclesie sancte Marie ad // Gradus pertinentibus, quam sibi deberi . . decanus et capitulum Frankenfordensis ecclesie asserebant, tandem probis viris mediantibus taliter est sopita, quod iamdicti . . decanus et capitulum Frankenfordensis ecclesie, acceptis a . . decano et capitulo supradicte ecclesie sancte Marie ad Gradus octo marcis denariorum Coloniensium, none predicte renunciaverunt simpliciter coram nobis, immo ius percipiendi, quod habebant, vel habere videbantur in ea, in iamdictam sancte Marie ad Gradus ecclesiam totaliter transtulerunt, eiusdem ecclesie capitulo concedentes, ut ad usus sue ecclesie in perpetuum dictam nonam percipiat, si possessores bonorum ipsam debentium ad solutionem eius per ius seu modo quovis alio compelli poterunt vel induci. Instrumenta etiam et acta diversa confecta super nona huiusmodi assignaverunt . . decano et capitulo sepedicto sancte Marie ad Gradus ecclesie, coram nobis renunciantes pro se et suis successoribus instrumentis omnibus aliis, si qua super iamdicta nona forsitan tunc haberent, vel in posterum invenirent, immo quocunque tempore inventa assignare predictis . . decano et capitulo ecclesie sancte Marie ad Gradus fideliter promiserunt. Nos . . decanus et capitulum ecclesie Frankenfordensis confitemur omnia supradicta taliter esse acta, et in robur ac testimonium omnium predictorum una cum sigillo venerabilium dominorum iudicum sancte Moguntine sedis sigillo nostri capituli munivimus presens scriptum. Actum anno domini m. cc. lXVI., XII. kalendas februarii.

*Or. Pgmt. Anhängend 1) Siegel der geistlichen Richter, stark beschädigt, 2) Siegel des Bartholomaeus-Stiftes, leicht beschädigt.*
*St. A. Fr. Barth. St. No. 2848ᵃ, danach gedruckt: B., 138.*
*Verz.: Scriba I, No. 468.*

**260.** *Die Ritter Franko von Mörlen, Gerhard von Hüftersheim und deren genannte Verwandten bekennen, dass ihr Streit mit dem Deutschordenshause zu Sachsenhausen über den Novalzehnten in der Pfarrei Mörlen durch Philipp von Falkenstein und Rupert von Karben, Burggraf zu Friedberg, dahin geschlichtet sei, dass sie fernerhin den Zehnten an das Ordenshaus zu entrichten haben. Friedberg, 1266 Februar 25.*

Nos Franco de Morle, Gerhardus de Huftersheim, milites; Conradus de Hoftersheim, Erwinus de Huftersheim, Guda de Morle et filii sui recognoscimus et tenore presencium publice profitemur, quod, cum nos pro decima novalium infra terminos parochie Morle sitorum, que pro locis, in quibus sal decoquitur, que vulgo Saltzsoden nuncupantur, sitis quoque in Wissensheim, sunt commutata, a commendatore et conventu domus Theutonice in Sachsenhausen ᵃ certati essemus et sic pro eadem inter ipsos ex una parte et nos ex altera negando decimam aliquamdiu questio et discordia verteretur, tandem ob bonum pacis et concordie in nobilem virum, dominum Philippum de Valckenstein seniorem, et Rupertum de Carben, burckgravium in Friedberg, tamquam in arbitros compromisimus, quod eorum staremus ordinacioni consensu unanimi accedente; qui iure nostro et eorum diligentius requisito, perspecto et examinato, inter nos, commendatorem et conventum domus Theutonice predictos tocius discordie materiam amputantes, taliter ordinaverunt, quod nos nostrique heredes singuli ac universi, predictorum novalium possessores, debemus de eisdem in perpetuum dare decimam cum omnibus attinenciis suis, quecunque de hiis de iure debent cedere, libere et quiete. Huius ordinacionis testes sunt: dominus Philippus senior de Valckenstein et Rupertus de Carben, nostri arbitri in premissis, dominus prepositus de Newenburg, dominus Hermannus quondam prepositus in Elwenstadt, Gerhardus plebanus in Friedberg, Hartmudus de Carben, Bohemus de Friedberg, Anschelmus de Morle, Conradus Rufus,ᵇ Conradus de Soltzbach, Eberhardus Weiso, milites; Heinricus dictus Eigel, Fridebertus

*a) „Sachssenhausen" Vorlage. b) „Ruffus" Vorlage.*

senior, Fridebertus iunior, Wigandus de Limpurg, Wigandus de Wetslaria, cives in
Friedberg, et alii quam plures. Ut autem subnascencium tolli valeat materia questionum.
paginam presentem in huius rei evidens testimonium sigillorum munimine domini Philippi [a]
senioris de Falckenstein, Ruperti de Carben et civitatis Fridbergensis petivimus roborari.
Actum et datum Friedberg, anno domini millesimo ducentesimo sexagesimo sexto, in
crastino beati Mathie apostoli, quinto kalendas marcii mensis.

*Abschrift im Deutschordens-Dokumentenbuch f. 117. St. A. Stuttgart. — Von Nathusius.*

**261.** *Graf Diether von Katzenelnbogen verspricht dem Heinrich von Sachsenhausen, dem
Sohne des ehemaligen Frankfurter Schultheissen Wolfram, auf nächsten 11. November
30 Mark zu zahlen, welche derselbe und seine Erben als Burglehen in Dornberg
besitzen sollen. Rheinfels, 1266 März 23.*

Nos Ditherus comes de Kazinellenbogen. Tenore presencium protestamur apperte (!).
quod nos // Henrico, filio Wolframi militis quondam sculteti in Vrankinvort, XXX.
marcas denariorum Coloniensium promisimus, in festo beati Martini proximo venturo
persolvendas, de quibus bona comparabit, que ipse et sui heredes a nobis titulo feodi
castrensis apud Dorinburg perpetuo possidebunt. Verum si dicto H. XXX. marcas ad
terminum predictum non persolverimus, sibi III. marcas in reditibus annuatim assing-
nabimus, tam diu tenendas, donec sibi predicti denarii fuerint a [b] nobis [b] persoluti, de
quibus bona comparabit, ut est predictum. In huius vero testimonium et robur presens
sibi scriptum contulimus sigilli nostri munimine roboratum. Datum Rinvelz, anno
domini ṁ. c̄c̄. lXVĪ., tercia feria post dominicam: Domine ne longe.

*Or. Pgmt. mit abhangendem beschädigten Siegel. Ullstadt.*
*Gedr.: B., 139, nach dem Or zu März 21.*
*Vers.: Scriba, I, No. 472.*

**262.** *Aufzeichnung über die dem Mainzer St. Peters-Stift und den Brüdern von Offenbach zuständigen Novalzehnten in Offenbach. 1266 Juli 25.*

Anno domini M. CC. LXVI. cum inter nos decanum et capitulum sancti Petri
Moguntini ex parte una et filios quondam Wicgeri de Ovenbach, videlicet Cunradum
Wobelin, Wicgerum et Volmarum, ex altera super quibusdam decimis novalium in Ovenbach, quas predicti iure feodi ad se pertinere dicebant, questio verteretur, quia nobis
decano et capitulo per viros constitit fidedignos, predictos fratres in aliquibus decimis
novalium ius habere, et cum plura essent novalia in Ovenbach, quorum decima eis
deberet cedere, dubitaremus, tandem de voluntate communi predictorum trium fratrum
et nostra unum ex nostris concanonicis ad inquirendum talia ad plebiscitum Ovenbach
duximus destinandum. In presencia magistri Petri, nostri concanonici, ad hoc missi
et predictorum in publico plebiscito decima novalium, que secuntur, publice fuit dicta
ad predictos fratres iure feodi pertinere. Et sunt nomina novalium istorum ista:
Primum vocatur diz Bibeliz et est sic dictum a nomine ipsius silve, quia adhuc est
magna pars talis silve nondum exculta aut in agros ·elaborata, sed solum illa pars.
que hodie apparet culta, solvit eis decimam. Si autem processu temporis de eadem
silva fient alia novalia, decima illorum ad ipsos non pertinet, sed ad ecclesiam beati
Petri, nisi de dominorum voluntate aliud ordinetur. De ipsis secundum vocatur Vor
me Lindehe an deme hinderinstriche. Tercium vocatur an deme Grumenerleheswege.
Quarta particula vocatur zu dem Obersande. Quicquid ibi est aliud, quod novale
dicatur, preter ista nichil ad ipsos pertinet. Hoc dico ideo, quia sunt ibi adhuc alia

a) „Phillippi“ *Vorlage.* b) *Über der Zeile.*

novalia continencia bene centum et plura iugera, de quorum aliquibus ut dicitur sunt
quinque ab ipsis accepte decime. Quecunque eciam novalia postmodum surrexerint
ibidem, nichil in ipsis habebunt iuris, et termini predictorum novalium sunt omnibus
in Ovenbach noti. Dicta sunt hec et conscripta anno domini superius dicto, in festo
beati Jacobi apostoli, magistro Petro presente.

> *Gedr.: Baur, Hess. Urk., I, 33, nach Kopialbuch von St. Peter. St. A. Darmstadt. Hier*
> *wiederholt.*
> *Verz.: Scriba, I, No. 475.*

**263.** *Schultheiss, Schöffen, Rath und die Gemeinde zu Frankfurt bekennen, dass der
zwischen ihnen und Reinhard Herrn von Hanau bestandene Streit dahin geschlichtet
worden sei, dass sie demselben 200 Mark zahlen oder bis zur Zahlung verzinsen.
Auch verpflichten sie sich unter Strafe von 100 Mark für jeden Einzelfall keinen
seiner Eigenleute zum Bürger anzunehmen. 1266 September 28.*

Nos . . scultetus, . . scabini, . . consules totumque commune Frankenvurdense.
Ad noticiam universorum cupimus pervenire presentibus profiten//do, quod super
discordia seu controversia, que inter . . nos ex una parte et nobilem virum Rennardum
dominum de Hanowe ex altera aliquociens // vertebatur, amicabilis et firma ex utriusque
partis consensu et voluntate conpositio est rationabiliter ordinata seu statu//ta in hunc
modum, videlicet quod ipsi R., si est in tempore, aut ipsius heredibus, qui tunc erunt
pro tempore, ducentas marcas denariorum legalium et bonorum integraliter persolvemus.
Et quamdiu dictas marcas persolvere neglexerimus, predictis R. et suis heredibus
viginti marcas tamdiu dare annis singulis nos presentibus obligamus; hoc adiecto, si
quando persolverimus ducentas marcas pretactas, exclusis viginti marcis annis singulis
persolvendis, ab huius[a] solutione annua erimus penitus absoluti. Etiam si contingerit
aliquem aut aliquam vel plures ex suis hominibus sive rusticis[b] nostre civitatis recipi
in concivem, tot centum marcas denariorum dabimus prefatis R. et suis heredibus,
quot recepti fuerint ex ipsorum R. et heredum hominibus ad nos declinantibus in
concives, volentes nichilominus a prescripto Rennardo super prefata conpositione amicabiliter ordinata suas litteras nobis dari. Ne igitur prefate ordinationis ordinatio
seu arbitrium possit per successum temporis aliquatenus infirmari, sigillum civitatis
nostre duximus presentibus apponendum. Actum anno domini m̃. c̃c̃. sexagesimo VÎ.,
in vigilia beati Michaelis archangeli.

> *Or. Pgmt. mit wenig beschädigtem Stadtsiegel (grün). St. A. Marburg.*
> *Gedr.: Fichard, Archiv, III, 177, B., 139 nach dem Or., Reimer, I, 309. Hier nach Reimer*
> *l. c. mit Benutzung einer Kollation Grotefends.*

**264.** *Christian, Kantor der Frankfurter Kirche, verkauft dem dortigen Stiftskapitel 6 Schillinge
jährlich von seinem, einst dem Ritter Rudolf gehörenden Hause, desgleichen noch
weitere 4 Schillinge. 1267 Februar 1.*

Ego Cristianus cantor ecclesie Frankenvordensis. Tenore presentium protestor,
quod capitulo ecclesie Frankenvordensis vendidi sex solidos Colonienses de curia mea
quondam Rudolfi militis, in festo beate Katerine omni anno canonicis tunc presentibus
persolvendos. Tali condicione abiecta(!), ut si infra muros civitatis Frankenfordensis
in uno loco et certo sex solidos Colonienses emero supradicte ecclesie annuatim in
prescripto festo assignandos, curia mea antedicta ab huiusmodi census honere(!) sit soluta.

<hr>

Item[a] profiteor, quod prefato capitulo meo vendidi quatuor solidos Coloniens*es* in purificatione beate virginis canonicis presentibus ministrandos. Quos si dicte ecclesie emero in uno loco et certo, curia mea sepedicta ab eis simili modo erit libera et soluta.[a] In cuius rei evidenciam ipsam curiam meam cum aliis bonis meis una cum anno gracie prebende mee obligo ipsi capitulo, ut si aliquem defectum vel impedimentum memorati census, quamdiu de sepedicta curia solvitur, senserit, prenominata mea illud tollant. Super quo presens scriptum, sigillo meo munitum, do[b] capitulo in testimonium memorato. Actum anno domini ḿ. ćc. lXVII., kal*en*dis februarii.

Abschrift in Barth. Bücher, Serie II. No. 7f. 66<sup>b</sup>. St. A. Fr.<br>
Gedr.: B., 140, nach derselben Vorlage.

**265.** *Die Äbte Ebelin von Eberbach und Johann von Otterburg bezeugen, dass Abt Friedrich von Arnsburg seinem Kloster die Weingärten des Hofes zu Enkheim überlassen habe:* „Preterea dominus F. abbas eisdem vineis etiam assignavit circa quinque marcas denariorum censualium, qui tollentur in locis. supscriptis, videlicet in Frankenfort de nova domo Rudegeri XIII. solidi Coloniens*ium*, ibidem de domo lapidea Heinrici de Ovenbach I. marca, ibidem de tribus domibus iuxta Predicatores XIIII. solidi Coloniens*ium*.“ *Wickstadt, 1267 um Febr. 22.* (circa kath. b. Petri ap. .)

Or. Pgmt. in Lich. Danach gedr.: Reimer, I, 311, wonach hier der Auszug. Deutscher Auszug: Arnsb. Urkb., 73.

**266.** *Bischof Heinrich von Speyer nimmt den Frankfurter Schultheissen Wolfram zum Vasallen seiner Kirche an und verspricht ihm 40 Mark zum Ankauf eines Speyerer Burglehens. Bingen, 1267 April 18.*

H. dei gra*ci*a Spirensis episcopus. Ad universorum noticiam cupimus pervenire, quod nos, attendentes // probitatem dilecti nobis Wolframi scolteti de Frangenvort, et quod idem nobis et nostre ecclesie // servicia facere poterit graciosa, ipsum aquisivimus in nostrum et ecclesie nostre fassallum, dantes ipsi // quadraginta marcas Coloniens*ium* denariorum, quas idem in bona commutabit, a nobis et nostra Spirensi ecclesia castrensis feudi titulo possidenda. Predictas autem marcas ipsi persolvere promittimus ita, quod ipsi a festo beati Martini nunc proximo ad unius anni spacium sit integre satisfactum. Quod si non fieret, assignabimus ipsi bona, de quibus valorem quatuor marcarum Coloniens*ium* percipiat annuatim, tenenda tamdiu, donec ei premisse quadraginta marce per nos fuerint persolute. In cuius rei testimonium presens scriptum nostro sigillo duximus roborandum. Datum Pinguie, secunda feria post diem pasche, anno domini m. cc. lXVII.

Or. Pgmt. mit abhangendem beschädigten Siegel. Ullstadt.<br>
Gedr.: B., 141 zu März 29, nach dem Or. .

**267.** *Der Schultheiss Konrad, die Schöffen und die Frankfurter Bürger beurkunden, dass Rudeger Preco und Irmentraut, seine Frau, dem Kloster Arnsburg ihre genannten Güter unter gewissen Bedingungen übergeben haben. 1267 April 25.*

Nos Conradus scultetus, scabini ceterique cives Frankenvordenses. Tenore presencium publice profitemur et ad noticiam // cunctorum cupimus pervenire, quod Rûdegerus dictus Preco civis Frankenvordensis et Irmendrudis uxor sua conmunicata

a Die beiden Sätze „Item — soluta“ sind in der Hs. durchstrichen. b) Verbessert aus „de“.

manu // pariter et consensu domino .. abbati totique conventui Arnesburgensi bona
sua infrascripta nobis presentibus assignarunt, videlicet // ortum situm aput locum, qui
dicitur Lindehe, de quo orto census ad quatuor octalia et dimidium siliginis estimatus
annis singulis cedit ipsis. Item quedam bona, quorum proventus sive redditus in die
beati Martini annis singulis cedunt eis, scilicet ortum situm ante portam Burneheimensem
in censibus ad duos pullos et quatuor solidos denariorum Coloniensium estimatum,
ortum eidem insitum ad fertonem et duos pullos in censibus estimatum, domum
quandam sitam aput Predicatores ad fertonem censibus estimatam, domum, quam nunc
inhabitat Gerckinus calcifex, ad decem solidos denariorum Coloniensium censibus estimatam,
domum, quam ipse Rudegerus et uxor sua iamdicta inhabitant, et duo iugera vinearum
in villa Bergen sita. Interposito tali pacto, videlicet quod prenominati .. abbas et
conventus memoratis Rudegero et Irmindrudi uxori sue vel eorumdem alteri, si quod
absit hunc vel hanc decedere contigerit, proventus sive redditus omnium bonorum
predictorum in prenotatis anni terminis annis singulis integraliter presentabunt ad
terminum vite sue et nichilominus iidem Rudegerus et uxor sua de domo sua, quam,
sicuti predictum est, personaliter inhabitant, solvent eisdem dominis de Arnesburg annis
singulis libram cere. Preterea taliter est statutum, quod si eisdem Rudegero et uxori
sue vendendi prelibata bona vel eorumdem aliqua necessitas ingruerit, ipsa exhibebunt
sepefatis dominis de Arnesburg primitus ad emendum. Cuius rei testes sumus nos:
C. scultetus prefatus, Johannes dictus Goltstein, Volmarus de Ovenbach, Herburdus
de Ovenbach, Fridericus de Omestat, Godefridus de Bischovesheim, Johannes de
Glouburg, Waltherus dictus Dauhunt, Lûdewicus Pannifex, et alii quam plures tam
idonei quam discreti. Ut autem premissa debitam obtineant firmitatem, ad preces
eorumdem dominorum, necnon Rudegeri et uxoris sue sigillo memorate civitatis nostre
Frankenvordensis kartam presentem fecimus communiri. Datum et actum anno domini
ih. cc. L°XVII., in die beati Marci ewangeliste.

*Or. Pgmt. Siegel fehlt. Lich.*
*Gedr.: B., 141, Reimer, I, 314, beide nach dem Or. .*
*Vers.: Scriba, IV,² No. 3444 zu 1265 April 25, Goerz, Mittelrhein. Reg., III No. 2259.*
*Auszug: Thomas, Oberhof, 437.*

**268.** *Winther von Reifenberg und seine Frau Gertrud übergeben vor den Schöffen zu
Frankfurt dem Kloster Haina alle ihre Güter in Preungesheim und Eschersheim
unter gewissen Bedingungen. Frankfurt, 1267 Mai 25.*

Ego Wintherus de Rifenberg et uxor mea Gertrudis. Tenore presencium recognoscimus et ad cunctorum noticiam cupimus pervenire, quod omnia bona nostra in
Bruningesheym et in Escherssheym sita communicata manu et unanimi consensu propter
deum et in remissionem peccaminum nostrorum monasterio contulimus in Hegenehes
titulo proprietatis perpetuo possidenda. De quibus bonis ad vite nostre spacium idem
monasterium quinquaginta octalia siliginis Frankenfordensis mensure singulis annis
hactenus solvit nobis. Altero quoque mortuo medietas eiusdem pensionis cessabit et
post mortem amborum redibit integraliter ad ecclesiam memoratam. Nunc autem
ipsam pensionem emit apud nos ipsum monasterium pro quinquaginta marcis Coloniensium
denariorum. Gratum et ratum etiam habere volumus, quicquid cum ipsis bonis egerit,
aut teneat sive vendat. Preterea ordinatum est inter nos et fratres de Hegenehes,
quod decem marcas reedificabunt in curia eorum Frankenford in parte illa, que ad
nos spectat, de consilio nostro pariter et mandato. Sciendum etiam est, quod integraliter et libere renuntiavimus dicte pensioni et illi parti curie memorate, que ad
nos spectabat, si infra spacium duorum annorum non reddiderimus sexaginta marcas,

quas contulit nobis ecclesia memorata. Si autem domino dante, quod speramus, prefatam
pecuniam solverimus tempore ad hoc deputato, tunc in restaurum vini, quod a nobis
fratres predicti requirebant, pensio illorum duorum annorum penitus remanebit. Inter
alia hoc sciendum, quod si solverimus sexaginta marcas sepedictas, de eadem pecunia
comparabitur allodium, ut sepefatum monasterium pensionem nostram commodius nobis
solvat. Huius rei testes sunt: dominus Philippus senior de Valkensteyn, Heinricus
decanus Frankenfordensis, Johannes Leo, Sifridus de Wedere, Rudegerus, Johannes
de Colnhusen, canonici ibidem; frater Joannes de Wetflaria et socius suus, Reinhardus
capellanus sancti Nicolai, Heinricus notarius decani, Wolframus quondam scultetus.
Joannes Goltsteyn, Herbordus de Ovenbach, Arnoldus Bumeister, Godefridus de
Bischovesheim, scabini Frankenfordenses, et alii quam plures. In huius facti robur
et memoriam presentem literam conscriptam proprio ac domini decani prefati sigillis
duximus muniendam. Acta sunt hec Frankenford, anno domini m. cc. LXVII., in die
beati Urbani martiris et confessoris.

Abschrift im Hainaer Kopialbuch II, f. 32. St. A. Marburg. Kollationirt durch Grotefend.<br>
Gedr. danach: Kuchenbecker, Analecta,VIII, 288, B., 142, Reimer, I, 315. Auszug: Thomas.<br>
Oberhof, 438 No. 31.

**269.** *Dieselben übertragen dem Kloster Haina ihre Güter in Altenstadt, in Lindheim und
in Oberau, nebst 5 Morgen Weingärten in Bergen, unter gewissem Vorbehalt. Frankfurt, 1267 Mai 25.*

Ego Wintherus de Rifenberg et uxor mea Gertrudis. Per presens scriptum
innotescere cupimus universis, quod omnia bona nostra in // Aldenstat, in Lintheim
et in Oberahe et quinque iugera vinearum in Bergen sita contulimus ecclesie in
Hegenehes pro elemosina vera titulo // proprietatis perpetuo possidenda. Ita quod
memorata ecclesia medietatem omnium fructuum de vineis nobis integraliter solvet
ad spacium vite // nostre. De bonis autem predictarum villarum proventus integri
nobis cedent. Hoc etiam sciendum, quod altero mortuo persone superstiti medietatem
de vineis et integram porcionem de bonis iam dictis sine contradictione qualibet ipsa
ecclesia ministrabit. Post mortem autem amborum bona eadem apud eandem ecclesiam
perpetuo remanebunt. Insuper adiectum est, quod si domino dante pariter prolem
genuerimus, eadem bona ad eandem prolem redibunt omni postposito impedimento.
Huius rei testes sunt: *wie in Urk. No. 268. Ebenso ist der Schluss vollkommen
gleichlautend.*

Abschrift im Hainaer Kopialbuch II, 20. St. A. Marburg. — Grotefend. Das Or. Pgmt.<br>
(Hainaer Urkb.) ist fast vollkommen zerstört und konnte nur wenig benutzt werden.<br>
Gedr. nach dem Kopialbuch: Kuchenbecker, Analecta, VIII, 289. B., 242, Reimer I, 316,<br>
nach dem Or. . Auszug: Thomas, Oberhof, 438 No. 32.<br>
Verz.: Scriba, II, No. 574.

**270.** *Dieselben versprechen ihren Streit mit dem Kloster Haina wegen einer Weingült
zunächst dem Schiedsspruche des* „frater Joannes de Wetflaria" *und des* „Sifridus
de Wedere, canonicus Frankenfordensis" *unterwerfen und erst bei nicht zu
erzielender Einigung den Rechtsweg beschreiten zu wollen. Gleiche Zeugen, wie
in den beiden vorhergehenden Urkunden. Frankfurt, 1267 Mai 25.* (in die b.
Urbani mart. et conf.)

Gedr.: Reimer I, 317 nach dem Hainaer Kopialbuch. St. A. Marburg.

**271.** *Margarethe, Wittwe des Ritters Hermann von Selbold, und deren genannte Miterben
verzichten auf das Eigenthumsrecht an den zwischen ihnen und dem Deutschordens-*

*hause zu Sachsenhausen streitig gewesenen Gütern zu Gondsroth und erklären,
unter welchen Bedingungen sie diese Güter in Pacht von dem Orden fernerhin
behalten sollen.* **1267 Juni 21.** (in die s. Albani.)

*Gedr.: Reimer, IV, 809 nach dem Deutschordens-Dokumentenbuch. St. A. Stuttgart.*

**272.** *Papst Clemens IV. bestätigt die Anordnung des Frankfurter Stiftskapitels über die
von dem Vikar des Katharinenaltars nach den Matutinen zu lesende Messe.*[1]
*Viterbo, 1267 Juni 27.*

Clemens episcopus servus servorum dei, dilectis filiis . . preposito, . . decano, . .
scolastico et capitulo ecclesie // Frankenfordensis, Maguntine diocesis, salutem et
apostolicam benedictionem. Cum a nobis petitur, quod iustum est et honestum, tam
vi//gor equitatis, quam ordo exigit rationis, ut id per sollicitudinem officii nostri ad
debitum perducatur effectum. Ex//hibita siquidem nobis vestra petitio continebat,
quod vos de consensu . . diocesani vestri diligenti deliberatione prehabita statuistis, ut
perpetuus vicarius altaris sancte Katerine in ecclesia vestra, cuius vicariam tu, fili
scolastice, de bonis propriis ibidem de novo creasti, vobis subiectus existat et in eadem[a]
ecclesia una vobiscum canonicis horis intersit et post matutinas tempestive missam in
eodem altari celebret, antequam plebanus vester, qui pro tempore fuerit, incipiat dicere
missam suam,[a] ne alterius missa per reliquam valeat impediri, prout in patentibus
litteris inde confectis plenius dicitur contineri. Nos itaque vestris supplicationibus
inclinati, quod super[b] premissis provide factum est, ratum et firmum habentes, id
auctoritate apostolica confirmamus et presentis scripti patrocinio communimus. Nulli
ergo omnino hominum liceat hanc paginam nostre confirmationis infringere, vel ei ausu
temerario contraire. Si quis autem hoc attemptare presumpserit, indignationem omnipotentis dei et beatorum Petri et Pauli apostolorum eius se noverit incursurum. Datum
Viterbii, V. kalendas iulii, pontificatus nostri anno tercio.

*Or. Pgmt. mit Bulle an roth-gelben Fäden.*
*St. A. Fr. Barth. St. No. 1118.*
*Gedr.: Würdtwein,· Dioc. Mog., II, 676, B., 143 nach dem Or. .*
*Verz.: Potthast, No. 20056.*

**273.** *Heinrich, Dechant zu Frankfurt, urkundet für das Kloster Haina. Unter den
Zeugen:* „dominus Sifridus, canonicus Frankenfordensis." *Frankfurt* (in curia
dominorum de Hegenes), *1267 August 8* (in die Ciriaci et sociorum eius).

*Gedr.: Reimer, I, 320 nach dem Hainaer Kopialbuch II, 36. St. A. Marburg.*

**274.** *Die vom Erzbischof von Mainz ernannten Kirchenvisitatoren verordnen, dass ausser
dem Stiftskapitel auch die übrigen Geistlichen in Frankfurt zu den Kosten der
Visitation beizutragen haben. Frankfurt, 1267 October 18.*

Th., decanus Pinguensis, et magister Or., scolasticus Askafemburgensis, visitatores
a venerabili domino archiepiscopo Mag//untino constituti, viro discreto ·· decano Frankenvordensi, salutem in domino. Cum ratione visitacionis // vos et capitulum vestrum,
cappellarii et universus clerus civitatis vestre teneamini ad procurationem dare // levium
denariorum quinque libras, volumus et mandamus, quatenus cappellarios et alium

<hr>

a) *Über Rasur.*   b) *Or. „supel".*

[1] *Vgl. oben Urk. No. 253, 1264 Sept. 27.*

clerum Frankenvordensem ad contribuendum vobiscum secundum taxacionem domini
Johannis, scolastici vestri, compellatis. Contradictores et rebelles, si qui fuerint, per
censuram ecclesiasticam compescendo. Nos, Or., scolasticus Askafemburgensis, contenti
sumus sigillo decani Pinguensis, college nostri. Datum Frankenvort, Luce ewangeliste.
anno domini ṁ. c̆c. lXVII.

*Or. Pgmt. mit abhangendem Siegel des Dechanten Dietrich.*

*St. A. Fr. Barth. St. No. 3424.*

*Gedr.: B., 144, nach dem Or. .*

*Verz.: Will, Mainz. Reg., XXXVI No. 188.*

**275.** *Dietrich, Dechant an St. Martin in Bingen, entscheidet, als erzbischöflicher Kirchen-*
*visitator, den Streit zwischen dem Stiftskapitel zu Frankfurt und dem dortigen*
*Pfarrer Erpert über die gegenseitigen Rechte und Befugnisse. Frankfurt, 1267*
*December 1.*

In nomine domini, amen. Th., decanus ecclesie beati Martini in Pinguia, visitator
a venerabili patre, domino nostro[a] Wernero, archiepiscopo Maguntino,[b] // constitutus,
ad universorum Christi fidelium noticiam cupimus pervenire, quod, cum in ecclesia
Frankenvordensi clerum eiusdem opidi visitaremus, exorta // questione inter decanum
et capitulum ex parte una et Erprethum, plebanum ex altera Frankenvordensem, super
iuribus et consuetudinibus sibi invicem // observandis, tandem partes predicte, tamquam in iudicem sive[b] arbitrum[b] in nos compromittentes fide prestita consenserunt,
ut questionem huiusmodi omnem, que inter ipsas partes vertebatur, decideremus per
modum amicicie sive iuris. Nos igitur auditis hinc inde propositis et attestacionibus
parcium et inspectis iure, consuetudine et instrumentis super hoc habitis ex antiquo
per sentenciam diffinitivam auctoritate[c] prefati domini nostri archiepiscopi[c] pronunciando
dicimus, quod plebanus . ., quicunque pro tempore institutus in Frankonvort, . . decano
et capitulo presentatus ipsi decano debet promittere debitam obedienciam et honorem et
iurare, ut extunc ecclesie, decano et singulis canonicis ibidem in Frankenvort tam in oculto,
quam in publico, verbo et opere sit fidelis. Socii quoque ipsius plebani, quoscunque pro tempore receperit, ante exequcionem(!) officii sui iurabunt[d] similiter id ipsum fideliter observare. Preterea plebanus ipse et socii sui divino officio, nisi sunt negociis[d] parochie propediti,
debent[d] in choro tamquam canonici interesse. Item omnia legata, que transcendunt
denarios triginta et quinquaginta duos, qui vocantur secundales, memoratis decano et
capitulo presentabunt, et si dictum legatum legans ad comparandos inde redditus[e] legaverit,
plebanus et socii sui non recipient quidquam inde. Si vero legatum huiusmodi distribuitur a capitulo inter fratres, plebanus, vel si ipse canonicus est, socii sui, unius
canonici percipient porcionem. Item si quis quidquam indeterminate legaverit, plebanus
denarios triginta et quinquaginta duos prescriptos preaccipiet, reliquum capitulo presentans,
de quo eciam unius canonici, si distribuitur, accipiet porcionem. Item plebanus nomina
defunctorum scripta in kalendario capituli eo, quod elemosynas suas eidem capitulo
sint largiti, diebus dominicis in ambone suo fideliter pronunciabit et nullius aliâs defuncti
memoriam habebit, nisi infra dies triginta proximos sit defunctus, vel alicuius anniversarius in illa ebdomoda(!) habeatur, aliorum sibi commissorum recordacionem faciet
generalem, et hoc omni penitus absque scripto. Item omnia indumenta sacerdotalia,
calices, libri et ornamenta quecunque alia, seu empta fuerint vel legata, absque omni
specificacione erunt communia et ipsius capituli et plebani, ita quod in festis, profestis

a) *Verbessert aus „meo".* b) *Über der Zeile.* c) *Die Worte „auctoritate — episcopi" sind von anderer
gleichzeitiger Hand mit dunklerer Tinte über der Zeile nachgetragen.* d) *Über Rasur.* e) *Das
zweite d aus n verbessert.*

et feriatis diebus sicut choro ita plebano indumenta eque competencia custos et suus campanarius administrent. Item in die palmarum, parascevês, in vigilia pache(!) et pentecostes et in purificacione beate Marie plebanus in parochia celebrare non debet, nisi funere presente, quod ante processionem chori sine sollempnitate cantus poterit sepelire, et si persona aliqua in diebus hiis communicare voluerit,[a] post oblaciones chori facere licet ipsi. Item in cena domini et in die pache(!) plebanus et socii sui ad altare parrochie aliaque collateralia communicabunt et quidquid offertur ipsius est plebani, set in parascevês et in vigilia pache(!) decanus communicabit in choro et ipse et sui ministri percipient, quod offertur, plebanus autem ad suum altare communicans, quod ibi offertur, percipiet ipse solus, et si ad altaria collateralia communicantur aliqui, decanus suique ministri partem mediam, plebanus quoque alteram de hiis, que offeruntur ibi, percipient equo modo. Item in festis patroni vel dedicacionis collateralium altarium plebanus custodi eiusdem ecclesie vini franci boni quartale dimidium propinabit, et si capitulum cum processione in primis vesperis predicta visitaverit altaria, plebanus tantumdem dicto capitulo propinabit. Ceterum plebanus, ne per protractionem nimiam tam in pulsando, quam in[b] cantando capitulum predictum afficiat fastidio, debet se cum missa sua quantocius poterit expedire, eo tamen excepto, quod in diebus pasche, nativitatis domini et omnium sanctorum capitulum deferre debet plebano, quousque oblaciones suas commode tollat omnes, set in reliquis festis diebus post oblaciones plebani prima pulsari incipiatur et post Sanctus terminetur et post elevationem ostie ad chorum pulsetur. Item ad altare parochie plebanus duos ardentes cereos procurabit et inde percipiet solidos viginti quatuor denariorum levium, qui iam ad hoc in censu partim habentur et de bonorum legatis in posterum totaliter habebuntur. Preterea plebanus curiam anteriorem, quam inhabitat, nomine capituli inhabitabit et dabit inde censum debitum ex antiquo. Insuper in recognicionem iuris capituli, quamdiu non est in percepcione prebende, in die pasche solidos octo denariorum levium nomine census capitulo singulis annis solvet. In cuius rei evidenciam et perpetuam firmitatem nostri, prescriptorum . . decani ac capituli et plebani sigillorum munimine presentes litteras roboramus. Actum et datum Frankenvort, anno domini ṁ. cc. lXVII., kalend*is* decembris.

> *Or. Pgmt. An weissen Schnüren anhängend 1) Siegel des Dechanten Dietrich, 2) Siegel des Bartholomaeus-St., 3) Zwei Einschnitte für das [nicht angehängte] Siegel des Pfarrers, auf der Rückseite steht irrthümlich über dem Siegel des Dechanten: „Erpertus".*
> *St. A. Fr. Barth. St. No. 420.*
> *Gedr.: Würdtwein, Dioc. Mog., II, 484, B., 144 nach dem Or. .*
> *Verz.: Will, Mains. Reg., XXXVI No. 192.*

**276.** *Das Stiftskapitel und die Stadtbehörde (Schultheiss, Schöffen, Rath und Bürger) von Frankfurt beurkunden, dass Arnold und Guda, dessen Frau, ein Pfund Pfennige jährlicher Einkünfte für das Begräbniss von Armen vermacht haben. 1267 December 8.*

Quia status humanus variabilis est, necesse est, ut ipsi succurratur scripture testimonio redi//vivo. Nos igitur Heinricus decanus totumque capitulum ecclesie Frankenvordensis, Cûnradus[c] scultetus, scabi//ni, consules et universi cives Frankenvordenses hoc scripto notum facimus tam presentibus quam futuris//, quod Arnoldus, filius Guntrami, et Gûda, uxor sua, cives Frankenvordenses, communicata manu et unanimi consensu propter deum in egenorum quorumcunque sepulture subsidium in cimiterio

<hr>

a) Or. „noluerit". b) Über Rasur. c) B. „Conradus".

parrochie Frankenvordensis sepeliendorum, exceptis illis, quos in hospitali mori contigerit, ac etiam in animarum suarum remedium libram denariorum Frankenvorden*sium*[a] census annualis de domibus duabus, iuxta domum Bertholdi de Heldebergen sitis, a Cûnrado dicto Karphone et heredibus suis, illis, qui inposterum usi fuerint officio sepulture, presentandam, humiliter et sinpliciter(!)[b] legaverunt, interposito tali pacto, videlicet quod quadripartito censu prefato singuli quinque solidi in singulis quatuor anni singuli temporibus, que vronevaste vulgariter[c] dicuntur, egenorum supradictorum sepultoribus pro labore, quem in eorumdem sepultura sustinuerint, perpetualiter conferentur. Et ipsi sepultores nichilominus ab eisdem egenis huiusmodi contenti sallario perpetuo permanebunt. Cuius rei nos universi atque singuli sumus testes. Hoc autem ut legatum in posterum permaneat inconvulsum,[d] nostris ad preces Ar. memorati sigillis fecimus hanc litteram roborari. Acta sunt hec anno domini ṁ. ċċ. lXVĨ., VĪ.[e] idus decembris.

*Or. Pgmt. Anhängend die wohlerhaltenen Siegel des Stiftes und der Stadt an rothen Schnüren. St. A. Fr. Barth. St. No. 3581 (A). Ein zweites Or. im Archiv des Heiligen-Geist-Spitals (Lit. A nr. 5) mit gleicher Besiegelung weist nur die in den Anmerkungen verzeichneten unwesentlichen Varianten auf. (B.)*
*Gedr.: Lersner, II ᵇ, 167 nach B., Müller, Barth.-Stift, 163, vgl. 17, B., 146 nach A. Auszug: Thomas, Oberhof, 438.*

**277.** *Wicker von Offenbach und Giselbert von Holzhausen pachten von dem Templer-Hause zu Breisich die durch Rudolf, den Bruder Giselberts, an den Orden gekommenen Güter zu Ober-Erlenbach. Frankfurt, 1268 Januar 6.*

Ego Wikerus, filius quondam Wikeri de Ovenbach bone memorie, Gilbertus de Holzusen, tenore presencium universis cupimus fieri notum, quod cum Hildebrando, magistro domus templi in Briseche, et Gerlaco de Hohingen, eiusdem professionis fratre, de bonis ipsorum, que ad ipsos sunt devoluta a fratre Rudolfo eiusdem // domus, qui est frater mei Gilberti et sororius mei Wikeri, et que sunt in Erlebach villa sita, ordinacionem inivimus subscriptam, que talis est, quod eisdem fratribus // seu communitati fratrum iam antedicte domus in Briseche de eisdem bonis dabimus singulis annis pro pensione viginti octalia siliginis et II. octalia avene mensurata mensura Frankenfordensi et quod eandem pensionem ipsis presentare debemus in quamcumque voluerint domum Frankenvord sub dampno expensarum nostrarum et non ipsorum. Inter cetera dictum est, quod si forte iam sepedicti fratres seu domus iam antedicta suis propriis aratris colere vellent huiusmodi bona, tenemur cum ipsis divisionem seu particionem facere, quam de merito faceremus in instanti. Preterea si eadem bona vendere vellent seu commutacionem facere de eisdem, tenemur ipsis et volumus super hoc adhibere liberum consensum. Huic intererant viri subscripti: Gotscalcus miles, cives Frankenfordenses: Allium, Folmarus de Ovenbach et C. frater suus, Wigandus de Wanebach, Henricus de Wetflaria, H. de Limburg, Her. frater suus, Her. sartor, Ludewicus carnifex, Wikerus filius Folmari, Her. Niger, Ber. de Heildebergen iunior, et alii quam plures ydonei et honesti. Et ne dicti fratres in huismodi aliqualiter fracturam patiantur, dedimus ipsis presentem cedulam sigilli civitatis Frankenfordensis et[f] magistri[f] munimine roboratam. Actum et datum Frankenford, anno domini ṁ. ċċ. LXVIII., VIII. idus ianuarii.

a) B. *Über der Zeile.* b) B. *ebenso.* c) A. B. „wlgariter“. d) A. „incowlsum“. e) B. „sexto“.
f) *Über der Zeile von gleicher Hand.*

*Or. Pgmt. Nur das abhangende Stadtsiegel (2) ist bruchstückweise erhalten.*
*St. A. Wiesbaden, Kloster Thron No. 24ª. — Grotefend.*
*Gedr : Sauer, I, 460 nach dem Or. .*

**278.** *Abt Hermann von Seligenstadt beurkundet, dass die Brüder Wortwin und Richwin
von Seligenstadt dem Kloster St. Jacob in Mainz ihr Lehen (eine Fuhre Wein zu
Dörnigheim) zurückgegeben haben. Unter den Zeugen: die Brüder Johannes und
Volrad (später Schultheiss in Frankfurt). 1268 März 3.* (in sabbato, quo cantatur intret oracio.)

> *Gedr.: Reimer I, 323 nach dem Or. Pgmt. im St. A. Marburg.*

**279.** *Das geistliche Gericht zu Mainz beurkundet, dass Gerhard, Rektor der Stiftsschule
in Frankfurt* (magister Gerhardus rector scolarium in Frankenfort), *sein Erbtheil
an Gütern in Niederlahnstein seinem Grossoheim* (avunculus?) *Heinrich gen. von
Merenberg verkauft habe. Mainz, 1268 April 17.* (XV. kal. maii.)

> *Gedr.: Hennes, I, 185 nach dem Or. Pgmt. in Wien, Deutschordens-Centralarchiv.*
> *Verz.: Pettenegg No. 447.*

**280.** *Papst Clemens IV. bestätigt auf Ansuchen des Deutschordenshauses in Frankfurt
den Schiedsspruch des Kanonikus von St. German bei Speyer, Heinrich von Neu-
castel, in dem Streite des Ordens mit dem Kloster Arnsburg um den Nachlass des
Deutschordensbruders Baldemar. Viterbo, 1268 Mai 11.*

Clemens episcopus servus servorum dei. Dilectis filiis · · preceptori et fratribus
hospitalis sancte Marie Theutonicorum in Franken//vort, Maguntine diocesis, salutem
et apostolicam benedictionem. Cum a nobis petitur, quod iustum est et honestum,
tam vigor equitatis, quam ordo // exigit racionis, ut id per sollicitudinem officii nostri
ad debitum perducatur effectum. Exhibita siquidem nobis vestra peticio continebat,
quod // inter vos ex parte una, et · · abbatem et conventum monasterii in Aruesburc (!),
Maguntine diocesis, super terris, possessionibus et rebus aliis, que quondam Baldemari,
fratris hospitalis vestri, dum olim esset in seculo constitutus, fuerant, ex altera, materia
questionis exorta, fuit tandem in Henricum de Nicastel, canonicum ecclesie sancti
Germani extra muros Spirenses, super hoc a partibus tanquam in arbitrum sub certa
pena concorditer compromissum, qui equum tulit arbitrium inter partes, quod partes
ipse sponte et concorditer acceptarunt, prout in publico instrumento inde confecto
plenius dicitur contineri. Nos itaque vestris supplicacionibus inclinati, arbitrium ipsum,
sicut est equum et ab utraque parte sponte receptum, ratum et firmum habentes,
illud auctoritate apostolica confirmamus et presentis scripti patrocinio communimus.
Nulli ergo omnino hominum liceat hanc paginam nostre confirmacionis infringere vel
ei ausu temerario contraire. Si quis autem hoc attemptare presumpserit, indignacionem
omnipotentis dei et beatorum Petri et Pauli, apostolorum eius, se noverit incursurum.
Datum Viterbii, V. idus maii. Pontificatus nostri anno quarto.

> *Or. Pgmt. mit Bulle an roth-gelben Seidenfäden.*
> *St. A. Stuttgart. Urk. Preussen No. 82. - - Von Nathusius.*

**281.** *Erzbischof Werner von Mainz bestätigt den am 1. December 1267 von dem Binger
Dechanten Dietrich zwischen dem Frankfurter Stiftskapitel und dem Pfarrer Erpert
gefällten Schiedsspruch. Hof Weiber,[1] 1268 Mai 12.*

[1] *So Will l. c.*

Wernherus dei gracia sancte Maguntine sedis archiepiscopus, sacri imperii per Germaniam archicancellarius, dilectis in Christo . . decano et capitulo ecclesie de Franken//fort, salutem in domino. Dilectus in Christo Theodericus decanus ecclesie beati Martini in Pinguia missus a nobis, ut in vestra ecclesia de vobis et aliis clericis de // Frankenfort vice nostra visitacionis officium exerceret, super quadam questione exorta inter vos ex parte una, et Erpertum plebanum vestrum ex altera, super quibusdam // iuribus et consuetudinibus invicem observandis ordinacionem quandam auctoritate nostra constituit in hec verba: *Es folgt Urk. No. 275.*

Nos igitur ordinationem huiusmodi ratam et gratam habentes eam tenore presencium litterarum in nomine domini confirmamus. Nulli ergo omnino hominum liceat hanc paginam nostre confirmacionis infringere vel ei ausu temerario contraire. Siquis autem hoc attemptare presumpserit, indignacionem omnipotentis dei, beati Martini et nostram se noverit incurrisse. Datum apud Lacum, anno domini m. cc. IXVIII., in die beati Pancratii martiris.

*Or. Pgmt. Anhängend das leichtbeschädigte Siegel des Erzbischofs.*
*St. A. Fr. Barth. St. No. 399.*
*Gedr.: Würdtwein, Dioc. Mog., II, 483, B., 147 nach dem Or. .*
*Verz.: Will, Mainz. Reg., XXXVI No. 202.*

*Ausser dem Original birgt das Stiftsarchiv noch drei, durch spätere Streitigkeiten veranlasste, Transsumpte. Über das eine (Barth. St. No. 362b) vgl. den Urkundenauszug in Bd. II zu 1315 Nov. 10., das zweite (Barth. St. No. 362a) ist 1355 Febr. 6. (VIII. idus februarii) von dem Official der Frankfurter Propstei ausgefertigt und beglaubigt. Es enthält ausserdem noch den Schiedsspruch des Magister Hermann von 1269 März 28. (vgl. unten Urk. No. 290). Eine dritte Kopie ist oder sollte wenigstens durch die geistlichen Richter des Mainzer Stuhles beglaubigt werden. (Barth. St. No. 432, undatirt, erstes Viertel des 14. Jahrh. .)*

**282.** *Schultheiss Konrad, die Ritter, Schöffen, Rath und Bürger von Frankfurt versprechen jedem ihrer Mitbürger dasjenige, was er auf ihren Kriegszügen verliert, zu ersetzen, auch jeden, welcher gefangen wird, nach Massgabe seines Vermögens auszulösen. 1268 Mai 19.*

Nos Conradus scultetus, milites, scabini, consules et universi cives Frankenvorden*ses*, hoc scripto no//tum esse cupimus universis, quod de communi consilio, unanimi voluntate pariter et consensu statuimus infrascripta // perpetuo inviolabiliter observanda, videlicet, quod unicuique nostro concivi omnia, que in comitatu vexillorum nostrorum fideli, // certaminibus aut reisis, quod absit, fortassis in posterum perdiderit. plenarie refundemus. Preterea unumquemque nostrum concivem, qui sub ipso vexillorum nostrorum comitatu fideli, fortuito, quod deus avertat, per emulos aut inimicos nostros captivatus fuerit, pro pecunia tanta, pro quanta secundum taxationem valoris bonorum suorum se tunc redimere posse pensabitur. ab eiusdem captivationis vinculis absolvemus, contradictione qualibet procul mota. Ut autem huiusmodi statutum nostrum debitam et perpetuam obtineat firmitatem, sculteti nostri predicti nostreque civitatis nominate sigillis hanc paginam iussimus roborari. Actum anno m̃. c̃c. IXVIII., XIII kal*endas* iunii.

*Or. Pgmt Anhängend 1) Siegel des Schultheissen Konrad, etwas beschädigt, 2) Stadtsiegel (2), beschädigt.*
*St A. Fr. Ugb. A. 82. No. 23.*
*Verz.: Fr. Inv., III, 2.*
*Gedr : Lersner, IIa, 302, B., 147, beide nach dem Or. .*

**283.** *Ritter Rudolf von Praunheim und seine Söhne stimmen als Miterben der Schenkung zu, welche Heinrich Knoblauch und seine Frau dem Kloster Thron und ihrer Tochter Guda zugesichert haben, und verpflichten sich 50 Mark aus ihrem Antheil an der Erbschaft an die Nonne Adelheid, Tochter Rudolfs, zu entrichten. 1268 Juni 18.*

Ego Rŭdolfus miles, Heinricus, Conradus et Wolframus, filii mei. Tenore presencium publice profitemur // et universis cupimus esse notum, quod, cum Heinricus dictus Clobelouch una cum uxore sua Gŭda[a] medietatem bonorum suorum omnium nomine filie // sue Gŭde dominabus de Throno contulisset, nos, quia bonorum huiusmodi veri sumus heredes, collationi eidem contradiximus // illa vice. Nunc vero intuitu pietatis ipsi collationi plane consentimus et precise. spontanee, non coacti, Ita tamen, quod domus dicta ad Nigrum Hermannum nobis, sed bona de Peterwile attineant perpetuo dominabus eisdem. Bona etiam quedam aput Buckenheim sita, que Bertoldum dictum Bresten olim contigerant, solvencia duodecim maltra bladi, in civitate Frankenvordensi de domo femine dicte Selegenstaderen marca, de quodam macello Conradi de Olmene carnificis solidi quatuor Coloniensium denariorum, et de quadam mensa panis femine dicte Friderun eiusdem monete solidi quinque censuum annualium dominabus antedictis in perpetuum similiter attinebunt. Preterea ego Rŭdolfus fideliter hoc promisi, quod filie mee Adelheidi, que in dominarum predictarum consorcium est recepta, post mortem prefati H. Clobelouch infra duorum annorum spacium de illa medietate nostra bonorum ipsius Clobeloch quinquaginta marcas, vel pro eisdem marcis equivalentes redditus secundum estimationem bonorum virorum dabo, vel supradicti filii mei, si moriar, conferent, omni contradictione postposita, monasterio memorato. Cuius rei testes sunt: Conradus scultetus, Gotscalcus, Helwicus et Ricwinus, milites; Johannes dictus Goltstein, Volmarus et Conradus fratres de Ovenbach, et alii quam plures. Ut autem factum collationis huiusmodi non valeat inposterum immutari, civium Frankenvordensium et Wolframi quondam sculteti sigillis roborari procuravimus istud scriptum. Nos quoque cives Frankenvordenses rogati sigillum nostrum apponi fecimus huic karte. Acta sunt hec anno domini m̅. c̅c̅. LXVIII., XIIII kalendas iulii.

> *Or. Pgmt. mit dem anhängenden Stadtsiegel (2), das andere Siegel ist abgefallen. Dorsualnotiz: (fast gleichzeitig):* „Donatio Rudolfi militis de Prŭmheim. Cella Frankenvordensis.“ *St. A. Wiesbaden.*
>
> *Gedr.: Sauer, I, 462, Reimer, I, 326, beide nach dem Or. .*

**284.** *Gottfried der Ältere von Eppstein und Elisa, seine Gemahlin, verzichten auf alle Ansprüche an die zwei Hufen in Oppershofen, wegen welcher sie mit dem Kloster Arnsburg bisher Streit führten. Zugleich bekennen sie, dass ihnen das Kloster seinen vom Kanonikus Rutger erkauften Hof in Frankfurt zu lebenslänglicher Benutzung überlassen habe. Frankfurt, 1268 Juli 13.*

Godefridus senior de Eppenstein et Elysa collateralis nostra. Tenore presencium recognoscimus publi//ce protestando, quod nos pari consilio et voluntate una cum consensu filiorum nostrorum, Gerhardi prepositi // ecclesie Frankenfordensis et Godefri[b], renunciavimus omni actioni, quam habuimus vel habere potuimus, super // duobus mansis in Hopershoven sitis, pro quibus multo tempore litigavimus cum domino .. abbate et conventu de Arnisburg. Ita, quod nec in posterum a nobis sive a nostris heredibus legittime succedentibus, ulla interveniente occasione, super eisdem bonis ipsum monasterium molestetur vel aliquatenus inpulsetur. Preterea recognoscimus, quod dominus abbas et conventus eiusdem monasterii intuitu nostre dilectionis assigna-

---

<sup></sup>a) *Die Worte:* „una — Guda“ *sind über der Zeile von gleicher Hand nachgetragen.* b) *So!*

verunt nobis ad spacium vite nostre curiam suam in Frankenfort, quam comparaverunt pro quadraginta una marcis Coloniensibus apud dominum Rudegerum canonicum ibidem. tali condicione interposita, quod quicquid in eadem curia tam in maioribus quam minoribus edificiis edificaverimus, post obitum nostrum in puram elemosinam ad ipsum monasterium penitus devoloantur* nec eciam filii nostri sive qualescunque heredes nostri ullum ius habebunt super huiusmodi requirendi.  In cuius rei testimonium presentes litteras conscribi fecimus et sigillis nostris et filiorum nostrorum predictorum fecimus roborari.  Actum in Frankenfort in curia eorumdem monachorum, anno domini ṁ. ċc. lXVIII., in die beate Margarete.  Testes autem sunt: Henricus decanus et camararius* Sifridus ecclesie Frankenfordensis, S. notarius noster, C. scultetus, Wer. dictus Schelme, Wol. quondam scultetus, Henricus de Dydinkeim, milites: dominus F. abbas, H. vestiarius, R. cellerarius de Arnisburg, frater H. magister curie in Ryderen, et alii quamplures.

> *Or. Pgmt.  Von den Siegeln fehlt das erste, das zweite (Elysa) ist schön erhalten, von dem*
> *dritten hängt nur ein Bruchstück an, das vierte ist beschädigt.  Lich.*
> *Gedr.: B., 148 nach dem Or. zu Juli 12.  Auszug: Arnsb. Urkb., 211 (ebenso).*
> *Verz.: Scriba, II No. 581 (ebenso).*

**285.** *Papst Clemens IV. bestätigt dem Stiftskapitel zu Frankfurt alle seine Freiheiten und Immunitäten.  Viterbo, 1268 September 7.*

Clemens, servus servorum dei, dilectis filiis . . decano et capitulo ecclesie Frankefordensis, Maguntine diocesis, salutem et apostolicam benedictionem//.  Cum a nobis petitur, quod iustum est et honestum, tam vigor equitatis quam ordo exigit rationis, ut id per sollicitudinem // officii nostri ad debitum perducatur effectum.  Eapropter, dilecti in domino filii, vestris iustis postulationibus grato concurrentes // assensu, omnes libertates et immunitates a Romanis pontificibus, predecessoribus nostris, sive per privilegia seu alias indulgentias vobis et ecclesie vestre concessas, necnon libertates et immunitates secularium exactionum a regibus et principibus aliisque Christi fidelibus rationabiliter vobis seu ecclesie predicte indultas, sicut eas iuste ac pacifice obtinetis, vobis et per vos eidem ecclesie auctoritate apostolica confirmamus et presentis scripti patrocinio communimus.  Nulli ergo omnino hominum liceat hanc paginam nostre confirmationis infringere vel ei ausu temerario contraire.  Si quis autem hoc attemptare presumpserit, indignationem omnipotentis dei et beatorum Petri et Pauli, apostolorum eius, se noverit incursurum.  Datum Viterbii, VII. idus septembris, pontificatus nostri anno quarto.

> *Or. Pgmt. mit Bulle an roth-gelben Fäden.  Auf dem Buge „J. G“ auf der Rückseite:*
> *„R[egistratum] fo⁰ VÎ.“*
> *St. A. Fr. Barth. St. No. 136.*
> *Gedr.: Würdtwein, Dioc. Mog., II, 422, B., 149 nach dem Or. .*
> *Verz.: Potthast No. 20452.*

**286.** *Gottfried der Ältere von Eppstein und Elisa, seine Frau, verkaufen dem Kloster Padershausen Güter in Seligenstadt und Bruchhausen.  Die einstweilige Kornpachtlieferung soll im Arnsburger Hof zu Frankfurt (in curiam monachorum de Arnisburg) erfolgen.  Unter den Bürgen, welche in Frankfurt Einlager halten sollen, werden genannt:* Henricus de Sassenhusen miles *und* Folcmarus, filius Rudigeri de Ovinbach. *Zeugen:* Cunradus dictus Wobelin, Wicgerus frater suus, Friedericus

de Ronnenberg, Arnoldus magister operis. *Die Stadt Frankfurt siegelt mit.
1268 December 7.* (fer. 6 p. f. b. Nicolai.)

*Gedr. nach dem Or.: Joannis, Spicilegium, 287.*
*Weitere Drucke verz.: Scriba, I No. 501, Will, Mains. Reg., XXXVI, No. 216.*


**287.** *Wolfram, vormals Schultheiss zu Frankfurt, verkauft dem Deutschordenshause zu
Sachsenhausen Kornrenten aus dem Lindau und Geldzinsen. 1268.*

Ego Wolframus quondam scultetus Frankenvortdensis. Facile a memoria hominum
labitur, quod nec voce testium // nec litterarum testimonio roboratur. Hinc est, quod
tenore presencium constare cupio publice profitendo, quod ego de admis//sione manuali
Udelindis, uxoris mee, necnon Heinrici et Richwini, filiorum meorum, ceterorumque
heredum meorum vendi//di fratribus domus Teuthonice in Sassenhusen tria octalia
siliginis et duos modios, quos michi nomine census de quodam manso sito in Lindehe
singulis annis dabant; vendidi eciam eisdem XXX. denarios Frankenvortdensis monete,
quos michi de quibusdam bonis dare eciam consueverunt. Resignavi ipsis huiusmodi,
presentibus personis subscriptis, que utique eiusdem rei testes esse similiter dinoscuntur,
videlicet: Cunrado sculteto Frankenvortdensi, Volmaro de Ovenbach, Cunrado Wobelin,
Johanne Goltstein, Heinrico Clobelauch, cum ceteris civibus et scabinis Frankenvordensibus. In huius igitur rei evidenciam et firmitatem ipsis assignavi presentem
cedulam mei sigilli munimine roboratam. Datum anno domini m̊. c̊c̊. LXVIII.

*Or. Pgmt. Das abhangende Siegel fehlt. Wien, Deutschordens-Centralarchiv.*
*Verz.: Pettenegg No. 453. Nach Abschrift im Deutschordens-Saalbuch erwähnt: Lersner,*
*I^a, 266, Fr. Arch., VI, 61, Niedermayer, 24, Fr. Arch., II, 143, Anm.*


**288.** *Dechant Heinrich und das Stiftskapitel zu Frankfurt und der Pfarrer Erpert
daselbst übertragen dem Magister Hermann, ihrem Mitkanonikus, die schiedsrichterliche Entscheidung gewisser zwischen ihnen streitiger Artikel. Frankfurt, 1269
März 28.*

Nos Heinricus decanus totumque capitulum ecclesie Franckenvordensis et Erpertus,
plebanus ibidem. Noverint universi tam presentes quam futuri, quod cum lis et causa
super quibusdam certis articulis, nostris sigillatis sigillis, inter nos decanum et capitulum ecclesie Franckenvordensis ex parte una, et me E. plebanum prescriptum [a]
ex parte altera, diucius verteretur, et super eisdem articulis hinc inde observandis
oblatus fuerit libellus coram iudicio Maguntino, tandem nos partes prescripte, volentes
a dicta lite et causa, que est vel esse posset, et iudiciorum strepitu discedere, communiter et concorditer compromisimus in virum discretum magistrum Hermannum,
nostrum concanonicum, tamquam in arbitrum, arbitratorem et amicum communem,
dantes sibi plenam ac liberam potestatem arbitrandi, diffiniendi, aut amicabiliter com-
ponendi inter nos super ipsis articulis et quolibet eorundem. Promittentes eciam,
omnia et singula, que dictus magister Hermannus preceperit, ordinaverit, diffiniverit
seu arbitratus fuerit, firmiter observare et contra ea non venire, sub pena viginti
marcarum Coloniensium denariorum, sex iudicibus Maguntinis, octo fabrice ecclesie
Franckenvordensis, et sex marcas ipsi magistro Hermanno, a parte arbitrium dicti
magistri Hermanni super hiis non observante solvendarum, nisi pars non observans
monita infra quindenam resipiscat, emendando, restaurando vel restituendo contra
arbitrium dicti magistri, si quid fecit In cuius rei maiorem evidenciam et firmitatem,

a) *Hs. „plebanatum (!) prescriptos".*

nos decanus et capitulum, E plebanus et magister Hermannus prenominati presentem litteram nostris sigillis presentibus roboramus.    Actum Franckenvord, anno domini in cc. IXIX., quinto kalendas aprilis.

*Abschrift in Barth. Bücher, Serie I, No. 22[b] f. 73 ab. St. A. Fr.*
*Gedr.: B., 149 nach derselben Vorlage.*

**289.** *Magister Hermann, Kanonikus zu Aschaffenburg, entscheidet als Schiedsrichter gewisse finanzielle Streitigkeiten zwischen dem Frankfurter Stiftskapitel und dem Pfarrer Erpert. 1269 März 28.*

Ego, magister Hermannus canonicus Aschaffenburgensis, articulos facti, super quibus in me tamquam in arbitrum, arbitratorem et // amicum communem ex parte .. decani et capituli Frankenvordensis et E. plebani ibidem extitit compromissum. taliter // arbitrando diffinio.    Ad primum, quod capitulum petit quatuor marcas a plebano predicto, quas recepit a dicto Histengrubele, // has quatuor marcas dico restituendas a plebano, sed meo arbitrio distribuendas. Item duas marcas in Medenbruere, cum plebanus hoc neget, si probatum fuerit, ipsum predictas duas marcas recepisse, pronuncio eas restituendas a plebano et meo arbitrio similiter distribuendas. Item duos solidos census annualis, quos legavit dictus Medenbruere, et decem et octo denarios, quos legavit Bichelina, ad cereos parrochie deputo tribuendos, hoc tamen fiat de scitu decani et capituli supradicti. Item decem et octo solidos Coloniensium denariorum, quos dicitur plebanus recepisse a Walthero de Velwile et eius uxore, dico restituendos a plebano, si probatum fuerit eum recepisse. Item solidum denariorum census annualis, quem legavit H. dictus Alleum, deputo ad cereos predictos. Item ianuam constructam apud altare sancte Marie a plebano obstrui per me volo, si non placuerit decano et capitulo, vel maiori et saniori parti capituli, sic permanere. Item arbitrando dico, quod plebanus, quandocunque et quibuscunque diebus vocatur ad infirmum ad communicandum, quod vadat libere et secure sine alicuius contradictione. Item volo, quod plebanus non prohibeatur a decano et capitulo edificare altare parrochie, ita quod hoc faciat sine preiudicio tamen chori. Ut nos decanus et capitulum et E. plebanus Frankenvordensis prescriptos articulos inviolabiliter observemus, presentem litteram nostrorum sigillorum una cum sigilli magistri Hermanni munimine roboramus. Actum anno domini m̊. cc. 1XẙVIIII., V. kalendas aprilis.[a]

*Or. Pgmt.   Abhangend: 1) Stiftssiegel beschädigt.   2) Siegel des Erpertus.   3) Siegel*
*Hermanns.*
*St. A. Fr. Barth. St. No. 429.*
*Gedr.: B., 150 nach dem Or. .*

**290.** *Derselbe entscheidet als Schiedsrichter den zwischen dem Frankfurter Stiftskapitel und dem Pfarrer Erpert über Rechte, Gewohnheiten und gewisse besondere Artikel entstandenen Streit. 1269 März 28.*

Magister Hermannus Aschaffenburgensis[b] et Frankenvordensis[c] ecclesiarum canonicus, ad universorum Christi fidelium noticiam cupio pervenire, quod, cum in ecclesia Frankenvordensi[c] exorte essent questiones inter dominum[d] .. decanum // et capitulum ex parte una et Ep.[e] plebanum Frankenvordensem[c] ex altera, super iuribus et consuetudinibus, necnon super quibusdam articulis facti sibi invicem observandis, tandem

---

a) *Das Tagesdatum ist mit hellerer Tinte von anderer gleichzeitiger Hand hinzugefügt.* b) B. „Asaphenburgensis.“   c) „Frankenfordensi.“   d) „dominum“ *fehlt in* B.   e) B. „Erpertum.“

partes predicte tamquam in arbitrum et arbitratorem [a] in me // compromittentes, ut
in litteris ipsorum super hoc confectis plenius continetur, consenserunt, ut questionem
huiusmodi omnem, que inter ipsas partes predictas vertebatur, deciderem per modum
amicicie sive iuris. Ego igitur auditis hincinde // propositis et inspectis iure, consuetudine, utilitate, honestate tam ecclesie quam parrochie et instrumentis super hoc
habitis ab antiquo, insuper prudentum virorum usus consilio et plena deliberatione
mecum habita, in nomine domini arbitrando diffinio et pronuncio in hunc modum, quod
plebanus quicunque pro tempore institutus in Frankenvord . . decano et capitulo presentatus decano [b] debet facere debitam obedienciam et honorem et iurare, ut extunc
ecclesie, decano et singulis canonicis ibidem in Frankenvord tam in occulto quam
in publico verbo et opere et ipsi canonici vice versa ininvicem sint fideles. Socii
quoque ipsius plebani, quoscunque pro tempore receperit, ante execucionem officii sui
iurabunt, ut ecclesie, decano et singulis canonicis tam in occulto quam in publico
verbo et opere sint fideles. Preterea Eppertus [c] plebanus, quia receptus est in canonicum, nisi sit negociis parrochie impeditus, sit choro astrictus insuper legendo, cantando tamquam canonicus et septimanam suam in quolibet officio observabit et in hiis
omnibus vicariis et quibuscunque non canonicis preferatur. Et quod plebano detur
candela in festo purificationis ex parte capituli, sicut uni canonico illa die. Item
omnia legata, que transcendunt denarios triginta et quinquaginta duos, qui vocantur
secundales, memoratis decano et capitulo presentabit, et si dictum legatum legans ad
conparandos inde redditus legavit, plebanus et socii sui non recipiant quicquam inde.
Si vero legatum huiusmodi distribuitur a capitulo inter fratres, plebanus vel, si ipse canonicus est et in perceptione prebende, socii sui, unius canonici nomine plebani percipient portionem. Item si quis indeterminate legaverit, plebanus denarios triginta et quinquaginta
duos prescriptos preaccipiet, reliquum capitulo presentans, de quo eciam unius canonici, si
distribuitur, accipiet portionem. Item plebanus nomina defunctorum scripta in kalendario
capituli, eo quod elemosinas suas eidem capitulo sint largiti, diebus dominicis in ambone suo
fideliter pronunciabit et nullius alias defuncti memoriam habebit, nisi infra triginta dies
proximos sit defunctus, vel alicuius anniversarius in illa ebdomoda(!) habeatur. Aliorum
sibi commissorum recordationem faciat generalem et hoc omni penitus absque scripto.
Item omnia indumenta, [d] calices, libri et ornamenta quecumque alia, seu empta fuerint
vel legata, sine omni specificatione erunt communia et ipsius capituli et plebani, ita
quod in festis, prothofestis, [e] feriatis diebus, sicut choro ita et plebano, indumenta eque
conveniencia campanarius amministret. Item in die palmarum et parasceves, [f] in
vigilia pasche [g] et penthecostes, [h] et in purificatione beate Marie plebanus in parrochia
non celebret, nisi funere presente, quod ante processionem sine sollempnitate cantus
poterit sepelire, et si persona aliqua in diebus prescriptis communicare voluerit, post
oblationes chori licet ipsi. Item in cena domini et in die pasche plebanus et socii
sui ad altare parrochie aliaque collateralia communicabunt, et quicquid tunc offertur,
ipsius sit plebani. Sed in parasceve [f] et in vigilia pasche decanus communicabit in
choro et ipse et sui ministri percipient, quod offertur, plebanus autem ad suum altare
communicans, quod sibi offertur, percipiet ipse solus, et si ad altaria collateralia communicant aliqui, decanus suique ministri partem mediam, plebanus vero alteram de
hiis, que offeruntur ibi, percipient equo modo. Item si aliquis advena, peregrinus,
aut religiosus celebrat in altaribus collateralibus, si hoc fit [i] ante pulsationem misse,
sit custodis, si infra pulsationem misse, vel post, sit plebani, quod offertur. Item
arbitror, ut cum funus aliquod sepeliendum est a canonicis, quod non flent [k] plures
misse pro defunctis, nisi due, una in choro et alia a plebano, nisi a parentibus defuncti

---

<a) B. *schiebt ein:* „et in amicum communem". b) B. „ipsi". c) B. „Erpertus". d) B. „sacerdotalia".
e) B. „profestis". f) „parascave". g) B. „pasce" h) B. „pentecostes". i) B. „fiat". k) B. „fiant".

hoc requiratur, et hoc requiri volo a decano, qui hoc licenciabit, ita tamen, quod si una missa tantum[a] requiratur, una vice a vicariis chori et alia vice a sociis plebani celebretur.   Si vero due misse requirantur, una a vicariis chori et alia a sociis plebani proportionaliter celebretur.   Nec liceat[b] alicui sacerdoti presente funere ultra id missam celebrare pro defunctis, nisi licenciatus fuerit a decano.   Item in festo patroni vel collateralium altarium dedicationis plebanus custodi eiusdem ecclesie[c] vini franci boni quartale dimidium propinabit, et si capitulum cum processione in primis vesperis predicta visitaverit altaria, plebanus tantumdem capitulo propinabit. Ceterum plebanus, ne ex protractione nimia capitulum tedio afficiat, debet se cum missa sua bona fide quantocius poterit expedire, et hoc arbitrando sibi precipio sub obediencia facta decano. Attamen in die pasche et omnium sanctorum, nativitate domini capitulum deferre debet plebano, donec oblationes suas commode tollat omnes.   In reliquis festis diebus post oblationes plebani prima pulsabitur et in inceptione Pater Noster terminetur et post secundum Agnus Dei ad chorum pulsetur.   Item cerei duo ad altare parrochie ardentes, qui in censu partim habentur,[d] de bonorum legatis in posterum de scitu tamen capituli usque ad summam viginti quatuor solidorum Frankenvordensium denariorum totaliter habebuntur.   Volo etiam et arbitrando precipio, ne plebanus aliquid construat vel destruat in ecclesia vel in cimiterio, nisi de consensu decani et capituli vel[e] partis capituli sanioris.   Preterea plebanus inhabitabit curiam anteriorem nomine capituli et dabit inde censum debitum ex antiquo.   Insuper in recognitionem iuris capituli, quamdiu non est in perceptione prebende, in die pasche solidos octo levium denariorum nomine census capitulo singulis annis[f] solvet.   Prohibeo etiam plebano, ne aliquid pro licencia danda vinum, annonam vel aliqua huiusmodi inducendo vel extraducendo aliquid recipiat ad usus suos ultra id, quod fabrice solet dari, ut hactenus est observatum vel debuit observari, sed id, quod offertur, fabrice solum cedat.   Nos decanus et capitulum et E., plebanus Frankenvordensis, omnia prescripta et arbitrata a magistro Hermanno,[g] nostro concanonico, inviolabiliter promittimus observare sub pena super hoc conscripta.   In cuius rei maiorem evidenciam[h] atque firmitatem presentes[i] litteras nostrorum et magistri Hermanni sigillorum munimine roboramus.   Actum et datum anno domini m. cc. lXVIIII., V.[k] kalendas aprilis.

*Die Urkunde ist in doppelter besiegelter Ausfertigung vorhanden. Die eine (Barth. St. No. 400 b) die als Vorlage für den Druck gedient hat, ist mit den 3 wohlerhaltenen abhangenden Siegeln versehen (A.). Die zweite (Barth. St. Nr. 400 a) ist von einem anderen Schreiber gefertigt (B.) und in gleicher Weise wie A. besiegelt (drittes Siegel beschädigt). Da B verschiedene Spuren von Änderungen durch Rasur aufweist, auch die Corroborations- und Datumzeile nachgetragen sind, scheint B. als beglaubigte Vorlage für A. gedient zu haben. Die Varianten, die B. gegenüber A. aufweist, sind, soweit nöthig, in den Anmerkungen angeführt, ausserdem schreibt B. die Endung cio stets mit c und macht von den zwei Dignitätspunkten etwas reichlicheren Gebrauch. A. hat auch als Vorlage für ein schon oben erwähntes Transsumpt (Barth. St. No. 362 a; vgl. oben No. 281) gedient.*

*Gedr. nach A.: B., 150.*

**291.** *König Richard bestätigt dem Kloster Arnsburg die Bedefreiheit der Klosterhöfe in den Reichsstädten, (also auch in Frankfurt). Frankfurt, 1269 Mai 22. (XXII die maii.)*

*Gedr.: Gebauer, Leben Kaiser Richards, 405. Regest: Arnsb. Urkb., 211. Verz.: B.-F. No. 5459.*

**292.** *König Richard erlaubt dem Frankfurter Stiftskapitel sich aus dem Reichswald Dreieich mit dürrem Holz zum Brennen zu versehen. Frankfurt, 1269 Mai 23.*

a) B. „tantum missa.“ b) B. „eciam.“  c) B. „ecclesie eiusdem.“ d) B. „et.“ e) B. „ipsius.“ f) B. „annis singulis.“  g) B. „Hermanno“ *über der Zeile.* h) B. „memoriam“  i) B „nostras.“  k) „quinto.“

Ricardus dei gra*t*ia Romanorum rex, semper augustus. Universis sacri imperii Romani fidelibus presentes // litteras inspecturis gra*t*iam suam et omne bonum. Cupientes honorabiles viros .. decanum et capitulum // Frankefordensis ecclesie, dilectos capellanos nostros, ad imitationem predecessorum nostrorum imperatorum Romanorum et // regum speciali prosequi gra*t*ia et favore, ut arida et infructuosa lingna[a] in nostro et imperii nemore, quod[b] Driech vulgariter nuncupatur, ad ipsorum proprium usum et ingnem[a] libere colligere et accipere valeant et sine alicuius contradictione ad proprios lares deducere, pure ac propter deum eisdem decano et capitulo plenam auctoritate presentium concedimus facultatem . Sculteto nostro Frankefordensi, qui nunc est et qui pro tempore fuerit, districtius inhibentes, ne predictos decanum et capitulum contra hanc nostram concessionem impediat vel molestet, nec ab aliquibus impediri vel molestari permittat, sed studeat potius eos in hiis gra*t*iose et benivole promovere. In cuius rei testimonium presentes litteras exinde conscribi et sigillo maiestatis nostre iussimus co*m*muniri. Datum Frankefort, XXIII. die maii, indictione XII., anno domini m̃. c̈c. IX̊. nono, regni vero nostri anno XIII.

> *Or. Pgmt. Das an gelben, rothen, grünen und vereinzelten weissen Fäden anhängende*
> *Siegel in rothem Wachs ist sehr stark beschädigt.*
> *St. A. Fr. Barth. St. No. 7.*
> *Gedr.: Würdtwein, Dioc. Mog., II, 421, Gebauer, Leben Kaiser Richards, 406, B., 153 nach*
> *dem Or. .*
> *Verz.: B.-F. No. 5460. Bei Scriba zweimal: I, No. 438 zu 1260! und No. 507 zu 1269.*

**293.** *König Richard verordnet, dass das Deutschordenshaus zu Sachsenhausen den Röderbruch auch fernerhin ebenso ungestört besitzen solle, wie zu den Zeiten Kaiser Friedrichs und König Heinrichs, seines Sohnes. Mainz, 1269 Juli 9.*

Ricardus dei gracia Romanorum rex, semper augustus. Universis sacri imperii Romani fidelibus presentes // litteras inspecturis graciam suam et omne bonum. Cupientes honorabiles et religiosos viros .. co*m*mendato//rem et fratres domus sancte Marie Theotonicorum Frankeforden*ses* propter grata ipsorum merita uberiori // prosequi gracia et favore, tenore presentium eisdem fratribus specialiter duximus concedendum, ut predicti fratres ea libertate et eo iure vel potiori in quadam palude sita iuxta nemus nostrum et imperii prope Frankeford, quod Roderbroch vulgariter nuncupatur, uti et gaudere libere valeant, quo tempore recolende memorie Frederici olim Romanorum imperatoris et Henrici filii sui, predecessorum nostrorum, usi et gavisi fuisse noscuntur. Quapropter Wlframmo militi, sculteto nostro, et illi, qui pro tempore ibidem scultetus fuerit, districte precipimus et mandamus, quatinus predictos co*m*mendatorem et fratres super huiusmodi libertate et iure in ipsa palude nullatenus impediant vel molestent, sed ipsos studeant, tam in hiis, quam in omnibus eorum agendis favorabiliter promovere. Dat*um* Maguncie, VIIII. die iulii, indictione XII., anno domini m̃. c̈c. IX̊. nono, regni vero nostri anno XIII.

> *Or. Pgmt. Siegeleinschnitt. Wien, Deutschordens-Centralarchiv.*
> *Gedr.: B, 153 nach dem Or. = Hennes, I, 186.*
> *Verz.: Pettenegg No. 457, B.-F. No. 5464.*

**294.** *Guda, Wittwe des Ritters Gerhard von Mörlen, setzt benannte Ritter als Bürgen für die Zustimmung ihrer minderjährigen Söhne Heinrich und Berthold zu einem Tausche ihrer Güter in Kloppenheim (Clopheim) mit Deutschordensgütern in Heldenbergen (Hildeberge). 1269 September 29. (in festo Michaelis.)*

a) So! b. „od" über Rasur.

*Gedr.: Baur, Hess. Urk., I, 94 nach dem Or. Pgmt. im St. A. Darmstadt.*
*Verz.: Scriba, II, No. 591.*

**295.** *Johannes von Rodahe, Scholaster an der Frankfurter Stiftskirche, stiftet und dotirt eine Vikarie am dortigen St. Katharinen-Altar. Frankfurt, 1270 Februar 23.*

In nomine domini, amen. Johannes de Rodahe scolasticus ecclesie de Frankenfort, notarius reverendi domini Wernheri archiepiscopi Maguntini. // Cum mundus presens sit labilis et omnis gloria eius vana et omnia, que sunt in ipso, sint morbida, corruptibilia et tam solubilia, quod non durant, de re//quie eterna, salute perpetua, vita incorruptibili et stabili mansione expedit cogitare. Inde est, quod ego Johannes clericus humilis servus dei recognos//cens, quod dominus deus michi sua largissima pietate in rebus et honoribus in hoc seculo sic providit, quod sibi, ad quas non sufficio, graciarum teneor actiones, ad placandum eum et ad obtinendum propiciationem ipsius decrevi ad suum honorem et ob reverenciam beate virginis Katerine, que suis exigentibus meritis est apud dominum prepotens pro peccatoribus intercessor, in altari ipsius beate virginis perpetuam facere vicariam accedente consensu dominorum Henrici decani, Cristiani cantoris, et tunc plebani, quando eadem vicaria fuit primitus instaurata,[1] et domini Epperti nunc plebani ac capituli ecclesie de Frankenfort, in qua altare predictum est situm. Ad quam vicariam prefati . . decanus et capitulum ecclesie Frankenfordensis, et nullus alius, ydoneum in suam animam eligant sacerdotem, qui, quanto cicius post matutinas se poterit preparare, in altari eodem cottidie missam dicat cum una collecta de beata virgine Katerina, ita, quod per missam suam plebanus non sentiat impedimentum aliquod misse sue, salvis nichilominus per omnia sollempnitatum iuribus ecclesie ac plebano. Obligatus etiam erit idem sacerdos ad omnes horas et quodlibet obsequium divinum in choro et obediet decano in omnibus sicut alter. Memoriam autem aget mei, patris, matris et omnium parentum meorum, domini Ulrici de Mincenberch et omnium benefactorum meorum et omnium illorum, qui michi sunt commissi et pro quibus exorare debeo et debui in hac vita. Qia igitur, qui servit altari, debet etiam vivere de altari, ecce ad sustentacionem sacerdotis huiusmodi trado, lego et confero bona mea apud Arheiligen, que apud Andream, Hartmudum Grasohsen et Enaconem,[a] milites, iusto emptionis titulo emi ibidem. Item apud Bischovesheim vineas quasdam, que quandoque fuerunt Cunradi Medenmechere civis de Frankenfort et Cunradi Campanarii. Item apud Frankenfort quosdam census, quos emi apud Ludewicum Carnificem, qui dantur de quibusdam domibus et macellis. Item domum sitam iuxta domum quondam C. Campanarii. Item quosdam census minutos, quos conscripsi in kalendario dominorum. Ceterum omnem ornatum, quem in ecclesia Frankenfordensi habeo reservatum, ipsi ecclesie confero irrevocabiliter propter deum. Ut autem omnia supradicta firmiter observentur, presentem cedulam inde confectam mei, dominorum H. decani, C. cantoris, E. plebani et capituli ac domini Wolframi sculteti de Frankenfort sigillorum munimine confirmavi. Actum et datum apud Frankenfort, anno domini m. cc. lXX., VII. kalendas marcii.

*Or. Pgmt. Die 6 an rothen Schnüren anhängenden Siegel sind mit Ausnahme des Stiftssiegels sämmtlich wohl erhalten.*
*St. A. Fr. Barth. St. No. 1114.*
*Gedr.: Würdtwein, Dioc. Mog., II, 674 zu 1277 März 1. B., 154 zu Febr. 13 nach dem Or., Reimer, I, 332 desgl. zu Febr. 3.*
*Verz.: Scriba, I, No. 516 zu Febr. 13, IV¹, No. 2655 zu Febr. 12, I, No. 560 zu 1277 März 1. Erwähnt Müller, Barth.-Stift, 17 zu 1277.*

a. Eniconem?

[1] *Vgl. oben No. 253 und 272.*

**296.** *Wicker auf der Brücke, Sohn des Harpern von Offenbach, trifft gemeinschaftlich mit seiner Frau Gisela verschiedene letztwillige Verfügungen. 1270 Mai.*

Omnibus quibus nosse fuerit oportunum. Wickerus super pontem, civis Frankinvordensis, filius Harperni de Ovenbach, noticiam subscriptorum. Ne rerum gestarum materia processu temporis // evanescat et pereat, cautum est, eas aut vivo testimonio confirmare aut litteris perhennare. Noverint igitur tam presens etas quam futura posteritas, quod ego communicata manu uxoris mee Gissele ob hono//rem dei et gloriose genitricis eius ac pro remedio animarum nostrarum, necnon et progenitorum nostrorum, de bonis nobis a deo collatis, de testamento nostro de discretorum consilio duxi taliter ordinandum: // Fratribus de ordine Predicatorum domus Frankenvordensis dimidiam marcam reddituum singulis annis post mortem meam, que cedet de curia Michaelis iudei inter iudeos in festo beati Martini. Sororibus de ordine Penitencium ibidem IIII octalia siliginis singulis annis de bonis in Ovenbach sitis. Item ad hospitale ibidem III sol*idos* et VI denar*ios* leves redituum, de quibus Ludewicus manens in curia, que dicitur Eckenheimere, solvit II sol*idos*, Walterus calcifex iuxta sanctum Antonium XVIII den*arios*. Ad pontem ibidem I sol*idum* levis monete singulis annis. Item subscriptis ecclesiis, videlicet parrochie Frankenvordensis, sancti Georgii, beati Nycolai, Rode, Ovenbach, Biberah, Bergele, cuilibet earum VI denarios leves ad luminaria singulis annis solvendos, qui reditus tam pontis quam ecclesiarum debent pecunia qua potuerunt comparari. Insuper fratribus Minoribus Frankenvordensibus marca dabitur post mortem meam illa vice. Fratribus de monte Carmeli ibidem marca. Fratribus Augustinensibus Frideberg marca. Item Antoniensibus in Rosdorf dimidia marca. Ad sanctum Albanum Maguntie I marca. Preterea pro solucione pecunie, que in contractu matrimonii inter me et prefatam G., uxorem meam, promissa fuerat persolvenda, duodecim marcas .. commendatori et fratribus domus Theutonice in Sassinhusen post obitum meum statui presentandas ad subsidium terre sancte. Item nove capelle ibidem calicem de commendatoris et fratrum consilio comparandum. Item pixidem argenteam de valore unius marce ad viaticum deportandum ibidem. Item Cunrado de Diezenbach I marcam. Heinrico avunculo meo et liberis suis XX sol*idos* le*ves*. Irmengardi relicte Hildebrandi et liberis suis XX sol*idos* leves. Kûnegundi filie sororis mee et liberis suis XX sol*idos* le*ves*. Elysabeth de Ovenbach filie sororis mee et liberis suis dimidiam marcam. Insuper sepulturam apud ecclesiam fratrum Predicatorum Frankenvordensium elegi et a priore domus eiusdem, ut ad illam me reciperet, suppliciter postulans impetravi; unde et omnia arma mihi attinencia ad locum sepulture mee in testamento legavi. Petro et Herburgi liberis sororis mee XVIII sol*idos* Colonien*ses*. Post mortem vero meam .. commendator, qui pro tempore fuerit, et fratres domus Theutonice memorate supradictam G. uxorem meam in suam procuracionem, si ipsa supervixerit, recipient, sicut ab eisdem una cum ipsa humiliter postulavi, et de duabus curiis meis et domibus eisdem curiis attinentibus iuxta pontem se fratres predicte domus Teuthonice intromittent sub hac forma, quod predicte curie infirmis in hospitali suo debeant perpetuo deservire, necnon omnia bona tam mobilia quam immobilia, que nunc habeo et in posterum adiuvante deo conquiro sive habuero preter suprascripta, que ipsis communicata manu sepedicte G. uxoris mee liberaliter contuli propter deum, post obitum meum perpetuo possidenda, se fratres supradicte domus Teuthonice integraliter similiter intromittent. Ut igitur hec prescripta rata et inconvulsa permaneant et a nemine valeant inposterum infirmari, presens scriptum exinde confectum sigillis subscriptis, videlicet .. prioris de ordine Predicatorum Frankenvordensium et .. conmendatoris fratrum domus Teuthonice in Sassenhusen petii roborari. Acta sunt hec, hiis presentibus et in testimonium deputatis: fratre

Cunrado priore et fratre Hermanno de Wetflaria ordinis Predicatorum. Item fratre
Arnoldo et fratre Godefrido de Morle, sacerdotibus, fratre Ludewico commendatore
et fratre Frankone ordinis domus Teuthonice. Item Hartdrado de Wetflaria et Cunrado
de Maguntia, civibus Frankenvordensibus. Anno domini m̄. c̄c̄. IX̊X., mense maio.

> *Or. Pgmt. Die beiden Siegel hängen an farbigen Leinenfäden an. Nach Kollation durch
> Grotefend. Das Or. war im Deutschordens-Centralarchiv zu Wien, wo es sich nach Pet-
> tenegg No. 464 befinden soll, nicht auffindbar.*
> *Gedr. nach dem Or.: B., 155. Vgl. Simon, Büdingen, I, 199. Hess. Arch. VI, 33. Aus-
> zug: Thomas, Oberhof, 438.*
> *Verz.: Scriba I, No. 520, II, No. 597.*

**297.** *Erzbischof Werner von Mainz beauftragt den Domdechanten zu Mainz das Kloster
Altmünster im Besitz der demselben von dem Mainzer Bürger Ulrich vom Rosenbaum (Ulricus dictus de arbore rosarum) in Mainz, Frankfurt und Hochheim
geschenkten Güter zu schützen. Mainz, 1270 Juli 19 (XIIII. kal. aug.)*

> *Gedr.: Sauer, I, 476.*
> *Verz.. Will, Mainz. Reg., XXXVI, No. 242.*

**298.** *Dietrich, Bischof von Verona, beurkundet, dass er den Kirchhof der Karmeliter* [1]
*und einen Altar zu Ehren der heiligen Jungfrau Maria geweiht habe, und ertheilt
allen denen, welche denselben an genannten Festtagen besuchen, einen Ablass.
Frankfurt, 1270.*

Bonitate divina Theodoricus episcopus Veronensis. Christi fidelibus universis,
tam presentibus quam futuris, presentes litteras inspecturis, salutem in dominorum
domino Jhesu Christo. Gloriosus deus in sanctis suis etc. . Hinc est, quod, cum nos
anno domini m. cc. IXX. charissimis nobis in Christo fratribus de monte Carmeli in
Frankenfurt, cooperante nobis spiritus sancti gratia, cemeterium dedicaverimus et
altare in honorem preclarissime virginis antedicte, cuius ipse locus existit vocabulo
insignitus, omnibus Christi fidelibus, qui cum cordis contritione et humilitate, per primos
continuos octo dies, deinde in tribus octavis, post hec in mensualibus memoriis per
primi anni circulum, demum in anniversario ipsius dedicationis, que semper proxima
dominica post festum sancti Bartholomei apostoli habebitur celebris et solemnis, et in
singulis gloriose virginis festivitatibus locum visitaverint antedictum, quique iisdem
fratribus pauperibus, qui propter Christum pauperem extreme sustinent sarcinam
paupertatis, ad ipsorum edificia consummanda et inopiam sublevandam manum porrexerint
adiutricem, de omnipotentis dei misericordia ac beatorum Petri et Pauli, apostolorum
eius, ac ea, quam nobis licet indignis contulit, auctoritate confisi, omnium venalium
peccatorum quadraginta dies, peccata oblita, vota fracta, si ad ea redierint, offensas
patrum et matrum absque violenta iniectione manuum, iuramenta temeraria, levia et
quotidiana violationesque dierum celebrium in nomine domini misericorditer relaxamus.
Datum Francofordie, anno domini antedicto, pontificatus autem nostri vicesimoquinto.

> *Gedr.: Joannis, Res Mog., II, 422, Monsignori, Bullae Carmelitarum, IIᵃ, 1, = B., 156.*
> *Vgl.: Würdtwein, Subsidia Dipl., VI, 11, Note, und Monast., I, 229.*

**299.** *Konrad Kolbe von Hochheim* (Conradus dictus Kolbo de Hocheim) *und seine Frau
Elisabeth, Bürger zu Mainz, vermachen dem Deutschordenshause in Mainz und
dem Kloster Tiefenthal ihre Güter zu Hochheim, unter der Verpflichtung genannten*

---

[1] *Die Niederlassung der Karmeliter setzen
Florian, danach Lersner, I*ᵇ*, 117 in das Jahr
1246, eine Ordenschronik (Karmeliter-Bücher 11 f. 3)
sagt zu 1250:* „Carmeli Francofurtensis primordialis
fundatio sub Innocentio quarto", *Kirchner, I, 229
setzt den Beginn des Kloster-Baues auf 1260. Alle
diese Angaben sind nicht nachprüfbar.*

*Verwandten, darunter Konrads Schwester,* „Henliden sorori mee in Frankenvort“ *bestimmte Beträge dafür auszuzahlen. Hochheim, 1271 Januar 12.* (fer. 2 prox. p. epiph. dom.)

> *Gedr.: Sauer, I, 477.*

**300.** *Der Propst aller Klöster der Heiligen Maria Magdalena, Augustiner Ordens, beurkundet, dass das Weissfrauenkloster zu Frankfurt mit seiner Genehmigung dem Konrad, wohnhaft in den Gärten, daselbst ein Novalfeld, und einen Garten an einen anderen Pächter gegen bestimmten Zins überlassen habe. Frankfurt, 1271 April 17.*

W. miseracione divina generalis prepositus monasteriorum beate Marie Magdalene ordinis sancti Augustini et sedis apostolice capellanus. Universis Christi fidelibus presen//tem paginam inspecturis salutem in eo, qui est vera salus. Ea, que geruntur in tempore, ne similiter labantur cum tempore, consueverunt scripture testimonio peren//nari. Hinc est, quod nos (!) auctoritate nostra conventus ordinis nostri in Francginvurt contulit Cûnrado manendi (!) in ortis quoddam novale, quod propriis // manibus exstruxit, sub tali forma, quod ipso vivente solvet annuatim · VIII · mensuras, que dicuntur vulgariter aichdeil, cum decima attinente, ipso vero decedente, quoscumque elegerit heredes in prima linea, solvent de huiusmodi[1] decem mensuras antedictas. Preterea de eisdem novalibus assignavimus . . cuidam cultori unum ortum solventem singulis annis I libram Coloniensis monete, et quicumque suorum heredum successerit, item solvet VII solidos memorate monete. Huiusmodi vero racionis testes sunt: Henricus filius Gepheridi,[2] Ecgehardus filius Emmerici, Gepheridus scabinus antedicte civitatis, nacione de Bishovisheim, Henricus pistor de Sahssinhusin, et alii quam plures fide digni. Datum in Vrancginvurt, anno gracie m̊. c̊c̊. IXXÎ., XV̊. kalendas maii.

> *Or. Pgmt. mit der Hälfte des Siegels.*
> *Archiv der Freiherren von Holzhausen zu Frankfurt. — Von Nathusius.*
> *Gedr.: B., 157 nach dem Or. zu April 27.*

**301.** *Schultheiss Wolfram,[3] die Ritter, Schöffen und Bürger von Frankfurt beurkunden, dass der Pfarrer Eppert zu Frankfurt und Gisela, Wittwe des Gottfried Rûshere, als Vormünder der minderjährigen Elisabeth, deren Erbtheil dem Kloster Thron geschenkt haben. 1271 September 30.*

Nos Wolframus scultetus, milites, scabini et universi cives Frankenfordenses. Tenore presencium // recognoscimus et universis, ad quos presentes littere pervenerint, volumus esse notum, quod dominus Eppertus, ple//banus noster, et Gyssela, relicta Godefridi dicti Rûsheres, provisores et tutores Elizabet, // constituti coram nobis omnia bona et possessiones, que ad ipsum puerum Elizabet ex parte Conradi et Mathildis, patris et matris ipsius, fuerant iure hereditario devoluta, dederunt et donaverunt Trono beate virginis et abbatisse ac conventui ibidem in elemosinam propter deum. In cuius rei testimonium dicte abbatisse et conventui presentes litteras nostras dedimus sigillorum nostrorum munimine roboratas. Datum et actum anno incarnacionis domini m̊. c̊c̊. septuagesimo primo, in crastino beati Michahelis archangeli.

> *Or. Pgmt. Abhangend das Siegel des Schultheissen Wolfram, ein zweiter Siegelstreifen (vermuthlich mit dem Stadtsiegel) ist ausgeschnitten.*
> *St. A. Wiesbaden. Kloster Thron No. 25.*
> *Gedr.: Sauer I, 479 nach dem Or. .*

---

[1] *Hier fehlt ein Wort, etwa* „novali“. [2] *Diese Schreibung des Namens* „Godefridus“ *deutet auf einen ausländischen, wohl italienischen Schreiber hin.* [3] *Schultheiss Wolfram wird erwähnt als Schiedsrichter in einem Streite zwischen den Eppsteinern und den Grafen von Katzenelnbogen und Wertheim. 1270 März 19.* (fer. 4 a. dom. Letare) *Sauer, 1, 471.*

**302.** *Gerlach, Herr zu Limburg, bestätigt dem Deutschorden den Besitz der diesem von seinen Vorfahren zu Mörlen geschenkten Güter. Mainz, 1272 März 15* (id. mart.)[1]

> *Gedr.: Baur, Hess. Urk., I, 98 gekürzt.*
> *Verz.: Scriba, II, No. 610.*

**303.** *Deutschmeister Bruder Anno von Sangershausen* (frater Anno de Sangerhusen) *beurkundet auf dem Ordenskapitel zu Frankfurt* (nobis existentibus in Frankenvort in capitulo) *die Schenkung eines Hauses in Andernach an Bischof Edmund von Chur. Frankfurt, 1272 April 5* (non. april.)

> *Or. St. A. Fr. Deutschherren No. 11a.*
> *Verz.: Goerz, Mittelrhein. Reg., III, No. 2703.*

**304.** *Der Propst aller Klöster der heiligen Maria Magdalena beurkundet, dass das Weissfrauenkloster zu Frankfurt dem Nibelung von Eschbach sechs Hufen in Eschbach gegen einen Zins von 44 Achtel Korn jährlich in Erbpacht verliehen und dass dieser für richtige Zahlung des Zinses noch besondere Sicherheit bestellt habe. Frankfurt, 1272 April 28.*

W. miseracione divina generalis prepositus monasteriorum beate Marie Magdalene ordinis sancti Augustini et sedis apostolice capellanus. Universis Christi // fidelibus presentem paginam inspecturis, salutem in auctore salutis. Ea, que geruntur in tempore, ne simul labantur cum tempore, consueverunt // vivo testimonio vel scripture testimonio perennari. Hinc est, quod nos universis notum esse cupimus et auctoritate nostra honorabili viro Nibe//lungo suisque heredibus de Esshebach conventus ordinis nostri contulit in eadem villa VI mansus solventes singulis annis XLIIII mensuras, que dicuntur vulgariter aihtdeil, quorum erunt VI tritici. In cuius rei certitudinem idem obligavit quoddam mansum sue proprietatis situm in Obirsteittin, ut si aliquis defeccus(!) in solucione precedencium subcreverit, idem mansus cedat conventui ad subplementum huiusmodi ordinacionis, ita dumtaxat si grando ordinacione divina sive terrarum turbacio eumdem in aliqua parte impedierit, nichilominus ad solucionem antedictam in omnibus ecclesie sepedicte se obligavit in solvendo infra festa beate virginis, nativitatis et assumpcionis. Huius vero racionis testes sunt: Uolbreht, Hildemar, Henrich filius Henrici de Esshebach, Wernherus de Francginvurt, et Arnnoldus(!) dictus Buimeistir, scabinus sepedicte civitatis. Datum et actum in Vrancginvurt, anno gracie m̂. c̈c. IX°XII., IIII kalen*das* mayi.

> *Or. Pgm. Das Siegel des Propstes für Allemannien (wohlerhalten) hängt an.*
> *St. A. Fr. Weissfrauenkloster Lade 17 D. No. 1a.*
> *Gedr.: B., 158 „nach Abschrift des Schöff Thomas vom Or.".*
> *Verz.: Scriba II, No. 611.*

**305.** *Pfarrer Erpert verspricht in der Frankfurter Stiftskirche eine neue Präbende für einen dreizehnten Kanonikus zu stiften. [1272, vor August 24.]*[2]

Cum ego E., plebanus Frankenfordensis, ad preces venerabilis domini mei W. archiepiscopi Maguntini // receptus sim iam multis annis elapsis a . . decano et capitulo ecclesie Frankenfordensis in canonicum // et in fratrem et XV. octalia siliginis et redditus XIIII. marcarum denariorum Coloniensium, quorum medietatem//iam habeo tam in redditibus, quam pecunia prompta, conferre intendam ecclesie Frankenfordensi, quibus eciam ad vitam meam pro prebenda volo esse contentus, rogo, ut a dicto . . domino decano et capitulo recipiar in capituli sui fratrem et consorcium

---

[1] *Vgl. oben No. 39.*   [2] *Datirt nach No. 306, vgl. auch die vorletzte Zeile dieser Urkunde.*

eorundem, maxime cum numerus prebendarum, personarum, ecclesie* sue utilitas, cultus
divinus ex huiusmodi meo proposito augeatur.  Si autem decessero antequam redditus
XIIII. marcarum compleam in toto, tunc ordino et volo, quod de redditibus sex
marcarum Coloniensium et de XV. octalibus siliginis perpetuus vicarius sacerdos a
decano et capitulo instituatur, qui choro serviat et in altari collaterali sine preiudicio
cuiuslibet cottidie dicat missam, de septima vero marca, que restat, volo facere presencias, prout mihi placet.  Item si domino dante tamdiu vixero, quousque predictos
redditus XIIII. marcarum compleam in toto, tunc ordino et volo, quod post mortem
meam, ut, ubi hactenus in dicta ecclesia fuerant dumtaxat prebende duodecim, tredecim
sint deinceps, ad quam decanus et capitulum eliget canonicum sacerdotem, qui plenum
ius habebit canonici et cottidie missam dicet, vel si non poterit, eam procuret cottidie
dici per alium sacerdotem.  Si vero decanus et capitulum ad XIII. prebendam non
elegerint canonicum sacerdotem, tunc collacio et institucio terciedecime prebende in
penam  capituli  pertinebit  ad  dominum  archiepiscopum[b]  vel[b]  prepositum  ecclesie
Frankenfordensis, qui eamdem conferet[c] sacerdoti ydoneo, qui cottidie missam dicat,
ut est predictum.  Et cum hec sit principalis intencio mea,[d] nolo, quod alicui preiudicium fiat nec canonicis receptis ante me, vel ecclesie, vel plebano, qui succedere mihi
posset.  Et ad complendum hec omnia a festo beati Bartholomei ad tres annos bona
fide et omni dolo excluso obligo me per fidem.

*Or. Pgm. mit abhangendem beschädigten Siegel.*
*St. A. Fr. Barth. St. No. 1210.*
*Gedr.: Würdtwein, Dioc. Mog. II, 554.  B., 158 nach dem Or. zu [Sept. 7].*
*Vers. Will, Mainz. Reg, XXXVI, No. 273.*

**306.** *Das Mainzer geistliche Gericht beurkundet, dass Pfarrer Erpert versprochen habe,
in der Frankfurter Stiftskirche eine neue Präbende für einen dreizehnten Kanonikus
zu stiften.  Mainz, 1272 September 7.*

Iudices sancte Maguntine sedis, universis presentes litteras inspecturis notum
esse volumus, quod propter hoc in nostra presentia constitutus Erpertus, plebanus et
canonicus // Frankenvordensis, recognovit publice, quod ipse ad laudem dei et remedium
anime sue et parentum suorum in ecclesia Frankenvordensi redditus unius prebende,
quos // ad quatuofdecim marcas denariorum Coloniensium et quindecim octalia siliginis
estimat, comparabit in ecclesia Frankenvordensi, quorum reddituum ad valorem sex
marcarum // et quindecim octalium siliginis iam demonstrabit . . decano et capitulo
Frankenvordensi, reliquos redditus octo marcarum Coloniensium comparabit infra triennium continuum a festo beati Bartholomei nunc transacto numerandum, hoc adiecto, quod,
si eundem Erpertum plebanum et canonicum ante completionem reddituum octo marcarum
decedere contigerit, vicarius perpetuus instituetur in ecclesia Frankenvordensi, cui
predicti sex marcarum redditus cum annona predicta assignabuntur pro beneficio, qui
in choro serviet et in altari collaterali sine preiudicio cuiuslibet cottidie missam dicet.
Item post completionem dictorum reddituum quatuordecim marcarum et annone predicte,
vult,[e] ordinat et statuit idem Erpertus, ut numerus canonicorum in una augeatur
persona, ut, qui ante fuerant duodecim, tredecim tunc existant, et decanus et capitulum non alium nisi[f] sacerdotem bone vite et conversationis ad eandem prebendam
eligant et in canonicum et fratrem recipiant, qui etiam canonicus existens in choro
deserviat, ut est moris, septimanam suam servando, alias in altari collaterali cottidie
missam dicat, nisi corporali infirmitate vel alia inevitabili necessitate impeditus existat,

a) Or. „eccle" ohne Abbreviatur-Zeichen.   b) Über der Zeile.   c) „can" gestrichen.   d) „volo et"
gestrichen.   e) Or. „wlt".   f) Über der Zeile.

tunc eam dici per alium procurabit.     Statuit etiam et ordinavit idem E. plebanus
si .. decanus et capitulum Frankenvordense contra venirent aliam personam eligendo
quam sacerdotem, et hoc infra tempus a iure statutum corrigere neglexerint, venerabilis dominus .. archiepiscopus Maguntinus, qui tunc pro tempore fuerit, eam conferet
ydoneo sacerdoti.    Predictus quoque plebanus, quoad vixerit, et sui successores predictis redditibus erunt contenti, nec presencias, nec, si aliquid ex largitione regum vel
imperatorum vel aliorum pie collatum fuerit, exigent vel habebunt.    Elegit quoque
spontanee idem Erpertus, quod si infra predictum triennium octo marcarum Coloniensium
redditus non compleverit, nisi inpotencia, que evidens sit et notoria. ipsum ab huiusmodi comparatione excusaverit, .. decanus et capitulum predicti ab ingressu capituli.
ad quod nunc ipsum recipiunt et admittunt, sed non a perceptione reddituum compa-
ratorum ipsum possint suspendere, donec predictos redditus integre comparaverit.
ut est dictum.    Hec omnia statuit idem E. plebanus et canonicus sine preiudicio
alicuius et ad complendum hec omnia predicta usque ad predictum terminum bona fide
et omni dolo excluso idem E. coram nobis se per fidem astrinxit.    Adiecit etiam.
ut si infra triennium supradictum aliquos redditus comparaverit et si ipsum egrotari
contigerit, de redditibus comparatis potest facere iuxta sue libitum voluntatis.    Statuto
de vicaria in sua firmitate manente.    In cuius rei evidens testimonium et perpetuam
firmitatem sigillo nostro roboravimus presens scriptum.    Datum Maguncie, anno domini
m. cc. lXX. secundo, in vigilia nativitatis beate virginis Marie.

> *Or. Pgm. Das anhängende Siegel ist etwas beschädigt.*
> *St. A. Fr. Barth. St. No. 1207.*
> *Gedr.: Würdtwein, Dioc. Mog. II, 552.  B., 159 nach dem Or. .*

**307.** *Agnes, die Wittwe des Konrad von Schönberg, überträgt die durch ihres Bruders*
*Ulrich von Münzenberg Tod ihr zugefallene Erbschaft, nach erhaltenem feierlichen*
*Rechtsspruch, dass sie darüber verfügen könne, den Söhnen ihrer Schwester, Philipp*
*und Werner von Falkenstein.     Frankfurt, 1272 December 7.*

Agnes relicta nobilis viri Conradi quondam de Schonberg.    Tenore presentium
ad universorum notitiam pervenire cupio, publice profitendo, quod cum. presentibus
officialibus de Fridberg, de Wetzflaria, de Geylenhusen, quibusdam imperii ministerialibus,
quibusdam de scabinis civitatum predictarum et universitate scabinorum civium in
Frankenfurt, coram iudicio eiusdem civitatis sententialiter evicerim, et communis
fuerit sententia pro me lata, quod hereditatem huiusmodi, qualis ex morte Ulrici de
Minzenberg, fratris mei pie memorie, post obitum mariti mei prefati ad me devoluta
fuit et devolvi videbatur, cuicunque vellem dare et conferre possem, iuris ordine non
transgresso: ego deliberatione prehabita et ex libero meo arbitrio eandem hereditatem
nobilibus viris .. Philippo et Wernhero fratribus de Falkenstein, sororis mee filiis.
dedi et contuli liberaliter et permisi ipsis et eorum heredibus perpetuo possidendam,
nullum mihi deinceps ius vindicans in eadem. Insuper quoque dicte hereditati abrenuncio
per presentes literas absolute.    Huius rei testes sunt: Conradus de Sassenhusen.
Winther de Breunigsheim, Wernher [dictus] Schelme, Gerlacus frater suus, Gerlacus
de Bommersheim, Burcardus de Ursele, Conradus de Soltzbach, Henricus de Hatzegen-
stein, Hartmudus de Sassenhusen et Cunradus de Godele, milites, imperii ministeriales.
et quam plures alii fide digni. In huius rei testimonium evidens et stabilem firmitatem,
presentem literam ipsis dedi, sigilli mei robore communitam. Datum et actum in
Frankenfort, in crastino beati Nicolai, anno dominice incarnationis m̃. c̃c̃. lXXII.

> *Gedr.: Deduction des Stolbergischen Erbrechts an Königstein, Beilage 4, fol. 3, Aller-*
> *unterthänigste Supplica, 53 = Gegeninformation, III, Urkb. 13, Beilage No. 54, Grüsner,*
> *III, 201, Lünig, R. A., XXIII. 1663, B., 160.*
> *Verz.: Scriba, I, No. 525, II, No. 617, Goerz, Mittelrhein. Reg, III, No. 2772.*

**308.** *Schultheiss Wolfram, die Schöffen, der Rath und die Gemeinde zu Frankfurt beurkunden, dass Schultheiss Ensfried von Osterspai die ihm durch die Brüder von Mörlen übertragenen Erb- und Lehnsgüter in Osterspai dem Kloster Eberbach übereignet habe. 1272 December 16.*

Nos Wolframus scultetus, scabini, consilium et universitas civium Frankenvordens*ium*, tenore presencium, recongnoscimus[a] // publice profitentes, quod constituti coram nobis viri honesti Gernandus, Franco, fratres, milites de Morla, et // Theodoricus privingnus[a] iamdicti Gernandi resingnaverunt[a] universa bona sua tam propria quam hereditaria vel // eciam feodalia, sita apud Osterspeie, Ensfrido sculteto eiusdem ville. Promisit eciam predictus Franco, quod . . uxorem suam talem habere debeat, quod ipsa resingnet[a] similiter dicta bona. Ensfridus quoque, receptis a predictis militibus et Theodorico bonis, dedit et contulit universa predicta bona venerabilibus viris domino . . abbati et conventui Eberbacensi omni iure et consuetudine, quibus sepedicti milites et Theodoricus ea possederant, inperpetuum possidendum, presentibus fratre Henrico syndico et fratre Rudolfo magistro in Osterspeie, qui prefata bona nomine predicti domini abbatis et conventus receperunt. In huius facti memoriam, testimonium evidens adque[a] robur, presentem li*tt*eram traddimus[a] prefatis domino abbati et conventui, ad petitionem predictorum militum et Theodorici, sigilli civitatis Frankenvor*densis* munimine consignatam. Actum et datum anno domini ṁ. c̄c̄. septuagesimo secundo, feria sexta proxima ante festum beati Thome.

> *Or. Pgmt  Abhangend das Stadtssiegel (2) zerbrochen.*
> *St. A. Wiesbaden.*
> *Gedr.: Rossel, Eberb. Urkb., II, 200 nach dem Or. . Auszug: Sauer, I, 487.*
> *Vers.: Roth, Quellen, I, 92.*

**309.** *Hartmud und Adelheid von Sachsenhausen beurkunden zusammen mit den Gebrüdern von Kronberg die Schenkung eines Busches an den Pfarrer von Kronberg. 1273 Januar 20.*

> *Auszug: Sauer, I, 489.*

**310.** *Der Deutschmeister Anno erlaubt auf Ansuchen genannter Personen, darunter des Schultheissen Wolfram von Frankfurt, dem Kloster Tiefenthal, die Zahl der Nonnen des Klosters zu vermehren und entlässt dasselbe aus der Abhängigkeit von dem Deutschorden. Es siegelt u. a. Schultheiss Wolfram.*[1]

Testes sunt: venerabilis in Christo pater Fridericus dei gracia Culmensis ecclesie episcopus, frater Arnoldus, frater Hermannus, frater Nicolaus, sacerdotes; frater Wernherus de Bathinberg, frater Ludewicus commendator domus nostre in Sasinhusen, frater Hermannus de Rikele, dominus Christianus cantor et dominus Hartmannus custos ecclesie Frankenvordensis, Conradus de Sasinhusen, Wernherus dictus Schelmo de Berge, Heinricus advocatus de Irlebach, Heinricus de Gisenheim, Heinricus filius Wolphrami sculteti prefati, Giso de Wilbach, Cũno de Moguncia, et alii quam plures fidedigni. *Sachsenhausen (apud Sasinhusen), 1273 Januar 20.* (in die sanctorum martirum Fabiani et Sebastiani.)

a) So!

[1] *Derselbe* (Wolframus scultetus de Frankenvort) *wird auch 1272 Oct. 2 (VI. non. oct.) als Bürge für Reinhard von Hanau in dem Ehevertrage zwischen Ulrich von Hanau und Elisabeth von Rieneck genannt. Vgl. Reimer, I, 341, wo die früheren Drucke.*

*Or. Pgmt. mit 5 Siegeln, (darunter das schönerhaltene Siegel des Schultheissen Wolfram). St. A. Stuttgart, Deutschordens-Urkunden, Hessen No. 9. — Von Nathusius — Am gleichen Orte stellte der Deutschmeister am 21. Januar noch eine kürzere Urkunde ohne Zeugen über Punkt 2 aus. (Vgl. Sauer I, 489). Es ist nach der Zeugenreihe der erstgenannten Urkunde ein Kapitel des Deutschordens in Sachsenhausen anzunehmen, und wohl kein Zufall, dass am 21. Januar in Frankfurt auch der Hochmeister der Antoniter Aymo für das Haus in Rossdorf urkundete. (Vgl. Reimer I, 343.)*

**311.** *Burkard von Seulberg* (de Suleburg) *und dessen Frau Kunigunde verkaufen an* Erpertus plebanus et canonicus Frankenvordensis *für 10 Mark Kölnischer Denare 3 Malter Roggen Frankfurter Mass, jährlich nach Frankfurt lieferbar, und setzen ihm vor dem Gerichte zu Seulberg einen Hof und 30 bezeichnete Morgen Land bei dem Dorfe Dillingen* (Düllingen) *zum Unterpfand. Unter den Zeugen:* Henricus decanus, Sifridus de Wedera, Cristanus cantor, Johannes et Petrus dicti de Moguntia, canonici Frankenfordenses, . . . Henricus frater supradicti cantoris. *Es siegelten das Bartholomäusstift, der Schultheiss Wolfram und der Ritter Burkard Brendelin. 1273 Februar 2.* (in purific. b. virginis.)

*Gedr. nach dem Or. Pgmt. (Siegel ab) im St. A. Wiesbaden: Sauer, I, 489.*

**312.** *Die Städte Mainz, Worms, Oppenheim, Frankfurt, Friedberg, Wetzlar und Gelnhausen verbünden sich auf ewige Zeiten, wenn das Reich, wie jetzt, erledigt ist, keinen andern als König anzuerkennen, als den, welchen die Wahlfürsten nach einmüthiger Wahl ihnen vorstellen werden. Mainz, 1273 Februar 5.*

Nos Moguntini, Wormatienses, Oppinheimenses, Frankinfordenses, Vridebergenses, Wetflarienses et Geylinhusenses officiati, milites, consules, scabini ceterique cives universi, // recognoscimus hiis litteris publice protestando, quod ad honorem dei precipue et totius nobis adiacentis provincie utilitatem fide et iuramento prestito con//ventione perpetui conpromissi concordavimus et ad invicem nos astrinximus in hunc modum, ut cum sede inperii ut nunc vacante, si domini principes regum // Romanorum electores concorditer [unum pre]sentaverint nobis regem, [nos eidem singuli pro iure] nostro debita subiectione ac reverentia intendere debeamus. Si autem dicti principes circa electionem unius regis, quod deus avertat, discordaverint et plures nobis reges presentare voluerint, nos huiusmodi reges nequaquam recipiamus in predictis civitatibus nostris nec ipsis alicuius nostri consilii vel auxilii amminiculum prebeamus, quousque a dictis electoribus rex concorditer electus nobis fuerit presentatus. Et hoc nostrum conpromissum non mutabimus ullo modo, nisi hoc pro statu temporis[a] ex provida deliberacione communis consilii unanimiter faciamus. Ut autem huius nostri conpromissi fedus inter nos stabiliori robore solidetur, in hoc eciam sub predicte fidei ac iuramenti sacramento coniuncti esse volumus ad invicem perpetuo et astricti, quod contra quoslibet iniuriatores nostros, qui occasione supradicte nostre conpromissionis aut alia quacumque ex causa nos omnes seu aliquem ex nobis inpugnare aut indebite aggravare attemptaverint, prestacione fidelis consilii et auxilii alterutrum assistere perpetuo teneamur. In quorum omnium testimonium et debitam firmitatem presentibus litteris sigilla nostra dignum duximus appendenda. Actum Moguntie, anno domini m̄. c̄c̄. LXXIÎ., die Agathe virginis.

*Or. Pgmt. Die 7 Siegel hängen an, 2 und 4 zerbrochen, 1 und 3 stark verletzt, die übrigen leicht beschädigt. St. A. Wetzlar. Die Lücken des Or. sind ergänzt nach Abschrift im Frankfurter Kopialbuch (B.) II f. 45 r. — Grotefend.*

a) B. „pacis".

Gedr.: Guden, Sylloge, 476, Cod. Dipl. I, 744 == Gebauer, Leben Kaiser Richards, 467,
Andreae, Oppenheimium, 39, Olenschlager, Goldene Bulle, 57, B., 161 nach B. == Schaab,
Städtebund, II, 56, Mon. Germ., IV, 382, Reimer, I, 345 nach dem Or., Regest: Boos, I, 233.
Verz.: B., Regesten, Reichssachen No. 104, Scriba II, No. 625, III, No. 1802.

**313.** *Die Städte Mainz, Worms, Oppenheim, Frankfurt, Friedberg, Wetzlar und Gelnhausen verbünden sich bis zum 8. September 1273 und von da auf zwei Jahre zu
gegenseitigem Schutz. Mainz, 1273 Februar 5.*

Nos Mogu*ntini*, Wormatienses, Oppinheimenses, Frankin*fordenses*, Vridebergenses,
Wetflarienses et Geylinhusenses officiati, milites, consules, scabini ceterique cives //
universi, presentibus litteris publice profitemur, quod pro fovendo ac tuendo iure
omnium nostrum et singulorum ac emulorum nostrorum indebite nos // gravare cupiencium
insultibus resistendis ab instanti iam nunc die usque ad nativitatem beate Marie virginis proxime affuturam et ab ipso // nativitatis beate Marie festo per biennium i*n*mediate
subsequens sub sacramento fidei et iuramenti prestiti mutuo nos astrinximus in hunc
modum, ut, si qua civitatum nostrarum predictarum per idem tempus ab adversariis
et inimicis suis quibuscu*n*que indebite fuerit inpugnata, huic relique predicte civitates
nostre, singule cum decem armatis viris et totidem dextrariis phaleratis, in propriis
expensis suis, quamdiu bellum lese civitatis duraverit, auxilium ministrabunt. Quicu*n*que
eciam aliquam civitatum nostrarum predictarum per captivationes, cedes, incendia
vel rapinas iniuriose per idem tempus molestaverit, et hoc reliquis fuerit intimatum,
si post hoc molestatores in aliqua civitatum nostrarum co*n*paruerint, nos ipsos molestatores, ta*n*quam rebus et personis nostris dampnum et gravamen intulerint, detinere,
inpetere ac hostiliter invadere debeamus. Ad hec, si quis contra quamcunque civitatum
nostrarum predictarum qualiscunque occasionis pretextu hostiliter procedere voluerit,
relique civitates nostre predicte in hoc ipsorum adversariis in amministracione victualium
seu quorumlibet necessariorum tocius consilii et auxilii opem et operam omnimode
denegabunt. Quod si eciam a Wormacia sursum et a Maguncia deorsum et nichilominus a Frankinfurt sursum et inter Frankinvort et Mogunciam et circa Wetflariam
ad spacium unius miliaris circumquaque quisquam municionem aliquam edificare attemptaverit, ad prohibendum et removendum tale edificium in invicem totis viribus assistemus.
In quorum omnium testimonium ac debitam firmitatem presentes litteras appensione
sigillorum nostrorum mutuo dedimus co*m*munitas. Actum Moguncie, anno domini m̄.
c̄c̄. LXXIII., die beate Agathe virginis.

Or. Pgmt. Alle Siegel sind nur wenig beschädigt, mit Ausnahme von 2 (Oppenheim), das
zur Hälfte verschwunden ist. St. A. Wetzlar. — Grotefend.
Gedr.: B., 162 nach dem Or. == Schaab, Städtebund, II, 58, Reimer, I, 345 nach dem
Or. . Die weiteren Litteraturangaben bei Scriba, II, No. 624 und III, No. 1801
gehören sämmtlich nur zu der vorigen Urkunde, daher stammen wohl auch die ebenso
irrthümlichen Litteraturnachweise bei Boos, I, 233.
Verz.: B., Regesten, Reichssachen No. 105.

**314.** *Liutgard von Frankfurt und deren Verwandte Gertrud schenken dem Kloster
Schönau ihre Güter in Griesheim zum Seelgerät für ihre beiderseitigen Eltern.
1273 März 1.*

Ego soror Liutgardis de Franckenvurt tenore presentium publice profiteor et protestor,
quod propter salutem anime mee et parentum meorum, Hartliebi videlicet braxatoris et
Liutgardis, contuli pure propter deum ecclesie Schonaugiensi bona mea, sita in villa Griesheim, videlicet curiam unam et tres mansos cum uno iugere pratorum, post obitum meum

perpetuo pacifice possidenda, et ut etiam predictorum parentum meorum et Ludewici, fratris mei bone memorie, in ipsa ecclesia annis singulis memoria sollempniter celebretur. Ego Gerdrudis, cognata predicte Liutgardis, profiteor, me etiam contulisse predicte ecclesie propter deum mansum unum in ipsa villa Griesheim post mortem meam imperpetuum possidendum, ut etiam annuatim in vigilia beati Johannis baptiste dies anniversariorum parentum meorum, scilicet Cunradi et Hirmengardis, devote in ipsa ecclesia peragatur. In quorum omnium testimonium et debitam firmitatem presentes litteras sigillis honorabilium virorum domini decani et cantoris ecclesie Franckenfordensis petivimus communiri. Actum anno domini m̃. c̃c. LXX°. III°., kal*endis* marcii.

*Schönauer Kopialbuch f. 136. General-Landesarchiv Karlsruhe. — Grotefend. Vielleicht auch 1270 Febr. 27.*

*Gedr.: Würdtwein, Chron. Dipl. mon. Schon., 150.*

**315.** *Hartmud, Ritter von Sachsenhausen, verkauft dem Deutschordenshause in Sachsenhausen Güter in Erhartshausen und Sachsenhausen nebst gewissen Grundzinsen. 1273 April 29.*

Hartmudus miles de Sassenhusen. Omnibus, quibus nosse fuerit oportunum, noticiam subscriptorum. Ut res gesta robur obtineat firmitatis nec valeat oblivisci, *||* debet voce testium et litterarum testimonio perhennari. Presentis igitur scripti testimonio et tenore recognosco publice et profiteor, quod vendidi de consensu et ad*//*missione manuali Alheidis uxoris mee fratribus domus Teuthonice in Sassenhusen omnia bona, que habui in villa Erharthusen et in terminis eiusdem, excepto uno *//* prato, quod vulgariter appellatur in deme Buchehes. Preterea vendidi eisdem quinque iugera arvi sita in terminis ville predicte Sassen*husen*; IIII octalia siliginis, que Hartwicus dictus Oûgelin michi de quatuor iugeribus dare consuevit annis singulis nomine census. Item unum solidum Colo*niensium* de*nariorum*, quem predicti fratres michi de domo sita in foro Grani, que fuit Cunradi de Gisenheim, et quinque solidos levis monete, quos de area Theoderici preconis dare consueverant dicti fratres, iure proprietario perpetuo possidenda. Resignavi etiam ipsis bona huiusmodi antedicta, predicta A. uxore mea consentiente et, ut moris est, pariter resignante. Presentibus personis subscriptis, que eiusdem rei testes esse eciam dinoscuntur, videlicet Johanne Goltstein, Arnoldo dicto Bumester et Wikero filio Harperni de Ovenbach, et quam pluribus aliis viris honestis, civibus civitatis Frankenvortdensis. Et ut eisdem fratribus faciam super huiusmodi bonorum empcione warandiam consuetam et debitam, ad maiorem cautelam pono et assigno ipsis fideiussores: Wintherum de Bruningesheim et Cunradum dictum Swap, milites, tali interposita pactione, si alter predictorum iubente deo ab hac vita decesserit, sive ambo, alios, quos antedicti fratres voluerint, loco defunctorum ipsis debeam assignare. Predicti quoque fideiussores debent in huiusmodi fideiussione tamdiu persistere et obligati esse, donec Elyzabeth, filie Heinrici fratris mei bone memorie, pro parte bonorum, que ad eandem racione hereditatis pertinere debuit, recompensacionem sive restaurum, quod dicitur ursazen, ᵃ sic exhibeam et faciam, ut predicte Elyzabeth imponatur silencium perpetuum, et materia tocius impedimenti penitus in posterum amputetur, et quod fratres sepiusnominati bona singula antedicta perpetuo possideant tamquam propria libere et quiete. Ut autem subnascencium omnino tolli valeat materia questionum, in huius rei evidens testimonium et firmitatem perpetuam petivi cum instancia pro eo maxime, quia sigillum proprium non habui, sigillorum munimine, videlicet civitatis Frankenvordensis, Cunradi de Sassenhusen consanguinei mei, et Wintheri de Bruningesheim, presentem paginam communiri. Ego predictus Cûnradus dictus Swap, quia

---

ᵃ) *Verbessert aus „urzazen".*

sigillum proprium non habeo, obligo me sub sigillo predicti W. de Bruningesheim ad omnem fideiussionem superius expressam per omnia, tanquam sigillum proprium presentibus appendissem. Actum anno incarnacionis dominice m̄. c̄c̄. septuagesimo tercio, III. kal*endas* maii.

*Or. Pgmt. Die drei anhängenden Siegel sind beschädigt. St. A. Darmstadt.*

*Gedr.: B., 162 nach dem Or. . Erwähnt Wenck, Hess. Landesgesch., I, 318 Note ohne Tagesdatum. Auszug: Thomas, Oberhof, 438.*

*Vers.: Scriba I, No. 529.*

**316.** *Das Mainzer geistliche Gericht beurkundet, dass Werner, Sohn des Ritters Heinrich von Alzei, dem Deutschordenshause zu Sachsenhausen seine Besitzungen zu Weinheim bei Alzei unter genannten Bedingungen übertragen habe. 1273 Mai 5.*

Iudices sancte Moguntinensis sedis. Recognoscimus, quod Wernherus miles, filius Henrici militis de Alceya, in nostra presencia constitutus, omnia bona sua sita in terminis ville Wigenheim, videlicet agros, vineas, prata et que in posterum dante deo conquisierit aliosque suos proventus ibidem qualescunque, deo et beate Marie virgini et fratribus ordinis domus Theutonice apud Franckenfort divine retribucionis intuitu contulit et donavit liberaliter et libenter et resignavit eisdem bona predicta in perpetuum possidenda, personis subscriptis presentibus, que utique collacionis atque donacionis sue pie et rite facte testes esse eciam dinoscuntur, fratre Ludewico commendatore in Franckenfurt, fratre Craftone commendatore in Flersheim. fratre Cunrado plebano ibidem, fratre Philippo de Altzeya, Bertholdo de Flanburnen, Gozzone filio Bockes, Wilhelmo filio Zurnes, militibus; Gernodo sculteto de Wienheim, Hermanno filio eidem (!), Stollo, Henrico dicto Wassach, Udo, Wille, et pluribus aliis viris honestis ville predicte, tali condicione interposita, quod fratres antedicti ipso Wernhero defuncto pueris [a] Cunegundis et Drutlindis sororum ipsius infra biennium de bonis predictis ipsis collatis ducentas marcas Coloniensium denariorum debeant assignare, quibus denariis receptis iidem pueri sororum eiusdem Wernheri antedictarum debent cum eisdem bona et proventus comparare, quibus conparatis debent ea a nobili viro Philippo de Falckenstein more feodali recipere et tenere. Ob hanc causam et racionem, ut dominus iam dictus iudicium ville prelibate approbriet (!) fratribus antedictis. Ceterum si idem dominus huiusmodi ville iudicium ipsis fratribus approbriare (!) rennuerit (!), supradicti pueri sororum ipsius iudicium iam dictum ab eodem domino Philippo tenere et possidere debent titulo feodali. Hoc adiecto, quod in predicta villa nichil aliud iuris habeant, nisi quod accipiant avenam, que vulgariter raithabern appellatur, et quod eciam excessus, qui vocantur vrebel, corrigere debeant, ita tamen decenter, quod fratres in bonis aut hominibus ad ipsos homagio pertinentibus non graventur. Hoc eciam idem Wernherus addendum decrevit, si pueri predicti aut eorum successores iudicium ville prenominate vendiderint vel alio quocunque modo a se alienaverint, curie et aree site in civitate Alceya, que ipsis contulit et eorum successoribus, similiter et bona, que cum ducentis marcis, quemadmodum predictum est, comparaverunt, ad fratres predictos debent sine contradictione qualibet pertinere, verum si bona cetera feodalia et proprietates, quas sepedictus Wernherus habuit hactenus et possedit preter illa bona, que fratribus contulit, poterit obtinere, illa conferre proponit pueris sepius nominatis, ob hoc, ut fratres ducentas marcas dare non oporteat, ut est superius prenotatum. Confert eciam prenominatus Wernherus eisdem pueris omnes curias et areas suas, quas habet in civitate Alceya, hac adiecta condictione (!), ut easdem curias et areas vendere aut alio modo qualicunque alienare non debeant, alioquin tam ipsi

---

[a] *Vorlage „prius“.*

quam eorum successores singuli penam suprapositam pacientur, et si decesserint sine heredibus, curie et aree predicte ad fratres per omnia pertinebunt. Preterea presentibus inter alia est interclusum et additum, quod iidem fratres eodem Wernhero mortuo debita sua solvant, que notabiliter fuerint tunc expressa, vendendo bona, que ipsis contulit, et curias et areas pueris sororum suarum collatas, sitas in civitate Alceya, et similiter de ducentis marcis, quas predictis pueris deputavit, quemadmodum est predictum. Preter huiusmodi contulit ipsis fratribus quedam bona, que censum reddere solent in curiam dapiferi, que similiter ad maiorem cautelam, ut moris et iuris est, ipsis in eadem curia dapiferi resignavit. Hec quoque bona omnia, que ipsis fratribus contulit, sibi concesserunt possidenda tempore sue vite, ut ipsis nomine census annis singulis in festo beati Martini unum solidum hallensium et duos cappones debeat assignare. In cuius facti testimonium et debitam firmitatem ad peticionem predicti Wernheri presentes litteras sigilli nostri munimine duximus roborandas. Datum et actum anno domini millesimo ducentesimo septuagesimo tercio, tercio nonas maii.

Abschrift im Deutschordens-Dokumentenbuch f. 218 b.     St. A. Stuttgart. — Von Nathusius.

**317.** *Der Komthur Ludwig und die Brüder des Deutschordens zu Sachsenhausen erklären, dass ihnen genannte Gelnhäuser einen Antheil an einer dortigen Mühle gegen eine Korn-Leibrente überlassen haben. Zeugen: Genannte Schöffen und Bürger von Gelnhausen. Gelnhausen, 1273 Mai 10.* (in festo Gordiani et Epimachi martirum.)

> *Or. Pgmt. Die Siegel des Deutschordenshauses und der Frankfurter Minoriten sind abgefallen.*
> *St. A. Stuttgart. Deutschorden-Urkunden, Preussen No. 66.*
> *Gedr.: Reimer, I, 345 nach dem Or. .*

**318.** *Das Stiftskapitel zu Frankfurt und das Deutschordenshaus zu Sachsenhausen vergleichen sich durch Schiedsrichter über die von dem letzteren an das erstere wegen seiner Novalfelder im Röderbruch und dem Walde Dreieich zu entrichtenden Zehnten und Neunten. Sachsenhausen, 1273 Juli 23.*

In nomine domini, amen. Nos Henricus decanus et capitulum ecclesie de Frankenfort et nos Ludewicus dictus de Swalbach conmen//dator ac fratres domus Theutonice apud Sahsenhusen. Ad universorum noticiam cupimus pervenire, quod, cum super decima et nona parte // novalis illius, quod Rotebruch dicitur, et incipit in parte superiori apud Frowenwege et terminatur in parte inferiori in prato Hartmudi mi//litis, ex parte vero tercia in campo Sahsenhusen usque ad illos agros, qui ante hos proximos quinque annos culti fuerunt, et in quarta parte versus forestam, quam nos decanus et capitulum antedicti a conmendatore ac fratribus memoratis requisivimus, aliquamdiu questio verteretur, non sine laboribus et expensis, tandem ad amicabilem et concordem composicionem, quam utrimque desideravimus, faciendam in discretos viros, magistrum Gebehardum, canonicum Maguntinum, et dominum Lud. de Alrestete, canonicum et camerarium Nuemburgensem, convenimus, et promisimus fide prestita corporali sub pena viginti marcarum argenti, ut quidquid iidem canonici ordinarent inter nos et statuerent super huiusmodi questione secundum iusticiam vel amice, id ratum et firmum utrimque perpetuo teneremus. Ipsi vero racionibus nostris auditis et visis instrumentis ac privilegiis utrobique, composicionem inter nos ordinando, taliter statuerunt, videlicet, quod nos decanus et capitulum prenotati a requisicione partis decime, quam a prefatis fratribus de novali predicto et aliis novalibus, que in foresto Driech excoluerint in futurum, occasione privilegiorum nostrorum petivimus nobis dari, propter privilegia apostolica, que ipsi fratres habebant, perpetuo cessaremus et dimitteremus eos in illa libertate aliorum agrorum suorum atque pratorum, quam hactenus habuerunt. Nos itaque decanus et capitulum sepedicti statutum seu *composicionem* huiusmodi ratam habentes, ex parte nostra promittimus irrefragabiliter observare, testimonio presencium litterarum. Nos quoque Lude*wicus* co*n*mendator ac fratres prefati iuxta [a] *composicionis* statutum inter nos et predictos decanum et capitulum ordinatum per canonicos prenotatos similiter de predicto novali et omnibus aliis, que in foresta Driech umquam excoluerimus in futurum propriis manibus vel sumptibus, de voluntate pariter ac consensu nobilis viri fratris Gerhardi de Hirzberch, preceptoris hospitalis sancte Marie Teutonicorum in Alemannia, sepedictis decano et capitulo iuxta continenciam privilegiorum suorum, que ab imperio obtinent, racione fundi, dabimus et dare promittimus in perpetuum sine contradictione qualibet nonam partem fructuum quorumcu*n*que, qui excreverint in eisdem; et ad hoc obligamus nos tenore presentium litterarum. Ut autem tam nos decanus et capitulum ecclesie de Frankenfort, quam nos L. co*n*mendator ac fratres domus Theutonice apud Sahsenhusen antedicti, ordinacionem *composicionis* atque statuti huiusmodi atque promissa invicem inviolabiliter sine dolo perpetuo observemus, has litteras inde confectas damus utri*m*que nostrorum sigillorum munimine roboratas in testimonium et memoriam omnium prescriptorum. Actum et datum apud Sahsenhusen, anno domini m. cc. lXXIII., in die crastino beate Marie Magdalene.

*Or. Pgmt. Anhängend 1) Siegel des Barth.-Stiftes (beschädigt). 2) Siegel des Deutschordenshauses.*

*St. A. Fr. Deutschorden-Urk. No. 15. Das zweite, völlig gleichlautende Or. (Barth. St. No. 3360), wonach B. druckte, war zur Zeit nicht aufzufinden.*

*Gedr.: Fichard, Archiv, II, 98, B., 164.*

**319.** *Schultheiss Heinrich, die Schöffen, der Rath und die Frankfurter Bürger beurkunden, dass Wolfram Bockshorn einen bisher gegen Jahreszins besessenen Garten zu Frankfurt dem Hartwich resignirt habe. 1273 Juli 28.*

Nos Henricus scultetus,[1] scabini, consules et universi cives Frankenvordenses. Notum facimus universis presentem litterarum seriem audituris et visuris, quod Hartwicus nauta, civis Frankenvordensis, decem solidos Frankenvordensium denariorum, dandos sibi aut suis heredibus perpetuo in natalibus domini, videlicet in die beati Stephani, annis singulis super ortum domus Cigelgarthe erga Wolframum dictum Bockeshorn, civem Frankenvordensem, pro quadam summa pecunie sibi ab eodem numerata, tradita et persoluta iuste et rationabiliter compensavit, qui videlicet Wolframus consenciente Richwino filio suo predictum ortum prefato Hartwico in forma iudicii Frankenvordensis publice resignavit. Et prenunciatus Richwinus pro sorore sua Alheldi fideiussorie se astrinxit, ut ipsa Alhedis dictum in annis discretionis ortum resignet more debito et consueto. Huius facti testes sunt viri honesti: Cunradus Wobelinus et Volmarus fratres, Bertholdus de Heldebergen, Fridericus de Omenstat, Conradus Caput, Gernodus de Flanstat, Henricus de Lympurg, scabini; Henricus iudex, Johannes de Wedere, Gyselbertus de Holtzhusen, Marquardus de Hovehem, Hermannus Bichelin, cives Frankenfordenses, et quam plures alii fide digni. In cuius rei testimonium et memoriam sigillum civitatis Frankenvordensis presentibus est appensum. Actum et datum anno domini ih. cc. septuagesimo tercio, feria sexta proxima post festum beati Jacobi apostoli.

a) *Über der Zeile.*

[1] *Schultheiss Heinrich* (Henricus schultetus de Frankinvort miles) *wird auch 1273 Aug. 3* in inv. s. Stephani prothom. et levite) *in einer Urk. Werners von Falkenstein für Kloster Retters genannt. Gedr.: Sauer, I, 491.*

*Gedr.: B., 165 nach „Copie Fichards ex or." Auszug: Thomas, Oberhof, 439.*
*Das Original, das sich nach Crecelius, vgl. Frankf. Mitt., V, 237, früher in Büdingen*
*befand, war jetzt dort nach Feststellung des Herrn Dr. Dieterich nicht zu ermitteln.*

**320.** *Das Kloster Schmerlenbach verkauft dem Stiftskapitel zu Frankfurt seine Güter bei Fechenheim und tritt mit ihm in geistliche Brüderschaft. Schmerlenbach. 1273 Juli 30.*

Viris honorabilibus et discretis . . domino Henrico decano totique capitulo ecclesie de Frankenfort. // Soror Gerdrudis humilis abbatissa et conventus sanctimonialium monasterii de Smerlibach ordinis sancti // Benedicti, Maguntine diocesis, cum orationibus in Christo devotis fraternam et sinceram in domino karitatem. Tenore // presentium recognoscimus litterarum et omnibus volumus esse notum, quod nos venerabilis patris et domini Cunradi de Nuenstat, Herbipolensis diocesis, et de Seligenstat, Maguntine diocesis, ecclesiarum ordinis sancti Benedicti abbatis et nostri monasterii provisoris hac vice accedente consensu, bona nostra apud Vechenheim solvencia census nomine annuatim triginta solidos usualis monete et quinque octalia siliginis et insuper quinque solidos preter oblum pro serviciis annis singulis persolvendos temporibus deputatis. tot quoque pullos carnisprivii et meliora capita tempore suo danda, quot homines possident bona ipsa, vobis vendidimus pro pecunie certa summa, quam nos recognoscimus recepisse, et ecce eadem bona vobis assignamus proprietatis titulo cum omnibus iuribus, sicut nos ea possedimus, possidenda; renunciantes omnibus et singulis iuribus, que nos hactenus habuimus in eisdem,[a] dantes nichilominus vobis has litteras in testimonium super eo. Ceterum piam confraternitatem cupientes habere vobiscum, ut illam mutuo perpetuo observemus et orando pro invicem participes simul simus omnium bonorum, que utrinque umquam fecerimus dante deo, obligamus nos vobis universis et singulis, quod quando aliquis ex vobis et vestris confratribus decesserit, nos vigiliis, missis, aliisque orationibus ac bonis operibus sui memoriam ut confratris nostri agamus in omnibus, ita, ut, si una de nostris sororibus decessisset, facientes nomen ipsius in nostro libro rescribi, ut et vos iuxta promissum in omnibus et singulis nobis et nostris idem et simile faciatis. Ut autem singula et omnia antescripta in perpetuum irrefragabiliter observemus vobis, damus has vobis litteras inde confectas in testimonium et memoriam eorundem nostri monasterii ac conventus sigilli munimine roboratas. Actum et datum apud Smerlibach, anno domini m. cc. lXX. tercio, III. kalendas augusti.

*Or. Pgmt. An rothen Schnüren anhängend das wohlerhaltene Siegel.*
*St. A. Fr. Barth. St. No. 2754.*
*Gedr. nach dem Or.: B., 165, Reimer, I, 347.*

**321.** *Der Dominikaner-Prior Hermann zu Frankfurt* (frater Hermannus prior fratrum ordinis predicatorum in Frankenfurt) *entscheidet als erwählter Obmann einen Streit um eine Wetzlarer Präbende. 1273 October 25.* (VIII. kal. novembr.)

*Gedr.: Guden, Cod. Dipl., V, 64. Derselbe wird auch 1274 September 19 (fer. 4 prox. p. exalt. s. crucis) erwähnt. ib, 66.*

a) *Verbessert aus „eidem"*

**322.** *König Rudolf bestätigt den Frankfurtern alle Rechte, Freiheiten und Gnaden, welche sie von Kaiser Friedrich und andern vor diesem erhielten. Worms, 1273 December 5.*

Rudolphus dei gracia Romanorum rex, semper augustus. Universis sacri Romani imperii fidelibus presentium inspectoribus, graciam suam // et omne bonum. Dignum iudicat nostra serenitas et decernit, quod fidelium nostrorum commodis tanto graciosius intendamus, quanto iidem sa//crosancto Romano imperio et nobis imperii atque rei publice curam gerentibus fidelius coniunguntur. Cum enim subditorum bonum et commoditatis // augmentum nostra procurat serenitas, dilatacionem honoris regii et dignitatis imperii promovemus. Quapropter inherentes divorum imperatorum et regum inclite recordacionis, antecessorum nostrorum, vestigiis et exemplis, illos, quos ad nos et nostra tempora predictorum imperatorum et regum in conservacione iuris,[a] libertatis et honoris perduxit posteritas, cupientes in eadem qua et ipsi[b] gracia confovere, dilectis fidelibus nostris civibus Frankenvorden*sibus* omnia iura, libertates et gracias a magne recordacionis inclito Frederico imperatore Romano*rum*, antecessore nostro, et aliis ante ipsum Fredericum, prout ipsis civibus iuste et rite sunt tradite et concesse, de benignitate magestatis regie concedimus[c] et concessas presentis decreti munimine auctoritate regia confirmamus. Nulli ergo hominum huic nostre concessionis privilegio liceat contradicere, vel eidem ausu temerario contraire, quod qui facere presumpserit, gravem nostre celsitudinis indignacionem se noverit incurrisse. In cuius rei testimonium presentem litteram dictis civibus tradidimus sigilli nostre magestatis munimine communitam. Datum Wormacie, non*is* decembris. Anno domini m̊. c̊c̊., I XXIII. Indictione II. Regni nostri anno primo.

*Or. Pgmt.: Siegel (roth) an hellgelben Seidenschnüren zerbrochen anhängend.*
*St. A. Fr. Priv. No. 12.*
*Gedr. nach dem Or.: P. et P., I, 8, II, 7 = Lünig, R. A., XIII, 560, B., 166.*
*Vers.: Fr. Invent., III, 2, B.-R. No. 44.*
*Ein gleichlautendes Privileg erhielten die Städte Gelnhausen (B.-R. No. 45) und Friedberg (ib. No. 46).*

**323.** *König Rudolf gebietet dem Schultheissen und den Bürgern in Frankfurt, von den Bürgern Gelnhausens weder am Main noch sonstwo Zoll zu erheben. Hagenau, 1273 December 31.*

Rudolfus dei gracia Romanorum rex, semper augustus. Dilectis fidelibus suis sculteto et universis civibus de Franckenfort, graciam suam et omne bonum. Cupientes fidelium nostrorum civium de Geylnhusen commodis et honori beningnitate regia providere, ut ex inpensa ipsis gracia dicti nostri fideles nostris et imperii serviciis fidelibus astringantur, ex speciali gracia concedimus, volumus et mandamus, quod a nullo civium nostrorum predictorum, cuiuscum*que* professionis, condicionis vel fortune existat, nec supra ripam Moyn vel alias in locis vestris,[d] ubi theolonia a transeuntibus requiruntur, aliquod theolonium[e] exigere aut[f] recipere, sicud nostram graciam diligitis, presumatis. Datum Hageno*we*, II. kal*endas* ianuarii, indictione secunda, regni nostri anno primo.

<hr>

a) *Hinter „Iuris" Abbreviatur für „et" durch Rasur getilgt.* b) *Das letzte i über Rasur.* c) *Das zweite c aus d verbessert.* d) *Abweichend bei Böhmer „veniens", eine Lesung, die nach dem Ms. B.'s (v̄n̄s steht am Rande) ihm selbst zweifelhaft erschien.* e) *Böhmer: „aliquid theolonii".* f) *Böhmer: „ao".*

**324.** *Der Komthur Ludwig und die Deutschordensbrüder zu Sachsenhausen bekennen,*
*dass sie von dem durch Luckard Zangelin empfangenen Gelde 2 Hufen, 4 Morgen*
*Gerstenland (arvi) und 6 Morgen Wiesen in Hüttengesäss, (Hittengeseitze) und*
*einen Hof bei der dortigen Kirche erworben haben. Sie verpflichten sich, die Ein-*
*künfte an Luckard für ihre Lebenszeit nach Frankfurt oder Gelnhausen abzuliefern,*
*ausserdem 1 Malter jährlich von den dortigen, früher Siegfried von Breitenbach*
*gehörigen Gütern, 2 Malter Roggen Frankfurter Masses und 2 Karren Holz oder*
*dafür 2 Schillinge leichter Denare. Schliesslich erhält Luckard die Hälfte von den*
*Einkünften eines von dem Orden selbst bewirthschafteten Morgens Weingärten bei*
*Gelnhausen. Nach Luckards Tod erlöschen alle diese Bezüge und die Güter ver-*
*fallen dem Orden.* Zeugen: frater Arnoldus, frater Hermannus, frater Godefridus
de Morle, sacerdotes; frater Hartmudus de Cronberg, frater Francko de Morle,
frater Theodericus et alii quam plures fratres domus predicte. *1273.*



**325.** *Der Komthur Ludwig und die Deutschordensbrüder zu Sachsenhausen versprechen*
*dem Marquard Bluel lebenslänglich Wohnung und Kost zu geben und bekennen*
*dafür von diesem alle seine Güter in Sachsenhausen und Tribur erhalten zu*
*haben. 1273.*

Quoniam plurimum intereunt et in oblivionem vergunt ac per malorum versucias
dis//turbantur rerum temporalium series et tractatus, si non per publica scripta
robur [accipiunt] // et munimen, hinc est, quod nos frater Ludewicus conmendator domus
Theuthonice in Sas[sen]//husen ceterique fratres ibidem ad universorum noticiam tenore
presencium cupimus pervenire, [quod] nos Marquardum dictum Bluel tenere debemus
apud nos in predicta nostra curia in hunc modum, quod eidem infra muros eiusdem nostre
curie nostris laboribus et expensis edificare debeamus domum, in qua commoretur tempore
vite sue; adicientes eciam, quod predicto·M·deputare debemus [aliq]uem de nostra familia,
qui ei cibum et potum qualemcunque, videlicet fratrum conventualium, ferat et ministret
tempore oportuno. In huiusmodi igitur expensarum recompensacionem sive restaurum,
quas circa eundem in cibo et potu fecerimus, resignavit nobis omnia bona sua, que
habuit in predicta villa Sassenhusen tam in agris, quam in ceteris redditibus, excepta una
area, in qua quondam pater suus bone memorie morabatur. Hanc tamen aream antedictam non nisi ad terminum vite sue usibus suis prout libet poterit deputare, hoc
adiecto, si hanc eandem aream vendiderit, cum denariis pro ea receptis alios proventus comparare debet, quos similiter quemadmodum debuit aream, quamdiu vixerit,
recipere et tenere. Preterea dabit fratribus nostris annis singulis duas marcas. Ipso
quoque defuncto predicta bona et area, sive ceteri proventus, quos comparabit, si
eandem vendiderit, et dimidius mansus situs in terminis ville Dribûre, quem nobis
similiter resignavit, erunt sine contradictione qualibet domus nostre. Huius rei et
facti testes sunt: frater Arnoldus, frater Hermannus, sacerdotes; frater Hartmudus de

Cronenberg, frater Franko de Morla, frater Philippus de Alceya, frater Gervalko, frater Wernherus faber, frater Johannes Rufus, et alii quam plures fratres domus nostre. Wolframus scultetus Frankenvortdensis, Cunradus de Sassenhusen, Winterus dictus de Bruningesheim, Gotscalcus, milites; Bertoldus de Heldebergen, Cunradus Wobelin, Arnoldus dictus Bumester, Wernherus de Wanebahc, Godefridus de Biscovesheim, scabini, et cives alii viri honesti civitatis antedicte. In huius igitur rei perpetuam firmitatem et perhennem memoriam, predicto M. hanc litteram communitam nostro sigillo et civitatis predicte dedimus super eo. Actum anno domini m̊. c̊c̊. lXXIII.

> *Or. Pgmt. Anhängend 1) Siegel des Deutschordenshauses, 2) Stadtsiegel (2).*
> *St. A. Fr. Deutschordens-Urk. No. 14. Die Urkunde ist durch Wasserflecken theilweise schwer lesbar geworden.*
> *Gedr.: B., 167 nach dem Or. .*

**326.** *Winter von Preungesheim verkauft dem Deutschordenshause zu Sachsenhausen 15 Morgen Reichslehen zu Preungesheim. 1273.*

> *Regest nach dem Deutschordens-Saalbuch bei Niedermayer, 134. Danach Reimer, I, 353 No. 484. Vorurkunde für 1274 April 29, vgl. unten No. 333.*

**327.** *Frau Hedwig von Wetzlar schenkt dem Deutschordenshause zu Sachsenhausen ein Drittel eines Hauses in der Langengasse zu Wetzlar. 1273.*

> *Regest nach dem Deutschordens-Saalbuch bei Niedermayer, 169.*

**328.** *Herbord und Mechtild gen. Roesza, Meister des Heiligen-Geist-Hospitals zu Frankfurt, und die Brüder und Schwestern des Hauses bekennen, dass sie zwei von der verstorbenen Frau Mechtild Sperwesa und deren Nichte Agnes dem Spital geschenkte Hufen bei Frankfurt von dem Kloster Retters in Erbpacht genommen haben. 1273.*

Wir Herbordus und Mechtildis genant Roesza, rectoire und meister des spitals des heilligen geists zu Frankfurt, und andere [brudere] und schwestere desselben haus thun kundt aller menlich, die diesen brieff werden sehen und hoeren, als den gegewertigen und den zukünftigen und bezeugen das gleublich und offenbarlich laut und inhalt diesser gegenwertigen schrift, das frau Mechtoldis genant Sperweesa loblicher gedechtnis und Agnes, ire niftel, unserem spital mit gemeiner hant und eynmuttigem willen zwo hube lants bey Frankfurt gelegen vergangner zeit fry miltiglich gegeben vermittelst der[a] zusagung, uff das sie beyden, so lang sie werden leben, von denselbigen huben lants zwenzig achtel korns und funf achtel wais Frankfurter maas wir jerlichen geben, so aber die dotz verscheiden weren, das wir und nach uns unser nachkommen von genanten huben dem convent und der kerchen zu Retthers alle jar geben zwelf achtel korns vorgedachter maiss zwischen den zwehen unser lieben frauen dag assumptionis und nativitatis. Als aber die vorgenante fraue Mechtilt Sperwoesa dotz verscheiden was, Agnes, ire niftel, wollende aller vorgeschreibener uffgebung verneuwen in gegenwertigkeit herren Henrichs dechant und Henrich, schulteissen zu Frankfurt, hat die genant Agnes und wir mit ire die vorgenanten zwo huben freihe und abgelost angezeichnet in die hendt Embrionis, des priors der kirchen zum Retthers, die nemeliche[b] wie von derselbigen kirchen [uf] ure(?) pension zwelf achtel korns, als hie oben gemelt ist, ewiglichen zu besitzen, also abe unser spital nachfolgender zeit etliche gutter hett, von welchen die vorgemelt pension mechte geben werden, so is dan dem convent und

---

a) *Vorlage: „den".* b) *Vorlage: „nemende".*

kirchen zu Retthers behaget ader gefellig wer, wollen wir dieselben gutter vor die
huben wechselen und geben one irge widderred. Gezeugen diss geschichts seint:
Henrich dechant der kirchen zu Frankfurt, Syfridus genant kemmerer, canonick derselben kirchen, Henrich schulteis, Conrat etwan schulteis, Vulmar, Conrad genant
Wobelin, gebruder, Johannes Goltstein, Henrich Rudolfs sone, Gottschalk von Irlenbach, und vil ander mee glaubwirdige zeugen. In welchens dings bezeugung haben
wir diesen brief thun bekreftigen mit unserem siegel und mit den siegelen der herren
dechans, der stat und schultheissen zu Frankfurt. Diss dinge sint geschein in dem
iar der gepurt unsers herren thausent zweyhondert sibenzig drij jare.

Abschrift im Kopialbuch des Wigand Vogt im Archiv des Heiliggeist-Spitals S. 613—614.<br>
St. A. Fr. Schlechte deutsche Übersetzung des 16. Jahrhunderts.

**329.** *Die Wittwe Adelheid von der Alten Münze verkauft dem Kapitel von St. Peter
zu Mainz einen Zins von dem Hause zur Alten Münze, der für die vom Scholaster
zu Frankfurt Johannes von Rodahe an der Kirche von St. Peter in Mainz gestiftete
Vikarie verwandt werden soll. Frankfurt, 1274 Februar 13.*

In nomine domini, amen. Ego Adelheidis dicta de Veteri Moneta, civis de
Frankenvorth, tenore scripti presentis publice recognosco, quod ego de consensu filiorum
meorum Wernheri, Jacobi et Hermanni et ex permissione domini Johannis Goltstein,
civis Frankenvordensis, cui de domo mea, que dicitur Vetus Moneta, quatuor marce
den*ariorum* Colo*niensium* annis singulis dantur in censu, vendidi etiam marcam unam
singulis annis dandam in nativitate beate Marie virginis honorabilibus viris domino . .
decano et capitulo sancti Petri Mogunt*ini* ad redditus illius vicarie, quam dominus
Johannes de Rodahe, scolasticus Frankenvordensis, constituit in predicta ecclesia
sancti Petri, cuius marce precium idem scolasticus mihi solvit. Ego autem et predicti
filii mei in nos recipimus, quod Heinricus filius meus, cum venerit, empcionem huiusmodi ratam eciam habeat atque firmam. Petivimus autem li*tt*eras has super eo confectas in memoriam et testimonium in futurum dominorum Heinrici decani et officialis
domini Heinrici prepositi, Cristiani cantoris et Epperti plebani Frankenvorden*sium* [a]
communiri sigillis. Nos H. decanus, C. cantor et E. plebanus predicti, rogati a prefatis
Adelheide et filiis suis, nostra sigilla apposuimus huic scripto et coram nobis empcionem
et vendicionem prefatam dicimus esse factam. Nos autem Wernherus, Jacobus et
Hermannus, filii predicte Adelheidis, empcionem et vendicionem prescriptam ratam
et firmam habentes, dicimus suprascripta omnia ita esse. Datum et actum apud
Frankenvorth, anno domini m̊. c̊c̊. lXXIIĬII, idus februarii.

Abschrift im Kopialbuch von St. Peter f. 59a. Mainz. Stadtbibliothek.<br>
Gedr.: Oberrh. Zeitschr., 15, 75 zu 1270 Febr. 10 nach dieser Vorlage.

**330.** *Ludwig von Isenburg verzichtet zu Gunsten des Deutschordens auf das von seinen
Grosseltern diesem geschenkte Patronatsrecht der Kirche zu Mörlen (Moirle),
der Kapellen zu Holzburg (Hoilzburch) und Hüftersheim (Huftirsheim) und den
Zehnten in den genannten drei Orten und zu Rode, Hirzbach (Heirzbach), ebenso
auf ein Viertel des Zehnten zu Pohlgöns (Pailgunse) und ein Fünftel desselben
zu Lang-Göns (Langengunse). Gelnhausen, 1274 März 23 (X. kal. april.)*

<hr>

[a] *Möglich auch „Frankenvordensis".*

*Gedr. nach dem Or. Pgmt. im St. A. Darmstadt, gekürzt: Baur, Hess. Urk., I, 100, vgl. Buri, Bannforsten, Beilagen, 92.*

*Verz.: Scriba, II, No. 634.*

*Diese Urkunde wurde am 30. März (III. kal. april.) 1274 zu Würzburg durch König Rudolf bestätigt.*

*Gedr.: Böhmer, Acta, No. 320. Regest: Baur, l. c. 101.*

*Verz.: Scriba, II, No. 635, B.-R. No. 128.*

**331.** *Ludwig und Adelheid, Frankfurter Bürger, vermachen dem Kloster Engelthal benannte Ländereien zu Eschborn, unter der Verpflichtung davon ein Legat von 12 Mark an die Kirchenfabrik der Frankfurter Minoriten auszuzahlen. 1274 April 6.*

Nos Ludwicus et Alheidis, uxor eius, cives Frankenfordenses, recognoscimus publice profitentes, quod bona nostra propria, duos videlicet mansos et VIII iugera, sitos apud Esscheborn, cum universis attinenciis suis abbatisse et conventui sanctimonialium in Engeltail ob remedium animarum nostrarum, necnon parentum nostrorum contulimus propter deum, ita videlicet, quod hec prenominata bona dictis abbatisse et conventui post mortem nostram integraliter cedant, omni hominum impedimento remoto. Nos tamen eadem bona, quamdiu vixerimus, in nostra potestate habere volumus et ea vendere, alienare et distrahere possumus et debemus in nostris necessitatibus, quociens et quando nobis placuerit, pro nostre libito voluntatis. Ceterum cum prefati abbatissa et conventus prenominata bona pacifice possident, dabunt fratribus Minoribus in Frankenvord duodecim marcas *Colonienses* ad eorum fabricam, quas nos eciam legavimus pro animarum nostrarum ac parentum nostrorum remedio salutari. Testes huius facti sunt viri honesti: H. scultetus, Johannes Goltsteyn, Conradus Wobelin et Volmarus fratres, Fridericus de Omstat, Conradus Caput, Wernherus de Wanebach, Gernodus de Flaenstadt, Heinricus de Lympurg, scabini; Johannes de Wedere, Hermannus Bichelin, Lieberus, Wolfframus de Caldebach, Volzo et Heynricus fratres de Caldebach, H. de Dieppurg, cives Frankenvordenses, et quam plures alii fidedigni. In cuius rei firmitatem et robur perpetuum sigillum civitatis Frankenfordensis presentibus est appensum. Actum et datum anno domini m̅. c̅c̅. septuagesimo quarto, feria sexta proxima ante dominicam Quasimodo geniti.

*Abschrift im Engelthaler Kopiar. St. A. Darmstadt. — Grotefend.*

**332.** *Landgraf Heinrich von Hessen giebt als Klostervogt zu Schiffenberg seine Einwilligung zu einem Verkauf von Gütern zu Lützellinden (Ertrag jährlich 9 Malter Korn weniger 1 Modius, 6 Schillinge köln. weniger 3 Denare) an das Deutschordenshaus zu Sachsenhausen. Grünberg, 1274 April 16 (XVI. kal. maii.)*

*Gedr.: Guden, Cod. Dipl., II, 186, Beurk. Nachricht von der Kommende Schiffenberg, Urk. 26, No. 35.*

*Verz.: Scriba, II, No. 637 und irrig nochmals zu 1279 Mai 16, No. 703!*

**333.** *Winter von Preungesheim bekennt dem Deutschordenshause zu Sachsenhausen seine Güter bei Preungesheim, bisher Reichslehen, verkauft zu haben und verspricht dafür seine Eigengüter in Langen-Diebach dem Reiche als Lehen aufzutragen. 1274 April 29.*

Quoniam plurimum intereunt et in oblivionem vergunt ac per malorum versucias disturbantur rerum temporalium series et tractatus, si non per publica scripta robur accipiunt et munimen, hinc est igitur, quod ego Wintherus de Breungesheim ad universorum noticiam, quibus nosse fuerit oportunum, tenore presencium cupio pervenire, quod vendidi fratribus domus Teuthonice in Sachsenhausen bona mea sita in terminis ville Breungesheim, que ex concessione imperii hactenus titulo feodali tenui, videlicet tredecim iugera et duos mansos, qui vulgariter Freicht appellantur, promittens et obligans me et meos fideiussores subnotatos, scilicet Eberwinum de Breungesheim consanguineum meum, Cunonem de Ryffenberg, Conradum dictum Schwap et Marquardum filium meum, per hoc scriptum, quod bona predicta dictis fratribus vendita ad maiorem cautelam et futurum impedimentum penitus removendum sive decidendum appropriare debeam, sic quod alia bona proprietatis mee sita in villa Langendiepach ab imperio in recompensationem sive restaurum bonorum venditorum imposterum possideam atque teneam, domino rege id concedente et habente ratum per omnia atque gratum. Ceterum, et quod ipsis fratribus eciam de huiusmodi bonis faciam warandiam debitam et consuetam. Resignavi nichilominus dicta bona accedente consensu et admissione manuali Cunegundis uxoris mee, Marquardi et Heinrici filiorum meorum ceterorumque heredum meorum, presentibus personis subscriptis, que eiusdem rei testes esse eciam dinoscuntur, videlicet Heinrico sculteto Franckenfordensi, Friderico de Breungesheim, Wernhero Scelmone, Burckardo de Ursela, Heinrico de Gisenheim, Conrado de Godtenloche, Hartmundo de Sachsenhusen, et Hermanno filio Scelmonis. In huius rei robur et certitudinem pleniorem presens instrumentum sigilli mei munimine communivi. Actum anno incarnationis dominice m. cc. LXXIIII., proxima die dominica post festum beati Marci evangeliste.

*Abschrift im Deutschordens-Dokumentenbuch. St. A. Stuttgart. — Von Nathusius.*
*Gedr. danach: Reimer, IV, 811. Auszug: Euler, Frankf. Neujahrsblatt, 1859 = Reimer,*
*I, 355 No. 489 nach Fichard.*

**334.** *Otto von Bickenbach giebt Heinrich, dem Frankfurter Schultheissen, und seinen Vettern Heinrich und Konrad drei Hufen in Kaichen zu Lehen. 1274 Mai 1.*

Nos Otto de Bickenbach constare volumus universis litteras has visuris, quod ob specialem dilectionem et obsequiorum exhibitionem, que // Henricus scultetus Frankenvordensis, quondam Wolframi bone memorie sculteti ibidem filius, Henricus et Cunradus, fratres, quondam // Rudolfi militis fratris W. predicti filii, una cum suis progenitoribus iam dictis nobis in multarum terrarum partibus impenderunt, predictos tres // pio affectu et speciali gracia prosequentes, duos mansos in Coychene sitos, qui ex resignatione Richwini, eorumdem trium patrui, militis, quem etiam ipsis mansis infeodavimus, ad nos devoluti fuerunt, sepedictis tribus eorumque legitimis heredibus iure concedimus feodali, et huiusmodi concessionem a nobis factam gratam et ratam habentes, presentibus litteris confirmamus. In cuius etiam rei testimonium et memoriam firmiorem sigillum nostrum apposuimus huic carte. Act*um* anno domini m. cc. lXX quarto, kal*endis* maii.

*Or. Pgmt. mit abhangendem beschädigten Siegel. Ullstadt.*
*Gedr.: B., 168 nach dem Or. .*
*Verz.: Scriba II, No. 638.*

**335.** *Gottfried (III) von Eppstein und sein gleichnamiger Sohn willigen, als Lehnsträger des Stiftes St. Peter in Mainz, in den Verkauf der von ihnen als Afterlehen an den Ritter Hartmud von Sachsenhausen weiter verliehenen Hälfte der Vogtei und des Vogtgerichts zu Bürgel an das Stift, nachdem ihnen dieser dafür benannte*

*Eigen-Güter und Renten (darunter „pomerium suum curie sue apud Sahsenhusen contiguum") mit Zustimmung seines Enkels (nepos) Konrad von Sachsenhausen als Lehen aufgetragen hat. Diese Güter nehmen Gottfried und sein Sohn wiederum vom Stifte zu Lehen. Frankfurt, 1274 Mai 8. (VIII. id. maii.)*

> *Or. Pgmt. St. A. Darmstadt.*
> *Gedr.: Joannis, Spicilegium, 304, vgl. Res. Mog., I, 625 b, B., 169 nach Abschrift Bodmanns aus dem Or. = Sauer, I, 498. Vgl.: (Fischer), Geschlechtsreg. der Häuser Isenburg etc., 68. Verz.: Scriba, I, No. 536 und II, No. 639.*
> > *Diese Urkunde ist die ausführliche Zustimmungserklärung, kürzere Willebriefe gaben die beiden Eppsteiner noch gesondert, und zwar Gottfried der Jüngere am 11. Mai (in crast. ascens. dom.) 1274, gedr., gekürzt, Baur, Hess. Urk. I, 42, Scriba I, No. 537, und Gottfried der Ältere (o. Jahr u. Ort). Regest: Baur l. c. 43.*

**336.** *Das Mainzer geistliche Gericht beurkundet, dass Heinrich, Sohn des Frankfurter Bürgers Siegfried von Gisenheim, Pfarrer zu Massenheim,* (Heinricus, filius Sifridi de Gisenheim, civis Frankenfordensis, rector ecclesie in Mussenheim) *auf einen von ihm und seinen Miterben widerrechtlich angesprochenen Zehnten einer Hufe in Bigen in der Pfarrei Nied für das Stift Mariengreden zu Mainz versichtet habe. Mainz, 1274 Juni 14* (XVIII. kal. iul.)

> *Gedr. nach dem Or. Pgmt. im St. A. Wiesbaden: Sauer, I, 499.*

**337.** *Gisela, Wittwe des Wetzlarer Bürgers Harpernus, Heinrich und Hermann, Brüder der Gisela, Frankfurter Bürger, Kunigunde, Schwester der Gisela, und deren Mann Gerbert rererbpachten dem Kloster Eberbach ihre elterlichen Häuser (Namen der Eltern:* Heinricus, filius Hartliebi [Guda]) *am Kornmarkte in Limburg. Wetzlar, 1274 Juni 24.* (in festo b. Joh. bapt.)

> *Gedr.: Rossel, Eberb. Urkb., II, 211, nach dem Or. Pgmt. im St. A. Wiesbaden, wo im Regest irrig: „2 Häuser in Wephlar" genannt sind.*

**338.** *Der Dechant Heinrich und das Stiftskapitel zu Frankfurt geben dem Ritter Werner Schelm ihren Kornzehnten zu Bergen in Erbpacht. Frankfurt, 1274 Juni 25.*

In nomine domini, amen. Nos Henricus decanus totumque capitulum ecclesie de Frankenfort. Notum fa//cimus universis tenore presentium litterarum, quod nos decimam bladi nostre ecclesie apud Bergen concessimus sive lo//cavimus Wernhero militi dicto Schelmen et eius filiis ac filiabus, necnon heredibus eorundem in perpetuum iure heredita//rio possidendam pro annua pensione, videlicet viginti octalibus siliginis et decem octalibus tritici, que nobis dabunt in omnem eventum annis singulis perpetuo in futurum ante diem nativitatis beate Marie virginis suis expensis super nostrum granarium presentando, inpedimento grandinis vel exercitus aut alio non obstante. Hec sane condicio est adiecta, quod hec decima numquam debet subdividi inter heredes, sed semper unus tantum heres eam habebit, ut integra maneat decima huiusmodi nullatenus subdivisa, ut nos ad illum heredem et ad hanc decimam nostram, sicut ipsa in libris nostris de iugero ad iugerum est expressa, et ad alia bona heredis ipsam habentis habeamus pensionis nostre respectum. Quam si nobis tempore deputato non solverit pensionarius, non citatus nec monitus aut convictus excommunicationis sentencie subiacebit, et camerarius ecclesie nostre in omnibus locis, ubi oportunum fuerit, per se ac per alios excommunicatum denunciabit eundem, sicut prefatus Wernherus et sui filii pro se ac suis heredibus et posteris spontanee elegerunt. Et quia nichil eis concessimus, nisi decimam bladi tantum, retinentes nobis decimam vini, fructuum arborum, et hortorum aliaque minuta, adiectum est, quod si aliqua vinea nobis decimans redigatur in agros, decimet eis; si vero aliquis agrorum nobis decimancium, licet ipsius agri decima ipsis ex concessione huiusmodi attineat, in vineas convertatur, ille nobis vinee vel vinea decimabit, non eis. Ut autem omnia et singula suprascripta ex parte utraque irrefragabiliter observentur, presens scriptum inde confectum dominorum iudicum sancte Maguntine sedis et nostro sigillis duximus muniendum. Datum apud Frankenfort, anno domini m. cc. lXX. quarto, VII. kalendas iulii.

*Or. Pgmt. Von den zwei an rothen Schnüren anhängenden Siegeln ist das der geistlichen Richter nur zur Hälfte erhalten, das Stiftssiegel ebenfalls beschädigt.*

*St. A. Fr. Barth. St. No. 2400.*

*Gedr.: (Orth), Rechtshändel, IV, 1013, B., 170 nach dem Or., ebenso Reimer, I, 355.*

**339.** *Werner Schelm, Ritter, bekennt, von dem Frankfurter Stiftskapitel dessen Kornzehnten zu Bergen in Erbpacht erhalten zu haben.* **Frankfurt, 1274 Juni 25.**

In nomine domini, amen. EgoWernherus miles dictusSchelmo notum facio presentibus litteris tam presentibus quam // futuris, quod venerabiles viri dominus Henricus decanus totumque capitulum ecclesie de Frankenfort decimam bladi sue ecclesie // apud Bergen concesserunt sive locaverunt michi et meis filiis ac filiabus, necnon heredibus eorundem in perpetuum iure // hereditario possidendam pro annua pensione, videlicet viginti octalibus siliginis et decem octalibus tritici, que ipsis decano et capitulo dabimus in omnem eventum annis singulis perpetuo in futurum ante diem nativitatis beate Marie virginis nostris expensis super eorum granarium presentando, impedimento grandinis vel exercitus aut alio non obstante. Hec sane condicio est adiecta, quod hec decima numquam debet subdividi inter heredes, sed semper unus tantum heres eam habebit, ut integra maneat decima huiusmodi nullatenus subdivisa, ut ipsi ad illum heredem et ad hanc decimam suam, sicut ipsa in libris eorum de iugero ad iugerum est expressa, et ad alia bona heredis ipsam habentis habeant pensionis sue respectum. Quam si ipsis tempore deputato non solverit pensionarius, non citatus nec monitus aut convictus excommunicacionis sentencie subiacebit, et camerarius ecclesie prefate de Frankenfort in omnibus locis, ubi oportunum fuerit, per se ac per alios excommunicatum denunciabit eundem, sicut ego et mei filii pro nobis ac nostris heredibus et posteris spontanee recognoscimus elegisse. Et quia nichil concessum est nobis, nisi decima bladi tantum, et prefati decanus et capitulum retinent sibi decimam vini, fructuum arborum et hortorum aliaque minuta, adiectum est, quod si aliqua vinea eis decimans redigatur in agros, decimet nobis, si vero aliquis agrorum eis decimancium, licet ipsius agri decima nobis ex concessione huiusmodi attineat, in vineas convertatur, ille ipsis vinee vel vinea decimabit, non nobis. Ut autem omnia et singula suprascripta ex parte utraque irrefragabiliter observentur, presens scriptum inde confectum dominorum iudicum sancte Maguntine sedis et meo sigillis appositis communivi. Datum apud Frankenfort, anno domini m. cc. lXX. quarto, VII. kalendas iulii.

*Or. Pgmt. Anhängend an rothen Schnüren das Siegel der geistlichen Richter und das etwas beschädigte Siegel Werners.*

*St. A. Fr. Barth. St. No. 2401.*

*Gedr.: Guden, Cod. Dipl., V, 994, (Orth), Rechtshändel, IV, 1014, B., 170 nach dem Or., ebenso Reimer, I, 356.*

**340.** *König Rudolf ermächtigt den Frankfurter Schultheissen Heinrich in seinem Namen die dortigen Mühlwasser zu verpachten.* **Oppenheim, 1274 September 1.**

Rud*olf*us dei gra*c*ia Romanorum rex, semper augustus. Universis presentes litteras inspecturis, gra*c*iam suam et omne bonum. // Universitatis vestre noticie declaramus, quod nos dilecto fideli nostro · H. sculteto de Frankinfort plenam ac liberam da//mus presentibus potestatem, locandi nomine nostro aquas, que in vulgari dicuntur Mûlinwaszer, iure hereditario, seu quo//cumque modo alio, qui sibi magis videbitur expedire: gratum et ratum habentes, quicquid predictus noster scultetus circa locacionem huiusmodi duxerit faciendum. Datum Oppinheim, anno domini m̊. c̊c̊. lXXIIII., kalen*dis* septembris.  Indiccione secunda.  Regni vero nostri anno primo.

> *Or. Pgmt. mit abhangendem Siegelbruchstück.*
> *St. A. Fr. Frankenstein Urk.*
> *Gedr.: Vertheidigtes kais. Eigenthum Franckenstein contra Frankfurt, 83, B., 171 nach*
> *    dem Or. .*
> *Verz.: B.-R. No. 210.*


**341.** *König Rudolf befiehlt dem Burggrafen in Friedberg, dem Vogt in Wetzlar und den Schultheissen zu Frankfurt und Gelnhausen den Deutschorden zu schützen. Kaiserslautern, 1274 September 8.* (VI. id. sept.)

> *Bester Druck: Wyss, Hess. Urkb., I, 230.  Regest: Reimer, I, 360.*
> *Verz.: B.-R. No. 212.*


**342.** *Die Brüder Berthold und Konrad von Lissberg, Ritter, geben ihre Zustimmung zu dem Verkaufe eines von ihnen lehnrührigen Hofes* (curtis) *in Lieblos durch Konrad von Hasela gen. Schlechtorn an das Deutschordenshaus zu Sachsenhausen, nachdem ihnen dieser benannte Eigengüter dafür zu Lehen aufgetragen hat. Gelnhausen, 1274 September 14.* (in die exalt. s. crucis.)

> *Gedr. nach dem Deutschordens-Dokumentenbuch, St. A. Stuttgart: Reimer, IV, 812.*


**343.** *Die Deutschherren zu Sachsenhausen erkaufen von Berthold und Konrad von Lissberg 4 Hufen zu Lieblos.  Diese liefern dem Hof zu Gelnhausen 13 Malter Korn, 1 Fuder Stroh und 8 Schillinge.  1274.*

> *Regest bei Niedermayer, 159, danach Reimer, I, 360.  Die Urkunde ist sicher nicht mit der von 1274 Sept. 14 (vgl. oben No. 342) identisch.*


**344.** *Erzbischof Werner von Mainz genehmigt den Tausch der Pfarrkirche zu Preungesheim gegen die Kapelle zu Rödelheim zwischen dem Deutschordenshause zu Sachsenhausen und Werner von Falkenstein. Seligenstadt, 1275 Januar 4.* (II. non. ian.)

> *Abschrift im Königsteiner Diplomatar I zu Rossla.*
> *Aeltere Drucke verz. bei Will, Mainz. Reg., XXXVI, No. 352, seitdem gedr.: Sauer, I,*
> *    504, Reimer, I, 361.*


**345.** *Erzbischof Werner von Mainz genehmigt, dass Werner von Falkenstein zwei Drittel des Zehnten zu Preungesheim und den Rottzehnten bei Wöllstadt dem Deutschordenshause zu Sachsenhausen verkaufe. Seligenstadt, 1275 Januar 4.* (II. non. ian.)

> *Or. Pgmt. St. A. Stuttgart.*
> *Gedr.: Reimer, I, 361, No. 497 nach dem Or. .*

**346.** *Die Brüder Philipp (II.) und Werner (I.) von Falkenstein stellen anlässlich des Verkaufes des Dorfes Griesheim an das St. Mariengreden-Stift zu Mainz diesem benannte Bürgen. Das Dorf ist noch zur Zeit an die Erben des Frankfurter Bürgers Siegfried von Gisenheim verpfändet.* (Cum prefata villa heredibus Sifridi quondam de Gisenheim, civis Frankenfordensis, in presenti existat titulo pignoris obligata.) *Griesheim, 1275 Januar 9.* (V. id. ian.)

> *Gedr.: Sauer, I, 507 nach dem Or. Pgmt. im St. A. Wiesbaden. Über diese Verpfändung, die schon vor 1271 October 16 (vgl. Sauer, I, 480, Note) erfolgte, vgl. weiterhin die Urk. ib. 505, 508, 509 vom gleichen Tage und Januar 22. Wie sich aus der Urk. l. c. 508 ergiebt, besassen die „pueri de Gisenheim" in Griesheim auch eigenen Landbesitz.*

**347.** *Werner von Falkenstein überlässt dem Komthur* (frater Lodewicus de Svalebach) *und dem Deutschordenshause zu Sachsenhausen* (domus Theutonice apud Frankenvort) *die Pfarrkirche zu Preungesheim im Tausch gegen die Kapelle zu Rödelheim und verkauft ihnen zwei Drittel des Zehnten zu Preungesheim. 1275 Februar 20.* (X. kal. marcii.)

> *Or. Pgmt. St. A. Stuttgart. Urk. Preussen No. 176.*
> *Gedr. nach dem Or.: Sauer, I, 511, Reimer, I, 364.*

**348.** *Werner von Falkenstein erklärt, dass er mit Zustimmung des Erzbischofs Werner von Mainz und des Königs Rudolf, von dem er das Patronat der Kirche zu Preungesheim bisher als Reichslehen besessen habe, diese Kirche an das Deutschordenshaus zu Sachsenhausen im Tausch gegen die Kapelle zu Rödelheim übertragen habe. 1275 Februar 20.* (X̊. kal. marcii.)

> *Abschrift im Deutschordens-Dokumentenbuche f. 11ᶜ. St. A. Stuttgart.*
> *Regest: Buri, Bannforsten, 92, danach Scriba, II, No. 644, und Sauer, I, 512, irrig zu März 10.*

**349.** *Werner von Falkenstein verkauft dem Deutschordenshause zu Sachsenhausen zwei Drittel des Zehnten zu Preungesheim und trägt dem Lehnsherren König Rudolf 6 Hufen Eigen in Nieder-Erlenbach zu Lehen auf. 1275 Februar 20.* (X̊. kal. marcii.)

> *Or. Pgmt. St. A. Stuttgart.*
> *Gedr. nach dem Or.: Reimer, I, 365.*

**350.** *König Rudolf genehmigt, dass Werner von Falkenstein sein Recht an der Kirche zu Preungesheim dem Deutschordenshause zu Sachsenhausen gegen das Patronatsrecht über die Kapelle zu Rödelheim in Tausch gebe. Mainz, 1275 März 23.* (X. kal. apr.)

> *Or. Pgmt. St. A. Stuttgart.*
> *Gedr. nach dem Or.: Sauer I, 513, Reimer I, 366 No. 504, wo Litteratur.*
> *Verz.: B.-R. No. 345.*

**351.** *König Rudolf genehmigt als Lehnsherr, dass Werner von Falkenstein zwei Drittel des Zehnten zu Preungesheim dem Deutschordenshause zu Sachsenhausen verkaufe und dafür dem Reiche Güter zu Nieder-Erlenbach zu Lehen auftrage. Mainz, 1275*

*März 23.* (X. kal. april.)  *Unter den Zeugen:* sculthetus de Frankanvurt(!) *ohne Namensnennung.*

> *Gedr.: Guden, Cod. Dipl., IV., 929.  =  Hennes, I, 209, Reimer, I, 367 nach dem Or. im Reichsarchiv München.  Ein zweites Or. nach v. Nathusius in Stuttgart.*
> *Verz.: B.-R. No. 346.*

**352.** *Gottschalk von Königstein, Rektor der Kapelle des Heiligen Nikolaus, vermacht dem Kloster Schönau 15 Schillinge jährlichen Zinses von dem Hause des Konrad Medenmecher in Frankfurt. 1275 März 23.*

Ne ea, que aguntur, oblivioni tradantur, necesse est, ut scripturarum memoriis // commendentur.  Clareat igitur tam presentibus quam futuris, quod ego Gotscalcus // dictus de Kuningistein capellanus, rector capelle beati Nicholay apud Franken//fort, quindecim solidos denariorum Collon*iensium*, qui mihi nomine census annuatim debentur de domo et curia Cunradi dicti Medenmecheres in opido Frankenfordensi, quorum medietas in decollacione beati Johannis, reliqua vero pars in nativitate domini solvitur, lego et confero dilectis in Christo . . abbati et conventui monasterii de Schonauwe ordinis Cisterciensis, Worma*ciensis* dioce*sis*, pro anime mee remedio et salute, ita quod iam liberam possessionem subintrent et perpetuo pro me orent.  Testes: dominus Henricus decanus, Cristianus cantor, Hartmannus custos, Johannes scolasticus, Wigandus de Fulda, Johannes de Moguntia, Albertus de Carben, canonici Franken-fordenses; Johannes dictus Golstein, et quamplures alii fidedigni.  Ut autem hec mea collacio firma et inviolabiliter observetur, presens scriptum inde confectum mei, . . decani et . . cantoris predictorum sigillorum munimine roboravi.  Actum anno domini m̊. c̊c̊. 1XX. quinto.  Sabbato ante Letare.

> *Or. Pgmt.: Anhängend 1) Siegel des Rektors Gottschalk, 2) Siegel des Dechanten Heinrich, 3) Siegel des Kantors Christian.*
> *St. A. Fr. Dominikaner Urk. No. 21.*
> *Gedr.: Würdtwein, Chron. Schonaug., 153, B., 171 nach dem Or. .*

**353.** *Gerlach von Rohrbach, Ritter, bekennt, von dem Frankfurter Stiftskapitel dessen Hufe zu Soden in Erbpacht erhalten zu haben. 1275 März 27.*

Honorabilibus viris . . domino H. decano et capitulo ecclesie de Frankenfort Gerlacus miles // dictus de Rorbach quidquid potest obsequii et honoris.  Cum vos mansum vestrum apud Soten // michi et meis heredibus concesseritis iure hereditario possidendum, ita quod vobis annis singulis sex // octalia siliginis et duo octalia tritici in omnem eventum perpetuo solvamus de ipso libere et solute inter assumptionem et nativitatem beate Marie virginis, illa super vestrum granarium presentando nostris expensis, et talem condicionem michi et ipsis meis heredibus adieceritis, quod si siligi-nem et triticum huiusmodi emere voluerimus, nobis dabitis ad emendum, ita quod pro quolibet octali, sive singulariter, sive simul emamus, duas marcas denariorum Colo-nien*sium* demus vobis, et cum sedecim marcas vobis solverimus, habeamus deinceps iusto empcionis titulo mansum ipsum, ego tenore presencium confiteor, me ac meos heredes ad solucionem siliginis et tritici, sicut prescriptum est, teneri, nisi illas sedecim marcas solvamus, sic videlicet, quod si dederimus duas marcas, de solucione unius octalis simus soluti, et cum illas sedecim marcas in toto solverimus, simus de tota pensione soluti, mansum ipsum iusto emptionis titulo possidendo.  In memoriam autem et testimonium prescriptorum litteras istas do vobis sigillo domini Cunradi de Buchehes,

mei consanguinei, quia ego sigillum proprium non habeo, communitas.  Datum anno
domini m. cc. lXXV., VI. kalendas aprilis.

*Or. Pgmt. Das abhangende Siegel ist stark beschädigt.*
*St. A. Fr. Barth. St. No. 4289.*
*Gedr.: B , 172 nach dem Or. == Sauer, I, 513.*


**354.** *Die Brüder Boppo und Rudolf und Mathilde, Boppos Gemahlin, Grafen von Wertheim, geben Heinrich, dem Schultheissen von Frankfurt, den Hof und die Güter
zu Sulzbach zu eigen, welche Ritter Hartmud von Sachsenhausen bisher von ihnen
zu Lehen getragen, jetzt aber ihnen resignirt hat.  1275 April 3.*

Nos Bopo et Rudolfus fratres, necnon Mathildis, dicti Boponis collateralis, comites
de Werthem, recognoscimus // publice profitentes, quod nos duos mansos et dimidium
et unam curiam sitos apud Solzbach, quos et quam // Hartmudus miles de Sassenhusen
a nobis titulo feodali habuit, Henrico sculteto de Frankenvort communicata // manu
damus iure propietario perpetuo possidendum.  Prefatus eciam Hartmudus renunciavit
omni iuri, quod sibi in predictis bonis conpetebat.  Huius facti testes sunt: nobilis
matrona Elizabet dicta comitissa de Nassauwia, Hartmudus de Sassenhusen predictus,
Wernherus de Glasoven, Cunradus de Karben, Hartmannus de Michelenbach, Cunradus
de Alsvelt, Volmarus dictus Crop, et Johannes de Owenbach, cives Frankenvordenses,
et quam plures alii fidedingni.  In cuius rei testimonium evidens adque (!) robur sigilla
nostra presentibus litteris sunt appensa.  Et quia ego Rudolfus predictus sigillo proprio careo, sigillis presentibus litteris appensis sum contentus.  Actum et datum anno
domini m. cc. lXX. quinto, tertio nonas aprilis.

*Or. Pgmt. mit gut erhaltenem Siegel der Mathilde. Das Boppos fehlt. Ullstadt.*
*Gedr.: B., 173 nach dem Or. == Sauer, I, 514.  Auszug: Thomas, Oberhof 439.*


**355.** *Giselbert von Preungesheim und seine genannten Geschwister verkaufen mit Zustimmung des Frankfurter Stiftskapitels als Obereigenthümers den von ihnen bisher
in Erbpacht besessenen Hof zu Preungesheim an das Deutschordenshaus zu Sachsenhausen.  (Komthur* frater Lodewicus de Svalebach.)  *Das Stift siegelt.  1275
Juni 1.*  (kalendas! iunii.)

*Or. Pgmt. Deutschordens-Urk. Preussen No. 172.*
*St. A. Stuttgart.*  ·
*Gedr. nach dem Or.: Reimer, I, 371.*


**356.** *Das Frankfurter Stiftskapitel stimmt dem Verkaufe eines Hofes in Preungesheim
durch Mechthild von Preungesheim an das Deutschordenshaus zu Sachsenhausen zu.
1275 Juni 17.*

Decanus totumque capitulum in Franckfurt, universis presens scriptum inspicientibus, salutem in domino Jhesu Christo.  Cum labilis sit hominum memoria et acta
temporis sicut cum tempore dilabuntur, ne pie acta in irritum deducantur, oportet
ea fideli litterarum testimonio stabilire.  Hinc est, quod nos presentibus protestamur
et dilucide profitemur, viros religiosos fratres (!) Lodewicum totumque conventum fratrum
domus Teuthonice in Sachssenhausen a Mechilde, relicta Bertoldi de Breungesheim, et
heredibus suis ius hereditarium, quod in curia et triginta quattuor iugeribus apud
Breungesheim possederant et a nobis tenebant, racionabiliter de nostro consensu et

licencia comparasse. Verum cum bonorum predictorum proprietas ad nostram spectet
ecclesiam, nos inspicientes et attendentes dictorum fratrum religiosam honestatem,
premissum ius hereditarium in bonis iam dictis in manus nostras ab prefata M. et
suis heredibus resignatum, in ipsos fratres transtulimus et transferimus per presentes.
Ita sane, quod commendator, qui pro tempore fuerit, atque fratres de bonis predictis
nobis persolvent in festo omnium sanctorum pro annuo censu libram denariorum
Franckfordensium annuatim. Locabunt eciam ipsa bona fratres premissi pro velle suo,
sed dum colonum ipsorum bonorum mori contigerit, nos de morte ipsius recipiemus
pro meliori capite quinque solidos Franckfordensis monete denariorum levium sine
omni scrupulo questionis. Si vero premissa bona per ipsos fratres locata non fuerint,
ostendent et assignabunt nobis commendator et fratres personam et locum, ubi ius
antedictum consequi suo tempore valeamus. Et ne premissa oblivioni tradantur vel
in irritum deducantur, presentem litteram super hiis confectam eisdem fratribus tradidimus sigillo capituli nostri fideliter roboratam. Datum anno domini millesimo ducentesimo septuagesimo quinto, decimoquinto kalendas iulii.

Abschrift im Deutschordens-Dokumentenbuch f. 15. St. A. Stuttgart. Von Nathusius.<br>
Regest: Reimer, IV, 813 zu Juli 17.

**357.** *Das Deutschordenshaus zu Frankfurt beurkundet, dass es den Rottzehnten zu Nieder-
Wöllstadt, über dessen Ankauf es mit Werner von Münzenberg verhandelt und
dafür auch die Einwilligung des Erzbischofs von Mainz erhalten hat, weder gekauft
habe, noch Rechte irgendwelcher Art darauf besitze. 1275 Juli 1.*

Frater Lodewicus de Svalebach, commendator totusque conventus fratrum domus
Teuthonice apud Fran//kenvort. Universis presens scriptum inspicientibus oraciones
devotas. In virginis filio Jesu Christo fide fides // digna esse dinoscitur, et servanti
fidem fides merito custoditur. Hinc est, quod nos presentibus notum esse volumus
universis, quod, cum aliquantus tractatus fuisset inter nobilem virum dominum Wernherum de Minzenberch ex parte una, et nos ex altera, super emptione decime novalium
in Nideren-Wullenstat, que vulgariter Rodere dicitur, quam antedictus nobilis dinoscitur
possidere, nos infra tractatum emptionis antedicte accedentes venerabilem patrem ac
dominum nostrum . . archiepiscopum Maguntin*um* obtinuimus ab ipso eiusdem emptionis
licenciam et consensum, que licencia ipsius . . domini nostri archiepiscopi litteris est
inserta cum aliis negociis ab eodem domino impetratis. Verum cum sepedicta emptio
non processerit ad effectum, nos premisso nobili viro domino Wer. et suis heredibus
precavere cupientes, ne ipsi aut suis successoribus per prefatam licenciam aliquod
preiudicium generetur, profitemur, nos prefatam decimam novalium non emisse, nec
ipsam umquam aliquo emptionis titulo possedisse. Et hoc presentibus protestamur.
Et ne super hac professione nostra in posterum dubietas oriatur, presentem litteram
eidem nobili viro damus sigillo nostro fideliter co*m*munitam. Datum anno domini m̄.
c̈c̈. l XXV̊., kalen*dis* iulii.

Or. Pgmt. Anhängend Siegelfäden von roth-gelber Seide, scheinbar unbesiegelt. Assenheim.<br>
Verz.: Herquet, Regesten des Gräfl. Solms-Rödelheim'schen Archivs No. 5.

**358.** *König Rudolf verleiht dem Reichsministerialen Peter von Bertolfesheim und dessen
Sohne Peter 6 Mark von dem Schiffszoll zu Frankfurt als ablösbares Mannlehen.
Oppenheim, 1275 September 9.*

Rudolphus .dei gracia Romanorum rex, semper augustus. Universis presentes
litteras inspecturis volumus esse // notum, quod nos dilectis nostris ministerialibus

Petro de Berhtolfesheim et Petro ipsius filio in solacium vulneris et lesionis, ipsis //
a castrensibus nobilium Emchonis et Friderici comitum de Liningen inflicte, et ut
doloris huiusmodi inmemores et remissa iniuria // concordiam, quam hincinde ordinavimus
inter ipsos, voluntarie acceptarent, concessimus et concedimus de thelonio navium
apud Frankenvort sex marcarum redditus, feodali titulo possidendos a nobis et imperio
et recipiendos singulis annis in die beati Bartholamei(!), tam diu, quousque sexaginta
marcas, quas supradicti Petrus et eius filius in empciones prediorum convertent et a
nobis et imperio recipient in feodum, plenarie persolvamus. Et si predictus Petrus
premoriatur filio suo Petro prefato, ad ipsum Petrum superstitem filium et eiusdem
heredes masculos feodum huiusmodi pertinebit. Sed si Petrus filius premoriatur, vel
etiam si sine masculis heredibus decesserit, vice versa ad Petrum superstitem et
heredes suos legitimos masculos devolvetur, qui ipsum feodum a nobis et imperio
perpetuo possidebunt. In cuius testimonium et perpetui roboris firmamentum presentem
litteram sigilli nostri munimine iussimus insigniri. Datum Oppenheim, quinto idus
septembris. Indictione III. Anno domini m̃. c̃c̃. 1XX. quinto. Regni vero nostri
anno secundo.

Or. Pgmt. mit Siegel an rothen Schnüren.<br>
St. A. Fr. Reichs-Sachen Urk. No. 3ª.<br>
Gedr.: B., 173 ohne Bezeichnung der Vorlage.<br>
Verz.: B.-R. No. 425.

**359.** *Erzbischof Werner von Mainz beauftragt den Scholaster von St. Mariengreden zu
Mainz, die königlichen Beamten in Ingelheim zur Entrichtung der Nona von den
Reichsgütern daselbst an das Frankfurter Stiftskapitel anzuhalten. Bingen, 1275
September 23.*

W. dei gracia sancte Maguntine sedis archiepiscopus, sacri imperii per Germaniam archicancellarius, dilecto in Christo . . // scolastico sancte Marie ad Gradus
Magunt*ine*, salutem in domino. Sua nobis dilecti in Christo . . decanus et capitulum //
ecclesie Frankenfordensis conquestione monstrarunt, quod officiati domini . . regis
apud Ingelnheim et // quidam eorum famuli, necnon possessores bonorum imperii ibidem
ipsos temere spoliant iure suo contra iusticiam, auferentes eisdem nonam de bonis
imperii, que ipsis debet solvi de iure; ideoque discretioni tue mandamus, quatinus eosdem monere procures, ut dictis decano et capitulo ablata restituant infra terminum
competentem, quem ad hoc duxeris prefigendum, et de cetero nonam solvant huiusmodi
ut tenentur. Alioquin extunc in negotio ipso, previa ratione, procedas sicut de iure
fuerit procedendum. Datum Piguie, anno domini m̃. cc. 1XXV., VIIII. *kalendas* octobris.

Gedr.: B., 174 nach dem im St. A. Fr. nicht mehr vorhandenen Or. Barth. St. A., III, 0. 1<br>
(alte Bezeichnung), Würdtwein, Subs. Dipl., II, 427.<br>
Verz.: Will, Mainz. Reg., XXXVI, No. 379, Scriba, III, No. 1842.

**360.** *Demudis vom Hohenhaus verkauft dem Kloster Arnsburg einen Grundzins von
einem bei den Predigern in Frankfurt gelegenen Hause. Frankfurt, 1275 October 3.*

Notum sit omnibus presentem paginam inspecturis, quod ego Demudis dicta de
Alta domo in Frankenvort, pari voluntate // Conradi filii mei, vendidi conventui in
Arnspurg censum quendam, videlicet fertonem et duos pullos, qui michi singulis annis //
proveniebat de quadam domo sita apud . Predicatores, que attinet ecclesie predicte.
pro tribus marcis Coloniens*ium* denari*orum* titulo proprietatis // perpetuo possidendum.
Cum vero pueri mei Sifridus et Margareta, heredes prefati census, ad annos discretionis

pervenerint, debent in hoc censu renunciationem facere manifestam. Super quo ipsi conventui fideiussores, me ipsam videlicet, dominum Sifridum camerarium ecclesie Frankenvordensis et Conradum filium meum, fideliter assignavi, qui huic fideiussioni tam diu astringentur, quousque renunciatio legittima fiat a pueris supradictis. Testes huius rei sunt: dominus Albertus viceplebanus in Ursela, dominus Fridericus viceplebanus in Eschersheim, frater Heinricus cellerarius sacerdos et monachus in Arnspurg, frater Wernherus rector curie in Frankenvort conversus ibidem, Wikerus de Ponte concivis meus, et alii quam plures. In cuius facti memoriam eidem conventui presens scriptum sigillo domini Sifridi camerarii prelibati contuli roboratum. Acta sunt hec apud Frankenvort, in curia sepedicti conventus, anno domini millesimo ducentesimo septuagesimo quinto, V. nonas octobris.

> *Or. Pgmt. mit beschädigtem Siegel an weiss-blauen Hauffäden. Lich.*
> *Gedr.: B., 174 nach dem Or. Regest: Arnsb. Urkb., 213.*
> *Verz.: Scriba, II, No. 650. Auszug: Thomas, Oberhof, 439.*

**361.** *Erzbischof Werner von Mainz beauftragt den Dechanten der Aschaffenburger Kirche einen zwischen dem Frankfurter Stiftskapitel und Peter, dem Rektor der dortigen St. Georgskapelle, über dessen Kanonikat abgeschlossenen Vertrag zu untersuchen und in seinem Namen zu bestätigen. Bingen, 1275 October 29.*

Wernherus dei gracia sancte Moguntine sedis archiepiscopus, sacri imperii per Germaniam archicancellarius, . . dilecto in Christo decano ecclesie Asschafenburgensis, salutem in domino. Ex parte decani et capituli ecclesie de Frankenvort fuit propositum coram nobis, quod cum nos cum instancia peteremus, quod Petrum, rectorem capelle sancti Georgii Frankenvordensis, reciperent in canonicum et in fratrem, ipsi exhibuerunt ei canoniam ex morte Rûdegeri, quondam ipsorum concanonici, vacantem, dicentes, quod fructus ipsius canonie nobis dederint, sicut tunc ecclesie Maguntine eciam ex indultu papali fecerunt, et essent venditi ad dies ementis. Ipse vero Petrus deliberato animo hoc acceptans, ad canoniam huiusmodi receptus est in canonicum et in fratrem, corporali ab eo prestito iuramento, quod ecclesiam Frankenvordensem, nec personas ipsius non gravaret de cetero vel turbaret. Verum dicti decanus et capitulum nobis humiliter supplicarunt, ut hoc faceremus robur firmitatis debitum obtinere. Ideoque discrecioni tue mandamus, quatenus, si est ita, quicquid in hac parte factum exstitit, auctoritate nostra confirmes et facias inviolabiliter observari. Contradictores et rebelles per censuram ecclesiasticam compescendo. Datum Pinguie, anno domini m̊. c̊c̊. lXXV., IIII. kalendas novembris.

> *Abschrift in Barth. Bücher, Serie II, No 7 f. 73b. St. A. Fr.*
> *Gedr.: B., 175 nach derselben Vorlage*
> *Verz.: Will, Mainz. Reg., XXXVI, No. 381.*

**362.** *Dechant Hermann von Aschaffenburg bestätigt auf Grund des erzbischöflichen Mandats von 1275 October 29 den Vertrag des Frankfurter Stiftskapitels mit dem Rektor Peter. 1275 December 10.*

Ego Hermannus, decanus ecclesie Aschafenburgensis, tenore presencium recognosco, me litteras venerabilis domini archiepiscopi Moguntini recepisse formam continentes infrascriptam: Wernherus dei gracia archiepiscopus sancte Moguntine [sedis], sacri inperii per Germaniam archicancellarius. Dilecto in Christo decano Aschafenburgensi, salutem in domino. Ex parte decani et capituli ecclesie de Frankenvort fuit propositum coram nobis et cetera, ut superius est expressum.[1] Huius igitur auctoritate

---

[1] *Vgl. die vorige Urkunde.*

mandati volens cognoscere de forma et modo electionis facte de Petro, rectore capelle sancti Georgii apud Frankenvort, per dictum decanum et capitulum ecclesie civitatis eiusdem, quia inveni electionem secundum articulos in mandato mihi directo expressos per ipsos canonicos legitime comprobatos, de consensu prudentum virorum predictam electionem de ipso Petro factam, secundum articulos prenotatos, auctoritate mihi tradita. in nomine patris et filii et spiritus sancti confirmo. Precipiens eandem a dictis decano et capitulo dictoque Petro inviolabiliter observari. Actum et datum anno domini m̃. c̃c. 1 XXV̊., IIII. idus decembris.

*Abschrift in Barth. Bücher, Serie II No. 7 f. 73 b. St. A. Fr.*

**363.** *Werner von Münzenberg belehnt Heinrich, den Schultheissen in Frankfurt, mit der Mark jährlichen Zinses, welche Wigand von Heldenbergen bisher von ihm zu Lehen gehabt, nun aber resignirt und verkauft hat. 1276 Januar 11.*

Nos Wernherus dominus de Mincenberg recognoscimus publice profitentes, quod marcam denariorum census annualis, quam Heinricus // scultetus de Frankenvort erga Wigandum de Heldebergen comparavit, nos eamdem eidem Heinrico concedimus iusto titulo feodali, // hoc interposito, quod si nos dictum censum reemere voluerimus, traditis eidem Heinrico octo marcis denar*iorum* Coloniensium, ipse Heinricus reddet // nobis libere censum antedictum. Recognoscimus eciam, quod dictus Wigandus predictum censum nobis publice resingnavit. Huius autem census Wernherus advocatus de Rendele et sui heredes solvent duos solidos leves de quodam prato dicto Kulesrot, Heinricus dictus Longus quatuor solidos leves de quodam campo dicto Bessingesawe, Rudegerus de Dornvelden XI. solidos leves de dimidio manso et Heinricus dictus Colnerere de inferiori Dornvelden VIII. solidos leves de quadam curia et area solvent Heinrico sculteto antedicto. In cuius rei testimonium evidens atque robur presentes li*t*eras prefato H. sculteto tradimus sigilli nostri munimine roboratas. Datum anno m̃. c̃c. 1XXVI., tercio ydus ianuarii.

*Or. Pgmt. Das abhangende Siegel fehlt. Ullstadt.*
*Gedr.: B., 175 nach dem Or. = Reimer, I, 377, wo im Regest „Heinrich" statt „Wulfram"*
*zu lesen ist.*
*Verz.: Scriba, II, No. 657.*

**364.** *Rutger, Kustos zu Aschaffenburg, entscheidet einen Streit um die Vogtei zu Kelkheim zwischen dem Frankfurter Stiftskapitel und genannten Laien zu Gunsten des ersteren. Aschaffenburg, 1276 März 9.*

Ego Rutgerus custos ecclesie Aschaffenburgensis, iudex a venerabili patre Moguntino archiepiscopo delegatus, in causa, que inter .. decanum et capitulum ecclesie Frankenvordensis ex parte una, et Heinricum de Sprendelingen, Wernherum de Birnkeim et dictum .. Groze laicos ex altera, coram me vertitur super iure advocacie in villa Cadelcamp, libello porrecto, lite legitime contestata et prestito hincinde de calumpnia sacramento, testibus quoque receptis et diligenter examinatis dictisque eorum in scripto redactis, intellectis eciam excepcionibus contra testium dicta obiectis et replicacionibus in contrarium, necnon eciam duplicacionibus ex opposito allegatis et hiis omnibus ponderatis attencius et discussis ac universis et singulis, que in iudicio facienda concurrunt, ordine iudiciario sollicite pertractatis, renunciatis insuper ex utraque parte probacionibus et allegacionibus quibuscunque ac plene concluso in ipso negocio

principali, habito nichilominus eorum consilio, quos habere potui in iuris experiencia
meliores, cupiens unicuique sui iuris reddere complementum, quia inveni, dictos Heinricum de Sprendelingen et sue litis consortes prescriptionem suam XL. annorum contra
Frankenvordensem ecclesiam super advocacia prefata, ad quam se adstrinxerant com-
probandam, minime probavisse, in nomine patris et filii et spiritus sancti per sentenciam diffinitivam pronuncio, ipsos nullum in advocacia huiusmodi ius habere, perpetuum
eis super advocacia eadem silencium imponendo ac eos prefatis .. decano et capitulo
Frankenvordensis ecclesie in expensis legittimis condempnando.  Actum anno domini
millesimo čč. LXXVI., VII. idus martii, in claustro Aschaffenburgensis ecclesie, presentibus: Hermanno decano, Or. scolastico, G. cantore, Richwino cellerario, H. de
Mimelingen, H. de Tolderlin, H. dicto Brizinc, Ruggero de Rosbach, canonicis eiusdem
ecclesie, et aliis quampluribus clericis et laicis.

*Or. Pgmt. mit anhängendem Siegel des Ausstellers.   St. A. Fr. Barth. St. No. 2875.*

*Die Urkunde, welche aus zwei aneinandergenähten Pergamentblättern von je 65 cm
Länge und 50 cm Breite besteht, enthält die sämmtlichen Processakten, von denen Sauer,
I, 532 ff., einen längeren Auszug giebt. Ein vollständiger Abdruck an dieser Stelle ist wegen des
bedeutenden Umfanges, der zu der Wichtigkeit der Sache in keinem Verhältniss steht,
unterblieben.*

**365.** *König Rudolf giebt den Rittern Heinrich dem Schultheissen in Frankfurt und
Werner Schelm, welche ihm zwei Theile der Burg zu Rödelheim übertragen haben,
jedem drei Mark Einkünfte von den drei Hufen in der königlichen Villa Praunheim und den dritten Theil der Wiese genannt Bruel nebst einem Hof zu Burglehen,
wofür sie ihre Burgmannenpflicht so lange in Friedberg leisten sollen, bis die Burg
Rödelheim durch Resignation der übrigen Mitbesitzer ganz an das Reich gekommen
sein wird.   Hagenau, 1276 Mai 24.*

Rudolfus dei gracia Romanorum rex, semper augustus.  Universis imperii Romani
fidelibus presentes litteras inspecturis, // graciam suam et omne bonum.  Dignum
iudicat nostra serenitas, ut illorum votis ac votivis desideriis ampliata circa ipsos //
regali munificencia favorabilius inclinemur, qui et rebus et personis nostris et sacri
Romani imperii serviciis devote fidelitatis // affectibus se offerunt et exponunt.  Cum
itaque dilecti fideles nostri, Heinricus scultetus de Frankenvort, filius quondam Wolframi
sculteti ibidem, et Wernherus dictus Schelme, milites, duas partes castri de Redelnheim libere et absolute nobis tradiderint, nos eosdem respiciendos ducimus munere
feodalis beneficii infrascripti. Volumus, damus et concedimus memoratis nostris fidelibus utrique trium marcarum Coloniensium denariorum redditus, de quibus et super
quibus respectum habebunt utrique ipsorum ad tres mansus sitos in villa nostra
Prhumheim.  Item uterque ipsorum prati nostri dicti Bruel siti in predicta villa cum
pratis attinentibus partem terciam et unam curiam possidebit.  Et predicta bona, hoc
est mansus et curias cum pratis, nomine castrensis feodi hereditarii, hoc est sicut
feoda castrensia apud Frideberg, obtinebunt.  Medio vero tempore, quo dictum castrum
ad manus nostras ex aliorum resignacione, qui partes habent in ipso castro, integre
non transivit, memorati H. scultetus et Wernherus Schelme in castro nostro de Frideberg ad morem aliorum castrensium residebunt.  Item promittimus, quod nullos vel
nullum in dicto castro Redelnheim castrensem locabimus, nisi de predictorum nostrorum
fidelium voluntate.  Ipsi quoque in eodem castro, sicut superius est expressum, more
aliorum castrensium residenciam facient personalem.  In testimonium predictorum

presens scriptum exinde conscribi et maiestatis nostre [sigillo]ᵃ iussimus communiri. Datum Hagenoye, IX. kalendas iunii, indictione IIII., anno domini millesimo cc. IXX. VI., regni vero nostri anno tercio.

*Or. Pgmt. mit rothseidener Siegelschnur. Ullstadt.*
*Gedr. nach dem Or.: B., 176 = Sauer I, 536, = Reimer, I, 382.*
*Verz.: B.-R. No. 555, Scriba, II, No. 661. Vgl. Euler im Fr. Arch., VI, 63.*

**366.** *Ritter Hartmud verkauft dem Deutschordenshause in Sachsenhausen eine reichs-lehnbare Hofstätte und ein steinernes Haus daselbst mit dem Versprechen, inner-halb Jahresfrist die Genehmigung des Königs Rudolf zum Verkauf und der Um-wandlung in Eigengut beizubringen. 1276 Mai 30.*

In nomine sancte et individue trinitatis, amen. Quoniam humane condicionis opera in oblivionis precipitium deducuntur, opere precium // esse dinoscitur, ut ipsa facta sigillorum munimine roborentur, que per se non possunt capere munimentum. Tenore igitur litterarum tam presentibus // quam futuris innotescat, quod ego Hartmûdus miles aream meam cum domo lapidea usque ad angulos stabuli lapidei, et sic deinceps usque ad Mogi li//tus, ibi etiam predicta area in latum octo virgas et IIII. pedes mensure continet generalis, vendidi domino Johanni episcopo Lotoviensi et fratribus domus Theotunice in Sassenhusen, de consensu Alheidis, uxoris mee, necnon Cûnradi, Johannis, Riperti voluntate annuente, pro 1. marcis denariorum Aquensium, cum iure vendicionis et emptionis omni, renuncians per stipulationem peccunie(!) non numerate. Insuper venerabilibus antedictis emptionem talem cum consensu et manu serenissimi Rûd. Romanorum regis danatione(!) warandare promisi infra spacium unius anni atque stabilire, quamvis nomine feodi ab imperio retinuerim, ut libere tanquam bona propria possideant in futurum et quiete. Promisi nichilominus fideiussione obligatoria omnem inpulsationem ac inpeticionem, quam a Lisa, filia fratris mei, sustinere possent, seu a quocumque mortalium, sine dampno eorum et lesione quacumque, omni contra-dictione seposita propriis expensis resarcire. Huius tractatus fideiussores sunt ego Hart., dominus Hartmûdus de Cronenberch, dominus Cûnradus Swevus, milites. Quod si unus domino nolente predictorum de medio sublatus fuerit, alter eorum in civitatem Frankenvurtᵇ non egressurus intrabit, quousque alius loco mortui substituatur. Testes vero sunt: dominus Volradusᶜ miles et vicarius pro tempore sculetiᵈ civitatis antedicte, dominus Volmarus civis, Cûnradus de Ovenbach frater suus, Fridericus de Omenstat, Werenherus de Wanbach, Ludwicus pannifex, Wicgerus in Ponte, Arnoldus de Glauburch, Johannes de Weter, Wicgerus frater domini Volmari, Gysel-bertus de Holzehusen, Hartmûdus de Wllenstat, et alii quam plures fide digni. Scien-dum, quod sicut de fideiussoribus est supranotatum, hoc infra dies XIIII. adimᶜⁱᵐpleri debet causa nulla impediente, sed dominus Hart. de Cronenberch loco sui, si necesse fuerit, alium pro obside poterit nobilemᵉ presentare. Datum anno domini millesimo cc. IXX. sexto, tercio kalendas iunii. Inᶠ cuius rei munimen sigilla universitatis prefate, necnon civitatis domus antedicte sunt appensa.

*Or. Pgmt. Anhängend 1) Stadtsiegel (2), 2) Siegel des Deutschordenshauses (gut erh.).*
*St. A. Fr. Deutschherren-Urk. No. 16.*
*Gedr.: B., 177 nach dem Or. Auszug: Thomas, Oberhof, 439.*

a) *Fehlt im Or.* b) *Or. „Ffranknwrt".* c) *Or. verbessert aus „Volnadus".* d) *Or. „scillteti".* e) *Or. „poterit" wiederholt.* f) *Dieser Satz später von gleicher Hand nachgetragen.*

**367.** *Gottfried der Ältere von Eppstein belehnt den Frankfurter Schultheissen Heinrich mit einem Wagen Wein jährlich. 1276 Juli 1.*

Godefridus senior de Eppenstein. Tenore presencium protestamur et // nosse volumus universos, quod nos devota servi[cia] dilecti fidelis nostri Hen//rici sculteti Frankenfordensis, que nobis exhibuit et in antea exhibere poterit // graciora merita, attendentes, carratam vini in [H]urste de nostro cremento annuatim assignandam, sibi et suis heredibus in [feodo] duximus concedendam. Tali tamen interposita pactione, ut cum nos ei[dem] triginta marcas Coloniens*ium* denar*iorum* dederimus, ipsa carrata vini ad nos libere revertatur, quam pecuniam ponet in certis bonis allodii, que ipse et sui heredes universi a nobis et a nostris heredibus titulo iusti feodi perpetuo possidebunt. In cuius rei testimonium presentes litteras sibi dedimus sigilli nostri munimine consignatas. Anno domini ṁ. c̈c. lXXV̊I., in octava beati Johannis baptiste.

*Or. Pgmt. mit abhangendem beschädigten Reitersiegel. Ullstadt.*
*Gedr.: B., 178 nach dem Or. .*

**368.** *Aufzeichnung über die Übernahme des Kämmereiamtes am Frankfurter Stift durch Johann von Mainz und Peter. 1276 Juli.*

Anno domini m. cc. lXXVI., mense iulio, concessimus domino Johanni de Maguncia et domino Petro officium camerarie nostre, sic videlicet quod die, quo computacio facta fuerit, dent nobis kalendas nostras die eodem et similiter presencias dabunt nobis ipso die, quo fuerint deservite, et ambo se in solidum obligarunt, quod nobis nostra fideliter amministrent et, si defectum aliquem habuerimus, illum nobis supplebunt. . Res autem nostras ex altera parte Reni colligent nostris expensis, ex ista vero parte suis, preter Aschaffenburg. Item corrigere libros tenentur.

*Abschrift in Barth. Bücher, Serie II, No. 7 f. 76ᵇ. Notiz darüber auch in Serie II, No. 4ᵇ f. 10ᵇ. St. A. Fr.*
*Vgl. Würdtwein, Subs. Dipl., I, 33.*

**369.** *Heinrich, Schultheiss in Frankfurt, erklärt, dass König Rudolf den Verkauf der reichslehnbaren Hofstätte und des steinernen Hauses in Sachsenhausen von Seiten des Ritters Hartmud an den Deutschorden daselbst genehmigen werde, und dass Hartmud dem Reiche bereits andere Güter zum Ersatz als Lehen angewiesen habe. Worms, 1276 August 10.*

In nomine sancte et individue trinitatis. Ea, que geruntur in tempore, ne simul cum temporis lapsu labantur, // solent in lingua testium deponi et scripture memoria perhennari. Qua propter ego Heinricus scul//tetus civitatis in Frankenvort ad noticiam universorum tam presencium quam posterorum cupio // devenire, empcionem aree domini Hartmûdi militis cum domo lapidea, per fratres domus in Sassenhusen factam, a serenissimo Rûd. Romanorum rege et semper augusto sanccitam fore atque solidatâm, ita quod prelibati fratres libere et sine omni infestacione tanquam bona propria poterunt possidere. Insuper confirmacio antedicta taliter facta cognoscatur, quod prenominatus Hart. miles bona de suis possessionibus tam spaciosa tantique valoris loco venditorum debet assignare michi sculteto, quia nomine feodi bona vendita possederat ab imperiali claritate, et hoc presentibus impletum profiteor et protestor. Huius confirmacionis testes sunt: dominus Reinhardus de Hagnû, Rûprehtus purgravius[a] de Frideberch, Ekkardus scultetus de Geilenhusen, Johannes dictus Mufel, Hart-

a) *Im Or. später eingeschoben, theils in, theils über der Zeile.*

mûdus, milites. Volmarus, Cûnradus Webel, Werenher de Wanbach, Gyselberhtus de Holzehusen, cives et scabini civitatis antedicte. In cuius rei firmitatem hanc li*t*teram sigilli mei munimine roboravi. Actum Wormacie, anno domini millesimo čc̄. IXXVÎ., quarto idus augusti, in vigilia beati Laurentii martiris.

*Or. Pgmt. Anhängend Siegel des Schultheissen Heinrich (an den Rändern beschädigt).*
*St. A. Fr. Deutschherren-Urk. No. 17.*
*Gedr.: B., 178 nach dem Or. .*
*Verz.: B.-R. No. 584.*

**370.** *Burggraf Rupert von Friedberg bestätigt den Verkauf von reichslehnbaren Gütern von Seiten des Ritters Winter von Preungesheim an das Deutschordenshaus zu Sachsenhausen, nachdem der Verkäufer genannte Eigengüter zu Langen-Diebach dafür dem Reiche zu Lehen aufgetragen hat. Frankfurt, 1276 August 17.*

In nomine sancte et individue trinitatis. Ea, que geruntur in tempore, nutum temporis consequntur(!), si non litterarum testimonio perhennentur(!). Idcirco ego Ruprechtus burgravius civitatis in Friedberg omnibus presens scriptum visuris cupio declarare, emptionem per fratres domus Theutonice in Sachsenhusen factam cum domino Winthero milite de Brungisheim iugerorum quorundam, que vulgariter frecht nominantur, a serenissimo Rudolfo Romanorum rege appropriatam esse atque solidatam tali modo fratribus antedictis, quod predictus Winther michi burgravio vice imperii aliqua bona de suis possessionibus in recompensacionem [a] venditorum assignare debebat; et hoc completum presentibus fateor et protestor. Bona recompensationis sunt tres hube, decem mansi in Langendieppach sita. Et ne tam racionabilis facta venditio in precipitium ducatur, presentem literam sigilli nostri munimine consignavi. Testes huius sunt: Hartmundus frater burgravii antedicti, Ruprechtus filius suus, milites; Gerhardus [b] de Morlin, Hartmudus de Eutelsheim,[c] Fridericus de Schwalheim, et alii fide digni. Datum Franckenfurt, anno domini tausent zweihundert IXXVI., XVI. kalendas septembris.

*Abschrift im Deutschordens-Dokumentenbuch f. 14.  St. A. Stuttgart. — Von Nathusius.*
*Gedr.: Reimer, IV., 814 nach dieser Vorlage.*

**371.** *König Rudolf verzeiht den Frankfurter Bürgern eine von ihnen geleugnete Empörung und bestimmt die von ihnen in den nächsten vier Jahren zu zahlende Reichssteuer. Worms, 1276 August 18.*

Rudolfus dei gracia Romanorum rex, semper augustus. Universis imperii Romani fidelibus presentes li*t*teras inspecturis, graciam et omne bonum. Rebellionem [1] seu temeritatis audaciam, ac nefandam vesaniam, quam cives de Frankinford [d] dicebantur contra nos et imperium concepisse, licet se inculpabiles firmiter affirmarent, nos pro nobis et imperio prefatis civibus graciose remittimus et liberaliter indulgemus. Nolentes eisdem occasione huiusmodi ullis unquam temporibus aliquid imputari. Et quia predicti cives acceptum et placidum in contribucione mille et ducentarum marcarum Coloniensium denariorum nostro culmini impenderunt servicium, nos volentes liberalitati eorum condigne, prout condecet, respondere, eosdem a nunc usque ad festum nativitatis dominice et abinde per continuum triennium ab omni exactione dimittimus liberos et

---

a) *Vorlage:* „iure compensum".   b) „Gernandus?"   c) „Hartmannus de Dutelnsheim"?   d) *B.* „Franckenford".

[1] *Zu diesem Punkte ist die bei Böhmer, Acta, 327 gedruckte Urkunde König Rudolfs für die Stadt Friedberg d. d. Mainz, 1276 April 3 (B.-R. No. 540)  zu vergleichen, ebenso die Bemerkungen Redlichs zu B.-R. No. 541.*

solutos. Sic tamen, quod in nunc instante festo nativitatis dominice predicto trecentas marcas et abinde ad annum trecentas marcas et tercio subsequente anno trecentas marcas Coloniensium denariorum exsolvere teneantur. In cuius rei testimonium presens scriptum maiestatis nostre sigillo duximus roborandum. Datum Wormacie, XV. kalendas septembris, indictione IIII., anno domini m̄. cc. septuagesimo sexto, regni vero nostri anno tercio.

> *Abschrift im städt. Kopialb. II No. 15 (A), danach der Druck, und Kopialb. I No. 12 (B). St. A. Fr.*
> *Gedr.: Fichard, Archiv, II, 103 „ex copia", B., 179 nach A.*
> *Vers.: B.-R. No. 587, Fr. Inv., III, 146.*


**372.** *König Rudolf genehmigt den Verkauf verschiedener reichslehnbarer Güter, nämlich eines steinernen Hauses, eines Hofes und Gartens in Sachsenhausen von Seiten des Ritters Hartmud von Sachsenhausen an den Deutschorden. Nürnberg, 1276 August 27.*

Rudolfus dei gracia Romanorum rex, semper augustus. Ad universorum sacri Romani imperii // fidelium noticiam cupimus pervenire, quod nos religiosos viros, fratres domus Theutonice, ubique lo//corum sacro Romano imperio fideliter obsequentes, favore pio prosequimur, et eorum desideriis iustis, raciona//bilibus atque piis pie annuimus, et quicquid eorundem fratrum profectum respicit, graciose promovere, promotum curamus ad intenti operis finem perducere studiose. Hinc est, quod nos empcionem factam per dictos fratres bonorum feodalium, que Hartmûdus miles de Sahsenhusen ab imperio tenuit in feodum, domus videlicet lapidee, curie et orti in villa Sahsenhusen, facta nobis et imperio reconpensa de bonis equivalentibus et a nobis et imperio feodi titulo possidendis, de orto videlicet et piscina sitis in villa Sahsenhusen, gratam habentes et ratam, ipsam presentis scripti patrocinio confirmamus, hiis nostre maiestatis litteris sigillo nostro regio communitis. Datum Nurenberg, VI. kalendas septembris, indictione quarta, anno domini m̄. cc̄.^{mo} lXX. sexto, regni vero nostri anno tercio.

> *Or. Pgmt. Das Majestätssiegel hängt stark beschädigt an rothseidener Schnur an. Wien. Deutschordens-Centralarchiv.*
> *Gedr.: B., 179 nach dem Or. = Hennes, I, 220.*
> *Vers.: Pettenegg No. 526, B.-R. No. 591.*


**373.** *König Rudolf genehmigt ebenso den Verkauf von reichslehnbaren Gütern bei Preungesheim* (agri siti in der vrigt) *durch Ritter Winter von Preungesheim an den Deutschorden, nachdem ihm der Verkäufer dafür 3 Hufen und 10 Morgen zu Langen-Diebach zu Lehen aufgetragen hat. Nürnberg, 1276 August 27. (VI. kal. sept.)*

> *Or. Pgmt. mit beschädigtem Siegel. St. A. Stuttgart.*
> *Die Urkunde ist mutatis mutandis mit der vorigen fast gleichlautend.*
> *Gedr.: Reimer, I, 385 nach dem Or. .*
> *Vers.: B.-R. No. 592.*


**374.** *König Rudolf verleiht dem Frankfurter Schultheissen Heinrich 5 Mark jährlicher Einkünfte als Burglehen zu Rödelheim und verpfändet ihm dafür bis zur Zahlung von 50 Mark den königlichen Hof zu Kriftel. Nürnberg, 1276 August 29.*

Rudolfus dei gracia Romanorum rex, semper augustus. Universis imperii Romani fidelibus presentes litteras inspecturis, // graciam suam et omne bonum. Illos nimirum

respiciendos digne decernimus in donis gracie singularis, qui in nostris et imperii //
indefessis obsequiis exhibent se ferventes. Cum itaque Heinricus scultetus de Frankenvort, filius quondam Wolframi militis // sculteti ibidem, per devota fidelitatis servicia
se maiestati regie adeo constituerit graciosum, quod non indigne nostre benevolencie
graciam percipere debeat ampliorem, nos eidem ac suis heredibus quinque marcarum
.argenti redditus pro castrensi feodo in Redelnheim ad instar castrensium feodorum in
Vrideberg duximus concedendos. Obligantes eidem sculteto ac suis heredibus curiam
nostram in villa Crûftele cum vineis et agris attinentibus ipsi curie, ab ipsis tamdiu
possidendam, quousque ipsi sculteto vel suis heredibus quinquaginta marce argenti
plenius persolvantur, quibus solutis, vel ipsas locabunt in empciones prediorum, que
modo predicto feodali titulo possidebunt, vel de allodio suo tantumdem resignabunt
imperio, illud in feodum possessuri. In cuius testimonium presens scriptum exinde
conscribi et maiestatis nostre sigillo iussimus communiri. Dat*um* apud Nurenberg,
quarto kalend*as* septembris, indictione quarta, anno domini millesimo ducentesimo
septuagesimo sexto, regni vero nostri anno tercio.

*Or. Pgmt. Majestätssiegel zur Hälfte an rothseidener Schnur. Ullstadt.*

*Gedr.: B., 180 nach dem Or. = Sauer, I, 538.*

*Verz.: B.-R. No. 593, Scriba, II, No. 666 zu Aug. 26.*

**375.** *König Rudolf verspricht den genannten Rittern, welche ihm und dem Reich die
Burg Rödelheim zu Lehen aufgetragen haben, daselbst ohne ihre Einwilligung keine
mächtigeren Burgmannen zu setzen. Nürnberg, 1276 August 30.*

Rud*olfus* dei gracia Romanorum rex, semper augustus. Universis imperii Romani
fidelibus presentium inspectoribus, // graciam et omne bonum. Quia Wintherus de
Brunigsheim, Wernherus Schelmo, Ebrewinus de Brunigsheim, // Heinricus sculthetus de
Frankenvurt, Theodricus Schelmo, milites, et Cunradus de Sahsenhusen, dilecti // nostri
fideles, castrum suum Redelnheim nostris manibus libere resignantes, idem castrum a
nobis et imperio prestito fidelitatis et homagii sacremento(!) debito receperunt in
feodum, ipsis volentes condigna provisione consulere, ne iidem a maioribus et poten-
cioribus opprimantur, volumus et eisdem promittimus, quod ipsis invitis et [a] disencien-
tibus non ponemus potenciores castrenses nec locabimus in castro prefato. Dantes eisdem has nostras litteras in testimonium super eo. Dat*um* Nurenberg, III.
kalend*as* septembris, indictione IIIÎ., anno domini m̃. c̃c̃. lXX̊. VI.^to, regni nostri anno
tercio.

*Or. Pgmt. mit abhangendem beschädigten Majestätssiegel. Ullstadt.*

*Gedr.: B., 180 nach dem Or. = Sauer, I, 539.*

*Verz.: B.-R. No. 594, Scriba, II, No. 667. Vgl. Euler, Fr. Arch., VI, 64.*

**376.** *Der Frankfurter Minoriten-Guardian Heinrich und Bruder Ludwig, Komthur zu
Sachsenhausen, transsumiren auf Ansuchen der Frankfurter Dominikaner eine
Bulle Papst Clemens' d. d. Perusia, 1266 Februar 12. (Potthast No. 19543.) 1276
September 30. (prid. kal. octobr.)*

*Or. Pgmt. Das anhängende Siegel des Guardians ist schön erhalten, von dem des Kom-
thurs nur ein Rest.*

*St. A. Fr. Dominikaner-Urk. No. 22.*

<hr>

a) *Über der Zeile.*

**377.** *Rudolf von Hochweisel* (de Hobewizle) *und seine Frau Mechtild ertauschen von ihrem Schwager Marquard Güter zu Heddernheim und Bergen gegen solche in Nolvisheim. Es siegeln Abt Heinrich von Haina, das Frankfurter Stiftskapitel und die Stadt Frankfurt* (universitas). *1276.*

> *Gedr. nach dem Hainaer Kopialbuch, St. A. Marburg: Kuchenbecker, Anal. Hass., VIII,*
> *293, Sauer, I, 541, Reimer, I, 387.*

**378.** *Schultheiss Heinrich, die Frankfurter Schöffen und Bürger beurkunden, dass Wasmud Rabenger und dessen Frau Lukardis, ihre Mitbürger, dem Kloster Engelthal ihre Güter in Steinbach unter bestimmten Bedingungen abgetreten und ausserdem über eine vom Kloster früher gekaufte Leib - Kornrente nähere Bestimmungen getroffen haben. 1276.*

Nos Heynricus scultetus, scabini ceterique cives in Frankenvort, tenore presencium omnibus volumus esse notum, Wasmudum dictum Rabenger et Lukardim uxorem suam, nostros concives, confessos publice coram nobis, se contulisse bona sua universa, in Steynbach sita, claustro sanctimonialium in Engeldail in animarum suarum remedium propter deum, ita tamen, quod, quamdiu ambo advixerint vel alter eorum, si unum (!) decesserit, de eisdem bonis X. octalia siliginis idem claustrum ipsis annis singulis assignabit, post mortem vero amborum ad eorum liberos simul conquisitos, si tunc habuerint, et non alios, uno eorum mortuo ex altero quoque sibi iuncto matrimonialiter natos durabunt,[a] si autem liberos simul conquisitos non habuerint, ad ipsum claustrum bona earum (!) libere devolventur. Preterea duodecim octalia siliginis, que predicti Wasmundis (!) et Lukardis pro XVII. marcis apud dictum claustrum emerunt, eisdem quoadusque ambo vixerint vel alteri mortuo superstiti presentabit, mortuis autem ambobus, sive liberos habeant sive non, dicta XII. octalia libere claustro cedent eiusdem (!). Hoc eciam adicitur, quod supradicta X. octalia in Steynbach et reliqua XII. octalia siliginis infra festa assumpcionis et nativitatis beate Marie virginis prefatum claustrum Engeltail memoratis nostris concivibus Wasmudo et Lukardi vel uno defuncto alteri eorum, ut dictum est, nulla cuiuscunque periculi vel infortunii occasione pretensa omnique impedimento procul moto usque ad nostram civitatem Frankenfort annis singulis deportabit. Huius rei testes sunt: Ludewicus dictus Pannifex scabinus, Conradus filius eius, Heynricus dictus Griez, Fridericus filius suus, Wolframus ortulanus, Waltherus dictus Dauhunt, Volzo et Heinricus fratres de Caldebach, et Wirnherus aurifaber, nostri concives. In huius facti robur et memoriam hanc litteram super eo confectam predicti claustri et nostri sigillorum munimine placuit communiri. Datum anno domini m̅. c̅c̅. LXXVI.

> *Abschrift im Engelthaler Kopialbuch. St. A. Darmstadt. — Grotefend.*
> *Danach mit Kürzungen gedr.: Baur, Hess. Urk., V, 71.*

**379.** *Dechant Heinrich und Kantor Christian des Frankfurter Stiftes beurkunden als vom Frankfurter Propste Gerhard bestellte Richter, in welcher Weise die vom Ritter Hartmud von Sachsenhausen für eine Schuld an das St. Petersstift in Mainz bestellten Bürgen ihren Antheil an der übernommenen Bürgschaft theils für das Stift durch Unterpfänder sicher gestellt, theils sogleich beglichen haben. Frankfurt, 1277 Februar 16.*

Nos Heinricus decanus et Cristianus cantor ecclesie de Frankenvorth, iudices a venerabili domino Gerhardo eiusdem ecclesie preposito constituti, notum esse

cupimus universis, quod cum domini Johannes de Rodahe, noster scolasticus, dominus
C. de Brunigesh*eim* miles, et C. de Aelsvelt, civis Frankenvord*ensis*, essent pro
domino Hartmudo milite de Sahsenhusen fideiussorie obligati ad solvendum dominis . .
decano et capitulo ecclesie beati Petri Mogunt*ini* Coloniens*ium* X. marcas, dictus Jo.
scolasticus pro sua parte dedit et assignavit prefatis . . decano et capitulo IIII. solidos
den*ariorum* Coloni*ensium* perpetuo de domo sua lapidea, sub qua est cellarium, sita
Frankenvorth ante cimiterium, absque defectu in die beati Martini census nomine
singulis annis dandos; Cunradus quoque civis predictus et Methildis coniunx sua
similiter IIII. solidos Colon*iensium* den*ariorum* sepedictis . . decano et capitulo assignaverunt, solvendos eodem die nomine census annis singulis de domo Gude dicte
Sekeren, et hoc communicata manu fecerunt. Ad prestandam autem iustam et veram
warandiam per hunc annum, sicut est moris, pro pignore fideiussionis nomine assignaverunt et constituerunt domum suam contiguam domui predicte Sekeren, quam ipse
C. quandoque suis denariis conparavit. Cunradus vero miles de Brunigish*eim* antedictus
suam partem in parato persolvit. Dicti vero scolasticus et civis ac coniunx sua in
claustro nostre ecclesie in nostra presencia constituti predicta fecerunt, presentibus:
domino Epperto plebano Frankenvordensi, Emmerchone suo vicario, Ludolpho sacerdote,
Gotschalco plebano de Kunigenstein, Lodewico Duchmechere scabino Frankenvord*ensi*,
Bertholdo de Heldebergen, C. de Nova domo, Wickero de Ovenbach, Heinrico de
Urbahe, cive de Geilenhusen, et pluribus aliis clericis et laycis. Et nos ad peticionem
ipsorum apposuimus hiis litteris nostra sigilla in testimonium et cautelam. Datum et
actum in claustro Frankenvord*ensi*, anno domini m̄. cc. lXXVII., XIIII. kal*endas* marcii.

*Abschrift im Kopialbuch von St. Peter f. 58ᵇ. Stadtbibliothek Mainz.*
*Gedr.: Oberrh. Zeitschr., 15, 77 nach dieser Vorlage.*

**380.** *König Rudolf bestätigt dem Kloster Thron die Schenkungen der Könige Wilhelm
und Richard.* „Et ut nostri et serenissime coniugis nostre et liberorum nostrorum apud vos perpetua memoria celebretur, adicimus vobis singulis annis duodecim maltra annone, que vobis per sculthetum nostrum de Frankenvurt in
certis possessionibus precipimus assignari." *Wien, 1277 März 4.* (IIII.ᵗᵒ non.
marcii.)

*Gedr.: Böhmer, Acta, 329, Sauer, I, 544, beide nach dem Or. im St. A. Wiesbaden.*
*Verz.: B.-R. No. 713.*

**381.** *König Rudolf befiehlt dem Schultheissen von Frankfurt* (dilecto fideli suo sculteto
de Frankenvort), *dem Kloster Thron 12 Malter Korn jährlich anzuweisen, und
ihm das Holen von Brennholz mit einem Wagen täglich aus dem Reichsforst Dreieich zu gestatten.* „Preterea incolis curie predictarum monialium apud Frankenvort concedimus, ut singulis diebus unum plaustrum lignorum de silva nostra
Drieich ducere valeant ad cremandum." *Wien, 1277 März 4* (IIII. non. marcii.)

*Gedr.: B., Acta imperii, 329 nach dem Or.(?) im St. A. Darmstadt, Sauer, I, 545 (aus
Transsumpt der Burgmannen zu Friedberg von 1359).*
*Verz.: B.-R. No. 714.*

**382.** *Der Schultheiss Heinrich und die Schöffen zu Frankfurt beurkunden einen Vergleich
zwischen den Deutschordenshause in Sachsenhausen und dem Frankfurter Bürger
Wolfram, welcher dem ersteren alle seine Güter überlässt gegen die Verbindlichkeit,
ihm und seiner Ehefrau lebenslängliche Fruchtrenten zu entrichten. 1277 Juni 3.*

In nomine domini, amen.  Hein*ricus* scultetus civitatis in Frankenvort, universi
scabini ibidem, omnibus presens scriptum visuris, // salutem in eo, qui neminem vult
perire.  Cum ea, que geruntur in tempore, simul et labantur cum tempore, dignum ac
necesse est scrip//ture subsidio nebulam oblivionis propulsare.  Inde est, quod universis tam presentibus quam futuris duximus declarandum // pro discordia inter fratres
domus Theut*onice* in Sassenhusen ex una parte, et Walframum(!) nostrum concivem
ex altera decidenda, talem ex consensu parcium fecimus co*m*positionem, quod predictus
Wolf*ramus*, accedente consensu uxoris sue Gerdrudis, omnia bona i*n*mobilia sive possessiones quascu*n*que libere in aucmentum eterne salutis, postquam debitum exsolverit
naturale, contulit perpetuo possidenda, medietas bonorum mobilium, si sine heredibus
ex utero predicte G. propagandis decesserit, similiter applicabitur domui antedicte, si
vero heredes post se ex predicta uxore reliquerit, omnia bona mobilia adherebunt
eisdem.  De predicta donacione X. octalia siliginis a fratribus singulis annis Wolf*ramo*
dari debent, nullo inpedimento obviante.  Postquam huius vite cursum consummaverit,
fratres a tali pensione liberabuntur, et eius uxori G. tria octalia siliginis et locacionem
domus pro donationis reco*m*pensacione, quamdiu vixerit, promiserunt elargiri et gloriose
eos tradi ecclesiastice sepulture.  Insuper pronominatus(!) Wolf*ramus* filium peregrinum
nomine similiter Wolf*ramum* habere dicitur, qui si supervenerit, omnia predicta bonorum
donatio, annua pensio, domus locatio, frustrabitur penitus et irritatur.  Testes huius
sunt: dominus Hein*ricus*, miles, filius quondam domini Rûdolfi, Wigandus de Hildeberge,
Volmarus, Cûnradus Webelin, scabini Frankenvordenses; Wikgerus civis, Hart. de
Wllenstat, Rûkgerus faber, Heinricus Pinguis, Siboto frater suus, frater Lûdwicus
pro tempore conmendator,[1] frater Gotf*ridus* sacerdos, frater Hermannus de Rickel,
frater Johannes dictus Spor, frater Wernherus faber, et alii quamplures fide digni.
Ut autem hec rata et inconvulsa[a] permaneant, presentem li*t*teram munimine sigillorum
civitatis in Frankenvort, nec non domus Theut*onice* duximus roborandam.  Datum et
actum anno domini millesimo cc. 1XX. septimo, tercio nonas iunii, indictione quinta,
ab incarnacione domini nostri Jesu Christi.

> *Or. Pgmt.  Abhangend 1) Stadtsiegel (2), 2) Siegel des Deutschordenshauses.  St. A. Fr.*
> *Deutschorden-Urk. No. 19.*
> *Gedr.: B., 181 nach dem Or. .  Auszug: Thomas, Oberhof, 439 und bei Niedermayer, 29,*
> *irrig zu 1278.*

**383.** *König Rudolf beauftragt den Frankfurter Schultheissen Heinrich, an Reinhard*
*von Hanau 10 Mark jährlicher Einkünfte als Rödelheimer Burglehen anzuweisen.*
*Wien, 1277 Juli 24.*

Rudolfus dei gracia Romanorum rex, semper augustus.  Dilecto fideli suo Heinrico
scultheto de Vranken//vurt, graciam suam et omne bonum.  Cum nos nobili viro Reinhardo de Hagenogya, qui utique cuncta nostra // et imperii negocia omni qua potest
sollicitudinis opera utiliter prosequi non desistit, centum marcas pro castrensi // feodo
in castro nostro Redelnheim deserviendo ad tuam et aliorum castrensium nostrorum
instanciam promisimus nos daturos, fidelitati tue committimus et mandamus, quatenus
eidem Reinhardo in officio tibi commisso decem marcarum redditus vice et nomine
nostro tamdiu percipiendos tribuas et assignes, quousque sibi vel legitimis suis heredibus prefate centum marce per nos vel nostros successores plenarie fuerint persolute.

a) *Or. „inconwlsa".*

[1] *Derselbe wird als Komthur erwähnt, 1277*
*Juli 12 (IV. id. iulii): Hennes, I, 223, Baur, I, 52.*

Quibus solutis easdem in empcionem prediorum debet convertere a nobis et imperio castrensis feodi titulo perpetuo tenendorum. Datum Wienne, IX. kalend*as* augusti, indictione V$^a$, regni nostri anno quarto.

*Or. Pgmt. mit beschädigtem Majestätssiegel an Pgmtstreifen. St. A. Marburg. Hanauer Urk., Passivlehen. — Grotefend.*
*Gedr.: B., 181 nach der Hanau-Münzenberg'schen Landesbeschreibung, Doc. 54, Sauer, I, 553 nach dem Hanauer Saalbuch zu Marburg, Reimer, I, 391 nach dem Or..*
*Verz.: B.-R. No. 830, Scriba, II, No. 677, Euler, Fr. Arch., VI, 12.*

**384.** *König Rudolf befiehlt dem Frankfurter Schultheissen Heinrich, dem Siegfried von Heusenstamm 4 Mark jährlich von den durch ihn verwalteten Reichsgefällen anzuweisen, unter Vorbehalt der Ablösung für 40 Mark. Wien, 1277 August 1.*

Rud*olfus* dei gracia Romanorum rex, semper augustus. Strennuo viro H. sculteto de Vrankinvort, dilecto // fideli suo, graciam suam et omne bonum. Cum nos strennuo viro Sifrido de Husenstam ob // grata, que nobis impendit, obsequia et adhuc impendere poterit graciora, quadraginta marcas // promisimus nos daturos, fidelitatem tuam affectuose requirimus et rogamus, quat*e*nus eidem S. quatuor marcarum redditus in officio tuo de bonis imperii studeas assignare, tenendos tamdiu, quousque sibi per nos, vel successores nostros quadraginta marce fuerint exsolute. Datum Wienne, kalendis augusti, indictione V. Regni nostri anno quarto.

*Or. Pgmt. Das abhangende Siegel ist abgefallen. St. A. Fr. Reichssachen-Urk. No. 3c.*
*Verz.: B.-R. No. 842.*

**385.** *Das Mainzer geistliche Gericht ladet das Frankfurter Stiftskapitel zur Berathung über die Entsendung von Boten an die päpstliche Kurie behufs Herabsetzung des päpstlichen Zehntens nach Mainz. Mainz [1277] August 5.*[1]

Iudices sancte Moguntine sedis. Honorabilibus viris . . decano totique capitulo ecclesie in Frankenfort, salutem // in domino. Cum prelati cum capitulis ecclesiarum Moguntinarum una cum . . procuratoribus episcoporum et capitulorum, Argentinensis, // Spirensis et Wormaciensis, ecclesiarum, civitatum et dyocesum tractatum habentes decreverint, ut pro exhonoracione decime // papalis nuncios mittant ad curiam Romanam, vobis districte sub pena suspensionis iam late precipimus, quatinus tercia feria post assumpcionem beate virginis Maguneiam veniatis, audituri consilium et tractatum habitum super negocio memorato, et facturi quod cum vestro consilio fuerit ordinandum. In quo termino omnes . . abbates, . . prepositi, . . priores, et . . archipresbyteri per dyocesim Moguntinam similiter sunt vocati, et ad eundem terminum nuncii ecclesiarum et dyocesum premissarum sunt venturi. Datum Maguncie, in die beati Oswaldi.

*Or. Pgmt. Das abhangende Siegel ist grösstentheils erhalten. St. A. Fr. Barth. St. No 3532. — Von Nathusius.*

[1] *Gründe für die Datierung:*

*1. Johann XXI. (Papst vom 8. Sept. 1276 bis 20. Mai 1277) hatte eine* „decima concessa terrae sanctae subsidio laborantibus" *ausgeschrieben; cf. Potthast, No. 21169. 70. 92—96. 21202. 04. 19. 21. 25. 26. 42—44 (18. Oct. 1276 bis 13. April 1277).*

*2. Am 18. Aug. 1277* (feria quarta post assumptionem gloriose virginis) *fand zu Mainz eine vom dortigen Erzbischof zusammenberufene Versammlung von Abgeordneten der rheinischen Fürsten und Städte wegen des Landfriedens statt, so dass leicht am Tage vorher über die* decima papalis *verhandelt werden konnte; cf. Schaab, Städtebund, II, 62. Joannis, Res Mog., I, 619.*

*3. Das Concil zu Lyon hatte die* decima *bewilligt* „per sex annos continuos a proximo praeterito festo nativitatis b. Joannis baptistae" *(1274); Potthast, No. 20884. (Von Nathusius.)*

**386.** *Heinrich der Schultheiss, die Schöffen, der Rath und die Bürger zu Frankfurt bestimmen den Zoll, welchen die mit Eisen beladenen Wagen der Wetzlarer Bürger in Frankfurt zu entrichten haben. 1277 August 26.*

Nos Heinricus scultetus, scabini, consules et universi cives Frankenvordenses. Ad universorum presentium et // futurorum noticiam cupimus pervenire, quod nos cupientes dubitationis et ambiguitatis scrupulum, qui singulis // annis super dando thelonio oriebatur, per scripta litterarum nostrarum publica extirpare, dicimus, quod dilectorum // et specialium amicorum nostrorum civium Wetphlariensium currus ferro onerati in nundinis, videlicet in foro annuali, Frankenvort dabunt pro thelonio quilibet curruum pro se duos leves denarios. Extra vero nundinas quilibet predictorum civium currus solvet pro thelonio unum denarium levem. Et si prefati cives Wetphlarienses ferrum suum in nundinis in civitate Frankenvordensi vendiderint vel extra civitatem deduxerint, quodlibet centum ferri solvet pro thelonio denarium levem. Extra vero nundinas quodlibet centum ferri solvet pro thelonio denarium levem. Extra vero nundinas quodlibet centum ferri, si in civitate Frankenvordensi venditur vel extra civitatem deducitur, solvet pro thelonio obulum levem. In cuius rei evidentiam sigillum nostrum presentibus litteris duximus appendendum. Actum et datum anno domini millesimo cc. IXXVII., VII. kalendas septembris.

> *Or. Pgmt. mit abhangendem Stadtsiegel (2). St. A. Wetzlar No. 15. — Grotefend.*
> *Gedr.: Fichard, Archiv, III, 181, B., 182, beide nach dem Or. .*

**387.** *Abt Dietrich von Rommersdorf beurkundet eine Stiftung von 10 Schilling für das Dominikaner-Kloster in Frankfurt* (ad luminaria fratrum Predicatorum in Franckenforth). *1277 August 28* (in festo b. Augustini.)

> *Gedr.: Guden, Cod. Dipl., II, 201.*

**388.** *Das Kloster Padershausen beurkundet, dass ihm der Frankfurter Bürger Kuno von Wöllstadt und dessen Frau Elisabeth ihre Güter im Dorfe Meilsheim unter genannten Bedingungen vermacht haben. 1277 October 13.*

Universis Christi fidelibus soror P. dicta abbatissa et conventus in Patdenshusen ordinis Cirsterciensis(!), presentem litteram inspecturis. Tenore presentium // recognoscimus et voce publica protestamur, quod Cůno dictus de Wllenstat, civis in Frankenvort, et domina Elizabet, uxor eius, coniunctis manibus, una//nimi consensu, pari consilio bona sua sita in villa, que dicitur Meilsheym, cum areis, agris, pratis, pascuis, aquis, silvis et universis pertinenciis suis // contulerunt nobis in remedium animarum suarum titulo proprietatis perpetuo possidenda, tali tamen apposita conditione, ut ipsis ad dies vite sue de eisdem bonis decem octalia siliginis et decem octalia avene cumulate mensure, unum anserem et unum pullum circa festum beati Michahelis in opido Frankenvordensi annis singulis presentemus, hoc tamen adiecto, quod si. sterilitas, grando, ignis vel hostilitas supervenerit, tunc iuxta piam consuetudinem nobis in predicta pensione condescende[a] promiserunt. Adiciunt eciam conditioni predicte, ut si domino concedente heredem pariter genuerint, ad ipsum eadem bona post terminum vite ipsorum devolventur, exceptis duobus octalibus dicte pesionis,[b] que apud ecclesiam nostram. videlicet Patdenshusen, in remedium animarum suarum perpetuo remanebunt. Si autem idem heres vel heredes post mortem eorumdem obierit vel obierint sine prole,

---

a) *So! für „condescendere".*  b) *So! für „pensionis".*

ipsa bona nichilominus apud nostram ecclesiam sine dubitationis scrupulo permanebunt. Adiciunt denique sub eadem forma, quod si post obitum unius superstes uxorem vel maritum ducere decreverit et pueros genuerit, eidem superstiti prefatam pensionem ad tempora vite eius tantum persolvemus nec ad eosdem pueros ipsa pensio vel bona prehabita devolventur. Subiungitur eciam, quod si necessitas exegerit, prelibatas possessiones vendere poterunt, vel ecclesia nostra eisdem secundum necessitatem ipsorum studebit fideliter subvenire. Preterea diligentissime promiserunt, ut in anniversario defuncti qui supervixerit conventui nostro in fertone singulis annis in refectorio deservire debeat, contradictione qualibet non obstante. Ita tamen, quod idem anniversarium in morte superstitis denuo celebretur et prefata pecunia in perpetuum de bonis suis, ecclesie nostre iam collatis, conventui ministretur. Testes huius rei sunt: dominus Otto abbas de Schonaugia, frater Cûnradus et frater Gumbertus, conversi ibidem; Cristanus cantor ecclesie Frankenvordensis, Sifridus quondam camerarius ecclesie iam dicte, Ludolfus sacerdos, Wernherus de Wanebach scabinus Frankenvordensis, Johannes dictus de Wedere, Wigandus de Wanebach, Cûnradus de Horheym, Hermannus dictus Ufstozere, et alii quam plures. In cuius rei testimonium presentem litteram predictis C. et E. sigillo domini abbatis de Arnsburg et nostro dedimus roboratam. Actum et datum anno domini m̂. c̄c 1X̂X. septimo., ÎII. idus octobris.

*Or. Pgmt. mit den zwei leicht beschädigten Siegeln an grün-weissen Fäden. München, Reichsarchiv.*

**389.** *Kuno von Wöllstadt und dessen Frau Elisabeth geben dem Kloster Padershausen einen Revers in gleicher Sache. 1277 October 13.*

Universis Christi fidelibus Cuno dictus de W̊llenstat civis in Frankenvort et Elizabet uxor eius, presentem litteram inspecturis. Tenore presentium re//cognoscimus et voce publica protestamur, quod nos coniunctis manibus, unanimi consensu, pari consilio bona nostra sita in villa, que dicitur Meilsheym, cum areis, // agris, pratis, pascuis, aquis, silvis et universis pertinenciis suis contulimus venerabilibus et in Christo dilectis sanctimonialibus . . abbatisse et conventui in Patdenshusen // ordinis Cisterciensis in remedium animarum nostrarum proprietatis titulo perpetuo possidenda, tali tamen apposita conditione, ut nobis predicte moniales ad dies vite nostre de eisdem bonis decem octalia siliginis et decem octalia avene cumulate mensure et unum anserem et unum pullum singulis annis circa festum beati Michahelis in opido Frankenvortdensi studeant presentare, hoc tamen adiecto, quod si sterilitas, grando, ignis vel hostilitas supervenerit, tunc iuxta piam consuetudinem in predicta pensione condescendere eisdem promisimus et tenemur. Addicimus eciam conditioni predicte, quod si domino concedente heredem pariter genuerimus, ad ipsum eadem bona post vite nostre terminum devolventur, exceptis duobus octalibus dicte pensionis, que apud eandem ecclesiam, videlicet Patdenshusen, in remedium anime nostre perpetuo remanebunt. Si vero idem heres vel heredes post mortem nostram obierit vel obierint sine prole, ipsa bona apud dictam ecclesiam sine dubitationis scrupulo permanebunt. Addicitur denique sub eadem forma, quod si post obitum unius nostrum superstes uxorem vel maritum ducere decreverit et pueros genuerit, eidem superstiti predictam pensionem ad tempora vite sue persolvent nec ad eosdem pueros bona prehabita devolventur. Subiungimus eciam, quod si necessitas exegerit, prelibatas possessiones vendemus, vel ecclesia in Patdenshusen nobis secundum necessitatem nostram studebit fideliter subvenire. Spondemus denique insuper observare volumus, ut in anniversario defuncti qui supervixerit conventui in Patdenshusen I. fertonem singulis annis in refectorio deservire debeat, contradictione qualibet non obstante, ita tamen, quod idem anniver-

sarium in morte superstitis denuo celebretur et prefata pecunia in perpetuum de bonis
nostris ecclesie iam collatis conventui ministretur. Testes huius rei sunt: dominus
Otto abbas de Schonaugia, frater Cûnradus et frater Gumbertus, conversi ibidem;
Cristanus cantor Frankenvordensis, Sifridus quondam camerarius ibidem, Ludolfus
vicarius ecclesie iam dicte, Wernherus de Wanebach, Johannes dictus de Wetdere,
Wigandus de Wanebach, Cûnradus de Horheym, Hermannus dictus Ufstozere, et alii
quam plures. Et quia sigillo proprio caremus, presentem litteram sigillo concivium
nostrorum Frankenvordensium petivimus roborari. Actum et datum anno domini ṁ. c̈c.
1 X X̊. septimo, IİI. idus octobris. .



**390.** *Kuno von Wöllstadt und Frau beurkunden, dass sie dem Kloster Arnsburg Güter in
Haarheim und Massenheim und Hauszinsen in Frankfurt unter genannten Bedingungen
übertragen haben. 1277 October 13.*

Universis Christi fidelibus Cuno dictus deWullenstat civis in Frankenvort et Elisabet
uxor eius, presentem // litteram inspecturis. Tenore presentium recognoscimus et voce
publica protestamur, quod nos coniunctis manibus, // unanimi consensu, pari consilio, bona
nostra sita in villa, que dicitur Horheim, et villa, que dicitur Massenheim, // cum areis,
agris, pratis, pascuis, aquis, silvis et universis pertinenciis suis, necnon octo silidos(!)
levium denariorum in censibus, quos annuatim Johannes dictus Rosenlachere dare tenetur
de area, que quondam erat cuiusdam civis Frankenvordensis, qui appellabatur Huner-
mengere, que sita est in platea, que dicitur Snargazze, contulimus venerabilibus et
in Christo dilectis . . abbati et conventui in Arnspurg ordinis Cisterciensis in remedium
animarum nostrarum proprietatis titulo perpetuo possidenda, tali tamen apposita condicione, ut nobis predicti fratres ad dies vite nostre de eisdem bonis viginti unum
octalia siliginis et tria octalia tritici, q[uatuo]r anseres et quatuor pullos singulis annis
circa festum beati Michaelis in opido Frankenvordensi studeant presentare. Hoc tamen
adiecto, quod si sterilitas, grando, ignis vel hostilitas supervenerit, tunc iuxta piam
consuetudinem eisdem fratribus in predicta pensione condescendere promisimus et
tenemur. Adicimus etiam condicioni predicte, quod si domino conc[ed]ente puerum
vel pueros pariter genuerimus, ad ipsum vel ipsos eadem bona post terminum vite
nostre devolventur, exceptis sex octalibus dicte pensionis, que apud eandem ecclesiam,
videlicet Arnspurg, in remedium anime nostre perpetuo remanebunt. Si vero idem
puer vel pueri post mortem nostram obierit vel obierint sine prole, ipsa bona apud
dictam ecclesiam sine dubitationis scrupulo permanebunt. Additur denique sub eadem
forma, quod si post obitum unius nostrum superstes uxorem vel maritum ducere decreverit et pueros genuerit, eidem superstiti predictam pensionem ad tempora vite sue
tantummodo persolvent fratres memorati, nec ad eosdem pueros bona prehabita devolventur. Subiungimus etiam, quod si necessitas exegerit, prehabitas possessiones vendemus, vel ecclesia in Arnspurg nobis secundum necessitatem nostram studebit fideliter
subvenire. Spondemus denique et insuper observare volumus, ut in anniversario
defuncti qui supervixerit conventui in Arnspurg in dimidia marca singulis annis in
refectorio deservire studeat, contradictione qualibet non obstante. Ita tamen, quod
idem anniversarium in morte superstitis celebretur et prefata dimidia marca imperpetuum de bonis nostris ecclesie iam collatis conventui ministretur. Promisit eciam
idem . . abbas et conventus nobis duas amas vini franconici de Ennenkeim melioris
ad dies vite nostre in opido Frankinvordensi singulis annis tempore vindemie * pre-

a) „em* über der Zeile.

sentare. Testes huius rei sunt: dominus Otto abbas de Schonogia, frater Cunradus et frater Gumpertus, conversi ibidem; Cristanus cantor ecclesie Frankenvordensis, Sifridus canonicus quondam camerarius ecclesie iamdicte, Ludolfus sacerdos, Wernherus de Wanebach scabinus Frankenvordensis, Johannes dictus de Wedere, Wigandus de Wanebach, Cunradus de Horheim, Hermannus dictus Ufstozere, et alii quamplures. Et quia sigillo proprio caremus, presentem litteram sigillo concivium nostrorum Frankenvordensium petivimus roborari. Actum et datum anno domini ṁ. c̊c̊. l XXVII.. IÎI. idus octobris.

*Or. Pgmt. mit anhängendem Stadtsiegel (2) an blau-weissen Hanffäden. Lich.*

*Regest: Arnsb. Urkb., 103.*

*Verz.: Scriba IV.² No. 3511.*

**391.** *Heinrich, der Schultheiss in Frankfurt, bestimmt nach Urtheil der Schöffen zu Bergen den Königszins, welchen das Kloster Haina von seinen Gütern in Bergen jährlich zu zahlen hat. Frankfurt, 1277 November 2.*

Ego Heinricus scultetus in Frankenvort. Tenore presencium profiteor et protestor, quod ad petitionem fratrum de Hegenehe omnem iustitiam, quam regi dare debent, computavi secundum iuramentum scabinorum in Bergen, ut quatuordecim solvere teneantur maldra avene mensure cumulate. Quia eciam videtur esse sine damno reis, ita quoque singulis annis census predictos michi presentabunt in festo sancti Martini in curiam regis Frankenvort, quamdiu ego sum imperii scultetus. Datum apud Frankenvort, quarto nonas novembris, anno domini m. cc. l XX. septimo.

*Gedr.: Fichard, Entstehung, 351 (vgl. 62) = B., 182 = Reimer. I, 395.*

**392.** *Swikerus und Cristine geben dem Kloster Arnsburg einen Revers über eine von ihnen an das Kloster verkaufte und wieder zu Colonenrecht übernommene halbe Hufe zu Lich. Frankfurt, 1277 December 7.*

In cuius rei memoriam et testimonium subscriptorum, videlicet Ffolmari, Conradi dicti Wobelini et Wikeri fratrum de Ovenbach, Wikeri dicti Meinlohere, Marquardi de Hoveheim, Friderici generi domine, que dicitur Keissilstaderen, sub sigillo civitatis Frankenvordensis presentem cartam petivimus communiri. Datum Frankenvord, anno domini ṁ. c̊c̊. l XX. septimo, VII. idus decembris.

*Or. Pgmt. Siegel ab. Lich.*

*Gedr.: Arnsb. Urkb., 104.*

*Verz.: Scriba, IV² No. 3512.*

**393.** *Der Dechant Heinrich des Frankfurter Stiftes, Bruder Hermann, Dominikanerprior, Bruder Heinrich, Minoritenguardian, vidimiren die Urkunde Kaiser Friedrichs II., d. d. Tarent, 1221 April 10 für den Deutschorden. 1277. (indictione quinta.)*

*Or. Pgmt. Von den drei anhängenden Siegeln ist das schöne Siegel des Dominikanerpriors gut erhalten, die beiden anderen stark beschädigt. Wien, Deutschordens-Centralarchiv.*

*Verz.: Pettenegg, No. 557.*

**394.** *Heilman von Breitenbach schenkt den Deutschherren zu Sachsenhausen einen Weinberg zu Gelnhausen, auf den Rudiger und seine Erben zu Karlstadt Verzicht leisten. 1277.*

*Verz.: Niedermayer, 159 nach dem Deutschordens-Saalbuch, = Reimer, I, 396.*

**395.** *Das Mainzer geistliche Gericht beurkundet, dass der Frankfurter Kanonikus Peter sich mit dem in seinem Streit wider das Stiftskapitel ergangenen Spruch zufrieden erklärt, und welches weitere Übereinkommen er mit dem letzteren wegen seiner Präbende getroffen habe. 1278 Februar 8.*

Iudices sancte Moguntine sedis. Constitutus in nostra presencia, Petrus clericus, canonicus ecclesie de Frankenvort, recognovit se sentencia et ordinacione late sentencie[a] facta a domino decano ecclesie Aschafenburgensis, iudice a reverendo domino nostro, domino Wernhero Moguntino archiepiscopo, deputato, in causa, que olim super prebenda Rûdegeri bone memorie in ipsorum ecclesia inter ipsum P. ex parte una, et decanum et capitulum Frankenvordensis ecclesie ex altera vertebatur, esse contentum. Et promisit idem Petrus fide ac iuramento prestitis bona fide, quod in posterum ipsum capitulum seu personas aliquas de capitulo super fructibus prebende ipsius, quos Wigandus de Volda recipit nomine precarie in eorum ecclesia titulo empcionis, nunquam gravet, inpetat vel molestet, directe vel indirecte, verbo, consilio sive facto, antequam vacare incipiant a dicto Wigando casu contingente quocunque. Ad quam canoniam dicti decanus et capitulum ad preces illustris domini Rûdolfi, Romanorum regis, dictum P. recepisse noscuntur. Promisit eciam idem Petrus in choro Frankenvordensi pro sallario sibi a decano et capitulo ipsius ecclesie deputato servire, quod sibi racione amicicie et non iuris, sed ad preces venerabilis domini Symonis, decani Moguntini, dare tam diu promiserunt, quousque fructus canonie sue qualitercunque vacare incipiant, ut est dictum. Et quia memoratus P. ad omnia singula supradicta firmiter absque dampno dictorum decani et capituli observanda se fide ac iuramento sub pena cause tocius coram nobis astrinxit, nos ad preces ipsius, et eciam decani et capituli predictorum, ac in testimonium et memoriam omnium prefatorum, presentibus litteris inde confectis nostrum sigillum duximus apponendum. Datum anno domini m̄. c̄c̄. 1XXVIĬI., VI. idus februarii.

*Abschrift in Barth. Bücher, Serie II, No. 7 f. 73^b. St. A. Fr.*
*Gedr.: B., 183 nach derselben Vorlage.*
*Vers.: B.-R. No. 924.*

**396.** *Die Vorsteher und die Brüder des Hospitals zum Heiligen Geist in Frankfurt bekennen dem Kloster Schönau von Gütern in Bischofsheim jährlich 8 Achtel Frucht schuldig zu sein. 1278 Februar 15.*

Nos Eppertus plebanus et Volmarus provisores ceterique fratres hospitalis sancti Spiritus in Franckenfort, universis presentes literas audituris et visuris cupimus esse notum. quod nos viris religiosis, domino abbati et conventui de Schonaugia, de bonis quondam Godefridi dicti de Bischovesheim et Benigne uxoris eius, apud Bischovesheim sitis, dare debemus singulis annis perpetuo VIII. octalia Frankenfordensis mensure, et illa presentare debemus perpetuo dictis domino abbati et conventui, cessante quolibet obstaculo, in domum suam Frankenfordiensem infra assumptionem et nativitatem beate virginis sub nostris periculis et expensis; dantes ipsis presentes litteras nostro et civitatis Frankenfordiensis sigillis communitas in testimonium super eo. Datum anno domini millesimo c̄c̄. 1XX. VIĬI., in crastino beati Valentini martyris.

*Abschrift im Schoenauer Kopialbuch. Karlsruhe. General-Landes-Archiv. — Grotefend.*
*Gedr. danach: Würdtwein, Chron. Schönaug., 171, B., 183, Reimer, I, 397.*
*Verz.: Scriba, I, No. 571*

---

a) *In der Hs. fehlt das Abbreviaturzeichen, so dass auch die Lesung B's: „sive“ allenfalls möglich ist, dann müsste aber auch „late“ der Hs. in „lata“ corrigirt werden.*

**397.** *König Rudolf meldet den vier Wetterauischen Städten, dass er sich wohl befinde.
dass seine Unternehmungen erwünschten Fortgang haben, und dass er ihre Gnaden,
Freiheiten und Rechte nicht allein erhalten, sondern auch vermehren wolle.  Wien,
1278 Februar 20.*

Rudolphus dei gracia Romanorum rex, semper augustus.  Prudentibus viris . .
scultetis, consulibus et universis civibus // Frankenvordensibus. Geilenhusensibus, Wetflariensibus et de Vrideberg dilectis suis fidelibus. graciam suam et omne bonum.// 
Quia veri zelatores honoris imperialis existitis, sicut fidei vestre testatur veritas ac
devoti operis plenitu//do, fidelitati vestre duximus intimandum, quomodo et qualiter
in nobis et nostris precipue corporalis viget sanitas et arridet placide fortune prospe-
ritas in negociis nostris omnibus iuxta votum.  Ceterum noverit vestra fidelitas, quod
omnes gracias, libertates et iura, que usque ad hec tempora possedistis, non solum
illesa vobis contra quoslibet volumus conservare, et in eisdem vos favorabiliter confovere, verum eciam de benignitate regia huiusmodi gracias, libertates et iura vobis
disponimus in uberiori affluentia graciosius ampliare.  Datum Wienne. X. kalendas
marcii, regni nostri anno V^{tu}.

> *Or. Pgmt. mit Spuren des rückseitig aufgedrückten Siegels.  St. A. Fr. Priv. No. 13.*
> *Gedr. nach dem Or.: P. et P., I, 9, II, 8, = Lünig, R. A., XIII, 5, B., 184, Reimer,*
> *    I, 397.*
> *Verz.: Fr. Inv., III, 2, B.-R. No. 927, Scriba, II, No. 687.*


**398.** *Das Mainzer geistliche Gericht beurkundet, dass Hermann von Birgestat dem Deutschordenshause in Sachsenhausen und dem dortigen Kaplan Heinrich (Heinrico sacerdoti capellano ipsorum) eine halbe Hufe Ackerland, zweieinhalb Morgen Wiesen
und die Hälfte dreier Hofstätten (areae) in Rödelheim verkauft habe, unter Stellung
von Bürgen, die eventuell zum Einlager in einem Frankfurter Gasthaus (hospicium)
verpflichtet sind.  Mainz, 1278 März 22.  (XI. kal. apr.)*

> *Gedr.: Sauer, I, 559 nach dem Or. Pgmt. in Wiesbaden, Baur, Hess Urk., I, 165.*


**399.** *Ludwig, der Münzer, Bürger zu Limburg, und Giselbert von Holzhausen, Bürger
zu Frankfurt, versprechen dem Kloster Arnsburg, als Ausgleich für dessen Ansprüche auf den Nachlass eines ehemaligen Mönches, drei Mark Jahrzins aus
Gütern in und bei Wetzlar anzuweisen.  Frankfurt, 1278 April 30.*

Universis Christi fidelibus nos Ludewicus monetarius civis Limburgensis et Gisilbertus dictus de Holzhusin civis Frankenvordensis presentem litteram in perpetuum
inspecturis.  Tenore presencium // recognoscimus et voce publica protestamur, quod
nos de communi consensu coheredum nostrorum, habito insuper consilio proborum virorum, composicioni quondam habite super hereditate fratris Craftonis, fratris domine
Hille // de Wetflaria, quondam monachi in Arnesburg Cysterciensis ordinis, cum venerabilibus fratribus eiusdem monasterii adiecimus quoque redditus trium marcarum, [quos]
usque ad festum beati Martini intra muros civitatis Wet//flariensis et extra infra miliare.
quod vulgariter dicitur Banmile, in certis locis titulo proprietatis promisimus assignare.
tali forma, quod sex scabini Wetflarienses super consciencias suas iudicent ecclesiam
predictam de iure debere esse contentam, et eadem bona de manu . . abbatis vel procuratoris eiusdem monasterii iure colonario ego Ludewicus recipiam ad dies vite mee
singulis annis sex denarios leves in festo beati Martini in recognicionem proprietatis
ecclesie sine contradictione qualibet persolvendo. nec monasterium predictum post

mortem meam melius capud vel aliquam aliam iusticiam exiget vel requiret, sed me
defuncto sepedictum monasterium statim et in continenti predictarum trium marcarum
reditus possidebit pacifice et quiete.  Spopondimus insuper plenam warandiam facere
eisdem fratribus cum abrenunciacione coheredum nostrorum secundum terre consuetudinem generalem.  Huic sponsioni fidedata subiecimus, quod si usque ad festum beati
Martini predicta facere neglexerimus, civitatem Wetflariensem intrabimus, ibidem
tamdiu more fideiussorio comesturi, quousque predicta omnia plenarie persolvemus.
Huius rei testes sunt: Erpertus plebanus in Frankenvord, frater Erpertus pater eiusdem plebani, Cunradus, Folmarus, Wikerus, fratres dicti de Ovenbach, Wernherus de
Wanebach, Heinricus et Hermannus fratres dicti Bychelin, Cunradus Burneflecka,
cives Frankenvordenses; Anselmus canonicus Wetflariensis filius Ludewici supradicti,
Gisilbertus sacerdos consanguineus eorundem, et alii fidedigni.  Acta sunt hec apud
Frankenvord, anno domini ṁ. c̄c̄. lXXVIII., in vigilia Philippi et Jacobi apostolorum.
Ut autem huius rei veritas inconvulsa permaneat, presentem li*t*eram sigillo civium
Frankenvordensium et Erperti plebani ibidem petivimus roborari.

*Or. Pgmt.  Anhängend 1) Stadtsiegel (2), beschädigt, 2) Pfarrersiegel, gut erhalten.  Lich.*<br>
*Regest: Arnsb. Urkb., 109, vgl. ib. 114.*<br>
*Verz.: Scriba IV² No. 3518.*

**400.** *Ritter Berthous von Yringishusen, Rudolf, Pfarrer in Rulskirchen, und Herdenus*
*von Rulskirchen verzichten zu Gunsten des Deutschordenshauses zu Sachsenhausen*
*(apud Frankinvorth) auf alle ihre Ansprüche auf Güter in dem Dorfe Cleen.  Es*
*siegelt die Stadt Alsfeld.  1278 Mai 14.  (prid. yd. maii.)*

*Gedr.: Baur, Hess. Urk., I, 166 nach dem Or. Pgmt. im St. A. Darmstadt.*

**401.** *Schultheiss Heinrich, die Schöffen, der Rath und die Frankfurter Bürger beur-*
*kunden, dass Giselbert von Holzhausen und dessen Frau Kunigunde einen Geld-*
*zins (in Wetzlar oder Frankfurt?) und einen Fruchtzins in Erlenbach dem Nonnen-*
*kloster Marienborn übergeben haben.  1278 Mai 30.*

Nos Heinricus scultetus, scabini, consulatus et universi cives Frankenvordenses,
ad universorum presencium // et futurorum noticiam cupimus pervenire, quod constituti
in nostra presencia Giselbertus de Holzhusen et // Kunegundis uxor eius, cives Frankenvordenses, communicatis suis manibus duas marcas census annualis, // quas habebant
super domum Cunradi dicti de Herberen, civis Wetflarien*sis*, et sex octalia siliginis
Frankenvordensis mensure super dimidio manso apud Erlebach sito dederunt et per
presentes li*t*eras assignant honorande matrone . . domine abbatisse et conventui
sanctimonialium de fonte beate Marie ordinis Cisterciensis, perpetuo iure possidendum.
Renunciantes omni iuri, quod ipsis in prefatis censu et annona competebat seu competere videbatur.  Testes huius facti sunt viri honesti: Volradus vicescultetus, Cunradus Wobelin et Volmarus frater eius, Wernherus de Wanebach, Ludewicus pannifex,
Gernodus de Flanstat, Heinricus de Limpurg, Hermannus Bichelin, scabini; Heinricus
dictus de Melshem scabinus, Marquardus de Wollenstat, Johannes de Wedera, Johannes
Rosenlachere, cives Frankenvordenses, et plures alii fidedigni.  In cuius rei testimonium
et firmitatem perpetuam sigillum civitatis Frankenvordensis presentibus litteris duximus
apponendum.  Actum et datum anno domini millesimo cc. lXXVIII., III. kal*endas*
iunii.

*Or. Pgmt. mit abhangendem Siegelrest.  St. A. Fr. Johanniter Urk. No. 1.*<br>
*Gedr.: B., 184 nach dem Or. .*<br>
*Verz.: Scriba, II, No. 692.*

**402.** *Landfrieden am Rhein, im Elsass und der Wetterau.   Hagenau, 1278 Juni 24.*

In nomine domini, amen.   Ludewicus dei gracia comes palatinus Reni, dux Bauwarie; Albertus de Hohenberc, Eberhardus de Kazzenelnbogen, Fridericus de Liningin. comites; Moguntinenses, Argentinenses, Basilienses, Wormatienses, Spirenses, Columbarienses, Slezestadienses, Hagenaugenses, Wizenburgenses, Openheimenses, Pinguienses, Wisalienses, Bobardienses, Frankenfordienses, Geilenhusenses, Frideburgenses, Wetslorgenses cives.   Ad noticiam universorum litteris presentibus volumus pervenire, quod nos attendentes et considerantes inconstanciam rerum humanarum apud civitatem Haugenaugiam convenimus.   Ibidem propter honorem dei et gloriose virginis matris sue necnon ob reverenciam sacri imperii pacem sanctam et generalem clara fide et unanimi consensu conpromisimus, a festo penthecostes nunc preterito per biennium, contra quoslibet violatores sancte pacis ac dolo sue malitie ipsam insectantes conservare et gubernare viribus et posse in quantum valemus; procedere eciam manu valida, nobis favente divina clemencia, contra omnes, qui thelonia inconsueta et iniusta super alveum Reni recipere volunt.   Hoc adiecto, quod omnes sive religiosi sive seculares in Reno descendentes et ascendentes de rebus suis, secundum quod taxavimus et statuimus communi consilio, apud Maguntiam et Bobardiam summam proporcionaliter sue pecunie in subsidium et in defensionem pacis ministrabunt, ut eo potencialiter et liberaliter ipsos in corpore et rebus ac pacem predictam defensare valeamus.   Cives vero rebelles et inobedientes hiis statutis et conpromissis a sancta pace et nostra defensione penitus eicimus et excludimus, dampna si qua incurrunt et ipsis provenire inde poterunt, per nos nec nostro adiutorio vindicabuntur.   In testimonium et robor omnium premissorum presentibus nostra sigilla sunt appensa.   Actum et datum Hagenaugie, anno domini M. CC. LXX. octavo, die beati Johannis baptiste.

*Gedr.: Strassburger Urkb. II, 44 nach dem dort befindlichen Or., danach hier wiederholt. Die älteren Drucke sind dort angegeben, ausserdem neuerdings Reimer, I, 400.   Regesten bei Sauer, I, 561, Boos, I, 248.   Der Druck B.'s, 185 beruht auf Wencker, Apparatus Archiv., 186.*

**403.** *Erzbischof Werner von Mainz überlässt dem Frankfurter Schultheissen Heinrich den ihm gebührenden Zehnten von dem Walde Bomgart, den der letztere vom Reiche zu Lehen erhielt, und nun urbar gemacht hat, für die nächsten 10 Jahre gegen eine bestimmte jährliche Abgabe.   Scharfenstein, 1278 Juli 10.*

Wernherus dei gracia sancte Maguntine sedis archiepiscopus, sacri imperii per Germaniam archicancellarius. Noverint // universi, quod nos dilecto fideli nostro Heinrico, sculteto Frankenfordensi, ad nos pertinentem decimam, // provenientem de fundo nemoris. quod vocatur Bomgart, sito in silva, que nuncupatur Drieich, // apud pratum fratrum domus Teuthonice de Sasenhusen, quem quidem fundum eidem sculteto et Volrado, subsculteto Frankenfordensi, a domino nostro Romanorum rege concessum in feudum. iidem scultetus et subscultetus redegerunt noviter et redigent in culturam, concessimus pro certa annua pensione ad nunc instans decennium obtinendam.   Dantes predicto H. sculteto presentes nostras litteras in testimonium super eo.   Datum apud Scharphenstein, VI. idus iulii, anno domini millesimo cc. IXXVIII.

*Or. Pgmt.   Das abhangende Siegel ist beschädigt.   St. A. Fr Barth. St. No. 4056. Gedr.: Würdtwein, Subs. Dipl., II, 425, B., 186 nach dem Or. . Verz.: Scriba, I, No. 575, Will, Mainz. Reg., XXXVI, No. 455, B.-R. No. 982.   Vgl. Battonn, I, 242.*

**404.** *Schultheiss Heinrich, Schöffen, Rath und Bürger von Frankfurt bezeugen die Beilegung eines Streites zwischen dem Kloster Padershausen und Ritter Johann und
Otwin von Bienheim um den Nachlass des Ritters Friedrich von Preungesheim.
1278 August.*

Nos Heinricus scultetus, scabini, consules et universi cives Frankenvordenses,
ad universorum presencium et futurorum noticiam cupimus pervenire, quod // discordia,
que inter . . abbatissam et conventum sanctimonialium monasterii de Padenshusen ex
parte una et Johannem militem de Bienhem et // Otwinum filium eius super bonis,
que quondam Fridericus miles de Bruningeshem bone memorie ad dictum monasterium
cum quadam sua // filia legaverat, vertebatur ex altera, de consilio proborum virorum
per compositionem amicabilem est decisa. Ita videlicet, quod de prenominatis bonis
duo mansi, qui sunt feodum, una curia ad feodum pertinens, et vinea apud Vezetburnen
sita inter vineas sanctimonialium de Throno et cuiusdam matrone de Giezen, ad prefatos Johannem et Otwinum devolvantur. Cetera bona omnia de prenominatis bonis
prefatis abbatisse et conventui integre remaneant, omni contradictione remota. Huic
compositioni prefate partes consencientes, eamque gratam et ratam observare promittentes, renunciaverunt litibus, actionibus, questionibus et altercationibus omnibus, que
super bonis huiusmodi possent inposterum evenire. Huic composicioni intererant viri
honesti: Ludewicus conmendator domus Theutonice in Sassenhusen, Heinricus scultetus
et Volradus, milites; Cunradus Wobelinus, Volmarus et Wickerus fratres, cives Frankenvordenses. In cuius rei testimonium et perpetui roboris firmitatem sigilla conmendatoris et H. sculteti predictorum, necnon civitatis Frankenvordensis presentibus litteris
sunt appensa. Actum et datum anno domini millesimo cc. IXXVIII., mense augusti.

> *Or. Pgmt. Von den drei Siegeln ist nur das erste ziemlich erhalten, die beiden anderen
> nur in Bruchstücken. München, Reichsarchiv.*
> *Gedr.: Reimer, I, 405 nach dem Or. .*

**405.** *Pfarrer Erpert zu Frankfurt entscheidet als Schiedsrichter auf Grund eines Zeugen-
verhörs einen Streit zwischen dem Kloster Schönau und Adelheid, der Wittwe des
Wigand von Altenstadt, inbetreff gewisser Äcker in Westenholz. Frankfurt, 1278
September 8.*

Ego Erpertus plebanus Franckendfordensis. Tenore presencium recognosco et
constare volo universis litteras has visuris, quod cum olim inter venerabilem virum
dominum abbatem et suum monasterium de Schonaugia, ordinis Cisterciensis, ex parte
una, et Adelheidim relictam Wigandi de Aldenstat ex altera, super novem iugeribus
agrorum campestrium lis et questio verteretur, tandem propter bonum pacis et ad
parcendum laboribus et expensis utrobique dicte partes in me tanquam in arbitrum
et arbitratorem compromiserunt, ut auditis testibus eamdem causam deciderem secundum
iustitiam et propriam honestatem. Vocatis ergo sociis meis sacerdotibus, videlicet
domino Hartmanno, Heinrico dicto Paternoster, Sibottone Opilient,[a] fratre Friderico[b]
de ordine dominarum Penitentum, iurati dicebant, quod audiverint et interfuerint,
quanto(!) prefatus Wigandus in lecto mortis predicta novem iugera sita in Westenholz
dedit de[c] consensu Adelheidis uxoris pro peccatis suis monasterio supradicto, hac
conditione, quod post mortem iam dicte uxoris sue deberent primo cedere ecclesie
supradicte, et quod extunc idem monasterium fabrice parrochie in Franckenvurt perpetuo solveret solidum unum Franckenfordiensis monete. In cuius rei testimonium

sepedicto monasterio dedi meam presentem litteram ad cautelam.   Datum Francken-
fordie, anno domini m̄. c̄c̄. 1XX̊VIII., in nativitate beate virginis Marie.

*Abschrift im Schönauer Kopialbuch.   Karlsruhe, General-Landesarchiv. — Grotefend.*
*Gedr.: Guden, Sylloge, 270, B., 186.   Erwähnt: Würdtwein, Chron. Schon., 172.*

**406.** *Hermann der Dechant und das Frankfurter Stiftskapitel vererbpachten der Adelheid, der alten Vogtin von Tribur, und deren Erben die Nona ihrer Kirche in
Tribur und Steden.   1278 October 16.*

Nos Hermannus decanus totumque capitulum ecclesie Frankenvordensis.   Recognoscimus et notum facimus universis, ad quos pervenerit presens scriptum, quod nos
pari consensu et voluntate unanimi nonam ecclesie nostre in Triburio et in Stede,
quam habemus ab inperio(!), cum iugero agri quondam Marquardi, concessimus Adelheidi, antique advocate de Triburio, et suis heredibus universis iure hereditario in
perpetuum obtinenda, videlicet sub hac forma, quod ipsa Adelheidis singulis annis,
quamdiu vixerit, et post ipsius obitum senior inter ipsos suos heredes in festo omnium
sanctorum XVIII. octalia tritici Frankenvordensis mensure et XXVII. mattas in omnem
eventum nobis et ecclesie nostre solvant, et sub suis laboribus, periculis et expensis
nobis in Frankenvord assignabunt.   Que quidem Adelheidis et heredes ipsius, ut de premissa pensione nostra habundanciorem cautelam et certitudinem haberemus, nobis quem-
dam mansum, situm in Triburio dictum Selhube, sub interposicione pignoris obligarunt.
De quo manso, si in predicto termino fuerit a premisse pensionis solucione cessatum,
iuxta sentenciam scabinorum Triburiensium intromittere nos debemus, pensione neglecta
tunc nichilominus nobis salva.   Si vero dicti pensionarii occasione ecclesie nostre ipsa
pensione fuerint spoliati, hoc non in eorum, sed in nostrum dampnum penitus redundabit.   Preterea si nos vendere contigerit ipsam pensionem, ius hereditarium apud
dictos pensionarios remanebit et erit per omnia eis salvum, vendicione huiusmodi non
obstante.   Testes autem, qui interfuerunt, sunt: Giso advocatus, C. scultetus, H. dictus
Paris, Wernherus dictus Grebere, Wernherus Gegere, Hart(mannus) [a] dictus Galle, Her-
tericus, Ekehardus, Wernherus dictus Minzelere, scabini; et alii quam plures de villa
Triburiensi.   In cuius rei evidenciam et debitam firmitatem, presens scriptum sigillo
ecclesie nostre fecimus communiri.   Actum et datum anno domini m̄. c̄c̄. 1XX. VIII.,
in die beati Galli.

*Abschrift in Barth. Bücher, Serie II, No. 7 f. 76ᵃ.   St. A. Fr.*
*Gedr.: B., 187 nach derselben Vorlage.*
*Verz.: Scriba, I, No. 577.*

**407.** *Heinrich, der Frankfurter Schultheiss, bekennt von Herrn Gottfried von Eppstein,
jedoch mit Vorbehalt der Wiedereinlösung, mit der Vogtei in Heddernheim belehnt
zu sein.   1278 October 30.*

Ego Heinricus scultetus Frankenfordensis.   Tenore presencium publice profiteor
et protestor, quod advocaciam in Hedernheim cum suis pertinenciis a nobili viro domino
meo Gotfrido de Eppinstein teneo tytulo feodali.   Hac tamen interposita pactione, ut
cum ipse dominus meus vel sui heredes michi vel meis heredibus quinquaginta marcas
denariorum Coloniensium dederint, predicta advocacia ad eos libere revertatur.   Si
vero ipsam pecuniam forte totam habere non poterint et partem michi dederint, eis
de tritico tantum reddam, sicut expedit pro quantitate pecunie michi date.   Super

<hr>

a) *Hs. nur „Hart", mit Abbreviaturzeichen für „us".*

quo do presentes litteras sigilli mei munimine roboratas. Actum anno domini m̄. ducentesimo septuagesimo octavo, tercio kalendas novembris.

*Gedr.*: *Joannis, Spicilegium, 310 = B., 187, Sauer, I, 564 nach Abschrift im Uffenbach-Senckenbergschen Kopiar, Un.-Bibl. Giessen, die nur orthographisch abweicht.*

**408.** *Hartmud von Sachsenhausen, Ritter, verkauft mit Einwilligung seines Sohnes Kuno und mit Genehmigung der Herren Philipp und Werner von Münzenberg an Heinrich, den Schultheissen zu Frankfurt, die Güter zu Niederrad, welche er bisher von den letzteren zu Lehen gehabt hatte. 1279 Februar 10.*

Ego Hartmudus de Sassenhusen miles. Universis presentes litteras audituris cupio esse notum, quod ego accedente consensu Cunonis // filii mei universa bona mea, videlicet inferiorem villam Roide cum omnibus suis attinenciis, que a nobilibus viris Philippo et Wernhero dominis de // Mincenberg in feodo habui, de voluntate eorum dominorum vendidi et dedi honesto viro Heinrico sculteto Frankenvordensi et suis heredibus // iure feodali possidenda perpetuo, quemadmodum ego prenominata bona hactenus pacifice possidebam. Et constitui fideiussores: Cunonem de Cronenberg, Frankonem fratrem eius, Cunradum Suevum de Bruningeshem, milites, Cunradum de Sassenhusen et Cunonem filium meum, quemlibet in solidum, pro iusta et consueta warandia facienda. Ita videlicet, quod si forte dictus scultetus aut sui heredes super prefatis bonis ab aliquo hominum inpeterentur, dicti fideiussores civitatem Frankenvordensem intrabunt commesturi more fideiussorio, quousque impetitiones et vexationes huiusmodi penitus deponantur. Et si unus fideiussorum decesserit, alium infra mensem substituam eque dignum, alioquin fideiussores intrabunt ut supra. Preterea prenominati fideiussores in huiusmodi fideiussione manebunt astricti firmiter, quousque duo mei pueri ad annos discretionis pervenerint et resignaverint prenominata bona publice, ut est iustum. Et post illam resignationem ipsi fideiussores per unius anni et diei spacium manebunt astricti fideiussorie pro iusta et debita warandia facienda. Testes huius rei sunt: . . conmendator de Sassenhusen, Gotscalcus et Volradus, milites; Cunradus Wobelin, Volmarus frater eius, Wernherus de Wanebach, Ludewicus pannifex, Gernodus de Flanstat, Heinricus de Melshem, Giselbertus de Holzhusen, Hermannus Bichelin, Arnoldus de Glauburg, scabini Frankenvordenses, et plures alii fidedigni. In cuius rei testimonium et firmitatem perpetuam sigilla civitatis Frankenvordensis et . . conmendatoris domus Theutonice in Sassenhusen ob precum mearum instanciam presentibus litteris sunt appensa. Datum anno domini millesimo cc. 1XX. nono, IIII. idus februarii.

*Or. Pgmt. Das Stadtsiegel (2) hängt zerbrochen an, das zweite fehlt. Ullstadt.*
*Gedr.: B., 188 nach dem Or. Auszug: Thomas, Oberhof, 440.*

**409.** *Schultheiss Heinrich, Schöffen, Rath und Bürger von Frankfurt verkaufen dem Herrn Arnold von Glauburg und dem Herrn Giselbert von Holzhausen genannte Theile des unteren Stadtwaldes. 1279 März 21.*

Nos Heinricus scultetus, scabini, consules et universi cives Francofordenses, universis presentes literas audituris cupimus esse notum, quod nos vendidimus Arnoldo domino de Glauburg, concivi nostro dilecto, octo mansos et quartam partem unius iugeris de silva nostra inferiori. Item vendidimus Giselberto domino de Holzhusen, concivi nostro dilecto, quatuor mansos, minus septem iugeribus, de silva antedicta, pro quadam summa pecunie nobis ab eisdem Arnoldo et Giselberto traditis, numeratis et usque ad integrum persolutis. Et si ipsos pro silva huiusmodi in posterum alique impetitiones seu gravamina tetigerint, nos impetitiones vel gravamina huiusmodi integraliter deponemus. Dantes ipsis presentes nostras literas in testimonium super eo. Anno domini m. cc. lXX. nono, XII. kalend*as* aprilis.

*Abschrift in Uffenbach MSS. — Caments, Acta varia (No. 34):* „Documentum familiae de Glauburg et de Holzhausen de anno m. cc. lXXlX." *St. A. Fr.*
*Vidimus des Raths von 1691 im Holzhausen'schen Archiv durch von Nathusius kollationirt.*
*Gedr.: Senckenberg, Sel. iur., I, 41 (Vorrede) = ?B., 188. Erwähnt Lersner, II<sup>a</sup>, 165, 175.*

**410.** *Das Deutschordenshaus zu Sachsenhausen und Wicker, der Sohn des Harpernus, beurkunden, dass ein zwischen ihnen entstandener Zwist aus Anlass einer von Wicker und dessen verstorbener Frau Gisela dem Deutschorden gemachten Schenkung* [1] *durch Schiedsrichter gütlich beigelegt sei. Frankfurt, 1279 April 20.*

### (Erste Redaktion.)

In nomine domini, amen. Nos frater Ludwicus conmendator domus fratrum Theut*onicorum* || in Sassenhusen apud Frankinvort ceterique fratres ibidem et Wikgerus civis in Fran//kenvort, notum fieri cupimus singulis ac universis, quibus presentes li*tt*ere fuerint exhibi//te vel ostense, quod controversia, que inter nos fratres iam dictos ex una, et me civem prefatum ex parte altera, vertebatur super donacione, quam ego *com*municata manu pie memorie Gysele, quondam uxoris mee, de domibus et aliis bonis meis, mobilibus et i*m*mobilibus, habitis et habendis post mortem meam et dicte uxoris mee, quondam feceram hospitali ipsorum, quam videlicet donacionem ex morte eiusdem coniugis mee confirmatam et irrevocabilem iidem fratres affirmabant, me contrarium asserente, per discretos viros, videlicet fratrem Marquardum priorem et fratrem Heinricum lectorem fratrum ordinis Predicatorum in Frankenvort, Volmarum et Weppelinum, scabinos civitatis eiusdem,[a] sic amicabiliter est sopita et decisa, quod hospitali memorato domus mea ponti vicinior cedet post mortem meam libere et absolute, domus vero inferior eidem domui contigua post mortem meam et uxoris mee Dankmût de Moguncia, si sine prole decesserimus, ad dictum hospitale similiter devolvetur. Si vero prolem ex eadem genuero, ille(!) michi succedet in eadem, sicut in aliis bonis

### (Zweite Redaktion.)

In nomine domini, amen. Nos frater Ludewicus conmendator domus fratrum Theutonicorum in Sassenhusen apud Frankenvort ceterique fratres ibidem et Wickerus, quondam || Harperni civis in Frankenvort filius, notum fieri cupimus singulis ac universis, quibus presentes littere fuerint exhibite vel ostense, quod controversia, que inter nos || fratres iam dictos ex una, et me civem prefatum ex parte altera, vertebatur super donacione, quam ego *com*municata manu pie memorie Gisle, quondam uxo//ris mee, de domibus et aliis bonis meis habitis et habendis post mortem meam et dicte uxoris mee quondam feceram hospitali ipsorum, per discretos viros, fratrem Marquardum priorem, fratrem Heinricum lectorem et fratrem Hermannum de Wetflaria ordinis Predicatorum, Volmarum, Conradum Wobelinum, scabinos ibidem, et Wickerum, fratrem eoru*n*dem, sic amicabiliter est sopita et decisa, quod hospitali memorato domus mea ponti vicinior cedet post mortem meam libere et absolute, domus vero inferior, eidem domui contigua, post mortem meam et Dankmodis de Moguncia, uxoris mee, si sine prole decesserimus, ad dictum hospitale similiter devolvetur. Si vero prolem ex eadem genuero, illa michi succedet in eadem et in aliis meis bonis. Hoc adiecto, quod si eadem proles sine liberis decesserit, dicta domus prefatis cedet

---

a) *23)* „ibidem".

[1] *Vgl. oben No. 296.*

meis. Hoc salvo, quod si eadem sine liberis decesserit, dicta domus ipsis cedet, sicut pretactum est, omnibus aliis heredibus meis et eiusdem prolis penitus exclusis. Insuper de pensione, quam memorati fratres michi annuatim de bonis suis in Brunigsheim solvere tenentur, videlicet XXVII.[a] octalia siliginis, ipsis terciam partem statim relaxo, renuncians eiusdem(!) omnino, ita ut pro tempore vite mee XVIII. octalia siliginis singulis annis[b] presentare teneantur, promittens generalis grandinis et expedicionis pericula sustinere. Et ut materia litis inposterum inter ipsos et me super premissis minus valeat suboriri, ego tam in domibus quam in frumento sepefatis fratribus et ipsorum hospitali datis et legatis voluntate de ambulatario[c] renuncio per presentes. Hoc excepto, quod si ad extremam paupertatem seu egestatem, quod absit, fuero deductus, quod alimoniis vite mee sine dolo et fraude de dictis domibus debeam et valeam providere. In evidenciam predictorum, presentem litteram sigillo prioris fratrum Predicatorum in Frankenvort[d] petivimus communiri. Testes huius:[e] frater Gerhardus de Hirzberch, tunc temporis Allemanie[f] preceptor, frater Lutherus, et alii quam plures. Actum anno domini ṁ. c̊c̊. 1 XXIX̊., XII. kalendas maii, indictione septima.

fratribus, sicut pretactum est, omnibus aliis heredibus meis et eiusdem prolis penitus exclusis. Insuper de pensione, quam memorati fratres michi annuatim de bonis suis in Bruningisheim[a] solvere tenentur, videlicet viginti septem octalia siliginis, terciam partem statim relaxo, renuncians eisdem, ita ut pro tempore vite mee decem et octo octalia siliginis, quatuor anseres et quatuor pullos michi singulis annis presentare teneantur, promittens eciam generalis grandinis et expeditionis pericula sustinere. Et ut omnis materia litis in posterum inter predictos fratres et me super premissis minus valeat suboriri, ego tam in domibus quam in frumento sepefatis fratribus et ipsorum hospitali datis et legatis renuncio per presentes. Hoc excepto, quod si ad extremam paupertatem seu egestatem, quod absit, fuero deductus, quod alimoniis vite mee sine dolo et fraude de dictis domibus debeam et valeam providere. Testes huius sunt: frater Gerhardus de Hirzberg tunc temporis Alamanie preceptor, frater Lutherus, et alii quam plures fide digni. In evidenciam predictorum presentes litteras sigillis honorabilium virorum conventus Predicatorum, mei videlicet commendatoris et universitatis Frankenvordensium petivimus communiri. Datum et actum Frankenvort, anno domini ṁ. c̊c̊. 1 X̊X̊IX̊., XĬI. kalendas maii, indictione VĬI.

*Diese Redaktion liegt in zwei Or.-Pgmten vor:*

*1) No. 20 (danach hier der Druck) mit Bruchstück des abhangenden Siegels (roth.)*

*2) No. 23 (s. die Varianten in den Anmerkungen) mit gleicher Besiegelung, also nicht mit dem Stadtsiegel. (Vgl. Variante d. .)*

*Diese zweite genauere und sachlich präcisere Redaktion ist ebenfalls in zwei Exemplaren erhalten.*

*1) No. 22 (danach hier der Druck). Anhängend Siegel der Dominikaner (zerbrochen), dasjenige des Frankfurter Komthurs und das Stadtsiegel (2).*

*2) No. 21 gleichlautend, mit gleicher Besiegelung.*

*Alle vier Originale befinden sich jetzt im Deutschordens-Centralarchiv. Wien.*

*Gedr.: B., 189 nach 22, danach Reimer, I, 329, der, durch einen Druckfehler im Texte B.'s veranlasst, die Urkunde zu 1269 angesetzt hat.*

*Verz.: Pettenegg No. 572—575.*

**411.** *Werner, Erzbischof von Mainz, erlaubt auf Bitte der Dominikaner in Frankfurt dem Bischof Johann von Litthauen zwei Altäre in ihrer Kirche weihen zu dürfen,*

a) 23) „viginti septem". b) „annis" ist am Schluss des Satzes nachgetragen und hierher verwiesen. c) 23) „ambulatoria". d) 23) „sigillo civitatis Frankenvordensis". e) 23) „huius" fehlt. f) 23) „Alamanie".

a) 21) „Brunigesheim".

*und ertheilt denen, welche dieser Handlung beiwohnen, einen Ablass.   Hof Weiber,*
*1279 April 21.*

W. dei gracia sancte Maguntine sedis archiepiscopus, sacri imperii per Germaniam archicancellarius. Dilectis in Christo // . . priori et conventui fratrum Predicatorum Frankenforden*sium*, Maguntine diocesis, salutem in domino. Devotis // vestris precibus inclinati, ut venerabilis pater dominus Johannes, episcopus Littowiensis,[1] vobis duo altaria in vestra // ecclesia valeat dedicare, eidem auctoritate presencium indulgemus. Ceterum omnibus Christi fidelibus vere penitentibus et confessis, qui ad dedicacionem altarium predictorum devote et humiliter duxerint accedendum, divine propiciacionis graciam petituri, de omnipotentis dei misericordia, beatorum apostolorum eius Petri et Pauli ac beati Martini meritis et auctoritate confisi, quadraginta dies de iniuncta sibi penitencia misericorditer relaxamus. Datum apud Vivarium.[2] Anno domini millesimo cc. lXXVIIII., XI. kalend*as* maii.

*Or. Pgmt.   Siegel (verletzt) abhangend.   St. A. Fr. Dominikaner Urk. No. 24.*
*Gedr.: B., 190 nach dem Or. .*
*Verz.: Thomas, Fr. Archiv, II, 161, Battonn, II, 134 (statt „Albrecht" l. „Werner"), Will,*
*Mainz. Reg., XXXVI, No. 471.*

**412.** *Inzelerius, Bischof von Budua,[3] ertheilt den Besuchern und Wohlthätern der Dominikaner-Kirche zu Frankfurt einen Ablass.   Friedberg, 1279 Mai 3.*

Frater Inzelerius dei gracia Buduensis episcopus, fratrum Heremitarum ordinis sancti Augustini. Universis presens // scriptum inspecturis, salutem in eo, qui est omnium vera salus. Sanctorum meritis inclita gaudia speramus consequi. // si ea, que ad cultum dei et ipsorum reverenciam spectant, mentibus sinceris pro nostra possibilitate religiositatis studio effectui // mancipamus. Hinc est, quod nos ad peticionem prioris et fratrum Predicatorum in Frankinvort, Moguntine dyocesis, omnibus causa devocionis eorum ecclesiam in die dedicacionis et per octavam visitantibus ac manum porrigentibus adiutricem, accedente consensu dyocesani, pie contritis et confessis, pro duobus altaribus ipsorum, de quolibet Xl. dies criminalium et annum venalium de iniuncta sibi penitencia misericorditer relaxamus. In argumentum veritatis et gracie collate presentem paginam eisdem contulimus sigilli nostri munimine roboratam. Datum in Vrideberg. Anno domini ih. cc̊. lXX. nono. In die inventionis sancte crucis.

*Or. Pgmt. mit anhängendem gut erhaltenen Siegel an blauen Fäden.   St. A. Fr. Dominikaner*
*Urk. No. 26.*
*Gedr.: B., 190 nach dem Or. .*

**413.** *Eberhard, Graf von Katzenelnbogen, genehmigt die Schenkungen genannter Verwandten, betr. die Kirche zu Daverin, für das Kloster Gnadenthal.*   „Testes sunt: dominus Reynhardus de Hagenauwa, Wanzo, scultetus de Oppenheim, Volradus vicescultetus in Frankenvort, Volmarus de Ovenbach et Cunradus, suus frater. Gypelo, Ludewicus pannifex, Heinricus de Meilesheim, scabini Frankenvordenses. et alii quam plures scabini et cives Frankenvordenses". *Frankfurt, Dominikanerkloster, 1279 Juni 3* (sabbato proximo post octavas pentecostes).

*Auszug nach einer Abschrift Grotefends nach dem Or. Pgmt. mit dem Siegel des Grafen*
*im St. A. Wiesbaden, Kloster Gnadenthal.*

---

[1] *So! Die Koniektur Wills, vgl. l. c. war also richtig.* [2] *So! Vgl. Anm. 1.* [3] *Weihbischof von Mainz, Würzburg und anderen Diöcesen, vgl. N. Reininger im Archiv des historischen Vereines für Unterfranken Bd. XVIII (1865), S. 32 ff., Scriba, III, No. 2159, Gustav Schmidt, Urkb. der Stadt Halberstadt, I, 192, A. 1, Eubel, Hierarchia, 154.*

**414.** *Berthold, Bischof von Würzburg, verleiht den Besuchern und Wohlthätern der Dominikanerkirche zu Frankfurt einen Ablass. 1279 Juni 3.*

Bertoldus dei gracia Herbipolensis ecclesie episcopus. Dilectis in Christo priori et conventui fratrum ordinis Predicatorum // domus Frankenvordensis, salutem cum augmento gracie salutaris. Etsi quelibet loca sanctorum pia sint et prompta // devocione a Christi fidelibus veneranda, cupientes tamen, ut ecclesia vestra dignis honoribus frequentetur, // omnibus vere penitentibus et confessis in anniversario dedicationis ac per octavas eiusdem causa devocionis convenientibus reverenter, eis quoque, qui ad fabricam ecclesie seu ad alias structuras cenobii manum vobis porrexerint adiutricem, de omnipotentis dei misericordia et beatorum Petri et Pauli apostolorum eius auctoritate et meritis confisi, quadraginta dies de iniuncta sibi penitencia sub ratihabitione dyocesani vestri misericorditer relaxamus. Et eandem indulgenciam in festivitatibus gloriose virginis Marie et per octavas earundem, in festis quoque beatorum confessorum Augustini et beati Dominici, beati Petri martiris et patroni ecclesie et per eorum octavas concedimus duraturam. Datum anno domini m̄. c̄c̄. lXX. VIIII., tercio nonas iunii. Pontificatus nostri anno quinto.

> *Or. Pgmt. mit Siegel an roth-gelben Fäden. St. A. Fr. Dominikaner Urk. No. 25.*
> *Gedr.: B., 191 nach dem Or. .*
> *Dieselbe Urkunde ist bei Jacquin, Chron., 7 zu 1249 Juni 5 (!) angeführt und danach irrig Fr. Arch., II, 111 verzeichnet.*

**415.** *Heinrich, Bischof von Speyer, verleiht den Besuchern und Wohlthätern der Dominikanerkirche zu Frankfurt einen Ablass. Speyer, 1279 Juni 22.*

H. dei gracia Spyrensis ecclesie episcopus. Universis Christi fidelibus hanc // paginam inspecturis, salutem in omnium salutari. Cum per fratres ordinis // Predicatorum intelligencie lumina, virtutum dona, graciarum karismata diffundat // scienciarum dominus, rex virtutum, ipsos amore ampliori dignos decernimus et honore. Hinc est, quod nos ad peticionem . . prioris et fratrum Predicatorum in Frank*en*fort, Maguntine dyocesis, omnibus causa devocionis eorum ecclesiam in die dedicacionis et per octavam visitantibus ac manum porrigentibus adiutricem, accedente consensu dyocesani, pie contritis et confessis pro duobus altaribus ipsorum consecrandis, de quolibet XI. dies criminalium et unum annum venialium, de iniuncta sibi penitencia misericorditer relaxamus. In argumentum veritatis et gracie collate ipsis conferentes presentem paginam sigilli nostri munimine roboratam. Datum Spyre. Anno domini m̄. c̄c̄. lXX. VIIII., X. kalend*as* iulii.

> *Or. Pgmt. Das Siegel hängt, schön erhalten, an. St. A. Fr. Dominikaner Urk. No. 23.*
> *Gedr.: B., 191 nach dem Or., Remling, Gesch. der Bischöfe zu Speyer, I, 529.*

**416.** *König Rudolf meldet den Städten Frankfurt, Friedberg und Wetzlar, dass er nach ihrer Bitte an die Edeln Philipp und Werner von Falkenstein geschrieben und ihnen befohlen habe, die Städte wegen geschehener Aufnahme höriger Leute nicht weiter zu belästigen, sondern diese Streitsache bis zu seiner, des Königs, Anwesenheit in dortiger Gegend beruhen zu lassen. Wien, 1279 Juni 27.*

Rudolfus dei gracia Romanorum rex, semper augustus. Prudentibus viris . . sculthetis, scabinis, consulibus et // universis civibus de Frankenvurt, de Frideberg et de Wetflaria, fidelibus suis dilectis, gratiam suam et omne bonum. // De incommodis et gravaminibus, que, prout vestre continebant littere, sustinetis indigne, vehemencius perturbati iuxta peticionem // vestram in eisdem vestris expressam litteris nobilibus viris Philippo et Wernhero de Falkenstein, fidelibus nostris dilectis, regie maiestatis litteras destinavimus, inhibentes et mandantes eisdem districte, ut occasione eius, quod iuxta privilegia et libertates vobis a nostris predecessoribus imperatoribus et regibus Romanis indultas eorum homines in vestros concives recepistis, nullis vos prorsus incommodis afficiant vel iacturis, sed animi sui motum et rancorem, si quem erga vos ob causam predictam conceperunt, usque ad nostrum ad terminos illos adventum equanimiter differant et omnino dimittant, quia nos tunc sic interponere studebimus partes nostras, quod et eorundem nobilium indempnitatibus et vestris iuribus ac libertatibus cavebimus, sicut honori nostro congruerit et visum fuerit expedire. Ceterum fidelitati vestre ad incrementum gaudii pocioris declaramus, quod sopitis ubique rancorum turbinibus cuncta sub pacis votive quiescunt pulcritudine et nos per dei gratiam optata fruimur corporis sospitate. Novissime, si predicti nobiles a vestris inconmodis cessare noluerint, vos nobilem virum E. comitem de Katzenellenbogen, cui super eo litteras nostras direximus, requiratis, et ipse vobis vice nostra fideliter adherebit. Datum Wienne, V. kalendas iulii, regni nostri anno sexto.

*Or. Pgmt. mit dem rückseitig aufgedrückten Majestätssiegel. St. A. Darmstadt. — Grotefend.*
*Gedr.: B., 192 „nach Dieffenbachs Kopie aus dem rothen Buche".*
*Verz.: B.-R. No. 1109, Scriba, II, No. 704.*

**417.** *König Rudolf bestätigt die Zuweisung von 4 Mark jährlicher Einkünfte aus der Frankfurter Münze, welche der Frankfurter Schultheiss Heinrich dem Ritter Siegfried von Heusenstamm in seinem Auftrage gemacht hat. Wien, 1279 Juli 29.*[1]

Rudolfus dei gracia Romanorum rex, semper augustus. Universis sacri Romani imperii fidelibus pre//sentes litteras inspecturis, graciam suam et omne bonum. Ad universitatis vestre noticiam presentibus volumus per//venire, quod nos assignacionem quatuor marcarum reddituum de moneta nostra Frankenvordensi recipiendorum, quam // dilectus fidelis noster, H. sculthetus Frankenvordensis, Sifrido militi de Husenstam nomine nostro fecit, sub hac forma, quod idem S. predictos redditus de moneta prescripta tam diu recipere debeat, quousque sibi per nos, vel successores nostros in imperio, de quadraginta marcis plenarie satisfiat, quas marcas locabit in predia(!) empcionem a nobis et imperio titulo feodi perpetuo tenendorum, presentibus ratam habemus et gratam eamque de benignitate regia confirmamus. Dantes has nostre maiestatis litteras in testimonium super eo. Datum Wienne, quarto kalendas augusti, indictione VII. Regni nostri anno VI.

*Or. Pgmt. mit anhängendem Siegelrest. St. A. Fr. Glauburg Urk. .*
*Gedr.: Fichard, Archiv, I, 214 = B., 192.*
*Verz.: B.-R. No. 1117.*

**418.** *König Rudolf genehmigt die von dem Frankfurter Schultheissen Heinrich gemäss dem königlichen Befehl vom 24. Juli 1277 dem Reinhard von Hanau als Rödelheimer Reichsburglehen ertheilte Anweisung auf Gefälle in Bergen. Wien, 1279 Juli 31.*[2]

Rudolfus dei gratia Romanorum rex, semper augustus. Universis imperii Romani fidelibus presentes // litteras inspecturis, gratiam suam et omne bonum. Quia dilectus fidelis noster Heinricus, scultetus Franken//vordensis, nobili viro Reinhardo de Hage-

---

[1] *Vgl. oben No. 384.*     [2] *Vgl. oben No. 383.*

nauwe, castellano nostro dilecto, curiam nostram in Bergen cum bo//nis ad ipsam pertinentibus preter mansum unum terre arabilis et vineas in dicta villa sitas, exceptis etiam censibus quibusdam nobilibus in feodum ab imperio assignatis, et preter sex iugera terre arabilis, item preter iudicium dicte ville, quod ad nos et imperium pertinere dinoscitur, de nostro mandato pro decem marcarum redditibus deserviendis in castro Redelinheim assignavit, nos assignationem huiusmodi nomine nostro factam ratam habentes et gratam, ipsam auctoritate regia confirmamus. Volentes, quod idem Reinhardus et sui heredes tamdiu curiam teneant antedictam, quousque centum marce denariorum Coloniensium ipsis per nos vel nostros successores plenarie persolvantur. Quibus solutis dictus Reinhardus et sui heredes ipsas convertent in decem marcarum redditus a nobis et imperio castrensis feodi titulo possidendos. In cuius testimonium presens scriptum magestatis nostre sigillo iussimus communiri. Datum Wienne, II. kalendas augusti, indictione VII., anno domini ṁ. c̄c̄. LXX̊. nono, regni nostri anno sexto.

*Or. Pgmt. mit etwas beschädigtem Majestäts-Siegel. St. A. Marburg. Hanauer Urk. Passivlehen.*

*Gedr.: Beschreibung der Hanau-Münzenbergschen Lande, Add. Sign. 0 = B., 193, Reimer, I, 414, nach dem Or., hier wiederholt. Auszug: Sauer, I, 569.*

*Verz.: B.-R. No. 1118, Scriba, II, No. 708.*

**419.** *Gottfried, Herr von Eppstein, verzichtet zu Gunsten des Klosters Arnsburg auf die zwei Hufen zu Oppershofen und den Hof in Frankfurt, der sonst dem Kanonikus Rudeger gehörte. 1279 Juli.*

Nos Godefridus dominus de Eppenstein. Tenore presencium publice profitemur et re//cognoscimus, quod in duobus mansis apud Hapershoven et in curia sita apud Frankenfort, // que quondam fuit domini Rudegeri canonici ibidem, nullum ius penitus habemus, neque // nostri heredes, et hoc scimus et ab aliis sumus plenius instructi. Quare puro corde et sincero animo renunciamus et relaxamus qualibet turbationi nobis illate per fratres de Arnisburg nobis dilectos, volentes eos in omnibus promovere. Super quo presentes litteras in testimonium damus eis, sigilli nostri munimine roboratas. Actum anno domini ṁ. c̄c̄. IXX. nono, mense iulii.

*Or. Pgmt. Das anhängende Reitersiegel ist beschädigt. Lich.*

*Gedr.: B., 193 nach dem Or. Auszug: Arnsb. Urkb., 213.*

*Verz.: Scriba, II, No. 709.*

**420.** *Gerlach, der Sohn Konrads von Wöllstadt, und seine zwei Töchter schenken dem Kloster Arnsburg die von Konrad ererbten Güter in Frankfurt, Massenheim, Vilbel und Ober-Wöllstadt. 1279 September 11.*

Gerlacus civis in Frankenvort, filius Conradi dicti[a] de Wullenstat, Dina, Uda, filie eiusdem Conradi. Universis Christi // fidelibus presentem litteram in perpetuum. Noverit universitas tam presencium quam futurorum, quod nos Gerlacus, Dina et Uda con//municata manu, pari consilio omnia bona nostra, que a patre nostro Conrado dicto de Wullenstat iure hereditario recepimus, divisa a fratre // nostro Conrado racionabiliter coram testibus ydoneis, sita in Frankenvort, in villa Massenheim, apud Velwile, in villa Wullenstat superiori, in areis, domibus, censibus, silvis, pascuis, pratis, cum ceteris attinentiis suis contulimus venerabilibus et in Christo dilectis fratribus domino .. abbati et conventui in Arnspurg in remedium animarum nostrarum necnon antecessorum nostrorum proprietatis titulo perpetuo possidenda. Tali tamen apposita

a) *Steht doppelt im Or. .*

conditione, si infirmitas aut evidens necessitas ad vendendum partem earumdem possessionum nos compulerit, nos in hac parte non videamur deviasse. Testes huius rei sunt: magister Johannes scolasticus, Sifridus camerarius dictus de Wedera, Cristanus cantor, Johannes dictus Leo, canonici ecclesie in Frankenvort; Ludewicus sacerdos, Heinricus miles scultetus maior et Heinricus scultetus minor in Frankenvort, Conradus dictus Webelin scabinus, Hertwinus dictus de Rebenstoc, Conradus filius Conradi dicti de Wullenstat, Heinricus Fiol, cives in Frankenvort, et alii quam plures fide digni. Acta sunt hec anno domini m̃. c̃c̃. lXX. IX., in die beatorum martirum Proti et Jacincti. Ut autem huius facti veritas inconvulsa permaneat, presentem litteram sigillo sculteti nostri et concivium nostrorum in Frankenvort, quia proprio sigillo caremus, petivimus roborari

> *Or. Pgmt. An grünen Seidenschnüren hängen die Siegel, beide stark beschädigt, an. Rückaufschrift: „Cella Frankinvort". Lich.*
> *Gedr.: B., 194 nach dem Or. Auszug: Arnsb. Urkb., 213.*
> *Verz.: Scriba, II, No. 712.*

**421.** *Papst Nikolaus III. überträgt dem Dechanten, Kantor und Scholaster zu Frankfurt die Entscheidung eines Streites zwischen dem Stifte St. Stephan zu Mainz, benannten Laien und dem Kloster Retters. Viterbo, 1279 September 18. (XIIII. kal. oct., p. a. 2.)*

> *Gedr.: Sauer, I, 569, wo Litteratur.*
> *Verz.: Potthast, No. 21634.*

**422.** *Vertrag zwischen der Stadt Limburg und dem Grafen Gerlach von Limburg. Limburg, 1279 October 17. (XVI. kal. nov.)*

In dem Vertrage wird u. a. bestimmt: „Item si aliqui ex nobis *(d. h. den Limburgern)* excesserint seu forefecerint, emendam facient secundum sentenciam Limpurgensium scabinorum. Si vero ipsi scabini super sentencia huiusmodi ferenda inter se discordaverint, ius opidi Frankenvordensis querent et nos illo contenti esse debemus." *Es siegelte u. a. die Stadt Frankfurt.*

> *Gedr.: Grüsner, Dipl. Beiträge, II, 57. Vgl. Thomas, Oberhof, 145.*

**423.** *Heinrich von Strassburg, ein Priester, vermacht den Reuerinnen zu Frankfurt genannte Gülten, unter der Bedingung, dass seine in diesem Orden befindliche Tochter sie lebenslänglich beziehen solle. 1280 Januar 21.*

Ego Heinricus sacerdos dictus de Argentina. Universis presentes litteras audituris cupio esse notum, quod ego sanctimonialibus ordinis // Penitentum in Frankenvort ob honorem gloriose virginis Marie et beate Marie Magdalene duarum marcarum redditus post mortem // meam percipiendos perpetuo pro anime mee et parentum meorum omnium remedio contuli et legavi. Harum autem duarum marcarum quinque solidi // Colonienses de domo quondam Bockeshornes solventur singulis annis in festo beati Martini, item tres solidi Colonienses de domo Cunradi Burneflecke solventur in festo pasche, item Hermannus sartor solvet annuatim XVI. solidos leves et II. pullos, item de domo Gerhardi bone memorie de Prumhem sita apud Minores fratres sex solidi Colonienses solventur in purificatione beate Marie, et Petrus dictus Bern de orto, quem erga Cunradum Wobelinum comparavit, quatuor solidos leves solvet singulis annis in festo pasche. Adieci eciam hoc statuendo, quod dicti redditus immediate post

mortem meam ad Hadewigim filiam meam, monialem eiusdem ordinis, ubicunque pro
tempore manserit, sine omni contradictione devolvantur, quos ipsa quamdiu vixerit
pro suis necessitatibus percipiet et in meo anniversario singulis annis sex solidos
Colonien*ses* ad habendam consolacionem conventui ubi manserit ministrabit. Postquam
vero dicta Hadewigis viam universe carnis ingressa fuerit, priorissa et conventus
prenominatos redditus integraliter percipient et in quatuor secundis feriis post ebdo-
madas quatuor tempor*um* proximis consolacionem de dimidia marca sibi facient perpetuo in mee anime et parentum meorum omnium remedium et salutem. Et si secus
factum fuerit, prenominati redditus ad domum sancti Anthonii in Frankenvort cessante
omni contradictione cum integritate qualibet devolventur. In cuius rei testimonium et
firmitatem sigillum meum una cum sigillis honorabilium virorum domini Heinrici sculteti
et civium Frankenvor*densium* presentibus li*tt*eris sunt appensa. Actum et datum anno
domini millesimo cc. IXXX., XII. kalend*as* februarii.

*Or. Pgmt. Anhängend: 1) Siegel Heinrichs (wohl erhalten), 2) Siegel des Schultheissen
Heinrich (Bruchstück, neu befestigt), 3) Siegeleinschnitt.*

*St. A. Fr. Weissfrauenkloster, Gült-, Wehr- und Erbleihbriefe, Lade III, No. 1.*

*Gedr.: B., 194 nach dem Or. . Erwähnt: Lersner, II^b, 95.*

**424.** *Schultheiss Heinrich, Schöffen, Rath und Bürger von Frankfurt beurkunden,
dass Konrad Wobelin dem Kloster Arnsburg eine ewige Gülte von einem Hause
in Frankfurt verkauft hat.[1] 1280 Februar 8.*

Nos Heinricus scultetus, scabini, cons*ules*[a] et universi cives [Frankenvordenses].[b]
Universis presentes litteras audituris cupimus esse notum, // quod Cunradus Wobelinus,
concivis noster dilectus, per diffinitivam scabinorum sentenciam obtinuit, quod ipse
pro suis necessi//tatibus potuit et debuit vendere queque sua bona. Hoc obtento
idem Cunradus vendidit viris religiosis, // domino .. abbati et conventui de Arnesburg
ordinis Cis*terciensis*, iuste et racionabiliter sex solidos den*ariorum* Aquen*sium* et duos
pullos census annualis percipiendos perpetuo super domum, quam Heinricus barbitonsor
civis Frankenvordensis inhabitat. Dictus quoque Cunradus recognovit, se pecuniam
pro prefatis domo et censu venditis recepisse, et resignavit eamdem domum et censum
prefatis domino abbati et conventui in forma iudicii Frankenvor*densis*, renuncians
omni iuri, quod sibi in eisdem competebat seu competere videbatur; promisit eciam
dictus C. secundum consuetudinem civitatis Frankenvordensis facere prenominatis domino
abbati et conventui warandiam iustam, debitam et consuetam. Eciam ad hoc fratres
suos, videlicet Volmarum et Wickerum, fideiussorie obligavit. Testes huius rei sunt
viri honesti: Volmarus et Wickerus predicti, Gerlibus pistor et Hartungus saccifer,
cives Frankenvordenses; frater Wernherus de Arnesburg, et plures alii fidedigni. In
cuius rei testimonium et firmitatem perpetuam sigillum civitatis Frankenvordensis
presentibus li*tt*eris duximus apponendum. Act*um* et dat*um* anno domini millesimo
cc. lXXX., VI. idus februarii.

*Or. Pgmt. mit abhangendem Stadtsiegel (2). Lich.*

*Gedr.: B., 195 nach dem Or. .*

*Regest: Arnsb. Urkb., 214.*

*Vers.: Scriba, II, No. 716.*

a) *Auch die Lesung „consilium" wäre möglich.* b) *Fehlt im Or. .*

[1] *Die von B. zu 1280 Januar 29 abgedruckte
Urkunde gehört zu 1290 Januar 29. Siehe dort.*

**425.** *Richwin von Karben, Ritter, verkauft dem Kloster Arnsburg drei Morgen Wiesen bei Praunheim. 1280 Februar 25.*

Universis Christi fidelibus Richwinus de Carben miles et Gissela uxor sua, presentem litteram imperpetuum. // Tenore presentium publice profitemur, quod nos unanimi consensu et pari voluntate ob honorem dei et glo//riose virginis Marie contulimus domino . . abbati et conventui in Arnespurg ordinis Cysterciensis tria iugera pratorum si//ta apud Phrumheim in terminis, qui dicuntur zu Niederwiesen, proprietatis forma perpetuo possidenda, tali apposita conditione, quod de ipsis iugeribus pratorum nobis ambobus, quamdiu vixerimus, novem solidos Aquensium denariorum in festo beati Martini episcopi conferant annuatim. Cum autem domino iubente ab hac vita decesserimus, predictus census penitus exspirabit et ad monasterium in Arnspurg pro remedio animarum nostrarum liberaliter devolvetur. Testes huius rei sunt: Heinricus scultetus et Heinricus subscultetus de Phrumheim, milites, consanguinei mei; Cunradus, Volmarus et Wikerus fratres de Ovenbach, Giselbertus de Holzhusen, scabini in Frankenvort, et alii quam plures. Quia sigillum proprium non habemus, presentem litteram sigillo universitatis in Frankenvort eidem monasterio dedimus roboratam. Actum anno domini ih. cc. LXXX., in die beati Mathei apostoli domini.

> *Or. Pgmt. Das Stadtsiegel (2) an rothen, weissen und blauen Seidenfäden ist nur zur Hälfte erhalten Lich.*
> *Gedr.: B., 196 nach dem Or., ebenso Reimer, I, 419, hier danach wiederholt.*
> *Regest: Arnsb. Urkb., 214.*
> *Verz.: Scriba, II, No. 717.*

**426.** *Schultheiss Heinrich, Schöffen, Rath und Bürgergemeinde zu Frankfurt beurkunden, dass der ehemalige Frankfurter Kanonikus Siegfried vom Widder einen genannten Grundzins zu Frankfurt an zwei Beghinen und nach deren Tod an das Kloster Retters vermacht habe. 1280 März 2.*

Nos Heinricus scultetus, scabini, consules et universitas civium Frankenvordensium. Universis presentes litteras // audituris cupimus esse notum, quod bone memorie dominus Sifridus dictus de Wedera, canonicus quondam ecclesie // Frankenvordensis. sex solidos denariorum Aquensium census annualis, quos super domum dictam zu der Widen dure in Frank//envort habuit, Cristine et Jutthe beckinis, cognatis suis, dedit percipiendos, quamdiu viverent, pacifice et quiete. Et post mortem earumdem beckinarum dicti sex solidi ad . . priorem, . . magistram et conventum sanctimonialium in Rethers ordinis Premonstratensis, Maguntine dyocesis, liberaliter et sine contradictione qualibet devolventur. In cuius rei testimonium et firmitatem perpetuam sigillum civitatis Frankenvordensis presentibus litteris duximus appendendum. Datum anno domini millesimo cc. lXXX., VI. nonas marcii.

> *Or. Pgmt. früher in Sachsenhausen. — Kollationirt von Grotefend.*
> *Gedr.: B., 197 nach dem Or. .*

**427.** *Schultheiss Heinrich, Schöffen und Bürger zu Frankfurt beurkunden, dass das Kloster Schönau von Luzo Rusere und dessen Frau Elisabeth eine halbe Hufe im unteren Wald gekauft habe. 1280 März 14.*

Nos Heinricus scultetus, scabini et universi cives Frankenfordenses, recognoscimus per presentes, quod venerabilis vir dominus abbas et conventus de Schonaugia ordinis Cisterciensis erga Luzonem dictum Rusere et Elisabeth uxorem eius, cives Frankenfordienses, emerunt iuste et rationabiliter dimidium mansum apud agros Růdolfi dicti de Grunenberg, calcificis Frankenfordiensis, in inferiori silva situm pro undecim marcis denariorum Aquensium eisdem, videlicet Luzzoni et Elisabeth, a dictis domino abbate et conventu traditis, numeratis et usque ad integrum persolutis. Dicti etiam Luzzo et Elizabeth prefatum dimidium mansum communicata manu resignaverunt publice, renunciantes omni iuri, quod ipsis in eodem competebat. Testes huius rei sunt viri honesti: Volradus miles, Cunradus miles, Wobelin, Volmarus frater eius, Wernherus de Wanebach, Ludewicus pannifex, cives Frankenfordienses, et alii fide digni. In cuius rei testimonium sigillum civitatis Frankenfordiensis presentibus litteris duximus apponendum. Datum anno domini millesimo čc. lXXX̌., II. idus marcii.

Abschrift im Schönauer Kopialbuch. Karlsruhe, General-Landesarchiv. — Grotefend.<br>
Gedr.: B., 197 nach derselben Vorlage.

**428.** *Schultheiss Heinrich, Schöffen, Rath und Bürger zu Frankfurt beurkunden, dass das Kloster Schönau von den Frankfurter Bürgern Werner von Rossbach und dessen Schwiegersohn Rudolf eine Scheune, Hof und Haus zu Frankfurt erworben habe. 1280 März 14.*

Nos Heinricus scultetus, scabini, consules et universi cives Frankenfordenses. recognoscimus per presentes, quod venerabilis vir dominus abbas et conventus de Schonaugia ordinis Cisterciensis erga Wernherum dictum de Rospach et Rudolfum generum eius, cives Frankenfordienses, horreum, curiam et domum iuxta Rûdolfum dictum de Grunenberg, civem Frankenfordiensem, sitas emerunt iuste et racionabiliter pro sex talentis levium denariorum eisdem, videlicet Wernhero et Rudolfo, a dictis domino abbate et conventu traditis, numeratis et integraliter persolutis. Dicti quoque Wernherus et Rûdolfus de consensu heredum suorum horreum, curiam et domum predictas resignaverunt publice, renunciantes omni iuri, quod ipsis in eisdem competebat. Testes huius rei sunt viri honesti: Eppertus plebanus, Volradus miles, Cunradus Wobelin, Volmarus frater eius, Johannes de Wedera, Wigandus de Hohenstat. cives Frankenfordienses, et plures alii fide digni. In cuius rei testimonium sigillum civitatis Franckenfordensis presentibus litteris duximus apponendum. Datum anno domini ṁ. čc. lXXX̌.. II. idus martii.

Abschrift im Schönauer Kopialbuch. Karlsruhe, General-Landesarchiv. — Grotefend.<br>
Gedr.: Würdtwein, Chron. Schonaug., 177, Guden, Sylloge 274, B., 206 zu 1282 März 15.

**429.** *König Rudolf befiehlt den Frankfurter Zöllnern, von den Strassburger Bürgern nach altem Herkommen keinen Zoll zu erheben, damit diese umgekehrt bei sich von den Frankfurter Bürgern auch keinen Zoll verlangen. Wien, 1280 März 15.*

Rudolfus dei gracia Romanorum rex, semper augustus. Dilectis suis fidelibus. theloneariis in Frankenvurt, graciam suam // et omne bonum. Cum ex antique consuetudinis [a] observancia usque ad hec tempora sit perductum, quod cives in Frankenfûrt in Argentina et econverso cives Argentinenses in Frankenfûrt nullum dare theoloneum consueverunt, nos huius//modi consuetudinem inter civitates predictas hactenus observatam nostris temporibus immutari nolentes, fidelitati vestre iniungimus et mandamus, quatinus dictos cives Argentinenses sine thelonei requisicione cuiuslibet libere permittatis transire, ut et ipsi vice reciproca cives Frankenfurdenses ab omni theloneo liberos et solutos dimittant. In hoc enim nullum vobis in iure vestro preiudicium generatur. Datum Wienne, idus marcii. Regni nostri anno VII.

a) Or. „consetetudinis".

*Or. Pgmt mit Spur des rückseitig zum Verschluss aufgedrückten Siegels. Adresse: „Universis*
 *theloneariis in Frankenfürt, dilectis nostris fidelibus.“ St. A. Fr. Priv. No. 14.*
*Gedr.: P. et P., I, 10, II, 8 = Orth, Reichsmessen, 561, B., 197 ohne Quellenangabe,*
 *Strassburger Urkb., II, 48 nach dem Or. .*
*Verz.: B.-R. No. 1171, Fr. Inv., III, 2.*

**430.** *Gottfried, Herr von Eppstein, giebt dem Heinrich, ehemaligen Schultheissen von*
 *Frankfurt, den dritten Theil der Vogtei in Urbruch zu Lehen, nachdem Ripert,*
 *der Sohn des Ritters Konrad von Sachsenhausen, ihm solchen resignirt hat. Frank-*
 *furt, 1280 März 24.*

Nos Godefridus dominus de Eppenstein. Tenore presencium recognoscimus et
ad universorum tam presencium quam futurorum Christi // fidelium noticiam cupimus
pervenire, quod constitutus in nostra presencia Ripertus, filius Conradi de Sassenhusen
militis bone // memorie, terciam partem iuris advocacie in Urbruch, ipsum inter ceteros
suos coheredes ex debito contingentem, quam a nobis // tenuit in feodo, ad manus
nostras voluntate spontanea resignavit cum suis pertinenciis universis. Grata igitur
Heinrici olim sculteti Frankenfordensis devocionis obsequia, que nobis impendit hactenus
vel impendere poterit in futurum, diligencius intuentes, dicto Heinrico fideli nostro
militi partem terciam iuris advocacie predicte cum suis pertinenciis, prout idem Ripertus
hucusque possedisse dinoscitur, concedimus iure hereditario iusto feodi titulo possidendam. Huic resignacioni ac concessioni aderant: Hermannus Schelmo de Bergen,
Heinricus Binthamer et Heinricus dictus Friz, milites, castrenses nostri; Adam capellanus noster de Eppenstein, Wernherus de Birkelar, Craftho de Ruderhusen, Sifridus
de Gisenheim, civis Frankenfordensis, et quam plures alii fide digni. Ad maiorem
autem evidenciam et roboris debitam firmitatem presentes damus litteras sigilli nostri
munimine roboratas. Datum apud Frankenford, anno domini m̊. c̊c̊. lXXX̆., nono
kalendas aprilis.

 *Or. Pgmt. mit abhangendem, beschädigten Siegel. Ullstadt.*
 *Gedr.: B., 198 nach dem Or. .*
 *Verz.: Scriba, I, No. 584*

**431.** *Der Deutschordensmeister Hartmann bestätigt den Verkauf bezw. Tausch von Gütern*
 *in Lichen und Berkersheim zwischen dem Deutschordenshause zu Sachsenhausen*
 *und dem Mariengredenstift zu Mainz. Mörle, 1280 April 25.*

Nos frater Hartmannus, magister hospitalis sancte Marie Theutonicorum // Jerusalemitani, universis, ad quos presens scriptum pervenerit, // volumus esse notum,
quod nos concambium et venditionem factam // inter decanum et suum capitulum
ecclesie sancte Marie in Gradibus civitatis Moguntine ex una parte, et inter fratres
nostros de Saxhenhusen ex parte altera, videlicet in bonis iacentibus in villa et circa
villam dictam Lichen et in bonis sitis in villa dicta Berchersheim et circa villam
eandem, que bona in litteris patentibus predictarum parcium sunt descripta, ratam et
firmam ac inviolabilem observamus. In cuius rei certitudinem presentem litteram
conscribi fecimus et sigilli nostri munimine roborari. Datum in Morlle, anno domini
m̊. c̊c̊. LXXX̆., VII. kalendas maii.

 *Or. Pgmt. Das Siegel ist abgefallen. Universitätsbibliothek Heidelberg. — Grotefend.*
 *Gedr.: Reimer, I, 421 nach dem Or. .*
 *Verz.: Oberrhein. Zeitschr., XXIV, 209.*

**432.** *Magister Jakob, ein Arzt, schenkt dem Kloster Arnsburg seinen in Frankfurt gelegenen Hof unter bestimmtem Vorbehalt. 1280 Mai 15.*

Universis Christi fidelibus magister Jacobus clericus et arte medicus, presentem litteram imperpetuum. Tenore presentium re//cognosco et voce publica profiteor, quod curiam meam cum omnibus edificiis et pertinenciis suis sitam in opido Frankenvort, // de meis laboribus comparatam, habito proborum virorum consilio, contuli irrevocabiliter, renuncians omni ingratitudini, venerabili//bus et in Christo dilectis domino . . abbati et conventui in Arnspurg Cisterciensis ordinis in remedium anime mee proprietatis forma perpetuo possidendam, tali tamen apposita condicione, quod si evidenti paupertate coactus ipsam curiam vendere compellor, ecclesia in Arnspurg michi in valore eiusdem curie finaliter providebit. Si vero medio tempore dictam curiam in annuos redditus decrevero commutare, totalem pecunie summam vendite curie domino . . abbati iamdicto presentare fideliter compromitto, ita sane ut annona exinde empta michi serviat ad dies vite mee sine aliquo dettrimento(!). Si autem eandem curiam voluero personaliter inhabitare et casu quocunque morte preventus fuero, sepedicta curia cum attinentiis suis et omnia bona mea mobilia tunc in ea inventa cedent memorate ecclesie in Arnspurg liberaliter et solute. Testes huius rei sunt: dominus Cunradus decanus ecclesie in Frankenvort, dominus Erpertus plebanus ibidem, Cunradus et Volmarus fratres dicti de Ovenbach, scabini opidi supradicti, et alii quam plures. Acta sunt hec anno domini m̊. c̊c̊. IXX̊X̊., idus maii. Ut autem huius facti veritas rata permaneat, presentem litteram sigillis predictorum domini Cunradi decani videlicet et domini Erperti plebani, quia sigillo proprio careo, tradidi roboratam.

*Or. Pgmt. Die beiden Siegel hängen an grün-weissen Hanffäden an. Lich.*
*Gedr.: B., 198, gekürzt, nach Abschrift Kindlingers.*
*Verz.: Arnsb. Urkb., 214, Scriba, II, No. 719.*

**433.** *Die Ritter von Heusenstamm beurkunden, dass sie mit dem Deutschordenshause in Sachsenhausen übereingekommen sind, den zwischen ihnen wegen gewisser Güter in Bornheim obwaltenden Streit durch genannte Schiedsrichter entscheiden zu lassen. Frankfurt, 1280 Mai 19.*

Nos Henricus, Sifridus, milites, Gerardus et Conradus fratres de Husenstam, ad universorum noticiam volumus pervenire et tenore presentium profitemur, // quod cum super quibusdam bonis sitis apud Burnheim, inter nos ex parte una, et . . commendatorem et fratres domus Theutonice in Sassenhusen ex altera, aliquamdiu // questio et discordia verteretur, ecce totius litis et discordie materia in hunc modum penitus est sopita, videlicet quod iam dictos . . commendatorem et fratres prefatorum // bonorum restituimus possessioni, ita tamen, quod salvum nobis sit ius in antiquis bonis, si ipsos fratres impetere decreverimus super eis. Item nos partes elegimus concorditer et conpromisimus in honorabiles viros, dominum . . abbatem sancti Albani, . . decanum, . . scolasticum maioris, et . . decanum sancte Marie ad Gradus ecclesiarum Maguntinarum, tamquam in arbitros et iudices communes, sub hac forma, quod quicquid iidem prelati super iniuria et offensa, predictis . . commendatori et fratribus a Conrado et Conrado consanguineo suo et eorum conplicibus illata, ordinaverint et arbitrati fuerint de emenda, gratum, ratum habebimus et acceptum et tenebimur adimplere. Nos quoque partes predicte in iam dictos prelatos conpromisimus super quibusdam bonis noviter emptis apud villam Burnheim per predictos fratres domus Theutonice, ut de scitu partium per viam amicicie si poterunt nos concordent. Sin autem, tamquam arbitri et iudices ad hoc a nobis communiter electi, per iuris sentenciam con-

cordandi nos tam de questione quam de expensis habebunt plenariam potestatem.
In cuius rei testimonium et firmitatem, presentem li*t*teram .. preceptoris domus
predicte per Allemanniam, nomine domus, Everhardi custodis sancte Marie ad Gradus
Maguntine et Henrici militis de Husenstam, nomine fratrum aliorum, duximus roborandam, presentibus .. plebano et priore fratrum Predicatorum in Frankenvort, Hartmudo de Cronenberg, Hartmudo de Karben, Wernero dicto Schelme, Conrado dicto
Sweve, et Rudolfo dicto Ciske, militibus; Henrico sculteto et Volmaro cive de Frankenvort, et aliis quam pluribus fide dignis. Actum et datum Frankenvort. Anno domini
ih. cc. IXXX., XIIII. kalendas iunii.

*Or. Pgmt. Abhangend 1) Siegel des Präceptors für Allemannien, 2) Siegel des Kustos
(zerbrochen), 3) Siegel Ritter Heinrichs von Heusenstamm (beschädigt).*
*St. A. Fr. Deutschorden-Urk. No. 25.*
*Gedr.: B., 199 nach dem Or. .*

**434.** *Heinrich der Schultheiss, Schöffen, Rath und die Gemeinde der Frankfurter Bürger
melden der Stadt Strassburg, dass sie von deren Bürgern künftig keinen Zoll verlangen werden und dagegen gleiche Begünstigung für ihre Mitbürger erwarten.
1280 Mai 29.*

Honorandis viris prudentibus et discretis .. magistratui, consulibus et universis
civibus Argentinensibus, Heinricus scultetus, scabini, consules et universitas civium
Frankenvordensium cum affectu sincero paratam ad obsequia voluntatem. Gratiam
serenissimi domini nostri domini Rudolfi Romanorum regis, vobis et nobis super thelonio
factam, gratulanti animo suscipientes ac eam gratam et ratam tenere volentes, inantea
a vobis et a vestris concivibus nullum prorsus thelonium requiremus, ita videlicet,
quod et vos a nobis et nostris concivibus inantea nullum omnino thelonium requiratis.
In cuius rei testimonium et firmitatem perpetuam sigillum civitatis Frankenvordensis
presentibus duximus appendendum. Actum anno domini millesimo cc. IXXX., IIII.
kalendas iunii.

*Gedr. nach dem Or. Pgmt. im St. A. Strassburg: Strassb. Urkb., II, 49 No. 77, hier wieder-
holt, Schöpflin, Alsatia Dipl., II, 27 nach Briefbuch zu 1284 Juni 1, Orth, Reichsmessen, 562 nach unbekannter Vorlage, B., 200 nach Abschrift Bodmanns aus dem Or. .*

**435.** *Bischof Konrad und die Stadt Strassburg melden der Stadt Frankfurt, dass sie
von deren Bürgern künftig keinen Zoll verlangen werden und dagegen zu Frankfurt gleiche Begünstigung für ihre Mitbürger erwarten. 1280 Mai 29.*

C. dei gracia episcopus Argentin*ensis*, Hartmûtus de Schiltenkeim magister,
consules et universitas civium // Argentinens*ium*, viris prudentibus et honorandis,
Heinrico sculteto, scabinis, consulibus et universitati // civium Frankenvordens*ium*,
salutem cum bona in omnibus voluntate. Graciam serenissimi domini nostri Rû//dolfi
Romanorum regis, vobis et civibus Argentinens*ibus* super theloneo factam, reverenter
suscipientes, ac eam gratam et ratam tenere volentes, inantea a vobis et vestris concivibus nullum prorsus theloneum requiremus. Ita videlicet, quod et vos a nobis et a nostris
concivibus inantea nullum omnino theloneum requiratis. In cuius rei testimonium et
firmitatem perpetuam sigilla nostra, episcopi et civitatis Argentin*ensis*, presentibus
duximus appendenda. Actum anno domini millesimo cc. IXXX., IIII. kalendas iunii.

*Or. Pgmt. Von den abhangenden Siegeln ist dasjenige des Bischofs verschwunden, das
Siegel der Stadt Strassburg beschädigt. St. A. Fr. Priv. No. 15.*
*Gedr.: P. et P, I, 10, II, 8 zu 1284 Juni 1 = Lünig, R. A., XIII, 560 = Orth, Reichs-
messen, 561, B., 200 nach dem Or., ebenso Strassb. Urkb., II, 48 No. 75.*
*Verz.: Fr. Inv., III, 2.*

**436.** *Das Mainzer Mariengreden-Stift und das Deutschordenshaus zu Sachsenhausen (frater Lodewicus commendator) beurkunden, dass sie einen Tausch bezüglich der Stiftsgüter in Berkersheim (eine „curia" mit Zubehör) und der Deutschordensgüter zu Lichen vorgenommen haben und das Deutschordenhaus den nach dem Tausch überschiessenden Rest seiner Ländereien in Lichen für 17 Mark köln. an das Stift verkauft habe. Mainz, 1280 Juni 1.* (kal. iun.)

> *Gedr. nach dem Or. Pgmt. im St. A. Darmstadt: Baur, Hess. Urk., I, 171, gekürzt, Reimer, I, 421.*

**437.** *Erzbischof Werner von Mainz beauftragt den Dechanten und Kantor der Kirche zu Frankfurt, die beabsichtigte Errichtung einer Kapelle zu Lindheim durch den Ritter Rupert von Buches zu befördern. Rheinberg, 1280 Juli 15.* (id. iul.)

> *Gedr.: Baur, Hess. Urk., V, 93.*
> *Verz.: Will, Mainz. Reg., XXXVI No. 500.*

**438.** *Johannes, Kanonikus zu Frankfurt und Pfarrer zu Virnheim, beurkundet, dass er die Kirche zu Virnheim und deren Einkünfte dem Kloster Schönau unter genannten Bedingungen vermiethet habe. 1280 November 11.* (Martini ep.)

> *Abschrift im Schönauer Kopialbuch f. 5. Karlsruhe. General-Landesarchiv.*
> *Gedr.: Würdtwein, Chron. Schonaug., 173.*

**439.** *Anselm der Komthur und die Deutschordensbrüder in Sachsenhausen geben ihr in Frankfurt gelegenes Haus „Zur weiten Thür" an acht genannte Personen in Erbpacht und lassen von ihnen für den jährlich zu entrichtenden Zins von 10 Mark noch besondere Sicherheit bestellen. 1280 December 21.*

Nos frater Anshelmus conmendator ceterique fratres domus Theutonice α in Sassenhusen // ordinis sancte Marie, notum esse cupimus universis et tenore presencium recognoscimus, quod nos domum // nostram in Frankenvort β sitam, que dicitur Zu der widen dûre, quam Rupertus calcifex et Rilindis // uxor sua domui nostre ac ordini donaverunt ac in elemosinam perpetuam erogaverunt, concessimus Arnoldo dicto Plugere et Heinrico ᵃ γ fratri suo, Cunrado de Kelsterbach, Friderico qui moratur inter Judeos, Walthero dicto Rosenplus, Cunrado ᵇ de Wullenstat, Herbordo de Libesberg, ᶜ δ Hartungo de Kaldebach ac heredibus eorundem iure hereditario in perpetuum possidendam. Ita videlicet, quod de eadem domo indivisa per manus duorum ad maius ex parte omnium predictorum redditus decem marcarum denariorum bonorum ac legalium annuatim in octava pasche ᵉ nobis sive η domui nostre ᶻ predicte perpetuo ᵈ persolvantur. Ad cautelam vero et ad maiorem predictorum ᶻ reddituum ϑ securitatem, quatuor marcarum redditus in domibus suis subnotatis ᶦ nobis tytulo ypothece ᵡ sive subpignoris obligarunt, Arnoldus videlicet et Heinricus λ ᵉ frater suus predicti redditus ᵘ unius marce in domo sua apud ᶠ curiam sancti Anthonii sita, Cunradus de Kelsterbach redditus ᵘ dimidie marce in domo sua apud ᶠ domum dictam Zume Swerthe sita, Hartungus de Kaldebach redditus ᵘ dimidie marce in domo sua in vico, qui dicitur Snargazze, apud ᶠ fontem sita, Fridericus qui moratur inter Judeos, redditus ᵘ dimidie marce in

---

*Abweichungen der zweiten Ausfertigung: Urk. No. 27 (Kollation von Grotefend):* a) „Henrico". b) „Conrado". c) *statt* „Herbordo de Libesberg" *genannt:* „Hartmanno de Grunenberg". d) *fehlt.* e) „Henricus". f) „aput".

*Abweichungen der dritten Ausfertigung von 1288:* α) „ordinis sancte Marie in Sassenhusen". β) „Frankenvord". γ) „Henrico". δ) „Libesberc". ε) „in festo kathedre beati Petri". η) „ac". ζ) *fehlt.* ϑ) „redituum". ι) „infra notatis". χ) „ypotece". λ) „Henricus". μ) „reditus".

domo sua apud[f] ferrum porte cimiterii sita, Waltherus[v] dictus Rosenphus redditus[ξ]
dimidie marce in tribus thuguriis seu fenestris, que dicuntur Lide, quarum una est in
domo sua, relique due extransverso, ubi cerdones stare solent, Cunradus de Wullenstat[g] redditus[ξ] dimidie marce in domo sua apud[f] forum, quod dicitur Rossebühel,[o]
iuxta Guntramum pistorem sita, Herbordus vero de Libesberg[h][δ] redditus[π] dimidie
marce in domo sua, quam relicta Rukeri sibi donavit, apud domum machinarum sita.
In cuius rei evidenciam et robur perpetuum presens scriptum inde confectum rogavimus
sigillo honorabilium virorum . . decani et capituli ecclesie Frankenvordensis una cum
sigilli nostri munimine roborari.    Et nos decanus et capitulum memorati[ρ] sigillum
nostrum in testimonium predictorum ad preces commendatoris et fratrum, ac Arnoldi,
Heinrici,[l] Cunradi, Hartungi, Waltheri, Friderici, Cunradi et Herbordi[k][ς] supradictorum[τ]
duximus presentibus appendendum.    Actum et datum anno domini ṁ. c̈c. lXXX.,[υ] in
die beati Thome apostoli.

> *Or. Pgmt.    Anhängend 1) Siegel des Barth.-Stifts, 2) Siegel des Frankfurter Komthurs.*
> *St. A. Fr. Deutschorden-Urk. No. 28.    Eine zweite Ausfertigung No. 27 befindet sich im*
> *Deutschordenshause zu Sachsenhausen. (Varianten a—k nach Grotefend.)    Eine dritte*
> *Urk. No. 38 (Varianten α—τ St. A. Fr. Deutschordens-Urk. No. 38) ist von 1288 Dec. 21*
> *datiert und wie die vorigen besiegelt.*
> *Gedr.: B., 201 nach No. 28, vgl. Kriegk, Bürgerthum, II, 409 Anm. .*

**440.** *Das Stiftskapitel und die Stadt Wetzlar beurkunden, dass der Wetzlarer Bürger
Rupert von Dridorf dem Stiftskapitel zu Frankfurt zwei daselbst (im Affenstein)
gelegene Hufen verkauft habe.    Wetzlar, 1281 Januar 4.*

Nos . . decanus et capitulum ecclesie Wetflariensis, . . iudices, scabini et consules ceterique cives ibidem, re//cognoscimus et tenore presentium protestamur, quod
Rûpertus dictus de Driedorf et Gudela, uxor sua, nostri // concives, duos mansos sitos
in campo Frankenfort, quos ipsi proprietatis titulo hactenus posse//derunt simul et
communicata manu vendiderunt . . decano et capitulo ecclesie Frankenfordensis pro
viginti et septem marcis denariorum Coloniensium et dimidia pecunie numerate.    In
nostra quoque presentia constituti resignaverunt ipsis . . decano et capitulo ad manus
domini Werenheri de Mersefelt, nostri concanonici, mansos eosdem et quidquid iuris
habuerunt in eis, quam videlicet resignationem idem Werenherus recepit nomine . .
decani et capituli predictorum.    In cuius facti testimonium et robur nos rogati ab
ipsis sigilla nostra duximus presentibus apponenda.    Datum Wetflarie, anno domini
ṁ. c̈c. lXXXÍ., in octava sanctorum Innocencium.

> *Or. Pgmt.    Von den zwei anhängenden Siegeln ist das Stiftssiegel etwas beschädigt, das*
> *Stadtsiegel nur halb erhalten.    Rückaufschrift 15. Jahrh.: „Uff dem Affenstein."    St. A.*
> *Fr. Barth.-St. No. 4026.*
> *Gedr.: B., 202 nach dem Or. .*

**441.** *Ermbrecht von Praunheim und seine Frau Gertrud, vermachen dem Deutschordenshause zu Sachsenhausen alle ihre beweglichen und unbeweglichen Güter in
Praunheim und Kloppenheim unter genannten Bedingungen.    1281 Februar 5.*

Noverint universi presencium inspectores, quod nos Erembrechtus de Prumheim
et Gertrudis, relicta quondam Gerhardi carpentarii ibidem, legittimi coniuges, pro

remedio animarum nostrarum ac omnium parentum nostrorum in bona valitudine constituti et mentis nostre compotes unanimi consensu et voluntate liberaliter, pure et simpliciter propter deum donavimus omnia bona nostra mobilia ac immobilia, que nunc habemus et in futurum habere poterimus, commendatori et fratribus hospitalis domus Theutonice in Sassenhusen, usufructu remanente apud nos, hec videlicet, unum mansum terre arabilis in Prumheim, dua iugra pratorum ibidem, item in Clopheim dimidium mansum, septem octalia siliginis annuatim solventem, quem dimidium mansum fratres predicti cum alio dimidio manso in Prumheim a Ruperto milite comparato nobis recompensaverunt ad tempora vite, item in campo ville Prumheim tria iugra preter unum quartale iuxta Gotschalkum militem sita, item versus Steinbach unum iugrum, item versus Redelheim unum, item in dem brule tria quartalia pratorum, item in locis duobus versus Huserholtze unum iugrum pratorum et dimidium, item dimidium iugrum pratorum, quod transit viam versus Franckfordiam, item tria iugra in Prumheim, que ego Erembrechtus comparavi et donavi cum bonis supradictis fratribus et domui prenotate: ego vero Gertrudis predicta legavi ac donavi dicte domui Theutonice domum unam et dimidiam curiam et tria iugra in Prumheim sita, hiis tamen[a] condicionibus sive modis adiectis, ut, si ego Erembrechtus Gertrude superstite decessero,[b] omnia bona mea immobilia ad dictum hospitale et fratres integraliter et sine contradictione qualibet devolventur, medietatem et bonorum meorum mobilium predicti commendator et fratres percipient, reliqua parte bonorum meorum apud ipsam Gertrudem meam legittimam quoad vixerit remanente, sive prefatam Gertrudem primo decedere contigerit, omnia bona mobilia, que ex parte ipsius michi evenerunt, predicti commendator et fratres integraliter percipient, contradictione qualibet non obstante. Post mortem vero amborum[c] nostrorum memorati commendator et fratres omnia bona nostra tam mobilia quam immobilia percipient et ad eos libere devolventur. Adiectum [est[d]] insuper, ut si paupertate aut evidenti necessitate, quod absit, gravati fuerimus, nobis licebit de consensu et voluntate dictorum commendatoris ac fratrum vendere seu alienare de bonis nostris equaliter estimandis pro persona cuilibet, ita quod media pars bonorum alienandorum alienetur et distrahatur de bonis immobilibus cuiuslibet,[e] prout ipsorum necessitas evidens exigit et requirit. In quorum testimonium et roboris firmitatem presentes literas hinc inde [confectas[f]] nos commendator et fratres sigillo nostro, dictique Erbrechtus et Gertrudis sigillis prioris fratrum Predicatorum in Franckenfurt et magistri Ditmari, canonici et plebani ibidem, [communiri fecimus[g]]. Datum et actum presentibus: predicto Ditmaro plebano Franckfordensi, Theoderico milite dicto Zenechin, consentiente huiusmodi et factum procurante, item Cunrado de Rodde sororio meo Erbrechti, et Cunrado ibidem(!) filio sororis mee, et aliis quam pluribus fide dignis. Anno domini millesimo ducentesimo octuagesimo primo, mense februario, in die beate Agathę.

Abschrift im Deutschordens-Dokumentenbuch, f. 252. St. A. Stuttgart. — Von Nathusius.

**442.** *König Rudolf verleiht dem Frankfurter Schultheissen Heinrich von jedem zu Frankfurt wohnenden Juden eine Mark bis auf Widerruf. Wien, 1281 Februar 10.*

Rudolfus dei gracia Romanorum rex, semper augustus. Universis sacri imperii // Romani fidelibus presentes litteras inspecturis, graciam suam et omne bonum. // Fidem et merita fidelis nostri dilecti Heinrici sculteti Frankenvordensis benignius // intuentes, hanc sibi liberaliter graciam duximus faciendam, quod idem Heinricus de quolibet

<hr>

a) *Vorlage:* „caussam.“  b) *Vorlage:* „superficie decessere.“  c) *Vorlage:* „amicorum.“  d) „est“ *fehlt in der Vorlage.* e) *Vorlage:* „cuilibet.“  f) „confectas“ *fehlt in der Vorlage.*  g) *die Worte* „communiri fecimus“ *fehlen in der Vorlage.*

iudeo, qui ex nunc in antea in civitate Frankenvordensi residenciam fecerit personalem,
unius marce servitium possit recipere auctoritate presencium litterarum. Prefata
gracia tantum ad nostre voluntatis beneplacitum duratura. In cuius rei testimonium
presens scriptum magestatis nostre sigillo duximus roborandum. Datum Wienne,
quarto idus februarii, indictione nona, anno domini millesimo ducentesimo octogesimo
[primo], regni vero nostri anno octavo.

> *Gedr.: B., 202 nach dem Or. Pgmt., jetzt in Ullstadt (?) (Nicht aufgefunden.) Daher ist*
> *der Druck B.'s wiederholt.*
> *Verz.: B.-R. No. 1258.*


**443.** *Erzbischof Werner von Mainz ertheilt allen, welche den Karmelitern in Frankfurt*
*zur Erbauung ihrer Kirche und ihrer Klostergebäude während der nächsten fünf*
*Jahre Beistand leisten und an gewissen Festtagen die Karmeliterkirche besuchen,*
*vierzig Tage Ablass. Aschaffenburg, 1281 März 12.*

Wernherus dei gracia sancte Maguntine sedis archiepiscopus, sacri imperii per
Germaniam archicancellarius. // Universis Christi fidelibus per Maguntinam diocesim
constitutis, salutem in eo, qui est omnium vera//salus. Cupientes quoslibet in Christo
fideles ad pietatis opera speciali premio invitare, // de omnipotentis dei misericordia
et beatorum Petri et Pauli apostolorum eius ac beati Martini meritis et auctoritate
confisi, omnibus vere penitentibus et confessis, qui dilectis in Christo .. priori et
fratribus ordinis beate Marie de monte Carmeli domus Frankenfordensis nostre diocesis
ad structuram ecclesie eorum et officinarum suarum per nunc instans quinquennium manum
porrexerint adiutricem, ac in dedicationibus altarium ipsius ecclesie et anniversariis
dedicationum earundem ipsam causa devotionis accesserint annuatim divine propiciationis
graciam petituri, quadraginta dies de iniuncta sibi penitencia misericorditer relaxamus.
Ratas nichilominus habentes indulgencias, si quas venerabiles patres et fratres
archiepiscopi et episcopi dictis priori et fratribus et per ipsos domui eorum predicte
duxerint largiendas. Datum apud Aschaffemburg, anno domini millesimo cc. lXXXI.,
IIII idus marcii.

> *Or. Pgmt. mit beschädigtem Siegel an roth-grünen Schnüren. St. A. F. Karmeliter-Urk.*
> *No. 423.*
> *Gedr.: B., 202 nach dem Or. .*
> *Verz.: Will, Mainz. Reg., XXXVI., No. 510.*


**444.** *Das Stiftskapitel und die Stadt Wetzlar beurkunden, dass Heinrich von Herlisheim und*
*seine genannten Brüder sich verpflichtet haben, das Deutschordenshaus zu Sachsen-*
*hausen fernerhin nicht mehr wegen der früher Hartmann Blyde gehörigen Güter in*
*Langgöns (Langunse) zu belästigen. 1281 März 21. (fer. 6. a. dom. Letare.)*

> *Gedr.: Baur, Hess. Urk. I, 173 nach dem Or. Pgmt. im St. A. Darmstadt.*


**445.** *Das Kloster der Reuerinnen verpflichtet sich, niemals zu einer andern Ordensregel*
*überzugehen, bei Strafe, dass in solchem Falle ihr Kloster und ihre sämmtlichen*
*Besitzungen dem Stiftskapitel in Frankfurt verfallen sein sollen. Frankfurt, 1281*
*April 27.*

Priorissa dicta Petrissa totusque conventus monialium ordinis beate Marie Magdalene in Frankenvort, Maguntine diocesis, omni//bus, ad quos presentes littere pervenerint, devotas in Christo orationes. Licet secundum sacrum verbum apostoli

unusquisque ma//nere debeat in ea vocacione. qua vocatus est, nec ex temeritate vel levitate in iacturam vel iniuriam sui ordinis // eciam sub pretextu maioris ordinis ad ordinem alium transvolare, tamen, ut hec firmius et inviolabilius observemus, non solum ex precepto apostoli et ex necessitate iuris, sed eciam ex promisso a nobis super hoc sponte [a] facto, eo quod triplex funiculus difficile rumpitur, promittimus bona fide et presentibus litteris ad id nos astringimus et firmiter obligamus, quod ad nullum ordinem alium, sive Predicatorum, sive Minorum, sive eciam ad quemcunque alium austeriorem, vel miciorem, nec ex quacunque causa nos umquam transferemus, neque religionis habitum [b], in quo nunc sumus, aliquatenus deseremus, verum si contra verbum apostoli predictum et ius ac eciam promissionem et obligacionem nostram nos omnes communiter, quod absit, venire contigerit, claustrum nostrum, possessiones nostre et omnia bona nostra, tam mobilia quam immobilia, dominio et usui venerabilium dominorum domini . . decani et capituli monasterii in Frankenvort nomine pene, cui nos subicimus, libere cedent et ea ipsis sine contradictione qualibet volumus applicari. Sed si aliquas ex nobis, quod dictum est, transgredi contigerit, alie non transgredientes et in suo ordine [c] permanentes dictis possessionibus et bonis utentur pacifice et quiete, nec aliquod ius tunc competat in eisdem domino . . decano et capitulo antedictis. In cuius rei fidem et perpetuam firmitatem nos W., prepositus generalis tocius ordinis Penitentum, sigillum nostrum una cum sigillo dictarum monialium presentibus duximus apponendum, predictam obligacionem auctoritate apostolica nobis commissa confirmantes. Sigillum eciam domini . . decani et capituli predictorum ad peticionem nostram hiis litteris petimus appendi. Datum in Frankenvort, anno gracie ṁ. c̄c̄. IXXX. primo, V. kalendas maii.

*Or. Pgmt. Anhängend 1) Siegel ad causas des Barth. St., 2) dasjenige des Propstes, 3) das-*
*jenige des Klosters. St. A. Fr. Barth. St. No. 2012. Im Archiv des Weissfrauenklosters*
*findet sich (I, 10) nur eine Abschrift aus dem Beginn des 16. Jahrh. .*
*Gedr.: Würdtwein, Dioc. Mog., II, 471, B., 203 nach dem Or. Vgl. Lersner I[b], 79.*

**446.** *Heinrich, Erzbischof von Trier, verleiht den Besuchern und Wohlthätern der Frankfurter Dominikanerkirche vierzig Tage Ablass. 1281 Juni 17.*

Heinricus dei gracia archiepiscopus Treverensis, viris religiosis fratribus ordinis Pre//dicatorum domus Frankenvordensis, salutem in domino sempiternam. Licet is, de cuius // munere venit, ut sibi a fidelibus digne et laudabiliter serviatur, de habundan//cia pietatis sue, que merita supplicum excedit et vota bene facientibus multo maiora retribuat quam valeant promereri, volentes tamen populum reddere domino acceptabilem Christi fideles ad complacendum ei quibusdam allectivis muneribus, indulgenciis scilicet et remissionibus, invitamus, ut exinde reddantur divine gracie apciores. Cupientes igitur, ut ecclesia vestra congruis honoribus frequentetur, omnibus Christi fidelibus vere penitentibus et [or] confessis, qui memoratam ecclesiam in dedicatione eius et anniversario eiusdem, IIII. quoque festivitatibus beate virginis, in festis eciam sanctorum Dominici, Petri martyris, Augustini, singulis venerabiliter visitaverint, de ratihabicione vestri dyocesani et assensu XI. dies de iniuncta sibi penitencia misericorditer relaxamus. Datum anno domini ṁ. c̄c̄. IXXXI., XV. kalendas iulii.

*Or. Pgmt. mit Bruchstücken des anhängenden Siegels. St. A. Fr. Dominikaner-Urk. No. 20.*
*Gedr.: B., 204 nach dem Or. . In Jacquin, Cod. Prob. zweimal abgeschrieben p. 8 zu*
*1241!!, p. 20 zu 1271!, danach irrig verz: Frankf. Arch., II, 103.*

**447.** *Das Mainzer geistliche Gericht beurkundet, dass das dortige Mariengreden-Stift dem Hospital zu Frankfurt gestattet habe, von zwei dem Stift gehörigen Hufen* *bei Griesheim statt des fälligen Besthauptes jedesmal 10 Schillinge Frankfurter Währung zu entrichten.  Mainz, 1281 August 21.*

Judices sancte Maguntine sedis.  Cum Heinricus dictus de Ditse, canonicus et sindicus . . decani et capituli ecclesie sancte Marie ad Gradus Maguntie, suo et ipsius capituli nomine libello oblato contra procuratorem hospitalis infirmorum in Frankenfort super iure quodam dicto vulgariter bestehoubet ageret coram nobis, quod ius predictus H. asserebat nomine predicte ecclesie sibi deberi de duobus mansis sitis in terminis ville Grizheim pertinentibus ad ecclesiam supradictam, quos mansos dictum hospitale pro quodam censu annuatim prestando dicte ecclesie possidebat, tandem Erpertus plebanus in Frankenfort, provisor eiusdem hospitalis, comparens coram nobis in figura iudicii est confessus et recognovit, ipsum hospitale teneri ad solutionem capitis melioris ratione predictorum bonorum et in posterum solvi debere melius caput ecclesie memorate, promittens, ut tam ipse quam alii provisores ipsius hospitalis denominare et assignare debeant semper personam unam, que vulgariter dicitur mundelinc, ad quam respectus habeatur de meliori capite percipiendo et que nomine dicti hospitalis censum debitum annis singulis statutis temporibus presentet ecclesie supradicte.  Predicti vero decanus et capitulum pia ducti affectione circa hospitale predictum propter dominum et ad sublevationem infirmorum statuerunt et contenti esse volunt, ut pro meliori capite, quando solvi debet, semper recipiantur decem solidi Frankenfordensis monete ita quamdiu predictum hospitale mansos possidet antedictos.  Sed si aliquo modo ipsos mansos ex quacunque causa alienari contigerit ab hospitali supradicto, extunc cessabit solutio decem solidorum et possessor tenebitur ad solutionem capitis melioris.  In cuius rei testimonium ad peticionem parcium presentes litteras sigillo nostro una cum sigillo civitatis Frankenfordensis fecimus communiri.  Actum Maguncie, anno domini m̄. c̄c. LXXXĪ., XII. kalend*as* septembris.

> *Or. Pgmt. St. A. Wiesbaden.*
> *Gedr.: Sauer, I, 584 nach dem Or. .*

**448.** *König Rudolf verleiht auf Bitten des Grafen von Diez dem Dorfe Camberg Frankfurter Recht:* „Volentes, quod eadem villa per omnia eisdem iuribus et libertatibus sit dotata, quibus civitas nostra Frankenfordensis perfrui noscitur et gaudere."  *Nürnberg, 1281 August 27* (VI. kal. sept.)

> *Gedr.: Böhmer, Acta, 333.*
> *Verz.: B.-R. No. 1380.  Diese Urkunde wurde von König Albrecht, Worms, 1300 Mai 29*
>     (IIII. kal. iuni.) *wörtlich bestätigt.*
> *Gedr.: Böhmer, Acta, 403.*
> *Verz.: B., Reg. Albr. No. 291.  Vgl. Thomas, Oberhof, 126.*

**449.** *König Rudolf nimmt die Antoniter in seinen Schutz und befreit sie von Zoll und Weggeld im Reiche.  Nürnberg, 1281 August* (mense augusti.).[1]

> *Gedr.: Böhmer, Acta 334.*
> *Verz.: B.-R. No. 1382.*

**450.** *Konrad der Dechant und das Stiftskapitel zu Frankfurt verpflichten sich unter einander eidlich, fernerhin Niemanden zum Dechanten oder Kanonikus anzunehmen, wenn nicht vorher eine der vorhandenen Präbenden erledigt ist.  1281 September 22.*

Nos Conradus decanus totumque capitulum ecclesie Frankenfordensis, Maguntine diocesis, // recognoscimus hiis nostris litteris publice protestando et ad universorum

---

[1] *Die Urkunde hat in späteren Zollstreitigkeiten der Stadt Frankfurt mit dem Orden eine erhebliche Rolle gespielt.*

noticiam cupimus // pervenire, quod cum per reverendum patrem dominum nostrum
Wernherum, archiepiscopum Maguntinum, et plures // nobiles alios clericos et laicos
diversos et varias ac inportunas preces sepius habuerimus super recipiendis diversis
personis in nostra ecclesia ad prebendas aliquas non vacantes, nos considerantes et
plenius attendentes, quod receptiones huiusmodi obvient canonicis institutis, ac
volentes receptionibus huiusmodi salubriter obviare, nos universi et singuli, videlicet C.
decanus supradictus, Johannes Leo, Johannes de Maguncia, Albertus de Carbin,
J. scolasticus, Cristianus cantor, Petrus de Ingelnheim, Petrus decanus de Babinberg, Johannes de Beddinhusin, bona fide promittimus et iuramento prestito tactis
sacrosanctis ewangeliis firmamus presentibus litteris et vallamus, quod de cetero
nullam personam quantumcunque nobilem in nostra ecclesia recipiamus in nostrum
decanum vel confratrem, nisi prius prebenda in ecclesia nostra vacet, ad quam canonice
recipi valeat atque iuste, volentes statutum hactenus numerum iu nostra ecclesia
observare. In cuius rei testimonium nos singuli supradicti singula sigilla nostra una
cum sigillo ecclesie nostre presentibus litteris duximus appendenda. Ego P. de
Babinberg predictus contentus sum sigillo ecclesie mee predicte. Actum anno domini
m̃. c̃c̃. lXXX. primo, X. kalend*as* octobris.

> *Or. Pgmt. Anhängend 1) Stiftssiegel, 2) das des Dechanten, 3) des Johannes Leo (zer-*
> *brochen), 4) des Kanonikus Johann von Mainz, 5) des Kanonikus Albert von Carben,*
> *6) zerbrochen, 7) des Kantors Christian, 8) des Kanonikus Petrus von Ingelnheim,*
> *9) des Kanonikus Johannes von Bettenhausen. St. A. Fr. Barth. St. No. 2014.*
>
> *Gedr.: B, 204 nach dem Or. .*
>
> *Verz.: Will, Mainz. Reg., XXXVI., No. 521.*

**451.** *Das Mainzer geistliche Gericht beurkundet, dass der zwischen den Brüdern von
Heusenstamm und dem Deutschordenhause zu Sachsenhausen um Güter in und bei
Bornheim geführte Rechtsstreit durch den Verzicht der erstgenannten beigelegt ist,
und dass die weiteren Differenzen über andere dort gelegene Güter durch einen
Schiedsmann beglichen werden sollen. Mainz, 1281 December 3.*

Iudices sancte Maguntine sedis. Tenore presentium recognoscimus et fatemur
et ad noticiam pervenire cupimus singulorum tam presentium quam posterorum, quod
cum inter religiosos viros // . . commendatorem et fratres Theutonice domus in Sassenhusen apud Frankenvord ex parte una, et inter Sifridum militem, Gerhardum et
Conradum de Husenstam fratres laicos ex altera, super // bonis iacentibus in terminis
seu pertinenciis ville Burnheim, quorum confines sunt tales: in campo, qui vulgariter[a]
appellatur zu den Vurwere,[b] iacent tria iugera iuxta Hertwicum[c] cerdonem // prope
villam, item quatuor iugera iuxta Conradum dictum Houbet sive Caput, item unum
iuger iuxta Conradum dictum Dortchenbois, item dimidium iuger iuxta Hertwicum
cerdonem, item dimidium iuger iuxta predictum Hertwicum apud viam, que ducit
Velwilre, item unum iuger iuxta predictum Hertwicum; item in campo versus villam
Bruningesheim duo iugera iuxta Hertwicum cerdonem, item iuxta eundem Hertwicum
tria iugera, item retro sepem Conradi dicti Houbet sive Caput unum iuger; item
in campo, qui dicitur Ritberg, unum iuger iuxta Conradum dictum Houbet sive Caput,
item iuxta eundem Conradum duo iugera zu der Grozen buchen, item unum iuger iuxta
Conradum dictum Rosdorfere, item tria iugera iuxta Hertwicum cerdonem et Bertholdum
de Heldebergen, item curiam in villa Burnheim sitam iuxta Hertwicum cerdonem in
strata, que appellatur Steingazze, materia questionis et contencionis aliqua*m*diu verteretur, tandem iidem fratres Heinricus, Syfridus milites et Gerhardus predicti in nostra
presentia constituti effestucando renunciaverunt simpliciter et expresse pro se et suis

---

a) *Or. „wlgariter".*  b) *Or. „Wrwere".*  c) *Or. über Rasur.*

heredibus omni iuri, si quid habebant vel habere credebant vel habere videbantur
in bonis eisdem, bona fide promittentes pro se et suis heredibus et pro Conrado, fratre
ipsorum absente et in partibus remotis agente, ipsis commendatori et fratribus sollempniter stipulantibus, quod super eisdem bonis numquam eis movebunt vel moveri procurabunt aliquam de cetero questionem, sed ipsis bonis renunciabunt cum sollempnitatibus
debitis et consuetis, coram quibuscunque personis et in quibuscunque locis dictis commendatori et fratribus fuerit oportunum, et per se vel per alios contra non facient nec
venient nec aliquid attemptabunt, omni dolo et fraude exclusis. Prestiterunt etiam
ipsis commendatori et fratribus pro iam dicto fratre suo C. absente fideiussoriam
cautionem, quod idem C., cum ad propria remeaverit, infra mensem post diem reditus
et adventus sui similiter renunciabit iuri, quod habuit vel habere se putavit in bonis
predictis, ubicunque de hoc fuerit requisitus, nec ipsos fratres impetet super bonis
predictis vel ipse vel sui heredes. Insuper super aliis bonis maioribus, quorum
confines sunt tales: in predicta villa Burnheim Hertwicus cerdo predictus habet
curiam unam et dimidium mansum terre arabilis, de quibus solvit annuatim dictis
commendatori et fratribus quatuordecim solidos monete Frankenvordensis preter duos
denarios et unum octale siliginis, item Conradus dictus Dortchenbois et Conradus de
Rosdorf habent dimidium mansum, de quo solvunt annuatim ipsis commendatori et
fratribus quatuordecim solidos predicte monete duobus denariis minus et unum octale
siliginis, item Herbordus dictus Yserenhût habet curiam unam et unum mansum terre
arabilis, de quibus solvit annuatim ipsis commendatori et fratribus viginti octo solidos
dicte monete preter quatuor denarios et unum maldrum siliginis, item Jacobus, Hertwicus cerdo et Ludewicus pastor habent curiam unam et dimidium mansum terre
arabilis, qui solvunt quatuordecim solidos monete predicte preter duos denarios Frankenvordenses fratribus antedictis et solvunt etiam eisdem unum octale siliginis, item
Bertoldus de Heldebergen et Volmarus habent unam curiam et unum mansum terre
arabilis, qui solvunt annuatim ipsis commendatori et fratribus viginti novem solidos
et quatuor denarios predicte monete et unum maldrum siliginis, item Johannes de
Wedere, .. bekina de Seckebach, Dudo ibidem et Wernherus aurifaber habent unum
mansum terre arabilis et curiam unam, de quibus solvunt annuatim dictis commendatori et fratribus viginti novem solidos et quatuor denarios dicte monete et unum
maldrum siliginis, item Bertholdus de Heldebergen et pueri sive heredes Hartmudi
et Arnoldi habent unum mansum et curiam unam, de quibus solvunt annuatim ipsi
commendatori et fratribus viginti et novem solidos et quatuor denarios dicte monete
et unum maldrum siliginis, item Conradus dictus Dortchenbois habet dimidium mansum
terre arabilis, de quo solvit dictis fratribus annuatim quindecim solidos dicte
monete preter quatuor denarios et unum octale siliginis. itum est in fratrem Luterum
de Peremunt ordinis fratrum prefate domus Teuthonice a partibus supradictis. ita
quod sue pronunciationi sive dicto stabunt hincinde, secundum quod ipse diffiniverit
sub debito ordinis sui et obediente super iure vel iniuria partis alterutriusque, inquisita
tamen prius super premissis diligentius veritate et communicato consilio sapientum.
et quicquid ipse pronunciaverit et diffiniverit super premissis, ratum debet et firmum
hincinde a partibus inviolabiliter et sine contradictione qualibet observari et sua pro-
nunciacio et diffinitio redigi debet in publicum instrumentum et sigillis dictorum fratrum
de Husenstam singulorum et omnium in perpetuam rei memoriam firmiter communiri:
et promiserunt sub predicta fideiussoria cautione pro Conrado fratre suo absente, quod
ipse, cum venerit, pronunciationem et diffinicionem predicti fratris Luteri super ipsis
bonis maioribus sine verbo contradictionis ratam habebit et firmam et eandem sigillo
suo similiter sigillabit vel alieno autentico sigillo, si sigillum non habet proprium,
similiter sigillabit. Promiserunt etiam dicti Sifridus et Conradus fratres pro se et

Conrado fratre suo predicto et obligaverunt se principaliter et in solidum sepedictis commendatori et fratribus sollempniter stipulantibus, quod ipsos commendatorem et fratres defendent et disprigabunt in locis omnibus oportunis, si a Conrado nato Albradis, consanguineo ipsorum, super memoratis minoribus bonis coram iudicibus ecclesiasticis vel mundanis ordine iudiciario fuerint impetiti. Quia autem vidimus et audivimus, hoc testamur et in testimonium omnium premissorum ad preces partium prefatarum sigillum sancte Maguntine sedis presenti appendi fecimus instrumento. Nos vero partes superius nominate premissa omnia et singula sic esse protestamur et vera   Acta sunt hec in ecclesia Maguntina, anno domini m̃. c̃c̃. lXXXĬ, IĨI. nonas decembris, presentibus honorabilibus viris: domino Conrado abbate sancti Albani, domino Emmerchone preposito Dorlonensi, domino Engelberto canonico Maguntino, et magistro Gisone canonico ecclesie sancte Marie ad Gradus Maguntine, et quam pluribus aliis fide dignis ad hoc vocatis pro testimonio specialiter et rogatis.

*Or. Pgmt.   Abhangend 1) Siegel der Mainzer Richter (beschädigt), 2) des Ritters Heinrich von Heusenstamm, 3) des Ritters Siegfried von Heusenstamm.   (Beide schön erhalten.) St. A. Fr. Deutschordens Urk. No. 29.*

*Gedr.: Kriegk, Bürgerthum, Neue Folge, 399 nach dem Or. .*

**452.** *Schiedsspruch zwischen Magister Eckehard, einem Frankfurter Kanonikus, und dem Stiftskapitel daselbst, die Früchte vom vierten Jahre der Präbende des ersteren betreffend.   1281 December 23.*

R., custos ecclesie Aschaffinburgensis, iudex a reverendo patre domino .. Maguntino archiepiscopo delegatus. // Ea, que super litibus sopiendis provide ordinantur, ne per pravorum hominum malignanciam aliquatenus perturbentur, // scripturarum debent testimonio roborari.   Tenore igitur presencium recognoscimus publice profitendo, quod cum // inter magistrum Eckehardum, canonicum Frankinfurdensem, ex parte una et honorabiles viros .. decanum et capitulum eiusdem ecclesie Frankinfurdensis ex parte altera super introitu quarti anni, quem idem Eckehardus sibi competere asserebat, coram nobis verteretur materia questionis, tandem multis altercacionibus habitis hinc et inde, a parte dicti Eckehardi in honorabiles viros .. cantorem ecclesie Aschaffinburgensis et .. plebanum Frankinfurdensem, a parte vero predictorum .. decani et capituli in .. cantorem et Johannem dictum de Moguncia, canonicum eiusdem ecclesie Frankinfurdensis, tamquam in arbitros seu amicabiles compositores fuit taliter compromissum, ut quicquid iidem arbitratores arbitrando pronunciarent, deberet a partibus inviolabiliter observari, dicti itaque arbitratores sic [a] arbitrando pronunciaverunt, quod dictus magister Eckehardus renunciavit et cessit actioni sue simpliciter et precise, et quod dicti .. decanus et capitulum pro fructibus quinti anni, qui inicium suum sumet anno domini m. cc. lXXXII. in festo Mathei apostoli proxime affuturo, dededrunt(!) dicto Eckehardo absenti undecim marcas pecunie numerate, condicione videlicet hac adiecta, ut si dictum magistrum Eckehardum vocante domino, quod absit, ante festum Mathei apostoli prenotatum migrare contigerit ab hac luce, prefati .. decanus et capitulum de illis XI. marcis ad suam hereditariam porcionem, si qua tunc contingere ipsum potest, recursum habeant et respectum.   Si autem post festum Mathei apostoli predictum ipsum contingat recedere de medio huius vite, de sue prebende anno gracie illas XI. marcas recipient et refundent.   Ut autem hec a partibus inviolabiliter observentur, presens scriptum nostro ac .. cantoris Aschaffinburgensis, unius arbitrorum,

---

[a] „sic" über der Zeile.

sigillis fecimus communiri in evidens testimonium super eo. Datum et actum anno domini m. cc. lXXXI, X. kalendas ianuarii.

*Or. Pgmt. Von den zwei abhangenden Siegeln ist das erste zerdrückt, das zweite beschädigt. St. A. Fr. Barth. St. No. 3599.*

*Gedr.: B., 205 nach dem Or. .*

**453.** „Cunradus dictus Vinitor de Frideberch" *überträgt dem Deutschordenshause zu Sachsenhausen seine Äcker und Weinberge in Ober- und Nieder-Mörlen* (in Morla superiori et inferiori), *eine Wiese in Lichen, die früher vom Deutschorden gekauften Güter in Rodheim* (Rodeheim), *seine ausstehenden Forderungen an das Kloster Konradsdorf und verspricht ausserdem bis zu nächsten Ostern dem Orden 10 Mark Aachener Währung zu zahlen. Das Deutschordenshaus verpflichtet sich dagegen, ihm den Lebensunterhalt* (sicut uni de fratribus nostris sanis) *zu gewähren, ebenso für einen Knecht, für den jedoch Konrad jährlich zwei Malter* siliginis *und den Sold zu bezahlen hat. 1281,* (feria V prox…) *Der Schluss ist durch Mäusefrass zerstört.*

*Gedr.: Baur, Hess. Urk., I, 174 nach dem Or. Pgmt. im St. A. Darmstadt. Regest: Niedermayer, 163, 164 nach dem Deutschordens-Saalbuch.*

**454.** *Der Deutschordens-Komthur zu Frankfurt besiegelt eine Urkunde für die Kommende Mainz und das Kloster Tiefenthal. Mainz, 1282 Januar 9.* (V. id. ian.)

*Gedr.: Sauer, I, 589 nach dem Or. Pgmt. im St. A. Wiesbaden. Über den in dieser Urkunde genannten Mainzer Bürger Konrad Kolbe von Hochheim, vgl. unten Urk. No. 461, 1282 Mai 23.*

**455.** *König Rudolf gestattet den Reuerinnen in Frankfurt, sich aus den benachbarten Reichswäldern mit so viel Holz zu versehen, als sie zu ihrem täglichen Gebrauch bedürfen. Oppenheim, 1282 Januar 15.*

Rudolfus, dei gracia Romanorum rex, semper augustus, universis imperii Romani // fidelibus presentes litteras inspecturis, graciam suam et omne bonum. Quia tute // illic beneficia collocantur, ubi a datore omnium graciarum exspectatur eterni boni in//fallibilis recompensa, nos tanti patris ineffabilem bonitatem benignius intuentes. dilectis in Christo .. priorisse et conventui dominarum in Frankenvord, ordinis Penitentum, quas propter celibis sue vite flagranciam interno affectu prosequimur, intuitu retribucionis eterne hanc graciam duximus faciendam, quod de nostris et imperii nemoribus sibi vicinis ligna ipsis necessaria sine contradictione cuiuslibet recipere possint et educere, suis cottidianis ignibus applicanda. Universis forestariis nemorum predictorum firmiter inhibentes, ne predictas dominas aut earum nuncios in huiusmodi eductione lignorum impediant, aut aliquid exigant ab eisdem. In cuius rei testimonium presens scriptum maiestatis nostre sigillo iussimus communiri. Datum Oppenheim, XVIII. kalendas februarii, indictione X., anno domini m. cc. lXXXII., regni vero nostri anno nono.

*Or. Pgmt. Das anhängende Majestäts-Siegel ist schön erhalten. St. A. Fr. Barth. St. (städtisch) No. 174.*

*Gedr.: B., 206 nach dem Or. .*

*Verz.: B.-R. No. 1612.*

**456.** *Das Hospital zum Heiligen Geist in Frankfurt beurkundet, dass es zwei Achtel Roggenzins zu Oberoldeshusen, welche ihm einst von Hartmud von Wöllstadt geschenkt worden waren, an das Kloster Padershausen verkauft habe. 1282 Februar.*

Nos procurator et congregacio domus hospitalis apud Frankenvort. Universis Christi fidelibus presens scriptum visuris, // salutem in domino sempiternam. Cum ea, que fuerint, sub curriculo temporis labantur cum tempore, expedit, ut, que aguntur, in scripta // publica redigantur. Hinc notum esse cupimus universis, quod Hartmodus dictus de Wllenstat comparavit quedam bona sita // in Oberoldeshusen, videlicet duo octalia siliginis, erga Hartmannum de Oberoldeshusen de bonis cuiusdam dicti Struphanen[a] et Volradi de Selgenstat, que predicta bona nostre contulit congregacioni, et nos vendidimus sanctimonialibus in Padenshusen eadem duo octalia iuste empcionis titulo in perpetuum liberaliter possidenda. Et ne hec in oblivionem processu temporis deveniant, presens scriptum nostri sigilli munimine fecimus roborari. Acta sunt hec anno domini m̊. cc̊. 1XXXII., mense februario.

*Or. Pgmt. mit schön erhaltenem, abhangenden Siegel. München, Reichsarchiv.*

**457.** *Hartmud von Sachsenhausen, Ritter, und sein Sohn Kuno verkaufen ihre Wiese bei Erzhausen an das Hospital zum Heiligen Geist in Frankfurt. 1282 März 24.[1]*

Ego Hartmudus de Sassenhusen miles et Cuno filius meus, tenore presencium publice confitemur, quod nos pratum nostrum apud Eradeshusen,[b] quod continet quatuor iugera, que dicuntur viermanne mayt,[c] vendidimus domui hospitalis apud Frankenfurt pro certa pecunie quantitate, cum qua redemimus[d] nostra pignora et solvimus debita, quibus dampnum[e] accrevit, que non habuimus solvere in parato, et renunciamus omni iuri,[f] quod in prato ipso habuimus, dantes illud in toto hospitali prefato; et quod istam vendicionem ratam habebimus, promittimus fide data et insuper obligamus[g] nos et promittimus fide eadem prestita, quod omnes nostros heredes tales habebimus, quod et ipsi vendicionem eandem ratam habeant nec sepedictum hospitale impediant quoquo modo. Et quod hec omnia et singula firmiter observemus, hanc litteram inde confectam sigillo civium Frankfurdensium[h] in testimonium petivimus sigillari. Ego Cuno prefatus confiteor manifeste omnia et singula supradicta sic esse tractata et pro parte mea volo firmiter observare. Nos cives Frankfurdenses,[h] quia de vendicione huiusmodi nobis constat, rogati in testimonium rei geste nostrum sigillum hiis litteris duximus apponendum. Actum et datum anno domini m̊. cc̊. 1XXX. secundo, IX.[i] kalendas aprilis.

> *Abschrift in Heil. Geist - Hospital - Bücher St. A. Fr.: Kopialbuch des Wigand Vogt (15. Jahrh.) S. 9 (A) und im „Copeyenbuch von 1543“, I, f. 60ᵃ (B), hier nach A, mit Hinzuziehung von B.*
>
> *B.'s Druck (207) nach einer Abschrift Fichards aus dem „Kopialbuch des Hospitals“ stimmt weder zu A noch zu B.*
>
> *Verz.: Scriba, I, No. 589.*

**458.** *Das Mainzer geistliche Gericht beurkundet, dass die Herren von Heusenstamm auf die streitigen Güter in und bei Bornheim zu Gunsten des Deutschordenshauses in Sachsenhausen verzichtet haben. Mainz, 1282 April 11.[2]*

Iudices sancte Maguntine sedis. Constituti in nostra presencia, Heinricus, Sifridus, milites, Gerhar//dus, Conradus, fratres, et Conradus, filius Alberadis, noster con-

---

a) *Oder* „Struphanne“? b) *Ebenso in B. Bei Boehmer:* „Erndeshusen“. *Gemeint ist* „Erzhausen“.
c) *B. ebenso.* d) *A.* „redimimus“. *B.* „redemimus“, *hier aber später erst verbessert.* e) *A.* „dapnum“.
f) *A.* „iure“. g) *B.* „obligantes“ h) *B.* „Frankenfurdensium“. i) *B.* „nonas“ (!).

[1] *Die bei B. zu 1282 März 15 gedruckte Urkunde s. oben zu 1280 März 14. die Urkunde von 1282 März 17 s. unten zu 1286 März 17.* [2] *Vgl. oben No. 451.*

sanguineus de Husenstam, renunciave//runt omnibus bonis coram nobis voluntarie. iacentibus in terminis seu pertinenciis ville Bornheim, // de quibus questio inter religiosos viros . . commendatorem et fratres Theuthonice domus in Sassenhusen apud Frankenvort ex parte una, et ipsos supradictos de Husenstam ex altera vertebatur. Bona autem, super quibus renunciaverunt, sunt hec : scilicet viginti tria iugera terre arabilis et una curia ipsis bonis attinens, item sex mansi terre arabilis cum curiis attinentibus ipsis mansis; promiserunt eciam pro se et suis heredibus, dictos . . commendatorem et fratres nunquam consilio, auxilio, vel opere inpedire sive molestare per se vel per quoscumque alios in bonis supradictis. Nos iudices sancte Maguntine sedis, et nos . . abbas sancti Albani, necnon civitas in Frankenvort ad rogatum parcium hincinde sigilla nostra una cum sigillis Heinrici et Sifridi fratrum de Husenstam huic scripto duximus apponenda. Nos Gerhardus, Conradus, fratres de Husenstam, et Conradus, filius Alberadis noster consanguineus, quia sigilla propria non habemus, contenti sumus sigillis dominorum iudicum Maguntin*orum*, domini abbatis antedicti, et civitatis in Frankenvort, et fratrum nostrorum. Actum Maguncie, anno domini m̄. c̄c̄. LXXXII., IĪI. idus aprilis.

<blockquote>Anhängend 1) Siegel der Mainzer Richter, 2) des Abtes Konrad von St. Alban, 3) der Stadt Frankfurt (2), 4) des Ritters Heinrich von Heusenstamm, 5) des Siegfried von Heusenstamm. (Alle etwas beschädigt.)

Gedr.: Correspondenzblatt des Gesammtvereins 1884 (XXXII), 21 nach dem Or.?

Verz.: Kriegk, Bürgerthum, Neue Folge, 402.</blockquote>

**459.** *Die Pfarrer von Frankfurt* (Erprehtus de Frankenvurth) *und Rüdigheim entscheiden als Schiedsrichter einen Streit zwischen dem Kloster Schlüchtern und den Antonitern zu Rossdorf. Rossdorf, 1282 April 12.* (dom. misericordia domini.)

<blockquote>Gedr.: Reimer, I, 431 nach dem Or. Pgmt. im St. A. Marburg.</blockquote>

**460.** *Berlewin, Kanonikus in Worms, schenkt dem Deutschordenshause zu Sachsenhausen die von seinen Eltern ererbten Güter in Weinheim bei Alzei, unter Widerruf früherer anderer Verfügungen. 1282 Mai 13.*

Nos Berlewinus, canonicus ecclesie Wormaciensis, tenore presencium publice profitemur ac constare cupimus presencium inspectoribus universis, quod universa bona nostra immobilia in Wienheim ac in terminis ipsius ville sita, ex morte parentum nostrorum ad nos iure hereditario devoluta, domui Theutonice in Sassenhusen apud Franckenfort pure contulimus in remedium animarum parentum nostrorum, facta donacione dictorum bonorum ipsis commendatori et fratribus predicte domus in dicte ville Weienheim iudicio seculari. Revocamus et qualescunque literas super dictis bonis quibuscunque a nobis datas seu optentas et volumus, ut dicti fratres dicta bona in perpetuum possideant pacifice et quiete. In cuius rei testimonium presentem literam sigillo nostro predictis commendatori et fratribus tradidimus roboratam. Actum et datum anno domini millesimo ducentesimo octuagesimo secundo, tercio idus maii.

<blockquote>Abschrift im Deutschordens-Dokumentenbuch f. 320 r. St. A. Stuttgart. — Von Nathusius.</blockquote>

**461.** *Das Mainzer geistliche Gericht beurkundet, dass Philipp der Jüngere von Hohenfels seinem Anspruche auf den Mainzer Bürger Konrad Kolbe von Hochheim zu Gunsten des Deutschordenshauses zu Sachsenhausen und des Klosters Tiefenthal entsagt habe. Mainz, 1282 Mai 23.*

Iudices sancte Magunt*ine* sedis. Recognoscimus, quod Philippus iunior de Hohenvels propter hoc in nostra presentia constitutus // ob laudem et honorem dei renunciavit pure, simpliciter et sine omni condicione omni iuri, actioni et peticioni, quam habe//bat vel habere poterat et que sibi *com*petebat vel *com*petere videbatur, in persona et rebus omnibus mobilibus vel *im*mobilibus Conra//di laici de Hocheim dicti Kolbe civis Magunt*ini*, quem ad se iure proprietatis vel servitutis tanquam servum suum proprium asseruit pertinere, qui Conradus ob anime sue remedium et salutem religiosis viris . . commendatori et fratribus domus Teuthonice in Sassenhusen et sanctimonialibus in Diffendal ordinis Cisterciensis contulit se et sua, quam collationem seu donationem idem Ph. in nostra presentia constitutus ratam habuit et laudavit. Promittens bona fide, quod contra dictam collacionem seu donacionem nu*m*quam veniet nec contra eam aliqua arte vel ingenio i*m*posterum laborabit. Renuncians omni iuris beneficio canonici vel civilis, quod sibi posset *com*petere contra illam. In cuius renunciacionis et facti testimonium presentes litteras dedimus sigilli nostri munimine roboratas. Ego Ph. de Hohenvels recognosco et dico, predicta omnia esse vera, et in testimonium eoru*n*dem sigillum meum duxi presentibus appendendum. Actum Maguncie, anno domini ṁ. c̈c. lXXXII., X̊. kalenda*s* iunii.

> *Or. Pgmt. Das abhangende Siegel ist nur zur Hälfte erhalten. St. A. Darmstadt.*
> *Gedr.: Baur, Hess. Urk., V, 102 nach dem Or. .*

**462.** *Ermbrecht und seine Frau Mechthild vermachen dem Deutschordenshause zu Sachsenhausen alle ihre beweglichen und unbeweglichen Güter, eine Hufe Acker und 2 Morgen Wiesen zu Praunheim* (Průmheim), *eine halbe Hufe Acker in Kloppenheim* (Clopheim), *behalten sich aber genannte Güter und ebenso das Recht vor, von den geschenkten Gütern 10 Mark anderweitig zu vermachen und im Falle der Noth aus den Erträgen der Güter ihren Lebensunterhalt zu bestreiten.* „Testes huius: fratres . . prior fratrum Predicatorum in Frankenvort, frater Ludwicus gardianus fratrum Minorum, Gotfridus sacerdos, Lutherus, Petrus, Johannes, domus Theotonice“. *Es siegeln der Prior der Dominikaner zu Frankfurt, der Guardian der dortigen Minoriten und das Deutschordenshaus. 1282 Juni 27.* (quinto kal. iulii.)

> *2 Or.-Pgmte im St. A. Darmstadt.*
> *Gedr.: Baur, Hess. Urk., I, 175 gekürzt, Reimer, I, 432 nach dem Or. . Die Urkunde ist eine Abänderung der Schenkung von 1281 Februar 5 (s. oben No. 441).*

**463.** *Richwin von Karben, Ritter, übergiebt seinen Bruderssöhnen Heinrich dem Schultheissen in Frankfurt* (Henricus iunior scultetus de Frankfordt miles) *und Konrad zwei Hufen Lehnsgüter in Kaichen, gegen die Verpflichtung, jährlich 24 Malter Roggen ihm nach Frankfurt zu liefern. Es siegeln mit die Stadt Frankfurt* (communitas) *und der Schultheiss Heinrich. 1282 Juni.* (mense iunio.)

> *Gedr.: Simon, Büdingen, III, 40 nach dem Marienborner Kopiar zu Büdingen.*

**464.** *Richwin von Karben, Ritter, überträgt auf den Ritter Heinrich, den Schultheissen in Frankfurt, seines Bruders Sohn, diejenigen Güter zu Karben, welche er bisher vom Abt des Klosters Limburg zu Lehen gehabt hat. Frankfurt, 1282 Juni.*

Omnibus Christi fidelibus, ad quos pervenerit presens scriptum, Richwinus dictus de Carben miles, salutem // in domino sempiternam. Preciosus thesaurus est scriptura, que rem inco*m*mutabili loquitur veritate. // Ad noticiam igitur omnium cupio pervenire,

quod ego omnia bona mea in Carben, que a venerabili // domino abbate monasterii
Lymburgensis hucusque habui et possedi titulo feodali, Heinrico militi sculteto in
Frankinwrt, filio fratris mei, necnon suis heredibus universis dedi, contuli et donavi
animo liberali, in manus eorum nunc dicta bona resignans et eis renuncians in presenti cum omni iure et honore, que dinoscuntur ad illa modo quolibet pertinere, nunc
et in perpetuum possidenda et a predicto domino abbate in feodo retinenda. Quod
utique tenore presencium recognosco. In cuius etiam rei testimonium et memoriam
firmiorem presens scriptum inde confectum sibi dedi civitatis Frankenfurdensis, domini
Hermanni decani Aschaffinburgensis, fratris mei, ac ipsius Heinrici sculteti sigillorum
munimine roboratum. Datum et actum apud Frankinvort, anno domini millesimo cc.
lXXX. secundo, mense iunii.

*Or. Pgmt. Siegel abgefallen. Ullstadt.*
*Gedr.: B., 208 nach dem Or. .*
*Verz.: Scriba, II, No 732.*

**465.** *König Rudolf bestätigt der Kapelle des Heiligen Bartholomaeus zu Frankfurt und*
*dem damit verbundenen Stiftskapitel alle Privilegien, welche sie von seinen Vorfahren*
*an dem Reich erhalten haben.  Friedberg, 1282 Juli 13.*

ǀRudolfusǀ dei gracia Romanorum rex, semper augustus. Universis sacri imperii
Romani fide//libus presentes litteras inspecturis, gratiam suam et omne bonum. Licet
maiestas regia cunctarum ecclesiarum commoditatibus teneatur intendere vigilan/́ter,
tamen capellam nostram sancti Bartholomei in Frankenvort et canonicos ibidem divinis
obsequiis militantes maiori nos decet dilectione complecti et amplioris favor//is prero-
gativa specialiter confovere, obinde potissime, quod eadem capella divorum predecessorum nostrorum imperatorum et regum Romanorum illustrium memorialis est plan-
tula, que nobis et eisdem semper adhesit fideliter et constanter. Noverint igitur presentis
etatis homines et future, quod nos honorabiles viros .. prepositum, .. decanum totumque
capitulum dicte capelle nostre sincero prosequentes affectu et volentes ubilibet eorum
indempnitatibus regali patrocinio favorabiliter precavere, ipsis et capelle sepedicte
omnia et singula sua privilegia, concessiones, donationes, gratias, libertates et iura
quelibet eis ab inclite recordationis quondam Ludewico, et Karolo, filio suo, necnon
Ottone, imperatoribus Romanis, et eorum successoribus indulta, tradita et concessa, sicut
eisdem usque ad hec tempora sunt usi pacifice et gavisi, ex regalis liberalitatis munificentia eatenus in[a] omnibus et singulis suis articulis approbamus, innovamus et presentis scripti patrocinio libenter et liberaliter confirmamus, quatenus in alieni iuris
preiuditium non redundant. Nulli ergo omnino hominum liceat hanc paginam nostre
approbationis, innovationis et confirmationis infringere vel ei in aliquo ausu temerario
contraire, quod qui forte attemptare presumpserit, gravem nostre magestatis[b] offensam
se noverit incursurum. Testes sunt: venerabilis H., Basiliensis episcopus, illustris H..
lantgravius Hassie, nobiles viri: .. comes de Wilenowe, Everardus de Catzenellenboge,
.. de Dietz, comites; .. de Limporch, .. de Hagenowe, .. de Valkenstein, Wernherus
de Bonlandia, et quamplures alii fide digni. In cuius rei testimonium et perpetui roboris
firmitatem presens scriptum exinde conscribi et maiestatis nostre sigillo fecimus communiri. Datum Vrideberch, tercio idus iulii, indictione decima. anno domini millesimo
ducentesimo octogesimo secundo, regni vero nostri anno nono.

*Or. Pgmt. Anhängend an roth-gelben Fäden das schön erhaltene Majestätssiegel. St. A.*
*Fr. Barth. St. No. 8.*
*Gedr.: Würdtwein, Dioc. Mog., II, 423, B., 208 nach dem Or. .*
*Verz.: B.-R. No. 1685. Erwähnt: Lersner, II[b], 167.*

**a)** *Im Original verbessert aus a.* **b)** *So.*

**466.** *Schultheiss Heinrich, Schöffen, Rath und die Gemeinde zu Frankfurt beurkunden, dass die Gemeinde Sulzbach vor ihnen durch Spruch der Schöffen erhalten habe, dass sie an Kriegszügen gleich ihnen Antheil nehmen, dagegen aber auch von ihnen geschützt werden solle. 1282 Juli 20.*

Nos Heinricus scultetus, scabini, consules et universitas Frankenvordensis. Universis presentes litteras // audituris cupimus esse notum, quod . . scultetus, scabini et universitas de Solzbach obtinuerunt coram // nobis in nostro iudicio per diffinitivam sentenciam scabinorum, quod ipsi similiter, sicut nos, ire et mittere //. debent suos homines in exercitu et reysa generali et speciali; proporcionaliter tamen secundum virium suarum numerum et quantitatem. Et nos ipsos in hiis aliquando subportare possumus, si nobis placuerit, et facere ipsis graciam miciorem. Preterea nos predictos scultetum, scabinos et universitatem de Solzbach tamquam nostros concives defendere debemus, et ipsis tamquam nostris concivibus assistere bona fide. In cuius rei testimonium et firmitatem, sigillum civitatis nostre presentibus litteris duximus appendendum. Actum et datum anno domini millesimo cc. IXXX. secundo, XIII. kalendas augusti.

> *Or Pgmt. mit abhangendem Stadtsiegel (2). St. A. Fr. Mgb. E, 6, No. 1 (Sulzbach).*
> *Gedr.: Lersner, IIᵃ, 614, B., 209 nach dem Or. = Sauer, I, 594.*


**467.** *Erzbischof Werner von Mainz beauftragt den Mainzer Kanonikus Dragboto und den Dechanten von Aschaffenburg, die Zeugen zu vernehmen, welche das Frankfurter Stiftskapitel in seinem Rechtsstreit gegen den Frankfurter Schultheissen Heinrich, den Zehnten von Novalfeldern betreffend, vorschlagen wird. Hainbuchenthal, 1282 August 16.*

W. dei gratia sancte Maguntine sedis archiepiscopus, sacri imperii per Germaniam archicancellarius, dilectis in Christo Dragbotoni preposito // Heiligenstadensi, canonico Maguntino, et . . decano ecclesie Aschaffemburgensis, salutem in domino. Discretioni vestre committimus // et mandamus, quatinus probationes, quascunque dilecti in Christo . . decanus et capitulum ecclesie Frankenfordensis in causa, que // inter eosdem et Heinricum, scultetum Frankenfordensem, super quorundam novalium decimis verti dinoscitur, inducere pro eorum intentione voluerint, recipiatis legaliter et receptas ad nos fideliter deferatis. Testes autem, qui fuerint nominati, si se gratia, odio, vel timore subtraxerint, per ecclesiasticam censuram cogatis veritati testimonium perhibere. Datum apud Hainbuchentale, anno domini millesimo IXXXII., XVII. kalendas septembris.

> *Or. Pgmt. Anhängend das zerbrochene erzbischöfliche Siegel. St. A. Fr. Barth.-St. No. 3342.*
> *Gedr.: B, 209 nach dem Or. .*
> *Verz.: Will, Mainz. Reg., XXXVI, No. 555  Erwähnt Joannis, Res Mog., II, 403, Battonn, I, 242.*


**468.** *Ritter Werner von Weinheim bittet den Pfalzgrafen Heinrich bei Rhein, zu der Schenkung eines von dem Pfalzgrafen bisher lehnrührigen Thurmes in Weinheim bei Alzei an das Deutschordenshaus zu Sachsenhausen seine Zustimmung zu geben. [Vor 1282 October 7.]*

Illustri principi domino H. duci Bowarie palentino(!) comiti Reni, Wernherus miles de Weienheim quondam filius Ude, tam debitum quam subiectum in omnibus famulatum. Vestre dominacioni significandum duximus per presentes, quod nos iam dudum turrim in Weienheim sitam, sub fide nostre donacionis vestris officialibus commissam, fratribus domus Theutonice in Franckenfort assignavimus et assignamus, quare vestre excellencie humiliter supplicamus, quatenus, controversia inter vos et dominum Moguntinensem archiepiscopum sedata, turrim predictam fratribus domus Theutonice predicte, sive morimur sive vivimus, per vestros officiales reddere dignemini et assignare, quod utique vestra excellencia nostre noverit esse voluntatis, cum hec et alia bona nostra ibidem sita in puram elemosinam contulimus deo famulandum, quod literis patentibus sigillo nostro sigillatis veritate confessa coram vobis duximus confirmandum.

*Abschrift im Deutschordens-Dokumentenbuch f. 221. St. A. Stuttgart. — Von Nathusius.*

**469.** *Philipp von Falkenstein, Reichskämmerer, genehmigt die Übertragung eines Lehens von Werner, Sohn der Uda, an das Deutschordenshaus zu Sachsenhausen. 1282 October 7.*

Notum sit omnibus ac universis hanc literam inspecturis, quod ego Philippus de Falckenstein, camerarius aule imperialis, quod feodum Wernherus, filius domine Uden, a me et de mea potestate quousque acceptum(!) ipse Wernherus, ex rogatu, dominis religiosis de domo Theutonica in Franckenfort contulit cum voluntate nostra adtenta(!) perpetualiter[a] observandum. In cuius rei testimonium, [hoc scriptum] sigillo meo dedi communitum. Acta sunt hec anno millesimo ducentesimo octuagesimo secundo, crastino Sergii et Bachii. Testes autem huius interfacti(!): Henricus miles de Phingestein, Gotzo dictus Levite et Henricus capellanus. Acta sunt epitafio(!) prescripto.

*Abschrift im Deutschordens-Dokumentenbuch f. 220. St. A. Stuttgart. — Von Nathusius.*
*Regest: Buri, Bannforsten, 93 ohne Tagesdatum.*

**470.** *Das Mainzer geistliche Gericht beurkundet, dass Ritter Werner von Weinheim dem Deutschordenshause zu Sachsenhausen seine Mühle bei Alzei und 12 Morgen Wiesen geschenkt habe. Mainz, 1282 December 11.*

Iudices sancte Maguntine sedis, omnibus in perpetuum. Ne facta modernorum, que digna sunt memoria, posterorum frustrentur igno//rantia, decet et expedit ea sigillorum et scripti munimine vivoque testimonio perennari. Hinc est, quod nos tenore pre//sentium publice protestamur, recognoscimus et fatemur, quod Wernherus de Winhenheim miles natus Ude in nostra presentia // constitutus publice recognovit, [se] legasse in elemosinam pure et simpliciter propter deum pro animarum suarum et progenitorum et successorum suorum remedio pariter et salute et donasse irrevocabiliter et simpliciter donatione scilicet inter vivos viris religiosis . . commendatori et fratribus domus Theuthonice apud Frankinvort molendinum suum situm apud Alceiam et duodecim iurnales pratorum iacentium apud molendinum iam dictum, qui duodecim iurnales pratorum cum molendino prefato quondam fuerant Berlewini bone memorie quondam militis dicti Zorn, et possessionem dictorum molendini et pratorum coram nobis ex[ivit] et tradidit liberam et vacuam possessionem ipsorum fratri Luthero de domo Theuthonica nomine predictorum commendatoris et fratrum, bona fide promittens pro se et suis heredibus iam dicto fratri Luthero sollempniter stipulanti nomine [quo] supra, predictam donationem seu legacionem ratam et firmam tenere et de predictis bonis per eum legatis et donatis ipsis commendatori et fratribus facere warandiam debitam et consuetam et per se vel per alium aut alios verbo vel facto de iure vel de facto, arte, modo, ingenio, sive causa [contra] non facere vel venire, renunciavit etiam coram nobis exceptioni doli, con[tra]dictioni sine causa, actioni et exceptioni in [factum], privilegiis, litteris inpetratis vel inpetrandis, omnique alii auxilio iuris canonici vel civilis,

---

a) *Vorlage:* „perpeculiariter".

quod sibi vel suis heredibus [contra] premissa, vel aliquid premissorum posset quomodolibet suffragari. Quod autem vidimus et audivimus, hoc testamur. In cuius rei testimonium et perpetuam firmitatem ad petitionem partium prefatarum sigillum nostrum
presenti appendi fecimus instrumento. Acta sunt hec Maguntie, anno domini m̄.
LXXXII., III.ᵉ idus decembris, presentibus viris honorabilibus: domino Erwino scolastico, Engilberto de Hohinvels, Ottone de Rudinsheim, canonicis maioris; magistro Gotzone
canonico sancti Johannis, et magistro Gisone canonico sancte Marie ad Gradus, ecclesiarum Maguntinarum, et quam pluribus aliis fidedignis ad hoc vocatis pro testimonio
specialiter et rogatis.

Or. Pgmt. mit abhangendem Siegel. St. A. Darmstadt. — Grotefend.<br>
Gedr.: Baur, Hess. Urk., V, 390 nach dem Or. .

**471.** *Hartmud von Karben, Ritter, und Gertrud, seine Gemahlin, verkaufen mit Einwilligung ihrer Kinder dem Kloster Haina ihre Güter in Utphe. 1282.*

Universis Christi fidelibus presens scriptum visuris et in perpetuum audituris,
Hartmudus miles dictus de // Carben et Gerdrudis, sua legittima, cognoscere veritatem.
Quoniam mutatione temporum et successione hominum nihil // stare permittitur, cautum
est, ut quicquid mansurum proponitur, testibus et literis autenticis roboretur. Ea
propter omnibus // hoc scriptum intuentibus innotescat, quod nos Hartmudus et Gerdrudis predicti communicatis manibus et unanimi consensu Hartmudi filii nostri et
Cunradi de Husinstam generi nostri ac filiarum nostrarum Methildis et Grete bona
nostra in villa Odephe sita cum omnibus suis appendiciis, videlicet curiis, agris, pratis,
pascuis, silvis aquarumque decursibus necnon et cum omni iure, quod nobis in eisdem
bonis quomodolibet competebat, vendidimus domino . . abbati et conventui de Hegene, ordinis Cisterciensis, pro quadam summa pecunie nobis integraliter assignata. Protestando
per presentes, nos ad manus dictorum . . abbatis et conventus abrenunciasse omni
future requisitioni et calumnie simpliciter et precise. Ne autem huic nostro facto
obliviosa vetustas valeat novercari, presentem paginam dedimus eisdem, sigillis appensis,
videlicet nostro et universitatis in Frankinvort ac viri nobilis Hartmudi de Croninberg,
et testium nominibus firmissime communitam, qui sunt: Cunradus decanus, Erpertus
plebanus, Wigandus dictus de Fulda, canonici ecclesie Frankenfordensis; frater Everhardus dictus de Hittingeseze, frater Hugo, confratres de domo Teuthonica; Wernherus
Schelme, Hartmudus de Croninberg, Sifridus de Husenstam, Volradus Cisich dictus de
Odesberg, Hartmudus de Sassinhusen, milites; Cunradus de Melebach armiger, Cunradus
Wobelin, Heinricus de Meilßheim, Ludewicus, Johannes de Weddere, Hertwicus de
Reybestoc, Wigandus Pistor, scabini de Frankinvort, et alii quam plures fidedigni.
Actum publice, anno dominice incarnationis m̄. c̄c̄. IXXX. secundo.

Or. Pgmt. stark vermodert, der Schluss der Zeugenreihe von „Hertwicus“ an fehlt ganz.<br>
St. A. Marburg, Hainaer Urkunden. Ergänzt nach dem Hainaer Kopialbuch (ebendort)<br>
f. 43. — Grotefend.<br>
Gedr.: Guden, Cod. Dipl., I, 791, B., 210 nach dem Kopialbuch. Auszug: Thomas, Ober-<br>
hof, 440.

**472.** *Friedrich von Eschbach und Gusel, seine Hausfrau, geben dem Komthur der Deutschherren zu Sachsenhausen 17 Mark und um dieses Geld erkauft der Komthur einen
Garten zu Preungesheim bei des Hauses Hof. Aus diesem Garten erhält der
genannte Friedrich, so lange er lebt, jährlich die Früchte eines Birnbaumes und
eines Apfelbaumes, ausserdem 17 Schillinge kölnisch, und nach seinem Tode soll*

*sein Jahresgedächtniss in der Ordenskirche gehalten werden, wobei den Brüdern
eine Pietanz von einer halben Mark zufällt, dem Spital aber 5 Schillinge. 1282.*

*Auszug: Niedermayer, 135 nach dem Deutschordens-Saalbuch = Reimer, I, 440.*

**473.** *Erpert, der Pfarrer, beurkundet einen zwischen ihm und dem Schultheissen, den
Schöffen und den Bürgern von Frankfurt abgeschlossenen Vergleich betreffend den
Kirchhof, das Sendgericht, die Eidgeschworenen, die Hospitalpflege, die Leichen-
gebühr, die Eingeweide des Schlachtviehs, die Übertretung der Feiertage. 1283
März 3.*

Ego Erpertus, plebanus Frankenvordensis, universis presentes litteras audituris
cupio esse notum, quod super discordia, que inter me· ex parte una et // . . scultetum,
scabinos et cives Frankenvordenses vertebatur ex altera, hec subsequens compositio
intervenit, videlicet, quod ego . . decanum et capitulum aut // . . custodem ecclesie
Frankenverdensis(!) super ipsorum cimiterio numquam impediam auxilio, consilio, opere.
sive verbo. Item synado(!) aut accusationibus, que fiunt in synado(!), // numquam
interero, secundum pronunciatam sentenciam canonicorum et scabinorum. Item
numquam constituam vel habebo homines, qui eitsverin vulgariter appellantur, sed
scabini possunt et debent honestos homines constituere, qui dicuntur eitsverin.
et illi debent festa violata accusare ipsis scabinis, quociens ab eisdem fuerint
requisiti, et de hiis ego plebanus predictus habebo satisfactionem et emendam.
quam michi dictaverit sentencia scabinorum, et sic ego numquam constituam
homines, qui eitsveren dicuntur, ad aliqua artificia in civitate, vel extra civitatem.
quemadmodum est predictum. Item de cetero non ero rector, seu provisor hospitalis
sancti Spiritus in Frankenverd(!), aut domus leprosorum, ipsis tamen, prout
iustum fuerit, communicabo in ecclesiasticis sacramentis. Item altare aut sacerdotem
prefati hospitalis numquam impediam, sed ipse sacerdos in summis quatuor festivitatibus non celebrabit, antequam missa mee parrochie fuerit celebrata. Item septem
solidos minus duobus denariis numquam violenter requiram ab hominibus propter corpora
mortuorum. Item linguas boum, stomacha porcorum, capita ovium, aut alia animalium
intestina de cetero a carnificibus non requiram, sed, si festa violaverint, satisfacient
et emendabunt secundum sentenciam scabinorum. Item pro festo violato in quocunque
artificio non requiram aliquam satisfactionem, vel emendam, nisi quam dictaverit
sentencia scabinorum. Item honestas consuetudines civibus Frankenvordensibus obser-
vatas hactenus observabo. Hec omnia et singula supradicta promisi bona fide inviolabiliter observare sub pena centum marcarum a me . . sculteto, scabinis et civibus
Frankenvordensibus solvendarum, si aliqua vel aliquid infregero premissorum. In
cuius rei testimonium sigilla honorabilium virorum, . . prioris et fratrum Predicatorum, . .
gardiani et fratrum Minorum in Frankenvord una cum meo sigillo proprio presentibus
sunt appensa. Actum et datum anno domini millesimo cc. IXXX. tercio, V. nonas marcii.

*Or. Pgmt. Anhängend 1) Siegel des Guardians der Minoriten, 2) des Priors der Domini-
kaner, 3) des Pfarrers Erpert, davon 2) ziemlich, 3) stark beschädigt. St. A. Fr. Barth.-
St. (städt.) No. 615.
Gedr.: B., 211 nach dem Or. zu März 11.*

**474.** *Bertolf, Bischof von Würzburg, entscheidet einen, früher vor dem Dechanten zu
Frankfurt, als vom Papst bestimmten Richter, zwischen dem Aschaffenburger Kapitel
und Iring von Brenden um Zehnten geführten Streit. Würzburg, 1283 März 6.
(sabb. p. Esto mihi.)*

*Gedr.: Guden, Cod. Dipl., I, 800.*

**475.** *Philipp von Falkenstein, Reichskämmerer, überträgt das Gericht zu Weinheim bei Alzei, das er von dem Pfalzgrafen Ludwig bei Rhein zu Lehen getragen und an Ritter Werner von Weinheim als Afterlehen vergeben hatte, dem Deutschordenshause zu Sachsenhausen und verspricht bis zu erlangter Einwilligung des Oberlehnsherren die aus dem Lehnsbesitz sich ergebenden Pflichten seinerseits zu erfüllen. 1283 März 24.*

Nos Philippus de Mintzenberg, imperialis aule camerarius, presentibus literis profitemur, quod precipue propter deum necnon familiaritatis et dilectionis intuitu, quibus viri religiosi commendator et fratres domus Theutonice in Sassenhusen apud Franckenfort se nobis gratos et acceptos reddiderunt, eisdem fratribus iudicium ville Weyenheim cum suis attinenciis universis, quod ab illustri viro domino Ludewico, duce Bawarie, Reni comite palatino, iure ac titulo feodi possedimus, quod eciam Wernherus miles, filius domine Ude, ulterius a nobis in feodo tenuit et possedit, de bona voluntate et ad peticiones eiusdem Wernheri damus et concedimus obtinendum et possidendum, promittentes et presentibus firmiter [nos] obligantes, quod predicto domino Ludewico, duci, Reni comiti palatino, tam nos quam heredes nostri ad observandum ius homagii nostri racione dicti feodi astricti esse volumus et debemus, donec iidem fratres tam per nostras litteras quam eiusdem domini Ludowici, cum omni securitate et certitudine, quam invenire et excogitare poterint et quam nos omni dolo excluso in scriptis et peticionibus nostris ad ipsum dominum Ludowicum ducem exequi poterimus, super obtencione memorati iudicii et sibi attinencium se roborent et confirment. Datum anno domini millesimo ducentesimo octuagesimo tercio, in vigilia annunciacionis beate Marie virginis.

*Abschrift im Deutschordens-Dokumentenbuch f. 221ᵣ. St. A. Stuttgart. — Von Nathusius. Regest: Buri, Bannforsten, 93.*

**476.** *Der Prior Albert und der Dominikanerkonvent zu Frankfurt beurkunden ein Vermächtniss des Frankfurter Bürgers Berthold Blassenberg für die Beleuchtung des Heiligen Kreuz-Altares in der Dominikanerkirche. 1283 August.[1]*

Nos frater Albertus prior totusque conventus fratrum ordinis Predicatorum domus Frankfordensis, pro presenti scripto tam modernorum quam posterorum, quibus nosse fuerit oportunum, noticie declaramus, quod Bertoldus dictus Blassenberg, civis Frankfordensis felicis memorie, testamentum suum adhuc vivens et in ultima voluntate decedens taliter ordinavit, ut pro remedio anime sue ac progenitorum suorum de bonis subscriptis sibi a deo collatis ob honorem dei et gloriose genitricis sue ad succendendam lampadem nocte ac die pro perpetuo luminari in ecclesia nostra ante altare sancte Crucis singulis annis oleum comparetur. De domo, que sita est iuxta institricem Colnerman, solvuntur singulis annis[a] IIIIᵒʳ· solidi levis monete. In die penthecostes Arnoldus de Glouburg de dimidio manso, quem conparuit(!)[b] erga Willerum de Linden, solvit annuatim quinque solidos leves. In die nativitatis beate virginis de domo vicina Conrado iuxta lacum, qui vulgariter pûl nuncupatur, quidam pistor solvit quatuor solidos levium in festo predicto. Item Cengelo, maritus cuiusdam femine dicte Rosa, solvit annuatim quinque solidos levis monete de quodam orto. In festo Martini prefatos census Gûda et Methildis beggine, consanguinee supradicti Bertholdi defuncti, quamdiu vixerint, colligent diligenter et de oleo prefato lampadis fideliter providebunt, ita quod si de oleo iam dictis censibus comparato quicquam contingit superesse, ad

a) *Vorl.* „oleum conparare" *getilgt.* b) *Ebenso:* „in die pentecostes".

[1] *Die bei B. zu 1283 April 12 gedruckte Urkunde siehe unten zu 1284 April 12.*

lampadem, que pendet ante altare beate Elisabeth, prout expediens fuerit, ministretur. Post mortem dictarum G. et M. sacrista domus nostre, qui pro tempore fuerit. sepedictos census colliget et oleum pro lampadibus, ut pretactum est, amministrabit. Memorati quoque census nec vendentur nec aliquo alienacionis titulo distrahentur. nec in aliquos usus alios quacunque necessitate urgente quam ad succendendas prelibatas lampades convertentur. Quod si processu temporis a priore et fratribus attemptatum fuerit, ipso facto heredes sepedicti Bertholdi ipsos census tollendi et in usus proprios convertendi liberam habeant potestatem. Ad premissorum omnium robur et certitudinem firmiorem sigillum nostri conventus presentibus duximus apponendum. Datum anno domini m̄. c̄c̄. LXXXIII.", mense augusto. Item solidos[a] denariorum censuum emi erga Richwinum textorem eciam ad istas duas lampades quod et dabit in festo Jacobi de quodam eicho.[b] Super eodem cetho[b] habet idem Richwinus quinque solidos denariorum, [quos] quoque posuit in pignore, quos singulis annis solvet. nec istos quinque solidos potest vendere sine scitu nostro. Testes: Ekelo de Inferno H. de Babaria, Waltherus nauta, et C. faber Swevus apud nos moratur. Hec eciam ordinavi in remedium matris mee et fratris mei Bertholdi et Wernheri cuiusdam civis, quod non vendantur.

*Abschrift in Dominikaner-Bücher No. 2 f. 3. St. A. Fr.*

**477.** *Simon, erwählter Bischof von Worms und Rektor der Kirche zu Praunheim, resignirt auf diese Kirche zu Händen des Propstes von St. Peter in Mainz, als des Archidiakons, und des Werner von Falkenstein, als des Kirchenpatrons. Worms. 1283 November 21.* (undecimo kalendas decembris.)

> *Gedr.: Reimer, IV, 814 nach Abschrift im Deutschordens-Dokumentenbuch. St. A. Stuttgart.*
> *Verz.: Niedermayer, 135.*

**478.** *Heinrich Holzburg giebt den Deutschherren zu Sachsenhausen Güter, zu Preungesheim gelegen, die 4 Schilling und 6 Achtel Korn tragen. Elisabeth, Gattin des Colbo von Mainz, schenkt den Brüdern das Ackerland, „Vrich" genannt. Elisabeth, Gattin Friedrichs, schenkt einen schönen Obstgarten, alles in Preungesheim. 1283.*

> *Verz.: Niedermayer, 135 nach dem Deutschordens-Saalbuch = Reimer, I, 446 No. 624.*

**479.** *Die Wittwe Wiradis schenkt den Deutschherren zu Sachsenhausen einen Morgen Weingarten zu Gelnhausen gelegen. 1283.*

> *Verz.: Niedermayer, 159 nach dem Deutschordens-Saalbuch = Reimer, I, 447 No. 625.*

**480.** „Wolradus, scultetus Frankenfordensis" *entscheidet als Schiedsrichter mit andern einen Streit zwischen Gerlach von Breuberg und Gottfried von Brauneck. 1284 Januar 5.* (in vigilia epiphanie.)

> *Gedr.: Simon, Büdingen, III, 43, Reimer, I, 447 nach dem Kopialbuch zu Ortenberg. Das Or. findet sich im fürstlichen Hausarchiv zu Wernigerode. Ich gebe hier nach einer Abschrift von v. Nathusius, kollationirt von Grotefend, die bemerkenswerthesten Abweichungen von dem Druck Reimers an: S. 447 Z. 15 l. „Ezchilo", Z. 16, 29 und 32 steht „licet" auch im Or., Z. 18 „Geilnbülseno", Z. 22: „Grawelloc de Dippurg", Z. 25 l. „burcsesz", Z 27 „bene" auch im Or., Z. 31 l. „vocatur" st. „dicitur", Z. 32 „communiter", Z. 33 „aput Urbahe" st. „modo urbahe", S. 448 Z. 5 „fasallorum" (!) auch im Or., Z. 6 „alter" st. „alteri", Z. 7 „potest" (!) auch im Or., Z. 8 l. „infra nunc et purificacionem", Z. 13 „ostendet", Z. 17 „sigillorum" (!) auch im Or. .*

a) *Über der Zeile. Die Zahl fehlt.* b) *Ob verderbt aus „cista,?*

**481.** *Das Stiftskapitel und die Stadt zu Wetzlar kompromittiren in einem Streite über die Besetzung des Bumeisteramtes an der Marienkirche* ("super eligendis et statuendis inter nos procuratoribus sive magistris, qui vulgariter bumeystere appellantur operis beate Marie virginis") *auf benannte Schiedsrichter, darunter* "frater Hermannus ordinis Predicatorum in Frankenfurt". *1284 Januar 5.* (in vig. epyph.)

Or. Pgmt. St. A. Wetzlar (ungedruckt?). Auszug nach einer Abschrift Grotefends.

**482.** *Das Templerhaus zu Breisich verkauft dem Ritter Heinrich, ehemaligem Frankfurter Schultheissen, Güter zu Ostheim für 70 Mark. 1284 Februar 15.*

Nos frater Conradus conmendator ceterique fratres et conventus ordinis Templariorum domus in Briseche, universis presen//tes litteras audituris cupimus esse notum, quod nos de scitu et voluntate .. preceptoris nostri universa bona nostra apud // Ostheim sita, videlicet terras arabiles, prata, pascua, vineas, curias, cum universis suis attinentiis, vendidimus // iuste et racionabiliter honesto viro Heinrico militi, quondam sculteto Frankenvordensi, et suis heredibus perpetuo possidenda pro septuaginta marcis denariorum Coloniensium nobis ab eodem Heinrico traditis, numeratis et penitus persolutis. Resignamus eciam per presentes prenominata bona, renunciantes omni iuri, quod nobis in eisdem competebat. Promittimus eciam litteras .. preceptoris nostri, cum ad terram nostram pervenerit, acquirere et dare prenominato Heinrico et suis heredibus super ratihabitatione predictorum bonorum omnium venditorum. In cuius rei testimonium et firmitatem perpetuam sigillum domus nostre predicte presentibus est appensum. Actum et datum anno domini m̄. c̄c̄. lXXX. quarto, XV. kalendas marcii.

Or. Pgmt. mit abhangendem, ziemlich gut erhaltenem Siegel. Ullstadt.<br>
Gedr.: B., 212 nach dem Or. .<br>
Verz.: Scriba, II, No. 748. Goerz, Mittelrhein. Reg., IV. No. 1132.

**483.** *Das Templerhaus zu Breisich verkauft den Klöstern Thron und Marienborn die von Wicker von Offenbach und dessen Schwager Gipel von Holzhausen zu entrichtenden Korngefälle von Ländereien in Erlenbach und in dem Lindau; ausserdem dem Kloster Thron einen Vierling kölnisch aus einem Hause am Kornmarkt [in Frankfurt]. 1284 Februar 22.*

Frater Cunradus commendator ceterique fratres domus milicie Templi in Briseche. Tenore presen//cium publice profitemur et notum facimus universis, quod nos de citu (!) et voluntate preceptoris // nostri pensionem annualem viginti sex octalium siliginis et duorum octalium avene Franken//fordensis mensure, quam honesti viri Wicgerus de Ovinbach et Gypelo de Holzhusen sororius suus, cives Frankenfordenses, nobis de hiis bonis, videlicet de tribus mansis in villa Erlebach viginti octalia siliginis et duo avene, et de quadraginta quinque iugeribus agrorum sitis imme Lindehe residua sex octalia siliginis, solverunt, de Trono sancte Marie et de Fonte beate Marie virginis cenobiis et sanctismonialibus[a] rite et racionabiliter vendidimus perpetuo possidendam pro quadraginta duabus marcis denariorum Coloniensium nobis ab eisdem traditis, numeratis et penitus persolutis, resignantes eis ipsam pensionem litteras per presentes, renunciantes nichillhominus omni iuri, quod nobis competebat in eadem. Preterea dominabus de Trono predictis specialiter vendidimus fertonem denariorum Coloniensium

[a] So !

in quadam domo Arnoldi dicti zume Pule, sita amme Kornmerkede, annis singulis persolvendum.  Testes huius empcionis: Henricus de Prumheim filius Rudolfi militis, Cunradus dictus Wobelin, Gypelo de Holzhusen, Hertwinus de Alta domo, Johannes de Wetdere, Wicgerus de Ovinbach, Cunradus Burneflecke, Conradus dictus Albus gener Gylberti predicti, Siplo de Gysinheim, Johannes dictus Cribel, Henricus dictus Herregot, et quamplures alii ydonei et honesti.  In cuius rei testimonium et debitam firmitatem, presentes litteras sigillo nostre domus sigillatas ipsis tradidimus communitas.  Actum anno domini m̃. c̃c̃. lXXX. quarto, in die kadedre beati Petri apostoli.

> *Or. Pgmt. Siegel ab.  St. A. Coblenz.*
>
> *Gedr.: Günther, Cod. Rheno-Mos., II, 454 zu 1284 Februar 22.  Regest bei Sauer, I, 617 zu 1285 Februar 22 mit Annahme des Trierer Styles.  Da die folgende Urkunde der Frankfurter Schöffen, die erst nach dieser Urkunde ausgestellt sein kann, das Datum 1284 Februar 26 hat, so erscheint die Rechnung nach Trierer Styl in diesem Falle als nicht gerechtfertigt.*
>
> *Verz.: Goerz, Mittelrhein. Reg., IV. No. 1134.*

**484.** *Schultheiss Volrad, die Schöffen und Bürger von Frankfurt beurkunden, dass die Klöster Thron und Marienborn die ihnen durch das Templerhaus in Breisich verkauften Liegenschaften in Erlenbach und in dem Lindau an die bisherigen Erbpächter Wicker von Offenbach und Giselbert von Holzhausen in Erbpacht ausgethan haben.  1284 Februar 26.*

Nos Volradus scultetus, . . scabini ceterique cives Frankenvordenses constare cupimus universis // has litteras visuris, quod frater Cunradus conmendator ceterique fratres domus militie Templi // in Briseche pensionem annualem viginti sex octalium siliginis Frankenvordensis mensure de hiis // bonis, videlicet de tribus mansis in villa Erlebach viginta(!) octalia siliginis et residua sex octalia siliginis de quadraginta quinque iugeribus agrorum in deme Lyndehe sitis, que Wigerus de Ovenbach et Gylbertus de Holzhusen predictis fratribus solverunt, de Throno et de Fonte sancte Marie cenobiis et sanctimonialibus pro quadam certa summa pecunia(!) vendiderunt, pro eadem pensione, scilicet viginti sex octalibus siliginis; que bona predicta cenobia sive moniales antedicte Wigero et Gyselberto prefatis suisque pueris ac eorum heredibus universis iure hereditario concesserunt, ita quod huiusmodi pensionem in omnem eventum Frankenvort infra assumpcionem et nativitatem beate Marie virginis in domum, quamcumque predicte domine voluerint, suis laboribus et expensis presentabunt.  Quod si non fecerint, pensionem debitam requirent, prout exigit ordo iuris.  Hoc adiecto, quod si sepedictus Wigerus et Giselbertus necessitate cogente bona sua in Erlebach vendere voluerint, tres mansos mensura mensuratos terre communis et arabilis specificabunt, ut prenominate domine in eisdem suam pensionem tollant et percipiant suprascriptam.  Testes huius sunt: Cunradus Wobelin, Volmarus frater suus, Wernherus de Wanebach, Hertwicus de Alta domo, scabini; Sifridus de Gysenheim, et quamplures alii cives Frankenvordenses fidedigni.  In cuius rei testimonium nos . . scultetus et . . scabini supradicti sigillum civitatis Frankenvordensis ad peticionem parcium supradictarum presentibus est appensum.(!)  Actum anno domini m̃. c̃c̃. LXXX. quarto, in crastino Mathie apostoli.

> *Or. Pgmt.  Das abhangende Stadtsiegel (2) ist beschädigt.  St. A. Wiesbaden, Kloster Thron No. 29.*
>
> *Gedr.: Sauer, I, 604 nach dem Or. .  Ein zweites Exemplar der Urkunde (Ausfertigung für Marienborn, Siegel ab) befindet sich in Büdingen.  Vgl. Simon, Büdingen, III, 45.*

**485.** *Schultheiss Volrad, Schöffen, Rath und Bürger von Frankfurt beurkunden die von der Schwester Agnes und deren Grossmutter Merhudis Spercwerin dem Dominikanerkloster zu Frankfurt gemachte Schenkung von Grundzinsen.  1284 Februar.*

Volradus schultetus, scabini, consules ceterique cives Frank(en)*fordenses*. Universis, quibus nosse fuerit oportunum, noticiam subscriptorum. Succedentibus sibi variis temporum revolucionibus, [ne] rerum gestarum causa, modus et ordo ab hominum memoria dilabantur, necesse est, ut facta hominum litterarum serie et testimonio roborentur. Pro presenti itaque scripto tam modernorum quam posterorum noticie declaramus, quod soror Agnes de Frank(en)*fort* nostra concivis zelo ducta pietatis ob honorem dei et gloriose genitricis sue donacionem, quondam ab avia sua Merhude felicis memorie, que Sperewerinna dicebatur, priori et conventui fratrum ordinis Predicatorum domus Frank(en)*fordensis* pro remedio anime sue ac progenitorum suorum inter vivos factam, ratam et gratam habens, post adiectionem quoru*n*dam bonorum ex affectu, quem ad eundem habet ordinem, renovavit. Sunt autem subscripta bona, que ipsa Agnes et avia sua iam dicta memoratis fratribus pure et liberaliter contulerunt, post mortem eiusdem Agnetis integraliter percipienda et iure proprietario in usus prefate domus, prout ipsis fratribus expedire videbitur, convertenda. De domo, quam inhabitavit Kummerinna defuncta, que sita est iuxta Smalinecken, solvuntur IIII. solidi Colonien*ses* in festo beati Martini. Item apud ortos annui redditus IIII. solidorum et VI. denariorum levium in eodem festo de orto sito iuxta terram, quam nunc colit Albertus. Item heredes matrone, que dicitur Hubscheryn, solvunt singulis annis IX. solid*os* levis monete de duobus iugeribus in die beati Jacobi appostoli(!), qui videlicet IX. solidi ad accendendam lampadem coram altari beati Dominici in ecclesia fratrum memorate domus sunt perpetue deputati, ita quod in nullos usus alios convertantur. De utensilibus domus sue et universa suppellectili distribuenda discrecioni fratrum com*m*ittit Agnes sepedicta, si ipsam decedere contigerit intestatam. Ut ergo premissa donacio rite et racionabiliter facta rata et inconvulsa permaneat et a nemine in posterum valeat infirmari, presens scriptum exinde confectum sigillo[a] civitatis Frank(en)fordensis ad instanciam prelibate Agnetis fecimus com*m*uniri. Huius rei testes sunt: Volmarus, Conradus Wobelinus, Johannes Goltstein, et Heinricus de Meilsheym, scabini Frank(en)fordenses, et alii quam plures. Actum et datum anno domini m̃. cc. lXXXIV., mense februario.

Item censum, quem dedit Albertus predictus, videlicet V. solid*os* levium denariorum, modo dat Conradus Breitenloere de uno iugere et dimidio.

*Abschrift in Dominikaner-Bücher No. 2 f. 32 ab. St. A. Fr.*
*Gedr.: B., 212 nach Jacquin, Codex probationum = Dominikaner-Bücher No. 16ᵃ f. 26. St. A. Fr.*

**486.** *Philipp von Hohenfels der Jüngere übergiebt den Mainzer Bürger Konrad Kolbe von Hochheim, seinen Eigenmann, dem Deutschordenshause zu Sachsenhausen. 1284 März 3.* (fer. 6. p. dom. Invocavit).

*Gedr.: Guden, Cod. Dipl., IV, 947 = Hennes, I, 259, danach Regest: Sauer, I, 606.*

**487.** *Der Deutschordenskomthur zu Sachsenhausen Luther, der Schultheiss in Frankfurt Volrad und der Frankfurter Bürger Konrad Wobelin bekennen, dass der Streit zwischen den Gebrüdern von Hagen* (de Indagine) *und dem Kloster Schmerlenbach beigelegt sei. Unter den Zeugen u. a.:* Cunradus dictus Swevus de Bruningisheim, Hartmudus de Sassenhusen, milites; Cunradus filius predicti H., Marquardus dictus Bluwel, Cunradus filius Folmari, Fridericus de Esshebach. *1284 März 31.* (II. kal. april.)

a) *Vorlage:* „sigillum".

*Gedr.: Würdtwein, Dipl. Mag., I, 320. Bei Guden ist dieselbe wörtlich gleichlautende
Urkunde (Cod. Dipl. II, 242) zum Jahre 1285 abgedruckt. Welche Datirung die richtige
ist, sei dahingestellt.*

**488.** *Gerhard von Eppstein, Propst der Frankfurter Kirche, überträgt die durch Epperts
Entsagung erledigte Pfarrei zu Frankfurt dem Magister Ditmar von Frankenberg.
Mainz, 1284 April 12.*

Gerhardus de Eppenstein, dei gracia prepositus ecclesie Frankenvordensis, viris
discretis // . . decano Frankenvordensi et Epperto quondam plebano ibidem, salutem
in domino. Parro//chiam ecclesie Frankenvordensis, cuius collatio ad nos spectare
dinoscitur, pleno iure // vacantem ex resignacione predicti Epperti magistro Ditmaro
de Frankenberg, advocato Maguntino, clerico nostro, contulimus pure et simpliciter
propter deum et ipsum de cura eiusdem parrochie presentibus litteris investimus,
mandantes vobis sub pena suspensionis iam late sentencie precipiendo firmiter et
districte, quatenus eundem magistrum Dit. ducatis in possessionem corporalem
parrochie memorate, precipientes parrochialibus ibidem, ut sibi tanquam suo vero
pastori exhibeant obedienciam et reverentiam debitam et honorem. Alter alterum in
execucioni(!) huiusmodi mandati non expectet. Datum Maguncie, anno domini m̄. c̄c̄.
l X X̊X. IĪII., II. idus aprilis.

*Or. Pgmt. mit abhangendem Siegel Gerhards, als Propst von St. Peter in Mainz. St. A. Fr.
Barth.-St. No. 36.
Gedr.: B., 211 nach dem Or. irrig zu 1283.*

**489.** *Wigand von Limburg, Bürger in Friedberg, vererbpachtet mit Einwilligung seiner
genannten Schwiegersöhne und Kinder dem Kloster Schönau sein bei der Kapelle
des Heiligen Georg in Frankfurt gelegenes Haus. 1284 Mai 1.*

Ego Wigandus dictus de Limpurg civis [a] Fridebergensis, recognosco, quod domum
meam sitam in Frankenfort apud curiam monachorum Cisterciensium in Schonaugia,
vicinam capelle sancti Georgii, de consensu Jacobi sculteti Moguntinensis, Baldungi
civis [b] Maguntinensis, Wicgeri civis Frankenfordensis, Angeli civis Gruenbergensis,
meorum generorum et uxorum eorumdem, necnon Fridberti dicti Iuvenis, Wigandi,
Johannis, meorum natorum, et Berhthe, mee nate, locavi iure hereditario eisdem monachis,
scilicet abbati et toti conventui in Schonaugia, imperpetuum possidendam, ita sane,
quod mihi vel meis heredibus pro annuo censu in festo beati Martini viginti quinque
solidos Coloniens*es* annis singulis inde solvent. In cuius rei testimonium meum sigillum
presentibus est appensum. Datum anno domini millesimo cc. l X X̊X. IĪII., kalend*is* maii.

*Abschrift im Schönauer Kopialbuch f. 137 ᵛ. Karlsruhe, General-Landesarchiv. — Grotefend.
Gedr.: Würdtwein, Chron. Schonaug., 188, B., 213 nach gleicher Vorlage. Auszug: Thomas,
Oberhof, 440.*

**490.** *Jacob von Waldertheim, Schultheiss, und Baldung, Bürger von Mainz, und deren
Frauen geben ihre Einwilligung zur Vererbpachtung des Hauses Zum alten
Martin in Frankfurt von seiten ihres Schwiegervaters und Vaters Wigands von
Limburg an das Kloster Schönau. 1284 Mai 6.*

a) *Vorlage:* „cives“.    b) *Vorlage:* „civium“.

Nos Jacobus dictus de Waldertheim scultetus et Elisabeth uxor sua, Baldungus filius Baschonis, necnon Kunegundis uxor eiusdem, cives Maguntini, presentibus litteris profitemur et constare cupimus universis, quod communicatarum manuum et voluntatum nostrarum assensu concessionem sive locationem, quam dominus Wigandus dictus de Limpurch, civis Fridebergensis, socer et pater noster, de domo quadam sua in Frankenford iuxta curiam monachorum monasterii Schonaugiensis ibidem sita, que ad Antiquum Martinum vulgariter appellatur, dictis monachis per procurationem fratris Gumperti, magistri curie in Frankevord, obtentione perpetua pro censu viginti quinque solidorum denariorum Coloniensium legalium et bonorum singulis annis in festo beati Martini ipsi Wigando et suis heredibus solvendorum a memoratis monachis sive magistro curie predicte in Franckenvort, qui pro tempore fuerit, fecisse dignoscitur, ratam et gratam modis omnibus habentes, promittimus in his scriptis, quod sepedictos monachos circa hoc factum nunquam impediemus aut impetemus, dantes has litteras appensione sigillorum nostrorum communitas in evidens testimonium premissorum. Actum anno domini ṁ. c̈c. IXXX̊. IŮII., in die beati Johannis ante portam Latinam.

*Abschrift im Schönauer Kopialbuch f. 137 v. Karlsruhe, General-Landesarchiv. — Grotefend. Gedr.: Guden, Sylloge, 281, B., 214 nach derselben Vorlage, vgl. Würdtwein, Chron. Schönaug., 189.*

**491.** *Die Stadt Frankfurt („cives Frankenfurtenses") besiegelt eine Urkunde, in welcher „Fridericus miles dictus Dugil" dem Kloster Fulda Güter in Bergen zu Lehen aufträgt. 1284 Juli 13. (in die b. Margarete.)*

*Gedr.: Reimer, I, 449 nach Or. Pgmt. im St. A. Marburg.*

**492.** *Schultheiss, Schöffen, Rath und Bürger zu Frankfurt beurkunden, dass die Müller und Mühlenbesitzer in Frankfurt sich bei Strafe verpflichtet haben, die Bäcker ferner nicht durch Geschenke zu gewinnen. 1284 Juli 23.*

Nos . . scultetus, . . scabini, . . consules ceterique . . cives Frankinvordenses, notum esse cupimus has lit//teras visuris, quod universi molendinarii et alii molendina habentes in nostra civitate constituti coram // nobis fideliter promiserunt se ad hoc voluntate spontanea obligantes, quod . . pistores nullis muneri//bus, vel promissionibus, quod liebnusse dicitur, de cetero placare debeant, et quicunque ex ipsis . . molendinariis secus faceret, promissum huiusmodi violando, ille nomine pene solvere deberet . .ᵃ sculteto libram, . . civitati libram, et . . artificibus, qui antwercgenoz dicuntur, similiter unam libram levium denariorum, idemque exibit civitatem nostram per annum nullomodo intraturusᵇ nisi de nostra voluntate et licencia speciali. Si eciam aliquis . . molendinarius, vel molendina habens se ad nos transtulerit, si promissum sive obligacionem antedictam non servaverit, pene superius premisse subiacebit. In testimonium premissorum presentes litteras sigillo nostre civitatis dedimus roboratas. Actum et datum anno domini ṁ. c̈c. IXXX̊. quarto, X. kalend*as* augusti.

*Or. Pgmt. Abhangend das etwas beschädigte Stadtsiegel (2). St. A. Fr. Barth. St. No. 4038. Gedr.: Würdtwein, Subsid. Dipl., IV, 348, Kirchner, I, 621, B., 214 nach dem Or. .*

**493.** *Schultheiss Volrad, Schöffen, Rath und Bürger zu Frankfurt beurkunden einen zwischen dem [Arnsburger] Conversen Heinrich und seinen Brüdern von Seckbach*

a) *Die Dignitätspunkte sind am Rande nachgetragen.* b) Or. „incraturus".

*einer- und dem Frankfurter Bürger Hermann andererseits über eine gemeinschaft-*
*liche Scheidewand und Traufe abgeschlossenen Vertrag. 1284 Juli 24.*

Nos Volradus scultetus, . . scabini, consules ceterique cives Frankinvordenses,
notum esse volumus universis presentes // li*tt*eras inspecturis, quod inter Heinricum
conversum et fratres suos de Seckebach ex parte una, et Hermannum sar//torem,
civem Frankinvordensem, ex parte altera talis amicabilis conposicio intervenit, quod
idem Hermannus super // aream prefati Heinrici, que ad latitudinem trium pedum se
extendit, contiguam domui dicte ad Stellam, parietem edificabit et cannale[a] ponet
super illum suis propriis laboribus et expensis. Idem quoque Heinricus[b] in eodem
pariete edificare poterit sua edificia, si ei placuerit, omni inpedimento ipsius Hermanni
penitus excluso. Preterea si contingit aliud poni cannale, hoc ponetur de prefati
Heinrici et Hermanni co*m*munibus laboribus et expensis. Adiectum est eciam, quod
si dictus paries igne seu alio casu quocu*n*que destrueretur, quod absit, prefata area
ad predictum Heinricum aut suos heredes sive coheredes revolvetur libere penitus et
absolute. Testes huius: Johannes Goltstein, Cunradus Wobelinus, Volmarus de Ovinbach, Ludewicus Pannifex, Wernherus de Wanebach, Giplo de Holzhusen, Heinricus
de Meilsheim, Hermannus Bichelin, Arnoldus de Glauburg, Petrus de Eschebach, Hertwinus de Alta domo, scabini, et alii cives Frankinvordenses fidedigni. In cuius rei
testimonium sigillum nostrum ad peticionem predictorum Heinrici et Hermanni presentibus litteris duximus apponendum. Actum et datum anno domini ṁ. c̊c̊. lXXX.
quarto, in vigilia beati Jacobi apostoli.

> *Or. Pgmt. Siegel abgefallen. Lich.*
> *Gedr.: B., 215 nach dem Or. .*

**494.** *Hartmud von Wöllstadt, Bürger zu Frankfurt, vermacht dem Heiligen Geist-*
*Hospital zu Frankfurt genannte Gefälle in Okarben, Niederursel und Frankfurt.*
*1284 August 13.*

Ego Hartmudus dictus de Wullenstat civis Frankenvordensis, notum esse cupio
universis presentibus et futuris, quod ego ob mei et Hadewigis uxoris mee bone
memorie // animarum remedium et salutem ad hospitale sancti Spiritus in Frankenvort
dedi et legavi bona mea infrascripta, videlicet in Acarben septem octalia siliginis et
septem oc//talia tritici, que super unum mansum, qui fuit quondam Heinrici de
Ditcenbach[c] comparavi. Heredes vero eiusdem Heinrici in eodem manso habent duo
octalia siliginis et duo // octalia tritici, que equaliter et proportionaliter sicut illa predicta septem octalia siliginis et septem octalia tritici grandines et exercitus, si con-
tigerint, sustinebunt. Item in Inferiori Ursela de uno manso et dimidio et tribus
iugeribus viginti octalia siliginis. Item ibidem, scilicet in Ursela, de quadam area ad
dicta bona attinenti sex solidos levium denariorum. Item unam marcam denariorum,
quam Wigandus pistor dictus Darendere solvet de quadam domo sita in der Wargazen
annis singulis in sacris diebus pentecost*es*. De hiis denariis Hunoldus quadraginta
denarios singulis annis percipiet et Walterus dictus Sigelo caponem unum. Item statuo,
quod prenominata bona nu*n*quam vendantur seu alienantur(!) ab hospitali prefato.
Item infirmi hospitalis predicti singulis sextis feriis habebunt sex denarios pro piscibus
ad suorum corporum refectionem. Item statuo, quod si legittima et evidens necessitas
michi ingruerit, potestatem habeam vendendi et alienandi omnia bona predicta pro meis
necessitatibus, prout videro expedire. Item ordino et statuo, quod sive sim sanus vel

infirmus, potestatem plenam habeam de bonis meis mobilibus legandi ad loca quecu*n*que sine contradictione pro mee libito voluntatis. Sed quidquid non legavero et michi ultra meam necessitatem retinuero, hoc ad prefatum hospitale penitus devolvetur. In cuius rei testimonium sigillum civitatis Frankenvorden*sis* presentibus apponi rogavi in testimonium premissorum. Et nos scultetus, . . scabini et cives predicti, quia idem Hartmudus ob honorem dei omnipotentis ac gloriose virginis Marie prenominata bona prefato hospitali ac pauperibus ibidem contulit, ut est dictum, talem sibi graciam duximus faciendam, quod inantea ab omni exactione, precaria, seu contributione erit liber penitus et absolutus. In[a] premissorum omnium testimonium atque firmitatem presentem litteram sigillo civitatis nostre duximus roborandam. Actum et datum anno domini m̊. c̊c̊. 1XXX. IIĬI., I. idus augusti.

> *Or. Pgmt. mit abhangendem Bruchstück des Stadtsiegels (2). St. A. Fr. Heilig-Geist-Hosp. Litt. A No. 21.*
>
> *Gedr.: B., 215 nach dem Or. ., danach gekürzt: Sauer, I, 608.*
>
> *Verz.: Scriba, II, No. 753.*

**495.** *Der Scholaster Johannes von Rodahe dotirt den Altar der Heiligen Jungfrau Maria in der Kirche des Heiligen Bartholomaeus zu Frankfurt. 1284 August 14.*

Ego Johannes dictus de Rodaha, scolasticus ecclesie Frankenfordensis. Tenore presencium recognosco // presentibus et futuris publice profitendo, quod ob honorem omnipotentis dei et gloriose // virginis matris eius ac in remedium anime mee meorumque parentum altare beate virginis // in ecclesia beati Bartholomei Frankenford*ensi* dotavi cum bonis et proventibus subscriptis, in hunc modum videlicet, quod officians ipsum altare recipiet singulis annis novem octalia siliginis, quorum Cristanus in Cadercanp et eius heredes perpetuo dabunt quatuor octalia siliginis de curia in Cadercanp, quam nunc inhabitat, et est sita in platea apud molendinum. Item et de bonis infrascribtis(!), videlicet quatuor iugera pratorum de Breidewise et unum iuger prati Zume Stochee et unum iuger agri, ubi descenditur ad ecclesiam, et emi illud apud Wigandum Griben. Item Giselbertus dictus Caupo et sui heredes dabunt de vineis, quas ibidem comparavi empcionis titulo, duo octalia siliginis. Item de bonis Dyboldi in Ovenbach senioris III. octalia siliginis. Hec quidem annona infra assumpcionem et nativitatem beate virginis presentabitur Frankenford officianti altare prenotatum ab illis, qui dictam curiam in Cadercanp et vineis(!) ibidem aut curiam in Ovenbach antedictam habent, possident, vel possidebunt. Item Byscovesheim vineas habebit, quas apud Waltherum filium Walteri de Mersvelt conparavi, et unum iuger dictum Zume Lohe, quarum fructus percipiet officians altare cum annona memorata. Item domum lapideam contiguam domui Sifridi canonici, sub qua est stabulum et non cellararium(!). Item de aputecis(!), quas iuxta cimiterium edificavi, dabuntur septem denarii singulis diebus dominicis ad altare sancti Bartholomei, quorum presbiter celebrans in illa die tres recipiet, quatuor vero ministri sui, et quidquid de censubus(!) ipsarum aputecarum supererit, officianti dictum altare remanebit. Preterea ordino, dono, ordanavi(!), et[b] donavi vineas in Hohenstad, quas apud dominum . . abbatem et conventum in Hagenehe conparavi dictas Zu me Destbaume, item unum iuger dictum Sygenandes morgen, quod apud Sygenandum de Stheinheim conparavi, situm iuxta crucem in Hohenstad, domum, quam inhabitat Adelheidis dicta de Veteri Moneta, cum domibus ad eandem domum pertinentibus, quondam Leonis mei concanonici domum sitam iuxta Predicatores ex oposito domus Agnetis dicte Sparweren, curiam sitam in Sasenhusen, cuius proprie-

---

tatem apud Hartmudum militem de Sasenhusen, hereditatem vero erga Reinhardum sacerdotem conparavi ad sepedictum altare, ita quod post mortem meam census cedentes de domibus adtinentibus domui, quam ipsa Adelheidis inhabitat, cum vineis in Hohenstat et curia in Sasenhusen cedent ad altare sepedictum una cum domo iuxta Predicatores memorata. In huius rei testimonium et robur firmitatis presentes litteras sigillis domini decani Frankenfordensis, cantoris ibidem, et mei dignum duxi communiri. Datum et actum anno domini m. cc. lXXXIIII., in vigilia assumpcionis beate Marie virginis.

*Auf der Rückseite der Urkunde stehen folgende spätere Zusätze:*

Item canonici predicte ecclesie dabunt officianti prenotatum altare semper in festo beati Martini VI. solidos levium denariorum pro tribus marcis, // pro quibus quedam bona in Cadercanp[a] fuerunt vendita, quos in quartum denarium canonici receperunt. Item ipso festo dabunt V. solidos levium denariorum // pro quadam summa annone, cum qua reditus comparavi ad prefatum altare, quam domini predicti[b] receperunt, // item officians habet et habebit de quibusdam agris sitis ante portam Bukenheim et domo una VI. solidos, quos dat Ludewicus Linza, quos modo dant domini de Sasenhusen de domo Theotonica de eisdem agris. Item Gebehardus dictus zu deme Birsake III. solidos de domo sua in Snargazen, que olim fuit Johannis dicti Lycheres et est sita exoposito iuxta Hartbernum, hii III. solidi dabuntur in nativitate beati Johannis babtiste, item Sifridus zu deme Wederhane dabit II. solidos de domo sua exoposito domus predicti Gebehardi in collacione(!) beati Johannis, item domus zu deme Vrazkelre VI. solidos in die beati Martini, item II. solidos de domo Isales uf deme Rossebuhele ex parte C. Witzen in die beati Martini. Item I. similiter olei in festo sancti Jacobi de curia Wikeri zume Hohenrade. Item I. octale siliginis, quod dabunt fratres de Arnesburg pro Sifrido sacerdote dicto Sartino. Sacerdos officians altare beate virginis de domibus apud sanctum Antonium, que solvunt in nativitate beati Johannis baptiste marcam, dabit in festo sancti Martini duabus penitentibus I. solidum levem, item sculteto civitatis XVII. denarios et obulum, item Cunrado de Heldebergen III. solidos lev*es*, et sic remanent sibi IX. solidi Coloniens*es*, item dabit de domibus in Sasenhusen, que solvunt X. solidos Coloniens*es* et I. pullum, Cunrado militi de Sasenhusen VI. solidos levium denariorum, et sic remanent sibi VII. solidi Coloniens*ium* denariorum, item predictus sacerdos dabit omni anno in anniversario Cristani quondam cantoris de domo lapidea iuxta cimiterium VI. solidos levium denariorum, quos manufideles sui emerunt cum consensu capituli. Item nichil habet, nec habebit de domo apud Predicatores.

> *Or. Pgmt. Von den abhangenden Siegeln ist 1) zerbrochen, von 2) und 3) nur Reste vorhanden. St. A. Fr. Barth. St. No. 1436.*
>
> *Gedr.: Würdtwein, Dioc. Mog., II, 535, B., 216 nach dem Or. zu August 13 = Sauer, I, 609 (gekürzt), Reimer, I, 449 nach Abschrift in Barth.-Büchern Serie I, No. 22[b] u. No. 25. St. A. Fr.*
>
> *Verz.: Scriba, I, No. 598.*


**496.** *Werner von Münzenberg giebt dem Heiligen-Geist-Hospital in Frankfurt eine Wiese bei Rödelheim in Erbleihe. 1285 Januar 21.*

Wernherus dominus de Myntzemberg et heredes ipsius, tenore presencium publice profitemur, quod nos conventui sive hominibus existentibus in hospitali Frankenfurt pratum nostrum in Redelnheim situm concessimus iure hereditario inperpetuum possidendum, ita quod nobis de eodem annis singulis duodecim libras bone cere in nundinis Frankenfurdensibus in die beati Johannis assignent, occasione nil agente. In cuius

a) *Über der Zeile.* b) „prefati“ *gestrichen.*

rei testimonium et cautelam predictis conventui et hominibus presentes li*tt*eras damus, sigilli nostri robore communitas. Datum et actum anno domini m̆. c̆c̆. LXXXV̇., in die beate Agnetis.

Abschrift (15. Jahrh.) in dem Kopialbuch des Wigand Vogt f. 51. St. A. Fr. Heilig-Geist-Hosp. .

**497.** *Das Stiftskapitel zu Frankfurt beurkundet, dass zwei seiner Kanoniker zu deren Präbende gehörige Weinberge bei Enkheim mit dem Kloster Arnsburg gegen andere vertauscht haben. 1285 März 12.*

Nos . . decanus et capitulum ecclesie Frankenvordensis, recognoscimus tenore presencium publice profitendo, quod Johannes dictus de Betthenhusen // scolasticus et Petrus dictus de Moguntia canonicus ecclesie nostre de vineis ad eorum prebendas pertinentibus apud Ennenkeym sitis vulgariter[a] nuncupa//tis, sive de agris, ex parte dicti scolastici iuger unum vinee dictum seu situm in loco Baderichisgassen, pro parte vero Petri supradicti // quendam agrum dictum vulgariter zo sente Marien wingarthen — quandoque fuit vinea, sed nunc arabilis terra — cum religiosis viris domino abbate et conventu de Arnisburg interveniente nostro consensu commutationem fecerunt, quod pro vinea et agro supradictis prenotato scolastico et Petro, immo ecclesie nostre, nomine commutacionis dederunt duo iugera vinearum, unicuique predictis unum, nominata Richartis wingarthen apud Ennekeym continue sita. In huius rei testimonium presentibus litteris sigillum capituli nostri seu ecclesie dignum duximus apponendum. Datum anno domini m̆. c̆c̆. LXXXV̇., in die Gregorii confessoris.

Or. Pgmt. mit beschädigtem Siegel. Lich.<br>
Gedr.: B., 217, Reimer, I, 451, beide nach dem Or. Hier nach Reimer.<br>
Vers.: Scriba, II, No. 759, Arnsb. Urkb., 215, alle zu April 24.

**498.** *Schultheiss Volrad, die Ritter, Schöffen, der Rath und die Frankfurter Bürger erklären, sich mit den Städten Wetzlar und Friedberg auf 10 Jahre verbunden zu haben. 1285 Mai 9.*

Nos[b] Volradus scultetus, milites, scabini, consules et universi cives Frankenvordenses, tenore presencium ad universorum noticiam cupimus pervenire, // quod ordinationem sive promissionem infrascriptam dilectis nostris amicis de Wetphlaria et Frideberg[c] civitatum civibus, sicut fideidatione ac iuramentis // factis promisimus, a feria quarta proxima post festum beati Johannis ante portam Latinam per annorum spacium decem volumus stabiliter et indestructibiliter observare. // (1) Que talis est, quod propter nullius cause eventum sive rei ingruentiam debemus a dictarum civitatum civibus infra terminum prenotatum aliqualiter separari. (2) Preterea si aliqua predictarum civitatum ab aliquibus inimicorum seu emulorum gravaminibus sive molestiis gravaretur, postquam nobis hoc intimatum fuerit, nos ipsa gravamina tamquam propria reputantes ipsos malefactores statim diffidabimus cum civitate iniuriam sustinente. Ipsos eciam cum illis, qui ipsos castris suis seu domiciliis suis servant vel fovent quibuscunque, a quolibet nostre civitatis cive, ut in nullo foro sive venditione rerum suarum eidem subveniant, omnimodo secludemus. (3) Sed si aliquis ex nostris concivibus civis qualiscunque malefactoribus talibus seu ipsos sic servantibus vel foventibus subsidium aliquod in foro sive venditione iamdicta notorie prestiterit, exibit

a) Or. „wigaliter“. b) Der Anfang der Friedberger Gegenurkunde lautet: „Nos burgravius, scultetus scabini, consules et universi cives civitatum (!) Fridebergensis“ und weiter „mutatis mutandis“ wie oben. c) „amicis de Frankenfort et Wetflaria“.

annum civitatem nostram, cuique civitatum dictarum tribuendo marcas decem, si eidem
fuerint facultates; que si non fuerint, ipsos muros nostre civitatis cum pueris et uxore
eicientes extra eos permanere perpetualiter faciemus. (4) Adicimus itaque hoc, ut si
alicui civitatum earundem aliqua ingruerit necessitas, nos requisiti decem personis
cum nostris expensis nec paucioribus, immo si necessitas tanta fuerit, totis nostris
viribus eidem in auxilium veniemus. (5) Ne autem hec ordinatio sive promissio communi utilitati nostrorum profutura deleatur in aliqua parte, pro centum marcis dedimus
fideiussores civitatibus supradictis, qui si inpetantur, et quocienscunque huiusmodi
ordinatio sive promissio a nobis iacturam patitur seu fracturam, tociens pro pecunia
iam dicta obligati, ita quod in qualibet fractura pro singulis marcis centum intrabunt
civitatem, cui promissio sic fracta dinoscitur, tamdiu more fideiussorio soluturi, quousque hanc pecuniam persolvamus. Nec ordinatio sive promissio prehabita propter
fracturam talem eo minus stabit per terminum prefinitum. Sunt autem hii nostri
fideiussores[a]: Volmarus de Ovenbach, Giselbertus de Holzhusen, Petrus de Eschebach,
Hermannus Bichelin, Hartwicus de Vite, Volgwinus de Wetphlaria, Dilemannus de
Colonia, Siplo de Gisenheim, Cunradus filius Volmari, et Cunradus dictus Burneflecke,
concives nostri. Et ad huius robur has litteras sigillis nostris duximus roborandas.
Actum et datum anno domini millesimo cc. IXXX. quinto, feria quarta supradicta.

> *Or. Pgmt. mit abhangendem Stadtsiegel (2). St. A. Wetzlar No. 26. — Grotefend. Die
> Gegenurkunde von Friedberg (kollationirt durch Grotefend, ib. No. 21, gedr. bei Winkel-
> mann, Acta, II, 744) stimmt bis auf den Eingang und die Bürgenreihe mit der Frank-
> furter Urkunde überein.*
>
> *Gedr.: B., 218 nach dem Or. .*
>
> *Vers.: B. Reg. Reichss. No. 146, Scriba, II, 760, Goerz, Mittelrhein. Reg., IV, No. 1245
> und 1263 zu Juni 27.*

**499.** *Genannte Erzbischöfe und Bischöfe ertheilen den Besuchern und Wohlthätern der
Frankfurter Dominikanerkirche einen Ablass. Rom, 1285 Mai 28.*

Universis Christi fidelibus, ad quos presentes littere pervenerint, nos dei gracia
Petrus Arborensis et // Rogerius Pisanus, archiepiscopi, frater Theobaldus Canensis,
Leo Chalamonensis, Tholomeus Sardanensis, Johannes Strogolensis, Johannes // Avelinus,
Petrus Baiocensis, Angelus Melfictensis, Bernardus Vinzentinus, et Bartholomeus Castellanus, episcopi, salutem in domino sempiternam. // Quoniam, ut ait apostolus, omnes quidem
stabimus ante tribunal Christi, recepturi, prout in corpore gessimus, sive bonum fuerit
sive malum, oportet nos diem messionis extreme misericordie operibus prevenire ac
eternorum intuitu seminare in terris, quod reddente domino cum multiplicato fructu
recolligere valeamus in celis, firmam spem fiduciamque tenentes, quoniam qui parce
seminat, parce et metet, et qui seminat in benedictionibus, de benedictionibus et
metet vitam eternam. Cupientes igitur, ut monasterium fratrum Predicatorum in
Frankenfort, Maguntinensis dyocesis, congruis honoribus frequentetur et a cunctis
Christi fidelibus iugiter veneretur, omnibus vere penitentibus et confessis, qui in festis
subscriptis, videlicet in festo nativitatis Christi, resurrectionis, ascensionis et penthecostes, in singulis festivitatibus beate Marie virginis, beati Michaelis archangeli, beati
Johannis baptiste, beatorum Petri et Pauli apostolorum, beati Jacobi apostoli, Johannis

---

a) *Die Bürgen für Friedberg waren:* „Fridebertus senior, Cuno scultetus et Ditwinus frater suus,
Heinricus Berno, Gerlacus iudex, Anselmus Weideler, Eigelo,[α] Fridebertus filius Wigandi de Limpurk,
Fridebertus filius iuvenis, Henricus de Dorheim".

α) *Winkelmann las* „Sigelo".

ewangeliste, Bartholomei apostoli, Sthephani(!) prothomart*i*ris, Laurencii, Georgii et
Petri mart*i*rum, Martini, Nicholai et Dominici confessorum, Marie Magdalene, Katherine
virginum et beate Elizabeth, ad ipsum monasterium causa devocionis accesserint, vel
qui ad structuram aut ad aliqua alia ipsi monasterio necessaria manus adiutrices
porrexerint, seu in extremis laborantes eidem quicquam suarum legaverint facultatum,
nos de omnipotentis dei misericordia et beatorum apostolorum Petri et Pauli auctoritate
confisi, singuli singulas quadraginta dierum indulgencias de iniunctis sibi penitenciis,
dummodo consensus dyocesani accesserit, misericorditer in domino relaxamus.  In
cuius rei testimonium presentes litteras sigillorum nostrorum munimine duximus roborandas.  Datum Rome.  Anno domini millesimo c̃c̃. ]XXXV̊., quinto kalend*as* iunii.
Pontificatus domini[a] Honorii pape quarti anno primo.

> *Or. Pgmt.  Es hängen noch 8 Siegel (roth) an bunten Fäden an, davon leidlich erhalten*
> *die Siegel des Tholomeus (frater) und des Bernardus.  Die Siegel der beiden Erz-*
> *bischöfe und des Angelus Melfictensis sind abgeschnitten.  Die Namen der Siegler auf*
> *dem Buge.  St. A. Fr. Dominikaner Urk. No. 27.*
> *Gedr.: B., 219 nach dem Or. .*


**500.** *König Rudolf verpachtet den Deutschordensbrüdern zu Sachsenhausen die Fischerei,*
*genannt das Frohnwasser, zu dem bisherigen Zins bis auf Widerruf.  Speyer,*
*1285 Juni 8.*

Rudolfus dei gra*c*ia Romanorum rex, semper augustus.  Universis imperii Romani
fidelibus presentes // litteras inspecturis, gra*c*iam suam et omne bonum.  Honorabiles
et religiosos viros fratres domus // Deuthonice(!) apud Vrankinvort favore benivolo
prosequi cupientes, ipsis piscacionem, vronwaszer vulgariter nuncupatam, pro annuo
censu, sicut ipsa hactenus locari consuevit, duximus de benignitate regia collocandam,
quousque nos vel successores nostri in imperio de ipsa piscina aliud duxerimus ordinandum.  Dantes eis has nostras litteras in testimonium super eo.  Dat*um* Spire, V̊I.
idus iunii, indictione XIII̊., anno domini m̃. c̃c̃. ]XXX̊. quinto, regni vero nostri
anno XII.

> *Or. Pgmt. mit zerbrochenem Majestätssiegel an rothen Seidenfäden.  Wien, Deutschordens-*
> *Centralarchiv.*
> *Gedr.: B., 219 nach dem Or., = Hennes, I, 262.*
> *Vers.: Pettenegg No. 635, B.-R. No. 1906.*


**501.** *König Rudolf belehnt Heinrich, Sohn des Frankfurter Schultheissen Wolfram, mit*
*dem Hof zu dem Rode, gelegen bei der Wiese der Deutschherren, mit dem Recht*
*der Nachfolge für Söhne und Töchter.  Hagenau, 1285 September 4.*

> *„Aus einem Freiherrlich von Frankensteinischen Repertorium".*
> *Verz.: B.-R. No. 1935.*


**502.** *Die Gemeinde Fechenheim beurkundet eine zwischen ihr und dem Kloster Arnsburg*
*inbezug auf die dem letzteren, als Eigenthümer des Hofes Riedern, zustehende Weide-*
*berechtigung geschlossene Übereinkunft.  1285 October 31.*

Cum ea, que aguntur in tempore, simul cum tempore labantur, nisi li*tt*erarum
testimonio confirmentur, hinc est, quod nos scultetus, // scabini, necnon maiores ville
Vechinheim nomine universitatis ad singulorum noticiam cupimus pervenire, quod super

controversia seu questione, // que inter venerabiles viros dominum .. abbatem et conventum in Arnsburg ordinis Cysterciensis ex parte una et nos ex altera super pastu // pecorum dicte ville nostre Vechinheim et campis eiusdem ville hactenus vertebatur, de nostro consensu et bona voluntate talis ordinacio intercessit, quod predicti dominus .. abbas et conventus, vel quicumque nomine eorundem curiam ipsorum Rideren inhabitaverint, trecentas oves frequenter et continue, tempore tamen fetus agnellos cum predictis ovibus, usque ad festum beati Michahelis singulis annis ad campos nostros pellent pro pascuis conquirendis. Si vero ipsos in dicta curia plures oves habere contingerit, quam predicto numero trecentenario exprimatur, ipsas trans campum nostrum ad alios campos pro querendis pascuis ibidem pellere licite poterunt et debebunt. Ceterum pecora sua, videlicet equos, vaccas, porcos et alia cuiuscumque generis, nullo eciam numero moderato vel expresso, que habent vel habere poterunt in futurum, ad campos nostros et pascua nostra pellent indistincte, et hoc idem nos de pecoribus nostris communibus in campis et pascuis ipsorum faciemus viceversa. Eo tamen excepto, quod ipsorum pecora ad segetes nostras nec nostra ad ipsorum segetes pro querendis pascuis non pellentur. Quam ordinacionem sic conceptam forma premissa fidedata promittimus pro nobis nostrisque successoribus inviolabiliter observare et ad omnium premissorum observacionem nos ac successores nostros presentibus obligamus. Verum quia sigillo proprio communiter nec sigillis specialibus non utimur nec uti consuevimus, presentes litteras sigillis nobilis viri domini Ulrici de Hanauwe et Heinrici militis de Husinstam petivimus communiri. Et nos Ulricus dominus de Hanauwe et Heinricus miles predicti ad rogatum sculteti, scabinorum ac maiorum prefatorum presentes litteras sigillis duximus roborandas. Facta est hec ordinacio presentibus talibus, videlicet Ulrico domino de Hanauwe, Heinrico de Husinstam, Siboldo de Heldebergin et Heinrico dicto Gansara de Steinheim, militibus; item Eygelone cive Fridebergensi et advocato in Vechinheim, Hertwino sculteto, Bertholdo et Conrado dictis Ducibus. Riperto, Johanne et Gerlibo ibidem, et aliis quam pluribus fidedignis. Datum anno domini ih. cc. octogesimo quinto, in vigilia omnium sanctorum.

> *Or. Pgmt. Das Siegel Ulrichs erhalten, das zweite fehlt. Lich.*
> *Gedr.: B, 220, nach dem Or., Reimer, I, 454 ebenso (hier wiederholt).*
> *Verz.: Scriba, II, No. 765, Arnsb. Urkb., 215.*

**503.** *Die Städte Frankfurt, Friedberg, Wetzlar und Gelnhausen verbünden sich vom nächsten 6. December an auf 10 Jahre. 1285 December 1.*

Nos .. officiati, scabini, consules de Frankenvort, Frideberg, Wetflaria et Geylinhusen ceterique earundem civitatum cives. Tenore presencium ad universorum noticiam cupimus pervenire, quod nos ordinationem sive pro//missionem infrascriptam, in qua serenissimum dominum nostrum .. Romanorum regem non includimus ullo modo, volumus et promittimus fidei datione et iuramento interposito in invicem a festo beati Nycolai nunc instante proximo ad spa//cium decem annorum stabiliter ac indestructibiliter observare. 1) Que talis est, quod propter nullius cause eventum sive rei ingruenciam debemus ab invicem infra terminum prenotatum aliquatenus separari. 2) Preterea si aliqua dictarum nostrarum civita tum ab aliquibus inimicorum seu emulorum gravaminibus sive molestiis gravaretur, postquam nobis hoc intimatum fuerit, nos ipsa gravamina tanquam propria reputantes ipsos malefactores statim diffidabimus cum civitate iniuriam sustinente; ipsos eciam cum illis, qui ipsos castris suis seu domiciliis suis servant vel fovent quibuscunque, a quolibet nostre civitatis cive, ut in nullo foro sive vendicione rerum suarum eisdem subveniant, omnino secludemus. Set si aliquis ex nostris concivibus, civis qualiscunque, malefactoribus talibus seu ipsos sic servantibus vel foventibus subsidium aliquod in foro sive vendicione iamdicta notorie prestiterit, exibit annum civitatem nostram cuique civitatum dictarum tribuendo marcas decem, si eidem fuerint facultates; que si non fuerint, ipsum muros nostre civitatis cum pueris et uxore eicientes extra eos permanere perpetualiter faciemus. 3) Adicimus itaque hoc, ut si alicui civitatum earumdem aliqua ingruerit necessitas, nos requisiti decem personis cum nostris expensis nec paucioribus, immo si necessitas tanta fuerit, totis nostris viribus, eidem in auxilium veniemus. 4) Adicimus eciam, quod si inter duas civitates seu inter duarum civitatum cives aliqua discordia, questio seu questiones oriantur, alie due civitates huiusmodi discordiam, questionem seu questiones decidant, prout ipse civitates secundum iusticiam viderint expedire. Super hoc ipsis plenam damus tenore presencium potestatem. 5) Preterea volumus et statuimus, quod si aliqua dictarum nostrarum civitatum ab aliquibus suis inimicis seu iniuriatoribus gravaretur, alie tres civitates debent convenire et causam gravaminis cognoscere, et si invenerint, quod ipsa civitas indebite est gravata, relique civitates illi auxilium et iuvamen prestabunt secundum articulos prenotatos. Set si invenerimus, quod aliqua dictarum nostrarum civitatum aliquem seu aliquos vult aut intendit indebite opprimere vel iniuriam alicui irrogare, nos talem civitatem ab huiusmodi iniuria et oppressione debemus avertere, in quantum possumus, bona fide. 6) Ne autem hec ordinacio sive promissio communi utilitati nostrorum profutura deleatur in aliqua parte, pro centum marcis denariorum dedimus fideiussores in invicem, qui si inpetantur et quocienscunque huiusmodi ordinatio sive promissio iacturam patitur ab aliqua civitate predictarum, tociens fideiussores illius civitatis pro pecunia iam dicta obligati, ita quod in qualibet fractura pro singulis centum marcis intrabunt civitatem, cui promissio sic fracta dinoscitur, tamdiu more fideiussorio soluturi, quousque huiusmodi prenominata pecunia fuerit persoluta. Nec ordinacio sive promissio prebabita propter fracturam talem eo minus stabit per terminum prefinitum. Sunt autem hii nostri fideiussores: De Frankenvort: Volmarus de Owinbach, Wernherus de Wanebach, Ludewicus Pannifex, Heinricus de Meilsheim, Giplo de Holzhusen, Hermannus Bichelin, Petrus de Eszebach, Hertwicus de Alta domo, Sifridus de Gysinheim, et Dilmannus de Colonia. De Frideberg vero fideiussores sunt: Fridebertus senior, Cuno scultetus, Ditwinus frater suus, Heinricus Berne, Gerlacus Iudex, Anselmus Weidelere, Eygelo, Fridebertus filius Wigandi de Limpburcg, Fridebertus filius Iuvenis, et Heinricus de Dorheim. De Wetflaria fideiussores: Gerbertus olim advocatus, Wigandus dictus Thyerthero, Gernandus Lye, Marquardus de Nuvefere, Odo de Wilburcg, Hermannus Monetarius, Conradus iunior Regio, Giselbertus de Herberen, Hartradus Blide, et Hartdradus de Herlisheim. De Geylinhusen quoque fideiussores sunt: Hartmannus frater Sifridi de Breydinbach, Hartmannus an der Ecken, Fridericus an der Ecken, Hartmannus de Breydenbach filius Sifridi, Fridericus Ineptus, Wezelo Fûzekin, Ludewicus de Urbar, Gerlacus de Nova domo, Heylmannus de Lengeswelt, et Wortwinus Magnus. Et ad huius ordinationis et compromissionis robur et testimonium has litteras sigillis civitatum predictarum duximus roborandas. Actum et datum anno domini m̄. c̄c̄. LXXX̊V̊., in crastino beati Andree apostoli.

> *Or. Pgmt. Die Siegel, ausgenommen dasjenige von Wetzlar, hängen an. St. A. Wetzlar.*
> *— Grotefend.*
> *Gedr.: Guden, Sylloge, 490, B., 221, Reimer, I, 456, beide nach dem Or. .*
> *Verz.: B. Reg. Reichss. No. 147, Scriba, II, No. 767, IV² No. 3569. Goerz, Mittelrhein. Reg., No. 1298.*
>
> *Die Urkunde ist, wie es in dem Drucke deutlich gemacht ist, eine Wiederholung des Bundesbriefes von 1285 Mai 9 (vgl. oben No. 498), der jetzt nach dem Zutritt Gelnhausens durch die Bestimmungen 4 und 5 erweitert wurde.*

**504.** *Papst Honorius IV. gestattet den Karmelitern in Frankfurt zur Zeit eines allgemeinen Interdikts bei verschlossenen Thüren Messe zu lesen. Rom, 1285 December 13.*

Honorius episcopus, servus servorum dei. Dilectis filiis . . priori et fratribus domus // beate Marie de Frankenford, ordinis beate Marie de monte Carmeli, Maguntine diocesis, salutem et // apostolicam benedictionem. Devotionis vestre precibus inclinati auctoritate vobis presentium indulgemus, ut, // cum generale terre fuerit interdictum, liceat vobis clausis ianuis,[a] interdictis et excommunicatis exclusis, non pulsatis campanis et submissa voce divina officia celebrare, dummodo causam non dederitis interdicto, nec id vobis contingat specialiter interdici. Nulli ergo omnino hominum liceat, hanc paginam nostre concessionis infringere vel ei ausu temerario contraire. Si quis autem hoc attemptare presumpserit, indignationem omnipotentis dei et beatorum Petri et Pauli apostolorum eius se noverit incursurum. Datum Rome. apud sanctam Sabinam, idibus decembris, pontificatus nostri anno primo.

> *Or. Pgmt. mit Bulle an roth-gelben Seidenfäden. Auf dem Buge: „D." auf der Rückseite oben: „J. de Guarano (?)". St. A. Fr. Karmeliter Urk. No. 1103.*
>
> *Gedr.: [Monsignori], Bullarium Carmelitarum, II, III = B., 222. Ein lateinisches Regest dieser Urkunde steht in Karmeliterbücher 11 f. 4. St. A. Fr.*
>
> *Verz.: Potthast No. 22342.*

**505.** *Ritter Eberwin von Preungesheim verpflichtet sich, von seinen Gütern in Preungesheim den Zehnten an das Deutschordenshaus zu Sachsenhausen zu entrichten. 1285 December.*

Universis presentibus et futuris, ad quos presentes littere pervenerint, innotescat. quod cum ego Eberwinus miles dictus de Breungesheim de bonis meis ibidem sitis. que colonus meus ibidem possidet, de ortis ac pratis meis aliquamdiu fratribus domus Theutonice in Sachsenhausen contra iusticiam dare decimam qualemcumque neglexerim. cum adhuc sanus essem ac mentis mee bene compos, recognovi et presentibus recognosco, quod dictam decimam prefatis[b] fratribus dare de bonis meis predictis de iure teneor[c] et mei heredes in perpetuum tenebuntur. In cuius rei evidenciam de consensu Gisele uxoris mee ac puerorum meorum pari voluntate sigillum meum duxi presentibus appendendum. Datum anno domini m̄. c̄c̄. LXXX. quinto, mense decembris.

> *Abschrift im Deutschordens - Dokumentenbuch f. 18. St. A. Stuttgart. — Von Nathusius. Gedr.: Reimer, IV, 815 nach dieser Vorlage.*

**506.** *Schultheiss, Schöffen und Rath der Stadt Frankfurt beurkunden, dass die von Holzhausen auf alle Erbansprüche an den Nachlass der Kunigunde von Dridorf. ihrer Mutter Schwester, verzichtet haben. 1286 Januar 25.[1]*

Nos scultetus, scabini et consules civitatis Frankenvordensis. Tenore presencium recognoscimus publice profitendo, quod dilecti nostri concives, Heinricus, Rudegerus, Wigelo, Conradus ac Berta soror eorumdem, de Holzhusin, in nostri constituti presentia, omni iuri hereditario, quod in bonis matertere ipsorum, Kunigundis dicte de Dridorf bone memorie, habere possent seu deberent, precise et simpliciter renunciarunt. Promittentes eciam bona fide, ut ordinationem, de bonis eisdem, sive mobilibus sive immobilibus, factam et adhuc in posterum quocumque tempore faciendam, nec verbo, facto, consilio, auxilio neque favore impediant, immo pocius defendant pro suis viribus et conservent. In cuius rei robur evidens et memoriam firmiorem ad rogatum dictorum presens cyrographum sigilli civitatis nostre duximus munimine roborandum. Datum et actum anno domini m. cc. lXXX. VI., in die conversionis sancti Pauli.

> *Gedr.: Guden, Cod. Dipl., V, 89 = B., 223.*
> *Verz.: Goerz, Mittelrhein. Reg, IV, No. 1314.*

a) *An dieser Stelle ist auf ein Drittel der Zeilenlänge die Schrift durch Rasur getilgt und über den Raum ein Strich gezogen.* b) *Vorlage: „prefatibus".* c) *Vorlage: „tenere".*

[1] *Vgl. No. 511.*

**507.** *Arnold von Dernbach, Kanonikus zu Wetzlar, übergiebt den ihm durch Erbschaft zugefallenen Hörigen Gozzo von Göns, welchen er nicht mehr zu schützen weiss, dem Deutschordenshause zu Sachsenhausen gegen eine jährliche Abgabe. 1286 Februar 1.*

Quoniam, ut ait apostolus, dies mali sunt et mundus positus in maligno, ita quod cuilibet tam // sibi quam suis expediat cauta sollicitudine a malorum insultibus ac variis periculis, prout poterit. precavere, // ego Arnoldus de Derenbach, canonicus ecclesie Wetflariensis, notum esse cupio universis et presencium tenore protestor, // quod cum propter malum terre statum et varia mundi vergentis ad vesperam inprovisa pericula Gozzonem de Gunse, ex successione hereditaria michi iure proprietario attinentem, defendere ac tueri a diversis iniquorum incursibus, prout tenebar et sua requirebat necessitas, non valerem, ipsum G. pleno ac omni iure, quo eumdem G. hactenus possedi, fratribus domus Theutonice in Frankinfurd libere ac debita wârandia contuli ac donavi. Ita tamen, quod pro recompensatione eiusdem G. aliquantula predicti . . viri religiosi, fratres de Frankinfurd, mihi redditus quinque solid*orum* Coloniens*ium* annuatim in festo beati Martini persolvent aut in loco certo eosdem redditus assignabunt. Huius rei testes deputati sunt, videlicet dominus Johannes decanus ecclesie Wetflariensis, Heinricus de Calsmunt, Sifridus de Dalheim, Wernherus de Mersevelt, Heinricus de Brubach custos, Waltherus quondam plebanus, magister Thomas, Wernherus de Mincinberg canonicus eiusdem ecclesie, item Gerbertus advocatus, Berno, Gernandus Lye, Wigandus Ditherco, Hermannus mon*etarius*, Heinricus de Kazzinfurd, scabini Wetflarienses, et alii quam plures tam clerici quam layci fidedigni. Ad maiorem vero huius donacionis, commutacionis sive vendicionis perpetue evidentiam, presens scriptum inde confectum predictis . . fratribus Frankinfurd*ensibus* dedi honorabilium virorum . . decani et capituli ecclesie Wetflariensis predicte ac civium ibidem sigillis una cum sigillo meo proprio et sigillo Gysilberti fratris mei, qui huic facto et interfuit et consensit, com*m*unitum. Actum et datum anno domini m̃. c̃c̃. 1XXXVI., in vigilia purificacionis beate Marie virginis.

*Or. Pgmt. mit den anhängenden, mit Ausnahme des vierten, stark beschädigten Siegeln.*
*Wien. Deutschordens-Centralarchiv.*
*Gedr.: B., 223 nach dem Or. .*
*Vers.: Pettenegg No. 641, Goerz, Mittelrhein. Reg., IV, No. 1317.*

**508.** *Schultheiss Volrad, die Schöffen und der Rath zu Frankfurt beurkunden, dass der Frankfurter Bürger Rüdiger Baurus und dessen Frau eine halbe Hufe bei Petterweil an das Kloster Padershausen verkauft haben. 1286 Februar 1.*

Nos Volradus scultetus, . . scabini et con*sules* [a] de Frankenvort. Universis presencium inspectoribus cupimus esse notum, quod Rude//gerus Baurus et Hadewigis uxor eius, cives Frankenvordenses, com*m*unicata manu de consensu puerorum ac heredum suorum ven//diderunt iuste et racionabiliter dimidium mansum apud Pheterwile situm . . abbatisse et conventui sanctimonialium ordinis Cister//ciensis in Padinshusen perpetuo possidendum. Dicti quoque Rudegerus, Hadewigis et eorum pueri dictum dimidium mansum resignaverunt coram nobis in forma iudicii publice. Renunciantes omni iuri, quod ipsis in eodem competebat. Prenominati eciam R. et. Ha. una cum suis pueris ac Conrado de Pheterwile se constituerunt fideiussores, ut super prefato manso dictis . . abbatisse et conventui faciant warandiam de quolibet homine iustam, debitam et consuetam. Et ad maiorem certitudinem dimidietatem domus, que quondam fuit Heinrici patris prefate Hadewigis, que sita est apud sanctum Nicolaum, pro subpignore obli-

a) *Oder „consilium"?*

garunt. In cuius rei testimonium, nos scultetus et scabini prefati ad peticionem dictorum R. et H. sigillum civitatis Frankenvordensis presentibus litteris est appensum(!), Actum et datum anno domini m. cc. LXXXVI., in vigilia purificationis sancte Marie.

*Or. Pgmt. Das abhangende Siegel ist abgefallen. München, Reichsarchiv.*

**509.** *Volmar von Offenbach, Schöffe, verkauft als Pfleger des Hospitals in Frankfurt dem Kloster Arnsburg genannte Weinberge bei Bischofsheim. 1286 März 17.*

' Notum sit omnibus presentes litteras inspecturis, quod ego Folmarus dictus de Obinbach scabinus Frankenfordensis et procu//rator hospitalis ibidem, accedente consensu et voluntate confratrum ac sororum in iam dicto hospitali existencium, vendidi duos // iurnales et quartam partem unius iurnalis vinearum sitos apud Biscofisheim domino . . abbati et conventui de Arns//burg pro decem marcis et dimidia perpetuo possidendos, tali condicione expressa, quod prefati dominus abbas et conventus singulis annis in die beati Martini confessoris duos denarios levis monete supradicto hospitali porrigere non obmittent, hospitale autem ab aliis iuribus et exaccionibus, si que racione iuris hereditarii a supradictis vineis expeterentur, memoratos dominum abbatem et conventum reddet liberos et indempnes. Testes huius rei sunt: Cunradus dictus Webelin, Gipelo dictus de Holzhusin, Ludewicus Duchmechere, Arnoldus dictus de Glouburg, scabini Frankenfordenses, et alii quam plures fidedigni. In cuius eciam facti evidenciam sepedictis domino abbati et conventui dedi presens scriptum sigillorum universitatis civium Frankenfordensium ac sepedicti hospitalis appensione communitum. Datum anno domini m. cc. LXXXVI., XVI. kalendas aprilis.

*Or. Pgmt. Die Siegel hängen an blauen und weissen Leinenfäden an. Lich.*
*Gedr.: B., 207 nach dem Or. zu 1282 März 17, Arnsb. Urkb., 139, Reimer, I, 458, beide richtig zu 1286 März 17. Hier wiederholt nach Reimer.*
*Verz.: Doppelt zu beiden Jahren, Scriba, IV², No. 3551 und 3571.*

**510.** *Das Frankfurter Stiftskapitel vererbpachtet dem Deutschordenshause zu Sachsenhausen seine bei Dieburg gelegene Mühle Kistelberg gegen eine jährliche Abgabe von 5 Schilling. 1286 März.*

Nos . . decanus totumque capitulum ecclesie Frankinfordensis notum esse cupimus et tenore presencium // protestamur, quod nos molendinum ecclesie nostre predicte iure proprietario attinentem, dictum Kistilbergh ª // apud Dippurg situm, quod Fridericus dictus Ocalp possidet, concessimus unanimi consensu et pari voluntate // . . fratribus domus Theutonice in Sassinhusin iure hereditario in perpetuum possidendum. Ita tamen, quod predicti fratres, qui pro tempore fuerint, nobis et ecclesie nostre supradicte quinque solidos levis monete annuatim perpetuo in festo beati Martini persolvent. In cuius rei evidenciam et robur perpetuum sigillum ecclesie nostre memorate duximus presentibus apponendum. Actum et datum anno domini m. cc. lXXX. sexto.ᵇ mense martio.

*Or. Pgmt. im St. A. Darmstadt. — Grotefend.*
*Gedr.: B., 224 nach dem Or. . Auszug: Steiner, Bachgau, III, 173.*
*Verz.: Scriba, I, No. 604.*

a) „Kistilbergh" von anderer Hand auf einer Lücke nachgetragen. b) Vom Schreiber sogleich mit gleicher Tinte aus „quinto" corrigirt.

**511.** *Die Städte Frankfurt, Wetzlar, Friedberg und Gelnhausen besiegeln eine Urkunde betr. die Übereinkunft der Erben des Friedberger Bürgers Wigand von Limburg mit dem Kloster Altenburg über des ersteren Nachlass. 1286 April 1. (kal. april.)*

> Gedr.: *Guden, Cod. Dipl., II, 251.*

**512.** *König Rudolf belehnt den Oppenheimer Schultheissen Werner mit 8 Mark jährlicher Einkünfte vom Zoll in Frankfurt, nachdem er ihm diese für eine Schuld von 80 Mark verpfändet hatte. Im Lager vor Lauterburg, 1286 April 17.*

Rudolfus dei gracia Romanorum rex, semper augustus. Universis sacri imperii Romani fidelibus // presentes litteras inspecturis, graciam suam et omne bonum. Cum nos strennuo viro Wernhero sculteto de // Oppenheim redditus octo marcarum denariorum Coloniens*ium* de theloneo in Frankenvort pro octoginta // marcis Coloniens*ibus* obligaverimus, quas sibi racione empcionis cuiusdam dextrarii solvere tenebamur, nos pro dono gracie singularis sibi redditus octo marcarum predictos in feodum de regia liberalitate concedimus colligendos tamdiu, quousque per nos vel nostros successores sibi vel suis heredibus legitimis predicte octoginta marce plenarie fuerint persolute. Solucione vero facta idem Wernherus predictas marcas in empciones prediorum locabit, eadem a nobis et Romano imperio feodali titulo perpetuo possidenda. Preterea[a] in augmentum amplioris gracie eidem Wernhero concedimus, quod si eum sine masculis heredibus mori contigerit, filie sue sibi libere possint succedere, tamquam filii, in feodo supradicto. In cuius rei testimonium presens scriptum maiestatis nostre sigillo fecimus communiri. Datum in castris, ante Luterburch, XV. kalend*as* maii, indictione XIIII. Anno domini m̅. c̅c̅. IXXX. sexto. Regni vero nostri anno tercio decimo.

> *Or. Pgmt. Das Majestätssiegel an rothseidenen Schnüren ist schön erhalten. St. A. Fr. Priv. No. 16.*
> *Gedr.: B, 224 nach dem Or. .*
> *Verz.: Fr. Inv., III, 2, B.-R. No. 2014.*

**513.** *König Rudolf nimmt den Grafen Adolf von Nassau für 200 Mark zum Reichsburgmann auf Calsmunt an: „Pro quibus ei et suis heredibus legitimis obligamus viginti marcarum redditus annis singulis a iudaeis nostris in Frankenvort, qui pro tempore fuerunt, in festo nativitatis domini colligendos et percipiendos". Ablösung mit 200 Mark vorbehalten. Im Lager vor Lauterburg, 1286 April 22. (X. kal. [maii].)*

> *Gedr.: Böhmer, Acta, 352 nach neuerer Abschrift. Or. in Weilburg, vgl. Schliephake, Gesch. v. Nassau, II, 231.*
> *Verz.: B.-R. No. 2017.*

**514.** *Die Brüder von Heldenbergen, Frankfurter Bürger, verkaufen dem Kloster Arnsburg genannte Gefälle in den Gärten ausser Frankfurt. 1286 April 30.*

Nos Heinricus plebanus in Bergin, Bertoldus, Conradus et Hartmannus, fratres, cives Frankenvordenses, dicti // de Heldenbergin, ad universorum noticiam cupimus pervenire, quod vendidimus viris religiosis domino . . abbati et con//ventui de Arnisburg, Cysterciensis ordinis, novem solidos et sex denarios Frankenvordensis monete et duos pullos // census annualis, sitos in ortis extra muros Frankenvordenses, iure proprietario perpetuo possidendos et percipiendos annis singulis in festo beati Martini hyemalis. Dictum quoque censum resignavimus et resignamus publice in figura iudicii Frankenvordensis, renunciantes omni iuri, quod nobis in eodem censu conpetebat. Sed

---

a) *Der Schluss der Urk. von „Preterea" an ist von demselben Schreiber etwas später zugeschrieben.*

quia Johannes, frater noster, ista vice non est presens, ad hoc nos obligamus, quod ipse huiusmodi vendicionem nobiscum habebit gratam atque ratam. Testes huius rei sunt viri honesti: Heinricus de Meilsheim, Ditmarus plebanus de Frankenvort, Hermannus dictus Bichelin, Petrus de Eschebach, Hartwicus de Vite, cives Frankenvordenses, et quam plures alii fide digni. In cuius rei testimonium et firmitatem perpetuam sigillum civitatis Frankenvordensis ob precum nostrarum instanciam presentibus litteris est appensum. Dat*um* et actum anno domini m̊. c̊c̊. IXXXV̊I., feria tercia proxima post dominicam, qua cantatur Misericordia domini.

> *Or. Pgmt. mit abhangendem Stadtsiegel (2). Lich.*
> *Gedr.: B., 225 nach dem Or. .*
> *Verz.: Scriba, II, No. 771, Arnsb. Urkb., 215.*

**515.** *Siegfried von Gisenheim, ein Frankfurter Bürger, verkauft dem Kloster Arnsburg eine Hufe Ackerland bei Eschborn. 1286 Mai 20.*

Sifridus dictus de Gysinheim, civis Frankenvordensis. Universis presencium inspectoribus cupio esse notum, // quod ego viris religiosis domino . . abbati et conventui in Arnisburg, ordinis Cysterciensis, vendidi iuste et // racionabiliter unum mansum terre arabilis, apud villam Escheburnen situm, proprietatis titulo perpetuo // possidendum. Dictum quoque mansum resigno et resignavi publice coram scabinis Frankenvordensibus. Promitto eciam dictis domino . . abbati et conventui facere de prefato manso warandiam iustam, debitam et consuetam. Et nichilominus ipsis fideiussores constitui, videlicet honestos viros: Conradum Wobelinum, Volmarum fratrem suum, Conradum Burnefleckin et Hartwicum de Vite, cives Frankenvordenses, qui deponent et deponere promiserunt omne dapnum[a] et impedimentum, si quid a quocunque homine in dicto manso sustinuerint in futurum. Preterea ego Sifridus prelibatus promitto et promisi prefatos meos fideiussores ab huiusmodi fideiussione reddere liberos penitus et indempnes. In cuius rei testimonium et debitam firmitatem sigillum civitatis Frankenvordensis presentibus litteris est appensum. Actum et datum anno domini m̊. c̊c̊. IXXXV̊I., XIII. kalend*as* iunii.

> *Or. Pgmt mit abhangendem, beschädigten Stadtsiegel (2). Lich.*
> *Gedr.: B., 225 nach dem Or. = Sauer, I, 620.*
> *Verz.: Scriba, II, No. 772, Arnsb. Urkb., 216.*

**516.** *Wolfwin von Wetzlar und Frau, Frankfurter Bürger, verkaufen genannten Wetzlarer Bürgern einen Hauszins zu Wetzlar. 1286 Juli 3.*

Wolfwinus et Gerdrudis, uxor eius, dicti de Wetflaria, cives Frankenvordenses, universis presentium inspectoribus cupimus esse // notum, quod nos communicata manu et de consensu nostrorum puerorum vendidimus Wernhero, Sanne, uxori eius, ac eorum // heredibus, civibus Wetflariensibus, tredecim solidos Coloniensium denariorum bonorum et legalium super domum, quam Hermannus de Olmenc, // civis Wetflariensis, inhabitat, iuste ac rationabiliter proprietatis titulo perpetuo possidendos, dictos quoque tredecim solidos resignamus et resignavimus dictis Wernhero ac eius uxori coram scabinis Frankenvordensibus publice, renunciantes eciam una cum nostris pueris omni iuri, quod in dictis tredecim solidis nobis competebat. Huius rei testes sunt: Giplo de Holzhusin, Hertwicus de Alta domo, scabini; Conradus Burneflecke, Hermannus de Colonia, Alleum, Gotfridus iudex, cives Frankenvordenses, et quam plures alii fide digni. In cuius rei testimonium et debitam firmitatem nos Wolfwinus et Gerdrudis

---

[a] *So!*

predicti presentem litteram sigillo civitatis Frankenfordensis ob precum nostrarum instantiam optinuimus communiri. Actum et datum anno domini r̄h. c̄c̄. LXX̊X. VI̊., V̊. *nonas* iulii.

Or. Pgmt. mit abhangendem Stadtsiegel (2). München, Reichsarchiv. — Grotefend.

**517.** *König Rudolf präsentirt dem Propst von St. Peter in Mainz den Kleriker Berthold, einen Sohn des Frankfurter Schultheissen Volrad, zum Pfarrer in Praunheim. Mainz, 1286 August 11.*

Rudolfus, dei gracia Romanorum rex, semper augustus. Honorabili viro . . de Eppenstein, preposito sancti Petri // in Maguncia, dilecto suo devoto, graciam suam et omne bonum. Cum nos ecclesiam in Prumheim, // Maguntine dyocesis, cuius ad nos et imperium collacio dinoscitur pertinere, dilecto devoto Bertoldo cle//rico, filio Volradi sculteti in Frankenvord, pure contulerimus propter deum, nos ipsum tibi tamquam loci archidiacono presentantes, devocioni tue mandamus attencius te rogantes, quatinus eum, quemadmodum tuum requirit officium, de cura ecclesie investias memorate, adiunctis sollempnitatibus debitis et consuetis. Datum Maguncie, III. idus augusti, indictione XIIII., anno domini r̄h. c̄c̄. 1XXX. sexto, regni vero nostri anno XIII.°

Or. Pgmt. Das anhängende Majestäts-Siegel ist zerbrochen. St. A. Fr. Leonhard-St. No. 1.<br>
Gedr.: B., 226 nach dem Or., Reimer, I, 459 ebenso.<br>
Vers.: B.-R. No. 2039.

**518.** *Schultheiss Volrad, Schöffen, Rath und Bürger von Frankfurt beurkunden einen Vergleich zwischen dem Weissfrauenkloster und der Gemeinde Rödelheim über die Wiesen des Klosters in der Rödelheimer Gemarkung. 1286 October 20.*

Nos Volradus scultetus, . . scabini, consules ceterique cives Frankenvordenses, universis presencium inspec//toribus cupimus esse notum, quod super omni discordia et controversia, que hactenus super quibusdam pratis, apud // villam Redelnheim sitis, inter religiosas matronas, videlicet . . priorissam et conventum sanctimonia//lium ordinis Penitentum in Frankenvurt, ex parte una et universitatem ville de Redelnheim vertebatur ex parte altera, de consilio proborum virorum decisa est penitus in hunc modum. Ita videlicet, quod dicte moniales renunciaverunt omni dampno ipsis hucusque illato per universitatem supradictam, dicta quoque universitas coram nobis promisit, quod prefatas moniales in predictis suis pratis de cetero impedire vel gravare non debet ullo modo, sed ipsas super eisdem, in quantum in ipsis est, fideliter promovere. Prenominate eciam moniales predicta sua prata possunt, si volunt, quemadmodum alii homines ibidem per sepium circuicionem seu fossatorum et suorum servorum custodiam defensare. In cuius rei testimonium sigilla predicti sculteti et civitatis Frankenvordensis ad peticionem et rogatum dictarum parcium presentibus litteris sunt appensa. Datum et actum anno domini r̄h. c̄c̄. 1XXXVI., XIII̊I. kalendas novembris.

Or. Pgmt. Abhangend 1) Siegel des Schultheissen (beschädigt), 2) Stadtsiegel (2). St. A. Fr.,<br>
Weissfrauenkloster, Lade 17, A. No. 1.<br>
Gedr.: B., 226 nach dem Or. = Sauer, I, 624.<br>
Vers.: Scriba, II, No. 774. Vgl. Lersner, I<sup>a</sup>, 266 zu Nov. 13 (!)

**519.** *Gerhard, Propst von St. Peter zu Mainz, entscheidet als Schiedsrichter einen Rechtsstreit zwischen dem Weissfrauenkloster zu Frankfurt und dem Pfarrer zu Nied wegen eines Fleischzehnten von einem Gut zu Griesheim. 1286 October 21.*

Noverint universi presentium inspectores, quod nos Guda priorissa et conventus
monasterii sancte Marie Magdalene ad Penitentes in Frank*enford* pro nobis et ego
H., // plebanus parrochialis ecclesie in Nieda, pro me compromittimus in venerabilem
virum et dominum Gerhardum de Eppenstein, prepositum ecclesie sancti Petri Moguntin*e*, per presentes // tamquam in arbitrum, arbitratorem seu amicabilem compositorem
super omni controversia seu questione, que inter nos super decimis animalium curie
in Grizheim vertitur co*//*ram domino decano ecclesie sancti Johannis Moguntine, iudice
a sede apostolica delegato, ut idem dominus prepositus iuris ordine observato vel
minime observato et de plano, partibus presentibus vel absentibus, stando vel sedendo,
decidat et determinet huiusmodi questionem, vallantes huiusmodi compromissum hincinde
sub pena XXX. marcarum, que pena debetur parti arbitrium observanti. Nos quoque
prepositus prefatus recepto in nos huiusmodi compromisso ac deliberatione penes nos
habita, circumstanciis et qualitatibus negocii circumspectis, statuimus et ordinamus et
pronunciando dicimus, ut idem plebanus de Nyede[a] tum propter privilegia sedis apostolice, tum propter senten*t*iam dominorum iudicum sedis ecclesie Moguntin*e* super huiusmodi questione inter dictum monasterium et quendam predecessorem dicti . . plebani
prolatam ac nostre dilectionis favorem simpliciter renunciet questioni memorate, inponentes prefato plebano perpetuum silentium super questione supradicta, cessantibus
questionibus expensarum hinc et inde. Prolatum est huiusmodi arbitrium presentibus
dominis subnotatis: Conrado preposito ecclesie in Hosten ordinis sancti Benedicti,
Petro custodi(!) ecclesie Frankenforden*sis*, Lamperto canonico et plebano in Munster-
meinevelt, Treveren*sis* dyocesis, Ditmaro canonico et plebano Frankenforden*si*, et aliis
quam pluribus fidedignis. Anno domini m̃. c̃c. 1XXXVI., XII. kalend*as* novembris.
In quorum testimonium et roboris firmitatem nos prepositus sancti Petri predictus
de consensu et ad rogatum dictarum parcium presentes litteras una cum sigillo C.
prepositi de Hosten supradicti sigilli nostri munimine duximus roborandas. Nos quoque
prepositus de Hosten rogati et in singnum(!) testimonii sigillum nostrum presentibus
duximus apponendum. Datum anno et die suprascriptis.

*Or. Pgmt. Abhangend 1) Siegel des Propstes Gerhard von Eppstein (spitz-oval; wohl-
erhalten), 2) Siegelstreifen. St. A. Fr., Weissfrauenkloster, Lade 17, G. No. 1.
Gedr.: B., 227 nach dem Or., = Sauer, I, 625. Erwähnt: Lersner, I^b, 79.*


**520.** *König Rudolf weist Ulrich von Hanau wegen seiner dem Reiche geleisteten Dienste
100 Mark auf die Hälfte des Ungelts zu Frankfurt und zu Gelnhausen und auf
die Juden in letzterer Stadt an. Speyer, 1286 December 6.*

Nos Rudolfus dei gracia Romanorum rex, semper augustus. Ad universorum
sacri imperii Romani fidelium // noticiam tenore presencium volumus pervenire, quod
nos propter grata fidelitatis et devocionis opera // et fructuosa servicia, quibus nobilis
vir Ulricus de Hanouwe dilectus fidelis noster erga nos et imperium // incessanter
enituit, sibi ex liberalitate regia centum marcas denariorum Colonien*sium* duximus
assignandas, ut easdem de medietate ungelti apud Frankenvort, quod ibidem cedit
imperio, et de medietate ungelti apud Geilnhusen et de iudeis ibidem usque ad prefatam summam percipiat integraliter et conplete, dantes sibi has nostras litteras in
testimonium super eo. Datum Spire, VIII. idus decembris, indictione XV°, anno domini
m̃. c̃c. LXXX. sexto, regni vero nostri anno XIIII°.

*Or. Pgmt. mit abhangendem, zerbrochenen Majestäts-Siegel. St. A. Marburg. Hanauer Urk.
Passivlehen — Grotefend.*

a) *Rasur.*

*Gedr.: Beilagen zum Anhange der Hanauer-Münzenbergischen Landesbeschreibung, 5, =
Orth, Reichsmessen, 660, = B., 228, Reimer, I, 459 nach dem Or. .
Vers.: B.-R., No. 2052.*

**521.** *Schultheiss Volrad, Schöffen, Rath und Bürger von Frankfurt nehmen die Antoniter
von neuem zu Mitbürgern an, wogegen diese jährlich 10 Schillinge zur Brücke zu
geben versprechen. 1287 Januar 2.*

Nos Volradus scultetus, . . scabini, consules ceterique cives Frankenvordenses.
Ad universorum noticiam tam presencium quam futurorum cupimus per//venire, quod
honorabilem virum magistrum Gysonem et conventum ordinis sancti Antonii domus
in Rostorf, qui ab antiquo // nostri dilecti concives existerant(!)[a] et existunt, ut in
ipsorum privilegio super hoc confecto plenius continetur, nunc denuo in nostros concives // et serenissimi domini nostri[b] R. Romanorum regis protectionem recipimus
specialem, volentes ipsos tamquam alios nostros concives[c] defensare et in omnibus
fideliter promovere. Dicti quoque fratres attendentes antiquam familiaritatem, qua
ipsos semper amplectabamur(!)[d] et amplectimur, promiserunt dare et dabunt ad pontem
Frankenvordie decem solidos Colonienses legalis monete singulis annis in festo beati
Martini hyemalis, quos super curiam suam in Frankenvort sitam, quam inhabitant,
nobis ad dictum pontem perpetuo deputaverunt. Nos quoque magister Gyso et conventus sancti Antonii predicti recognoscimus, nos predictis . . sculteto et civibus
Frankenvordensibus esse obligatos in decem solidos[e] Colonienses census annualis, modis
et condicionibus omnibus supradictis. Testes huius rei[f] sunt viri honesti: magister
Giso, magister Bertoldus de Alceya, frater Johannes, frater Anselmus, frater Heinricus
dictus abbas ordinis predicti; Volradus scultetus, Heinricus miles filius quondam
Rudolfi militis, Conradus Wobelinus, Volmarus frater suus, Heinricus de Meilsheim,
Ludewicus pannifex, Arnoldus de Glouburg, scabini Frankenvordenses, et quam plures
alii fidedigni cives de Frankenfurt.[g] In cuius rei testimonium et firmitatem perpetuam
sigilla nostra, videlicet magistri Gysonis[h] de Frankenvort et magistri Bertoldi de Alceya
ordinis supradicti, una cum sigillo civitatis Frankenvordensis presentibus litteris sunt
appensa. Actum et datum anno domini m̅. c̅c̅. lXXX̊VĬI., in crastino circumcisionis
domini.

*Or. Pgmt. Die 3 anhängenden Siegel sind beschädigt. St. A. Fr. Antoniter-Urk. No. 1
(früher Mgb. B. 3) (A).
Zweites Or. Pgmt., das zweite Siegel fehlt. St. A. Wiesbaden, Rossdorf-Höchst No. 27 (W).
Gedr.: Lersner, I᛫, 128, Fichard, Archiv, I, 213, B., 228 nach A, Reimer, I, 461 nach W.*

**522.** *Luther („frater Luetter“), Deutschordens-Komthur zu Frankfurt, vererbpachtet mit
Einwilligung seiner Ordensbrüder seinen Hof in Alzei („curiam meam in Altzeya
sitam, que quondam fuit H. de Weydas“) mit einem Hause („cum domo illa, que
olim fuit domine Luetze“) an den Bürger zu Alzei H. Poespart für 40 Schillinge
kölnisch jährlich. Das Pachtobject darf nur höchstens zwei Erben zugetheilt werden.
Der Pächter hat zur Sicherheit $3^1/_2$ Morgen Land dem Komthur verpfändet. Es
siegelt die Stadt Alzei. 1287 Februar 14. (ipso die Vitalis m.)*

*Regest: Nach schlechter Abschrift eines Vidimus von 1470 Februar 24 im Deutschordens-
Dokumentenbuch. St. A. Stuttgart. — Von Nathusius.*

a) *W.* ebenso.  b) *W.* „domini nostri serenissimi“.  c) *W.* „in suo iure defensare“.  d) *W.* ebenso.
e) *W.* „solidis“.  f) *W.* „rei“ fehlt.  g) *W.* „cives de Frankenfurt“ fehlt.  h) *W.* „Gisonis“.

32*

**523.** *Schultheiss Volrad, Schöffen, Rath und Bürger von Frankfurt beurkunden den Ankauf verschiedener Grundzinsen von seiten des Weissfrauenklosters zu Frankfurt. 1287 Februar 25.*

Nos Volradus scultetus, . . scabini, consules ceterique cives Frankenvordenses. Universis presencium inspectoribus cupimus esse notum, quod // . . priorissa et conventus sanctimonialium ordinis Penitentum in Frankenvort censum, videlicet viginti et unum so//lidos Colonien*ses* bonorum et legalium census annualis super curiam dictam Eckinheimerenhof, quam quidam dictus Hol//lendere civis Frankenvordensis iure hereditario inhabitat, et sex solidos Colonien*sium* denariorum legalium census annualis super domum, quam Heilmannus et Culmannus fratres dicti Starkerat inhabitant, erga Ludewicum pannificem civem Frankenvordensem de consensu et voluntate puerorum suorum emerunt iuste et rationabiliter perpetuo possidend*os*. Prenominati eciam . . priorissa et conventus quinque solidos denariorum levium census annualis super domum apud[a] Burnefleckin[1] sitam, quam Bertoldus lapicida inhabitat, erga Wernherum de Wanebach et eius uxorem cives Frankenvordenses legittime emerunt perpetuo possidend*os*. Prefati eciam Ludewicus et Wernherus, necnon eius uxor predictos census resignaverunt publice in forma iudicii Frankenvordensis. Renunciantes omni iuri, quod ipsis in predictis censibus co*m*petebat, et promiserunt de ipsis censibus facere dictis . . priorisse et conventui warandiam iustam, debitam et consuetam. In cuius rei testimonium et firmitatem debitam ad peticionem dictarum dominarum sigillum civitatis Frankenvord*ensis* presentibus est appensum. Actum et datum anno domini ṁ. c̊ò. lXX̂XVĬl., V̊. kalend*as* marcii.

*Or. Pgmt. Stadtsiegel (2) abhangend.　St. A. Fr., Weissfrauenkloster, Lade 15, A. No. 1.*
*Gedr.: B., 229 nach dem Or. .*

**524.** *Werner von Münzenberg und seine genannten Erben verkaufen dem Deutschordenshause zu Sachsenhausen 11 Hufen zu Eckenheim („Ekinheim") für 117 Mark kölnisch.* „Hoc tamen adiecto, quod redditus ab antiquo de mansis predictis a proavo nostro bone memorie Cunone quondam domino de Minzinberg ad usus pauperum hospitalis domus prehabite in perpetuam elemosinam instituti suo iure permaneant inmutabiles et vigore." *Die Verkäufer stellen genannte Bürgen mit der Verpflichtung zum Einlager in Frankfurt.* „Presentibus . . . Volrado sculteto, Volmaro, Cunrado dicto Webelino, Gipilone, scabinis Frankenfurdensibus." *1287 März 13.* (mense marcio, in crastino b. Gregorii pape.)

*Gedr.: Reimer, I, 463 nach dem Or. Pgmt., St. A. Stuttgart.*

**525.** *Bruder Konrad von Feuchtwangen, der Deutschmeister, Bruder Luther, der Komthur zu Sachsenhausen, und das Deutschordenshaus daselbst versprechen die 11 Hufen in Eckenheim, von denen Kuno von Münzenberg jährlich 110 Achtel Weizen zum Gebrauche des Deutschordens-Armenspitals vermacht hatte, nie zu veräussern. 1287 März 13.*

Nos frater Cunradus de Vuthwange, fratrum domus Theutonice sancte Marie Jherusalemitane // per Alemaniam preceptor, et frater Lutherus, co*m*mendator domus in Frankenfurt eiusdem // professionis, ceterique fratres ibidem. Notum esse cupimus

*a) Abbreviatur-Zeichen fehlt.*

[1] *Rückaufschriften (14. und 15. Jahrh.).* „Uber den heilgeisten zins in der Snargassen. Ubir den Bornfleckin".

universis tam presentibus quam futuris, // quod consensu unanimi et voluntate libera promisimus et nos ad hoc astrinximus per presentes, quod undecim mansi in Ekinheim siti, de quibus bone memorie nobilis vir dominus Cŭno de Minzinberg zelo fidei ac devocionis ductus pro sue ac progenitorum suorum remedio animarum centum et decem octalia siliginis ad usus hospitalis pauperum domus nostre predicte in elemosinam perpetuam instituit, a nobis ac nostris successoribus, qui pro tempore in eadem domo fuerint, in perpetuum nec vendi nec commutari nec aliquo modo alienari debebunt, set in statu suo ac in usibus, ad quos instituti sunt, perpetuo incommutabiles permanebunt. In cuius rei evidenciam sigilla nostra una cum sigillo civium Frankenfordensium duximus presentibus appendenda. Nos veros iudices, scabini ceterique cives Frankenfordenses predicti rogati a predictis viris religiosis sigillum nostrum presenti cedule duximus apponendum. Datum anno domini ṁ. ċċ. LXXX̊. septimo, in crastino beati Gregorii pape.

*Or. Pgmt. mit 3 zerbrochenen Siegeln, davon 1) und 3) roth.  München, Reichsarchiv.*
*Gedr. danach: Reimer, I, 465, hier wiederholt.  B., 229, druckte nach Guden, Cod. Dipl.,*
*IV, 959.*

**526.** *Der Deutschordens-Komthur Luther und das Deutschordenshaus in Sachsenhausen beurkunden, dass Elisabeth, die Wittwe Konrad Kolbes, eines Mainzer Bürgers, ihnen 120 Mark übergeben habe, womit sie 11 Hufen zu Eckenheim erkauften, um aus deren überschiessenden Einkünften in der Elisabethkapelle einen besonderen Priester zu halten.  1287 März 25.*

Nos frater Lutherus commendator, ceterique fratres domus Theutonice sancte Marie in Frankinfurd.  Universis // presens scriptum visuris, salutem in domino sempiternam.  Ad hoc scribuntur pia gesta hominum, ut bene viven//di fidelibus dent exemplum.  Noverint igitur presencium inspectores, quod Elizabet, relicta bone memorie quondam // Cunradi dicti Colbe civis Moguntini, ob sui mariti iamdicti anime remedium et ob sui ipsius tam corporis quam anime felicitatem domui nostre in Sassinhusin contulit centum et viginti marcas Coloniensium denariorum, cum quibus comparavimus undecim mansos cum omnibus attinentiis suis, in Ekinheim sitos, erga dominum Wernherum de Minzinberg, salvo tamen iure et redditibus, qui ab antiquo pauperibus hospitalis domus nostre predicte a domino Cunone de Minzenberg, videlicet centum et decem octalibus siliginis, sunt perpetuo absque omni alienatione sive venditione qualibet instituti.  Ita quod de proventibus, qui ultra redditus centum et decem octalium de eisdem mansis ac eorum attinenciis cedere poterunt, procurabimus perpetuo sacerdotem, qui apud nostram domum mansurus in capella nostra beate Elizabet ad minus bis in qualibet ebdomate, quando inpedimentum legitimum infirmitatis sive aure non obstiterit, missam defunctorum pro antedictorum Cunradi et Elizabet memoria celebrabit et in aliis missis sepedictorum Cunradi et Elizabet memoriam faciet per collectam.  Tali etiam conditione adiecta, quod occasione huiusmodi sacerdotis consuetus apud nos non minuatur numerus sacerdotum, immo quod ad minus duo apud nos permaneant in divino officio, ut dictum est, servituri.  Insuper de bonis predictis lampadem diebus et noctibus arsuram in ecclesia nostra extra chorum ante ymaginem beate Marie virginis pro animabus dictorum Cunradi et Elizabet procurabimus in eternum.  Quod si hec omnia pretaxata non fuerint observata, monitione tamen dimidii anni cum dictis litteris nobis facta, volumus et sponte eligimus, ut redditus sive proventus dictorum bonorum cum prelibata pecunia comparati integraliter cedant monasterio in Difindal sine nostra contradictione qualibet vel offensa.  Ad hec autem observanda de consensu et licencia speciali religiosi ac reverendi viri fratris Cunradi de 'Vuchtewangin, preceptoris fratrum ordinis nostri per Alemanniam, nos astriximus per presentes. Ne autem hec per successum temporis aliquatenus oblivioni tradantur, presens scriptum inde confectum est munimine sigilli nostri firmatum. Actum anno domini ṁ. c̊c̊. l XXX̊. septimo, mense aprili, in annunciacione beate virginis Marie.[1]

*Gedr.: Würdtwein, Dioc. Mog., II, 131, B., 230 nach dem Or. in Berlin = Reimer, I, 465. Das Or. ist jetzt im Geh. Staatsarchiv zu Berlin nicht mehr vorhanden.*
*Verz.: Roth, Quellen, I, 4.*

**527.** *Pfalzgraf Ludwig bei Rhein bestätigt die Übergabe des Gerichts zu Weinheim bei Alzei durch Philipp von Falkenstein-Münzenberg an das Deutschordenshaus in Sachsenhausen. Regensburg, 1287 April 5.*

Nos Ludowicus dei gracia comesque palatinus Reni, dux Bowarie. Universis in perpetuum noticiam subscriptorum. Ne facta modernorum, que digna sunt memoria, posterorum frustrentur oblivione vel ignorancia, decet et expedit ea sigillorum et scripti munimine vivoque testimonio perhennari. Propter quod, attendentes piam et salubrem intencionem dilecti fidelis nostri Philippi de Falckenstein, donacionem iudicii ville in Weienheim cum iuribus et pertinenciis suis, que tanquam iudicio eiusdem ville attinencia nos respiciunt seu contingunt et que hucusque a nobis in feodum tenuit, factam per ipsum viris religiosis preceptori et fratribus hospitalis sancte Marie Theutonicorum Jerosalem et praecipue domui fratrum eiusdem ordinis in Franckenfort ratam habentes et gratam, ipsam donacionem auctoritate literarum presencium confirmamus et ad eam adhibemus nostrum consensum voluntarium et expressum. In cuius rei testimonium presentes [litteras] damus nostri sigilli robore communitas. Datum Ratispone, anno domini millesimo ducentesimo octuagesimo septimo, nonis aprilis.

*Abschrift im Deutschordens-Dokumentenbuch f. 222. St. A. Stuttgart. — Von Nathusius.*

**528.** *Reimbott, Bischof von Eichstätt (Eystatten), verleiht den Wohlthätern des Weissfrauenordens einen Ablass von 40 Tagen. Mainz, 1287 April 8. (6. id. april).*

*Das Or. (St. A. Fr. Weissfrauenkloster, Lade 13, No. 4), noch 1822 vorhanden, fehlte bei der Revision von 1890. Es ist daher ungewiss, ob der Ablass sich auf die Wohlthäter des Ordens im allgemeinen, oder nur auf diejenigen des Frankfurter Klosters allein bezog.*

**529.** *Die Stadt Gelnhausen beurkundet, dass das dortige Schöffengericht dem Frankfurter Bürger Arnold von Glauburg das Eigenthumsrecht an einem jährlichen Zinse aus einem Weinberge bei Ubenhusen zugesprochen habe. 1287 April 30.*

Nos . . scabini, consules ceterique cives Geylenhusenses. Notum facimus hiis litteris universis, ad // quos pervenerint, nobis constare pro certo, quod Arnoldus dictus ·de Glouburg, civis Frankenfor//densis, ac mater ipsius ab Anshelmo dicto Inepto, olim nostro concive, pro pecunie certa summa iuste // ac racionabiliter comparantes annuum censum marce et dimidie de dimidia parte vinee apud nos site contra Hayzes super villulam Ubenhusen, tunc contingentis eundem, die beati Martini annis singulis persolvendum, dimidiam partem iamdicte vinee locaverunt prefato Anshelmo et suis heredibus, predictos redditus ab eis suis vicibus percepturi, sed predicto Anshelmo memoratum censum Arnoldo et matri sue requirentibus per annos aliquot solvere negliente (!), sepefatus Arnoldus in foro nostri iudicii constitutus, petivit sibi iusticiam

[1] *Ein Widerspruch im Datum. Vielleicht ist „octava" ausgelassen.*

fieri de sua hereditate, eo quod de ipsa census sibi debitus non daretur. Igitur nostri loci scabini, quorum quidam decesserunt et quidam adhuc vivunt, discreta deliberacione previa, equis cum sentenciis adiudicaverunt Arnoldo et matri sue dominium hereditatis prefate et miserunt ipsos racionabiliter in possessionem ipsius vinee, ordinaturos cum ea id, quod unisquisque(!) cum suis bonis ordinare vellet, ad suum comodum(!) et profectum. Datum anno domini ṁ. c̈c. L XXXVII., II. kalendas maii.

*Or. Pgmt. Siegel abgefallen. Frankfurt, Archiv der Freiherrn von Holzhausen. — Von Nathusius.*

**530.** *Generalkapitel des Deutschordens zu Frankfurt. 1287 Mai 4—18. Der Hochmeister des Deutschordens Burkhard von Schwanden urkundet am 4. Mai (Frankenvorth, in capitulo generali, domin. p. Philippi et Jacobi) für die Kommende Koblenz (Or. Stadtarchiv Andernach, verz. Niederrhein. Ann., 59, 5, No. 199), am 18. Mai (Frankinvurd, kal. iunii XV) für die Kommende in Wetzlar (gedr. Wyss, Hess. Urkb., I, 354.). Wahrscheinlich gehört die Urkunde desselben für die Kommende Nürnberg, die im 29. Jahresbericht des hist. Vereins für Mittelfranken (1861), S. 73 zu 1288 Mai 12 (Frankenford in capitulo generali, quarto id. maii) im Regest mitgetheilt ist, in dieses Jahr.*

**531.** *Christian, der Kantor der Frankfurter Kirche, schenkt und vermacht dieser sein dem Pfarrhof gegenüber gelegenes Wohnhaus, unter der Bedingung, dass das Stiftskapitel 20 Mark nach seiner Verfügung auszahle. 1287 Juni 4.*

Noverint universi presencium inspectores, quod ego Cristianus, cantor ecclesie Frankenvordensis, pro remedio anime mee dono et lego ecclesie Fran//kenvordensi, a qua multis annis beneficium percepi, curiam meam, quam inhabito, que est oposita curie .. plebani Frankenvordensis, ut .. decanus et capitulum disponent(!) et ordinent de dicta curia, prout ipsis videbitur expedire, ita tamen, quod .. decanus et capitulum prefati // michi tradent et assignabunt viginti marcas denariorum Coloniensium, vel nomine meo solvent et dabunt in, solucionem debitorum meorum, vel alias, quocumque et quibuscumque personis pro voluntatis mee libito duxero deputandas. Ut hec donacio et legatum rata maneant et firma, presentes litteras sigillo meo una cum sigillo magistri Dhytmari, plebani Frankenvordensis, duxi sigillandas, et ego Dhytmarus predictus, plebanus Frankenvordensis, ad rogatum dicti .. cantoris sigillum meum presentibus apposui. Datum et actum presentibus: Conrado [a] decano, Johanne de Moguncia, Alberto de Carben,[b] Ebberhardo dicto [c] de Furbach, Dhytmaro plebano prefato, canonicis dicte ecclesie Frankenvordensis; Ludolfo vicario dicte ecclesie, et Hermanno socio plebani memorati. Anno domini ṁ. c̈c. IXX̊X. septimo, pridie nonas iunii.

*Or. Pgmt. Die beiden abhangenden Siegel sind in Prägung schön erhalten, das zweite jedoch zerbrochen. St. A. Fr. Barth. No. 772ᵃ. Eine zweite Ausfertigung, No. 772ᵇ, an der auch das zweite Siegel gut erhalten ist, weist in der Zeugenreihe die in den Anmerkungen verzeichneten Varianten auf.*
*Gedr.: B., 231 nach No. 772ᵃ.*

**532.** *Schultheiss, Schöffen, Rath und Bürger von Frankfurt geben eine beglaubigte Abschrift einer von Papst Innocenz IV. zu Gunsten der in Alemannien sich aufhaltenden Juden am 5. Juli 1247 erlassenen, von Papst Gregor X. am 7. Juli 1274 erneuerten und von Albertus Magnus im Februar 1275 transsumirten Verordnung. 1287 Juni 26.*

a) *In* b „Cunrado“. b) *In* b *stehen als Zeugen an dieser Stelle ausser den in* a *genannten:* „Petro de Juggelenheym, Petro de Moguncia, Petro custode“. c) „dicto“ fehlt in b.

Scultetus, scabini, consules ceterique cives Frankenvordenses, presentibus litteris protestamur, nos rescriptum venerabilis fratris Alberti, ordinis fratrum Predicatorum professi, quondam Ratisponensis // episcopi, non cancellatum, non abolitum, nec in aliqua parte sui viciatum vidisse in hec verba: Universis presentem litteram inspecturis frater Albertus, ordinis fratrum Predicatorum professus, episcopus quon//dam Ratisponensis, salutem et orationes. Noverit vestra dilectio, nos litteras domini Gregorii pape decimi non cancellatas, non abolitas, nec in aliqua parte sui viciatas vidisse in hec verba: Gre//gorius episcopus, servus servorum dei, universis Christi fidelibus presentes litteras inspecturis, salutem et apostolicam benedictionem. Tenorem litterarum, quas felicis recordationis Innocencius papa quartus, predecessor noster, venerabilibus fratribus nostris, archiepiscopis et episcopis per Alemanniam constitutis, in iudeorum Alemannie favorem direxit, pro eo, quod incipiebant nimia vetustate consumi, de verbo ad verbum presentibus fecimus annotari, qui talis est: Innoncencius episcopus, servus servorum dei, venerabilibus fratribus, archiepiscopis et episcopis per Alemaniam constitutis, salutem et apostolicam benedictionem. Lacrimabilem iudeorum Alemannie recepimus questionem, quod nonnulli tam ecclesiastici quam seculares principes ac alii nobiles et potentes vestrarum civitatum et dyocesum, ut eorum bona iniuste diripiant et usurpent, adversus eos impia consilia cogitantes ac fingentes occasiones varias et diversas, non considerato prudenter, quod quasi ex archivis eorum christiane fidei testimonia prodierunt, scriptura divina inter alia mandata legis dicente „Non occides" ac prohibente illos in sollempnitate paschali quicquam morticinum non contingere, falso imponunt eisdem, quod in ipsa sollempnitate se corde pueri communicent interfecti, credendo id ipsam legem precipere, cum sit legi contrarium manifeste, ac eis male obiciunt hominis cadaver mortui, si contigerit illud alicubi reperiri, et per hec et per alia quamplura figmenta sevientes in ipsos, eos super hiis non accusatos, non confessos, nec convictos, contra privilegia illis ab apostolica sede clementer indulta spoliant contra deum et iusticiam omnibus bonis suis, et inedia, carceribus ac molestiis tot tantisque gravaminibus premunt, ipsos diversis penarum affligendo generibus et morte turpissima eorum quam plurimos condempnando, quod iidem iudei quasi existentes sub predictorum principum, nobilium et potentum dominio deterioris condicionis, quam eorum patres sub Pharaone fuerunt in Egypto, coguntur de locis inhabitatis ab eis et suis antecessoribus a tempore, cuius non exstat memoria, miserabiliter exulare. Unde suum exterminium metuentes, duxerunt ad apostolice sedis providenciam recurrendum. Nolentes igitur prefatos iudeos indebite vexari, quorum conversionem dominus miseratus exspectat, cum testante propheta credantur reliquie salve fieri eorundem, fraternitati vestre per apostolica scripta mandamus, quatinus eis vos exhibentes favorabiles atque benignos, quicquid super premissis contra eosdem iudeos per predictos prelatos, nobiles et potentes inveneritis temere attemptatum, in statum debitum legittime revocato, non permittatis eos de cetero super hiis vel similibus ab aliquibus indebite pregravari seu molestari; molestatores autem huiusmodi per censuram ecclesiasticam appellatione postposita conpescendo. Datum Lugduni, III. nonas iulii, pontificatus nostri anno V̊. Datum Lugduni, nonis iulii, pontificatus nostri anno III. In cuius rei testimonium sigillum nostrum presentibus duximus apponendum. Datum anno domini m̄. c̄c̄. 1XXIIII., mense februarii. Nos vero . . scultetus, scabini et cives supradicti sigillum civitatis Frankenvurdensis presentibus duximus apponendum in evidens testimonium premissorum. Actum et datum anno domini m̄. c̄c̄. 1XXXVII., VI. kalendas iulii.

*Or. Pgmt. Nur Siegeleinschnitt. Eine auf der Rückseite befindliche hebräische Inschrift lautet nach einer 1884 von Herrn Rabbiner Dr. Horowitz gegebenen Übersetzung: „Diese Schrift ist vom obersten Bischof in Angelegenheit der Anschuldigungen von Schändungen."*

*St. A. Fr. Barth. St. No. 4019. Die Urkunde entstammt zweifellos dem ältesten jüdischen Gemeinde-Archiv zu Frankfurt.*
*Gedr.: B., 232. Die transsumirten Bullen sind verzeichnet Potthast No. 12596 und No. 20861.*

**533.** *Der Frankfurter Bürger Arnold von Erlenbach verkauft an das Kloster Arnsburg anderthalb Hufen in der Gemarkung von Schwalbach und erhält sie in Erbleihe zurück. 1287 August 29.*

Noverint universi presentes litteras inspecturi, quod ego Arnoldus dictus de Erlebach, civis Frank*in*vordensis, // cum co*m*municatis manibus Benigne uxoris mee ac Arnoldi sororii mei parique consensu eoru*n*dem vendidi domino . . ab//bati et conventui monasterii de Arnsburg pro XXVII. marcis mansum unum et dimidium, sitos in terminis // ville Svalbach, proprietatis iure perpetuo possidendos, tali sane condicione mediante, quod prefati dominus abbas et conventus eosdem mansum et dimidium michi et omnibus heredibus meis successivis iure hereditario concesserunt pro XII. octalibus siliginis annis singulis Frank*in*vord in curia ipsorum iugiter persolvendis. Quod si aliquo tempore iamdicta pensio quacu*n*que de causa porrecta non fuerit ante diem beati Michahelis, vel eciam, si antedicti mansus et dimidius inter heredes meos distracti vel divisi proporcionatim umquam inventi fuerint, statim extunc memorati abbas et conventus de ipsis se intromittent absolute ac libere, ordinantes de ipsis quicquic eisdem expediens visum fuerit, nullo iuris, excepcionis vel contradictionis suffragio nos tuente. De recta vero warandia facienda in iure canonico et civili fideiussores constituo Johannem advocatum, Johannem de Esscinhayn, Wigandum filium Lukkardis, et Johannem dictum Krebiz. Testes harum rerum sunt: Hartlibus dictus Villicus, Cunradus advocatus in Svalbach, cives Frank*in*vordenses; Gerhardus villicus, Heinricus Rufus, Hermannus filius Ostberne, Theodericus Melwere, Wigandus filius carpentarii, Hartmudus filius Gude de Svalbach, et alii quamplures fidedigni. In quarum rerum [a] testimonium presens scriptum appensione sigilli universitatis Frankenfordensis petivi et obtinui roborari. Actum et datum anno domini millesimo c̄c̄. 1XXXVII., in die decolla*t*ionis beati Johannis baptiste.

*Or. Pgmt. mit Stadtsiegel (2) an grüner und weisser Hanfschnur. Lich.*
*Regest: Arnsb. Urkb., 146.*

**534.** *Das Deutschordenshaus zu Mainz verzichtet auf eine Korngült, welche ihm das Deutschordenshaus zu Sachsenhausen bisher zu entrichten hatte. 1287 September 18.*

Nos frater Godefridus conmendator, frater Anzo et frater Wigandus domus Theutonice in Maguncia, notum esse cupimus univer//sis et recognoscimus per presentes, quod prehabita deliberatione provida, consensu unanimi simpliciter et libere renunciavimus // et presentibus renunciamus redditibus viginti et quatuor maldrorum siliginis Maguntin*e* mensure, que conmendator et fratres // domus Frankinfurdensis eiusdem professionis nobis ac domui nostre annuatim perpetuo solvere tenebantur, quemadmodum se nobis suis litteris patentibus astrinxerant, pro eo, quia dicti co*n*mendator et fratres nos a vexatione gravi ac inpedimento decimarum, ad ecclesiam nostram Bleseberg attinencium, suis laboribus et expensis ac data pecunia, ad que nos non suffecimus, erga nobilem virum dominum Ottonem comitem de Nassouue et suos heredes perpetuo exemerunt. Verum quia litteras super redditibus predictis confectas et nobis a fratribus memoratis de Frankinfurd datas ad presens perdidimus, recog-

<hr>

a) *Über der Zeile.*

noscimus et nos astringimus per presentes, quod si dicte littere forsitan in posterum invente fuerint, ut, si habere poterimus, restituamus eisdem, et ammodo nec nobis proderunt nec valebunt. In cuius evidenciam et robur perpetuum presens scriptum inde confectum sigilli nostri munimine roborandum [duximus]. Datum anno domini m̂. c̈c. LXXX̊. septimo, mense septembri, in crastino beati Lamberti martiris.

*Or. Pgmt. mit abhangendem Siegel der Kommende Mainz. Wien, Deutschordens-Central-archiv.*

*Verz.: Pettenegg, No. 583 zu 1280 September 18.*

**535.** *Die Schwestern und Brüder des Heiligen-Geist-Hospitals zu Frankfurt versprechen dem Kaplan, der den Altar in ihrem Hospital bedient, jährlich 22 Achtel Weizen. 1287 October 21.*

Noverint universi presentium inspectores, quod nos sorores et fratres hospitalis infirmorum in Frankenfort nomine // beneficii et pro beneficio capellano celebranti et officianti altare * predicto hospitali nostro, quicumque pro tempore // fuerit et officiaverit, singulis annis et perpetuo dare tenemur viginti duo octalia siliginis Frankenfordensis // mensure infra duo festa assumptionis et nativitatis beate virginis de omnibus bonis nostris et proventibus, ad quorum octalium solucionem nos et bona nostra perpetuo presentibus obligamus. In quorum testimonium presentes litteras sigillo nostro, quo uti consuevimus, una cum sigillo universitatis in Frankenfort dedimus sigillatas. Datum anno domini m̂. c̈c. lXXXVII., XII. kalendas novembris.

*Or. Pgmt. Abhangend die zwei Siegel, beide leicht beschädigt. St. A. Fr. Barth. St. No. 1827. In dem Archiv des Heil. Geist-Hospitals St. A. Fr. Tomus II Actorum, f. 1ᵉ, findet sich eine Abschrift saec. XV. mit dem falschen Datum „1285“. Gedr.: B., 233 nach dem Or. . Erwähnt: Würdtwein, Dioc. Mog., II, 813, vgl. Frankf. Quellen, I, 76.*

**536.** *Siegfried, Bischof von Augsburg, empfiehlt allen kirchlichen Würdenträgern die Karmeliter und gewährt allen Gläubigen, welche sie begünstigen und Marien-Brüder oder Unserer Frauen-Brüder nennen werden, zehn Tage Ablass. 1287 October 28. (in festo ap. Symonis et Iude.)*

*Gedr.: B., 233 nach dem Or. Pgmt., St. A. Fr. Karm. Prov. No. 438. Hier nicht wieder-holt, weil allgemeinen Inhalts.*

**537.** *Das Frankfurter Stiftskapitel überträgt den ihm von dem Rossdorfer Pfarrer Johann zu diesem Zwecke resignirten Antheil an der Mühle vor Dieburg dem Deutsch-ordenshause zu Sachsenhausen. 1287 November 19.*

Nos Cunradus decanus totumque capitulum ecclesie Frankenvordensis, notum esse cupimus univer//sis et tenore presencium profitemur, quod dominus Johannes, pastor ecclesie in Rostorf, in nostra presentia constitutus, partem videlicet quartam molendini ante oppidum Dipurg siti, quam a nostra // ecclesia hactenus iure hereditario possi-debat, in manus nostras resignavit, petens, ut eandem molendini partem commendatori .. et fratribus domus Theutonice in Sassinhusen eo iure, quo ipse Johannes a nobis habebat, concedere dignaremur. Cuius precibus ac dictorum fratrum pie devocioni, qua nos et nostram semper amplectuntur ecclesiam, voluntate et consensu unanimi annuentes, partem molendini predictam commendatori et .. fratribus memoratis iure

*a) Zu erwarten wäre sinngemäss „in“.*

hereditario concessimus et per presentes concedimus perpetuo possidendam. Actum nobis presentibus et in testimonium deputatis: Cunrado videlicet decano predicto, Cristano cantore, Alberto de Karben, Petro custode, Johanne de Maguncia, Gerlaco dicto Lesche, et ceteris nostre ecclesie canonicis, item Cunrado Suevo milite, Volmaro, Giplone de Holzhusen, Hermanno de Colonia, scabinis et civibus Frankenvordensibus, ac aliis quam pluribus fide dignis. Ad maiorem vero huius rei evidenciam et robur perpetuum presens scriptum inde confectum sigilli nostre civitatis duximus munimine roborandum. Datum anno domini ṁ. c̊c̊. lXXX. septimo, in die beate Elizabeth.

*Or. Pgmt. im St. A. Darmstadt. — Grotefend*
*Gedr.: B., 234 nach dem Or. . Auszug bei Steiner, Bachgau, III, 173.*
*Verz.: Scriba, I, No. 613.*


**538.** *König Rudolf bestellt den Burggrafen von Friedberg und den Schultheissen von Frankfurt zu Schirmern des Klosters Thron. Mainz, 1288 Januar 5. (non. ian.)*

*Gedr.: Sauer, I, 636.*
*Verz.: B.-R. No. 2137, Scriba, IV², No. 3587.*


**539.** *Ripert von Sachsenhausen und dessen Frau Kunigunde verkaufen dem Kloster Padershausen zwei Morgen Weinberge bei Bergen. 1288 März 18.*

Rypertus de Sassinhusen, filius quondam Conradi sculteti Frankenfurdensis bone memorie, et Cunegundis, collateralis eius // legittima, universis has litteras visuris et audituris cupimus esse notum, quod nos communicata manu et bona voluntate // religiosis dominabus .. abbatisse et .. conventui sanctimonialium in Padinshusen ordinis Cysterciensis, Maguntine dyocesis, // vendidimus iusto vendicionis titulo duo iugera vinearum apud villam Bergin sita, rite et racionabiliter iure proprietario perpetuo possidenda; resignantes et renunciantes coram Volrado sculteto Frankenfurdensi et quam pluribus aliis fidedignis civibus Frankenfurdensibus omni iuri, quod nobis in dicta vinea conpetebat; promittentes nichilominus prefatis .. abbatisse et .. conventui de prelibata vinea, ut moris est, a quocunque homine facere warandiam iustam, debitam et consuetam. Ad cautelam vero magis habundantem Hartmudum militem de Sassinhusin et Volferamum, sororium Volradi sculteti Frankenfurdensis, super predicta warandia dictis dominabus facienda constituimus fideiussores ad tollendum omne *im*pedimentum, si quid in dicta vinea, casu quocunque contingente, super ipsa warandia evenire posset. Testes huius vendicionis sunt viri honesti: Heinricus miles quondam scultetus, Hartmudus miles de Sassinhusin, Conradus miles de Prumheim, Volradus scultetus, Volmarus de Owinbach, Wickerus frater suus, Hetzefure, et quam plures alii cives Frankenfurdenses fidedigni. In cuius rei testimonium et firmitatem debitam omnium premissorum, nos Volradus scultetus prefatus et .. scabini de Frankenfurt ad rogatum et peticionem dictorum Riperti et Cunegundis presentem litteram sigillo universitatis Frankenfurdensis fecimus communiri. Actum et datum anno domini ṁ. c̊c̊. lXXXVIII., feria quinta ante ramos Palmarum.

*Or. Pgmt. mit abhangendem wohlerhaltenen Stadtsiegel (2). München, Reichsarchiv.*


**540.** *Schultheiss Volrad, Schöffen, Rath und Bürger von Frankfurt beurkunden, dass der Gärtner Herbord und dessen Frau, Frankfurter Bürger, an das Kloster Arnsburg einen Geldzins und einen Zins in Mohn auf ihrem Hause und den anliegenden Ländereien verkauft haben. 1288 April 12.*

Nos Volradus scultetus, . . scabini, consules ceterique cives de. Frankenfurt, universis has litteras visuris et audituris cupimus esse notum, quod // Herburdus ortulanus et Methildis uxor eius legittima, cives Frankenfurdenses, in nostra presencia constituti communicata manu et benigno consensu ven//diderunt iuste et racionabiliter religiosis viris domino ... abbati et .. conventui in Arnisburg ordinis Cysterciensis, Maguntine dyocesis, tredecim so//lidos denariorum levium bonorum et legalium census annualis et unum octale papaveris Frankenfurdensis mensure super domum et curiam, quas dicti Herburdus et eius uxor inhabitant et possident, ac super quatuor iugeribus terre arabilis dicte curie contiguis iure proprietario perpetuo percipienda et possidenda. Dictum quoque censum et octale papaveris dicti Herburdus et eius uxor resignaverunt et renunciaverunt coram nobis; promittentes nichilominus pro se et suis heredibus dictis domino .. abbati et .. conventui singulis annis in festo beati Martini hyemalis de predictis curia, domo et iugeribus dare et presentare censum memoratum. Octale vero papaveris in festo beati Jacobi apostoli dictis fratribus quolibet anno presentabunt. Adiectum est eciam, quod Johannes Goltstein, civis Frankenfurdensis, et quidam nomine Sezepant de Aschaffenburg, qui in predictis curia et domo similiter singulis annis censum habere dinoscuntur, ipsos fratres in suo censu primo precellere debent. Preterea si sepefati Herburdus aut sui heredes quocumque casu contingente in ipsis curia, domo et iugeribus ampliorem censum in posterum vendiderint, prelibati .. abbas et .. conventus in suo censu prefato emptorem sive emptores primo quoslibet prevalebunt. Testes huius rei sunt viri honesti: .. scultetus prefatus, Conradus dictus Wobelin, Volmarus et Wickerus dicti de Owinbach fratres, Wigandus de Hohinstat, Arnoldus institor, Reynoldus piscator, et quamplures alii cives Frankenfurdenses fidedigni. In testimonium et firmitatem omnium premissorum debitam et consuetam nos .. scultetus et .. scabini predicti ad rogatum et ad peticionem dictorum Herburdi [et] sue uxoris presentem litteram prelibatis .. abbati et conventui sigillo civitatis Frankenfurdensis dedimus communitam.    Datum et actum anno domini m̊. c̊c̊. IXXXVIII., II. idus aprilis.

*Or. Pgmt. mit anhängendem, wohlerhaltenen Stadtsiegel (2).   Lich.*
*Gedr.: B., 234 nach einer stark gekürzten Abschrift Kindlingers.*
*Verz.: Arnsb. Urkb., 216, Scriba, II, No. 786.*

**541.** *Die genannten Testamentsvollstrecker der Kunigunde von Dridorf überweisen den Rest des Nachlasses derselben den Deutschordenshäusern zu Marburg und Sachsenhausen. Wetzlar, 1288 April 27.*   (V. kal. mensis maii.)

*Gedr.: Wyss, Hess. Urkb., I, 365, vgl. die ib., 367 (1288 Juli 14) und 370 (1288 Juli 23) mitgetheilten Urkunden.   Dieselbe Frau hatte auch den Frankfurter Dominikanern „ferto et II pulli, de domo filii Rudolfi dicti Divitis" in Wetzlar vermacht.   Vgl. Guden, Cod. Dipl., II, 247.   (1285 Dec. 30.)*

**542.** *Die Schöffen des Frohnhofes zu Frankfurt bekennen, dass Heinrich von Vilbel dem Kloster Ilbenstadt seine Güter in Dottenfeld im Tausch gegen solche in Vilbel gegeben habe. 1288 Mai 15.*

Nos Conradus dictus Wobelin, Hartmudus officiatus domini G. de Eppinstein, Conradus Wanman, Hermannus de Felbile, Heinricus ibidem, Volzo de Durinkeym, Rupertus de Hohenstatt, Nicolaus de Steinbach, Heinricus de Stirstat, Conradus de Gattinhofen, Heinricus de Ursela et Ludovicus ibidem, scabini curie, que dicitur fronhoff, in Franckenfort.   Universis presentium inspectoribus cupimus esse notum, quod Heinricus de Velwile constitutus in nostra presentia bona sua propria in Dudinfelt

sita voluntarię dedit et assignavit religiosis viris preposito et conventui in Elbenstatt
iuste et rationabiliter iure proprietario perpetuo possidenda, ręsignans et renuncians
omni iuri, quod sibi in dictis bonis competebat. E converso predicti dominus prepositus et conventus dederunt et assignarunt prefato Henrico de Velwile triginta et sex
iugera terre arabilis apud villam Felwile sita, que ipsorum fratrum erant propria,
similiter iuste et rationabiliter iure proprietario perpetuo possidenda; renunciantes
omni iuri, quod ipsis in prefatis triginta et sex iugeribus competebat. In cuius rei
evidentiam et firmitatem omnium premissorum ego Conradus Wobelin predictus ad
petitionem procuratoris dicti conventus et Henrici de Felwile sigillum meum duxi
presentibus apponendum. Actum et datum anno domini m̃. c̃c. LXXXVIII., in vigilia
pentecostes.

Abschrift im Kopialbuch des Kl. Ilbenstadt von 1610 (Tom. I Actorum).   Ilbenstadt, Gräfl.<br>
Leiningensches Archiv.<br>
Gedr.: Reimer, I, 473, hier wiederholt.

**543.** *Ripert von Sachsenhausen, Sophia und Mathilde von Urberg, die Wittwen Konrads
und Johanns, der Brüder Riperts, verkaufen dem Deutschordenshause zu Sachsenhausen den Fischteich am Fersbrunnen. 1288 Mai 23.*

Cum ea, que aguntur[a] in tempore, simul labantur cum tempore, expedit, ut ea,
que aguntur, in scripta publica redigantur. Hinc // est, quod nos Rypertus de Sassinhusin, Sophia[b] et Methildis sorores de Urberg, relicte quondam Conradi[c] et Johannis
bone // memorie fratrum dicti Ryperti, ad universorum noticiam tam presencium quam
futurorum cupimus pervenire, quod unanimi consensu et bona volunta//te vivarium
sive lacum, apud fontem dictum Fersburne[d] situm, vendidimus religiosis viris domino[e]
Luthero commendatori ceterisque fratribus domus Theutonice in Sassinhusin, iusto
vendicionis titulo[f] rite et racionabiliter iure proprietario perpetuo possidendum, resignantes et renunciantes omni iuri, quod nobis in dicto vivario competebat seu competere videbatur. Pro warandia vero[g] iusta et consueta,[h] ut est moris, de predicto
vivario predictis[i] fratribus facienda, et quod Conradus[k] et Johannes,[l] filii Sophie et
Methildis predictarum, nondum etate legittima maturi, cum ad annos discrecionis legittimos pervenerint,[m] renuncient et renunciare debent in prefato vivario iuri suo, et ut
hoc dicti pueri C.[n] et Jo. facere debeant, nos Ripertus,[o] Sophia et Methildis pretacti
prelibatis . . commendatori et fratribus fideiussores constituimus subnotatos[p] Hartmũdum
militem de Sassinhusin, Rudolfum dictum Druckint, Ripertum[q] predictum, Cũnonem
filium Hartmudi prefati, et Conradum[r] filium Sophie prenotate, ita videlicet, quod, postquam dicti pueri Conradus[k][s] et Johannes ad annos resignacionis legittimos devenerint, [t]
resignare debent[u] in iamdicto vivario iuri suo, quod si non fecerint, fideiussores
supradicti[v] ex parte predictorum commendatoris et fratrum in Sassinhusin moniti in
unum hospicium Frankenfurt[w] se recipient, more fideiussorio comesturi, quousque
sepefati[x] Conradus et Johannes resignent et renuncient super prelibato vivario penitus
iuri suo. Adiectum est eciam, quod si quis fideiussorum memoratorum medio tempore,
quod absit, ab hoc seculo migraverit,[y] nos Ripertus,[o] Sophia[b] et Methildis[z] sepedicti
infra duos menses inmediate sequentes eque ydoneum fideiussorem loco defuncti
statuemus,[aa] quod si in hoc negligentes[bb] aut remissi[cc] fuerimus, superstites nostri fide-

<hr>

Abweichungen von No. 34: a) „geruntur“. b) „Sophya“. c) „Cũnradi“. d) „Versburne“. e) „fratri“.
f) „tytulo“. g) *Fehlt.* h) *Folgt:* „ac inpeticione cavenda“. i) „prefatis“. k) „Cũnradus“. l) „Cũnradus
et Heinricus, filii Sophie, et Johannes, filius Methildis“. m) „et“ *eingeschoben.* n) „C. H. et Joh.“.
o) „Rypertus“. p) „videlicet“. q) „Rypertum“. r) „Cũnradum“. s) „Heinricus et Johannes“. t) „pervenerint“. u) *Folgt:* „et renunciare“. v) „predicti“. w) „Frankinford“. x) „pueri C. H. et Johannes“.
y) *Statt* ab—migraverit: „forte decesserit“. z) Meethildis“. aa) „substituemus“. bb) „neggligentes“.
cc) *Eingeschoben:* „forte“.

iussores tamdiu fideiussionis debitum exolvent,[dd] donec alium fideiussorem loco premortui substituemus.[ee] Testes vero huius[ff] sunt viri honesti:[gg] Volradus scultetus Frankenvordensis,[hh] Conradus[k] Swevus,[ii] Heinricus de Husinstam, Heinricus scultetus magnus, Hartmûdus de Sassinhusin, milites;[kk] Johannes Goltstein, Conradus[k] Wobelin, Volmarus frater suus, Hartwicus[ll] de Alta domo, Petrus de Eschebach,[mm] scabini, et quam plures alii cives[nn] Frankenvorden*ses* fide digni. In testimonium vero et debitam firmitatem omnium premissorum, nos Volradus scultetus et scabini de Frankenfurt[oo] ad rogatum sepedictorum Riperti,[pp] Sophie et Methildis sigillum universitatis Frankenvurdensis[qq] presentibus litteris duximus apponendum. Actum et datum anno domini m̊. c̊c̊. 1 XXXVIII., in octava pentecos*tes*.

*Or. Pgmt. mit abhangendem, verletzten Stadtsiegel (2). St. A. Fr. Deutschordens-Urk. No. 33. Eine weitere Ausfertigung (ib No. 34) von anderer Hand, vom gleichen Tage datirt, weist nicht unwesentliche Abweichungen auf. Vgl. die Varianten in den Anm. Gedr.: B., 235 nach No. 33.*

**544.** *Schultheiss Volrad von Frankfurt beurkundet, dass die getaufte Jüdin Greta vor ihm bekannte, gemeinschaftlich mit ihrem verstorbenen Ehegatten dem Kloster Arnsburg zwei Häuser vermacht zu haben. Frankfurt, 1288 Mai 25.*

Volradus scultetus Frankenvordensis. Universis presentes litteras visuris et audituris cupio esse notum, quod Greta olim iudea, civis Frankenvordensis, in mea presen*tia* // constituta publice recognovit, quod ipsa una cum Conrado braxatore, quondam marito suo[a] legittimo[b] bone memorie, dum adhuc viveret,[c] communicata manu et bo//na[d] voluntate pie propter deum et ob remedium animarum suarum duas domus suas ex opposito domus ipsius Grete,[e] quam inhabitat, sitas religiosis viris domino .. abbati // et .. conventui in Arnisburg ordinis Cysterciensis contulerunt libere[f] et dederunt, hac sane condicione, quod iidem[g] Conradus et Greta[h] dictas duas domus haberent[i] ac possiderent ad tempora vite sue[k] pacifice et quiete. Ipsis vero[l] defunctis prefate domus ad predictos[m] .. abbatem et conventum, eo modo quo dicti[n] C. et G. ipsas domus[o] habuerunt et possiderunt, devolventur pleno iure. Adiectum est eciam, quod si evidens et urgens necessitas prelibatis C. et G. incumberet aut .. insurgeret, quod absit,[p] vel[q] alteri eorum, si unus ex[r] ipsis[s] coniugibus ante alium decederet, licitum erit eis aut[t] uni ipsorum, predictas[u] domus[v] pro necessitate sustentacionis vendere et alienare pro sue libito voluntatis, hoc tamen excepto, quod si prefati .. abbas et conventus sepefatis C. et G. aut alteri eorum, si alium supervixerit, vellent honeste et decenter vite necessaria dare et ministrare vel tantam pecuniam mutuare, sicut dicte domus valere et solvere possent, quod in ipsorum fratrum optione stabit, memorate domus apud ipsos manebunt et manere debent, contradictione qualibet non obstante. Testes huius sunt viri honesti: Theodericus Pungir de Erlbach,[w] Conradus Swevus, Bertoldus filius suus,[x] milites; Johannes Goltstein, Wernherus de Wanebach, Hermannus Bichelin, Arnoldus de Glouburg, Petrus de Eschebach, scabini; Wernherus Falko, Hartwicus de Vite, Fridericus Cachelhart, Arnoldus institor, et quam plures alii fide digni cives Frankenvurdenses.[y] In cuius rei testimonium et debitam firmitatem

dd) „exsolvent“. ee) „substituamus“. ff) *Eingeschoben:* „rei“. gg) *Ebenso:* „videlicet“. hh) „Frankinfordensis“. ii) „Suevus“. kk) *Eingeschoben:* „Item“. ll) „Hertwicus“. mm) „Essebach“. nn) „et alii quam plures fidedigni tam milites quam cives Frankinfordenses“. oo) „Frankinfurd“. pp) „Ryperti, Sophye et Mecthidis (!). qq) „Frankinfurdensis“.

a) *B.* „suo marito“. b) *B.* „legittimo“ *fehlt.* c) *B.* „tunc temporis adhuc vivante“. d) *B.* „libera“. e) *B.* „suas iuxta domum Grete“. f) *B.* „libere“ *fehlt.* g) *B.* „iidem“ *fehlt.* h) *B.* „predicti“. i) *B.* „habeant et possideant“. k) *B.* „ipsorum“. l) *B.* „Conrado et Grete defunctis“. m) *B.* „dictos“. n) *B.* „predicti“. o) *B.* „ipsos domos“. p) *B.* „quod absit“ *steht vor* „incumberet“. q) *B.* „uni aut alteri“. r) *B.* „de“. s) *B.* „dictis“. t) *B.* „vel“. u) *B.* „duas“. v) *Hier ist in B. eine Lücke bis zum Beginn der Zeugenreihe.* w) *B.* „dictus Erlebach“. x) „et suus filius Pinguis“. y) Frankenvordenses.

omnium premissorum, ego Volradus scultetus supradictus ad rogatum sepedicte Grete et fratrum prenotatorum[z] sigillum meum duxi presentibus apponendum. Act*um* et dat*um* ante domum consilii Frankenvordensis,[aa] anno domini m̃. c̃c. 1XX̊XXVIĨI., in die sancti Urbani.

*Or. Pgmt. Das abhangende Siegel ist am rechten Rande beschädigt. Rückaufschrift:*
*„Cella Frankenvordensis". Lich.*

*Gedr.: B., 236, „ex copia Fichardiana", gekürzt, die auf eine zweite Ausfertigung, deren*
*Original sich früher im Geheimen Staatsarchiv zu Berlin befand, zurückzuführen sein*
*dürfte. Siehe die Varianten in den Anmerkungen.*

*Verz.: Arnsb. Urkb., 216, Scriba, II, No. 788.*

**545.** *Das Deutschordenshaus zu Sachsenhausen vererbpachtet einen Garten im Lindau an Marquard, Sohn der Sewira, und dessen Frau. 1288 Mai 26.*

Nos frater Lutherus conmendator ceterique fratres domus Theu*tonice* in Sassinhusin, notum esse cupimus universis, quod // nos ortum nostrum in Lindee situm, duo iugera et dimidium continentem, concessimus Marquardo filio Sewire[a] et Mec//thildi de Redelinheim, uxori sue, ac heredibus eor*u*ndem iure hereditario i*m*perpetuum possidendum. Ita tamen, quod ipa(!)[b] ac // heredes eor*u*ndem ab eodem orto indiviso ab una manu heredum tredecim solidos denariorum legalium Frankenfordensium et duos cappones nobis annuatim in festo beati Martini persolvant. In cuius rei evidenciam presentem cedulam dedimus eisdem sigilli nostri munimine roboratam. Dat*um* et act*um* anno domini m̃. c̃c. 1XXXVIĨI., mense maio, in crastino beati Urbani pape et martyris.

*Or. Pgmt. Am abhangenden Siegelstreifen nur noch Siegelrest vorhanden. Wien, Deutsch-ordens-Centralarchiv.*

*Verz.: Pettenegg No. 663.*

**546.** *König Rudolf verleiht dem Deutschorden einen ihm von Ripert von Sachsenhausen zu diesem Zwecke resignirten reichslehnbaren Fischteich zu Bersfeld. Vor Bern im Lager, 1288 Juni 7.*

Nos Rudolfus dei gracia Romanorum rex, semper augustus. Ad universorum sacri imperii Roma//ni fidelium noticiam volumus pervenire, quod constitutus in nostra presentia dilectus noster fidelis Riperthus // de Sassenhusen piscinam sive lacum, situm in Bersvelt, quem a nobis et imperio tenuit in feodum, // ad manus nostras libere resignavit, supplicans nostre maiestati humiliter et devote, ut ipsum feodum honorabilibus et religiosis viris fratribus domus Theutonice de benignitate regia concedere dignaremur. Cuius precibus favorabiliter inclinati, predictis fratribus memoratum lacum dedimus divine remunerationis intuitu perpetuo possidendum. Memoratus etiam Riperthus in recompensam predicti feodi agros sitos in Bersvelt, qui ad eum titulo proprietatis pertinere noscuntur, ad manus nostre celsitudinis resignavit, quos ex innata nobis clementia in feodum sibi concessimus, presencium testimonio litterarum. Datum in castris ante Bernam, VII. idus iunii, indictione prima, anno domini m̃. c̃c. 1XX̊X. octavo, regni vero nostri anno quintodecimo.

*Or. Pgmt. mit anhängendem beschädigten Majestäts-Siegel. Wien, Deutschordens-Centralarchiv.*

*Gedr.: B., 237 nach dem Or. .*

*Verz.: Pettenegg No. 667, B.-R. No. 2177.*

z) „et—prenotatorum" *fehlt in B.* aa) „Ante—Frankenvordensis" *steht in B. am Schluss der Urkunde.*

a) *Lesung nicht ganz sicher, vielleicht* „Sewine"? b) *So! für* „ipsi".

**547.** *Zwölf genannte Erzbischöfe und Bischöfe verleihen allen Besuchern und Wohlthätern des Heiligen-Geist-Hospitals in Frankfurt einen vierzigtägigen Ablass.
Rieti, 1288 Juni 18.*

Universis sancte matris ecclesie filiis, ad quos presens scriptum pervenerit, Theoctistus Andrionopolensis, Johannicius Mokicensis, frater Bonaventure(!) Tragusinus, //
miseracione[a] divina archiepiscopi, Marsilius Turtibulensis, Petrus Stanensis, Maurus
Ameliensis, Peronus Larinensis, Jacobus Forosinfroniensis, Waldebrunus Avelonensis
et Glavenicensis, Franciscus Terracinensis, // Johannes Ogentinus, et Bartholomeus
Gaytanus, dei gracia episscopi(!), salutem in domino sempiternam. Licet is, de cuius
munere venit, ut sibi a suis fidelibus digne ac laudabiliter serviatur, // de habundancia
pietatis sue merita supplicum excedens et vota bene servientibus multo maiora tribuat
quam valeant promereri, desiderantes tamen reddere domino populum acceptabilem,
fideles Christi ad conplacendum ei quasi quibusdam allectivis muneribus, indulgenciis
videlicet et remissionibus, invitantes, ut exinde reddantur[b] divine gracie apciores;
cupientes igitur, ut hospitale sancti Spiritus in Frankenfurt Moguntine dyocesis congruis honoribus frequentetur, omnibus vere penitentibus et confessis, qui ad dictum
hospitale in festis infrascriptis, videlicet in festis domini, nativitatis, resurrexionis,
ascensionis, pentecostes, in singulis festis beate Marie virginis, apostolorum Petri et
Pauli, Bartholomei, beati Martini, beati Nicolai pontificum, sancti Stephani, sancti
Laurencii, beati Johannis baptiste, beati Johannis ewangeliste, in die dedicacionis
ipsius hospitalis, beati Georii martiris, beate Marie Magdalene, beate Katherine ac
Margarete virginum, ac in anniversario die dedicacionis ipsius hospitalis et per octavas
festivitatum eorundem(!), causa devocionis accesserint seu infirmis ibidem iacentibus sive
ad ornamenta, structuram seu luminare eiusdem hospitalis manus adiutrices porrexerint
seu in extremis laborantes vel alias quidquam facultatum su[arum] legaverint aut de
bonis a deo sibi collatis aliqua largiti fuerint subsidia caritatis, nos de omnipotentis
dei misericordia et beatorum Petri et Pauli apostolorum auctoritate confisi, singuli
singulas dierum quadragenas de inunctis [sibi?][c] penitenciis, dummodo dyocesani consensus ad id accesserit, misericorditer in domino relaxamus. In cuius rei testimonium
presens scriptum sigillorum nostrorum munimine duximus roborandum. Datum Reate,
anno domini m̅. c̅c̅. octuagesimo octavo, XIIII. kalendas iulii, pontificatus domini
Nicolai pape IIII. anno primo.

> *Or. Pgmt. Die an bunten Hanfschnüren anhängenden 12 Siegel (roth) sind sämmtlich
> beschädigt oder zerbrochen. Die Urkunde zeigt am oberen Rande mehrere Nagellöcher
> und auch sonst Spuren häufigen Gebrauches. St. A. Fr., Heil.-Geist-Hosp., Litt. A
> No. 71.*
>
> *Gedr.: B., 237 nach dem Or. .*

**548.** *Zwölf genannte Erzbischöfe und Bischöfe geben einen gleichen Ablass für die
St. Michaelskapelle an der Bartholomaeus-Kirche zu Frankfurt. Rieti, 1288 Juni 18.*

[Universis] sancte matris ecclesie filiis, ad quos presens scriptum pervenerit,
Theoctistus Andrianopolensis, et Johannes Mokacensis, miseracione divina archiepiscopi,
Waldebrun//nus Avelonensis et Clavennacensis, Perronus Larinensis, Jacobus Forosinfroniensis, Gregorius Traguriensis, Jacobus Castellanus, Petrus Stanensis, Marsilius
Turtibulensis, Egidius Urbinas, Bartholomeus // Gaytanus, et Maurus Ameliensis, dei
gracia episcopi, salutem in domino sempiternam. Licet is, de cuius munere venit,
ut sibi a suis fidelibus digne et laudabiliter serviatur de habundancia, pietatis sue

merita supplicum excedens et // vota bene servientibus multo maiora tribuat, quam valeant promereri, desiderantes tamen reddere domino populum acceptabilem, fideles Christi ad conplacendum ei quasi quibusdam allectivis muneribus, indulgenciis videlicet et remissionibus, invitantes, ut exinde reddantur divine gracie apciores. Cupientes igitur, uti cappella sancti Michaelis in Frankenfurt Moguntine dyocesis congruis honoribus frequentetur, omnibus vere penitentibus et confessis, qui ad dictam capellam in festis subscriptis, videlicet in festis domini nativitatis, resurrectionis, ascensionis et pentecostes, in singulis festis beate Marie virginis, apostolorum Petri et Pauli, Bartholomei, beati Martini, beati Nicolai pontificum, sancti Stephani, sancti Laurencii, beati Johannis baptiste, beati Johannis ewangeliste, in die patrone eiusdem capelle, beati Georii martiris, beate Marie Magdalene, beate Katerine ac Margarete virginum, ac in anniversario die dedicacionis ipsius cappelle, et per octavas festivitatum eorundem(!), causa devocionis accesserint seu ad ornamenta vel structuram sive ad luminare eiusdem cappelle manus adiutrices porrexerint, seu in extremis laborantes vel alias quidquam facultatum suarum legaverint, aut de bonis a deo sibi collatis aliqua largiti fuerint subsidia caritatis, nos de omnipotentis dei misericordia, beatorum Petri et Pauli apostolorum auctoritate confisi, singuli singulas dierum quadragenas de iniunctis sibi penitenciis, dummodo dyocesani consensus ad id accesserit, misericorditer in domino relaxamus. In cuius rei testimonium presens scriptum sigillorum nostrorum munimine duximus roborandum. Datum Reate, anno domini c̄c̄. m̄. octuagesimo octavo, XIIII. kalend*as* iulii, pontificatus domini Nicolai pape quarti anno primo.

> *Or. Pgmt. An Seidenfäden anhängend Bruchstücke der Siegel von 1, 2, 4, 6, 7, 8, 9, 11, 12, von 10 die Fäden, 3, 5 fehlen ganz. Das Pergament ist stark befleckt, die Schrift zum Theil erloschen, an den Rändern Spuren von Nagellöchern für den öffentlichen Anschlag. St. A. Fr. Barth. St. No. 3561.*

**549.** *Heinrich von Krumbach* (de **Krumpach**), *Pfarrer zu Bacharach, und Ritter Rudolf Groschlag* (**Graslac**) *beurkunden als Schiedsrichter, dass die Gebrüder Auman auf die von ihnen erhobenen Ansprüche betr. die Mühle Kistelberg bei Dieburg zu Gunsten des Deutschordenshauses zu Sachsenhausen verzichtet haben. 1288 Juli 15.* (in divisione apostolorum.)

> *Gedr.: Baur, Hess. Urk., I, 131, nach dem Or. Pgmt. St. A. Darmstadt.*
>
> *Vers.: Woerner, Nachträge zu Scriba, irrig zu Juni 15. Auszug bei Steiner, Bachgau, III, 174 zu 1287 o. T., danach irrig verzeichnet bei Scriba, I, No. 615. Vgl. auch Baur, l. c., I, 124, 1284 September 21. (XI. kal. octobr.)*

**550.** *Das Deutschordenshaus in Sachsenhausen beurkundet, unter welchen Bedingungen der Pfarrer Johann zu Rossdorf sein Viertel der Mühle Kistelberg bei Dieburg ihrem Hause geschenkt habe. Frankfurt, 1288 Juli 25.*

Nos frater Lutherus conmendator ceterique fratres Theutonice domus in Sassenhusen apud Frankenfort, // universis tam presentibus quam futuris cupimus esse notum, quod Johannes sacerdos celebrans in Rossedorf // in nostra presencia constitutus suam quartam partem molendini dicti Kistilberg, apud opidum Dipburg situm, pie // propter deum et ob remedium anime sue necnon suorum parentum defunctorum, nobis et domui nostre proprio motu contulit et donavit, hac sane conditione, quod nos et domus nostra eidem Johanni, quamdiu vixerit, duo talenta hallensium, quinque maldra tritici et totidem siliginis Dipburgensis mensure singulis annis in circumcisione domini nomine

a) *Loch im Pgmt.* b) *Schrift abgescheuert.*

annue pensionis dabimus et presentabimus in domum suam in omnem eventum, nostris laboribus et expensis. Si vero idem molendinum vivente ipso Johanne per incendia, expeditiones seu quocunque alio casu contingente destrueretur, prefatus Johannes dictam suam quartam partem ipsius molendini suis sumptibus reedificabit; postquam autem predictus Johannes universe carnis viam fuerit ingressus, nos et domus nostra ab huiusmodi pensione, videlicet hallensibus, tritico et annona, erimus absoluti, hoc tamen adposito, quod nos Jutte dicte Flougen et uni de suis pueris, quemcunque ipsa nominaverit, consanguineis prelibati sacerdotis, ad tempora vite ipsorum et non amplius dabimus annuatim tria maldra tritici et totidem siliginis Dipburgensis mensure ac presentabimus ipsis in domum suam propriis laboribus et expensis; ipsis vero defunctis pretacta pensio penitus cessabit et ad nos pleno iure et libere devolvetur; adiectum est eciam, quod si sepedictum molendinum post obitum sepefati Johannis per incendium seu ruinam destrueretur vel periret, nos ipsum debemus et tenebimur reedificare. Set quamdiu usumfructum in ipso molendino sic destructo non habemus vel habuerimus, a pensione sepedictorum Jutte et ipsius pueri erimus penitus absoluti, usufructu quoque molendini ad nos revoluto, ad pensionem ipsi Jutte et ipsi puero tenebimur memoratam. Testes huius sunt: frater Sifridus, Hermannus, Heinricus, sacerdotes; Eberhardus de Hithengeseze, Johannes Rufus, Wernherus faber, fratres domus memorate. Datum apud Frankenfort, anno domini m̊. c̊c̊. LXXXVIII., in die Jacobi apostoli, VIII. kalend*as* augusti.

> *Or. Pgmt. mit abhangendem Siegel des Komthurs. St. A. Darmstadt. — Grotefend.*
> *Auszug: Steiner, Bachgau, III, 174.*
> *Verz.: Scriba, I, No. 619.*

**551.** *König Rudolf befreit auf Bitte Ulrichs von Hanau dessen Ort Windecken und ertheilt demselben die Freiheiten Frankfurts und einen Wochenmarkt.* „Opidum suum Wůnecke libertamus atque eidem oppido auctoritate nostra regia eadem libertatis iura concedimus, quibus civitas nostra Frankenvort gaudet et hactenus est gavisa." *Basel, 1288 August 5* (non. aug.).

> *Gedr.: B., 238 nach der Beschreibung der Hanau-Münzenbergischen Lande, 52, Reimer,*
> *I, 476 nach dem Or. Pgmt. im St. A. Marburg.*
> *Verz.: B.-R. No. 2183. Vgl. Thomas, Oberhof, 160.*

**552.** *Greta, eine getaufte Jüdin, bekennt, von dem Kloster Arnsburg 12 Mark erhalten zu haben, und weist ihm für dieses Darlehen den Zins der beiden Häuser an, welche sie einst zusammen mit ihrem ersten Ehegatten dem Kloster übertragen hat. 1288 September 3.*

Quia ea, que aguntur in tempore, simul labuntur cum tempore, expedit, ut ea, que aguntur, in scripta publica redigantur. Hinc est, // quod ego Greta olim iudea, civis Frankenvordensis, universis presencium inspectoribus cupio esse notum publice profitendo, quod ego // cum Conrado braxatore, quondam marito meo legittimo bone memorie, dum adhuc viveret, presentibus viris honestis, Vickero // dicto de Owinbach, Friderico dicto Cachelhart, Heinrico Schildere, Arnoldo Institore et Roricho, civibus Frankenvordensibus, pie propter deum et ob remedium animarum nostrarum contulimus et donavimus communicata manu religiosis viris domino .. abbati et .. conventui in Arnisburg, ordinis Cysterciensis, duas domus nostras, ex opposito domus nostre, quam inhabitavimus et ego nunc inhabito, sitas, post nostrum obitum perpetuo possidendas. Hac sane conditione, quod si in vita nostra nobis talis insurgeret aut ingru-

eret necessitas, quod sustentatione victualium et vestitu careremus, quod licitum esset
nobis ipsas domus vendere et alienare pro nostro libito voluntatis.  Nunc vero ego
Greta prefata mole inopie oppressa, accedente benivolo consensu et bona voluntate
Heilmanni, mariti mei legittimi, censum predictarum domuum dictis domino .. abbati
et conventui pro duodecim marcis denariorum bonorum et legalium obligavi, quas ipsi
michi causa necessitatis mee et mei mariti predicti mutuaverunt benivole et amice.
Hoc tamen adiecto, quod prelibati .. abbas et conventus pretactum censum de supradictis domibus a quocunque vel a quibuscunque ipsas inhabitantibus tamdiu percipiant
et tollant, quousque in dictis duodecim marcis denariorum ipsis fuerit plenarie satisfactum.  Hoc vero adposito, quod si ante perceptionem duodecim marcarum completam
fortuna michi arriserit, quod sepedictis .. abbati et conventui solucionem fecero ad
debitam summam duodecim marcarum suprascriptarum, extunc census sepefatarum
domuum ad me libere devolventur.  Postquam autem viam universe carnis fuero ingressa, domus supradicte apud .. abbatem et conventum predictos, contradictione Heilmanni mei mariti vel aliorum quorumcunque non obstante, perpetuo permanebunt.
Testes huius rei sunt viri honesti: Elyas scultetus; Conradus Wobelin, Volmarus frater
suus, Gyplo de Holzhusin, Arnoldus de Glouburg, scabini; Th. notarius, Heinricus de
Hachinberg, Petrus Bere, et quam plures alii cives Frankenvordenses fidedigni.  In
testimonium et debitam firmitatem omnium premissorum ad petitionem et rogatum
ipsius Grete et Heilmanni sigillum civitatis Frankenvordensis presentibus est appensum.
Actum et datum anno domini m̃. c̃c. lXX̊X. octavo, III. nonas septembris.

*Or. Pgmt. mit wohlerhaltenem Stadtsiegel (2) an grünweisser Schnur.  Lich.*
*Gedr.: B., 238 nach dem Or. .*

**553.** *Philipp und Werner von Falkenstein wählen genannte Schiedsrichter, darunter auch*
    „Volradus quondam scultetus in Frankenvord", *in ihrem Streite mit Ulrich von*
    *Hanau.  Kaichen, 1288 October 1.  (in festo b. Remigii confessoris.)*

    *Gedr.: Reimer, I, 479 nach dem Or. Pgmt. im St. A. Marburg.*

**554.** *Das Stiftskapitel zu Frankfurt beurkundet, dass Rupert und dessen Frau Rylindis*
    *sich und das ihrige, namentlich auch ihr Haus „Zur weiten Thür", dem Deutsch-*
    *ordenshause zu Sachsenhausen übergeben haben, wogegen dieses ihnen lebenslänglich*
    *Wohnung und Kost zu gewähren verspricht.  1288 October 7.*

Nos Cûnradus decanus et capitulum ecclesie in Frankinfurd, universis presens
scriptum inspecturis notum esse // cupimus ac protestamur, quod Rupertus calcifex,
civis Frankinfordensis, et Rylindis, uxor sua, coram nobis constituti, // zelo fidei ac
devotionis ducti, pari consensu ac voluntate libera se et sua, domum suam videlicet,
que dicitur // Zu der Widin Dure, per manus fratrum Theutonicorum in Sassinhusen
statim locandam ac alia bona sua mobilia ac immobilia, que nunc habent aut in posterum conquirere poterunt, domui fratrum predictorum in Sassinhusen ac ordini in
perpetuam elemosinam contulerunt. Neque deinceps de predictis bonis, sive mobilibus sive
immobilibus, aliquid ordinabunt aut disponent absque dictorum .. commendatoris ac
fratrum scitu, licentia et consensu.  Excepto hoc solo, quod uterque eorum, tam
Rupertus quam Rylindis, de bonis suis mobilibus decem marcas denariorum, cuicunque
persone sive loco decreverint, licenter dare poterunt seu conferre.  E converso autem
fratres sepedicti, ipsorum Ruperti et Rylindis devocioni grata vicissitudine respondere
cupientes, promiserunt, immo concesserunt eisdem Ruperto et Rylindi domum bone

34*

memorie quondam Cûnradi Colbonis in curia dictorum fratrum sitam, quamdiu vixerint, possidendam, provisuri eisdem Ruperto et Rylindi in prebenda sui conventus dari consueta, videlicet pane, potu et cibariis, ad tempora vite sue. Uni eciam ancille seu famulo, ipsis Ruperto et Rylindi servienti, cibaria, servis aut ancillis curie dari consueta hactenus, ministrabunt. Adiectum est insuper, quod si forte prefatus Rupertus predecesserit, Rylindis predicta, si fratribus expedire videbitur, habitum sororum assumet et cum sororibus ordinis dicte domus sive curie habitabit. Si vero sepedicta Rylindis primo decesserit, ipse Rupertus in statu quo est, sicut pretactum est, quoad vixerit, permanebit. In cuius rei evidenciam et robur ad preces utrorumque, tam . . commendatoris et fratrum quam Ruperti et Rylindis predictorum, presens scriptum inde confectum sigillo ecclesie nostre una cum sigillo domus Theutonice predicte duximus roborandum.   Actum et datum anno domini m̊. c̊c̊. lX X̊ X. octavo, in die beatorum martyrum Sergii et Bachi.

*Or. Pgmt.  Anhängend Siegel des Bartholomaeusstiftes, das zweite fehlt.  Or. Pgmt. früher in Sachsenhausen. — Grotefend.*

*Gedr.: B., 239 nach dem Or. .*

**555.** *Erbvergleich zwischen den Herren von Hanau und von Falkenstein über einen Theil des Münzenberger Erbes.  Unter den Zeugen:* „prudir Anselm fon Wizzenlenbach, kumindur zu Frankinford, . . Henrich shultheze fon Frankinford". *Assenheim, 1288 November 19.* (an s. Elsebeten tage.)

*Gedr.: Reimer, I, 482 nach dem Or. Pgmt. in Wernigerode.*
*Verz.: Scriba, I, No. 620, II, No. 790.*

**556.** *Anselm, der Meister der Juden in Frankfurt, Isaak von Bruchselde und die Judengemeinde daselbst verkaufen dem bei den Deutschordensbrüdern wohnenden Priester Heinrich von Rödelheim 3 Mark jährlichen Zinses auf dem Hause des Juden Gottschalk, mit Vorbehalt diesen Zins nach 10 Jahren innerhalb der Stadt oder der Bannmeile anderwärts anweisen zu dürfen.  1288 December 9.*

Nos Anselmus, magister iudeorum in Frankenvort, et Ysaac dictus de Bruchselde, necnon universitas iudeorum ibidem.  Tenore presencium recognoscimus et no//tum esse cupimus universis, quod honesto viro domino Heinrico sacerdoti dicto de Redelnheim, religiosis viris . . fratribus domus Theutonice Sassinhusen cohabitan//ti, super domum quondam Gotschalci iudei Frankenvordensis, scole nostre contiguam, ad nos spectantem et pertinentem pleno iure, vendidimus iusto vendicionis titulo red//ditus trium marcarum denariorum bonorum et legalium iure hereditario perpetuo possidendos. Quos quidem redditus eidem domino Heinrico, vel cui donaverit sive legaverit, singulis annis in festo beati Martini hyemalis de dicta domo sine protractione qualibet dare nomine annui census et porrigere debemus.  Hoc sane adposito, quod si nos . . iudei predicti post decem annorum curricula inmediate subsequentium volumus et possumus dictas tres marcas reddituum prefato domino H. in civitate Frankenvordensi vel extra muros eiusdem infra spacium miliaris, quod banmile vulgariter nuncupatur, sive sit in domibus sive bonis quibuscunque christianorum vel iudeorum, comparare aut recompensare consimilibus redd15itibus in duobus vel ad maius in tribus locis certis et firmis, hoc facere, si nobis placebit, poterimus, et prefatus dominus H. illos redditus a nobis sic comparatos nomine predictorum reddituum, dummodo sint certi et firmi, acceptabit et acceptare bona voluntate tenetur, omni fraude et dolo ac aliis subtilitatibus quibuslibet exceptis penitus et exclusis. Adiectum est eciam, quod si nos . . iudei predicti post elapsum temporis prelibati, videlicet decem annorum, unam marcam vel forte duas denariorum, de tempore ad tempus, si simul et semel ipsas comparare non valuerimus, in loco sive locis certis et firmis, ut est superius pretactum, comparaverimus sive emerimus, huiusmodi reconpensacionem reddituum ipse dominus H., vel ille cui donaverit sive legaverit, tenebit et tenere debet ratam atque gratam. Dictam eciam reconpensacionem reddituum honesti viri . . decanus ecclesie et . . plebanus Frankenvordenses, necnon . . scultetus ibidem, qui pro tempore fuerit, si necesse erit, estimare et taxare ex utraque parte debebunt, ita, quod prenotato domino H. in reconpensacione huiusmodi reddituum nil possit aut valeat deperire. Si autem memoratus H. infra decennium prelibatum, domino id volente, ab hac luce migraverit, sepedictam reconpensacionem reddituum nos . . iudei supranotati, si nobis placuerit, facere possumus in instanti. Dantes has nostras litteras sepefato domino H. sigillo civitatis Frankenvordensis communitas, in testimonium et firmitatem debitam premissorum. Et nos . . Elya scultetus et scabini Frankenvordenses ad rogatum iudeorum memoratorum sigillum universitatis Frankenvordensis presentibus duximus apponendum. Actum anno domini m̃. c̃c̃. l XXXVIII., feria V. post festum beati Nycholai.

Or. Pgmt. mit anhängendem Stadtsiegel (2).   Früher in Sachsenhausen. — Grotefend. Gedr.: B., 240 nach dem Or. .

**557.** *Das Deutschordenshaus in Sachsenhausen verleiht erneut (vgl. oben Urk. No. 439) sein Haus „Zur weiten Thür" an benannte Personen in Erbpacht. 1288 December 21.*

Or. Pgmt. mit den Siegeln des Bartholomaeusstifts und des Komthurs.<br>
Rückaufschrift: „Super X marcis de domo dicta zu der widen dore, que nunc vocatur das schuchhus Frank". (Hand des 15. Jahrhunderts.)<br>
St. A. Fr. Deutschorden Urk. No. 38.

**558.** *Das Deutschordenshaus zu Sachsenhausen kauft einen Garten von 2 Morgen, genannt der Bathgarten, zu Nieder-Eschbach. 1288.*

Regest bei Niedermayer, 149 nach dem Deutschordens-Saalbuch.

**559.** *Heinrich von Sprendlingen und Frau vermachen für den Fall ihres kinderlosen Todes dem Kloster Padershausen ihren Besitz in Vilbel, Griesheim, Kelsterbach, Sachsenhausen, Frankfurt und Neuenhain. 1289 Januar 21.*

Nos Heinricus de Sprendelingen et Gerdrudis uxor eius. Tenore presencium recognoscimus presentibus et futuris // publice profitentes, quod communicatis manibus et pari consensu bona sive redditus inferius scripta, si sine pueris // moriemur, damus et legamus ob salutem animarum nostrarum et omnium progenitorum nostrorum post amborum nostrum mortem sanctismonialibus[a] // in Patenshusen iure proprietario in perpetuum possidenda. Hec sunt bona: videlicet in Velewile tres mansos cum dimidio, ibidem quinque curias et duo iugera cum dimidio vinearum; item in villa Grisheim sex octalia siliginis annis singulis, quatuor anseres; tot pullos in Kelsterbach, terciumdimidium octale siliginis et duo octalia avene; in Sassenhusen de quadam curia quinque solidos preter quatuor denarios et duos pullos; in Frankenfort Hartmut Blůmekin talentum denariorum, item in Nůwenhain ad Feistenburnen unum iuger et dimidium vinearum, in novo monte duo iugera vinearum. Hec prescripta bona, ut est dictum, damus et

a) So!

dedimus cenobio memorato. Adicimus eciam, si propter sterilitatem annorum vel aliquam plagam de prefatis et aliis bonis nostris sustentacionem nostram habere non possemus, quod extunc de consilio prefati cenobii de predictis bonis nostris necessaria nostra et sustentacionem recipere nobis licet. Huius rei testes sunt: Conradus de Solzpach, Hericus(!) de Hazgenstein, Rupertus Jacobus de Hain, Conradus de Eltevile, milites; dominus Gotzhalcus(!) plebanus de Kůningestein, dominus Ludewicus plebanus de Nůringes, et quamplures. Ne igitur propter presentem donacionem nostram aliqua in posterum possit suboriri controversie materia, presentem litteram sigillo nobilis viri domini nostri Wernheri de Mincinberg petivimus et optinuimus communiri. Nos Wernherus prefatus recognoscimus ad peticionem prefatorum H. et Gerdrudis presentibus apposuisse sigillum nostrum in testimonium omnium predictorum. Datum et actum anno domini ṁ. c̄c̄. 1XXXIX., in die beate Agnetis.

*Or. Pgmt. mit dem ziemlich gut erhaltenen Reitersiegel Werners von Münzenberg. München, Reichsarchiv. Diese Urkunde wurde von „Elya scultetus, . . scabini et consules de Frankenfort" auf Anstehen des Klosters 1289 Juli 1 (in octava beati Johannis baptiste) transsumirt. Or. Pgmt. mit guterhaltenem Stadtsiegel (2). Am gleichen Orte.*
*Gedr.: Guden, Cod. Dipl., III, 764 (gekürzt) = Sauer, I, 644.*
*Verz.: Scriba, I, No. 624. Vgl. Wagner, Stifter, I, 223 zu März 10.*

**560.** *Siegfried, ein Priester aus Frankfurt, Pfarrer zu Massenheim, schenkt seine Hälfte der elterlichen Erbschaft in und ausserhalb Frankfurts dem Johanniterhause zu Frankfurt. Frankfurt, 1289 Februar 14.*

In nomine patris et filii et spiritus sancti, amen. Ego Sifridus sacerdos de Frankenvort, filius // pie recordationis Sigelonis, nunc plebanus in Massinheim, li*tt*eris presentibus pro//fiteor et protestor, quod tam in curia, que sita est in civitate Frankinvordens*i*, // in platea, que dicitur Vargazze, quam etiam in omnibus bonis, sive agris sive areis sive censibus, tam infra muros quam extra muros eiusdem civitatis sitis, ex iure successionis hereditarie michi sororique mee communibus, medietatem illam, que me contingit, beate Marie beatoque Johanni baptiste ad manus honorabilium virorum magistri et fratrum domus hospitalis, sanus et incolumis existens, donatione inter vivos, donavi liberaliter et libenter, in presencia religiosorum virorum, videlicet fratris Ottonis prioris fratrum Predicatorum, fratris Hermanni supprioris,[a] fratris Alberti[b] de Blassinberch, item coram viris honestis: domino Helia sculteto Frankenvordens*i*, Conrado Webelino, Volkvino,[c] Conrado Burnevlech, et aliis quam plurimis fidedignis. Ut autem hec mea donacio robur firmius sorciatur, sigillis honorabilium dominorum iudicum sancte Moguntine sedis, necnon prioris fratrum Predicatorum in Frankenvort volui roborari. Actum in Frankenvort, anno domini ṁ. c̄c̄. 1XXXIX̊., XVII. kalendas marcii.

*Or. Pgmt. Anhängend 1) Siegelrest, 2) Siegel des Dominikanerpriors (dunkelgrün).*
*St. A. Fr. Johanniter Urk. No. 2.*
*Gedr : B., 241 nach dem Or. .*

**561.** *Wolfram und dessen Frau Helda schenken sich und alle ihre jetzige und zukünftige Habe dem Deutschordenshause in Sachsenhausen, mit Vorbehalt, über 20 Mark frei testiren zu dürfen. 1289 März 11.*

Nos Wolframus et Helda uxor mea, cives Frankenvordenses, notum esse cupimus universis et tenore presencium protestamur, // quod nos zelo fidei ac devocionis ducti, ob honorem dei et beate matris eius nos et nostra, que nunc habemus vel in poste-

a) *Or. ursprünglich „fratre Hermanno suppriore", dann verbessert.* b) *Or. ebenso ursprünglich „fratre Alberto".* c) *Im Or. später eingeschoben.*

rum // conquirere poterimus, domui sancte Marie Theutonicorum in Sassenhusen, mobilia
videlicet et inmobilia, contulimus, in perpetuam elemosinam erogavimus et irrevocabiliter donavimus et per presentes donamus pari voto et unanimi voluntate; nisi forte,
quod absit, ex evidenti et legittima necessitate cum eisdem bonis aut aliqua parte
eorum aliud facere conpellamur. Hoc eciam adiecto, quod viginti marcas denariorum,
quilibet videlicet nostrum decem marcas, dare poterimus vel in elemosinam erogare,
cuicunque nobis placuerit, absque fratrum contradictione qualibet predictorum. In
cuius rei evidenciam et robur perpetuum presens scriptum inde confectum rogavimus
una cum predictis fratribus sigillo venerabilium virorum decani . . et capituli Frankenvordensis ecclesie communiri. Et nos decanus et capitulum predicti ad preces predictorum Wolframi et Helde ac fratrum sigillum nostrum duximus presentibus appendendum.
Actum et datum anno domini m̃. c̃c. lXXXIX., mense marcio, in vigilia beati Gregorii pape.

> *Zwei gleichlautende Or. Pgmte (früher in Sachsenhausen No. 39 und 40), beide mit*
> *anhängendem Siegel des Bartholomaeusstiftes, hier gedruckt nach 39. — Grotefend.*
> *Gedr.: B., 242 nach No. 39.*

**562.** *Genannte Erzbischöfe und Bischöfe geben den Besuchern und Wohlthätern der
Kirchen und Kapellen des Deutschordens in der Mainzer Diöcese 40 Tage Ablass.
Rom, 1289 März 23.* (decimo kal. april.)

> *Gedr.: Wyss, Hess. Urkb., I, 377 nach zwei gleichzeitigen Kopien im St. A. Marburg. Ein*
> *Or. (Deutschorden No. 41) befand sich früher in Sachsenhausen. Nach einer davon durch*
> *Grotefend genommenen Abschrift verzeichne ich hier die wesentlichsten Abweichungen*
> *gegen den Abdruck von Wyss: S. 377 Z. 16 l. „Salernitanus", „Adrianopolensis" (wie*
> *Kopie B bei Wyss) Z. 19 l. „Sarinus", Z. 22 l. „Bartholomaeus", Z. 24 l. „inclita" st.*
> *„indita", Z. 28 l. „Jherosolimitani" und „Maguntina", Z. 32 „dedicationis", Z. 37*
> *„quicquam".*
>
> *Auf der Urkunde stand unten in kleiner, gleichzeitiger Schrift von zweierlei Hand:*
> „Dominus Franciscus Solumbriensis, cuius sigillum iste littere appensum est, eciam dies
> contulit XL." *Dieser Bischof ist in der Vorlage der Marburger Kopien (vgl. Wyss l. c.*
> *Z. 23) bereits im Kontext genannt.* „Dominus Sifridus episcopus Hildensemensis, cuius
> sigillum iste littere ultimo est appensum, eciam dies contulit quadraginta."

**563.** *Das Mainzer geistliche Gericht beurkundet, dass Rupert, der Schultheiss des
Mainzischen Stifts St. Peter in Bürgel, vor ihnen bekannt habe, wie er dadurch,
dass er sich um das Bürgerrecht in Frankfurt bemühe, sich und die Seinigen nicht
aus der Dienstbarkeit des genannten Stiftes, dessen Höriger er sei, zu entfremden
beabsichtige. Mainz, 1289 April 15.*[1]

Iudices sancte Maguntine sedis. Recognoscimus publice protestando, quod in
nostra presentia constitutus Rupertus, scultetus decani et capituli ecclesie sancti Petri
Maguntinensis[a] in villa de Birgele Maguntinensis[a] diocesis, coram nobis publice et
sponte confessus est et recognovit, quod cum ipse predicte ecclesie sancti Petri Maguntinensis[a] attineat cum corpore, scilicet proprius[b] sit de corpore ecclesie prelibate,
quod per hoc, quod laborat pro obtinendo iure civium opidi de Frankfort, videlicet
quod intendit fieri civis opidi iam predicti, non vult nec intendit se et sua a memorata
ecclesia alienare, sed se spontanee[c] coram nobis obligavit, quod perpetuo maneat in
servicio debito[d] ecclesie antedicte et quod melius caput, quod vulgariter bestheubet[e]
nuncupatur, et censum de capite suo debitum et omnia alia iura et servicia de iure

---

a) *Baur:* „Mogunt". b) „propriis" (!). c) „spontaneo". d) „debite" (!). e) „bestheubt".

[1] *Die bei B., 242 gedruckte Urkunde siehe unten
bei 1291 Mai 2.*

vel consuetudine conpentencia temporibus debitis et consuetis faciet et ministrabit
tanquam suis dominis decano et capitulo supradictis. Actum Maguntie, anno domini
millesimo c̈c̈. LXXXIX̊., sexta[a] feria proxima post festum pasche.

*Gedr.: B., 244, nach Abschrift Bodmanns, Baur, Hess. Urk., I, 135, nach Kopiar im
St. A. Darmstadt (siehe Varianten), Kindlinger, Gesch. der deutschen Hörigkeit, 321.
Verz.: Scriba, IV², No. 5315 zu April 11, Woerner, Nachträge zu Scriba, No. 103.*


**564.** *Petrus, Priester des Heiligen Nikolaus in Frankfurt, schenkt dem Kloster Arnsburg alle seine Besitzungen zu Bischofsheim theils vor dem Gericht im Frohnhof
zu Frankfurt, theils vor dem Schöffengericht in Bischofsheim unter gewissen
Bedingungen. 1289 Mai.*

Noverint universi presentes litteras inspecturi, quod ego Petrus sacerdos sancti
Nicolai in Frankinvort sana deliberacione prehabita donavi[b] pro remedio anime mee
omnia // bona[c] mea, que sita sunt in villa Bischovisheim et in terminis eiusdem ville,
sive consistant in areis, censibus, vineis, pratis, seu in agris arabilibus, cum omnibus
per//tinenciis eorumdem bonorum domino . . abbati et . . conventui monasterii de Arnesburg ordinis Cysterciensis, Maguntine dyocesis[d] in perpetuum possidenda. Verum cum
eorumdem // bonorum quedam pertineant iudiciali frequentacione in curiam sitam
Frankinvort, que vronehof nuncupatur, protestor me illa in iam dicta curia resignasse
iuxta morem contribulium eiusdem curie, quos vulgus husgenoz appellat, quorum
nomina hec sunt: Cunradus Wobelinus dicte curie officiatus, Hartmudus advocatus
ipsius curie, Heinricus de Velewile, Hermannus sororius eius, Rupertus de Hohinstat,
Fulzo de Duringheim, Nycolaus de Gynnenheim, et quam plures alii fide digni. Reliqua
vero bona[e] resignavi coram . . scabinis[f] supradicte ville Byschovisheim, quorum nomina
hec sunt: Fredericus[g] scultetus ibidem, Heinricus Heimburge, Gysilbertus sororius
suus, Fredericus Bode, Heinricus Budil, Wortwinus Rusticus, Fulzo, Hermannus Bruchwihe, scabini, et quam plures alii fide digni, utrobique[h] autem prefati monasterii . .
abbatem et . . conventum in predictorum bonorum omnium possessionem corporalem
et dominium transmittendo. Mediantibus sane conditionibus subnotatis, videlicet, quod
iidem . . abbas et . . conventus singulis annis quibus vixero dabunt mihi libere dimidiam
carratam vini franci racione vinearum ipsis datarum, tempore vindemiarum in hospicium meum Frankinvort presentando, omnia iura, que de ipsis vineis annuatim dari
solent, suis sumptibus soluturi. De agris vero arabilibus porcione aratri deducta
deductisque omnibus iuribus servicialibus, quocunque nomine censeantur, amputatis
quoque quatuor octalibus siliginis, que antedicti . . abbas et . . conventus pretollere
debent, reliquum, quod resultare seu provenire potest, item in hospicium meum circa

a) „VI. fer .“ *Varianten von B.:* b) „dedi, contuli, donacione inter vivos pro“. c) „bona, que ad me
hactenus pertinere videbantur“. d) *Es folgt:* „ac per eos ipsorum monasterio“. e) „que non pertinent
in dictam curiam“. *Zusatz in B.* f) „scabinis et maioribus memorate ville Beischoffesheym et hec sunt
ipsorum nomina“. g) „Fredericus“ *fehlt in B.* h) „Utrobique vero, id est tam in dicta curia vronehof,
quam in Bisscoffesheym prefatos . . abbatem et conventum ac per eos monasterium ipsorum instituens
et imponens in possessionem et dominium dictorum bonorum omnium, ut ipsi inperpetuum possideant
eo iure et libertate, quibus ego ipsa dinoscor hactenus possedisse. Porro dicti . . abbas et conventus
dederunt michi viginti quatuor marcas et fertonem numerate pecunie ad supplendas meas necessitates,
racione quarum renuncio omnibus vineis ad dicta bona pertinentibus cum usu fructuario ipsarum in
instanti simpliciter et precise. Renuncio quoque eodem modo uni agro, qui quondam fuit vinea, habente
unum iurnalem in mensura et quartam partem iurnalis Tollent insuper dicti . . abbas et conventus
racione dicte summe pecunie michi date singulis annis tempore messis sex octalia siliginis de agris
arabilibus dictorum bonorum ad tempora vite mee. Quod autem supra dictam pensionem et super
onera servicilia de hiisdem agris resultare poterit, quamdiu vixero, debet meis usibus deservire. Denique
post obitum' meum dicti . abbas et conventus non tenebuntur de dictis bonis alicui preter quam de
consuetis oneribus serviciorum in aliquo respondere, excepto quod Petro filio meo, si post mortem meam
superstes fuerit, ad tempora vite sue dabunt octo octalia siliginis annuatim. Ita sane si“ *und weiter,
wie in A.*

festum beati Michahelis fideliter mihi porrigi procurabunt. Profiteor eciam, sepedictos . . abbatem et . . conventum unam peciam de supradictis vineis reconcessisse mihi meis expensis colendam ac meis usibus ad tempora vite mee absolute servituram, que inmediate post mortem meam ad ipsos cum omni melioracione sua sine contradictione qualibet revolvetur. Est eciam hoc adiectum, quod si post mortem meam Petrus, filius meus, superstes remanserit, sepefati abbas et conventus dabunt eidem singulis annis ad tempora vite sue unam amam vini franci cum octo octalibus siliginis, ita sane, si se gesserit honeste sub habitu clericali, alioquin ipsi dare minime teneantur. In quarum rerum evidenciam sigillum universitatis Frankinvordensis una cum sigillo magistri Dytmari plebani ibidem ad instanciam meam presentibus est appensum. Actum et datum anno domini ṁ. cc. LXXX. nono, mense maio.

> 2 Or. Pgmte (A u. B). A nur mit dem ersten beschädigten Siegel, B mit beiden, davon
> 1) beschädigt, 2) gut erhalten. St. A. Marburg. Ein drittes Or. (C) == (A) in Lich
> (Vorlage Böhmers).
> Gedr.: B., 244 nach C., Reimer, I, 487 nach A und B.
> Verz.: Scriba, II, No. 797, Arnsb. Urkb., 216. Hier nach Reimer.

**565.** *Werner I. von Falkenstein-Münzenberg schenkt dem Kloster Arnsburg einen Wachs-*
*zins, den er von Wiesen zu Rödelheim vom Frankfurter Hospital erhält.* („redditus
VI librarum cere de hospitali pauperum apud Frankenford ratione quorundam
pratorum in Redelnheim sitorum nobis annue circa purificationem beate virginis
provenientes.“) *1289 Juli 13.* (in die b. Margarete virg. et mart. .)

> Gedr.: Guden, Cod. Dipl., III, 1170 == Sauer, I, 649.
> Verz.: Scriba, II, No. 798, Arnsb. Urkb., 216 zu Juli 12.

**566.** *Genannte Frankfurter Bürger beurkunden, dass der Johanniter-Orden zu Nied einen*
*halben Hof an Mechtild, Tochter des Walter Segelo, in Erbpacht gegeben habe.*
*1289 August 13 (20?).*

Nos Cunradus dictus Wobelin, Volmarus frater suus, Gypelo de Holzhusen et Cunradus // dictus Burneflecke, cives Frankinfordenses. Tenore presencium recognoscimus, quod frater Hermannus // [dictus] Iudeus [ordinis] sancti Iohannis in Nedehe, in nostra presencia constitutus, locavit sive concessit //[Methildi, filie quondam Walt]heri dicti Segelen, civis Frankinfordensis, medietatem curie, quam dicta [Methildis] inhabitat, pro quatuordecim solidis Coloniens*ium* denariorum nomine annui census; dicta quoque Methildis dictam [medietatem curie cum suis] heredibus a prefato ordine sancti Johannis possidebit iure hereditario perpe[tuo . . . . . . . .] pro censu memorato, aliis tamen censibus communibus, quos fratres [dicti] ordinis dinoscuntur habere, dumtaxat penitus exceptis. Adiectum est eciam, quod quicumque possi[debit un]am aream, apud Wernherum de Grünenberg sitam, dicte curie attinentem, prelibato [ordini] sancti Johannis solvet et dabit quinque solidos lev*ium* denariorum annuatim, quamdiu aream possidet me[moratam]. In cuius rei testimonium et roboris firmitatem premissorum nos Cunradus Wo[belinus et Volma]rus supradicti ad rogatum fratris Theoderici commendatoris in Nedehe [sigilla nostra] presentibus duximus apponenda. Actum anno domini ṁ. ċċ. LXXXIX., sabbato [proximo ante [a]] assumpcionem beate Marie virginis.

> Or. Pgmt. ohne Siegel, links ein grosses Stück abgerissen. St. A. Fr. Johanniter-Urk. No. 3.

a) Oder „post“.

**567.** *König Rudolf verordnet, dass künftig keiner von den Leuten des Grafen Eberhard von Katzenelnbogen in Frankfurt als Bürger aufgenommen werden solle.* *Basel,* *1289 September 25.*

Nos Rudolfus dei gracia Romanorum rex, semper augustus. Notum facimus universis presentes litteras inspecturis, quod, quia nobilis vir Eberhardus comes de Catzenellenbogen, dilectus noster fidelis, suis promptissimis servitutum exhibitionibus se nobis et imperio prebuit indefessum et eius virtuosis meritis ac fidei constantia se cunctis exhibet gratiosum, intendamus eum prosequi speciali gratia et favore. Volentes et presentibus edicentes, ut exnunc inantea nullus de hominibus ipsius comitis Eberhardi vel heredum suorum apud Frankenvort, nostrum oppidum, debeat recipi in concivem; potissime cum illud de voluntate et consensu ipsorum civium de Frankenvort procedere dinoscatur, super quod ex litteris eorum, quas nobis super huiusmodi suo consensu miserunt, collegimus evidenter. In cuius rei testimonium presentes litteras exinde conscribi et maiestatis nostre sigillo fecimus communiri. Datum Basilee, VII. kalend*as* octobris, indictione tertia, anno domini millesimo ducentesimo octuagesimo nono, regni vero nostri anno sexto decimo.

*Gedr.: Wenck, Hess. Landesgesch., Urkb., I, 68 = B., 245.*

*Verz.: B.-R. No. 2247, Scriba, IV¹, No. 2667.*

**568.** *Pfarrer Ditmar und Ritter Volrad von Seligenstadt, früherer Schultheiss zu Frankfurt, entscheiden als Schiedsrichter einen Streit zwischen der Abtei Seligenstadt und dem Weissfrauenkloster zu Frankfurt, über die Güter des Klosters zu Rendel. 1289 December 16.*

Noverint universi presentium inspectores, quod cum reverendi domini . . abbas et . . // conventus monasterii in Seilgenstat . . priorisse et . . conventui ad Peniten//tes in Frankenfort super quibusdam bonis sitis in Rendela moverent questi//onem et super eisdem bonis, que predicte . . priorissa et . . conventus in dicta villa Rendela tenebant et possidebant, questio verteretur, eedem partes in nos, videlicet magistrum Dythmarum, plebanum Frankenvordensem, et Volradum militem de Seilgenstat, quondam scultetum Frankenvordensem, tamquam in arbitros, arbitratores compromittere curaverunt de huiusmodi questione decidenda, recepto itaque in nos huiusmodi arbitrio [a] seu compromisso statuimus et ordinamus, ut predicte . . priorissa et . . conventus prefatis . . abbati et . . conventui, vel eorum officiali, quem ad hoc duxerint deputandum, de eisdem bonis perpetuo singulis annis censum debitum et consuetum persolvent et censum neglectum restituent abbati et . . conventui memoratis. Statuimus insuper et ordinamus, ut, quicunque nomine ipsarum . . priorisse et . . conventus predicta bona in dicta villa coluerit vel possiderit(!), optimale capud(!), quod bestehoubit nuncupatur, postquam decesserit, dabit et iudicia in vita sua visitabit iuxta consuetudines ville memorate in curia dictorum . . abbatis et . . conventus, que fronhaib nuncupatur. Super expensis et laboribus ac aliis questionibus, que occasione [b] huiusmodi cause oriri possent, perpetuum silentium inponimus partibus hinc et [c] inde. In cuius rei testimonium et ut predicta ordinatio a nobis hinc inde inviolabiliter observetur, nos . . abbas et . . conventus in Seilgenstat predicti nosque . . priorissa et . . conventus ad Penitentes sigilla conventuum nostrorum presentibus duximus appendenda. Datum anno domini m̃. c̃c̃. IXXXIX., XVIĨ. kalend*as* ianuarii. Nos arbitri predicti sigilla nostra presentibus apposuimus.

*Or. Pgmt. 1) Siegel der Abtei Seligenstadt, 2) Siegel des Weissfrauenklosters (etwas verdrückt), 3) Siegel des Pfarrers (schön erhalten), 4) Siegel Volrads (etwas beschädigt), alle an blauen Fäden. St. A. Fr., Weissfrauenkloster, Freiheitsbriefe etc. No. 11.*

*Gedr.: B., 246 nach dem Or., irrig zu December 17.*

*Verz.: Scriba, I, No. 626, II, No. 803 zu demselben Datum.*

a) *Verbessert aus „arbitrium".* b) *Ebenso aus „accasione".* c) *Über der Zeile.*

**569.** *Achtzehn genannte Erzbischöfe und Bischöfe geben den Besuchern und Wohlthätern des Weissfrauenklosters zu Frankfurt 40 Tage Ablass. Rom, 1289.*

Universis Christi fidelibus, ad quos presentes littere pervenerint, nos dei gracia Gerardus Moguntinus, Petrus Arborensis, Theoctistus Adrionopolensis et Johannitius // Mokicensis, archiepiscopi; Valdebrunus Avellonensis, Peronus Larinensis, Theobaldus Canensis, Bonifatius Parentinus, Romanus Crohensis, Leotherius Verulanus, Maurus Ameliensis, Henricus Tridentinus, Phylippus Fesulanus, // Marcellinus Trantibulensis, Maurus Ameliensis, Aldebrandus Sutrinus, Conradus Tullensis et Duimus Pharensis, eadem gracia episcopi, salutem in domino sempiternam. Quoniam, ut ait apostolus, omnes stabimus ante tri // bunal Christi recepturi, prout in corpore gessimus, sive bonum fuerit, sive malum, oportet nos diem messionis extreme operibus misericordie prevenire ac eternorum intuitu seminare in terris, quod reddente domino cum multiplicato fructu recolligere valeamus in celis, firmam spem fiduciamque tenentes, quoniam, qui parce seminat, parce et metet, et qui seminat in benedictionibus, de benedictionibus et metet vitam eternam. Cupientes igitur, ut monasterium sanctimonialium in Frankenfort in honore beate Marie Magdalene dedicatum, Maguntine dyocesis, congruis honoribus frequentetur et a Christi fidelibus iugiter veneretur, omnibus vere penitentibus et confessis, qui ad dictum monasterium in festis subscriptis, videlicet nativitatis domini, resurrectionis, ascensionis, penthecostes ac parasceve, in singulis festis gloriose virginis Marie, in festibus(!) beati Michahelis archangeli, in festo beati Johannis baptiste, in festo quatuor temporum, in diebus rogationum, in festo beati Augustini episcopi, in festis beatarum Katerine et Margarete virginum, in festis beate Marie Magdalene et sancte Elyzabeth, in festo dedicationis ipsius monasterii, et per octavas omnium festorum antedictorum, causa devotionis accesserint aut qui ad structuram seu reparationem vel thesaurariam seu infirmariam manus porrexerint adiutrices sive in extremis laborantes quicquam facultatum suarum legaverint vel quoquomodo dederint seu miserint, nos de omnipotentis dei misericordia confisi et beatorum Petri et Pauli apostolorum eius auctoritate confisi, singuli singulas dierum quadragenas de iniunctis sibi penitentiis in domino misericorditer relaxamus. Et nos quoque Gerardus, eadem gracia Maguntine sedis archiepiscopus, hanc indulgentiam approbam[us], ratificamus et in nomine domini nostri sigilli munimine confirmamus. Ad supplementum vero dictarum indulgentiarum quadraginta dies indulgentie conferimus in nomine Jesu Christi. In cuius rei testimonium sigilla nostra presentibus duximus apponenda. Datum Rome, anno domini millesimo ducentesimo octuagesimo nono, pontificatus Nicholai pape quarti anno secundo.

> *Or. Pgmt. mit 18 Siegeln (roth) an roth-gelben (das 18te an violett-gelben) Fäden, 4—7 ziemlich erhalten, alle anderen verletzt. Die Namen der Besiegler stehen auf dem Buge. St. A. Fr., Weissfrauenkloster, Ablassbriefe, Lade 13, No. 5.*

**570.** *Schultheiss Elias, die Schöffen und Bürger von Frankfurt beurkunden die Vererbpachtung des Hauses „Zum Langhaus" und der in diesem befindlichen Kramläden durch Volkwin von Wetzlar an genannte Frankfurter Bürger. 1290 Februar 19.*

Nos Elia scultetus, scabini ceterique cives de Frankenvort. Tenore presentium recognoscimus et constare cupimus universis has litteras visuris, quod Volkwinus dictus de Wetflaria et Gertrudis uxor eius legitima, nostri concives, in nostra presentia constituti, recognoverunt publice, se locasse seu concessisse communicata manu domum suam dictam Zum Langhusse et apothecas factas in eadem .... dicto Ruchern, Wigando dicto Zigelern, Volkwino Iuveni, Henrico de Stirstad, Cunrado de Schwalbach, Ulrico

Weinshrodern, Henrico de Babenberg, Gyploni de Gurner, Thome de Aquis, Henrico
dicto Eissenman, Rudolpho de Sekbach, Rudolpho de Grunenberg, Herburto in Horreo,
Conrado Monetario, Wernero in Curia, Henrico Institori, Rufo, Brunoni de Colonia,
Goswino de Eschbach, Emerico de Rossenbusch et magistro Eppelein sartori, civibus
Frankenfurtensibus, ac heredibus eorundem iuste et rationabiliter iure hereditario
perpetuo possidendam, ea videlicet conditione, quod iidem cives aut eorundem heredes
dictis Volkwino vel suis heredibus, si decesserint, dabunt et dare tenentur singulis
annis in nativitate beate virginis Marie, quilibet de sua apotheca, quam conduxit,
septem solidos denariorum Coloniensium, nomine census annualis. Adiectum est etiam,
quod prefatus Volkwinus una cum suis filiis cum predictis civibus stabit et stare
tenetur in ipsa domo in apotheca, et nusquam alibi, ipsis deputatis ac in eisdem
vendere suos pannos. E converso prelibati cives etiam in eadem domo vendere debent
suos pannos et stare tenebuntur. Dictum est etiam, quod prefati Volcwinus et sui
heredes in iam dicta domo debeant habere et gaudere stupa versus domum Wobelini
et patere debet ipsis introitus de domo Wolkenburg ad eandem. Idem etiam Volkwinus in ipsa domo Zum Langenhuss nulla vina debet propinare, nisi de suorum fiat
voluntate inquilinorum. Si etiam predicta domus, aut apothece in eadem, aliquo casu
contingente per incendium aut ruinam destruitur, ad reedificationem ipsius prenominatus
Volcwinus una cum suis inquilinis reedificare tenetur, et quilibet suam portionem ipsum
contingentem, quod vulgariter dicitur margzal, persolvere debet. Si vero cellarium
ipsius domus destruitur aut ruinam minatur, ad reedificandum illud solus Volcwinus
aut sui heredes suis laboribus et expensis per omnia tenebuntur. Factum est etiam
et promissum, quod apothecam anteriorem,[a] contiguam domui Veteris Monete, nullus
aurifaber aut quicunque alter fruens igne inhabitare debet eandem. Testes huius
tractatus et locationis sunt viri honesti: Elya scultetus prenominatus, Volradus
olim scultetus, Ioannes Goltstein, Volmarus de Ovenbach, Cunradus Wobelin, Wernerus
de Wanebach, Gypelo de Holzhusen, Wernerus de Flanstat, Wikerus in Ponte, Petrus
de Eschbach, Hertwicus de Alta domo, Arnoldus de Glauburg, scabini, et quam plures
alii cives Frankenfurtenses fide digni. In cuius rei testimonium et roboris firmitatem
nos . . scultetus et scabini supradicti ad rogatum partium supra scriptorum (!) sigillum
universitatis Frankenfurtensis presentibus duximus apponendum. Actum anno domini
m. cc. lXXXX., in dominica, qua cantabatur Invocavit.

> *Nach einer beglaubigten Abschrift saec. XVII. Frankfurt. Archiv der Freiherrn von Holz-*
> *hausen. — Grotefend.*
> *Gedr.: Fichard, Archiv, I, 215 = B., 247.*
> *Verz.: Goerz, Mittelrhein. Reg., IV, No. 1738.*

**571.** *Ulrich von Hanau genehmigt die vom Ritter Richwin von Marienborn für seinen*
*Todesfall verordnete Übertragung seiner Lehen auf Heinrich, den früheren Frank-*
*furter Schultheissen. Rüdigheim, 1290 März 16.*

Nos Ulricus dominus de Hanowe. Ad universorum noticiam tenore presencium
cupimus pervenire, // quod, quia strenuus vir Richwinus miles de Fonte sancte Marie,
omnia bona sua, que a nobis tenet // in feodo, Heinrico quondam sculteto Frankenvordensi, suo patruo, et suis heredibus contulerit et ordinaverit // post obitum suum,
nos, volentes predictum Heinricum tanquam nostrum militem et castrensem prevenire
favore et dilectione speciali, predictorum bonorum collacionem et ordinacionem eidem
factam et suis heredibus per predictum Richwinum ratam et gratam habemus et

a) *Vorlage:* „ancboram".

nostrum consensum et assensum adhibemus tenore presencium li*tt*erarum. Dat*um* apud Rûdenkeim, anno domini m̃. c̊c̊. lXXX̊X., in die beati Cyriaci martiris et sociorum eius.

*Or. Pgmt. mit ziemlich gut erhaltenem Reitersiegel des Ausstellers. Ullstadt.*
*Gedr.: B., 195 nach dem Or. = Reimer, I, 418 zu 1280 Januar 29. Bei Reimer ist das*
*Jahres-Datum nach dem Original später berichtigt. Vgl. l. c. IV, 958.*

**572.** *Die Städte Frankfurt, Friedberg und Wetzlar beurkunden die Friedensbedingungen, welche zwischen Krafto von Greifenstein und dem Grafen von Nassau vorläufig verabredet wurden.*[1] *1290 April 20.*

Nos de Frankenvord, de Frideberg et de Wetflaria civitatum imperii//cives, dicimus veraciter et constanter, quod Crafto dominus de Grifenstein in // pacem, treugas et compositionem factas seu faciendas inter ipsum et . . comitem // de Nassowe et eorum complices recepit nominatim et expresse nobiles viros, videlicet de Lewenstein, de Itere et de Graschaf . . dominos. Item dicimus, quod adiectum fuit et expressum, quod captivi ipsorum hinc et inde, qui fuerant excrediti, debebant habere inducias usque ad ordinationem compositionis; captivi vero, qui tenebantur adhuc in vinculis, debebant excredi super compositionem. Item exactiones, quascunque fecerant in hominibus seu in terris ex utraque parte, quecunque date fuerant et solute, deberent penitus esse quite; que vero non essent solute neque date, deberent sic stare et inducias usque ad pronunciationem compositionis huiusmodi optinere. Ordinata autem compositione et pronunciata inter partes, deberent captivi omnes et singuli ex utraque parte captivati dici et dimitti liberi et penitus absoluti, et exactiones non solute remitti, et hiis omnibus libere et expresse a partibus hinc et inde renunciari. Hec audivimus et vidimus et testamur. In cuius rei testimonium sigilla nostra dignum duximus presentibus appendenda. Datum anno domini m̃. c̊c̊. nonagesimo, feria quinta[a] post dominicam Misericordia domini.

*Or. Pgmt. St. A. Wetzlar No. 37. — Grotefend.*
*Gedr.: Arnoldi, Hist. Denkwürdigkeiten, 154, B., 248 irrig zu April 12 (vgl. Anm. a).*
*Vers.: Scriba, II, No. 806 zu April 12, Nass. Annalen, I, 2, 220 zu April 11, Goerz,*
*Mittelrhein. Reg., IV., No. 1767.*

**573.** *Die Brüder Philipp und Werner von Falkenstein-Münzenberg übertragen die Hofstatt der Mühle zu Münster dem Deutschordenshause zu Sachsenhausen. 1290 Mai 13.*

Nos Philippus et [Wernherus][b] fratres de Falckenstein domini in Mintzenberg, presencium tenore confitemur, quod unanimi de consensu nostri et voluntate locum funditus molendini in Monster cum iure et bonis eidem loco attinentibus, que quondam Heinricus Lule dictus obtinuit, vendidimus ac fratribus ordinis sancte Marie domus Theutonicorum in Sachsenhusen permisimus, sub forma hereditatis seu iuris, quo dictus Henricus dicta bona in Monster, villa nostra, sita possidebat. In testimonium predictorum sigilla nostra presentibus sunt appensa. Datum anno domini m̃. c̊c̊. XC°, tertio idus maii.

*Abschrift im Deutschordens-Dokumenten-Buch f. 183. St. A. Stuttgart. Eine alte deutsche*
*Übersetzung des 14. Jahrh. im St. A. Darmstadt. — Von Nathusius.*

a) *B. las irrig „quarta prius".* b) *Die Vorlage hat „Ph." Der Name Werner ist nach der oben angeführten Übersetzung verbessert.*

[1] *Die bei B., 248 zu 1290 März 1 gedruckte Urkunde siehe unten zu 1291 März 1.*

**574.** *Gottschalk von Königstein, Pfarrer in Gronau, übereignet dem Stiftskapitel in Frankfurt sein daselbst neben dem Pfarrhof gelegenes Haus, unter der Bedingung, sein Jahrgedächtniss zu halten, und bekennt zugleich von dem Stiftskapitel 12 Mark zu seiner freien Verfügung empfangen zu haben. 1290 Juni 27.*

.. Noverint universi presencium inspectores, quod ego .. Gotscalcus de Kûningestein, pastor ecclesie in Grûna, domum meam // sitam in opido Frankenvordensi contiguam curie plebani ibidem donavi et dono pro remedio anime mee, paren//tum ac benefactorum meorum et resignavi et exnunc resigno secundum consuetudinem opidi Frankenvordensis .. decano // et capitulo ecclesie Frankenvordensis, qui in vigiliis, missis et aliis orationibus perpetuo peragent iuxta consuetudinem ecclesie sue diem anniversarii mei, postquam sublatus fuero de hac vita; recognoscens, quod duodecim marcas Coloniens*ium* denariorum legalium, quas in obitu meo, vel sanus existens, poteram legare et donare in dicta domo locis seu personis quibuscumque pro mea voluntate iuxta donationem prius factam, recepi et recognosco presentibus michi numeratas integraliter recepisse .. a decano et capitulo memoratis; renuncians eciam omnibus instrumentis, condicionibus prius super donacione seu legato dicte domus habitis seu confectis, necnon omnibus exceptionibus doli, iuris, vel facti, que michi super dicta domo contra predictos .. decanum et capitulum possent competere vel suffragari; quam quidem domum tamquam inquilinus pro censu annuali, videlicet sex denariis Frankenvordensis monete, singulis annis, quamdiu vixero, in festo beati Martini episcopi ipsis .. decano et capitulo persolvendo inhabitabo per me, vel per alium, ad tempora vite mee, salvo nichilominus annuali censu, videlicet dimidie marce denariorum Coloniens*ium* legalium, consueto dari .. decano et capitulo predictis, presentibus de domo memorata. Recognosco quoque, quod post obitum meum predicti .. decanus et capitulum pro voluntate sua et utilitate ecclesie sue de ipsa domo sine contradictione qualibet disponent et ordinent, prout ipsis videbitur expedire. Facta est autem hec donacio et resignacio, presentibus subnotatis, videlicet, .. Conrado decano, .. Johanne dicto de Maguncia, .. Cristiano cantore, .. Petro dicto de Ingelenheim, .. Petro custode, .. magistro Ditmaro plebano, canonico ecclesie Frankenvordensis predicte; .. Heilemanno de Gysenheim, .. Ludolfo, vicariis eiusdem ecclesie; .. Hermanno dicto de Beldersheim, socio domini plebani predicti, .. Gerlaco dicto de Prunheim clerico, .. Petro dicto de Essebach scabino, .. Conrado dicto Burneflecke, .. Henrico dicto de Hachenberg, .. Falcone et Hermanno de Gruna, laicis, et aliis quampluribus fidedignis, civibus Frankenvordensibus. In cuius rei testimonium .. presentes litteras sigillo meo, quo uti consuevi, et sigillo universitatis Frankenvordensis, .. quod presentibus rogo et rogavi apponi,[a] roboravi et roborari procuravi .. Et nos scultetus et scabini nomine universitatis Frankenvordensis ad rogatum prefati .. Gotscalci sigillum nostrum presentibus duximus apponendum. .. Datum et actum .. anno domini .. ṁ. .. c̈. .. nonagesimo, X. kalend*as* iulii.

*Or. Pgmt. Abhangend das Siegel Gottschalks und das in neuerer Zeit wieder angefügte Stadtsiegel (2). St. A. Fr. Barth. St. No. 771ᵇ.*

*Gedr.: B., 249 nach dem Or. .*

*Eine frühere Urkunde (Barth. St. No. 771ᵃ) über dieselbe Schenkung vom 19. April (XIII. kal. maii) 1290 weicht inhaltlich nur insofern ab, als Gottschalk damals von der Abfindungssumme von 12 Mark erst 8 Mark erhalten hatte und ihm der Rest von 4 Mark bis zum 24. Juni vom Kapitel bezahlt werden sollte. Nachdem diese Bedingung erfüllt war, ist dann die oben wiedergegebene, endgültige Urkunde ausgestellt worden. Die Zeugenreihe vom 19. April weist folgende Verschiedenheiten auf: Unter den Geistlichen fehlt „Petrus von Ingelheim“, der Kantor, der Kustos und „Gerlach von Praunheim“, dagegen wird noch*

a) *Im Or. getilgt „rogavi“.*

*ein zweiter Socius des Pfarrers, namens Johannes, genannt. Die weltliche Zeugenreihe
lautet „(presentibus): Johanne dicto Goltstein, scabino Frankenvordensi, et Johanne filio
suo, Conrado dicto Zhürgbere, Sifrido aurifabro, .. Eckehardo institore et Henrico dicto
Rufo, et aliis etc.*  (wie oben).*

**575.** *Erzbischof Gerhard von Mainz nimmt die Karmeliter zu Mainz, Frankfurt und
Kreuznach in seinen Schutz.  Aschaffenburg, 1290 Juli 4 (7?)*

Nos Gerhardus, dei gratia sancte sedis Moguntine archiepiscopus, sancti Romani
imperii per Germaniam archicancellarius.  Dilectis in Christo filiis prioribus et fratribus
ordinis beate Marie de monte Carmeli, Moguntie, Francofordie et Crucenaci commorantibus, salutem in domino.  De fama vestre humilitatis et pacifice et laudabilis
conversationis gratia sentientes odorem, dignum reputamus et merito, ut qui inter
ceteras virtutes de pauperum religiosorum specialiter sancta humilitate laetamur, personas vestras et loca vestra predicta gloriosis affectibus extollamus, his itaque provida
consideratione pensatis, domus vestras predictas, quas per presentes litteras approbamus, cum personis et rebus in nostram specialem recipimus protectionem, ut de
cetero nostro speciali defensionis presidio gaudeatis.  In cuius rei testimonium hanc
litteram [a] officii nostri sigillo presentibus duximus consignandam.  Datum Aschaffen-
burgi, anno m. cc. XC., nonas iulii.

> *Abschrift des 18. Jahrh. in Karmeliter-Bücher, 24, f. 491, mit dem Zusatz: „Adest ori-
> ginale“. St. A. Fr.*
> *Regest: Würdtwein, Nova Subs., V, Vorrede, XI.  Erwähnt: Lersner, I[b], 117.*
> *Verz.: Scriba, III, No. 2041.*

**576.** *König Rudolf verpfändet an Ulrich von Hanau und dessen Erben das Ungelt zu
Frankfurt und Gelnhausen und die Juden in letzterer Stadt neuerdings um 500
Pfund Heller.  Erfurt, 1290 Juli 11.*

Nos Rudolfus dei g[racia Romanorum rex], semper augustus.  Ad universorum
sacri Romani imperii fidelium noticiam tenore presentium volumus // pervenire, quod
nos attendentes [servitia grata et] insignia necnon virtutum preconia laude plena,
quibus nobilis Ulricus de Hanowe, // fidelis noster dilectus, erga [sacrum imperium]
multifariam multisque modis dinoscitur enitere, volentes eum, utpote bene merito(!)
prevenire // gracia speciali, ungeltum in [urbe] Frankenvort et in Geilenhusen cum
iudeis commorantibus in Geilenhusen, sicut antea pro septingentis marcis et quadraginta eidem Ulrico exstitit obligatum, sic de novo pro quingentis libris hallensium
ipsi Ulrico, Elizabeth sue uxori et eorum heredibus persolvendis presentibus obligamus.
In cuius rei testimonium presentem litteram conscribi et nostri sigilli munim[in]e
fecimus roborari.  Datum Erfordie, quinto idus iulii, anno domini millesimo ducentesimo nonogesimo, indictione tercia, regni vero nostri anno septimo decimo.

> *Or. Pgmt., durch Mäusefrass beschädigt, mit anhängendem, beschädigten Majestäts-Siegel.
> St. A. Marburg. — Grotefend.*
> *Gedr.: Hanau-Münzenbergische Landesbeschreibung, Anh., 3 = Orth, Reichsmessen, 661 =
> B., 250, Reimer, I, 500 nach dem Or. .*
> *Verz.: B.-R. No. 2342.*

**577.** *Schultheiss Elias, die Schöffen und Bürger von Frankfurt beurkunden, dass die
Antoniter zu Rossdorf gemäss dem Spruche genannter Schiedsrichter dem Hermann*

---

a) *Der Schluss ist hier nach Würdtwein, l. c., wiedergegeben. Die Abschrift lautet: „hanc litteram etc. A? 1290 (so!) 4to nonas iulii“, was auf Juli 4 als Datum führen würde.*

*von der Alten Münze und anderen Frankfurter Bürgern eine bisher strittige Korn-*
*gült von dem Antoniterhofe zu Marköbel abgekauft haben.  1290 Juli 21.*

Nos Elya scultetus, . . scabini ceterique cives de Frankenvort, tenore presencium
recognoscimus publice profitendo, // quod controversia sive dissensio, que inter religiosos
viros, magistrum Petrum domus sancti Antonii in Rosdorf // ceterosque fratres ibidem,
ex una, et Hermannum de Veteri Moneta, Cunradum Iudicem et Elyzabeth de Argen//
tina, necnon Annam et Adelheidim, coniuges dictorum Hermanni et Cunradi legittimas,
nostros concives, ex parte altera, super octo maldris siliginis Geylenhusensis mensure,
que quondam domino Heinrico sacerdoti de Argentina nomine annue pensionis de curia
una Markebele, dicte domui Rosdorf attinente, dabantur, verteretur, per ordinationem
discretorum virorum, fratris Alberti quondam prioris Predicatorum Frankenvort, Ditmari plebani ibidem, et Gyplonis de Hulzhusen scabini, partibus hincinde de plano
consencientibus, coram nobis penitus est sopita et decisa, videlicet ita, quod dicti
magister Petrus et fratres dictis Hermanno, Cunrado et eorum coniugibus, necnon
Elizabeth in recompensam huiusmodi pensionis causa concordie et amicicie dederunt
quindecim marcas denariorum Coloniens*ium* bonorum et legalium pecunie numerate .
Iidem quoque Hermannus, Cunradus et eorum coniuges, necnon Elizabeth pro se suisque
heredibus universis resignaverunt et renunciaverunt in figura iudicii nostri omni iuri,
quod ipsis in prefata pensione competebat seu competere videbatur.  Obligaverunt
nichilominus Cunradum dictum Burneflecken et eundem prenominatis magistro et fratribus domus Rosdorf fideiussorem constituerunt, quod Heinricus sacerdos, vicarius
ecclesie sancti Petri Moguntini, ipsorum coheres, huiusmodi vendicionem predicte
pensionis tenebit et tenere debet inviolabiliter ratam atque gratam.  Testes ordinacionis
premisse sunt hii: frater Albertus et . . plebanus predicti, Johannes de Moguncia,
Petrus custos, canon*ici* ecclesie Frankenvordensis, Johannes Goltstein, Cunradus Wobelin, Gyplo de Hulzhusen, scabini; Cunradus Burneflecke, et quam plures alii cives
Frank*envordenses* fidedigni.  In cuius rei testimonium et firmitatem perpetuam nos
Elya scultetus prenominatus et . . scabini ad rogatum parcium supradictarum sigillum
civitatis Frank*envordensis* presentibus duximus appendendum.  Dat*um* et act*um* anno
domini m̊. c̊c̊. nonagesimo, XII. kalendas augusti.

*Or. Pgmt. mit anhängendem Stadtsiegel (2).　St. A. Wiesbaden, Kl. Rossdorf-Höchst No. 27.*
*— Grotefend.*
*Gedr.: Reimer, I, 501 nach dem Or. .*

**578.** *Giselbert von Dernbach und seine genannten Söhne, Ritter Johannes von Voytis-*
*berg und Söhne, Kunigunde, Frau von Hachenberg, und Sohn, Senand von Gyczen*
*mit Frau und Söhnen verzichten auf ihr Anrecht an Gottfried von Göns (de*
*Gunse), den ihr Onkel (patruus) Arnold von Dernbach, Kanonikus zu Wetzlar,*
*dem Deutschordenshause zu Sachsenhausen übertragen hat.  Es siegeln Graf Heinrich*
*von Nassau, die Stadt Herbern und Ritter Giselbert von Dernbach.  Herbern,*
*1290 Juli 31 (in vig. b. Petri ad vinc).*

*Gedr.: Baur, Hess. Urk, I, 194 nach dem Or. Pgmt.　St. A. Darmstadt.*
*Verz.: Goerz, Mittelrhein Reg, IV, No. 1802.*

**579.** *Ripert von Sachsenhausen, der Sohn des Frankfurter Schultheissen Konrad, und*
*Kunigunde, seine Gemahlin, verkaufen Heinrich, dem ehemaligen Frankfurter*
*Schultheissen, und Heinrich, dem Sohne Ritter Rudolfs, 12 Morgen Ackerland im*

*Sachsenhäuser Feld, und dem ersten insbesondere genannte Gefälle im Dorfe Hohen-*
*rad. 1290 August 18.*

Noverint universi presencium inspectores, quod ego Ripertus de Sassenhusen,
filius quondam Cunradi sculteti Frankenvor//den*sis*, et Kunegundis, uxor mea legittima,
communicata manu et unanimi consensu vendidimus iusto vendicionis titulo duode//cim
iugera terre arabilis, in campo Sassenhusen sita, Heinrico, quondam sculteto Frankenvordensi, et Heinrico, filio patrui // sui quondam Rudolfi, militibus, communiter, iuste et
racionabiliter, iure proprietario perpetuo possidenda. Item vendidimu[s] dicto Heinrico
sculteto specialiter unam marcam denariorum legalis monete in villa Alte Rote census
annualis et unum octale papaveris et tredecim pullos in villa prenominata. Resignantes
et renunciantes omni iuri, quod nobis in prefatis bonis et censibus conpetebat seu
conpetere videbatur. Promittentes nichilominus de ipsis bonis et censibus prefatis
Heinrico sculteto et Heinrico, suo consangwineo, facere, ut est moris, warandiam
iustam, debitam et consuetam. Ego vero Kunegundis, uxor Riperti predicti, publice
recognosco, quod licet bona supradicta, accedente benivolo consensu Cunradi et Johannis,
fratrum dicti Riperti bone memorie, michi pro vera et certa dote mea fuerint data et
assignata, huiusmodi vendicionem bonorum irrefregabiliter tenere ratam atque gratam.
Recognosco nichilominus ego Ripertus memoratus, bona pretacta in manus serenissimi
domini R. Romanorum regis, quia ab imperio derivabantur, resignasse. Testes huius
sunt: frater Eberhardus de Hettengeseze, Theutonice domus Sassenhusen, frater Bertoldus ibidem, Cunradus Sunevus(!), Hartmudus de Sassenhusen, Cunradus Bonus,
milites; Craftho, Bertoldus de Heidersheim, Hezzeler,[b] et quamplures alii cives Frankenvordenses fidedigni. In cuius rei testimonium et debitam firmitatem nos .. scultetus
et scabini Frankenvordenses ad peticionem parcium supradictarum sigillum universitatis Frankenvordensis presentibus duximus appendendum. Actum anno domini m̄. c̄c̄.
XC., XV. kalendas septembris.

*Or. Pgmt. mit anhängendem Stadtsiegel (2). St. A. Fr. Frankenstein Urk.*
*Gedr.: B., 250 nach dem Or. .*

**580.** *Erzbischof Gerhard von Mainz erlaubt den Karmelitern, sich in seiner Diöcese*
*aller vom Heiligen Stuhl erhaltenen Privilegien und Gnaden zu bedienen. In Nova*
*domo, 1290 August 28.*

Gerhardus dei gracia sancte Maguntine sedis archiepiscopus, sacri imperii per
Germaniam archicancellarius. // Dilectis in Christo .. priori provinciali et fratribus
ordinis beate Marie de monte Carmeli per Allemanniam, // salutem in omnium salutari.
Religionis vestre meretur honestas, ut in karitatis vos visceribus // amplexantes,
quicquid cum deo possumus, vobis favorabiliter annuamus. Ea propter tenore vobis
presencium indulgemus, ut privilegiis et graciis, a sede apostolica vobis indultis et
concessis, libere uti de nostra voluntate et consensu in nostra dyocesi valeatis, ecclesiarum parrochialium necnon et aliarum ecclesiarum iure in omnibus semper salvo.
Datum in Nova domo, anno domini m̄. c̄c̄. nonagesimo, V̊. kalendas septembris.

*Or. Pgmt. mit weissen Siegelfäden, Siegel fehlt. St. A. Fr. Karmeliter-Urk., Prov. No. 422.*
*Gedr.: B.; 251.*

**581.** *König Rudolf bestätigt den (am 18. August 1290) gethätigten Verkauf von reichs-*
*lehnbaren Gütern, überträgt diese als Lehen den neuen Besitzern und genehmigt im*

<hr>

a) *Loch im Pgmt.* b) *Lesung unsicher! Ob Hezzevir?*

*Voraus eventuellen weiteren Besitzwechsel zwischen denselben Personen.*[1]  *Erfurt,*
*1290 August 31.*

Nos Rudolfus dei gratia Romanorum. rex, semper augustus. Ad universorum
sacri Romani imperii fidelium // noticiam cupimus pervenire, quod cum strenuus vir
Heinricus, scultetus quondam in Frankenfort, fidelis noster dilectus, comparaverit //
erga prudentem virum Ribbertum in Sazsenhusen,[a] filium quondam Cûnradi, duodecim
iurnalia agrorum, que partim ad ipsum // scultetum, et partim ad suum avunculum[b]
Heinricum pertinent; et cum dictus scultetus erga dictum Ribbertum etiam comparaverit aput Hohenraht marcam Coloniensium denariorum, octavam olei et tredecim
pullos, que omnia predicta a nobis et imperio tenebat in feodum, idemque Ribbertus
omnia predicta resignaverit in manus nostras, nos dictam vendicionem habentes gratam
et ratam, predicta a nobis et imperio tenenda dicto sculteto et suis heredibus concedimus perpetuo possidenda. Preterea, si dictus Heinricus scultetus erga dictum Ribbertum plura bona, que a nobis et imperio tenentur, comparaverit in futurum, tali
vendicioni seu contractui nostrum consensum plenarium adhibemus, ut illa, sicut et
alia, dictus scultetus et sui heredes a nobis et imperio teneant et possideant pacifice
et quiete. Datum Erfordie, pridie kalendas septembris. Indictione tercia. Anno
domini ṁ. c̄c̄. IXXXX̊. Regni vero nostri anno XVII̊.

> *Or. Pgmt. mit beschädigtem Majestätssiegel an roth-grünen Fäden. St. A. Fr., Frankenstein*
> *Urk. No. 7.*
> *Gedr.: B., 251 nach dem Or. .*
> *Verz.: B.-R. No. 2364.*

**582.** *Christian, Bischof von Samland, verleiht den Besuchern und Wohlthätern der*
*Karmeliter-Kirche zu Frankfurt, nachdem er dort den Chor, zwei Altäre und zwei*
*Kirchhöfe geweiht hat, einen vierzigtägigen Ablass. 1290 August 31.*

Frater Cristanus dei gracia Sambiensis episcopus. Universis Christi fidelibus
presentes litteras inspecturis, sinceram in domino // karitatem. Cum nos auctoritate
dei et venerabilis patris domini archiepiscopi Maguntini, cuius in spiritualibus vices
gerimus, // fratribus ordinis beate Marie virginis de monte Carmeli in Frankenvoth(!)
chorum et duo altaria et duo cymiteria // in decollatione sancti Johannis baptiste
consecravimus, omnibus vere penitentibus et confessis, qui in dedicatione predicti chori
vel cuiuslibet altaris seu eciam in festivitatibus patronorum et omnibus festivitatibus
fratrum predictorum et per octavas eorundem devote confluxerint, vel manum porrexerint adiutricem, auctoritate dei predicta ac beatorum apostolorum Petri et Pauli,
necnon beate Elyzabet quadraginta dies criminalium et annum venialium, accedente
dyocesani consensu, misericorditer in domino relaxamus. Datum anno domini ṁ. c̄c̄.
nonagesimo, pridie kalendas septembris.

> *Or. Pgmt. Das anhängende Siegel (grün) ist beschädigt. St. A. Fr. Karmeliter Urk.*
> *(Frankfurt), No. 426.*
> *Gedr.: B., 252 nach dem Or. . Ein lateinisches Regest dieser Urkunde steht Karmeliter-*
> *bücher, 11, f. 4ᵛ. St. A. Fr. Vgl. auch Lersner, Iᵇ, 117.*

**583.** *König Rudolf gewährt dem früheren Frankfurter Schultheissen Heinrich, dessen*
*Erben, sowie den Burgmannen zu Rödelheim die Gnade, dass sie sechs Juden,*
*die aber nicht aus den königlichen Städten genommen werden dürfen, bei der Burg*

---



[1] *Vgl. oben Urk. No. 579.*

*Rödelheim ansiedeln können; der aus diesen Juden zu erzielende Gewinn soll zum
Ausbau der Burg verwandt, die Juden selbst denjenigen zu Frankfurt rechtlich
gleichgestellt werden. Erfurt, 1290 September 18.*

Nos Rudolfus, dei gracia Romanorum rex, semper augustus. Ad universorum
sacri Romani imperii fidelium // noticiam cupimus pervenire, quod nos, attendentes
insignia merita serviciaque gratuita, quibus strennuus vir, Heinricus, // quondam scultetus in Frankenfort, erga nos et imperium dinoscitur relucere, sibi et heredibus eius
et eius intuitu // castrensibus nostris in castro Retelheim duximus hanc graciam faciendam,
hoc titulo feodi a nobis et imperio tenendum, habendum, possidendum, ut sex iudei,
de quacumque civitate vel oppido fuerint, nisi de nostris et imperii civitatibus vel
oppidis, aput Retelheim valeant commorari, dictusque Heinricus et sui heredes utilitatem,
a dictis iudeis provenientem, colligent et habebunt et ex ea dictum castrum Retelheim
reedificabunt et edificia sustinebunt. Volumus etiam et concedimus talibus iudeis, ibidem
aput (!) castrum nostrum antedictum commorantibus, ut apud oppidum nostrum Frankenfort possint emere, vendere, pecunias suas mutuare, et ad similitudinem aliorum iudeorum, qui ibidem commorantur, debent a sculteto nostro in Frankenfort vel extra (!).
Noster scultetus in Frankenfort debet eis exhibere plenum iusticie complementum, nec
aliquis noster officialis in Frankenfort vel alibi constitutus cuiuscumque dignitatis vel
status sturam aliquam seu precariam vel exactionem seu quodcumque servitium a
iudeis recipiat memoratis; sed totum emolimentum ab eis iudeis proveniens dicto
Heinrico et suis heredibus ratione dicti castri reedificandi cedere volumus penitus et
omino (!). In cuius rei testimonium presentes litteras conscribi fecimus et nostri sigilli
munimine roborari. Datum Erfordie, XIIII. kalend*as* octobris, indictione tercia, anno
domini millesimo ducentesimo nonogesimo. Regni vero nostri anno septimo decimo.

*Or. Pgmt. mit anhängendem, am rechten Rande beschädigten Majestätssiegel. Assenheim.*
*Gedr.: Arnold, Neues Archiv, XI, 581 nach dem Or. . Vgl. Sauer, I, Zusätze, 8.*
*Verz.: B.-R. No. 2373.*

**584.** *Schultheiss Elias, die Schöffen und Bürger von Frankfurt beurkunden, dass Gipel
von Holzhausen seiner Tochter Hilla und dem Kloster Marienborn eine Korngült
aus seiner Hufe bei Ober-Erlenbach geschenkt habe. 1290 September 30.*

Nos Elya scultetus, . . scabini ceterique cives de Frankenvort. Universis presentes literas visuris et audituris cupimus esse notum, quod Gypelo de Hulzhusen,
noster concivis, in nostra presencia constitutus, donavit et contulit donacionem (!) inter
vivos Hille, filie sue, necnon abbatisse et conventui cenobii Fontis sancte Marie, ordinis Cystertiensis, Maguntine dyocesis, libere et precise sex octalia siliginis Frankenvorden*sis* mensure super unum mansum suum iuxta Hanen-Erlebach * situm, perpetuo
singulis annis ab ipso manso tollenda et percipienda, idem quoque Gypelo resignavit
et renunciavit de plano omni iuri, quod eidem in dictis sex octalibus siliginis conpetebat. Testes huiusmodi resignacionis annone sunt: Elya scultetus prefatus, Hertwicus
de Alta domo, Arnoldus de Glauburg, Cunradus Burneflecke, Ludewicus filius prefati
Gyplonis, Hermannus de Veteri Moneta, et quamplures alii cives Franken*vordenses*
fide digni. In cuius rei testimonium et debitam firmitatem nos scultetus et . . scabini
supradicti presentes literas ad peticionem memorati Gyplonis prenominatis abbatisse
et conventui sigillo nostre civitatis tradimus communitas. Actum anno domini m̊. c̊c̊.
XC., in crastino beati Michaelis archangeli.

a) *Lesung zweifelhaft: „Haven" oder „Hanen"?*

*Or. Pgmt. Siegel abgefallen. Dorsualnotiz: „obir ses achtel korns zu Obirn Irlebach. 1290". Büdingen. Kollationirt durch Herrn Dr. Dieterich.*

*Gedr.: Simon, Büdingen, III, 61. (sehr fehlerhaft) nach dem Marienborner Kopiar.*

**585.** *Die Weissfrauen zu Frankfurt verleihen dem Wolfram von Seckbach das Gut in der Gemarkung dieses Dorfes in Erbpacht, welches Heinrich von Seckbach, Wolframs Bruder, dem Kloster, dessen Mitbruder er war, gegeben hatte. 1290 October 18. (uff sente Lucas dac.)*

> *Diese von B., 252, ebenso Reimer, I, 503 wiedergegebene Urkunde liegt nur in einer unbesiegelten Abschrift des 14. Jahrhunderts auf Pgmt. (St. A. Fr., Weissfrauenkloster, Lade 17, IV, No. 1) vor. Das Datum erregt Bedenken, da in der Urkunde von der „alten Frankfurter Messe" die Rede ist, eine Angabe, die erst auf die Zeit nach der Einführung der zweiten „neuen" Frankfurter Messe, also nach 1330, passt. Aus diesem Grunde ist diese Urkunde hier nicht wiederholt. Vgl. auch Kriegk, Bürgerthum, Neue Folge, 406.*

**586.** *Wigmann Ferwere und dessen Frau Engilrad verkaufen an Heinrich von Hachenberg ihr in der Neugasse zu Frankfurt gelegenes Haus. 1290 November 3.*

Noverint universi presencium inspectores, quod ego Wigmannus dictus Ferwere et Engilradis, uxor mea legittima, ci//ves Frankinvordenses, accedente benivolo consensu Heinrici de Kaldebach et Hermanni, necnon Bernheide, privignorum suorum, qui ma//gistri et rectores sunt census mansionis nostre sive domus in Novo vico apud estuarium site, vendidimus ipsam // mansionem et domum, quam inhabitabamus, honesto viro Heinrico dicto de Hachenberg, civi Frankenvordensi, accedente benivolo consensu et bona voluntate Cristine, uxoris sue legittime, iuste et racionabiliter iure hereditario perpetuo possidendam. Renunciantes et resignantes omni iuri, quod nobis in dicta domo et curia competebat seu competere videbatur, promittentes nichilominus ipsi Heinrico de huiusmodi domo et curia secundum consuetudinem civitatis Frankinvordensis facere warandiam iustam, debitam et consuetam. Adiectum est eciam, quod idem Heinricus de Hachinberg cum predicta domo et curia in sua vita potest et licitum erit ei disponere et ordinare, quidquid eius placuerit voluntati, contradictione cuiuslibet non obstante. Postquam autem memoratus Heinricus de Hachenberg ab hac luce migraverit, Hellenburgis, Hedewigis et Elyzabeth, filie pretacti Heinrici de Hachenberg, dicte curie et domui tamquam veri et legittimi heredes succedere debebunt. Et nil auctoritatis, iuris ac potestatis ulli heredes dicte Cristine, noverce dictorum puerorum, et ipsa Cristina in ipsis bonis habebunt, et ab omni iure dicte domus et curie supradicti heredes Cristine ac ipsa Cristina penitus excludentur. Ego vero Cristina predicta, legittima uxor Heinrici de Hachenberg predicti, publice profiteor et expresse, omnia singulaque supraposita ex meo benivolo consensu et bona voluntate taliter esse acta, prout superius sunt expressa. Testes huius tractatus sunt: Johannes Goltstein, Volmarus de Ovenbach, Cunradus Wobelin, Wernherus de Wanebach, Gypelo de Hülthusin. Gernodus de Flanstat, Hertwicus de Alta domo, Petrus de Esscebach, scabini; Hertwicus de Vite, Guntherus Sensensmit, Philippus frater suus, Ercmarus, et quamplures alii cives Frankinvordenses fidedigni. In cuius rei testimonium et debitam firmitatem nos Elyas scultetus et . . scabini Frankinvordenses supradicti ad peticionem parcium supradictarum sigillum universitatis Frankinvordensis appendi fecimus huic scripto. Actum anno domini m̄. c̄c̄. nonogesimo, III. nonas novembris, indictione III., concurrente VI., epacta XVIII.

*Or. Pgmt. Stadtsiegel (2) abhangend. St. A. Fr., Weissfrauenkloster, Lade 15, A. No. 1¹,₁.*
*Gedr.: B., 253 nach dem Or. .*

**587.** *Gottfried von Eppstein überträgt dem Stiftskapitel von St. Peter in Mainz den sechsten Theil der Vogtei in Bürgel, welchen er dem Hartmud von Sachsenhausen verliehen, dieser aber an das Stift verkauft und nun für die Übereignung resignirt hatte. 1290 December 8.*

Honorabilibus viris . . decano totique capitulo ecclesie sancti Petri Moguntin*i*, Godefridus de Eppinstein ad obsequia se paratum. Cum Hart//mudus de Saxenhusen terciam partem medietatis advocatie de Bergele cum suis iuribus, redditibus et pertinentiis, quam a dicta vestra ecclesia // in feodo obtinemus, et quam terciam partem Ripertus de Saxenhusen, nepos ipsius Hartmudi, a nobis olim habens in feodo dicto Hartmudo // militi de nostro consensu expresso pro certa pecunie vendiderit quantitate, dictamque partem in manus nostras resignatam eidem Hartmudo concesserimus titulo feodi possidendam, vobis . . decano et capitulo predictis pro certa pecunie quantitate vendiderit de nostra bona voluntate et consensu ac in nostras manus eandem partem advocatie supradicte cum suis proventibus, iuribus et pertinentiis resignaverit universis, nos terciam partem supradictam cum omnibus suis iuribus et pertinenciis supradictis in dictam vestram ecclesiam et vos . . decanum et capitulum supradictos nomine ecclesie vestre memorate titulo proprietatis perpetuo duximus transferendam. Ad maiorem quoque evidentiam et testimonium premissorum presentes litteras vobis tradimus sigilli nostri munimine roboratas. Actum et datum anno domini m̊. c̊c. XC̊., VI.° idus decembris.

*Or. Pgmt. mit abhangendem Siegel. St. A. Darmstadt. — Grotefend.*

*Gedr.: B., 251 nach Abschrift Bodmanns aus dem Or., Baur, Hess. Urk., I, 137 nach dem Or. . (gekürzt).*

*Verz.: Scriba, IV², No. 2669, Woerner zu Scriba, No. 106.*

**588.** *Mechthild, die Tochter des Frankfurter Bürgers Walter Segelo, verkauft mit Einwilligung ihrer Söhne den Johannitern zu Mosbach ihren Anteil an einem daselbst gelegenen Hof und ihre dortigen Gefälle. Frankfurt, 1291 Januar 2.*

Noverint universi presencium inspectores, quod ego Methildis, filia quondam Waltheri Segelonis, civis Frank*envordensis*, accedente consensu // Sifridi et Drutlindis puerorum meorum, vendidi religiosis viris, fratri Hermanno *commendatori* domus hospitalis sancti Johannis // Jerosel*imitani* in Colonia et . . commendatori domus Mosebach eiusdem ordinis et fratribus ibidem iuste et racionabiliter meam par//tem curie et census meos, circa eandem curiam iacentes et ad ipsam pertinentes, pro quadraginta et quinque marcis denariorum Coloniens*ium* pecunie numerate iure proprietario perpetuo possidend*os*. Resignans et renuncians una cum dictis pueris meis omni iuri, quod michi et ipsis in dicta parte curie et censibus conpetebat. Constituens et obligans nichilominus predictis fratribus pro filio meo Walthero hos fideiussores: Jacobum dictum Heyme fabrum, Heinricum Durchenbus, Heinricum Cerdonem, pistores, et Johannem Oleiere, cives Frankenvordenses, videlicet ita, quod quandocunque idem filius meus ad annos etatis sue legittimos pervenerit, quod ipse huiusmodi vendicionem tenebit ratam atque gratam et renunciabit iuri suo, quemadmodum alii pueri mei renunciaverunt et resignaverunt. Preterea ad cautelam, ut dicti mei fideiussores de fideiussione huiusmodi sint certi et eciam ipsi fratres, prefatus H. Durchenbus de dictis quadraginta quinque marcis servabit penes se decem et novem marcas denariorum, quousque prenominatus Waltherus, postquam ad annos legittimos pervenerit, suo iuri, quod in ipsa parte curie et censibus habebat,* penitus renunciabit. Renunciacione

<hr>

a) *Über der Zeile.*

vero huiusmodi facta, dicte decem et novem marce michi et meis pueris presentabuntur.
Adiectum est eciam, quod si aliquis fideiussorum meorum ante renunciacionem predicti
Waltheri mei filii decesserit, aliquem eque ydoneum substituam infra mensem; quod
si in hoc remissa fuero, superstites fideiussores fideiussionis debitum tamdiu exolvent,
quousque alium fideiussorem substituam loco defuncti. Pro warandia eciam certa et
consueta super premissis omnibus omnia bona, que habere dinoscor, memoratis fratribus
et meis fideiussoribus obligavi. Huic tractatui interfuerunt: Volradus quondam scultetus Franken*vordensis* et fideiussores mei prenominati, necnon plures alii fide digni.
In cuius rei testimonium presentes litteras sepefatis fratribus sigillorum prioris fratrum
Predicatorum Franken*rordensium* et Volradi militis predicti munimine tradidi communitas.
Datum apud Frankenvort, anno domini ıh. cc. XC. primo, in crastino circumcisionis
domini.

> *Or. Pgmt. 1) Siegeleinschnitt, 2) Siegelstreifen. St. A. Darmstadt.*
>
> *Gedr.: B., 255 nach dem Or. . Auszug: Steiner, Bachgau, III, 147 zu 1290, Thomas,*
> *Oberhof, 440 zu 1290.*
>
> *Verz.: Scriba, I, No. 635.*

**589.** *König Rudolf erlaubt den Rittern von Sachsenhausen, Heinrich genannt Wise und*
*Konrad, seinem Bruder, täglich einen Wagen Holz zu ihrem Gebrauche aus dem*
*Reichswald Dreieich heimfahren zu lassen. Ulm, 1291 Januar 9.*

Rudolfus, dei gracia Romanorum rex, semper augustus. Universis sacri imperii
Romani fidelibus presentes // litteras inspecturis, graciam suam et omne bonum. Ad
universitatis vestre noticiam volumus tenore presencium // pervenire, quod nos ob fidem
claram et devocionem sinceram, quibus strennui viri Heinricus dictus Wise // et Conradus frater suus, milites de Sahsenhusen, fideles nostri dilecti, erga nos et imperium,
suis obsequiis indefessis suffragantibus, multiphariam illuxerunt, ipsis hanc graciam
ex liberalitate regia duximus faciendam, quod singulis diebus unum plaustrum lignorum
de nemore nostro Drieych apud Vrankenvort, pro suis cottidianis ignibus et usibus
applicandis, educere possint et debeant absque inquietacione et contradictione quorumlibet pacifice et quiete. Nolentes, ut quispiam in posterum dictos fratres in dicta gracia,
ipsis a nobis facta, presumat aliqualiter molestare. In cuius rei testimonium presentes
litteras ipsis tradidimus nostre maiestatis sigilli munimine roboratas. Datum Ulme,
V. idus ianuarii, indictione quarta, anno domini ıh. cc. nonagesimo primo. Regni vero
nostri anno decimo octavo.

> *Or. Pgmt. Anhängend Siegelrest. St. A. Fr. Frankenstein Urk. No. 8. Die Urkunde hat*
> *stark durch Feuchtigkeit gelitten.*
>
> *Gedr.: B, 256 nach dem Or. .*
>
> *Verz.: B.-R. No. 2406, Scriba, I, No. 636.*

**590.** *Schultheiss Elias, Schöffen und Rath zu Frankfurt beurkunden, dass Adelheid*
*Wingarthern, ihre Mitbürgerin, an ihrem dereinstigen Nachlasse dem Nonnenkloster*
*Aldenburg, wegen ihrer daselbst befindlichen Tochter Kunigunde, ein Kindestheil*
*verliehen habe. 1291 Januar 25.*

Nos Elya scultetus, scabini et consules de Frankenvort. Tenore presencium
recognoscimus, quod Adelheidis dicta Wingarthern de Frideberg, nostra concivis, in
nostra presentia constituta cum Eckelone sacerdote, suo filio, sponte, libere, non coacte
resignavit in manus magistre, prioris et conventus in Aldenburg ad suam filiam Cunegundim, in ipso ordine existentem, huiusmodi hereditatem, quam dicta Adelheidis nunc
possidet et possidere dinoscitur pleno iure. Ea videlicet condicione, quod quando-

cumque eadem Adelheidis ab hoc seculo migraverit, quod magistra et conventus prenominati dictam hereditatem, quam ipsa relinquet, cum aliis pueris suis condivident
equa lance, et in predicta hereditate, tamquam alii pueri ipsius, mulieris partem
habebunt. Recognoscimus etiam, quod sepedicta Adelheidis confessa est coram nobis,
se teneri prefatis magistre et conventui XII. marcas denariorum Coloniens*ium*, quas
ipsis deputavit et assignavit in quodam manso suo in inferiori villa Morle sito. Testes
huius sunt: Elya scultetus Frankenvordensis, Cunradus Wobelin, Volmarus de Ovenbach,
Giplo de Holzhusen, Petrus de Eschebach, scabini; Cunradus Burneflecke, Theodericus
notarius, et quam plures alii cives Frankenvordenses fide digni. In cuius rei testimonium et debitam firmitatem nos scultetus et scabini supradicti ad rogatum sepedicte
Adelheidis presentes litteras sepefatis magistre, priori et conventui tradimus sigillo
universitatis Frankenvordensis communitas. Actum anno domini m. cc. XC. primo,
in conversione beati Pauli apostoli.

*Gedr.: Guden, Cod. Dipl., II, 265 = B., 256.*
*Verz.: Goerz, Mittelrhein. Reg., IV, No. 1853.*

**591.** *Genannte Schiedsrichter entscheiden einen Streit zwischen Philipp von Falkenstein
und den Herren von Heusenstamm um den Wald zu Heusenstamm und das Dorf
Sprendlingen. Unter den Schiedsrichtern werden genannt:* „schultesse Volrait von
Franckfurt und her Volmar der scheffe zu Franckfurt". *Zeugen waren:* „bruder
Anshelm der kummeture von Sassenhausen, bruder Eberhard von Hittengesesze,
der dechen und der schulmeister von Franckfurt, her Gyrlach von Rorbach,
her Heinrich der schulthess, her Herman Schelm, Diederich Schelm, Heinrich
von Sassenhausen, Conrad sein bruder, Gottschalck von Sassenhausen, die ritter;
Conrad Wortelin,[a] Johan Goltstein, Gise von Hultzhausen, Arnold von Glaupurck,
Hartwyn vom Hoynhaus, die scheffen von Franckfurt". *Frankfurt* („in den
creutzgang zu der pfar"), *1291 Januar 29* („ann dem ersten montag vor unnser
frauwen tag, als man kertzen in die Hand nimpt").

    *Zwei frühere Verhandlungen hatten ebenfalls zu Frankfurt, zu den Predigern,
und in dem* „rathoff" *stattgefunden.*

*Gedr.: Gründtlicher Bericht von dem uhralten Reichs- und Königs-Forst zur Drey-Eichen,
126, Guden, Cod. Dipl., V, 774. Auszug: Reimer, I, 514.*
*Das Original der Urkunde war zweifellos in lateinischer Sprache abgefasst.*

**592.** *Heinrich genannt Ulnere und Gertrud, dessen Gattin, verkaufen an Heinrich, den
Laienbruder in Seckbach, und dessen Brüder und Schwestern 1 Pfund Heller jährlichen Zinses auf einer Tuchrahme, genannten Häusern und einer Hofstätte zu
Frankfurt, die sie von den Mönchen in Seckbach für diesen Zins in Erbpacht
nehmen. 1291 Februar 22.*

Noverint universi presentium inspectores, quod nos Heinricus dictus Ulnere et
Gertrudis, uxor eius legittima, cives Frankfordenses, communicata manu et pari consensu vendidimus iuste et rationabiliter honesto viro Heinrico converso in Seckebach et
suis fratribus necnon sororibus eorundem super unam ramam, in qua panni exten-
duntur, que vulgariter sic nuncupatur, retro domum quam inhabitamus sitam, et super
tres domos contiguas retro domum dictam ad Gigantem sitas, necnon unam aream
infra dictas domos et ramam sitam, libram denariorum levium monete Frankfordensis,
dictis fratribus et sororibus singulis annis in festo beati Martini dandam et presentandam nomine census annualis, quas quidem domos et aream una cum predicta rama

---

a) *So! für* „Wobelin".

nos Heinricus et sua coniunx predicti recognoscimus ab ipsis fratribus de Seckebach
pro dicto censu iure hereditario possidere. Et ut memorati fratres de prenominato
censu bene sint certi et assecurati, eisdem fratribus domunculam unam retro predictas
domos sitam, que solvit decem solidos [denariorum] levium annuatim, et spatium
quatuordecim pedum retro domum ad Gigantem pro suppignore obligamus. Adiectum
est etiam, quod quicunque possidet aut in futurum possidere continget prenominatas
domos et aream necnon ipsam ramam, ad memoratum censum singulis annis, ut est
pretactum, tanquam iidem Heinricus et sua coniunx, tenetur et per omnia erit obligatus.
Testes huius sunt: Wernherus de Wanebach, Hartwicus de Alta domo, scabini; Rey-
nerus Pistor, et quam plures alii cives Frankfordenses fidedigni. In cuius rei testimonium nos Elya scultetus et scabini Frankfordenses ad rogatum partium supradictarum sigillum universitatis Frankfordensis appendi fecimus huic scripto. Actum
anno domini m̅. c̅c̅. XC̊. primo, in cathedra beati Petri apostoli.

> *Abschrift im Hainaer Kopialbuch. St. A. Marburg. — Grotefend.*
> *Gedr.: Guden, Cod. Dipl., I, 849, gekürzt, B., 257 nach dieser Vorlage = Reimer, I, 514.*

**593.** *König Rudolf gestattet den Antonitern bei Frankfurt (Rossdorf), sich wöchentlich
mit drei Wagen Brennholz aus dem Reichswald Dreieich zu versehen. Basel,
1291 März 1.*

Rudolfus dei gracia Romanorum rex, semper augustus. Universis sacri imperii
Romani fidelibus presen//tes litteras inspecturis, graciam suam et omne bonum. Ad
universitatis vestre noticiam volumus tenore // presencium pervenire, quod nos honorabilibus et religiosis viris .. magistro et fratribus domus // sancti Antonii devotis nostris
dilectis apud Frankenvort ob specialis dilectionis favorem, quo ipsorum ordinem et
sacre religionis habitum amplexamur, singularis prerogative graciam facere cupientes,
volumus et ipsis auctoritate regia liberaliter indulgemus, quod singulis septimanis de
nemore nostro Drieich tria plaustra lignorum educere valeant pro suis ignibus applicandis. Dantes universis et singulis firmiter in mandatis, ne quis ipsos fratres in
predicta gracia a nobis ipsis indulta presumat aliqualiter molestare. Et si quis secus
fecerit, nostram indignacionem se senciet graviter incursurum. In cuius nostre gracie
testimonium presens scriptum maiestatis nostre sigillo fecimus communiri. Datum
Basilee, kalendis marcii, indictione quarta, anno domini m̅. c̅c̅. nonogesimo, regni vero
nostri anno decimo quarto.

> *Or. Pgmt. mit Bruchstück des Siegels an Pgmtstreifen. St. A. Wiesbaden. Rossdorf-Höchst
> No. 31. — Grotefend.*
> *Gedr.: B., 248 zu 1290 März 1, „ex copia saec. XVIII", danach verz.: Scriba, I, No 628.,
> Reimer, I, 515 nach dem Or. zu 1291.*
> *Verz.: B.-R. No. 2429.*

**594.** *Schultheiss Elias, die Schöffen und Bürger von Frankfurt beurkunden, dass
Emmerich, Sohn Jakobs von Erlenbach, und dessen Frau Guderadis dem Kloster
Thron 12 Morgen Land in Seulberg und einen Hof in Ober-Erlenbach gegen die
Zusicherung einer Kornleibrente geschenkt haben. Ohne Zeugen. 1291 April 9
(fer. 2 post dominicam Iudica).*

> *Gedr. nach dem Or.-Pgmt. im St. A. Wiesbaden: Sauer, I, 666.*

**595.** *Emercho von Schöneck, päpstlicher Kaplan, Kanonikus und Propst der Frankfurter
Kirche, bekennt laut der inscrirten Bulle des Papstes Nikolaus IV. (Rom, 1289
März 21) das Kanonikat und die Propstei, die er an dieser Kirche besitzt,
erhalten zu haben. 1291 Mai 2.*

Emercho de Schonecke, capellanus domini pape, canonicus et dei gracia prepositus ecclesie Frankenvordensis, Maguntine dyocesis. Notum esse cupimus universis presencia percepturis presentibus et futuris, quod litteras // apostolicas recepimus in hec verba: Nicolaus episcopus, servus servorum dei, dilecto filio Emerchoni de Schonecke, canonico et preposito ecclesie Frankenvordensis, Maguntine dyocesis, capellano nostro, salutem et apostolicam benedictionem. Illorum // votis apostolica sedes adesse propicia consuevit, pro quibus virtutis favor interpellat et pulsat conversacionis et vite laudabilis interventus. Hinc est, quod nos personam tuam, nobis de litterarum sciencia, bonis moribus // et conversacione laudabili multipliciter commendatam, intendentes prosequi gracia speciali, preposituram ecclesie Frankenvordensis, Maguntine dyocesis, apud sedem apostolicam vacantem ad presens per promocionem venerabilis fratris nostri Gerhardi, archiepiscopi Maguntini, olim eiusdem ecclesie prepositi, cum nullus preter nos prepposituram ipsam conferre valeat, constitucione felicis recordacionis Clementis pape, predecessoris nostri, super personatibus, dignitatibus, prebendis, seu beneficiis ecclesiasticis apud sedem ipsam vacantibus, per Romanum dumtaxat pontificem conferendis edita obsistente, ac nondum tempus effluxerit statutum per moderacionem pie memorie Gregorii pape X, predecessoris nostri, super hoc adhibitam in concilio Lugdunensi, necnon canonicatum eiusdem Frankenvordensis ecclesie cum plenitudine iuris canonici et prebendam nulli alii de iure debitam, si qua ibidem vacat ad presens, cum omnibus iuribus et pertinenciis suis apostolica tibi auctoritate conferimus et providemus de illis teque per nostrum anulum investimus presencialiter de eisdem. Si vero nulla talis prebenda nunc vacat in ecclesia supradicta, nos prebendam aliam proxime inibi vacaturam, que nulli alii de iure similiter debeatur, conferendam tibi, cum vacaverit, donacioni apostolice reservamus, decernentes exnunc irritum et inane, si secus super hiis a quoquam quavis auctoritate contigerit attemptari; non obstantibus de certo canonicorum numero, seu quibuslibet aliis ipsius Frankenvordensis ecclesie statutis et consuetudinibus contrariis, iuramento, confirmacione sedis apostolice, vel alia quavis firmitate vallatis, aut si aliqui apostolica, quibus per hoc nullum volumus preiudicium generari, vel alia quavis auctoritate in eadem ecclesia in canonicos sint recepti, vel, ut recipiantur, insistant, seu si super provisione sibi facienda, de personatibus, prebendis vel beneficiis ecclesiasticis in predicta Frankenvordensi ecclesia specialiter vel in partibus illis generaliter nostras vel predecessorum nostrorum Romanorum pontificum seu legatorum apostolice sedis litteras inpetrarunt, quibus omnibus in assecucione prefate prepositure te volumus anteferri, sed quoad assecucionem aliorum personatuum et dignitatum nullum per hoc preiudicium generari, seu si dilectis filiis capitulo eiusdem Frankenvordensis ecclesie vel aliis quibuscunque communiter vel divisim a sede apostolica sit indultum, quod ad recepcionem vel provisionem alicuius minime teneantur quodque ad id compelli, aut quod de personatibus, dignitatibus, preposituris et prebendis ipsius ecclesie Frankenvordensis aut beneficiis ad eorum collacionem spectantibus nulli valeat provideri per litteras dicte sedis, non facientes plenam et expressam de indulto huiusmodi mencionem, et qualibet alia prefate sedis indulgencia generali vel speciali, cuiuscumque tenoris existat, per quam presentibus non expressam vel totaliter non insertam effectus huiusmodi nostre gracie impediri valeat vel differi, et de qua cuiusque toto tenore de verbo ad verbum in nostris litteris habenda sit mencio specialis, sive quod in ecclesia Maguntina scolastriam, canonicatum et prebendam et ecclesiam de Wizele, Maguntine dyocesis, quas ex nostre dispensacionis gracia retines, nosceris obtinere, aut si presens non fueris ad prestandum de observandis statutis et consuetudinibus eiusdem Frankenvordensis ecclesie solitum iuramentum, dummodo in absencia tua per procuratorem ydoneum et, cum ad eandem ecclesiam accesseris, corporaliter illud prestes. Nulli ergo omnino hominum liceat

hanc paginam nostre collacionis, provisionis, investiture, reservacionis et constitucionis
infringere, vel ei ausu temerario contraire.  Si quis autem hoc attemptare presumpserit, indignacionem omnipotentis dei et beatorum Petri et Pauli, apostolorum eius,
se noverit incursurum.  Datum Rome apud sanctam Mariam Maiorem, XII. kalendas
aprilis, pontificatus nostri anno secundo.  Recognoscimus eciam hoc tenore, quod auctoritate apostolica premissis litteris annotata canonicatum et prebendam, quos in predicta
Frankenvordensi ecclesia obtinemus, sumus et fuimus cum eorum iuribus, fructibus,
proventibus, redditibus, obvencionibus, attinenciis et pertinenciis universis specialiter
consecuti de apostolica gracia speciali.  In quorum evidenciam, noticiam et memoriam
perpetuam sigillum nostrum presentibus duximus appendendum.  Anno domini ıh. c̄c.
nonagesimo primo, V̊I. nonas maii.

> *Or. Pgmt.  An grünen und weissen Schnüren hängt das guterhaltene Siegel des Propstes
> an.  St. A. Fr. Barth. St. No. 175.*
>
>     *Ausser dem Original beruht im Archiv eine zur Beglaubigung durch die Richter des
> Mainzer Stuhles ausgefertigte Abschrift von 1319 October 10 (V̊I. idus octobris), (Barth.
> St. No. 3018) ohne Spur von Besiegelung.*
>
> *Gedr.: B., 242, nur die inserirte Bulle, ib. 258 der Eingang und Schluss, nach dieser Vor-
> lage.  Die Bulle ist verzeichnet: Potthast, No. 22909, vgl. Goerz, Mittelrhein. Reg., IV,
> No. 1633 und 1889.*

**596.** *König Rudolf befiehlt Gerlach von Breuberg, seinem Amtmann in der Wetterau, und
dessen Nachfolgern, den Dechanten und das Stiftskapitel zu Frankfurt, seine Kapläne,
bei allen von Römischen Kaisern und Königen erlangten Privilegien, Verleihungen
und Gnaden zu erhalten und erhalten zu lassen.  Frankfurt, 1291 Mai 28.*

Rudolfus, dei gracia Romanorum rex, semper augustus, nobili viro Gerlaco de
Bruberch, officiato suo per // Wedrebiam, ac aliis, qui pro tempore fuerint, universis,
graciam suam et omne bonum.  Fidelitati vestre // studiose committimus et precise mandamus, volentes omnino, quatinus omnia privilegia, concessiones, do//naciones et gracias
qualescumque, honorabilibus et discretis viris . . decano et capitulo Frankenvordensi,
nostris capellanis dilectis, a divis imperatoribus et regibus Romanorum, nostris predecessoribus, tradita seu traditas et concessas, que vel quas ipsis confirmavimus, dictis
nostris capellanis in Frankenvort observetis inviolabiles et faciatis a quibuscumque
personis illesas firmiter observari, nec eis in premissis cuiusvis impedimenti prebeatis
obstaculum, sed ipsos pocius ob nostram reverenciam congruis et condignis promocionibus
curetis ubilibet in omnibus favorabiliter prevenire.  In hoc nostre celsitudini vos
noveritis gratum obsequium impensuros.  Nam quanto magis iidem nostri capellani
nobis et imperio sunt astricti, tanto diligencius et favorabilius ipsorum diligimus et
procuramus commodum et honores.  Datum in Frankenvort, V̊. kalendas iunii, regni
nostri anno decimo octavo.

> *Or. Pgmt.  Das an grüner Schnur anhängende Majestätssiegel ist etwas beschädigt.  St. A.
> Fr. Barth. St. No. 9.*
>
> *Gedr.: Würdtwein, Dioc. Mog., II, 425, B., 258 nach dem Or. .*
>
> *Vers.: B.-R. No. 2462.*

**597.** *König Rudolf verleiht dem Rath und den Bürgern von Frankfurt die Freiheit,
dass keiner sie oder die ihrigen mit Kampfrecht oder wegen Güter und Schulden
ausserhalb der Stadt fordern oder belangen könne, noch dürfe.  Frankfurt, 1291
Mai 30.*

Rudolfus dei gracia Romanorum rex, semper augustus. Prudentibus viris .. consulibus // et civibus universis de Frankenfurt, dilectis suis fidelibus, graciam suam et omne // bonum. Ut regalis nostre magnificencie uberiorem benivolenciam et specialiorem graciam // sentiatis vobis esse pre ceteris graciosius inclinatam, vobis hanc graciam duximus faciendam, quod nullus vos vel vestrum aliquem modo duellico seu per viam duelli extra civitatem Frankenvordensem possit vel debeat evocare. Volumus eciam, quod nullus vos vel vestrum aliquem pro ullis bonis vel debitis extra dictam civitatem Frankenfurt citare possit aliqualiter vel vocare, nisi prius in civitate Frankenfurt sibi fuerit iusticia denegata. In cuius concessionis nostre gracie testimonium vobis dari fecimus has litteras, sigilli nostri munimine roboratas. Datum apud Frankenfurt, III. kalendas iunii, indictione IIII. Anno domini ṁ. ċċ. IXXXXĬ. Regni vero nostri anno XVIII.

*Or. Pgmt. Majestätssiegel an roth-gelben Fäden zerbrochen anhängend. St. A. Fr. Priv. No. 17.*

*Gedr.: P. et P., I, 11, II, 9 = Lünig, R.-A., XIII, 561, B., 259 nach dem Or. .*

*Vers: B.-R. No. 2469, Fr. Inv., III, 2. Gleichlautende Privilegien erhielten am gleichen Tage Friedberg und Gelnhausen, vgl. B.-R. No. 2470, 2471.*


**598.** *Das Landkapitel in Marköbel benachrichtigt den Scholaster von St. Victor in Mainz, dass es sich davon überzeugt habe, dass die Pfarrei zu Bischofsheim der Frankfurter Kirche rechtmässig einverleibt sei, und ersucht ihn, den Gottesdienst in Bischofsheim wieder frei zu geben.  1291 Juni 7.*

.. Honorando viro magistro Volcmaro, scolastico ecclesie sancti Victoris Maguntine.[a] Archipresbiter, camerarius et fratres // capitulares capituli in Kebela, reverencie et honoris quantum possunt. Noveritis nos vidisse et lectas audivisse // privilegia et litteras confirmacionis validas et firmas, quod ecclesia in Bisscofesheim est incorporata et annexa // ecclesie Frankenvordensi, et eisdem litteris bene contenti sumus. Quapropter rogamus una cum decano et capitulo eiusdem Frankenvordensis ecclesie humiliter et devote, quatenus divina in Bisscofesheim relaxetis et plebanum ibidem celebrantem absolvatis. In cuius rei testimonium sigillum archipresbiteri in Buchen, quo omnes contenti sumus, presentibus est appensum. Actum anno domini ṁ. ċċ. nonagesimo primo, VII. idus iunii.

*Or. Pgmt. mit Bruchstück des abhangenden Siegels. St. A. Fr. Barth. St. No. 2436.*

*Gedr.: B., 259, und Reimer, I, 516, beide nach dem Or. . Erwähnt: Joannis, Res Mog., II, 633.*


**599.** *Schultheiss Elias, die Schöffen und Bürger von Frankfurt beurkunden, dass Irmengard, die Wittwe Ritter Heinrichs von Eschbach, dem Kloster Arnsburg ihr jetziges und künftiges Eigenthum unter Vorbehalt des lebenslänglichen Niessbrauches übergeben habe.  1291 Juni 17.*

Nos Elya scultetus et scabini ceterique cives de Frankenvort. Tenore presencium recognoscimus // publice protestando, quod Irmengardis, relicta quondam Heinrici militis de Eschebach, nostra con//civis, in nostri presencia constituta pie propter deum et ob remedium sue anime, necnon dicti sui // mariti, ut earum perpetua memoria habeatur, sponte, libere et non coacte, universa bona sua proprietaria, hereditaria, mobilia, que nunc habet et in posterum poterit adipisci, contulit et donavit religiosis viris .. abbati et .. conventui in Arnesburg ordinis Cysterciensis, Maguntine dyocesis, post eius obitum et non ante eo iure, quo possidet dicta bona, perpetuo possidenda.

a) *Über der Zeile.*

Dicta quoque .. relicta resignavit et renunciavit omni iuri, quod eidem in iam dictis
bonis conpetebat, ea tamen protestatione sive condicione, quod prefata .. relicta prenominata bona ad tempora vite sue possidere debebit pacifice et quiete. Adiectum
est eciam, quod si urgens et evidens necessitas memorate relicte ingruerit, impedimento
quolibet remoto, sepedicta bona sua vendere et alienare poterit pro eius libito voluntatis.
Testes huius sunt honesti viri: Elya scultetus predictus, Thylemannus Capellarius, Godfridus Baurus, milites; Cunradus Wobelinus, Volmarus de Ovenbach frater suus, Hertwicus
de Alta domo, Arnoldus de Glauburg, scabini; Wigerus in Ponte, Cunradus de Gladio
iudex, et quam plures alii cives Frankenvordenses fidedigni. In cuius rei testimonium
nos .. scultetus et .. scabini supradicti ad peticionem sepefate .. relicte sigillum civitatis
Frankenvordensis presentibus duximus appendendum. Actum anno domini millesimo
ducentesimo nonogesimo primo, in octava pentecostes.

> *Or. Pgmt. Anhängend Stadtsiegel (2) zerbrochen. Lich.*
> *Gedr.: B., 259 nach dem Or. .*
> *Verz.: Scriba, II, No. 821, Arnsb. Urkb., 217.*

**600.** *Gerlach von Breuberg, Justitiar des Königs Rudolf, gebietet den Forstbeamten des
Reichswaldes Dreieich, das Frankfurter Stiftskapitel in dem diesem von Römischen
Kaisern und Königen verliehenen Beholzigungsrecht nicht zu stören oder zu hindern.
Frankfurt, 1291 Juli 6.*

.. Gerlacus de Bruberg, iusticiarius domini .. Rudolfi Romanorum regis. Universis, ad quos presentes littere pervenerint, necnon forestariis // foresti, quod Drieych
vocatur, apud Frankenvorth, presentibus cupimus esse notum, quod cum a predicto
domino nostro Rudolfo, Romanorum rege, // receperimus litteras et mandata, in quibus
omnia privilegia, concessiones et gracias qualescumque .. honorabilibus viris et discretis // .. decano et capitulo ecclesie Frankenvordensis ab imperatoribus et regibus
Romanorum, suis predecessoribus, tradita seu traditas et concessas confirmavit nobisque
dedit in mandatis, ut huiusmodi privilegia, concessiones seu donaciones et gracias
servaremus et ab aliis faceremus inviolabiliter observari, nullum ipsis impedimentum
prestando, sed pocius promovendo, nos considerantes, quod aliquando in presencia
predicti domini nostri .. Rudolfi, Romanorum regis, nobis astante, exhibita fuerunt
privilegia imperatorum et regum Romanorum, in quibus eisdem .. decano et capitulo
predictis inter cetera concessum fuit, ut de foresto Drieych possint uti et frui lignis
ad comburendum pro eorum necessitatibus, huiusmodi cessessiones(!) et gracias ratas
et gratas habemus et indulgemus et volumus, ut prefati decanus et singuli de capitulo
utantur et fruantur lignis de dicto foresto ad comburendum pro eorum necessitatibus,
prout in ipsorum privilegiis continetur; inhibentes omnibus nostris subditis et officiatis,
necnon forestariis, ne quis eos vel aliquem ex eis in premissis impediat vel perturbet.
Datum apud Frankenvorth, anno domini ṁ. ċċ. nonogesimo primo, pridii nonas iulii.

> *Or. Pgmt. Anhängend, neu befestigt, das schön erhaltene Reitersiegel Gerlachs, auf dem
> Schild zwei Querbalken. St. A. Fr. Barth St. No. 10.*
> *Gedr.: Buri, Bannforsten, 91, Beilage No. 73, Würdtwein, Dioc. Mog., II, 426, B., 260
> nach dem Or. .*
> *Verz.: Scriba, I, No. 640, B.-R. No. 2462.*

**601.** *Das Johanniterhaus zu Mainz und die Frankfurter Bürger Konrad und Luzo von
Altendorf beurkunden, dass der Zwist zwischen ihnen um den Besitz der Hälfte des
Hauses Wunnenberg in Frankfurt durch den Spruch genannter Schiedsrichter bei-
gelegt worden sei. Mainz, 1291 Juli 30.*

Cum inter nos . . commendatorem et fratres sacre domus hospitalis sancti Johannis
Jerosol*emytani* in Maguntia ex una, et Conradum de Alden//dorph, civem Frankenfurdensem, et Luzonem, fratrem eius, ex parte altera, super medietate curie atque domus
sitarum in Frankenfurt, que // vocantur vulgariter[a] zû Wunnenberg,[b] quam medietatem
occasione Heinrici et Hermanni, fratrum predictorum Conradi et Luzonis, ordinis //
sancti Johannis predicti, nos commendator et fratres predicti ad nos dicebamus iure
hereditario devolutam, coram . . decano ecclesie sancti Johannis Maguntin*e*, iudice a
venerabilibus viris sancte Maguntin*e* sedis iudicibus deputato, aliqua*m*diu questio verteretur, tandem placuit nobis partibus hinc et inde, quod quidquid magister Bernhelmus,
advocatus Maguntin*us*, pro nobis commendatore et fratribus antedictis electus, et
Fridericus zûme Sluszele, civis Maguntin*us*, ex parte dicti Conradi de Aldendorph
electus,[c] per se vel cum magistro Gotfrido, scolastico ecclesie sancti Johannis predicte,
pro media persona assumpto, ordinarent vel quocu*n*que modo ducerent statuendum,
vellemus et deberemus hincinde nos partes predicte,[d] sicut etiam bona fide promisimus,
ratum et firmum habere et tenere et inviolabiliter observare et non contrafacere vel
venire quacu*n*que arte vel ingenio sive causa. Data igitur ipsis magistro Bernhelmo,
Friderico et scolastico supradictis auctoritate et potestate plenaria in hac parte super
premissis, iidem concorditer inter nos hincinde ordinaverunt et statuerunt compositionem
amicabilem in hunc modum, quod predictus Conradus et Petrissa, uxor eius legitima,
ac eorum heredes ab ipsis commendatore et fratribus medietatem predictam habeant
et possideant in perpetuum pleno iure et singulis annis de ipsa medietate in purificatione
beate Marie virginis unam libram cere Magun*tiam* ad domum dictorum commendatoris et
fratrum tribuant et assignent, et si ipsam medietatem vendere vel alio modo alienare
voluerint, ipsis commendatori et fratribus primo exhibere debebunt et offerre pro precio
competenti, quod si ipsi emere noluerint vel precium competens, secundum quod alter,
offerre, extunc vendent et alienabunt cuicu*n*que voluerint, pro sue libito voluntatis.
Ita tamen, quod ipse emptor sive emptores medietatis predicte ipsam a predictis
commendatore et fratribus recipiant eisque singulis annis in purificatione beate virginis
dimidiam libram cere Magun*tiam* ad prefatam domum tribuant et assignent. Facta
igitur ordinatione huiusmodi in modum premissum, nos partes predicte hincinde in
ordinationem eandem et in omnia et singula supradicta voluntarie consentimus, et
promittentes, ea omnia et singula rata et firma habere et inviolabiliter observare,[e] in
signum consensus nostri et in testimonium premissorum petimus et rogamus venerabiles
viros dominos sancte Maguntin*e* sedis iudices, ut sigillum suum presenti scripto appo-
nant. Nos quoque iudices sedis predicte recongnoscimus, quod ad petitionem et rogatum
partium predictarum presentes litteras nostri fecimus sigilli appensione muniri. Actum
Magun*tie*, anno domini ṁ. c̅c̅. nonagesimo primo, III. kalend*as* augusti.

Or. Pgmt. mit anhängendem Siegel (mit Rücksiegel). St. A. Fr. Johanniter Urk. No. 4.<br>
Gedr.: Kriegk, Bürgerthum, Neue Folge, 403 nach dem Or. .

**602.** *Schultheiss, Schöffen, Rath und Bürger von Frankfurt kommen mit ihren Mitbürgern,*
*den Deutschordensbrüdern, überein, dass deren zeitige Güter gegen eine jährliche*
*Abgabe von 2 Mark zur Mainbrücke steuerfrei, dagegen künftig von ihnen zu*
*erwerbende Güter steuerpflichtig sein sollen. Zugleich werden die Steuerverhältnisse*
*derjenigen festgestellt, welche sich zu den Deutschordensbrüdern begeben und innerhalb*
*ihres Hofes in Sachsenhausen wohnen. 1291 August 2.*

a) Or. „wlgariter“. b) Rasur. c) Or. ursprünglich „electus de Aldendorph“, die beiden letzten Worte
sind durch Einweisungsstriche an die richtige Stelle verwiesen. d) Or. „nos partes predicte“ doppelt,
einmal getilgt. e) Über der Zeile.

Nos . . scultetus, . . scabini, . . consules et universi cives Frankenvordenses,
ad universorum noticiam cupimus pervenire, quod ob honorem dei omnipotentis
ac beate Marie virginis et ob specialem favorem, quem apud religiosos viros . . conmendatorem et fratres Theutonice domus Sassenhusen, nostros concives, speciali et
pio affectu gerimus, necnon obtentu privilegiorum suorum, concedimus et volumus
inviolabiliter observari, quod omnia ipsorum bona, que nunc in presentiarum tempore
tenent vel possident, in territorio seu iurisdictione nostri opidi constituta, in possessionibus, censibus, agris, silvis, pratis, pascuis, aquis, aquarumque decursibus, ab
exactionibus, precariis, angariis, servitutibus, quocumque nomine censeantur, perpetuo
sunt libera, exempta et soluta. Qua exemptione a nobis facta et recognita, iidem
conmendator et fratres motu proprio liberaliter, pio devocionis affectu redditus duarum
marcarum denariorum Coloniensium perpetuo solvendarum pro edificacione, reparacione,
conservacione pontis trans Mogum oppidi nostri tradiderunt et assignaverunt de domo
et area sita iuxta curiam quondam Helwici militis de Prumheim, quam Harpernus
braxator cervisie possidet, singulis annis in festo beati Martini persolvendarum. Et
si aliquo casu contingente qualitercunque dicte due marce non solverentur vel solvi
non possent de domo et area predictis, ipsi conmendator et fratres ad solucionem
dictarum duarum marcarum se sine difficultate qualibet obligarunt. Que quidem due
marce in alios usus non debent converti nec distrahi seu alienari. Si vero aliqua bona
predictis . . conmendatori et fratribus in posterum legata seu donata fuerint in vita vel
causa mortis propter deum ab aliquibus nostris concivibus seu aliis personis, que de
eisdem bonis consueverunt[a] solvere exactiones, contribuciones pro necessitatibus opidi
nostri, infra spacium illius anni alienabunt, vel si non alienaverint sive retinuerint,
extunc ex parte dictorum conmendatoris et fratrum de eisdem bonis ad usus communes
solventur exactiones et servicia, prout alii cives nostre civitatis. Hee eedem condiciones per omnia observabuntur, in bonis, si qua[b] emptionis tytulo[c] ipsi fratres
duxerint[d] conparanda. Ceterum si aliqui de nostris concivibus devocionis causa se
et sua pro remedio animarum suarum contulerint fratribus sepedictis, si infra septa
curie sue Sassenhusen habitaverint et mansionem fecerint et nullis negociacionibus
se miscuerint, bona ipsorum mobilia ab exactionibus et precariis erunt libera et soluta.
Sed de bonis immobilibus, utpote agris, pratis, domibus, possessionibus, censibus, areis,
solvent precarias, exactiones[e] et servicia, prout alii nostri concives. Si qui vero aliunde[f]
se et sua memoratis conmendatori et fratribus contulerint et mansionem Sassinhusen[g]
apud ipsos fratres eciam extra ipsorum curiam receperint, dummodo negociaciones et
mercaciones non exherceant,[h] ipsorum bona extra territorium et iurisdictionem nostri
opidi sita erunt ab omni onere servitutis libera et soluta. In recognicionem et rati-
ficacionem omnium et singulorum premissorum nos scultetus et scabini et nos conmendator et fratres supradicti sigilla nostra presentibus litteris duximus appendenda.
Datum et actum anno domini m. ducentesimo nonagesimo[i] primo, IIII. nonas augusti.

*Abschrift im Städt. Kopialbuch II, No. 36 (A) (danach der Druck) und in I, No. 187 (B).*
  *St. A. Fr.*
*Gedr.: Fichard, Archiv, I, 217, B., 261 nach A, = Hennes, I, 283.*
*Verz.: Fr. Inv., III, 146.*

**603.** *Erzbischof Gerhard von Mainz ermächtigt den Magister Ditmar, Pfarrer in
Frankfurt, gegen die sonstige Regel, auch solche Mädchen und Frauen in den
Orden der Beghinen aufzunehmen, welche noch nicht vierzig Jahre alt sind. 1291
November 22.*

a) *A.* „consweverunt“. b) *A.* „si qua“ *wiederholt.* c) *B.* „titulo“. d) *A. oder* „duxerunt“(?). *B.* „duxerint“. e) *B.* „exacciones“. f) *A.* „aliunde“. g) *B.* „Sassenhusen“. h) *B. ebenso.* i) *B.* „nonogesimo“.

Gerhardus dei gracia sancte Moguntine sedis archiepiscopus, sacri imperii per Germaniam archicancellarius, dilecto // in Christo magistro Dithmaro, plebano Franken-vordensi, salutem in domino. Cum prohibicio antiqui // statuti concilii Moguntini generalis per nos in sancta synodo Moguntie nuper celebrata in//novati de non assumendis aliquibus ad ordinem begginatum(!), nisi quadragesimum annum etatis attingerint, aliquibus videatur onerosa et alique puelle per huiusmodi prohibicionem a dei servicio abstrahi videantur, prout nobis exponere curavisti, indulgemus tibi, ut in parrochia tua puellas et feminas eciam in minori etate quadraginta annorum constitutas, de quarum lapsu carnis non verisimiliter presumatur, possis ad dictum ordinem recipere, morum et conversacione ac personarum qualitate diligenter considerata, quas videris in dicto ordine posse in dei servicio proficere et perseveranciam in bonis operibus conservare. Datum anno domini ṁ. c̈c. nonagesimo primo, X̊. kalendas decembris.

> *Or. Pgmt. mit Bruchstück des abhangenden Siegels. St. A. Fr. Barth. St. No. 421.*
> *Gedr.: B., 262 nach dem Or. .*

**604.** *Schultheiss und Schöffen zu Frankfurt* (iudex et scabini) *bezeugen den Meistern und Amtleuten der Sondergemeinde St. Kolumba in Köln, dass der Frankfurter Bürger Hermann[1] auf sein Haus in Köln zu Gunsten seines Bruders Johannes de Porta verzichtet habe. 1291.*

> *Or. Pgmt. mit beschädigtem Stadtsiegel (2). St. A. Köln. Pfarrei-Archiv St. Kolumba.*
> *Gedr.: Annalen des Hist. Vereins für den Niederrhein, 46, 85. (Hoeniger.)*
> > *Die Urkunde ist, wie der unzutreffende Titel der Frankfurter Stadtbehörde zeigt, in Köln geschrieben und zur Besiegelung nach Frankfurt geschickt worden.*

**605.** *Schultheiss Heinrich, die Schöffen und Bürger von Frankfurt beurkunden, dass Guda, die Wittwe Meister Konrads des Bartscheerers, dem Gerhard Felix 5 Mark jährlichen Zinses von dem Hause Zum Würzgarten und ihrem danebenstehenden Wohnhause verkauft habe. 1292 Februar 18.*

Nos Henricus scoltetus, . . scabini ceterique cives de Frankenvord, tenore presentium recognoscimus, quod Guda,// relicta quondam magistri Conradi barbitonsoris, nostra concivis, in nostri presentia constituta vendidit ho//nesto viro Gerhardo Felici et Cristine, sue coniugi legittime,[a] necnon heredibus eorundem iuste et raciona//biliter quinque marcas denariorum Coloniens*ium* census annualis supra totam domum dictam vulgariter[b] zo dem Vurcegarten[c] ante et retro, et supra domum, quam eadem Guda inhabitat predicte domui contiguam, qui quidem census dictis Gerhardo et suis heredibus cedet et cedere debebit in terminis subnotatis, videlicet in decollatione beati Johannis baptiste due marce denariorum Coloniens*ium*, deinde in nativitate domini proxima due marce denariorum Coloniens*ium*, post illam nativitatem in dominica, qua cantatur Invocavit, una marca denariorum Coloniens*ium*. Prenominata vero Guda et eius filie universe cum generis eorum resignaverunt et renunciaverunt coram nobis in figura iudicii nostri omni iuri, quod ipsis in prefato censu conpetebat. Constituerunt nichilominus prenominatis Gerhardo et suis heredibus fideiussores: Gypelonem de Holz-husen, Rudegerum fratrem suum, Conradum de Heldebergen, et Bertoldum filium Rulemanni, pro warandia iusta, debita et consueta ipsis Gerhardo et suis heredibus

---

a) *Das zweite „t' über der Zeile.* b) *Or. „wlgariter'.* c) *Or. „Wrcegarten'.*

[1] *Dieser Hermann war ein aus Köln flüchtiger Angehöriger des bekannten Kölner Geschlechtes Von der Mühlengasse. Vgl. Mitth. aus dem Stadtarchiv von Köln, Heft 26, 129.*

de prelibato censu facienda. Testes vendicionis premisse sunt: Thylemannus Capellarius miles, Johannes Goltsten, Conradus Wobelinus, Volmarus frater suus, Gypelo de Holzhusen, Wernherus de Wanebach, Arnoldus de Glouburg, Syfridus de Gysenheim, scabini, et quam plures alii cives Frankenvordenses fidedigni. In cuius rei testimonium ad peticionem parcium supradictarum sigillum civitatis Frankenvordensis presentibus duximus appendendum. Actum anno domini ṁ. c̈c. nonagesimo secundo, XII. kalendas marcii.

Or. Pgmt. mit Bruchstück des anhängenden Stadtsiegels (2). St. A. Fr. Barth. St. No. 1344. Gedr.: B., 263 nach dem Or. .

**606.** *Schultheiss Heinrich, die Schöffen und Bürger zu Frankfurt beurkunden, dass Gipel von Holzhausen dem St. Klaren-Kloster in Mainz jährlich eine halbe Mark Zins von dem Hause Zu der Schuren übertragen habe. 1292 April 10.*

Nos Henricus scultetus,[a] scabini ceterique cives de Frankenvort, tenore presencium recognoscimus, quod Gypelo de Holczhusen, noster concivis, in nostra presencia constitutus, accedente benevolo consensu suorum puerorum ac aliorum suorum heredum et coheredum universorum, deputavit et assignavit religiosis dominabus abbatisse et conventui[b] ordinis sancte Clare in Moguntia super domum unam dictam vulgariter zu der Schuren dimidiam marcam census annualis iure proprietario perpetuo in ipsa domo tollendam et percipiendam, qui quidem census singulis annis ipsis abbatisse et conventui in festo beati Martini debet porrigi de domo memorata. Renunciavit quoque idem Gypelo una cum suis heredibus et resignavit supradictis omni iuri, quod ipsis in dicta dimidia marca census competebat. Promiserunt nihilominus de sepedicta dimidia marca facere warandiam,[c] ut est moris, iustam, debitam et consuetam. Testes resignationis premisse huiusmodi census sunt hi: Henricus scultetus[a] supradictus, Arnoldus de Glauburg, Cunradus Burneflecke,[d] Ludewicus filius Gypelonis, scabini; Walterus[e] Falko, Theodericus notarius, et quamplures alii fide digni. In cuius rei testimonium nos scultetus et scabini de Frankenfort ad petitionem sepedicti Gypelonis memorati abbatisse et conventui presentes litteras sigillo universitatis Frankenvordensis tradimus communitas.[f] Actum et datum anno domini m. cc.[g] nonagesimo secundo, feria quinta post festum pasche.

Abschrift (17. Jahrh.). Mainz, Stadtbibliothek, Universität No. 142. — Grotefend.

**607.** *Pfalzgraf Ludwig bei Rhein verzichtet zu Gunsten des Deutschordenshauses zu Sachsenhausen auf die Güter in Weinheim bei Alzei, die Werner von Weinheim früher dem Hause geschenkt, dann aber ihm selbst übertragen hatte. Frankfurt, 1292 Mai 13.*

Nos Ludowicus, comes palatinus Reni, dux Bowarie, notum facimus presencium inspectoribus universis, quod cum fidelis noster Wernherus de Weyenheym, filius Ude, fratribus et domui ordinis Theutonicorum in Franckenfort municionem suam in Weyenheim cum omnibus hominibus, possessionibus et bonis, que ibidem habet, in remedium anime sue dederit et tradiderit, et postmodum nobis similiter bona dederit antedicta, nos, quia de hoc, quod donacia facta ipsis fratribus donacionem nobis factam precesserat, nobis facta est certa fides, eis et domui antedicte in donacione et tradicione, ipsis per predictum Wernherum de prelibatis bonis factis, plenum ius recognoscimus,

---

a) Vorlage: „schultetus“. b) Vorlage: „conventus“. c) Vorlage: „guarandiam“. d) Vorlage: „Wurmeflecke“. e) Richtiger dürfte „Wernherus“ sein. f) Vorlage: „communicatas“. g) Vorlage: „ccc.“(?)

renunciantes omnino et expresse iuri,[a] quod nobis in eisdem bonis ex premissa donacione, quam idem Wernherus nobis fecerat, competunt seu competere videbatur. In cuius rei testimonium presentes damus [litteras] sigilli nostri robore communitas. Datum in Franckenfort, anno domini millesimo ducentesimo nonagesimo secundo, tertio idus maii.

*Abschrift im Deutschordens-Dokumentenbuch f. 222. St. A. Stuttgart. — Von Nathusius.*
*Verz.: Koch - Wille, Reg. der Pfalzgrafen am Rhein, No. 1268, irrig zu Mai 12.*

**608.** *Heinrich, der Schultheiss in Frankfurt, verkauft dem Pfalzgrafen Ludwig bei Rhein für 100 Pfund Heller sein Haus in Sachsenhausen und empfängt es von diesem als Lehen wieder zurück, wobei sich der Lehnsherr nur das Recht, daselbst seine Wohnung nehmen zu dürfen, vorbehält. Frankfurt, 1292 Mai 19.*

Ego Heinricus scultetus in Franchenfurte notum facio presentium inspectoribus universis, quod magnifico principi domino meo // Lodwico, illustri comiti palatino Reni, duci Bawarie, pro se et heredibus suis, dedi et do, vendidi et vendo pro centum // libris hallen*sium*, tradidi et trado domum meam et aream, michi proprietatis titulo attinentes, sitas in Sahsenhausen iuxta // Franchenfurthe, contiguas domui virorum religiosorum fratrum ordinis Theutonicorum ibidem cum pertinentiis suis, infra fines eiusdem aree constitutis, ac pleno iure dominii transtuli et transfero in eundem iure proprietatis per eum et ipsos heredes suos perpetuo possidendas. Ipseque dominus meus dux, attenta et considerata devotione mea, quam semper ad ipsum habui et habebo, michi in feudum contulit domum et aream prelibatas per me ac heredes meos in feudum habendas perpetuo et tenendas, sibi pro se et ipsis suis heredibus inhabitatione solummodo, quando ad locum venerit, reservata in domo et area supradictis. In cuius rei testimonium presentes do sigilli mei robore communitas. Datum in Franchenfurthe, anno domini millesimo ducentesimo nonagesimo secundo, XIIII. kalend*as* iunii.

*Gedr.: B., 264 „nach Abschrift Dr. Habels“ aus dem Or., hier wiederholt.*
*Verz.: Koch - Wille, Reg. der Pfalzgrafen am Rhein, No. 1270.*

**609.** *Pfalzgraf Ludwig bei Rhein verspricht dem Schultheissen Heinrich in Frankfurt, nachdem ihm dieser sein Haus zu Sachsenhausen um 100 Pfund Heller verkauft, und er es ihm, mit Vorbehalt des Bewohnungsrechtes, wieder zu Lehen übertragen hat, den Kaufpreis bis nächsten St. Georgentag (1293 April 23) zu zahlen. Frankfurt, 1292 Mai 19.*

Nos Lodwicus dei gracia comes palatinus Reni, dux Bawarie, notum facimus presencium inspectoribus // universis, quod cum dilectus fidelis noster, Heinricus scultetus in Franchenfurte, nobis, pro nobis et heredibus // nostris, pro se et heredibus // suis, dederit, vendiderit et tradiderit domum et aream, sitam in Sazhsen//hausen, contiguas domui virorum religiosorum fratrum ordinis Theutonicorum ibidem, que sibi iure proprietatis attinebant, pro centum libris hallen*sium*, sibique in feudum recontulerimus domum et aream antedictas, nobis et heredibus nostris solummodo inbabitacione in eis, quando ad locum venerimus, reservata, eidem Heinrico promisimus et promittimus pro se et ipsis suis heredibus, premissas centum libras nos in proximo festo beati Georii soluturos, alioquin quilibet ex dilectis fidelibus nostris, Dietrico burcgravio de Starchenberch, Gutelmanno, et Hertwico filio Dudonis

a) *Vorlage: „iure“.*

de Weinnehaim, quos ei pro se et ipsis suis heredibus fideiussores dedimus, monitus ad predictum opidum nostrum Weinnehaim famulum cum equo ad obstagia pro se mittet, non exiturum, nisi solucio plena fiat. In cuius rei testimonium presentes damus sigilli nostri robore communitas. Datum in Franchenfurt. Anno domini rh. čc. nonagesimo secundo, XIIII. kalendas iunii.

Or. Pgmt. mit anhängendem beschädigten Reitersiegel des Ausstellers. St. A. Fr. Frankenstein Urk.

Gedr.: B., 264 nach dem Or. .

Verz.: Koch-Wille, Reg. der Pfalzgrafen am Rhein, No. 1270.

**610.** *Pfalzgraf Ludwig bei Rhein schenkt dem Deutschordenshause zu Sachsenhausen das Kirchenpatronat zu Hohensachsen. Frankfurt, 1292 Mai 19.*

Nos Lodwicus, dei gracia comes palatinus Reni, dux Bawarie, notum facimus presentium inspectoribus universis, quod, // cum sancta illa plantatio domus in Franchenfurte ordinis Theutonicorum, in qua laus dei in ymnis et canticis nunquam // desinit, et refectio pauperum, in quibus ipse Cristus suscipitur, et hospitum, unde et aliqui sanctorum patrum olim ange//los recipere meruerunt, nunquam deficit, manum munificentie sibi factam non contrahat, immo erga quoslibet extentam habeat, et quod ei impenditur, rependat aliis, ex quo de beneficentia sibi exhibita non videtur ei nisi quoddam ministerium, quod ex radice caritatis procedit, omnimodis remanere, seque preter illa murum apponat inexpugnabilem et scutum infatigabile contra inimicos fidei cristiane; hinc est, quod hec et hiis similia anteponentes cum diligentia oculis mentis nostre, viris religiosis fratri Chunrado dicto de Babenberch commendatori et domui predicte fratrum eiusdem ordinis Theutonicorum in Franchenfurte, Moguntine dyocesis, ius patronatus ecclesie in Hohensahsenheim, Wormatiensis dyocesis, pro anime nostre ac illustris Maehthildis, collateralis nostre karissime, et progenitorum nostrorum remedio dedimus et damus, donavimus et donamus ac pleno iure transtulimus et transferimus in eosdem, per ipsos et successores suos habendum perpetuo et tenendum. Ita quod, salvo iure illius, qui nunc est rector ipsius ecclesie, pro tempore vite sue, eadem ecclesia cum dotibus et aliis pertinentiis suis, sicut nunc competunt rectori eiusdem ecclesie, libere, nullo nobis in eis iure advocaticio aut onere reservato, in perpetuos usus fratrum conventualium eiusdem domus et in nullos alios convertatur et exinde anniversarius noster et prefate consortis thori nostri, postquam de obitu nostro pro certo innotuerit, annis singulis perpetuo peragatur, ac si ibidem essemus corporaliter traditi ecclesiastice sepulture, et de fructibus seu proventibus ipsius ecclesie utroque illorum dierum fratribus eiusdem domus fiat consolacio, sicut moris est in anniversariis aliorum, et residuum, ut premissum est, cedat tantum pro sustentacione fratrum conventualium predictorum. Huius rei testes sunt: viri spectabiles, Fridericus burcgravius de Nurinberch, Lodwicus comes de Oetingen, et vir nobilis Chunradus de Luppurch, magister Chunradus archidiaconus Eystetensis et canonicus Ratisponensis, dilectus notarius noster, et dilecti fideles nostri, Herdegnus de Grindlach, Heinricus de Wildenstein, Chunradus de Eglingen, Heinricus Wato de Geckenpeunt, Heinricus de Saehsenhausen,[1] vicedominus noster in Reni partibus, et quamplures alii fide digni. In cuius rei testimonium presentes damus sigilli nostri robore communitas. Datum in Franchenfurte, anno domini millesimo ducentesimo nonagesimo secundo, XIIII. kalendas iunii.

Or. Pgmt. Das Reitersiegel des Ausstellers hängt an rothen Seidenfäden an. Karlsruhe, General-Landesarchiv. — Grotefend.

---

[1] *Dieser Vicedominus, im Amte nachweisbar seit 1283 September 12 (Baur, Hess. Urk., II, 358), ausser Amt 1295 Februar 3 (Lang, Reg. Boica, IV, No. 580), war, wie aus der zuletzt erwähnten Urkunde hervorgeht, kein Mitglied der Frankfurter Familie, sondern Bayrischer Herkunft.*

*Verz.: Oberrhein. Zeitschr., XXXII, 206, Koch - Wille, Reg. der Pfalzgrafen am Rhein, No. 1271, Pettenegg No. 706 zu Juni 14 (!) nach Kopiar (saec. XV) im Deutschordens-Centralarchiv, Wien.*

**611.** *Ritter Siegfried von Heusenstamm und seine Gemahlin Agnes weisen dem Kloster Padershausen genannte Gefälle in Witerstadt und Sprendlingen auf so lange an, bis sie die 30 Mark, welche Heinrich von Heusenstamm, Siegfrieds Vater, dem Kloster wegen der Aufnahme seiner Tochter versprach, bezahlt haben werden. 1292 Mai 25.*

Nos Sifridus de Husenstam miles, filius quondam Heinrici militis de Husenstam, et Agnes eius collateralis. Tenore // presencium recognoscimus publice profitentes, quod occasione triginta marcarum denariorum Coloniens*ium* bonorum et legalium, quas dictus // Heinricus et . . collateralis sua dicta Blumechinen religiosis dominabus . . abbatisse et conventui monasterii Padens//husen ob recepcionem filie sue, quam in earum habitum receperunt, pie propter deum[a] deputaverant et assignaverant, nos Sifridus et Agnes supradicti communicata manu parique consensu, nomine dictorum Heinrici et sue . . collateralis, predictis . . abbatisse et . . conventui pro prefatis triginta marcis denariorum Coloniens*ium* deputavimus, assignavimus et presentibus deputamus duodecim octalia siliginis Frankinvordensis mensure, singulis annis infra duo festa assumpcionis et nativitatis beate Marie virginis in villa Witerstad tollenda et percipienda, et unam marcam denariorum Coloniens*ium*, singulis annis in festo beati Martini in villa Sprendelingin eciam tollendam et percipiendam, tam diu, donec nos aut nostri . . liberi prefatis . . abbatisse et . . conventui ipsas triginta marcas denariorum Coloniens*ium* integraliter persolvemus. Postquam vero prelibatas triginta marcas denariorum Coloniens*ium* dictis . . abbatisse et . . conventui persolverimus, prefata duodecim octalia siliginis et marca denariorum ad nos nostrosque liberos libere revertentur. Testes huius sunt: Sifridus de Gysinheim, Hertwicus de Alta domo, Rudegerus de Holtzhusen, Markolfus de Lintheim, Johannes Goltstein, scabini, et quam plures alii fide digni. In cuius rei testimonium nos . . scabini antedicti ad rogatum . . parcium predictarum sigillum universitatis Frankinvordensis presentibus duximus appendendum. Actum anno domini m̄. c̄c̄. XC. secundo, in festo penthecostes.

*Or. Pgmt. Stadtsiegel (2) anhängend. München, Reichsarchiv.*
*Gedr.: Guden, Cod. Dipl., III, 767 = B., 265.*
*Verz.: Scriba, I, No. 647.*

**612.** *Schultheiss Volrad, die Schöffen und Bürger von Frankfurt beurkunden, dass Hildemar von Eckenheim genannte Ländereien in Eckenheim, Bonames und Frankfurt von dem Kloster Arnsburg zu Kolonenrecht besitze. 1292 Juni 1.*

Nos Volradus scultetus, . . scabini . . ceterique cives Frankenvordenses. Tenore presentium recognoscimus // publice profitendo, quod Hildemarus de Eckinheym in nostra presentia constitutus recognovit, se tenere // et possidere nomine . . abbatis et . . conventus monasterii in Arnisburg ordinis Cysterciensis iure coloneario quinque // mansos terre arabilis et pratorum et insuper duo iugera pratorum in terminis ville Eckinheim et terminis opidi Frankenvordensis ac ville Bonemese sitos, ex quibus unum mansum recognovit fore venditum eidem monasterio per Petrum, socerum dicti Hildemari, et uxorem eius communicata manu. De quibus mansis recognovit, se teneri et solvere debere singulis annis de quolibet manso septem maldra siliginis et unum maldrum tritici Frankenvordensis mensure infra duo festa, videlicet assumptionis beate virginis et beati Mychahelis archangeli, monasterio antedicto. Recognovit insuper,

a) *Über der Zeile.*

se dicti monasterii nomine possidere ortum unum, qui dicitur ortus Henrici Furin Iden wirtis, et pratum unum, quod dicitur Rodewise, quod pratum habet in mensura duo iugera preter unum quartale. De quibus orto et prato singulis annis in festo beati Martini episcopi ipsi monasterio quatuor solidos Frankenvorden*sium* denariorum et duos cappones persolvet. Item recognovit, se possidere nomine eiusdem monasterii in dicta villa Eckinheym curiam unam, quam ipse Hildemarus inhabitat, [d]e qua curia solvet ipsi monasterio singulis annis solidum Frankenvorden*sium* denariorum et pullum unum in f[e]sto beati Martini supradicto. Preterea recognovit etiam, quod omnia bona, que habet et possidet in dicta villa et in terminis predictis, possidet nomine monasterii supradicti, recognoscens, se nunc nichil habere in terminis predicte ville Eckinheim et in ipsa villa, preter unum iugerum incultum, quod iugerum nuncupatur zu der Langinhecken, preter bona monasterii prenotati. Eligens sponte nomine pene, quod si in solutione pensionis et censuum prescriptorum terminis prehabitis fuerit negligens vel remissus, cadet ab omni iure, quod habet in bonis premissis, et ipsa bona singula et universa ad ipsum monasterium libere et absolute sine conditione qualibet revertentur. Postquam vero prefatus Hildemarus ab hac vita decesserit, heredes sui pro meliori capite solvent dimidiam marcam denariorum Colonien*sium* monasterio memorato. Testes huius tractatus sunt: dominus Dythmarus decanus ecclesie Frankenvordensis, Conradus Wobelinus, Volmarus frater suus, scabini Frankenvordenses; Wikerus frater eorundem, et quam plures alii fidedigni. In cuius rei testimonium et roboris firmitatem nos . . scultetus et . . scabini supradicti ad rogatum sepefati Hildemari sigillum universitatis opidi Frankenvordensis presentibus duximus appendendum. Actum anno domini millesimo ducentesimo nonagesimo secundo, in octava penthecostes.

*Or. Pgmt. Das Siegel fehlt. Lich.*
*Gedr.: Reimer, I, 524 nach dem Or. .  Hier wiederholt.  Auszug: Arnsb. Urkb., 169.*
*Verz.: Scriba, IV², No. 3617.*

**613.** *Pfalzgräfin Mechtild bei Rhein giebt ihre Einwilligung zu der Schenkung der Kirche und des Patronats zu Hohensachsen an das Deutschordenshaus zu Sachsenhausen.  Neuburg, 1292 Juli 1.*

Nos Maehtildis, dei gracia comitissa palat*ina* Reni, ducissa Bawarie, notum facimus presentium // [inspectoribus]* universis, quod nos donationem factam per dominum et maritum nostrum karissimum, inclitum comitem // palatinum Reni, ducem Bawarie, discretis viris commendatori et fratribus domus Theutunicorum in // Franckenfurt de ecclesia et iure patronatus eiusdem in Saehsenheim approbamus, ratificamus et ad eam, in quantum nostra interest, adhibemus nostrum consensum voluntarium et expressum, volentes memoratos fratres et domum in Franckenfurt gaudere in prefata ecclesia omni eo iure, quod in eos per ipsum dominum et maritum nostrum karissimum est translatum, sicut in instrumentis sive privilegiis conceptis et per predictum dominum et maritum nostrum eis datis plenius est expressum, dantes eis has nostras patentes litteras super eo in testimonium, appensione sigilli nostri nichilominus roboratas. Actum et datum in Nuwenburch, anno domini m. cc. nonagesimo secundo, in octava Johannis baptiste.

*Or. Pgmt. mit dem Siegel der Ausstellerin an Pergament-Streifen.  Karlsruhe, General-Landesarchiv. — Grotefend.*
*Verz.: Oberrhein. Zeitschr., XXXII, 206, Koch-Wille, Reg. der Pfalzgrafen am Rhein, No. 1271, Pettenegg No. 709 nach Kopiar saec. XV. im Deutschordens-Centralarchiv, Wien, ohne Tagesdatum, das aber auch in diesem steht.*

a) *Fehlt im Or. .*

**614.** *Magister Daniel, Kantor an der St. Stephanskirche zu Mainz, entscheidet als von
dem Mainzer Erzbischof ernannter Richter den zwischen dem erwähnten Erzbischof,
dem Frankfurter Stiftskapitel und dem gewesenen Schultheissen Heinrich bestehenden
Rechtsstreit, über den Neunten und Zehnten von den zu dem Hofe des genannten
Heinrich gehörigen und vor dem Reichswald Dreieich gelegenen Feldern, zu Gunsten
des Frankfurter Stiftskapitels. Mainz, 1292 Juli 10.*

In nomine domini, amen. Magister Daniel, cantor ecclesie sancti Stephani
Maguntini, iudex a reverendo patre, domino Ger. archiepiscopo Maguntino, in causa,
que super // decimis et nonis, in quibus tam idem dominus archiepiscopus, quam . .
decanus et capitulum ecclesie Frankenfordensis, necnon Heinricus, quondam scultetus
Frankenfordensis, ius habere // contendunt, vertitur, deputatus, inspectoribus universis,
salutem in domino. Noveritis, me cantorem predictum olim reverendi patris, domini
Ger., archiepiscopi Maguntini, // recepisse speciales litteras sub hac forma: Ger. dei
gracia etc. Quarum litterarum auctoritate ad oppidum Frankenfordense in propria
persona accedens et, . . decano et capitulo ecclesie Frankenfordensis, necnon H., olim
sculteto ibidem, ad meam presenciam evocatis, ab eisdem partibus coram me comparentibus requisivi, si in predicto negocio vellent procedere iuxta premissam traditam
michi formam, ipso autem H. plane et simpliciter respondente, quod cum res, de quibus
est questio, a predicto domino . . archiepiscopo et a suo predecessore in feodum teneret,
non coram me, sed coram ipso vellet archiepiscopo respondere, et ipso, talibus verbis
emissis, a me recedente nec procedere volente, ad instanciam . . decani et capituli
predictorum petentium, ut in negocio procederem iuxta traditam michi formam, testes,
quos iidem . . decanus et capitulum super sua intentione fundanda producere volebant,
recepi, diligenter examinavi iuxta formam examinandorum testium debitam et consuetam,
instrumenta quoque imperatorum et regum Romanorum, quibus similiter uti volebant,
in stilo, filo ac bulla inspexi, examinavi et exemplari iussi omni diligentia, qua poteram
et debebam, que omnia et singula in scriptis redacta et meo sigillo fideliter consignata
supradicto domino Ger., archiepiscopo Maguntino, iuxta suarum formam litterarum
remisi. Cum autem idem pater et dominus archiepiscopus bone memorie domino
Gebehardo, decano Maguntino, et michi predictum negocium expediendum remiserit
sub hac forma: Ger. dei gracia etc., nos mandatis ipsius obedire volentes merito et
debentes, prenominatis partibus usque in crastinum Animarum ad audiendam diffinitivam
sententiam ad nostram presentiam evocatis, ac in eodem crastino coram nobis . .
sindico predictorum . . decani et capituli comparente et sententiam cum instancia
proferri petente, ad mandatum predicti domini archiepiscopi Maguntini nobis verbotenus
tunc directum recitationem sententie usque in quintam feriam post festum beati Martini
ex officio nostro sub spe pacis et concordie medio tempore attemptande duximus suspen-
dendam. Cum autem sub hac spe pacis et concordie negocium per aliquot tempus in
suspenso maneret, denuo ab eodem domino nostro archiepiscopo aliud nobis mandatum
directum extitit sub hac forma: Ger. dei gracia etc. Nos igitur iuxta formam ipsius
mandati finem imponere negocio cupientes', sepefatas partes usque in secundam
feriam post dominicam, qua cantatur Misericordia domini, ad audiendum diffinitivam
sententiam fecimus evocari, in qua quidem secunda feria, partibus coram me . . cantore,
prefato . . decano absente, comparentibus, propter ipsius . . decani absenciam usque in
quintam feriam post festum beatorum Philippi et Jacobi apostolorum predicte sententie
prolationem suspendi. Et quia medio tempore prenominati domini archiepiscopi
litteras sub hac forma recepi: Gerhardus dei gracia etc., dictas partes usque in
terciam feriam post octavam Trinitatis ad audiendum diffinitivam sententiam iterum
evocavi, in qua quidem tercia feria, ipsis partibus coram me comparentibus, prefatus
H., olim scultetus, proposuit et petivit, quod cum predictus dominus archiepiscopus

olim recepcionem testium in eadem causa . . archipresbitero et . . preposito de Lapide,
canonicis Maguntinis, commiserit ipsique dicta testium in ipsa causa receptorum adhuc
penes se reclusa tenerent, iuxta huiusmodi dicta procedere vellem in causa prefata.
Facta autem per me relatione peticionis predicte reverendo patri, domino archiepiscopo
supradicto, ipse michi suas litteras direxerat sub hac forma: Ger. dei gracia etc.
Quarum litterarum auctoritate a predicto Heinrico quondam sculteto dicta testium
coram prefatis . . archipresbitero et . . preposito productorum ac omnia instrumenta.
quibus uti vellet, mandavi requiri et usque in terciam feriam post festum beatorum
Petri et Pauli apostolorum per se vel suum procuratorem michi exhiberi mandavi.
Citavi insuper peremptorie partes predictas, ut proxima quarta feria ante festum beate
Margarete per se vel per eorum procuratores in mea presencia comparerent diffinitivam
sententiam auditure.     Partibus igitur in ipsa quarta feria continuata in quintam
feriam subsequentem in mea presencia constitutis, cum ex parte . . decani et capituli
predictorum peteretur instanter, ut iuxta formam in omnibus predictis litteris michi
traditam sine protractione temporis longioris predictam causam per diffinitive sentencie
calculum terminare curarem, considerans, quod forma mandati exacta debet diligencia
observari, tam dictis testium per prefatos . . archipresbiterum et . . prepositum, quam
per me eciam receptorum, necnon tenore privilegiorum productorum et exhibitorum
ex parte . . decani et capituli predictorum diligenter inspectis, quia inveni bona, de
quibus tam decime, quam none petuntur a . . decano et capitulo antefatis, in illis
terminis esse sita, de quibus ecclesia Frankenfordensis tam de iure communi, quam
pretextu privilegiorum suorum a tempore, cuius non exstat memoria, consuevit recipere
et recepit decimam et nonam predictam, attendens, quod decime illis parrochiis, in
quarum terminis bona decimalia consistunt, de iure communi debentur, non solum hoc
iure, sed et imperatorum et regum Romanorum privilegiis predicte Frankenfordensi
ecclesie concessis, informans animi mei motum de prudentum consilio et plena penes
me deliberacione habita, secundum ea, que vidi et audivi, sententiando pronuncio,
decimam et nonam de illis bonis sive de novalibus, super quibus est questio inter
partes, potiori iure ad ecclesiam Frankenfordensem sive ad . . decanum et capitulum
ibidem, quam ad aliquam predictarum partium pertinere.     Lecta est hec sentencia in
claustro maioris ecclesie Maguntine.     Anno domini millesimo ducentesimo nonagesimo
secundo, VI. idus iulii.

> *Or. Pgmt.  Das an grün-weisser Schnur anhängende Siegel ist leicht beschädigt.  St. A. Fr.*
> *Barth. St. No. 3344.*
> *Gedr.: B., 265 nach dem Or. .*

**615.** *Zeugenverhör in Sachen des Frankfurter Stiftskapitels gegen den früheren Schult-*
*heiss Heinrich, den Neunten und Zehnten von den zu des letzteren Hofe gehörign*
*und vor dem Reichswald Dreieich gelegenen Novalfeldern betreffend.  Zu 1292*
*Juli 10.*

Intendit probare procurator . . decani et . . capituli ecclesie Frankenvordensis
nomine ecclesie sue predicte, quod decima et nona novalium agrorum attinen//cium
curie Henrici, quondam scolteti Frankenvordensis, site apud Frankenvord ante nemus,
quod Tryeich nuncupatur, spectant ad // dictam ecclesiam suam Frankenvordensem
ex largicione regum et inperatorum(!), et quod dicta novalia sita sunt infra terminos
decimationum ecclesie sue predicte Frankenvordensis.  Item intendit probare, quod
idem Henricus, quondam scoltetus, ecclesiam suam predictam spoliat nona // quorundam
agrorum, quos colunt . . commendator et . . fratres in Sassinhusen, quam nonam a
dictis . . commendatore et fratribus ipsa ecclesia evicit per sentenciam, et fuit in pos-

sessione pacifica percipiendi nonam a . . commendatore et fratribus predictis; protestatur, quod non astringit se ad omnia premissa probandum, sed si qua probaverit, sibi prosint, tamquam non sint plura proposita quam probata.

Primus: Frater Wernherus de domo Theutonica in Sassinhusen fide data loco iuramenti et sub debita obediencia ordinis sui requisitus super primo intencionis articulo syndici ecclesie Frankenvordensis, qui sic incipit: „Intendit probare etc.“, ut supra iacet, dicit, quod inter commendatorem et fratres domus predicte in Sassinhusen et . . decanum et . . capitulum Frankenvordensis ecclesie contencio fuit olim super decima quorundam novalium sitorum in terminis parrochie Frankenvordensis et tandem predicti . . decanus et . . capitulum evicerunt ab eisdem . . commendatore et fratribus decimam novalium predictorum et solverunt eis eandem decimam, prout melius recolit, tribus annis, postea Henricus olim scoltetus dicens, se eandem decimam habere in feodum a domino Wernhero, olim archiepiscopo Moguntino, intromisit se de ipsa decima et abstulit eam . . decano et . . capitulo antedictis et, ut audivit a pluribus fidedignis, credit, quod pociori iure attineat ecclesie Frankenvordensi, quam scolteto supradicto, eo quod novalia, de quibus solvitur decima, sita sunt in terminis parrochie Frankenvordensis. Item rogatus dicit, quod predictus Henricus scoltetus decimam et nonam novalium, de quibus fit mencio in primo articulo intencionis, recipit, nescit utrum iniuriam faciat, sive non ecclesie Frankenvordensi, scit tamen, quod homines colentes illa novalia recipiunt ecclesiastica sacramenta a parrochia Frankenvordensi.

II<sup>us</sup>. Item Conradus Webelinus, civis Frankenvordensis, iuratus et rogatus super primo articulo intencionis dicit, quod constet ei veraciter, quod novalia, de quibus mencio fit in ipso articulo, sita sunt in terminis parrochie ecclesie Frankenvordensis et quod ecclesia de agris supra et infra sitis recipit decimam, utrum de istis novalibus similiter decimam recipere debeat, sive non, relinqui discussioni iudicum. Item rogatus dicit, quod predictus Henricus olim scoltetus de predictis novalibus decimam recipit et videtur ei, quod in hoc iniuriam faciat ecclesie antedicte. Item rogatus de secundo intencionis articulo dicit, quod constet ei contencionem fuisse inter predictam ecclesiam Frankenvordensem et . . fratres domus Theutonice supradictos super decima quorundam agrorum, ignorat tamen, utrum ecclesia Frankenvordensis evicerit illam decimam et utrum fratres solverint eam ecclesie antedicte, sed scit, quod scoltetus antedictus nunc recipit decimam agrorum supradictorum, utrum de iure hoc faciat, sive non, ignorat. Non est collocutus nec subornatus etc.

III. Item Delemannus miles dictus Keppelere iuratus et rogatus per omnia concordat cum Conrado teste predicto super primo articulo. Item rogatus de secundo articulo, dicit, quod Henricus quondam scoltetus de novali, quod fecit, et de novali, quod Volradus fecit, recipit decimam, utrum iure hoc faciat, ignorat, sed scit, quod predicta novalia sita sunt in terminis parrochie Frankenvordensis et quod predicta ecclesia recipit decimam infra et supra. Rogatus, si dominus archiepiscopus Moguntinus in predictis novalibus aliquid iuris habeat, dicit, quod ignorat. Non est collocutus etc.

IIII. Item Hartmodus de Sassinhusen miles testis iuratus et rogatus super primo articulo in omnibus concordat cum suis contestibus suprascriptis et addit, quod ecclesia Frankenvordensis a tempore, cuius non exstat memoria, recepit decimam a novalibus factis in terminis illis. Item rogatus super secundo articulo dicit, quod ecclesia Frankenvordensis evicit a fratribus domus Theutonice decimam supradictam, et dicit, quod ecclesia fuit in possessione recipiendi a predictis fratribus in Sassinhusen nonam illorum agrorum, quos devicit ab ipsis, quam nonam predictus scoltetus nunc aufert ecclesie supradicte, et quod illa novalia sita sunt in terminis, ubi infra et supra ecclesia recipit decimam. Non est collocutus etc.

V̊. Item Rodolfus de Sassinhusen testis iuratus et rogatus super omnia et in omnibus de primo articulo concordat cum premissis suis contestibus. Rogatus super secundo articulo dicit, quod aliud nescit, nisi quod fratres domus Theutonice in Sassinhusen solvere debent ecclesie Frankenvordensi decimam et nonam de suis novalibus, eo, quod sita sunt in terminis, qui solvunt decimam infra et supra ecclesie antedicte. Non est collocutus etc. Item predicti duo testes requisiti de iure domini nostri archiepiscopi Moguntini ignorant.

V̊I. Item magister Hetzevore de Sassinhusen testis iuratus et rogatus super primo articulo in omnibus et per omnia concordat cum suis contestibus suprascriptis et addit, quod in toto campo in terminis Sassinhusen non est aliquis ager, vel novale, nisi solvat decimam ecclesie supradicte. Rogatus de secundo articulo, aliud nescit, nisi quod de illis novalibus fratrum solvi debet decima sicut de aliis novalibus sitis in terminis suprascriptis. Super iure domini nostri archiepiscopi Moguntini concordat cum premissis testibus. Non est collocutus etc.

V̊II. Item Arnoldus de Glouburg, scabinus Frankenvordensis, iuratus et rogatus super omnibus articulis dicit, sibi nichil constare.

V̊III. Item Hermannus de Grindahe, civis in Frankenvord, testis iuratus et rogatus super primo articulo concordat cum Conrado Webelino, Delemanno milite, Hartmodo milite, Rodolfo et magistro Hetzevore, suis contestibus. Item rogatus de secundo articulo et de iure domini nostri archiepiscopi, nichil scit. Non est collocutus. nec subornatus etc.

I̊X. Item Theodericus de Sassinhusen testis iuratus et rogatus super primo articulo concordat per omnia, excepto Arnoldo de Glouburg, cum testibus suprascriptis. Rogatus super secundo articulo nichil scit, nec de iure domini nostri archiepiscopi Moguntini. Non est collocutus etc.

X̊. Item Johannes dictus Goltsten, scabinus Frankenvordensis, testis iuratus et rogatus super primo articulo concordat super omnia et in omnibus cum suis contestibus supradictis, excepto Arnoldo de Glouburg, qui nichil dicit. Item de secundo articulo rogatus dicit, quod nichil constat ei, nec de iure domini Moguntini. Non est collocutus. nec subornatus etc.

XI. Item Volradus, quondam scoltetus Frankenvordensis, testis iuratus et rogatus super primo articulo concordat per omnia cum suis contestibus suprascriptis, excepto Arnoldo, qui nichil dicit. Item rogatus de secundo articulo dicit, quod de illis bonis, que ecclesia devicit a fratribus predictis, non credit scultetum recipere aliquid, sed de illis novalibus, que fratres postea fecerunt, scoltetus recipit decimam, sicut de suis novalibus; de iure domini nostri archiepiscopi nichil scit. Non est collocutus etc.

XI̊I. Item Ůdo de Sassinhusen testis iuratus et rogatus super omnia concordat cum suis contestibus premissis, excepto Arnoldo, qui nichil dicit. Item rogatus de secundo articulo dicit, sibi nichil constare nec de iure domini nostri archiepiscopi Moguntini. Non est collocutus etc.

XI̊II. Item Albertus de Carben, canonicus ecclesie Frankenvordensis, iuratus et rogatus super primo articulo dicit, quod predicta novalia sita sunt in terminis parrochie Frankenvordensis et omnia bona supra et infra sita de iure communi solvunt decimas ecclesie Frankenvordensi, novalia autem ex largicione regum et imperatorum nonam ipsi ecclesie solvunt. Rogatus, unde sciat, dicit, quod ex privilegiis imperatorum hoc patet evidenter, que quidem privilegia Rodolfus, nunc Romanorum rex, confirmavit. Item super secundo articulo rogatus dicit ita esse, sicut ipse articulus iacet, et dicit, ecclesiam fuisse ad minus duos annos in perceptione ipsius none, qua modo scoltetus ipsos spoliat. Rogatus, unde sciat, quod spoliat, dicit, quod nuncius(!)

ecclesie deputatus(!) ad colligendam ipsam nonam prohibuit et prohibet violenter. Odio vel amore ista non dicit.

XĬIII. Item Petrus dictus de Ingelenhem, canonicus ecclesie Frankenvordensis, iuratus et rogatus super primo articulo concordat in omnibus et per omnia cum Alberto teste supradicto, suo concanonico. Item rogatus de secundo articulo concordat cum suo concanonico per omnia, excepto, quod dicit, ecclesiam fuisse plus quam quatuor annos in perceptione none predicte; de iure domini nostri Moguntini nichil constat ei. Non est collocutus etc.

X̊V. Item Cristianus, cantor ecclesie Frankenvordensis, iuratus et rogatus super primo articulo concordat per omnia et in omnibus cum Alberto et Petro, suis concanonicis. Item rogatus de secundo articulo concordat cum testibus supradictis suis concanonicis, sed dicit, quod quinque annos habuerint in perceptione dictam nonam. Rogatus de iure domini nostri Moguntini, non credit, eum aliquod ius habere.

X̊VI. Item Johannes dictus de Moguncia, canonicus ecclesie Frankenvordensis, iuratus et rogatus super primo articulo concordat per omnia et in omnibus cum Alberto, Petro et Cristiano, suis concanonicis. Item rogatus de secundo articulo concordat cum predictis suis concanonicis et addit, quod ipse fuit nuncius, qui prohibitus fuit recipere nonam predictam. Rogatus de iure domini archiepiscopi, non credit, eum aliquod ius habere. Non est collocutus etc.

X̊VII. Item magister Dythmarus, plebanus Frankenvordensis, iuratus et rogatus per omnia concordat cum suis concanonicis supradictis de primo et secundo articulo, sed addit, quod homines colentes novalia de curia scolteti recipiunt de sua parrochia ecclesiastica sacramenta et quod curia sita est in terminis sue parrochie et duas personas, que mortue fuerunt in curia predicta, sepelivit in cymterio(!) sue parrochie. De iure domini archiepiscopi nichil scit. Non est collocutus etc.

XV̊III. Item Johannes de Argentina, socius plebani, iuratus et rogatus dicit, nichil aliud sibi constare, nisi quod quendam molendinarium inhabitantem curiam predicti scolteti infirmantem in ipsa curia communicavit corpore domini et homines inhabitantes eandem curiam recipiunt de parrochia Frankenvordensi ecclesiastica sacramenta, et ex hac causa credit, curiam esse sitam in terminis parrochie antedicte.

Ultimus. Item Hermannus dictus de Beldershem, socius plebani, iuratus et rogatus concordat cum socio suo predicto et addit, quod sepelivit unum in cymterio(!) parrochie Frankenvordensis, qui mortuus fuit in curia predicta. De iure domini archiepiscopi nichil scit. Amore vel odio nichil dicit.

Langer Pergamentstreifen ohne Spur von Besiegelung. St. A. Fr. Barth. St. No. 47.<br>
Gedr.: B., 268 nach derselben Vorlage. Das Zeugenverhör fällt, wie die Erwähnung König<br>
    Rudolfs als regierenden Herrschers zeigt (vgl. oben S. 304), vor 1291 Juli 15, ist aber<br>
    hier der besseren Übersichtlichkeit halber eingereiht.

**616.** *Der Scholaster am St. Johannis-Stift zu Mainz verleiht auf Grund eines päpstlichen Mandats d. d. Rom, 1292 Januar 13, dem Magister Bernhelm von Grevenrot die Anwartschaft auf die zuerst freiwerdende Präbende am Frankfurter Stift. Mainz, 1292 Juli 28.*

Viris venerabilibus et discretis . . decano et capitulo ac singulis prelatis et canonicis ecclesie sancti Bartholomei Frankewordensis, Ma//guntine diocesis, scolasticus ecclesie sancti Johannis Maguntini, executor ad infrascripta venerabili viro magistro Bernhelmo de Grevenrot, canonico // Frankewordensi, a sede apostolica deputatus, salutem in domino et mandatis apostolicis firmiter obedire. Noveritis, nos dudum litteras apostolicas non // abolitas, non abrasas, non viciatas, nec in aliqua sui parte suspectas recepisse in hec verba: Nicolaus episcopus, servus servorum dei, dilecto filio . . scolastico ecclesie sancti Johannis Maguntin*i*, salutem et apostolicam benedictionem. Significavit nobis dilectus filius magister Bernhelmus de Grevenrot, canonicus ecclesie sancti Bartholomei Frankewordensis, Maguntine diocesis, quod licet ipse in eadem ecclesia motu proprio dilectorum filiorum . . decani et capituli ipsius ecclesie, ad quos in ea canonicorum recepcio et collacio prebendarum dicitur pertinere, canonice sit receptus in canonicum[a] et in fratrem, nondum tamen est ibidem prebendam aliquam assecutus. Quare dictus magister Bernhelmus nobis humiliter supplicavit, ut providere sibi super hoc, ne inane canonici nomen gerat, paterna sollicitudine curaremus. Nos igitur ipsius Bernhelmi supplicacionibus inclinati recepcionem huiusmodi, sicut provide facta est, ratam et gratam habentes ac eam auctoritate apostolica confirmantes, discrecioni tue per apostolica scripta mandamus, quatinus, si est ita, eidem magistro Bernhelmo de prebenda sic sibi quodsi[b] nulli alii de iure debita, si qua in ecclesia ipsa vacat ad presens, vel quam primum ad id obtulerit se facultas, per te vel per alium aut alios auctoritate nostra providere procures, inducens eum in corporalem possessionem eiusdem prebende et defendens inductum; contradictores per censuram ecclesiasticam compescendo. Datum Rome apud sanctam [Mariam] maiorem, idibus ianuarii, pontificatus nostri anno quarto. Volentes igitur tamquam filii obediencie, ut tenemur, mandatum apostolicum nobis in hac parte directum exequi diligenter, prebendam nulli alii de iure debitam, si qua in ecclesia vestra predicta vacat ad presens, auctoritate apostolica nobis in hac parte commissa dicto magistro Bernhelmo contulimus ac eciam providimus et ipsum per birretum nostrum investivimus presencialiter de eadem et decrevimus irritum et inane, si secus de prebenda huiusmodi per quemcumque vel quoscumque scienter vel ignoranter attemptatum est vel in posterum contigerit attemptari. Si vero tempore collacionis, provisionis et investiture huiusmodi aliqua talis prebenda non vacabat in ecclesia memorata, nos prebendam proxime inibi vacaturam, que similiter de iure nulli alii debeatur, donacioni nostre, immo verius apostolice, dicto magistro Bernhelmo, cum vacaverit, transferendam reservavimus, decernentes extunc irritum et inane, si secus super prebenda huiusmodi a quoquam quavis auctoritate scienter vel ignoranter contigerit attemptari. Inhibentes nichilominus auctoritate predicta vobis . . decano et capitulo ac singulis prelatis et canonicis ecclesie sancti Bartholomei Frankewordensis prefate sub pena suspensionis et excommunicacionis ac interdicti in ecclesiam vestram predictam, quas exnunc prout extunc in vos et vestrum singulos et ecclesiam pretactam proferimus in hiis scriptis, nisi feceritis, quod mandamus, ne vos vel aliquis vestrum communiter vel divisim ad electionem, collacionem seu provisionem prefate prebende quoquo modo procedere presumatis, cum de ipsa, cum vacaverit, auctoritate predicta nobis in hac parte commissa magistro B. providere intendamus eidem. Nos enim in omnes et singulos vestrum et alios quoscumque cuiuscumque condicionis seu status existant, qui collacioni, provisioni, investiture et reservacioni ac inhibicioni huiusmodi se quoquo modo opponent vel impedimentum publice vel occulte prestabunt, quominus dicta collacio, provisio, investitura, reservacio ac inhibicio suum expedite sortiatur effectum, monicione canonica premissa exnunc prout extunc excommunicacionis sentenciam proferimus in hiis scriptis. In quorum omnium testimonium et evidenciam pleniorem presens instrumentum per infrascriptum notarium scribi et publicari mandavimus et sigilli nostri appensione muniri. Acta sunt hec[c] Maguncie, vicesimaoctava die exeunte mense iulii, anno domini millesimo ducentesimo nonogesimo secundo, indiccione quinta, presentibus Wernhero sancti Petri custode, Petro dicto Secler canonico,[d] ecclesiarum Maguntinarum, et Raynerio Johannis cive et mercatore Florentino, testibus

ad hec specialiter vocatis et rogatis. Canonico interlineare superius in prima linea
de manu mea propria apposui.[e]

*(Notariatszeichen.)* Et ego Gerardus de Sesyriaco, clericus Gebennensis diocesis,
auctoritate apostolica publicus notarius, hiis omnibus suprascriptis una cum prescriptis
testibus presens interfui et ea de mandato domini .. scolastici, executoris predicti,
fideliter scripsi et publicavi ac in formam publicam redegi meoque signo consueto
signavi rogatus.

> Or. Pgmt. *Rothes Wachssiegel schön erhalten anhängend.* St. A. Fr. Barth. St. No. 3070.
> Gedr.: *B., 262 und 272 nach derselben Vorlage. Die inserirte Bulle ist verzeichnet: Potthast
> No. 23889.*

**617.** *König Adolf bekennt dem Erzbischof Boemund von Trier 692 Mark schuldig
zu sein:* „Quam pecuniam eidem solvere promittimus fide prestita corporali cum
prima pecunia, que nobis proveniet et provenire poterit ex talliis seu collectis
a nobis seu nomine nostro inponendis civitatibus nostris, Wetflarie, Frankenvort
et Vrideberg, et huiusmodi civitatum tallias et collectas proxime inponendas
eidem principi nostro pro dicto debito titulo pignoris seu ypothece presentibus
obligamus, in solutionem ipsius debiti totaliter convertendas“. *Köln, 1292
October 15.* (id. oct.)

> Gedr.: *Günther, Cod. Rheno-Mosell., II, 491.*
> Verz.: *B., Reg. Ad. No. 51, Goerz, Mittelrhein. Reg., IV, No. 2081.*

**618.** *König Adolf schenkt und übergiebt der Stiftskirche des Heiligen Bartholomaeus in
Frankfurt die bisher dem Reich zuständige Kapelle St. Nicolaus, mit alleinigem
Vorbehalt der ferneren Ernennung des bei dieser Kapelle angestellten Priesters.
Oppenheim, 1292 October 30.*

Adolfus dei gracia Romanorum rex, semper augustus, universis sacri Romani
imperii fidelibus presentes // litteras inspecturis, graciam suam et omne bonum. Quam-
quam spiritu promptitudinis existamus ad res humanas // feliciter gubernandas omnium
fidelium imperii debitores, maxime tamen de sacrosanctis ecclesiis ac earum ministris,
celestis regis // intuitu, cuius gracia vivimus et regnamus, intendere nos delectat,
gestientes earum invigilare commoditatibus, graciis, gloriis et honori. Ob quam rem
cordis desiderio ad clerum in Frankenfurthe, maxime ad honorabiles viros .. prepositum, .. decanum, .. scolasticum, .. cantorem, necnon ceteros ipsius ecclesie sancti
Bartholomei, canonicos nostros et imperii capellanos speciales, gestantes viscera pietatis,
ut sub decore discipline reverencia clericali, necnon beatitudine conversacionis ecclesia
vigeat memorata, volumus, disponimus, decernimus et obtinendum imperpetuum ordinamus et nostrum assensum annectimus pleno voto, ut quicumque de cetero presbiter
capellam beati Nicolai in Frankenfurth, cuius collacio ad nos et imperium dinoscitur
pertinere, rexerit, post presentis obitum rectoris honorabilibus viris .. decano et
capitulo beati Bartholomei in Frankenfurth, quantum ad correccionem et[a] ecclesiasticam
disciplinam, ad instar aliorum vicariorum et sociorum ecclesie sancti Bartholomei
predicte subsit penitus et omnino. Ex nostra regali potencia pro nobis et successoribus
nostris, divis imperatoribus et regibus, irrevocabiliter statuentes, quod nec nos, nec
successores nostri in regno, capellam sancti Nicolai predictam alicui, nisi tantum
presbitero fidedigno, conferre possumus nec debemus, ita quod idem presbiter eandem
capellam officiare debeat propria in persona nec pro se dare aut ponere valeat sub-

---

e) *Vgl. S. 306. Anm. d.* a) *Über der Zeile.*

stitutum. Et nostra ordinacione volumus etiam per presentes, ut dictus presbiter regens capellam predictam intersit vigil et obediens omnibus horis nocturnis et diurnis humiliter et devote, et ipse rector capelle sancti Nicolai pretacte in dandis presenciis cum ceteris vicariis et sociis se contingentem percipiat porcionem. Hinc est, quod in nomine domini dictam capellam beati Nicolai ad nos et imperium spectantem ecclesie beati Bartholomei predicte ex auctoritate regia ad honorem dei et sancte matris ecclesie donamus, conferimus et unimus, hoc nobis et nostris successoribus reservato, quod decedente presbitero, qui pro tempore capellam reget predictam, sit nobis collacio semper salva. Et ut maioris precedencia obtineant roboris firmitatem, presente ac audiente et consenciente venerabili Gerhardo, archiepiscopo Maguntino, principe, archicancellario et consanguineo nostro karissimo, sunt hec acta. In cuius rei testimonium hanc litteram conscribi et nostre maiestatis sigillo iussimus communiri. Datum et actum Oppenhem, III. kalend*as* novembris, anno domini millesimo ducentesimo nonogesimo secunda(!), indiccione sexta, regni vero nostri anno primo.

*Or. Pgmt. Das an roth-gelben Fäden anhängende Majestätssiegel ist etwas beschädigt. St. A. Fr. Barth. St. No. 1326.*

*Gedr.: Würdtwein, Dioc. Mog., II, 753, B., 273 nach dem Or. .*

*Vers.: B., Reg. Ad. No. 56. Vgl. Lersner, I^b, 88, II^b, 103.*

**619.** *König Adolf verleiht seinem Verwandten Gottfried von Eppstein zur Belohnung geleisteter Dienste 25 Mark jährlicher Einkünfte von den Frankfurter Juden. Oppenheim, 1292 November 3.*

Adolfus dei gracia Romanorum rex, semper augustus. Nobili viro Gotfrido de Eppenstein, suo consangwineo et // fideli karissimo, graciam suam et omne bonum. Incorrupte fidelitatis tue constanciam et strennuitatis merita, quibus // erga nos et sacrum imperium enitere non cessas multiformiter, graciosius intuentes, tibi viginti quinque // marcarum redditus apud iudeos Frankenfordenses percipiendos annis singulis in nativitate domini, ita quod percepcio reddituum huiusmodi a festo nativitatis domini venturo nunc proxime ad unum annum inmediate sequentem incipiat, ac tuis heredibus duximus concedendas,[a] quibus redditibus, a te vel tuis heredibus redemptis per nos aut nostros in imperio successores pro ducentis quinquaginta marcis denariorum Coloniens*ium*, eas marcas convertes in predia tenenda et possidenda a nobis et imperio titulo feodali. In cuius facti testimonium hanc litteram nostri sigilli munimine fecimus roborari. Dat*um* in Oppenhein(!), III. non*as* novembris, indictione VI., anno domini m̊. c̊c̊. IXXXXII., regni vero nostri anno primo.

*Or. Pgmt. Das anhängende Majestätssiegel ist verletzt. St. A. Fr. Ugb. E. No. 43 (Judenschaft).*

*Gedr.: Joannis, Spicilegium, 324 (vgl. Joannis, Res Mog., I, 635 a), Lünig, Corp. iur. feud., I, 1134, B., 274 nach dem Or. = Sauer, I, 671.*

*Vers.: B., Reg. Ad. No. 58.*

**620.** *Adelheid, Wittwe Konrads von Blassenberg, schenkt dem Kloster Arnsburg sechs Hufen in der Frankfurter Gemarkung, unter der Bedingung, dass das Kloster nach ihrem Todesfall eine genannte Summe Geldes auf ihre Verfügung auszahle und bis dahin jährlich bestimmte Naturalien an sie abgebe. 1292 November 25.*

Noverint universi presentes litteras inspecturi, quod ego Adilheydis de Blassinberg, relicta quondam Conradi de Blassinberg, // civis Frankenvordensis, sana deliberatione

---

[a] *Über Rasur.*

prehabita, sponte, libere, non coacte legavi, contuli et donavi donatione inter // vivos
pro remedio anime mee .. abbati et .. conventui monasterii Arnisburg, Maguntine
dyoces*is*, sex mansos in // territorio sive terminis 'opidi Frankenvordensis sitos, sub-
ponens ipsum monasterium per presentes in possessionem perpetuam dictorum mansorum
possidendorum cum omnibus iuribus et libertatibus, quibus ego dinoscor ipsos mansos
hactenus possedisse.   Hoc sane adiecto, quod si ego ab hac luce ante diem assumptionis
beate Marie virginis proxime affuturam migravero, .. abbas et .. conventus dicti
monasterii inmediate post meum obitum infra spacium duorum mensium statim subsequentium dabunt occasione donationis supradictorum mansorum centum et triginta
marcas legalium denariorum ad quecu*n*que loca vel quibuscu*n*que personis decrevero
dare et assignare.   Quocu*n*que autem casu contingente post dictam diem assumptionis
beate Marie virginis proximam de medio sublata fuero, prenominati .. abbas et .. conventus a solucione triginta marcarum predicte summa(!) pecunie erunt penitus absoluti
et extunc centum dumtaxat marcas, cui dare decrevero, soluturi.   Preterea singulis
annis, quoad vixero, antedicti .. abbas et .. conventus nomine sui monasterii [a] inter
dictam assumptionem et nativitatem beate Marie virginis sexaginta octalia siliginis,
decem octalia tritici et unum octale pise Frankenvordensis mensure; item in die beati
Mychahelis duas marcas legalium denariorum et duodecim libras cere; item in die beati
Martini viginti quinque libras sepi et duos botos; item inter eiusdem Martini festum
et carnisprivium decem plaustra lignorum; item tempore quadragesimali duas mestas
papaveris et duas mestas farine de avena; item tempore autumnali quinquaginta
manipulos straminum frugum hyemalium et totidem manipulos frugum estivalium.
Hec omnia prenominati .. abbas et .. conventus michi presentare tenentur in meum
hospicium Frankenvord absque protractione qualibet temporibus superius tactis suis
laboribus et expensis.   Porro post meum obitum sepedictum monasterium de dictis
censibus et pensionibus michi annuatim, ut est premissum, porrigendis omnino erit
liberum et absolutum nec tenebitur alicui super premissis omnibus aliquatenus respondere.
Testes huius legati et donationis premisse sunt viri honesti: Magister Dithmarus
decanus ecclesie Frankenvordensis; frater Otto prior, frater Conradus lector et frater
Beltoldus de Ysinnacho, ordinis Preditorum (!) in Frankenvord; Conradus Suevus,
Philippus eius filius, milites; Gypelo et Rudegerus fratres de Holzhusin, Conradus
filius Volmari, Sifridus de Gysinheim, scabini; Henricus de Holzhusin, Henricus Lupus,
Theodericus notarius, et alii quam plures cives Frankenvordenses fidedigni.   In cuius rei
testimonium et perpetuam firmitatem ego Adilheydis memorata ad meam peticionem
obtinui presentes litteras sigillo universitatis opidi Frankenvord et sigillo religiosorum
virorum .. prioris et .. conventus Predicatorum Frankenvord, necnon sigillo domini ..
decani ecclesie Frankenvordensis communiri.   Actum et datum anno domini ṁ. c̈c.
nonagesimo secundo, in die beate Katherine virginis et martiris.

> *Or. Pgmt.   An Hanfschnüren anhängend 1) Stadtsiegel (2), 2) Siegel der Frankfurter*
> *Dominikaner, 3) Siegel des Dechanten Ditmar, davon 2 und 3 gut erhalten.   Lich.*
> *Gedr.: B., 275 nach dem Or. .*
> *Vers.: Scriba, II, No. 827, Arnsb., Urkb., 217.*


**621.** *Heinrich, Ritter von Sachsenhausen, und seine Gemahlin Sophia weisen dem Stifts-*
*kapitel des Heiligen Gingolf zu Mainz für eine Hufe in Eichen 15 Schillinge*
*jährlichen Zinses von dem Hause Zum schwarzen Hermann in Frankfurt an.*
*Frankfurt, 1292 December 5.*

Nos Henricus miles de Sassinhusin, filius quondam Rudolfi militis, civis Frankenvordensis, et // Sophya, uxor eius legittima.   Tenore presencium recognoscimus, quod

---

a) *Zu ergänzen wäre etwa „dabunt".*

ob donacionem et locacionem unius // mansi in terminis ville Eychene siti honorabilibus viris domino .. decano et .. capitulo sancti // Gyngolfi [a] Maguntini, ad quos dictus mansus spectabat, pleno iure deputavimus et presentibus deputamus quindecim solidos denariorum Coloniensium bonorum et legalium supra domum Frankenvord, nuncupatam ad Nigrum Hermannum vulgariter,[b] census annualis singulis annis in festo beati Martini hyemalis porrigendos et presentandos, ea tamen protestacione, quod dicti dominus .. decanus et .. capitulum sancti Gyngolfi predicti ipsum censum recipient prehabito festo libere et quiete et ab omni exactione, contributione sive precaria, que in posterum cives Frankenvordenses casu aliquo contingente colligere pro necessitate sua contingeret, erunt penitus inmunes et absoluti. Preterea, quod prenominati dominus .. decanus et .. capitulum in ipso censu magis sint certi, ipsis septem solidos denariorum Coloniensium et sex denarios Colonienses, quos in eadem domo dinoscimur habere, pro subpignore obligamus. Resignantes nichilominus omni iuri, quod nobis vel heredibus nostris in prenominato censu, videlicet quindecim solidis Coloniensibus, competebat. Testes tractatus premissi sunt viri honesti: frater Winricus, frater Wigandus, frater Sifridus, ordinis Theutonice domus de Sassinhusin; Volradus scultetus Frankenvordensis, Gotschalcus, Conradus Bonus, milites; Gypelo de Holzhusin, Conradus filius Volmari de Ovenbach, Rudegerus de Holzhusin, scabini; Hertwicus de Vite, et quamplures alii cives Frankenvordenses fidedigni. In cuius rei testimonium et firmitatem perpetuam nos .. scultetus et .. scabini de Frankenvord ad peticionem memoratorum .. decani et .. capituli, necnon Henrici et sue coniugis sigillum universitatis Frankenvordensis presentibus duximus appendendum. Actum et datum apud Frankenvord, anno domini millesimo ducentesimo nonagesimo secundo, in vigilia beati Nicolai episcopi.

*Or. Pgmt. Abhangend Stadtsiegel (2). St. A. Fr. Deutschordens-Urk. No. 42.*
*Gedr.: B., 276 nach dem Or., Reimer I, 530 desgl.*
*Vers.: Scriba, IV², No. 5328.*

**622.** *König Adolf nimmt Gottfried von Merenberg zum Reichsburgmannen in Kalsmunt an und verspricht ihm dafür 200 Mark, statt deren er ihm einstweilen 20 Mark jährlicher Einkünfte von den Frankfurter Juden verpfändet. Hagenau, 1292 December 13.*

Nos Adolfus dei gracia Romanorum rex, semper augustus. Ad universorum imperii Romani fidelium notitiam tenore presentium volumus pervenire, quod nos puram fidem et obsequia indefessa, quibus nobilis vir Godefridus de Merenberg, fidelis noster dilectus, erga nos et imperium incessanter enituit et enitere poterit in futurum, favorabiliter attendentes, ipsum nobis et imperio in castellanum apud Kalsmunt duximus conquirendum et pro eo ducentas marcas denariorum Coloniensium sibi promittimus nos daturos. Et quia ad presens paratam pecuniam non habemus, pro eisdem ducentis marcis eidem Godefrido et suis heredibus redditus viginti marcarum denariorum Coloniensium, percipiendos annis singulis de iudeis Frankenvordensibus in festo nativitatis domini, rationabiliter duximus obligandos, ab ipso Godefrido et dictis suis heredibus tenendos et possidendos tamdiu, donec prefate ducente marce ipsis per nos aut nostros in imperio successores plenarie fuerint persolute. Solutione autem facta huiusmodi, ipsi predictas ducentas marcas convertent in predia et eadem in castro Kalsmunt nomine castrensis feodi a nobis et imperio deservire perpetuo tenebuntur. In cuius rei testimonium presens scriptum maiestatis nostre sigillo fecimus communiri. Datum Hagenowe, idibus decembris, indictione sexta, anno domini m. cc. nonagesimo secundo, regni vero nostri anno primo.

a) *Rasur.*   b) „wlgariter".

*Gedr.: Wenck, Hess. Landesgesch., Urkb., II, 233 = B., 277.*
*Verz.: B., Reg. Ad. No. 78, Goerz, Mittelrhein. Reg., IV, No. 2096.*

**623.** *Schultheiss, Schöffen, Rath und Bürger von Frankfurt beurkunden die Beilegung ihres Zwistes mit der Stadt Wetzlar unter der Bedingung, dass ihnen von dieser bis zum nächsten 20. Februar 90 Mark ausgezahlt werden.* *1292 December 16.*

Nos . . scultetus, . . scabini, . . consules et universi . . cives de Frankenvord, univer//sis presentes litteras inspecturis cupimus esse notum, quod omnis discordia et contro//versia, que inter nos ex una et amicos nostros . . cives Wetflarienses vertebatur // ex parte altera, penitus est decisa. Et de plano renunciamus presentibus litteris omni actioni sive causa(!), quam erga dictos . . cives Wetflarienses hactenus habuimus et in posterum habere possemus super[a] ipsa[a] controversia,[a] ea tamen protestatione, quod prefati . . cives Wetflarienses nobis in proxima dominica quadragesime, qua cantatur Invocavit, solvent nonaginta marcas denariorum Coloniensium et solvere tenentur, dantes memoratis . . civibus Wetflariensibus has nostras litteras sigillo nostre civitatis sigillatas in testimonium super eo. Actum et datum anno domini millesimo ducentesimo nonagesimo secundo, feria tertia proxima post Lucie virginis.

*Or. Pgmt. mit abhangendem Stadt-Siegel (2). St. A. Wetzlar No. 51. — Grotefend.*
*Gedr.: B., 277 nach dem Or. .*
*Verz.: Goerz, Mittelrhein. Reg., IV, No. 2100. Wahrscheinlich identisch mit der dort No. 1994 zu 1292 April 1 (fer. 3 post annunt. virg.) angeführten Urkunde.*

**624.** *König Adolf verleiht auf Bitte des Erzbischofs Gerhard von Mainz dessen Dorfe Külsheim Frankfurter Recht.* „Villam suam Kulscheym Maguntine diocesis ex regia benevolencia libertamus atque eidem ville eadem libertatis iura auctoritate regia duximus concedenda, quibus civitas nostra Frankenfurt gaudet et hactenus est gavisa. *Kolmar, 1292 December 23* (X. kal. ian.)

*Abschrift in Mainzer Bücher, XX, f. 101[b]. Kreisarchiv Würzburg.*

**625.** *König Adolf verleiht Sobernheim Frankfurter Recht. Gleichlautend mit der vorigen Urkunde.* *Kolmar, 1292 December 23* (X. kal. ian.)

*Abschrift in Mainzer Bücher, XX, f. 102[b]. Kreisarchiv Würzburg.*
*Gedr.: Böhmer, Acta, 372.*
*Verz.: B., Reg. Ad. No. 81, Goerz, Mittelrhein. Reg., IV, No. 2106.*

**626.** *Der Scholaster von St. Stephan in Mainz verleiht auf Grund eines inserirten Mandats des päpstlichen Legaten Johannes, Bischofs von Tusculum, d. d. Metz, 1287 Mai 18, dem Magister Ditmar die durch den Tod des Kantors Christian erledigte Präbende am Frankfurter Stifte. 12[92].*

. . Scolasticus ecclesie sancti Stephani Moguntine, iudex sive executor a reverendo patre ac domino Johanne Tusculanensi episcopo, apostolice sedis legato, deputatus, viris // discretis . . decano et capitulo ecclesie Frankenvordensis, salutem in domino. Cum litteras domini Johannis, apostolice sedis legati predicti, quarum copiam vobis cum presentibus // facimus exhiberi, recepimus in hec verba: Johannes miseracione

a) *Über der Zeile.*

divina Tusculanensis episcopus, apostolice sedis legatus, discreto viro .. scolastico
ecclesie sancti Stephani Moguntine, // salutem in domino. Sua nobis magister Dietmarus, canonicus ecclesie Frankenvordensis, Moguntine dyocesis, petitione monstravit,
quod licet ipse canonice receptus sit in eadem ecclesia in canonicum et in fratrem,
nondum tamen est ibidem in toto prebendam aliquam assecutus. Quare dictus magister
Dietmarus nobis humiliter supplicavit, ut providere sibi super hoc, ne inane canonici
nomen gerat, paterna sollicitudine curaremus. Nos igitur ipsius magistri Dietmari
supplicationibus inclinati, receptionem huiusmodi, sicut provide facta est, ratam
habentes et gratam, ac eam auctoritate, qua fungimur, confirmamus. Discretioni tue
mandamus, quatenus, si est ita, eidem magistro Dietmaro de prebenda, sic sibi, quod
nulli alii de iure debita, si qua in ecclesia ipsa vacat ad presens, vel quam primum
ad id se facultas obtulerit, auctoritate nostra providere procures, inducens ipsum in
corporalem possessionem eiusdem prebende, et defendas inductum, contradictores per
censuram ecclesiasticam appellatione postposita compescendo. Datum Metis, XV.
kalendas iunii, apostolica sede per obitum[1] felicis recordationis domini Honorii pape IIII.
vacante. Nosque auctoritate huiusmodi mandati sollertem inquisicionem fecimus de
predicti magistri Dietmari receptione, si canonicus[a] existeret, inventoque, quod
unanimiter et concorditer in ecclesia vestra canonice sit receptus in canonicum et in
fratrem ac vocem habeat in capitulo et sit[b] frater capitularis, de fructibus tamen
prebendalibus integraliter eidem nondum est provisum, ad quorum fructuum provisionem
de proxima prebenda vacatura, vos et ecclesiam[c] vestram sibi per patentes litteras
sigillis[d] vestri capituli sigillatas cum aliis sigillis appendentibus obligastis, prout in
ipsis patentibus litteris super hiis confectis plenius continetur, ac receptionem de
ipso magistro Ditmaro, quia eam invenimus rite et canonice factam, auctoritate nobis
commissa confirmaverimus, eique de prebenda, si qua vacaret, vel quam primum ad
id facultas se offerret, mandaverimus providendum, et nichilominus vobis singulis et
universis, sub pena suspensionis et excommunicationis late sentente, quam in vos et
in quemlibet vestrum trium dierum monitione premissa in scriptis protulimus, ne de
prebenda, si qua vacaret in ecclesia vestra vel quam primum vacare contingeret,
aliquid statueritis, ordinaretis, disponeretis, vel adtemptaretis, statui, ordinari, disponi,
vel attemptari procuraretis, quod in dicti magistri Dietmari, vestri concanonici, esset
preiudicium et gravamen, ac prebendam, quam primum aliquam vacare contingeret
in ecclesia vestra, ad ius et ad opus sepedicti magistri Ditmari, ad provisionem sibi
faciendam duxerimus reservandam. Verum cum ad presens ex morte Cristiani, quondam
vestri canonici et cantoris, in ecclesia vestra Frankenvordensi nunc vacet prebenda,
nos auctoritate nobis commissa eidem magistro Ditmaro, concanonico vestro, prebendam
eandem iam nunc vacantem cum iuribus et pertinenciis in nomine domini presentibus
assignamus, mittentes eum denuo in corporalem possessionem eorum, ad stallum chori
et locum capituli sibi per vos, ut in instrumento vestro sigillo capituli signato aliisque
sigillis apparet, assignatos, ideoque vobis mandamus sub pena suspensionis et excommunicationis atque interdicti, quam in vos omnes et singulos et quemlibet vestrum
octo dierum monitione premissa proferimus per hec scripta, si non feceritis hec mandata,
quatenus ipsum magistrum Ditmarum, concanonicum vestrum, ad prebendam premissam
vacantem efficaciter et liberaliter cum plenitudine iurium sine contradictione qualibet
admittatis. Datum anno domini m̃. c̃c.[e]

*Or. Pgmt. Siegel ab. St. A. Fr. Barth. St. No. 4178. Da Ditmar bereits im Jahre 1292
als Dechant genannt wird, ist dieses Jahr der letzte Termin für diese Urkunde.*

a) *Or.* „canonicu". b) *Or.* „sic". c) *Or.* „ecclesia". d) *Or.* „sigilla". e) *Das weitere Datum ist nicht
ausgefüllt.*

[1] *Gestorben. 1287 April 3.*

**627.** *Rosa der Meister, die Brüder und Schwestern des Hospitals zum Heiligen Geist in Frankfurt bekennen, dass Konrad Knoblauch und dessen Frau ihnen und ihrem Hospital genannte jährliche Geldzinsen geschenkt haben, um davon ein ewiges Licht zu unterhalten und den Kranken auf Himmelfahrt eine Labung zu verabreichen. 1293 Januar 30.*

Nos Rosa magister hospitalis sancti Spiritus infirmorum Frankenvord, ceterique fratres et . . sorores ibidem. Tenore presencium recognoscimus, quod ob dona//cionem et legacionem unius libre denariorum levium et quadraginta denariorum levium, quam honestus vir Cunradus Alleum et Jutta uxor eius legittima, cives // Frankenvordenses, pie propter deum et remedium animarum suarum nobis et hospitali nostro dederunt et legaverunt ad lampadem ardentem ante alta//re et corpus domini die noctuque (!) in dicto hospitali perpetuo recipiendam; — que quidem libra denariorum derivatur de orto sito in campo dicto Dutchenvelt[a] ante Burnheimere porten, quem tenet et possidet Almarus, cuius libre denariorum media pars, videlicet decem solidi, in festo pasce cedent, reliqui decem solidi denariorum dabuntur in festo beati Martini perpetuo et cedere debebunt; item eidem hospitali dicti quadraginta denarii leves singulis annis pro consolacione victualium infirmorum in ascensione domini cedere debebunt et dabuntur in iamdicto festo ascensionis de apoteca[b] sita inter Calcifices[c] apud Heroldum, quam apotecam possidet et tenet Ludewicus sutor de Sassenhusen; — huiusmodi vero libram denariorum levium et quadraginta leves [denarios], ut superius est pretactum, nos . . Rosa ceterique . . fratres et . . sorores hospitalis predicti promittimus et presentibus ad hoc nos astringimus, quod qualiscunque necessitas nobis aut hospitali nostro ingruerit, ipsam libram denariorum et ipsos quadraginta denarios leves a prefato hospitali numquam vendere, distrahere aut alienare debemus, quod si secus, quod absit, fecerimus, ipso facto prenominata libra denariorum et quadraginta denarii leves ad altare beate Marie Magdalene, quod est in ecclesia beati Bartholomei in Frankenvord, cedere debent eo iure, quo eam dictum hospitale possedit et dinoscitur possidere. Dantes prenominato Cunrado Alleo et suis heredibus presentes litteras sigillo universitatis Frankenvordensis communitas in testimonium super eo. Et nos . . scultetus et . . scabini Frankenvordenses ad peticionem memoratorum . . Rose, . . fratrum et . . sororum dicti hospitalis ac Cunradi Allei predicti sigillum nostre civitatis presentibus duximus appendendum. Actum anno domini m̄. c̄c̄. XCIII., feria sexta proxima ante purificacionem beate Marie virginis.

*Or. Pgmt. Abhangend Bruchstück des Stadtsiegels (2). St. A. Fr. Heil. Geist. Hosp. Litt. C. No. 23.*

*Gedr.: B., 378 ohne Quellenangabe, aber nicht nach dem Or. .*

**628.** *Konrad, Abt zu St. Alban in Mainz, und Konrad von Halstadt (Halstat), Komthur des Deutschordenshauses zu Sachsenhausen, erwählen in ihrem Streite um Rottzehnten zu Ober-Wöllstadt (Wullenstat superius) den Dechanten zu St. Bartholomaeus in Frankfurt Magister Ditmar und den Deutschordenskomthur zu Mainz Petrus zu Schiedsrichtern. Mainz, 1293 Februar 12 (prid. id. febr.)*

*Or. Pgmt. St. A. Darmstadt.*

*Gedr. danach: Baur, Hess. Urk., I, 201.*

**629.** *Ludwig von Holzhausen und dessen Frau Kusa versprechen dem Johanniter-Orden zu Frankfurt jährlich 4 Mark für das ihnen vom Orden in Erbpacht gegebene Haus des verstorbenen Ludwig Pannifex mit Zubehör zu entrichten. 1293 Februar 22.*

---

a) *Rückaufschrift (15. Jahrh.)* „Dotvenfelde". b) *Das* „e" *aus* „a" *verbessert.* c) *Rückaufschrift:* „in der schuchgaszin".

Ludewicus, filius Gyplonis de Hulzhusen, et Kusa uxor eius legittima, cives Frankenvordenses. Tenore presencium recognoscimus // publice profitendo, quod nos ob locacionem domus et dimidietatis curie ad eam spectantis, quam quondam Ludewicus pannifex // inhabitavit et possedit, et ob locacionem et concessionem unius marce denariorum Coloniens*ium*, que singulis annis diliabatur(!)ª de domo // lapidea, que eciam quondam fuit Ludewici predicti, quam quidem domum et dimidietatem curie ipsi attinentem et dictam marcam census annualis religiosus vir frater Hermannus de Moguncia hospitalis sancti Johannis *Jerosolomytani* commendator in Colonia, gerens vices domini Godfridi de Clingenvels, summi preceptoris per Alemaniam, nobis iure hereditario et nostris heredibus concessit et locavit perpetuo possidendum, nos eidem fratri Hermanno et suo ordini tenemur solvere et porrigere singulis annis in festo beati Martini byemalis de predictis domo et dimidietate curie, necnon de marca, que de ipsa domo lapidea dictis .. fratribus cedere consuevit, quatuor marcas denariorum Coloniens*ium* census annualis, omni inpedimento penitus excluso, quod si nos vel nostri heredes in solucione dictarum quatuor marcarum census annualis in festo beati Martini prenotato negliglentes(!) aut remissi fuerimus, prenominati frater Hermannus vel sui confratres ipsius ordinis sancti Johannis respectum de predicto censu ad sepedictas domum et dimidietatem curie ad eam spectantem ac ad domum lapideam habebunt, et nichilominus ipsam mansionem, quam iidem Ludewicus et sui heredes iure hereditario possident, prelibatus ordo pro subpignore habebit. Testes huius locacionis et concessionis sunt: Wernherus de Wanebach, Gyplo de Hulzhusen, Arnoldus de Glauburg, Hertwicus de Alta domo, Cunradus Burneflecke, Cunradus de Spira, Sifridus de Gysenheim, Rudegerus de Hulzhusen, Johannes iuvenis Goltstein, scabini Frankenvordenses, et quamplures alii fidedigni. In cuius rei testimonium nos Ludewicus et Kusa predicti presentes litteras memoratis fratri Hermanno et suo ordini sigillo universitatis Frankenvordensis tradimus *communitas*. Et nos .. scabini supradicti ad rogatum predictorum Ludewici et sue .. coniugis sigillum universitatis Frankenvordensis presentibus duximus appendendum. Actum anno domini ṁ. c̃c. XCIĨI., in kathedra beati Petri apostoli.

Or. Pgmt. Das abhangende Siegel fehlt. St. A. Fr. Johanniter Urk. No. 5.<br>Gedr.: B., 279 nach dem Or. .

**630.** *Kapitel und Pfarrer der Frankfurter Stiftskirche auf der einen, und Schultheiss und Schöffen daselbst auf der anderen Seite, schliessen mit Einwilligung des Propstes Emercho eine Übereinkunft über die Kollatur der Kapelle des Heiligen Geistes im Hospital, über die Rechte und Verpflichtungen des dort angestellten Priesters und über die Verwaltung der Hospitalgüter. Frankfurt, 1293 Februar 25.*

Noverint universi presencium inspectores, quod, cum super collacione capelle sancti Spiritus infirmorum in // Frankenvord inter .. decanum .. capitulum et .. plebanum ecclesie Frankenvordensis ac .. scultetum et .. sca//binos ibidem dubitacio sive questio verteretur, de consensu eorundem ac honorabilis viri domini Emer//chonis, prepositi dicte ecclesie Frankenvordensis, exnunc et inantea observandum taliter est voluntarie concordatum, quod .. decanus et .. scolasticus ac .. plebanus dicte ecclesie, qui pro tempore fuerint, et tres .. scabini, quos .. scabini Frankenvordenses ad hoc deputaverint, predictam capellam sancti Spiritus infirmorum, quandocumque et quocienscumque vacaverit, conferent ydoneo .. sacerdoti. Qui sacerdos dicte capelle deserviens obedienciam faciet .. decano et .. capitulo et intererit omnibus horis canonicis, diurnis et nocturnis, suam septimanam servando in choro, prout alii .. vicarii ipsius

<hr>

ecclesie Frankenvordensis tenentur et sunt obligati, completa missa in dicta capella
infirmorum sine preiudicio .. decani et .. capituli ac .. plebani hora competenti. Prefatus vero .. sacerdos, qui pro tempore fuerit, loco presenciarum, que dantur ..
vicariis chori, percipiat oblaciones, que per circulum anni in ipsa capella infirmorum
offeruntur, competentes dicto .. plebano, amplius occasione servicii chori non petendo,
quibus oblacionibus Dythmarus, plebanus Frankenvordensis, de consensu honorabilis
domini Emerchonis, prepositi Frankenvordensis, et presentis ac .. capituli pro se
suisque successoribus renunciavit simpliciter et precise modis et condicionibus suprascriptis. In disposicione seu ordinacione circa possessiones, iurisdictiones ac redditus
predictorum .. infirmorum nec prepositus seu .. decanus et .. capitulum vel .. plebanus
supradicti se nullatenus intromittent, sed .. scultetus et .. scabini Frankenvordenses
nomine .. universitatis de eis in animas suas disponent et ordinabunt, prout ipsis
videbitur expedire. In testimonium omnium premissorum nos .. prepositus, .. decanus
et .. capitulum, .. scultetus et .. scabini, ac .. plebanus supradicti sigilla nostra presentibus duximus appendenda. Actum in synodo Frankenvordensi, anno domini millesimo
ducentesimo nonagesimo tercio, quinto kalendas marcii.

*Or. Pgmt. An platten weiss-grünen Bändern hängen an: 1) Siegel des Propstes Emercho,
2) Siegel des Bartholomaeus-Stiftes, 3) Siegel des Pfarrers, 4) Stadtsiegel (2), 1 und 4 in
gelbem, 2 und 3 in grünem Wachse geprägt. St. A. Fr. Barth. St. No. 1419 (A). Ein
zweites gleichlautendes Or. Pgmt. ist Mgb. C. 21 No. 2, doch fehlt an diesem das Stadtsiegel, und die Reihenfolge der Siegel ist folgende: 1) Propst, 2) Stift, 3) Siegelschnüre,
4) Pfarrer (B). Druck hier nach A. .*

*Gedr.: Würdtwein, Dioc. Mog., II, 816 = Frankf. Beiträge, II, 667, B., 280 nach A. .*

**631.** *Der Frankfurter Bürger Volmar von Nied* (de Neda) *verkauft dem Deutschordenshause zu Sachsenhausen Güter zu Berkersheim. Als Berthold Lugener* (Bertoldus
faber dictus Lugener) *Ansprüche darauf erhebt, urtheilen die Schöffen zu Gunsten
des Ordens. Zeugen:* „Wernerus de Wanebach, Gyplo de Holtzhusen, Hertwicus
de Alta domo, Arnoldus de Glauburg, Sifridus de Gisenheim, Rudegerus de
Holtzhusen, Ludewicus de Holtzhusen filius predicti Gypelonis, scabini Franco-
furtenses". *1293 März 11* (fer. 4 prox. post Laetare.)

*Auszug nach Fichard, Geschlechter, von Holzhausen, Urk. 4 (St. A. Fr.) und Niedermayer,
137. Der Letztgenannte giebt nur einen dürftigen Auszug (danach Reimer, I, 511) zu
ca. 1290, Fichard wenigstens noch die Zeugen und das nähere Datum, beide nach dem
jetzt verschollenen Deutschordens-Saalbuch.*

**632.** *Schultheiss Volrad, die Schöffen und Bürger von Frankfurt beurkunden, dass
Heinrich Rinwade von Eckenheim gewisse Güter vom Kloster Arnsburg auf Lebenszeit zu Kolonen-Recht empfangen habe. 1293 April 13.*

Nos Volradus scultetus, .. scabini ceterique .. cives de Frankenvord. Tenore
presencium recognoscimus, // quod Henricus dictus Rinwade de Eckenheym in nostra
presencia constitutus recognovit, se // habere et possidere quedam bona a religiosis
viris domino .. abbati et conventui(!) monasterii de Arnis//burg, Maguntine dyocesis,
iure colonario ad tempora vite sue pacifice possidenda. Videlicet ita, quod idem
Henricus, postquam universe viam carnis fuerit ingressus, predicta bona cum melioracionibus quibuscumque, que prefatus Henricus in sua vita in ipsis bonis fecit, cum eisdem
melioracionibus sive edificiis ad predictos .. abbatem et .. conventum libere absque
omni inpedimento .. puerorum sive .. heredum prenominati Henrici revertentur, sed
prefati .. abbas et .. conventus .. pueris sive .. heredibus memorati Henrici solvent
triginta solidos denariorum Coloniensium et presentabunt. Testes huius sunt: Volradus

40*

scultetus supradictus, Gypelo de Holzhusen, Johannes iuvenis Goltstein, Conradus Burneflecke, scabini, Theodericus notarius, et quam plures alii cives Frankenvordenses fidedigni. In cuius rei testimonium ad peticionem parcium predictarum nos.. scultetus et.. scabini supradicti sigillum civitatis Frankenvordensis presentibus duximus appendendum. Actum anno domini millesimo ducentesimo nonagesimo tercio, idus apprilis (!).

> *Or. Pgmt. mit gut erhaltenem Stadtsiegel (2) (grün). Lich. Gleichzeitige Rückaufschrift:* „de bonis in Eckinheim".
> *Gedr.: Reimer, I, 533 (hier wiederholt). Auszug: Arnsb. Urkb., 176.*
> *Verz.: Scriba, IV², No. 3629 zu April 15.*

**633.** *König Adolf verleiht Gottfried von Eppstein, seinem Verwandten, 25 Mark jährlicher Einkünfte von der Bede der Frankfurter Juden als Reichserblehen. Nürnberg, 1293 April 23.*

Nos Adolfus dei gracia Romanorum rex, semper augustus. Recognoscimus per presentes, quod // nos nobilem Gotfridum de Eppenstein, consanguineum nostrum dilectum, propter meritorum suorum // insignia, quibus erga nos et sacrum imperium ipsius enitere dinoscitur fidelitas, volentes benifi//cencie nostre muneribus prevenire, eidem et heredibus suis legitimis redditus viginti quinque marcarum denariorum Coloniensi*um*, accipiendorum annuatim de precariis iudeorum nostrorum Frankenvordensi*um*, de liberalitate regia concessimus et concedimus, iusto feodali titulo optinendos. Dantes eidem has nostras li*tt*eras in testimonium super eo. Datum Nuremberch, IX. kalenda*s* maii, indiccione sexta. Anno domini millesimo ducentesimo nonagesimo tercio. Regni vero nostri anno primo.

> *Or. Pgmt. Das Majestätssiegel hängt schönerhalten an. St. A. Fr. Ugb. E. No. 43. Rückaufschrift (15. Jahrh. 2. Hälfte):* „ist abegekenfft".
> *Gedr.: Senckenberg, Sel. iur., I, 185, B., 280 nach dem Or. . Regest: Sauer, I, 681.*
> *Verz.: B., Reg. Ad. No. 116.*

**634.** *Wigand, Sohn Wigand des Schwarzen von Heldenbergen, bekennt, dem Deutschordenshause zu Sachsenhausen Güter in Wachenbuchen verkauft und sie in Erbleihe zurückerhalten zu haben. 1293 Mai 8.*

Que geruntur in tempore, simul labuntur in[a] tempore, nisi voce testium aut litterarum testimonio perhennentur. Hinc est, quod ego Wigandus, filius Wigandi dicti Nigri de Heldebergen, notum esse cupio universis et tenore presencium recognosco, quod communicata manu Gude uxoris mee ac puerorum meorum pari consensu vendidi fratribus domus Theutonice pomerium meum in villa Buchen apud vineam Heinrici sculteti situm, quod fuit quondam domine Hildegardis, item dimidium mansum terre arabilis ibidem situm, iure proprietario in perpetuum possidenda. Cuius videlicet dimidii mansi iugera in campis subnotatis sunt sita: in campo videlicet versus Mittelbuchen: tria iugera apud viam, que dicitur Stederweg, item duo iugera apud Mulbergen, item in campo versus Dorfelden: apud Dorfelder Wege duo iugera, item apud Dubenbornen duo iugera et apud Grundelosenbornen unum iuger, item in campo versus Hoenstad:[b] apud Brunesbergen inferius duo iugera, item apud agrum sculteti Heinrici duo iugera, item unum de tribus iugeribus sitis versus viam, que dicitur Bisewise. Memorati vero fratres predicta bona, videlicet pomerium et dimidium mansum, reconcesserunt michi, videlicet Wi. et G., uxori mee, ac heredibus meis predictis iure here-

---

*Varianten der Stuttgarter Vorlage:* a) „cum". b) „Hohenstat".

ditario possidenda. Ita tamen, quod a nobis vel ab aliquo heredum nostrorum ipsis bonis permanentibus indivisis ab una manu septem octalia siliginis Franckenfurdensis mensure sepedictis fratribus annuatim tempore messium ante festum beati Michahelis perpetuo persolvantur. Huius rei testes sunt videlicet: Gerlacus plebanus de Buchen, dominus Henricus dictus de Holczburg,[c] sacerdotes; item Conradus Suevus,[d] Conradus de Prumheim et Dielmannus[e] dictus Capelere, milites; item Arnoldus de Glauburg, Giplo de Holczhusen[f] Rudegerus frater suus, et Syfridus de Gysenheim,[g] scabini Frankenfordenses; item Wernherus dictus Falke, Heinricus Kaldebechere,[h] et alii quam plures fidedigni. Ad maiorem vero huius rei evidenciam et robur perpetuum presens scriptum inde confectum rogavi sigillo civium Franckenfordensium communiri. Nos vero scultetus, scabini ceterique cives Franckenfordenses predicti ad preces Wigandi et[i] uxoris sue predictorum, necnon et religiosorum virorum fratrum domus Theutonice in Sassenhusen memoratorum sigillum nostrum duximus presentibus appendendum. Datum anno domini m̊. cc. XC.° tercio, in crastino ascensionis domini.

Abschrift (15. Jahrh.) im Pietanzbuche des Deutschordenshauses zu Sachsenhausen. — Grotefend.

Gedr.: Reimer, IV, 815 nach Abschrift im Deutschordens-Dokumentenbuch. St. A. Stuttgart.

**635.** *König Adolf nimmt die Frankfurter Stiftskirche sammt ihren Personen, Gütern und Besitzungen in seinen und des Reiches Schutz und bestätigt ihr alle von seinen Vorfahren erhaltenen Privilegien, Freiheiten, Verleihungen und Rechte. Boppard, 1293 Mai 25.*

Adolfus dei gracia Romanorum rex, semper augustus. Universis imperii Romani fidelibus imperpetuum. Sceptrum celsitudinis regie tociens elevatur in altum et ipsius status a domino, a quo datur omnis potestas, felicius gubernatur, quociens loca // divino cultui dedita benigna consideracione reguntur et ad ipsorum libertates servandas et facultates augendas favorabilis protectio principis invenitur. Cum enim omnis gloria sive potencia principatus in subditorum consistat solidata fortunis, expediens arbitramur et condecens, ut simus et in iusticia faciles et in gracia liberales. Noverit igitur presens etas et futuri temporis successura posteritas, quod nos devocionem sinceram, qua honorabiles viri .. decanus, .. scolasticus totumque capitulum ecclesie Frankenvordensis circa divini cultus obsequia frequenter vigilant, graciosius attendentes, propter quod cupimus ipsorum ecclesiam et in spiritualibus fore floridum[a] et in temporalibus opulentum,[a] devotis ipsorum .. decani, .. scolastici et capituli Frankenvordensis supplicacionibus inclinati predictam ecclesiam cum personis et hominibus, bonis et possessionibus suis omnibus sub nostra et imperii protectione suscipimus speciali; omnia privilegia, libertates, concessiones et iura, ab imperatoribus et regibus Romanorum, nostris antecessoribus, ecclesie prenotate concessa, prout rite concessa noscuntur et provide, sepedicte ecclesie Frankenvordensi de liberalitate regia confirmantes et innovantes et presentis scripti patrocinio munientes. Nulli ergo hominum liceat hanc paginam nostre confirmacionis et innovacionis infringere aut ei ausu temerario contraire. Quod qui fecerit, nostram indignacionem se noverit incursurum. Datum Bopardie, VIİI. kalendas iunii, indictione sexta, anno domini m̊. cc. nonagesimo tercio, regni vero nostri anno secundo.

*Or. Pgmt. Das an rothen und gelben Seidenfäden anhängende Majestätssiegel ist leicht*
*beschädigt. St. A. Fr. Barth. St. No. 15.*
*Gedr.: Würdtwein, Dioc. Mog., II, 427, B., 281 nach dem Or. .*
*Verz.: B., Reg. Ad. No. 126.*


**636.** *König Adolf bestätigt dem Kloster Thron die diesem von König Rudolf verliehenen*
*Privilegien, mit Ausnahme des Beholzigungsrechtes aus der Dreieich.* „Excepto
articulo in secunda littera superius expresso *(vgl. oben No. 381)* de traductione
lignorum ex nemore nostro Drieych, quem solum ratum habere non volumus."
*Friedberg, 1293 Juni 26.* (VI. kal. iulii.)

> *Gedr. nach dem Or. Pgmt. im St. A. Darmstadt: Böhmer, Acta, 375, Sauer, I, 682.*
> *Verz.: B., Reg. Ad. No. 142.*


**637.** *König Adolf beauftragt den Schultheissen zu Frankfurt, den Burggrafen zu Fried-*
*berg und die Vögte in Wetzlar, ebenso auch die Räthe und Bürger dieser Städte,*
*das Kloster Altenburg zu schützen.   Friedberg, 1293 Juni 29* (III. kal. iulii.)

> *Gedr.: B., 282 nach „Abschrift des Herrn Archivraths Schaum".*
> *Verz.: B., Reg. Ad. No. 144, Scriba, IV², No. 3634, Goerz, Mittelrhein. Reg., IV, No. 2192.*


**638.** *König Adolf verpachtet dem Deutschordenshause zu Sachsenhausen die Fischerei,*
*genannt das Frohnwasser, für den gewöhnlichen Zins bis auf Widerruf.   Frank-*
*furt, 1293 Juli 11.*

Adolfus dei gracia Romanorum rex, semper augustus.  Universia imperii Romani fidelibus
presentes litteras inspecturis, graciam suam et omne bonum.  Honorabiles et religiosos viros fratres
domus Theutonice apud Frankenfurth favore benivolo presequi [a] cupientes, ipsis piscacionem, vron//waszer
vulgariter nuncupatam, pro annuo censu, sicut ipsa hactenus locari consuevit, duximus de benignitate
regia collocandam, quousque nos vel successores nostri in imperio de ipsa piscina aliud duxerimus
ordinandum.  Dantes eis has nostras litteras in testimonium super eo.  Datum Frankenfurth, V.
idus iulii, indictione sexta, anno domini m̄. c̄c̄. 1XXXX. tercio, regni vero nostri
anno secundo.

> *Or. Pgmt. mit anhängendem, stark beschädigten Majestätssiegel.  Wien,  Deutschordens-*
> *Centralarchiv.*
> *Die Urkunde ist eine wörtliche Wiederholung derjenigen König Rudolfs, d. d. 1285*
> *Juni 8. (Vgl. oben No. 500.)*
> *Gedr.: B., 282 nach dem Or. .*
> *Verz.: B., Reg. Ad. No. 146, Pettenegg No. 714.*


**639.** *König Adolf gestattet den Reuerinnen in Frankfurt sich aus den benachbarten*
*Reichswäldern mit Brennholz zu versehen, jedoch soll diese Erlaubniss nur ein*
*Jahr lang gelten.   Frankfurt, 1293 Juli 14.*

Adolfus dei gracia Romanorum rex, semper augustus.  Universia imperii Romani fidelibus presentes // litteras inspecturis, graciam suam et omne bonum.  Quia tute illic beneficia collocantur, ubi
a dato//re omnium graciarum expectatur eterni boni ineffabilis recompensa, nos tanti patris ineffabilem bonitatem // benignius intuentes, dilectis in Christo .. priorisse et .. conventui dominarum in
Frankenfurt ordinis Penitentum, quas propter celebis sue vite flagrantiam interno affectu prosequimur,
intuitu retribucionis eterne hanc graciam duximus faciendam, quod de nostris et imperii nemoribus sibi
vicinis ligna ipsis necessaria sine contradictione cuiuslibet recipere possunt et educere suis cottidianis
ignibus applicanda; universis forestariis nemorum predictorum firmiter inhibentes, ne predictas dominas
aut earum nuncios in huiusmodi eductione lignorum impediant aut aliquid exigant ab eisdem.  In cuius

a) *So!*

rei testimonium presens scriptum maiestatis nostre sigillo iussimus communiri, post annum minime valiturum. Datum Frankenfurt, pridie idus iulii, indictione sexta, anno domini ṁ. ċċ. IXXXX. tercio, regni vero nostri anno secundo.

> *Or. Pgmt. mit anhängendem, leicht beschädigten Majestätssiegel. St. A. Fr., Weissfrauen-*
> *kloster, Freiheitsbriefe etc. No. 12.*
> *Diese Urkunde ist, bis auf den einschränkenden Zusatz am Schlusse, eine wörtliche*
> *Wiederholung des Privilegs König Rudolfs d. d. 1282 Januar 15. (Vgl. oben No. 455.)*
> *Gedr.: Lersner, II[b], 87 = Buri, Bannforsten, 86, Beilage No. 62 = Gegeninformation, III,*
> *Beilage No. 60, B., 282 nach dem Or. .*
> *Verz.: B., Reg. Ad. No. 147, Scriba, I, No. 655.*

**640.** *König Adolf ordnet die Leistungen der Dörfer und Leute des Klosters Bleiden-*
*stadt an ihn und seine Nachkommen als Klostervögte:* „Item exstitit ordinatum,
quod deffinicioni et sentencie civium de Frankenvort stabitur super iure capitali
hominum commorancium in Etchenstein et ibidem moriencium, ita sane, quod ser-
vabitur super eo hinc et inde, quidquid iidem cives pronunciaverint fore iustum“.
*Wiesbaden, 1293 September 1.* (kal. sept.)

> *Gedr.: Sauer, I, 683 nach dem Or. Pgmt. im Reichsarchiv München, Böhmer, Acta, 376*
> *nach Kopiar im Kreisarchiv Würzburg.*
> *Verz.: B., Reg. Ad. No. 160.*

**641.** *Schultheiss Volrad, die Schöffen und Bürger von Frankfurt beurkunden, dass Hein-*
*rich Rinwade von Eckenheim Ländereien in Eckenheim vom Kloster Arnsburg auf*
*Lebenszeit in Pacht genommen habe. Ohne Zeugen. 1293 October 15.* (feria 5
ante festum b. Galli.)

> *Gedr.: Reimer, I, 536 nach dem Or. Pgmt. mit beschädigtem Stadtsiegel (2) in Lich.*
> *Verz.: Arnsb. Urkb., 180.*

**642.** *Schultheiss Volrad, die Schöffen und Bürger von Frankfurt beurkunden, dass*
*Eberwin Grus der Junge, Ritter von Kranchenberg, und dessen Frau Lukard dem*
*Kloster Arnsburg das ehemals dem Pfarrer Erpert zuständige Haus am Luprands-*
*brunnen, welches Lukard von diesem Kloster zu lebenslänglicher Benutzung inne*
*hatte, resignirt haben. 1293 October 23.*

Nos Volradus scultetus, . . scabini ceterique cives de Frankenvord. Tenore presencium recog//noscimus, quod dominus Ebirwinus iuvenis Grus, miles de Cranichisberg,
et Lugardis uxor // eius legittima, nostri concives, in nostra presencia constituti,
curiam illam et domum quondam // domini Erperti plebani Frankenvordensis apud
Luprandis-Burnen sitam, quam eadem Lugardis a monasterio Arnesburg, ordinis
Cysterciensis, Maguntine dyocesis, ad tempora ipsius vite et non amplius possedisse
debuisset, iidem Ebirwinus et Lugardis coram nobis eandem curiam et domum communicata manu resignaverunt in manus domini . . abbatis et aliorum suorum confratrum
dicti monasterii de plano et precise ac renunciaverunt omni iuri, quod eisdem conpetebat in curia et domo memoratis; videlicet ita, quod prelibati dominus . . abbas et
conventus ipsius monasterii, qui pro tempore fuerint, possunt disponere et ordinare
de sepedictis curia et domo quidquid eorumdem placuerit voluntati ac utilitati. Testes
resignacionis et renunciacionis premisse sunt viri honesti: Volradus scultetus predictus,
Heinricus quondam scultetus Frankenvordensis, milites; Wernherus de Wanebach,
Gyplo de Hulzhusen, Cunradus de Spira, Cunradus Burneflecke, Syfridus de Gysenheim,

Johannes iuvenis Goltstein, scabini Frankenvordenses, et quam plures alii fidedigni.
In cuius rei testimonium nos .. scultetus et .. scabini prenotati ad peticionem prefatorum domini .. abbatis et suorum confratrum sigillum universitatis Frankenvordensis presentibus duximus appendendum. Actum anno domini m̅. c̄c̄. XCIII., feria
sexta proxima ante festum beatorum Symonis et Jude apostolorum.

> *Or. Pgmt. mit abhangendem, beschädigten Stadtsiegel (2), grün.  Lich.*
> *Gedr.: B., 283 nach dem Or. .*

**643.** *Schultheiss Volrad, die Schöffen und Bürger von Frankfurt beurkunden, dass Ripert*
*von Sachsenhausen, der Sohn Konrads, des früheren Schultheissen, an Ritter*
*Heinrich, chemaligen Frankfurter Schultheissen, seinen Theil an der Burg und der*
*Mühle zu Rödelheim nebst anderen dortigen Gütern verkauft habe. 1293 November 23.*

Nos Volradus scultetus, .. scabini ceterique cives de Frankenvord.  Tenore
presencium recognoscimus, quod Ripertus de Sassenhusen, // filius quondam Cunradi
sculteti militis, noster concivis, in nostri presencia constitutus vendidit honesto viro
Heinrico militi, quon/ˌdam sculteto Frankenvordensi, rite et racionabiliter suam partem
castri Redelnheim ipsum contingentem et suam partem molendi//ni ibidem et alias partes
pratorum, pascuum, necnon alia bona universa, que dictus Ripertus circa ipsum castrum
iure feodali possedit, perpetuo possidendum. Resignavit et renunciavit idem Ripertus
omni iuri, quod sibi in dictis parte castri et aliis superius tactis competebat seu competere videbatur, quibusdam tamen mansis, quos prefatus Ripertus ibidem habere
dinoscitur, et sua decima dumtaxat exceptis.  Testes vendicionis premisse sunt: Volradus scultetus supradictus, Gyplo de Hulzhusen, Wernherus de Wanebach, Arnoldus
de Glauburg, Hertwicus de Alta domo, Syfridus de Gysenheim, scabini, et quamplures
alii cives Frankenvordenses fidedigni.  In cuius rei testimonium nos .. scultetus et ..
scabini prenotati ad rogatum parcium prescriptarum sigillum universitatis Frankenvordensis presentibus duximus appendendum. Actum anno domini m̅. c̄c̄. XCIII., feria
secunda ante festum beate Katherine virginis.

> *Or. Pgmt.  Das abhangende Stadtsiegel (2) ist zerbrochen.  Ullstadt.*
> *Gedr.: B., 284 nach dem Or. = Sauer, I, 685.*
> *Verz.: Scriba, II, No. 840.*

**644.** *Die Minoriten zu Dieburg treten ihr Anrecht an der Mühle Kistelberg bei Dieburg*
*und Ländereien bei Derbach gegen eine Entschädigungssumme an das Deutsch-*
*ordenshaus in Sachsenhausen ab.  1293 November 27.*

Noverint universi presentium inspectores, quod cum inter nos .. gardianum et ..
fratres ordinis Minorum in // Deypurg mediantibus nostris procuratoribus ex parte una,
et .. commendatorem et .. fratres domus Theuthonice in Sassinhusin ex altera, super
molendino dicto Kystilberg apud Deypurg sito et octo iugeribus pratorum sitis in
Derbach, aliquamdiu questio verteretur, inter nos talis ordinatio seu compositio intercessit, quod nos mediantibus nostris procuratoribus, receptis ab eisdem .. commendatore et .. fratribus quadraginta libris hallensium et numeratis, renunciavimus et
presentibus renunciamus omni iuri, quod habuimus et habere poteramus in dicto
molendino et pratis et uno maltro siliginis, quod nobis ab eodem molendino singulis
annis ministrabatur occasione donacionis capelle in Deypurg nobis facte, quam tenemus
et possidemus, quam ordinationem nos .. gardianus et .. fratres predicti ratam et
gratam habemus et eam approbamus et ad observationem nos .. nostrosque .. successores presentibus obligamus.  In quorum testimonium nos .. gardianus et fratres

predicti presentes litteras sigillis reverendi patris ac domini . . archiepiscopi Maguntini,
patris nostri . . ministri provincialis, fratris Alberti quondam prioris fratrum . . Predicatorum in Frankenvord, nobilis viri domini Ulrici de Hanowia, universitatis opidi
in Deypurg, et nostri . . conventus, dedimus eisdem . . commendatori et . . fratribus
sigillatas. Actum et datum anno domini millesimo ducentesimo nonagesimo tertio,
quinto kalendas decembris.

> *Or. Pgmt. mit den anhängenden sechs Siegeln. St. A. Darmstadt. — Grotefend.*
> *Auszug: Steiner, Bachgau, III, 174 ohne Tagesdatum.*
> *Verz.: Scriba, I, No. 657.*


**645.** *Ulrich von Hanau gestattet den Verkauf des Grund und Bodens der Mühle zu*
*Münster mit Zubehör an das Deutschordenshaus zu Sachsenhausen, mit Ausnahme*
*des Erbrechtes des Heinrich Lule an Gütern in Münster. 1294 Januar 29*
(fer. 6. a. f. purific. b. Marie virg.)

> *Gedr.: Reimer, I, 539 nach dem Or. Pgmt. im St. A. Darmstadt.*
> *Auszug: Steiner, Bachgau, III, 175 ohne Tagesdatum.*
> *Verz.: Scriba, I, No. 660.*


**646.** *König Adolf schenkt dem Frankfurter Schultheissen Volrad 30 Mark und ver-*
*pfändet ihm bis zu deren Zahlung 3 Mark jährlicher Einkünfte von der Wage in*
*Frankfurt. Frankfurt, 1294 Februar 5.*

Adolfus dei gracia Romanorum rex, semper augustus. Strennuo viro Volrado,
sculteto in Fran//kenfurt, militi, dilecto suo fideli, graciam suam et omne bonum.
Propter fidei tue merita et // expertam constanciam, quibus quamplurimum adornaris,
tibi de liberalitate regia triginta marcas denariorum Coloniensium, ut munificencie
nostre manum affluenter sentias, duximus largiendas. Et quia paratam pecuniam non
habemus, tibi et tuis heredibus trium marcarum redditus percipiendos et tibi per
officiatum nostrum in Frankenfurt, qui pro tempore fuerit, de pondere seu libra nostra
et imperii publica in Frankenfurt assignandos annis singulis in festo pentecostes
duximus obligandos, tenendos et recipiendos tamdiu, quousque tibi, Volrade, et tuis
heredibus triginta marce per nos aut nostros in imperio successores fuerint plenarie
persolute. In cuius facti testimonium hanc litteram exinde conscribi et maiestatis
nostre sigillo fecimus communiri. Datum in Frankenfurt, nonis februarii, indictione VII.,
anno domini millesimo ducentesimo nonagesimo quarto, regni vero nostri anno secundo.

> *Or. Pgmt. mit an rothen Seidenschnüren anhängendem Majestätssiegel. St. A. Fr. Ugb.*
> *A. 56, Nr. 10.*
> *Gedr.: B., 284 nach dem Or. .*
> *Verz.: B., Reg. Ad. No. 182.*


**647.** *Konrad Knoblauch beurkundet, dass er gemeinschaftlich mit seiner seitdem ver-*
*storbenen Ehegattin dem Kloster Haina jährlich eine Ohm Wein von seinem Weinberg*
*in Soden vermacht habe. 1294 Februar 9.*

Ego Cunradus Alleum, civis Frankenvordensis, ad universorum noticiam cupio
pervenire, quod ego communicata manu Jutte, // uxoris mee legittime bone memorie,
dum adhuc viveret, ob remedium animarum nostrarum donavimus et legavimus
in testamen//tum monasterio Henehes Cisterciensis ordinis unam amam vini, que
dabitur perpetuo singulis annis tempore autumnali de // vinea mea in villa Soden

sita, que vulgariter nuncupatur in deme Walkune, ad divinum officium in missis ibidem celebrandis; resignans et renuncians omni iuri, quod michi in ipsa ama vini conpetebat seu conpetere videbatur. Testes donacionis et legationis premisse sunt: Dittmarus plebanus Frankenvordensis, Gypelo de [Hultzhusen],[a] Wernherus de Wanebach, Arnoldus de Glauburg, Hertwicus de Alta domo, Conradus dictus Burneflecke, scabini, et quam plures alii cives Frankenvordenses fide digni. In cuius rei testimonium prenominato monasterio presentes literas sigillo civitatis Frankenvordensis tradidi communitas, quod ad instantiam mearum precum presentibus est appensum. Actum anno domini m̄. c̄c̄. XCIIÎL., feria tercia ante dominicam, qua cantatur Circumdederunt.

> *Or. Pgmt., stark zerfressen, ohne Siegel. St. A. Marburg, ergänzt nach dem Hainaer Kopialbuch f. 1 ᵛ. (ebendort). — Grotefend.*
>
> *Gedr.: B., 285 nach dem Kopialbuch = Sauer, I, 688.*

**648.** *König Adolf befreit die Güter des Mainzer St. Klarenklosters in Frankfurt und anderswo von Steuern.* („ab omni exactionum extraordinariarum, precariarum seu sturarum quarumlibet onere.") *Kaiserslautern, 1294 Februar 17.* (XIII. kal. mart.)

> *Bester Druck: Winkelmann, Acta, II, 162. Vgl. Scriba IV², No. 5334, B., Reg. Ad. No. 450.*

**649.** *Schultheiss Volrad, die Schöffen und der Rath der Stadt Frankfurt beurkunden, dass sie als erwählte Schiedsrichter die Streitigkeiten zwischen der Stadt Mainz und Ulrich von Hanau beigelegt haben. Bei Nichteinhaltung des Schiedspruches sollen die beiderseitigen Bürgen in einer Herberge zu Frankfurt Einlager leisten. Die Bürgen für Ulrich von Hanau sind u. a.:* „her Hertwin vonme Hohenhûs, her Cunrad Burneflecke und her Sifrid von Gysenheim, die da scheffenen sint zu Frankenvord." *1294 März 16* (an deme dinsdage, da man zehen dage hatte gevastit).

> *Gedr.: Reimer, I, 540 nach dem deutschen Or. Pgmt. im St. A. Darmstadt, vgl. dort über die älteren Drucke.*
>
> *Verz.: Woerner zu Scriba, No. 119, Roth, Quellen, I, 334.*

**650.** *Volze, ein Schmied, resignirt dem Kloster Schönau mit Einwilligung des Klosters Thron 2 Hufen und 2 Morgen Ackerland in dem Lindau, welche er bisher von diesen beiden Klöstern in Erbpacht besass. 1294 März 17.*

Ego Volze faber, filius quondam Volmari patellatoris, civis Frankenvordensis. Tenore presencium recognosco, quod ego, acce//dente consensu meorum puerorum sive liberorum, in annis legittime etatis constitutis(!), resignavi duos mansos et duo iugera [a] terre arabilis in deme Lindehe iuxta viam, ubi itur versus villam Prumheim et Buckenheim, sitos, quos a ceno//biis sive monasteriis, videlicet de Throno et de Schonauwia, iure hereditario habui et possedi, ita quod prefatum monasterium Schonawe de cetero prefatos duos mansos et duo iugera de voluntate dicti cenobii Throni iure proprietario perpetuo possidebit; promittens ego Volzo una cum dictis meis pueris in annis etatis sue legittime constitutis, quod, cum reliqui pueri mei ad annos etatis sue legittimos pervenerint, quod ipsi huiusmodi resignationem, ut est pretactum, ipsorum mansorum tenebunt ratam atque gratam, et ad id me et prefatos meos pueros prelibato monasterio fideiussorie obligavi. Testes huius sunt: Wernherus de Wanebach, Hert-

---

*a) Im Or. unleserlich.*

wicus de Alta domo, Johannes Goltstein, scabini; Wernherus Birsac, Guntherus Sensensmid, Bertoldus Lederbechere, Cunradus Steinbok, cives Frankenvordenses, et quam plures alii fidedigni. In cuius rei testimonium nos .. scabini supradicti ad rogatum parcium prescriptarum sigillum universitatis Frankenvordensis presentibus duximus appendendum. Actum anno domini m̅. c̅c̅. XCIIII., feria quarta post dominicam, qua cantatur Reminiscere.

> *Or. Pgmt. Abhangend Rest des Stadtsiegels (2). St. A. Fr. Throner-Hof-Akten. Mgb. E. 60, Tom. I.*
> *Gedr.: B., 285 nach dem Or. .*

**651.** *Heinrich Lule, Bürger zu Dieburg, verkauft mit Zustimmung seiner genannten Erben dem Deutschordenshause zu Sachsenhausen (Vertreter: „frater Eberhardus de Hittengesesze") genannte Einkünfte („redditus quinque maldrorum frumenti et septem uncias hallensium cum pullis attinentibus") von einer Hufe („mansus") in Münster vor dem dortigen Gerichte. 1294 März 26 (fer. 6 prox. p. annunc. b. virg.)*

> *Gedr.: Baur, Hess. Urk., I, 146 zu März 27 nach dem Or. Pgmt. im St. A. Darmstadt.*
> *Auszug: Steiner, Bachgau, III, 175 ebenso.*
> *Verz.: Scriba, I, No. 662 ebenso, vgl. Woerner zu Scriba, No. 120.*

**652.** *Friedrich, Bischof zu Speyer, weist dem Ritter Heinrich, Schultheissen in Frankfurt, welchen er schon längst zum Vasallen der Speyerer Kirche angenommen hat, statt der ihm deshalb zu Lehen versprochenen 40 Mark, 2 Wagen Wein zu Deidesheim als Pfandschaft an. Kestenberg, 1294 Mai 14.*

Fridericus dei gracia Spirensis episcopus. Heinrico militi, sculteto in Frankenvort, fideli // suo dilecto, salutem cum affectus plenitudine copiosa. Propter preclara merita tue probitatis, // cuius serena luminositas te nostris conspectibus gratum reddidit et acceptum, te iam dudum // in fidelem ecclesie nostre recepimus et vasallum, tibi quadraginta marcas denariorum Coloniensium pro feodo tunc, cum id fecimus, assignantes. Sed quia hucusque te certum non reddidimus, ubi tuum feodum deberes requirere, volentes, ut ammodo certus existas, tibi duas karratas vini pro dictis quadraginta marcis obligamus, solvendas tamdiu de decima nostra in Didensheim, donec dicte quadraginta marce fuerint integre persolute. Soluta vero prefata pecunia tantum de bonis tuis, que titulo proprietatis possides, nobis et ecclesie nostre demonstrabis, que valorem quadraginta marcarum denariorum Coloniensium valeant evidenter, eadem bona a nobis et nostris successoribus tu et tui heredes feodali titulo perpetuo possessuri. In cuius rei evidenciam tibi presentem literam dedimus sigilli nostri robore roboratam. Datum Kestenburg, anno domini m̅. c̅c̅. nonagesimo quarto, II. idus maii.

> *Or. Pgmt. mit abhangendem, etwas beschädigten Siegel. Ullstadt.*
> *Gedr.: B., 286 nach dem Or. .*

**653.** *Das Kloster Arnsburg verkauft den Johannitern in Frankfurt einen daselbst gelegenen, vom verstorbenen Pfarrer Erpert erhaltenen Hof für 84 Mark und verzichtet zugleich auf einen bisher vom Ordenshofe gezahlten Zins. 1294 Juni 11.*

Frater Witbodo dictus abbas et conventus monasterii de Arnisburg ordinis Cysterciensis, Moguntine dyocesis. Tenore pre//sentium recognoscimus publice profitentes, quod nos unanimi consensu curiam sitam in Frankinfurd, quam quondam dicte civitatis // Erpertus plebanus monasterio nostro contulerat, vendidimus cum honere (!) censuum, qui de dicta curia annuatim dari solent, // honesto viro Hezegino conmendatori de Frankinfurd, ordinis sancti Johannis, nomine eiusdem sui ordinis, pro marcis octoginta quatuor numerate pecunie, quam quidem pecuniam fatemur nos percepisse plenarie, ponentes ipsum ac per ipsum dictum suum ordinem in perpetuam possessionem dicte curie, ut ipsi eo iure ac libertate possideant, quibus nos hactenus dinoscimur possedisse. Profitemur nichilominus per presentes, quod nos renunciavimus in contractu presentis venditionis octo solidis legalis monete, qui nobis singulis annis de dicti ordinis curia dari consueverunt, reddentes dictum ordinem ab ipsis perpetuo absolutum. In cuius venditionis et renunciationis testimonium sigillum nostrum presentibus duximus appendendum. Actum et datum anno domini millesimo ducentesimo nonagesimo quarto, in die beati Barnabe apostoli.

*Or. Pgmt. Abhangend Siegelrest. St. A. Fr. Johanniter Urk. No. 6.*

*Gedr.: B., 286 nach dem Or. .*

*Vers.: Arnsb. Urkb., 217, Scriba, II, No. 848.*

**654.** *König Adolf verleiht dem Rath und den Bürgern von Frankfurt die Gnade, dass Niemand sie oder die Ihrigen nach Kampfrecht oder wegen Güter und Forderungen aus der Stadt laden könne oder solle. Frankfurt, 1294 August 1.*

Adolfus dei gracia Romanorum rex, semper augustus. . . Prudentibus viris . . consulibus et civibus universis de Frankenvort, // fidelibus suis dilectis, graciam suam et omne bonum. Ut regalis nostre magnificencie uberiorem benivolenciam et specialiorem // graciam senciatis vobis [a] esse pre ceteris [b] graciosius inclinatam, vobis hanc graciam duximus faciendam, quod nullus vos // vel vestrum aliquem modo duellico seu per viam duelli extra civitatem Frankenvordensem possit vel debeat evocare. Volumus eciam, quod nullus vos vel vestrum aliquem pro ullis bonis vel debitis extra dictam civitatem Frankenfurdensem citare possit aliqualiter vel vocare, nisi prius in civitate Frankenvort sibi fuerit iusticia denegata. In cuius concessionis nostre gracie testimonium vobis dari fecimus has litteras sigilli nostri munimine roboratas. Datum apud Frankenvort, kalendis augusti, indictione VII. Anno domini millesimo ducentesimo nonogesimo quarto. Regni vero nostri anno tercio.

*Or. Pgmt. Majestätssiegel an roth-gelben Fäden zerbrochen anhängend. St. A. Fr. Priv. No. 19.*

*Gedr.: P. et P. I, 12, II, 10 = Lersner, I ᵃ, 66 = Lünig, R. A., XIII, 561., B., 287 nach dem Or. .*

*Verz.: Fr. Inv. III, 2, B., Reg. Ad. No. 209.*

*Die Urkunde ist eine Wiederholung des Privilegs König Rudolfs von 1291 Mai 30. Vergl. No. 597.*

**655.** *König Adolf verleiht und bestätigt den Frankfurter Bürgern alle Rechte, Freiheiten und Gnaden, welche ihnen von Kaiser Friedrich und andern vor diesem verliehen wurden. Frankfurt, 1294 August 1.*

Adolfus dei gracia Romanorum rex, semper augustus. Universis sacri Romani imperii fidelibus presencium // inspectoribus, graciam suam et omne bonum. Dignum iudicat nostra serenitas et decernit, quod fidelium nostrorum // commodis tanto graciosius intendamus, quanto iidem sacrosancto Romano imperio et nobis imperii atque reipublice // curam gerentibus fidelius coniunguntur. Cum enim subditorum bonum et commoditatis augmentum nostra procurat serenitas, dilatacionem honoris regii et dignitatis imperii promovemus. Quapropter inherentes divorum . . imperatorum et . . regum inclite recordacionis antecessorum nostrorum vestigiis et exemplis, illos, quos ad nos et nostra tempora predictorum . . imperatorum et . . regum in conservacione iuris, libertatis et honoris perduxit posteritas, cupientes in eadem, qua et ipsi, gracia confovere, dilectis fidelibus nostris, civibus Frankenvordensibus,

*a) Rasur.   b) Ursprünglich „preceteris", dann durch Zeichen getrennt.*

omnia iura, libertates et gracias a magne recordacionis inclito Friderico imperatore Romanorum, antecessore nostro, et aliis ante ipsum Fridericum, prout ipsis civibus iuste et rite sunt tradite et concesse, de benignitate maiestatis regie concedimus et concessas presentis decreti munimine auctoritate regia confirmamus. Nulli ergo hominum huic nostre concessionis privilegio liceat contradicere vel eidem ausu temerario contraire; quod qui facere presumpserit, gravem nostre celsitudinis indignacionem se noverit incurrisse. In cuius rei testimonium presentem litteram dictis civibus tradidimus, sigilli nostre maiestatis munimine communitam. Da*tum* Frankenvort, kalend*is* augusti. Anno domini millesimo ducentesimo nonogesimo quarto. Indiction*e* VII. Regni vero nostri anno tercio.

> *Or. Pgmt.   Majestätssiegel an roth-gelben Seidenfäden anhängend.   St. A. Fr. Priv. No 18.*
> *Gedr.: P. et P., I, 11, II, 9, = Lersner, I*a*, 66, = Lünig, R. A., XIII, 561., B., 287*
> *nach dem Or. .*
> *Verz.: B., Reg. Ad. No. 208, Fr. Inv., III, 2.*
> *Die Urkunde ist eine wörtliche Wiederholung des Privilegs König Rudolfs von*
> *1273 December 5. Vgl. oben No. 322.*

**656.** *Hermann zur Alten Münze schenkt dem Kloster der Reuerinnen in Frankfurt wegen seiner in dasselbe aufgenommenen Tochter 1 Mark jährlichen Zinses von genannten Kramläden.   1294 August 9.*

Hermannus de Veteri Moneta, civis Frankenvordensis, universis presentes litteras visuris et audituris cupio esse notum, quod ego occasione Cunegundis, filie mee dilecte, quam priorissa et conventus sanctimonialium ordinis Penitencium in Frankenvord pure propter deum in suum habitum et ordinem receperunt, dictis priorisse et conventui pie propter deum contuli, donavi et deputavi super duabus apotecis, que vulgariter gadame nuncupantur, videlicet Thilmanni de Colonia et Eberwini quondam pannificis,[a] unam marcam denariorum Coloniensium legalis monete census annualis iure proprietario[b] in festo beati Martini singulis annis ab ipsis duabus apotecis perpetuo tollendam et percipiendam; resignans et renuncians omni iuri, quod mihi in predicta marca denariorum census annualis competebat, promittens nihilominus prelibatis priorisse et conventui de ipsa marca denariorum facere warandiam iuxta consuetudinem civitatis Frankenvordensis debitam et consuetam. Testes huius sunt: decanus ecclesie Frankenvordensis, Volradus scultetus, Hertwicus[c] de Alta domo, Arnoldus de Glauburg, Ludewicus de Hulzhusen, Johannes iuvenis Goltstein, scabini, et quam plures alii cives Frankenvordenses fidedigni. In cuius rei testimonium ego Hermannus supradictus presentes litteras memoratis priorisse et conventui sigillo universitatis Frankenvordensis tradidi communitas, quod ad preces meas et ad preces sepedictarum priorisse et conventus per prefatos scabinos presentibus est appensum. Actum anno domini m̄. c̄c̄. nonagesimo quarto, in vigilia sancti Laurencii martiris.

> *Schlechte Abschrift in Weissfrauenkloster-Bücher, II, No. 8 f. 62ᵃ.   St. A. Fr.  Desgl. von*
> *demselben Schreiber: a. a. O., III, No. 4ᵇ f. 30.*
> *Gedr.: Fichard, Entstehung, 353 nach besserer Vorlage = B., 288.   Erwähnt: Lersner,*
> *IIᵇ, 95.*

**657.** *Marquard, Dechant an der Marienkirche in Bamberg, verkauft dem Kloster Arnsburg seine Fruchtgefälle von gewissen beim Hof Riedern gelegenen Äckern.   Frankfurt, 1294 September 4.*

Noverint universi presencium inspectores, quod curia in Rederen, que attinet monaste//rio in Arnisburg, ordinis Cysterciensis, solvebat michi, Marquardo decano

---

a) *Vorlage:* „panificis“.   b) „proprietatis“.   c) „Hermannus“.

ecclesie sancte Marie // in Babenberg, de quibusdam agris, apud ipsam curiam Ryederen sitis, anno, // quando siligo in ipsis agris fuerat seminata, sex summerinos siliginis Frankenvordensis mensure; sequenti vero anno, quando avena in ipsis agris fuerat seminata, sex sumerinos avene; tercio autem anno, quando sine frugibus fuerant, nichil solvebat de eisdem. Nunc autem venerunt ad me frater Rodolfus, cantor eiusdem monasterii, et frater Wilberus, conversus eiusdem monasterii, et emerunt prefatam pensionem monasterio suo predicto iure proprietario tenendam et possidendam libere et absolute. Testes huius vendicionis sunt: Johannes de Wedere, Conradus Alleum gener eiusdem Johannis, Conradus lapicida, Gebena, et Henricus dictus Schelmo, et alii quam plures fidedigni cives Frankenvordenses. In cuius vendicionis testimonium presentes litteras scribi volui et sigilli mei appensione roborari. Actum Frankenvord, anno domini millesimo ducentesimo nonagesimo quarto, pridie nonas septembris.

*Das Original war in Lich nicht aufzufinden, daher ist der Druck B.'s, 288, hier wiederholt. Verz.: Arnsb. Urkb., 218, Scriba, II, No. 850.*

**658.** *Schultheiss Volrad und die Schöffen von Frankfurt beurkunden, dass Marquard, Dechant an der Marienkirche zu Bamberg, die bisher vom Reiche zu Lehen besessenen Mühlenwässer im Main bei Frankfurt an Albert Münzenberger und dessen Frau Katharina, Tochter Gyplos von Holzhausen, verkauft habe. Die Käufer haben davon jährlich einen Zins an das Reich zu entrichten. 1294 September 7.*

Nos Volradus scultetus et . . scabini de Frankinford. Universis has litteras [visuris] cupimus esse notum, quod honestus vir dominus Marquardus, decanus ecclesie sancte Marie extra muros in Babenberg, in nostri presencia constitutus huiusmodi aquas molendinorum, quas in fluvio Mogi Frankinford habuit ab imperio et habere dinoscebatur, cum omni iure, quo ipsas aquas possedit, vendidit rite et racionabiliter iusto vendicionis tytulo Alberto dicto Mintzenberger et Katherine, filie Gyplonis de Hultzhusen, nostris concivibus, necnon heredibus eorundem iure proprietario perpetuo possidendas, videlicet ita, quod prefati Albertus et Katherina atque heredes ipsorum de ipsis aquis molendinorum singulis annis in festo beati Martini domino Romanorum regi aut eius . . officiato Frankinfordie porrigere debebunt decem et octo denarios leres perpetuo census annualis; resignans et renuncians idem dominus Marquardus decanus coram nobis omni iuri, quod ipsi in prelibatis aquis molendinorum conpetebat. Testes huius sunt: Volradus scultetus supradictus, Wernherus de Wanebach, Syfridus de Gysinheim, Ludewicus de Hultzhusen, scabini; Johannes de Wedere, Petrus inter Piscatores, Cunradus de Byberahe, et quamplures alii cives Frankinfordenses fidedigni. In cuius rei testimonium nos scultetus et . . scabini prenotati ad rogatum prenominatorum Alberti et Katherine sigillum universitatis Frankinfordensis una cum sigillo memorati domini . . decani presentibus duximus appendendum. Actum anno domini ih. cc. XCIIII., in vigilia nativitatis beate Marie virginis.

*Abschrift in Liebfrauenstift-Bücher No. 24, S. 82. St. A. Fr.*

**659.** *Das Stiftskapitel von St. Gingolf in Mainz verkauft dem bei den Deutschordensbrüdern wohnenden Priester Heinrich 15 Schillinge Zins vom Hause Zum schwarzen Hermann in Frankfurt. 1294 September 29.*

Nos Johannes decanus et . . capitulum ecclesie sancti Gingolfi in Moguncia, notum facimus universis has litteras // visuris, quod vendidimus iuste et racionabiliter honesto viro domino Heinrico sacerdoti quondam celebranti in Rediln//heim, fratribus Theutonice

domus Sassenhusen cohabitanti, quindecim solidos denariorum Coloniens*ium* census
annualis supra // domum nuncupatam ad Nigrum Hermannum Frankenvord cum omni
iure, quo ipsos quindecim solidos Coloniens*es* a Heinrico milite de Sassenhusen, filio
quondam Rudolfi militis, possedimus, prout in privilegio dicti Heinrici militis nobis
dato et porrecto plenius continetur, perpetuo in festo beati Martini hyemalis tollendos
et percipiendos; resignantes et renunciantes de plano omni iuri, quod nobis in prefatis quindecim solidis Coloniens*ibus* conpetebat; promittentes nichilominus predicto domino
Heinrico de ipso censu facere warandiam iuxta consuetudinem oppidi Frankenvordensis
debitam et consuetam.   Testes vendicionis census premissi sunt hii: frater Winricus
de domo Theutonica, Volradus scultetus Frankenvordensis, Wernherus de Wanebach,
Sifridus de Gysenheim, Rudegerus et Ludewicus de Hulzhusen, scabini; Theodericus
notarius, et quam plures alii fidedigni.   In cuius rei testimonium nos . . decanus et . .
capitulum predicti prenominato H. sacerdoti presentes *lit*teras sigillo universitatis
Frankenvordensis tradimus co*m*munitas, quod ad rogatum nostrum per . . scultetum
et . . scabinos Frankenvordenses presentibus est appensum.   Actum anno domini m̅. c̅c̅.
XCIIÎ., in festo beati Michahelis archangeli.

*Or. Pgmt.   Siegeleinschnitt.   St. A. Fr. Deutschordens-Urk. No. 44.*
*Gedr.: B., 289 nach dem Or. .*
*Regest: Sauer, I, 695.*

**660.** *Boemund, Erzbischof von Trier, beurkundet, dass Heinrich, der ehemalige Schultheiss*
*in Frankfurt, von der Trierer Kirche einen Hof und anderthalb Hufen zu Sulzbach*
*und eine halbe Hufe zu Sossenheim zu Erblehen trage. 1294 October 26.*

Nos Boemundus dei gra*ci*a Trevirorum archiepiscopus, ad universorum noticiam
cupimus pervenire, quod dilectus fidelis noster // Henricus, quondam scultetus in Frankinvort, miles, curtim et unum mansum cum dimidio apud Solzbach, qui // quondam
Friderici de Wartinberg fuerunt, et dimidium mansum apud Sosinheim, qui fuit
quondam cuiusdam armi//geri de Karne, a nobis et ecclesia Trevirensi tenet in feudum,
et sui heredes in perpetuum eadem bona a nobis et ecclesia Trevirensi in feudum
recipere et tenere perpetuo tenebuntur; concedentes has nostras litteras sigillo nostro
roboratas in testimonium et memoriam super eo.   Dat*um* anno domini m̅. c̅c̅. nonagesimo quarto, VII. kalend*as* novembris.

*Or. Pgmt. mit abhangendem Siegelrest. Ullstadt.*
*Gedr.: B., 290 nach dem Or. = Sauer, I, 696.*
*Verz.: Goerz, Mittelrhein. Reg., IV, No. 2334.*

**661.** *Schultheiss Volrad, die Schöffen und Bürger von Frankfurt beurkunden, dass*
*der Frankfurter Bürger Arnold, der Wirth in Sachsenhausen, an Bruno von Köln,*
*an dessen Frau und an dessen Mutter 1 Mark jährlichen Zinses von seinem*
*Hause in Sachsenhausen verkauft habe. 1294 October 27.*

Nos Volradus scultetus, . . scabini ceterique . . cives de Frankenvord, tenore
presencium recognoscimus, quod // Arnoldus hospes in Sassinhusen, noster concivis, in
nostri presencia constitutus accedente consensu puerorum // sive liberorum suorum,
quos ex prima uxore eius legitima procreavit, vendidit iuste et racionabiliter // Brunoni
de Colonia et Adelheidi, uxori eius legitime, nostris concivibus, necnon Engelradi,
matri ipsius Brunonis, supra domum suam et curiam totalem, quam inhabitat, unam
marcam denariorum census annualis singulis annis in festo beati Martini dictis Brunoni

et suis heredibus de dictis domo et curia dandam et porrigendam. Resignaverunt et renunciaverunt iidem Arnoldus et eius liberi omni iuri, quod ipsis in predicta marca denariorum census competebat. Promiserunt nichilominus prelibatis Brunoni suisque heredibus de ipsa marca facere warandiam debitam et consuetam, et pro ipsa warandia facienda sepedictis Brunoni et suis heredibus idem Arnoldus Conradum, eius filium, Henricum dictum Enkir, et Gerbodonem piscatorem, suos generos, constituit fideiussores. Testes huius sunt: Volradus scultetus supradictus, Wernherus de Wanebach, Gyplo de Holzhusin, Hertwicus de Alta domo, Arnoldus de Glouburg, Cunradus Burneflecke, Cunradus de Spira, scabini, et quamplures alii fidedigni. In cuius rei testimonium nos . . scultetus et . . scabini prenotati ad rogatum partium predictarum sigillum universitatis Frankenvordensis presentibus duximus appendendum. Actum anno domini millesimo ducentesimo nonagesimo quarto, in vigilia apostolorum Symonis et Jude.

*Or. Pgmt. mit Bruchstück des anhängenden Stadtsiegels (2). St. A. Fr. Barth. St. No. 3304.*
*Gedr.: B., 290 nach dem Or. .*

**662.** *Schultheiss Volrad, die Schöffen und Bürger von Frankfurt beurkunden, dass Kulmann, der Sohn des Wicker auf der Brücke, und dessen Frau an Volkwin von Wetzlar 2½ Hufen in Hof-Erlenbach verkauft haben. 1294 October 28.*

Nos Volradus scultetus, scabini ceterique cives de Frankenfurt. Tenore presencium recognoscimus, quod Culmannus, filius quondam Wicgeri in Ponte, et Katherina, uxor eius legittima, nostri concives, in nostri presencia constituti vendiderunt rite et racionabiliter iusto vendicionis titulo, communicata manu et unanimi consensu Volckwino de Wetflaria, et Gerdrudi, uxori eius legittime, nostris concivibus, ac eorum heredibus duos mansos cum dimidio[a] terre arabilis in terminis ville dicte Hoff Irlebach sitos, precise et de plano eo iure, quo ipsos possiderunt, iure proprietario perpetuo possidendos; et, si quid terre arabilis transcendit dictos duos mansos cum dimidio. quod iidem Volckwinus et sua coniunx erga prefatos Culmannum et suam coniugem comparabunt et ement iuxta estimacionem et comparacionem predictorum duorum mansorum cum dimidio,[b] qua ipsos emerunt et comparaverunt. Resignaverunt et renunciaverunt Culmannus et eius uxor in figura nostri iudicii omni iuri, quod ipsis in eisdem mansis competebat. Promiserunt nichilominus prelibatis Volckwino et eius heredibus de ipsis mansis et quidquid ad eosdem spectare dinoscitur facere warandiam iustam, debitam et consuetam. Testes huius sunt: Volradus scultetus predictus, Wernherus de Wanbach, Gyplo de Hultzhusen, Hertwicus de Alta domo, Arnoldus de Glauburg, Conradus Bornflecke, Conradus de Spira, Sifridus de Gysenheym, Rudegerus, Lud(e)wicus de Holtzhusen, Johannes iuvenis Goltsteyn, scabini, et quamplures alii fidedigni. In cuius rei testimonium nos scultetus et scabini supradicti ad rogatum parcium predictarum sigillum universitatis Frankenfurdensis nostrum presentibus duximus appendendum. Actum anno domini ṁ. ċċ. XCIIII., in die apostolorum Symonis et Jude.

*Abschrift in Johanniter-Bücher No. 15, f. XI. St. A. Fr.*
*Gedr.: B , 291 nach derselben Vorlage.*

**663.** *Schultheiss Volrad, die Schöffen und Bürger von Frankfurt beurkunden, wie die Zweifel inbetreff des kleinen Zolles, welchen die Ritter Keppler seit Alters vom Reich zu Lehen getragen, durch Ritter Dietrich Keppler und andere bescitigt, und wie*

a) *Vorlage: „dimidia“.*  b) *Vorlage: „dimedia“.*

*die Gegenstände des Zolls sowie dessen Betrag bestimmt worden sind. 1294 November 26.*

Nos Volradus scultetus, . . scabini, ceterique cives de Frankenvord. Tenore presencium recognoscimus, quod huiusmodi am//biguitas, que vertebatur super parvo thelonio Frankenvord, quod honesti viri quondam Cappellarii milites ab anti//quo ab imperio in feodum habere dinoscebantur, per honestos viros Theodericum Cappellarium militem et // alios fidedignos, qui ipsum thelonium multis annis colligere consueverunt, per eosdem dicta ambiguitas dicti parvi thelonii coram nobis est discussa in modum infrascriptum, videlicet ita: quod in nundinis Frank*envord* quilibet pistor dabit unum panem valentem unum denarium; item quilibet cerdo unum denarium levem; item quilibet calcifex unum denarium levem; item quilibet institor denarium levem; item quilibet pellifex denarium levem; item vendentes salem quilibet denarium levem; item vendentes pira et poma quilibet denarium levem; item venditores antiquorum vestimentorum suum thelonium dabunt; item de pellibus singulariter [a] vendendis [a] thelonium [a] dabunt, sed que pelles sunt in pondere ligate, ad magnum thelonium spectant; item lane, que ponderantur cum libra, que dicitur Snellewage, infra pondus, quod dicitur Clude, ad parvum thelonium similiter spectant. In testimonium premissi tractatus coram nobis habiti nos . . scabini supradicti ad peticionem domini Heinrici militis, quondam nostri sculteti, qui nunc ipsum thelonium parvum tollit et recipit, sigillum universitatis Frankenvordensis una cum sigillo Volradi, nostri sculteti, presentibus duximus appendendum. Actum anno domini m̊. c̊c̊. XCIIII., feria sexta post festum beate Katherine virginis.

*Or. Pgmt. Abhangend: 1) Siegel des Schultheissen (beschädigt), 2) Stadtsiegel (2), Rest. St. A. Fr. Ugb. A. 82 No. 68.*

*Gedr.: Vertheidigtes kaiserl. Eigenthum, Frankenstein c;a. Frankfurt, 84, B., 291 nach dem Or. .*

*Verz.: Fr. Inv., III, 2.*

**664.** *Adelind, die Wittwe des Wolvold von Königstein, vermacht ihren beiden Töchtern im Weissfrauenkloster zu Frankfurt und diesem Kloster selbst genannte Gefälle in Burlachin und in Hofheim. 1294 December 29.*

Noverint universi presencium inspectores, quod ego Adelindis, relicta quondam Wolvoldi de Kunigestein, debilis corpore, compos mentis, volo, statuo, dono et ordino nomine testamenti mei Hedewigi et Beatrici, filiabus meis, de ordine Penitentum in Frankinvort sex octalia siliginis, cedencia de villa dicta Burlachin, quorum duo octalia siliginis singulis annis perpetuo in anniversario meo priorisse et dominabus monasterii sancte Marie Magdalene de ordine Penitentum in Frankenvord ministrabuntur et dabuntur pro consolacione sive pytancia; alia vero quatuor octalia cedent prefatis meis filiabus aut alteri earum, si una decesserit, ad tempora vite earum, et post obitum ipsarum mearum filiarum ipsa quatuor octalia cum duobus octalibus premissis cedent et solventur singulis annis nomine perpetue pensionis monasterio antedicto. Item dono, ordino et statuo quatuor solidos Coloniens*ium* denariorum et duo cappones cedentes de iamdicta villa Burlachin et unam amam vini cedentem de villa Hoveheim dictis meis filiabus vel alteri earum ad tempora vite earu*ndem*, qui quidem quatuor solidi Coloniens*es*, duo cappones et ama vini post obitum dictarum mearum filiarum sine contradictione qualibet monasterii prefati ad meos legittimos heredes libere rever-

tentur. Et hec premissa omnia statui et ordinavi in presencia nobilis viri domini
Wernheri de Valkenstein et de consensu benivolo eiusdem et presentes li*t*eras super
hiis confectas sigillo suo rogavi communiri, presentibus et testibus: Heinrico de Hazichen-
stein, Cunrado de Elteville, Starkerado de Hasele, Ruperto de Erchenstein, militibus,
et Gertrude, uxore dicti Ruperti, filie mee(!), et eedem(!) filie mee fideli consensu
annuente. Et nos Wernherus dominus de Valkenstein predictus ad rogatum Adelindis
prefate donacionem et ordinacionem predictam admisimus et consensimus et presentibus
approbamus, et in evidens signum sigillum nostrum presentibus duximus appendendum.
Actum et datum anno domini millesimo ducentesimo nonagesimo quinto, quarto kalend*as*
ianuarii.

> *Abschrift in Weissfrauenkloster-Bücher, Abt. IV, No. 2 f. 78 (Korngültebuch von 1488).*
> *St. A. Fr.*
>
> *Gedr.: B., 292 nach derselben Vorlage = Sauer, I, 699. Erwähnt: Lersner, II^b, 95.*

**665.** *Magister Ditmar, Dechant zu St. Bartholomaeus, und Petrus, Deutschordenskomthur
zu Mainz, sprechen als erwählte Schiedsrichter (vgl. oben Reg. No. 628, 1293
Februar 12) die streitigen Rottzehnten zu Ober-Wöllstadt dem Deutschordenshause zu
Sachsenhausen, bezw. dem Pastor zu Nieder-Wöllstadt zu und weisen die Ansprüche
des Stiftes St. Alban in Mainz ab. Mainz, 1294.*

> *Or. Pgmt. mit den Siegeln der Schiedsrichter. St. A. Darmstadt.*
> *Gedr.: Baur, Hess. Urk., I, 208.*

**666.** *Konrad Wobelin von Offenbach, Bürger zu Frankfurt, schenkt dem Kloster Thron,
bezw. seiner Tochter Adelheid die Hälfte seines Besitzes und erhält die Güter gegen
eine Recognition für das Kloster von diesem für seine Lebenszeit zurück. Frankfurt, 1295 Januar 17.*

Ego Cunradus Wobelinus dictus de Ovenbach, civis Frankenvordensis, notum
facio univer//sis presentibus et futuris, ad quorum visum vel auditum presentes pervenerint, quod, cum // Alheidim, filiam meam, quam ex Gerdrudi, uxore mea legitima
bone memorie, generavi, // religioni in ordinem Cyster*ciensium* ad monasterium in Throno
tradiderim, intencionis mee fuerit et adhuc sit et statui et ordinavi, volui et disposui
et statuo et ordino, volo et dispono, ut .. abbatissa et .. conventus sanctimonialium
de Throno nomine filie mee predicte michi in dimidietate bonorum meorum omnium,
que in obitu prefate Gerdrudis, uxoris mee, habui et possedi, succedant et tamquam
heredes recipiant et possideant pleno iure, reliquam vero dimidietatem statuo et ordino
Lucardi, nepoti meo(!), filie quondam Culemanni filii mei, percipiendam et possidendam.
exceptis quadraginta marcis denariorum Coloniens*ium*, quas Elyzabeth, relicte Culemanni
filii mei, in inferiori parte prati mei in Sprendelingen siti assignavi et assigno
donacionis nomine sive dotis. Recognosco eciam, quod ipsam dimidietatem bonorum
meorum, .. abbatissam et .. conventum predictos ex parte filie mee predicte contingentem, tradidi, donavi et resignavi in manus domine Mechildis, abbatisse de Throno, et ..
conventus ibidem libera voluntate. Insuper recognosco, quod .. abbatissa et .. conventus predicti dictam dimidietatem michi ad tempora vite mee concesserunt possidendam pro dimidia libra cere, nomine census in festo beati Martini annis singulis
persolvenda. Huius rei testes sunt: frater Walerus(!) de Barbei lector, frater Johannes
de Erfordia, frater Henricus de Deipurg, frater Johannes de Wetflar*ia* de ordine
Predicatorum, frater Craftho confessor dominarum de Throno, frater Wernherus dictus
de Byrkelor conversus ibidem, frater Fridericus de Schonowia, frater Wernherus de

Arnisburg, conversi ordinis Cyster*ciensis*; magister Dythmarus decanus, Johannes de
Bethinhusin scolasticus, canoni*i* Frankenvorden*ses*: Cunradus Suevus et Henricus
dictus Sapiens, milites: Cûno de Bruningesheim, Volgwinus de Wetflar*ia*, Wigandus
filius Demari, Hartmudus Blůmichin, Gerhardus piscator, et alii quamplures cives
Frankenvordenses fidedigni. In cuius rei testimonium prefatas li*tt*eras dictis . . abbatisse
et . . conventui sigillo meo una cum sigillis hono*rabilium* virorum decani et scolastici
predictorum tradidi sigillatas. Nos . . decanus et . . scolasticus predicti ad rogatum
C. Wobelini predicti sigilla nostra presentibus sunt appensa(!). Actum anno domini
m̃. c̃c̃. nonagesimo quinto, [in di]e beati Anthonii, in curia scolastici supradicti.

> *Or. Pgmt. Nur die Pergamentstreifen für die beiden letzten Siegel sind erhalten. St. A.*
> *Wiesbaden, Kloster Thron No. 38.*
> *Regest: Sauer, I, 702.*

**667.** *Konrad, Sohn Wickers des Jungen von der Brücke, Bürger zu Frankfurt, und seine*
*Frau übertragen den Klöstern Thron und Marienborn im Austausch für das von*
*diesen abgetretene Eigenthumsrecht an einer Hufe zu Ober-(Hof)Erlenbach eine*
*Mühle bei diesem Dorfe. 1295 Januar 25.*

Cunradus, filius quondam iuvenis Wigeri in Ponte, et Katherina, uxor eius legittima, cives Frankenvordenses. // Universis has li*tt*eras visuris cupimus esse notum,
quod nos occasione cuiusdam mansi in terminis ville Hof-Erlebach // siti, cuius mansi
terre arabilis proprietas ad religiosas dominas . . abbatissam et . . conventum cenobii
de Throno // et ad . . abbatissam et . . conventum cenobii Fontis sancte Marie spectare
dinoscebatur, que . . abbatisse et . . conventus de plano renunciaverunt proprietati
dicti mansi, ut ipsum vendere possemus, ipsarum contradictione non obstante, communicata manu et unanimi consensu de plano renunciavimus et presentibus renunciamus
omni iuri, quod nobis in molendino iuxta dictam villam sito conpetebat seu conpetere
videbatur, ita quod prefate . . abbatisse et . . conventus dictorum cenobiorum ipsum
molendinum eo iure, quo ipsum possedimus, perpetuo valeant possidere. Testes huius
sunt: Andreas miles de Vilmere, Cunradus de Heldebergen, Heylemannus de Hulzhusen,
Rupertus filius Volcwini de Wetflaria, Theodericus notarius Frank*envordensis*, et quamplures alii cives Frank*envordenses* fidedigni. In cuius rei testimonium nos Culemannus
et Katherina supradicti prelibatis cenobiis presentes li*tt*eras sigillo universitatis Franken-
*vordensis* tradimus co*mm*unitas, quod ad preces nostras per . . scabinos Frankenvor-
*denses* presentibus est appensum. Actum anno domini m̃. c̃c̃. XC̊V̊., in conversione
beati Pauli apostoli.

> *Or. Pgmt. Das abhangende Stadtsiegel (2) ist stark beschädigt. St. A. Wiesbaden, Kloster*
> *Thron No. 39.*
> *Regest: Sauer, I, 703.*

**668.** *König Adolf ernennt den Dechanten der Frankfurter Kirche und den ehemaligen*
*Schultheiss Heinrich zu Frankfurt zu Schiedsrichtern in dem Streite zwischen dem*
*Mariengredenstift zu Mainz einerseits und Ritter Dietrich Keppler und der*
*Gemeinde Rödelheim andererseits. Frankfurt, 1295 März 22. (XI. kal. april.)[1]*

> *Gedr.: Baur, Hess. Urk., I, 215, Sauer, I, 705.*
> *Verz.: B., Reg. Ad. No. 427, Scriba, IV², No. 3649.*

---

[1] *In einer Urkunde Gottfrieds von Brauneck* Frosz, cives in Frankenfort" *als Zeugen genannt.*
*d. d. 1295 Februar 20* (dominica ante fest. kath. *(Reimer, I, 545.)*
*s.* Petri) *werden* „Henricus de Rusa, Henricus dictus

**669.** *König Adolf ertheilt auf Bitte Ulrichs von Hanau Babenhausen einen Wochenmarkt und Freiheit wie Frankfurt.* „Concedentes nichilominus eidem ville omnia libertatis iura, quibus oppidum nostrum et imperii Frankenvort gaudet et hactenus est gavisum". *Mainz, 1295 März 28 (V. kal. aprilis).*

*Bester Druck: Reimer, I, 546.*
*Verz.: B., Reg. Ad. No. 261. Vgl. Thomas, Oberhof, 121.*

**670.** *Schultheiss Volrad, die Schöffen und Bürger von Frankfurt beurkunden, dass die Frankfurter Bürgerin Irmgard mit Einwilligung ihrer Kinder aus erster Ehe dem Schuhmacher Ludwig ihr Haus bei den Barfüssern verkauft habe. Zugleich entscheiden Schultheiss und Schöffen, dass die Kinder der Verkäuferin aus zweiter Ehe, welche diesen Handel anfochten, kein Recht an dem Hause haben. 1295 März.*

Nos Volradus scultetus, . . scabini ceterique cives de Frankenvort, tenore presencium recognoscimus, quod // Irmengardis apud fratres Minores, nostra concivis, in nostri presencia constituta mole sue inopie et paupertatis, // accedente consensu suorum liberorum Hannemanni, Katherine et Adelheidis, quos ex primo suo marito legittimo pro//creaverat, vendidit domum suam ex opposito Minorum fratrum Frankenvort sitam iuste et racionabiliter Ludewico sutori et Ude, uxori eius legittime, nostris concivibus, iure proprietario perpetuo possidendam, resignans et renuncians eadem Irmengardis una cum dictis suis liberis in figura nostri iudicii omni iuri, quod ipsi in prefata domo competebat, promittens nichilominus predictis Ludewico et sue coniugi de ipsa domo facere warandiam iuxta consuetudinem civitatis Frankenvordensis debitam et consuetam. Empcione premissa coram nobis sic legittime facta, Nicolaus, Culemannus et Philippus, secundi pueri sive liberi per ipsam Irmengardim a secundo marito suo, quem superduxit, procreati, comparentes coram nobis impetendo et in causam trahendo prefatos Ludewicum et eius coniugem super empcione ipsius domus ipsis per ipsam Irmengardim factam(!), pretendentes et allegantes, quod huiusmodi empcio domus minus esset valida, et optulerunt, se probaturos, quod ipsi cum primis pueris prelibate Irmengardis essent legittime eciam de ipsa domo hereditati, et cum hoc probare deberent, in sua probacione penitus defecerunt. Nos vero . . scultetus et . . scabini supradicti, omnibus premissis auditis plenius et intellectis, maturo consilio habito, sentenciando pronunciavimus et in hiis scriptis pronunciamus, secundos pueros ipsius Irmengardis, videlicet Nicolaum, Culemannum et Philippum, in sepedicta domo nil iuris habere, adiudicantes eandem Ludewico et eius coniugi ac eorum heredibus per sentenciam memoratis. Testes huius sunt: Volradus scultetus, Wernherus de Wanebach, Gipelo de Holzhusen, Hertwicus de Alta domo, Arnoldus de Glauburg, Cunradus Burneflecka, Cunradus de Spira, Sifridus de Gysenheim, Rudegerus de Holzhusen, scabini, et quam plures alii fidedigni. In cuius rei testimonium nos . . scultetus et . . scabini supradicti sepedictis Ludewico et eius heredibus presentes litteras sigillo universitatis Frankenvordensis tradimus communitas. Actum anno domini ṁ. ċċ. XCV., mense marcii.

*Or. Pgmt. mit Bruchstück des anhängenden Stadtsiegels (2). St. A. Fr. Barth. St. No. 2318.*
*Gedr.: B., 293 nach dem Or. . Auszug: Thomas, Oberhof, 441.*

**671.** *Die Beghine Hildeburg von Aschaffenburg vermacht den Dominikanern zu Frankfurt 4 Schillinge Zins jährlich von einer bei den Weissfrauen gelegenen Scheune und einem Häuschen zur Pietanz. 1295 April.*

Noverint universi presentes literas inspecturi, quod ego Hildeburgis beggina de Aschaffenburg, compos mentis, pie propter deum ac remedium anime mee, ut post meum obitum eius memoria perpetua habeatur, contuli et legavi religiosis viris priori et conventui domus Predicatorum in Frank*enfurt* ad pitanciam et refectionem ipsius conventus perpetuo IIII. solidos denariorum Coloniensium census annualis, [quos] singulis annis in festo pascali Conradus dictus Rintfleisch vel sui heredes, cives Frank*enfordenses*, de horreo et domuncula eidem contigua apud Penitentes iuxta habitationem Metzen mulieris sitis mihi porrigunt et porrigere consueverunt, videlicet ita, quod ego Hildeburgis´ predicta dictos IIII. solidos Colonienses quoad vixero de ipsis horreo et domuncula tollam et percipiam omni inpedimento remoto. Postquam vero de medio sublata fuero, prefati IIII. solidi Colonienses ad pitanciam et refectionem singulis annis in meo anniversario ad predictum conventum domus Predicatorum libere devolventur. Hoc sane addito, quod sepedicti IIII. solidi Colonienses nunquam vendi aut alienari ab ipso conventu Predicatorum Frankenford debebunt, quod si secus fieret, predicti IIII. solidi Colonienses ad meos heredes devolventur et respectum habebunt per omnia ad eosdem. In cuius rei testimonium ego Hildeburgis supradicta memoratis priori et conventui tradidi has li*t*eras sigillo universitatis Frank*fordensis* roboratas, quod ad preces meas presentibus est appensum. Actum et datum anno domini 1295(!), mense apprilis.

*Abschrift in Dominikaner-Bücher A f. 46. St. A. Fr.*

**672.** *Der Komthur Anselm*[1] *und das Deutschordenshaus zu Sachsenhausen beurkunden, dass ihnen der Priester Johannes von Rossdorf sein Viertel der Mühle Kistelberg bei Dieburg unter genannten Bedingungen übergeben habe. 1295 Juni 6.*

Nos frater Anshelmus commendator ceterique fratres domus Theutonice in Sassinhusen apud Frankenvord, universis // tam presentibus quam futuris hanc literam inspecturis cupimus esse notum, quod Johannes sacerdos celebrans // in Rossedorf in nostra presencia constitutus suam quartam partem molendini dicti Kistilberg apud opidum Diepurg situm, pie propter deum et ob remedium anime sue necnon suorum parentum defunctorum nobis et domui nostre proprio motu contulit et donavit, hac sane conditione, quod nos et domus nostra eidem Johanni, quamdiu vixerit, duo talenta hallensium, quinque maltra siliginis et totidem maltra tritici Diepurgensis mensure singulis annis duobus temporibus, videlicet in festo beati Mychahelis dimidiam partem, reliquam vero partem in circumcisione domini, nomine annue pensionis dabimus et presentabimus in opidum Diepurg in omnem eventum nostris laboribus et expensis, postquam autem predictus Johannes universe carnis viam fuerit ingressus, nos et domus nostra ab huiusmodi pensione, videlicet hallensibus, tritico et siligine, erimus absoluti, exceptis duobus maltris tritici et duobus maltris siliginis, que singulis annis in anniversario ipsius Johannis fratribus domus nostre pro pytantia sive consolatione perpetuo statuit ministrari, hoc etiam apposito, quod nos Jutte dicte Flougen et uni tantum puerorµm eius, quemcumque coram viris discretis et fidedignis predicta Jutta nominatim expresserit, et evidenter consanguineis prelibati Johannis ad tempora vite ipsorum et non amplius dabimus annuatim tria maltra siliginis et tria maltra tritici Diepurgensis mensure ac presentabimus ipsis in prehabitum opidum nostris laboribus et expensis, ipsis vero defunctis pretacta pensio penitus cessabit et ad nos et domum nostram pleno iure libere devolvetur. Adiectum est insuper, quod si prefatum molendinum post obitum sepefati Johannis per incendium, expeditiones, ruinam, seu quocunque alio casu contingente destrueretur et periret, nos ipsum debemus et tenebimur reedi-

---

[1] *Anselm wird auch 1295 August 24 als Komthur genannt. Wyss, Hess. Urkb., I³, 278.*

ficare, set quamdiu usumfructum in ipso molendino sic destructo non habemus vel
habuerimus, a pensione antedictorum Jute et eius pueri nominatim expressi erimus
penitus absoluti. Usufructu quoque molendini ad nos revoluto ad pensionem ipsius
Jutte et eius puero(!) tenebimur memoratam. In cuius rei testimonium et roboris firmitatem presentes literas sigillo nostro una cum sigillo magistri Dythmari decani
Frankenvordensis, quod ad preces nostras est appensum, duximus roborandas. Datum
anno domini millesimo ducentensimo nonagesimo quinto, VIII.° idus iunii.

*Or. Pgmt. St. A. Darmstadt. — Grotefend.*
*Auszug: Steiner, Bachgau, III, 175.*
*Verz.: Scriba, I, No. 675.*


**673.** *Erzbischof Gerhard von Mainz befiehlt dem Stiftskapitel zu Frankfurt, den Magister
Eckehard genannt Moin, der mit dem Kapitel über den Genuss seiner Präbende
in offenen Streit gerathen und wegen thätlicher Angriffe auf die Frankfurter und
Mainzer Kirchen in den Kirchenbann gethan worden ist, nochmals vorzuladen, und
im Falle er sich nicht rechtfertigen könne, seine Präbende anderweitig zu vergeben.
Mainz, 1295 Juni 10.*

Ger. dei gracia sancte Maguntine sedis archiepiscopus, sacri imperii per
Germaniam archicancellarius, dilectis in Christo . . decano // totique capitulo ecclesie
Frankenfurdensis, salutem in domino. Cum magister Eckehardus dictus Moin legittime
cita//tus in ecclesia Frankenfurdensi non curaverit facere residenciam personalem et
ob hoc ipsum a percepcione // fructuum prebende sue, quam in dicta ecclesia habere
dinoscitur, suspenderitis iusticia exigente, idemque Eckehardus postmodum presump-
cionis ductus spiritu, arma assumens, non solum Frankenfordensem, verum eciam
Maguntinam, ecclesias temere spoliavit, in salutis sue preiudicium et scandalum ordinis
clericalis, propter quod spolium, cum esset tamquam notorium legittime declaratum
coram iudicibus sedis nostre, iidem iudices nostri, formam Maguntini et Ascaffem-
burgensis conciliorum nostrorum diligencius observantes, ipsum excommunicacionis
vinculo innodarunt, et quia huiusmodi suspensionis et excommunicacionis sentencias,
ad gremium matris ecclesie redire non curans, iam per multa tempora sustinuit animo
nimium indurato, maledictionis bibens calicem velut aquam, ecclesie clavibus vilipensis,
discretioni vestre in virtute sancte obediencie et sub pena suspensionis districte precipiendo mandamus, quatenus prefatum magistrum E. ad convincendam ipsius
maliciam monere curetis, ut infra mensem a data presencium in prebenda sua residenciam faciat personalem, ac de spolio deo, nobis ac dampnum passis satisfactionem
exhibeat competentem, alioquin de prebenda sua, qua ipsum exnunc sicut extunc
privamus in hiis scriptis, et iure canonicatus, quod in vestra ecclesia habere dinoscitur, studeatis persone ydonee providere, scientes, quod si in hoc negligentes inventi
fueritis vel remissi, de canonicatu et prebenda predictis ex nostro curabimus officio
providere. Monicionem autem premissam fieri volumus in locis oportunis et ubi de
iure fuerit facienda. Datum Maguncie, IIÎI. idus iunii, anno domini ṁ. ċċ. nonogesimo
quinto. In signum execucionis premissorum sigillum vestri capituli presentibus apponatis.

*Or. Pgmt. Abhangend das zerbrochene erzbischöfliche Siegel mit Rücksiegel. St. A. Fr.*
*Barth St. No. 603.*
*Gedr.: B., 294 nach dem Or. .*


**674.** *Ditmar, Dechant der Frankfurter Kirche, und Ritter Heinrich von Praunheim,
ehemaliger Schultheiss zu Frankfurt, entscheiden auf Grund des inserirten Mandats
König Adolfs vom 22. März 1295 (vgl. oben Reg. No. 668) als Schiedsrichter,*

*zusammen mit dem Magister Konrad Schwab* (Swevus), *Kanonikus von St. Stephan
in Mainz, als Obmann, den Streit über die Gemarkungsgrenzen zu Griesheim und
Rödelheim, zwischen dem Mariengredenstift zu Mainz, bezw. der Gemeinde Griesheim und dem Ritter Dietrich Keppler, bezw. der Gemeinde Rödelheim. Unter den
Zeugen:* „Presentibus . . . Volrado sculteto Frankovordensi, Heinrico et Cunrado
fratribus de Sassenhusin." *Die Stadt Frankfurt siegelt mit* („scultetus, . .
scabini seu consules"). *Frankfurt, Michaelskapelle* („in capella sancti Michahelis
archangeli"), *1295 Juni 13.* (id. iun.)

> *Gedr.: Sauer, I, 706 nach dem Or. Pgmt. in München, Reichsarchiv.*
>
> *Diese Urkunde ist der von der Gemeinde Rödelheim gegebene Revers. Die Gegen-
> urkunde des Stifts Mariengreden, welche mutatis mutandis gleichlautend ist, aber nicht
> von der Stadt Frankfurt mitbesiegelt wurde, ist als Transsumpt in der Bestätigung König
> Adolfs von 1296 Juli 10 gedruckt: Baur, Hess. Urk., I, 214 ff. Vgl. unten zu diesem
> Datum.*

**675.** *König Adolf erlaubt den Weissfrauen in Frankfurt auf Widerruf, aus dem Reichswald mit einspännigem Geschirr dürres Holz zu ihrem Verbrauch heimfahren zu
lassen. Frankfurt, 1295 Juli 1.*

Nos Adolfus dei gracia Romanorum rex, semper augustus. Ad universorum
noticiam volumus pervenire, // quod religiosis matronis . . priorisse et conventui de
ordine Penitentum in Frankenfort // ex speciali gracia indulgemus, ut de nostro nemore,
cum uno dumtaxat equo, arida // et infructifera ligna ad usum sui ignis possint et
debeant ducere, presentibus ad nostrum beneplacitum duraturis. Datum Frankenfort,
kalend*is* iulii, indictione octava, anno domini millesimo ducentesimo nonagesimo quinto,
regni veri nostri anno quarto.

> *Or. Pgmt. mit Bruchstück des Majestätssiegels. St. A. Fr. Weissfrauenkloster, Freiheits-
> briefe etc. No. 13.*
>
> *Gedr : Buri, Bannforsten, 86, Beilage No. 63, Gegeninformation, III, Beilage No. 61., B.,
> 295 nach dem Or. .*
>
> *Verz.: B., Reg. Ad. No. 281, Scriba, I, No. 676.*

**676.** *König Adolf bestätigt den Schiedsspruch von 1295 Juni 13 (vgl. oben No. 674)
über die Gemarkungsgrenzen von Griesheim und Rödelheim. Schierstein, 1295
Juli 14 (prid. id. iul.)*

> *Gedr.: Baur, Hess. Urk., I, 213, Sauer, I, 709, beide nach dem Or. Pgmt im St. A.
> Darmstadt.*
>
> *Verz.: B., Reg. Ad. No. 428. Vgl. unten zu 1296 Juli 10.*

**677.** *Das Frankfurter Stiftskapitel verkauft dem Deutschordenshause zu Sachsenhausen
die ihm von diesem zu entrichtende Besthaupt-Abgabe von einer Hufe zu Preungesheim, unter Vorbehalt des bisher gezahlten jährlichen Zinses. 1295 Juli 23.*

Dythmarus decanus totumque capitulum ecclesie Franckfordensis. Ad universorum noticiam cupimus pervenire, quod, receptis tribus marcis denariorum Coloniensium
numerate pecunie a commendatore et fratribus domus Theutonice in Sachsenhausen,
renunciamus simpliciter et precise optimali capiti, quod bestheupt vulgariter nuncu-
pantur(!), quod nobis et ecclesie nostre solvere tenebantur de manso uno terre arabilis,
sito in villa Breungesheim et in terminis eiusdem ville eorum curia(!) ibidem attinenti.
De quo manso nichilominus nobis et ecclesie nostre nomine census solvere tenentur

libram Franckfordensium denariorum perpetuo singulis annis. Ad cuius libre denariorum solutionem in festo omnium sanctorum, optimali capiti(!) dumtaxat excepto,
predicti commendator et fratres ecclesie nostre erunt perpetuo obligati. In cuius rei
testimonium nos eisdem commendatori et fratribus presentes literas sigillo ecclesie
nostre dedimus sigillatas. Datum anno domini millesimo ducentesimo nonagesimo
quinto, decimo kalendas augusti.

*Abschrift im Deutschordens-Dokumentenbuch f. 17ᵉ.   St. A. Stuttgart. — Von Nathusius.*
*Regest: Reimer, IV, 813.*


**678.** *Erzbischof Gerhard von Mainz beauftragt den Dechanten der Frankfurter Stifts-
kirche, dass er den dortigen Kantor zur Ordnung anhalte, und ermächtigt ihn, den
Kantor zu suspendiren, wenn er nachlässig im Amte ist. Aschaffenburg, 1295
Juli 25.*

Gerhardus dei gracia sancte Maguntine sedis archiepiscopus, sacri imperii per
Germaniam archicancellarius, dilecto in Christo .. decano ecclesie Frankenvordensis.
salutem in domino.   Ad audienciam nostram pervenit, quod in ecclesia Frankenvordensi ex cantorie officio nonnumquam .negligencie in choro proveniant, ex quibus
in cantu perturbatur chorus et scandala apud mentes fidelium procreantur.   Cupientes
igitur tali defectui congruo medicamine subvenire, ut ex augmento divini cultus propiciacionis gracia augeatur, devocioni tue tenore presencium damus firmiter in mandatis, in virtute sancte obediencie tibi nichilominus iniungentes, quatinus cantori, qui
nunc est et qui pro tempore fuerit, auctoritate nostra precipias et iniungas, ut in
singulis festis, in quibus novem lecciones in matutinali officio observantur, cantum
imponat per se vel per alium, ydoneum tamen, prout cantorie exigit officium et requirit, provideatque, in quantum poterit, ne ex inposicione cantus aliqua turbacio in
choro seu negligencia habeatur, que si commissa fuerit ex ipsius cantoris, quod absit,
negligencia seu curiositate quacumque, tibi tenore presencium auctoritatem ac liberam
potestatem damus ex tali negligencia suspendendi cantorem, prout ceteros canonicos
iuxta consuetudinem ecclesie suspendere poteris ex certis causis, presertim cum non
prelatura seu dignitas in Frankenvordensi ecclesia cantoria, sed ministerium pocius
vel officium, prout credimus, reputetur.   Correccionem vero de negligenciis in prefato
officio cantorie perpetratis ante datam presencium nostro duximus arbitrio reservandam.
Datum Aschaffinburg, in die beati Jacobi apostoli, anno domini m̄. c̄c̄. nonagesimo quinto.

*Abschrift in Barth. Bücher, Serie I, No. 22ᵇ f. 184ᵃ.   St. A. Fr.*
*Gedr.: B., 295 nach derselben Vorlage.*


**679.** *Hermann von Gotenburg und andere genannte Bürger in Hammelburg stimmen
dem Verkaufsvertrage zu, welchen Lukard, Richwins Wittwe, mit dem Deutschordenshause zu Sachsenhausen (über Güter zu Hüttengesäss) abgeschlossen hatte.
1295 August 18 (prox. fer. V. post assumpcionem beate Marie virginis).*

*Gedr.: Reimer, I, 547 nach Abschrift Grotefends aus dem Or. Pgmt., das sich jetzt im
Deutschordens-Centralarchiv zu Wien befindet.*
*Verz.: Pettenegg, No. 729.*


**680.** *Richza, Wittwe des Mainzer Bürgers Jakob von Sonnenberg, vermacht u. A. den
Weissfrauen in Frankfurt (sorores Penitentes in Franckinford) 2 Mark kölnisch
aus dem Hause des verstorbenen Gotzo Wisze in Mainz. 1295 August 25. (crast.
b. Barthol. ap.)*

*Abschrift im Kopiar von St. Johann f. 101 ff.   Stadtbibliothek Mainz. — Grotefend.*

**681.** *Vogt Rudolf, der Ritter Rudolf Groschlag und die Schöffen und Rathsherren zu
Dieburg bezeugen, dass Johannes, Priester in Rossdorf, Jutta Flovgen und deren
Tochter Ymma dem Deutschordenshause zu Sachsenhausen ihr Viertel an der
Mühle Kistelberg bei Dieburg für 63 Pfund Heller verkauft haben.* 1295 Sep-
tember 13. *(III. fer. prox. a. exalt. s. crucis.)*

> *Gedr.: Baur, Hess. Urk., I, 151, gekürzt, nach dem Or. Pgmt. im St. A. Darmstadt. Aus-
> zug: Steiner, Bachgau, III, 176.*
> *Vers.: Scriba, I, No. 678.*


**682.** *Das Stiftskapitel von St. Gingolf in Mainz verkauft dem Deutschordenshause zu
Sachsenhausen 15 Schillinge jährlichen Zinses von dem Hause Zum schwarzen
Hermann in Frankfurt für 18 Mark.* 1295 September 20.

. . Nos . . Johannes decanus, totumque capitulum ecclesie sancti Gingolfi in
Moguncia, tenore presencium recog//noscimus et constare volumus universis tam presentibus quam futuris, quod nos matura deliberacione prehabita, de // communi omnium et
singulorum ex nobis consensu legitimo et voluntate, ad procurandum maiores utilitates
ecclesie nostre, // quindecim solidos Coloniensium denariorum, qui nobis et ecclesie
nostre annis singulis nomine census cedebant de domo dicta zu deme Swartzen Hermanne, infra muros Frankenfordenses sita, religiosis viris . . commendatori et fratribus
ordinis sancte Marie Theutonicorum in Sahsenhusen seu conventui ibidem vendidimus
et vendidisse nos recognoscimus pro decem et octo marcis denariorum legalium, quos
inquam denarios ab eisdem commendatori(!) et fratribus integraliter et expedite nobis
solutos recepimus et iam in meliores usus ecclesie nostre convertimus, videlicet in
decem et octo maldra siliginis in villa Massenheim, que per eandem pecuniam ecclesie
nostre predicte comparavimus, annuatim recipienda et in perpetuum possidenda . 
Renunciavimus igitur et renunciasse nos recognoscimus simpliciter et precise omni
iuri et occasioni iuris, que nunc pro tempore vel in futurum nobis in dicto censu
posset competere vel deberet, et breviter omnibus, per que nunc vel in posterum
dicta vendicio revocari, impediri vel rescindi valeat quoquomodo . Ne vero presens
vendicio in posterum possit per nos aut nostros successores aliquatinus infirmari,
presentem literam . . commendatori et fratribus memoratis dedimus et dedisse nos recognoscimus, sigillo ecclesie nostre sepedicte ad robur perpetuum communitam. Actum
et datum anno domini m̅. c̅c. XC̊. V̊., XI̊I. kalendas octobris.

> *Or. Pgmt. mit anhängendem zerbrochenen Siegel. St. A. Fr. Deutschordens-Urk. No. 46.*


**683.** *Das Mainzer geistliche Gericht beurkundet, dass der Priester Heinrich von Rödelheim dem Deutschordenshause zu Sachsenhausen alle seine Habe auf seinen Todesfall vermacht habe.* 1295 November 27.

Iudices sancte Moguntine sedis. Presentibus recognoscimus et fatemur, quod
constitutus in nostra presencia // Heinricus sacerdos dictus de Retelnheim recognovit,
quod omnia bona sua mobilia et immobilia, que in // presenciarum habet vel inposterum
est dante domino habiturus, post obitum suum cedent domui in // Sahsinhusen apud
Frankenvort ordinis sancte Marie Theutonicorum libere et absolute, et omnia talia
bona predicta in presencia nostra resignavit in casum predictum, salvo sibi beneficio
litterarum, quas reverendus vir, frater Cunradus dictus de Fuhtewang, magister
generalis ordinis supradicti, et commendator et fratres dicte domus eidem Heinrico
super bonis predictis utendis quoad vixerit contulerunt. Actum et datum anno domini
m̅. c̅c. XCV., V. kalendas decembris.

*Or. Pgmt. mit abhangendem Siegel. Wien, Deutschordens-Centralarchiv.*
*Gedr.: B., 296 nach dem Or. . Regest: Sauer, I, 710.*
*Verz.: Pettenegg No. 730.*

**684.** *Gottfried, Herr zu Merenberg, verleiht dem Ritter Heinrich von Sachsenhausen, ehemaligem Frankfurter Schultheissen, 4 Mark von den 20 Mark jährlich, welche er selbst von König Adolf auf die Frankfurter Juden zu Lehen erhalten hat. 1295 December 5.*

Nos Godfridus dominus de Merinberg, universis has litteras visuris cupimus esse notum, // quod strennuo militi Heinrico, quondam sculteto Frankenvordensi, nobis dilecto, de viginti // marcis denariorum Coloniens*ium*, quas in feodo a serenissimo domino nostro A. Romanorum rege singulis annis // de universitate iudeorum Frankenvord in nativitate domini habemus et habere dinoscimur perpetuo, de ipsis viginti marcis denariorum dicto Heinrico et suis heredibus quatuor marcas denariorum Coloniens*ium* titulo feodali concedimus perpetuo singulis annis, ut est pretactum, tollendas in ipsa universitate iudeorum et percipiendas; dantes prenominatis Heinrico et suis heredibus has literas, sigillo nostro sigillatas, in testimonium super eo. Act*um* et dat*um* anno domini iħ. ċċ. XĊ. V̂., in vigilia beati Nicolai episcopi.

*Or. Pgmt. mit abhangendem, etwas beschädigten Reitersiegel des Ausstellers. Ullstadt.*
*Gedr.: B., 296 nach dem Or. .*

**685.** *Schultheiss Volrad, Schöffen und Rath von Frankfurt beurkunden, dass der Priester Heinrich, genannt von Holzburg, mittelst Schenkung unter Lebendigen dem Deutschordenshause zu Sachsenhausen alles Vermögen, was er jetzt besitzt oder künftig besitzen wird, übertragen habe. 1295 December 14.*

Nos Volradus scultetus, . . scabini et . . consules de Frankenvord. Tenore presencium recognoscimus, quod dominus // Heinricus sacerdos dictus de Hulzburg in nostri presencia constitutus sane mentis, sponte, libere et non coacte, con//tulit et donavit donacione inter vivos pro remedio anime sue religiosis viris domino . . conmendatori // ceterisque fratribus Theutonice domus in Sassenhusen omnia bona sua mobilia et inmobilia, que nunc habet et in posterum poterit adipisci, possidenda; resignans et renuncians idem H. sacerdos coram nobis in manus dictorum . . conmendatoris suorumque confratrum, quidquid iuris habuit vel in posterum habere potuerit in bonis supradictis. Testes huius sunt: Volradus sculthetus supradictus, Wernherus de Wanebach, Arnoldus de Glauburg, Hertwicus de Alta domo, Cunradus de Spira, Sifridus de Gysenheim, et quam plures alii cives Frankenvordenses fidedigni. In cuius rei testimonium nos . . scultetus et . . scabini antedicti ad rogatum sacerdotis supradicti sigillum universitatis Frankenvordensis presentibus duximus appendendum. Actum anno domini iħ. ċċ. XCV̂., in crastino beate Lucie virginis.

*Or. Pgmt. mit abhangendem Stadtsiegel (2). Sachsenhausen. — Grotefend.*
*Gedr.: B., 296 nach dem Or. .*

**686.** *König Adolf befreit die Stadt Weilburg und ertheilt ihr dieselben Rechte, deren Frankfurt sich erfreut, nebst einem Wochenmarkt, dessen Besucher in des Reiches Schutz stehen sollen.* „Opidum idem auctoritate regia presentibus libertamus ac sibi eadem libertatis iura concedimus, quibus opidum nostrum Frankenfort gaudet et hactenus est gavisum“. *Altenburg, 1295 December 29.* (IIII. kal. ian.)

*Gedr.: B., 297.*
*Verz.: B., Reg. Ad. No. 296. König Albrecht bestätigte später diese Urkunde, Oppenheim,
1302 November 27, vgl. B., Reg. Alb. No. 411.*

**687.** *Emercho, Propst der Frankfurter Kirche, bestimmt die Amtsgeschäfte des dortigen
Kantors. 1295.*

In nomine domini, amen. Anno domini ṁ. c̈c. XCV. nos, E. prepositus Frankenfordensis, ordinavimus et statuimus circa officium . . cantoris Frankenfordensis ecclesie
et precipimus firmiter observari, secundum consuetudinem ecclesiarum Moguntinarum,
videlicet ut . . cantor, qui pro tempore fuerit, in summis sollempnitatibus, quando ad
schreckam compulsatur, per se, si potest, vel per alium in vesperis et in missa officium
imponet. Item aliquem ad hoc ꝺptum ordinabit, qui intitulet legentes ad matutinas
et ebdomedarios, qui primo in dextro choro imponet et postea in sinistro, in hunc
modum, quicunque in uno choro per unam septimanam imposuerit, scilicet in dextro,
alius in sinistro observabit septimanam subsequentem, et imponens primam antiphonam,
si occurreret in illa septimana alicuius festum novem lectionum, ebdomadarius imponet
officium misse in loco . . cantoris, et si sedere voluerit, sedeat alibi, quam in loco . .
cantoris. Item intelleximus, quod semper in dextro choro antiphone et psalmi primo
incipiebantur, hoc inhibemus et mutamus in hunc modum, ut post observacionem prime
septimane in dextro choro, postea in sinistro choro antiphone et psalmi incipiantur,
hoc excepto, quod semper in summis sollempnitatibus antiphone et psalmi imponenda
sunt in dextro choro. Item correctio circa scolares in choro ad cantorem pertinet
in cantu et insolenciis, quas ad requisicionem ipsius . . cantoris scolasticus tenetur
corrigere. Decanus et scolasticus et custos sua officia in debito statu observent, et
si predicti . . decanus, . . cantor, . . scolasticus et custos in officiis suis negligentes
fuerint vel remissi, per capitulum ipsius corrigantur ecclesie.

*Abschrift in Barth. Bücher, Serie II No. 7 f. 76ᵇ. Gekürzte Abschrift: Serie V No. 43.
St. A. Fr.*

**688.** *Heinrich Eber und Adelheid, dessen Frau, bekennen dem Kloster Arnsburg von
ihrem Hause in Frankfurt jährlich 31 Schillinge Zins schuldig zu sein. 1296
Februar 14.*

Nos Heinricus dictus Eber et Adelheidis, uxor eius legittima, cives Frankenvordenses, constare cupi//mus universis has litteras visuris, quod singulis annis in
festo beati Martini hyemalis absque omni inpedimento // et protractione qualibet tenemur dare perpetuo et porrigere de domo nostra Frankenvort apud domum dictam //
zum Eygenberg sitam, quam quondam Greta iudea possedit, religiosis viris domino . .
abbati et conventui in Arnisburg, ordinis Cysterciensis, hereditario iure triginta unum
solidum denariorum Coloniens*ium* legalis monete Frankenvort nomine census annualis.
In testimonium et evidens factum premissorum nos Heinricus et eius coniunx predicti
nostrique . . heredes prefatis domino . . abbati et . . conventui tradimus has litteras
sigillo civitatis Frankenvordensis roboratas, quod ad preces nostras per . . scabinos
Frank*en*vordenses presentibus est appensum. Datum anno domini ṁ. c̈c. XC̈.Vİ., in
die beati Valentini martyris.

*Or. Pgmt. mit abhangendem, beschädigten Stadtsiegel (2). Rückaufschrift (14. Jahrh.): „De
domo Meinberg in Frankinvort". Lich.*
*Gedr.: B., 297 nach dem Or. .*
*Verz.: Scriba, II, No. 856, Arnsb. Urkb., 218.*

**689.** *Papst Bonifacius VIII. thut alle Geistlichen, welche ohne besondere Erlaubniss des päpstlichen Stuhles an Laien Abgaben irgend einer Art zahlen oder versprechen, und alle Laien, welche solche von den Geistlichen verlangen oder empfangen, in den Kirchenbann. Rom, 1296 Februar 25 (VI. kal. mart., p. a. 2).*

*Gedr.: B., 298 nach dem Or. Pgmt. (St. A. Fr. Barth. St. No. 140,) mit Bulle an roth-gelben Fäden. Auf dem Buge: „Pro magistro H. Pad.....", auf der Rückseite oben: „Thomas de Aquamunda". Die übrigen äusserst zahlreichen Drucke verz : Potthast No. 24291. Hier nicht wiederholt, weil allgemeinen Inhalts.*


**690.** *Konrad Burnfleck, Ludwig und Johannes von Holzhausen, Konrad Weiss und Wigel Frosch verkaufen dem Kloster Thron 3¹/₂ Hufen in der Gemarkung von Hof-Erlenbach. 1296 März 1.*

Nos Cunradus dictus Burneflecke, Ludewicus et Johannes fratres de Holzhusen, Cunradus // Albus, necnon Wigelo Rana, cives Frankenvordenses, constare cupimus universis has li*tt*eras // visuris, quod nos accedente benivolo consensu .. uxorum nostrarum legitimarum, videlicet Hedewigis, // Grete, Katherine et Cuse, quarum consensus ad hoc fuit necessarius, vendidimus rite et rationabiliter iusto vendicionis titulo religiosis dominabus .. abbatisse et .. conventui sanctimonialium cenobii de Throno, ordinis Cyst*erciensis*, tres mansos et dimidium mansum in terminis ville Hofinerlebach sitos, cum omni iure, quo ipsos mansos possedimus et quondam Gyplo de Holzhusen scabinus Frankenvordensis possedit, perpetuo possidendos, hoc sane addito, quod si iam dicti mansi ad ampliorem pensionem sive censum, quem vel quam dictis .. abbatisse et .. conventui nominavimus de ipsis mansis faciendam, hoc nos supplere continget, sed si minus ipsas .. abbatissam et .. conventum a dictis mansis dare et porrigere contigerit, hoc nobis refundere in restaurum tenebuntur; resignantes et renunciantes omni iuri, quod nobis in predictis mansis competebat seu competere videbatur; promittentes nichilominus prenominatis .. abbatisse et .. conventui de sepedictis mansis facere warandiam iustam, debitam et consuetam et super ipsa warandia prelibatis .. abbatisse et .. conventui facienda Wernherum Valken et Ruthegerum de Holzhusen nostros constituimus fideiussores. Testes huius tractatus sunt: Volradus scultetus *Frankenvordensis*, Arnoldus de Glouburg, Hertwicus de Alta domo, Cunradus de Spira, Sifridus de Gysenheim, scabini; frater Wernherus de Arnesburg, Theodericus notarius, et quamplures alii fidedigni. In cuius rei testimonium nos .. cives supradicti memoratis .. abbatisse et .. conventui tradimus has litteras sigillo universitatis Frankenvordensis communitas. Actum et datum anno domini m̅. c̅c̅. nonagesimo sexto, feria quinta ante dominicam Letare.

*Or. Pgmt. mit anhängendem Siegelrest. Rückaufschrift: „De IIIƱ. mansis in Hovinerlebache. Cella Frankenvordensis". St. A. Wiesbaden.*
*Regest: Sauer, I, 713.*


**691.** *Die Ritter Schultheiss Volrad und Konrad Schwab der Alte (antiquus Svevus) und die Frankfurter Bürger Hertwich vom Hohenhaus, Siegfried von Gisenheim und Werner Falko entscheiden einen Streit zwischen dem Kloster Arnsburg und Hildemar von Eckenheim über in Eckenheim gelegene Pachtgüter des Klosters. Ohne Zeugen. Es siegelt die Stadt Frankfurt. 1296 April 2 (feria 2. prox. post dominicam Quasi modo geniti).*

*Gedr.: Reimer, I, 551 nach dem Or. Pgmt. in Lich. Auszug: Arnsb. Urkb., 190.*

**692.** *Schultheiss Volrad, die Schöffen und Bürger von Frankfurt beurkunden, dass Hilla,
die Wittwe Heinrich Tharenderes, vor ihnen um ein Urtheil gebeten habe, ob sie zur
Tilgung ihrer Schulden von ihren Erbgütern verkaufen dürfe, und dass sie, nachdem die Schöffen dies bejaht hatten, dem Volkwin von Wetzlar und seiner Frau
8 Morgen im Lindau verkauft habe. 1296 April 4.*

Nos Volradus scultetus, . . scabini ceterique cives de Frankenvord. Tenore presentium recognoscimus, quod Hilla, relicta // quondam Henrici dicti Tharenderes, nostra concivis, in nostri presentia constituta, exposuit nobis, quod, cum dictus Henricus, // eius maritus, dum adhuc viveret, quedam debita cum ipsa contraxisset et post eius obitum eodem
modo ipsa Hilla cum // suis . . liberis necessitate cogente debita contraxisset, petens a
nobis et requirens, cum ipsa esset nimio onere debitorum pregravata et onerata, nec
eidem suppeteret facultas de bonis ipsius mobilibus persolvere suis creditoribus debita
antedicta, quod super eo sentenciam ferre vellemus, utrum ipsa de bonis suis proprietariis et hereditariis dolo et fraude exceptis posset vendere et alienare tantum, quod
eius debita persolvere valeret, suis . . liberis minime requisitis; nos vero . . scabini
predicti, attendentes, quod, si ipsa Hilla, mater ipsorum liberorum, esset defuncta, nichilominus dicti liberi ad ipsa debita solvenda tenerentur, premissis vero auditis et plenius
intellectis, maturo consilio habito, sentenciando pronunciavimus et in hiis scriptis
diffinitive pronunciamus, eandem Hillam licite posse vendere bona eius proprietaria et
hereditaria, suorum liberorum contradictione non obstante. Sentencia vero per nos . .
scabinos antedictos sic lata, sepedicta Hilla in figura nostri iudicii, accedente consensu
Hartmanni, Heylmanni, Adelheydis et Elyzabeth, suorum liberorum utriusque sexus,
qui ad annos etatis sue legitimos pervenerant, vendidit iusto vendicionis titulo Volgwino
de Wetflaria et Gerdrudi, eius uxori legitime, nostris concivibus, suisque heredibus
octo iugera terre arabilis an dem Lindehe extra muros Frankenvordenses sita, pro
tredecim marcis denariorum Coloniensium, quas idem Volgwinus pro ipsa Hilla quodam (!)
civi Argentinensi, eius creditori, tradidit et numeravit, cum omni iure, quo ipsa dicta
iugera possedit, perpetuo possidenda, resignans[a] et renuncians una cum dictis suis
liberis omni iuri, quod ipsis in predictis iugeribus competebat; promittens nichilominus
sepedicta Hilla de ipsis iugeribus facere warandiam iustam, debitam et consuetam.
Preterea prelibata Hilla prefatos eius liberos ipsi Volgwino constituit fideiussores,
videlicet ita, quod quandocunque superstites eius liberi nondum in annis legitimis
constituti ad annos etatis sue legitimos pervenerint, quod ipsi huiusmodi vendicionem
tenere debebunt inviolabiliter ratam atque gratam. Testes huius sunt: Volradus
scultetus supradictus, Hertwicus de Alta domo, Arnoldus de Glouburg, Cunradus de
Spira, Cunradus Burneflecke, Cunradus Alleum, Sifridus de Gysenheim, Ruthegerus
et Ludewicus de Holzhusen, Johannes Goltstein, scabini, et quam plures alii fidedigni.
In cuius rei testimonium nos . . scultetus et . . scabini antedicti ad instanciam partium
predictarum sigillum universitatis Frankenvordensis presentibus duximus appendendum.
Actum et datum anno domini millesimo ducentesimo nonagesimo sexto, feria quarta post
dominicam Quasi modo geniti.

*Or. Pgmt. mit anhängendem Siegelrest (grün). St. A. Fr. Johanniter Urk. No. 7.*
*Gedr.: B., 299 nach dem Or. . Auszug: Thomas, Oberhof, 441.*
*Verz.: Goerz, Mittelrhein. Reg., IV., No 2508.*


**693.** *Das Frankfurter Stiftskapitel vererbpachtet dem Ritter Heinrich von Praunheim,
ehemaligem Schultheissen, den bisher zwischen ihnen streitig gewesenen Zehnten der*

a) *Or. „resignas.“ Abbreviaturzeichen fehlt.*

*von diesem und von dem Schultheissen Volrad bebauten Novalfelder bei Frankfurt
für 28 Achtel Weizen jährlich, wogegen Heinrich auf alle Ansprüche verzichtet,
die er aus einer von Erzbischof Werner von Mainz ihm am 10. Juli 1278 ertheilten
Verleihung dieses Zehnten ableiten könnte. 1296 Mai 21.*

Noverint universi presencium inspectores, quod nos . . decanus totumque . . capitulum ecclesie Frankenvordensis ius // nostrum, videlicet decimam nostram maiorem novalium apud Frankenvord, que Henricus miles dictus de Prumheim, quon//dam scultetus Frankenvordensis, et Volradus miles, scultetus Frankenvordensis, colunt, super quibus aliquamdiu cau//sa sive questio inter nos, videlicet . . decanum et . . capitulum ex parte una et prefatum Henricum ex altera, ver//tebatur, ad exhortacionem proborum virorum et consilium concessimus et tenore presencium concedimus prenominato Henrico et suis heredibus sub annua pensione pro viginti octalibus siliginis annone legalis Frankenvordensis mensure perpetuo possidendam. Quam videlicet pensionem idem Henricus et sui heredes nobis super granarium nostrum vel domum, quam deputaverimus, Frankenvord infra duo festa assumpcionis et nativitatis beate Marie virginis presentabunt et assignabunt suis laboribus et expensis. Et si alique melioraciones, videlicet in agricultura vel domorum edificiis, in prefatis novalibus facte fuerint in futurum, propter hoc prenominata pensio viginti octalium siliginis non minuetur vel augmentabitur ullo modo. Et si, quod absit, grando vel generalis exercitus predicta novalia molestaverit seu destruxerit, prefatus Henricus aut sui heredes super hiis facient, quod iuris fuerit et consuetudinis terre generalis de bonis superius et inferius circumquaque sitis. Preterea predictus scultetus aut sui heredes de novali Volradi sculteti supradicti et heredum suorum nichil amplius requirent seu accipient quam decimam hucusque receptam. Adiectum est eciam, quod si dominus noster . . Romanorum rex, vel reverendus pater ac dominus noster . . archiepiscopus Maguntinus, aut ecclesie nostre prepositus, seu quisquam alter ius nostrum, quod in supradictis novalibus habemus, a nobis per iusticiam evicerit seu abstulerit violenter, hoc erit in nostrum preiudicium atque dampnum, sed nec ipse Henricus, seu quisquam alter nomine suo, ad hoc adhibebit aliquam operam, consilium, vel iuvamen, quemadmodum promisit fideliter data fide. Insuper prefatus Henricus, quondam scultetus, pro se et suis heredibus renunciavit omni actioni, que sibi de iure vel de facto competere posset contra reverendum patrem ac dominum . . archiepiscopum Maguntinum, qui pro tempore fuerit, vel contra ecclesiam Maguntinam occasione predictorum novalium, quorum novalium decimam idem Henricus asserebat sibi concessam seu obligatam pro quadraginta marcis denariorum Colonien*sium* a reverendo patre ac domino Wernhero, quondam archiepiscopo Maguntino, quibus videlicet quadraginta marcis idem Henricus, olim scultetus, pro se et suis heredibus renunciavit simpliciter et precise. Renunciavit quoque prelibatus Henricus omnibus litteris, que sibi date fuerunt super concessione seu obligatione decime supradicte a reverendo patre domino Wernhero, Maguntino archiepiscopo supradicto, et ipsas litteras nobis in signum renunciacionis presentavit. Ceterum si dictus Henricus vel sui heredes ipsa novalia vendere vel alienare voluerint, vendicionem seu alienacionem huiusmodi non impediemus, dummodo ab emptoribus certificari possimus de pensione viginti octalium siliginis supradicta annis singulis persolvenda. Et ego Henricus, quondam scultetus supradictus, obligo me meosque heredes ad solucionem pensionis supradicte iuxta condiciones et modos, prout superius sunt expressa; recognoscens per presentes, omnia et singula suprascripta vera esse per omnia, ut narrantur, et ad observacionem eorum omnium me obligo per presentes. Ut autem omnia premissa hincinde inviolabiliter observemus et ne a nobis nostrisque successoribus aliqualiter valeant infirmari, nos presentes litteras super hiis confectas utrimque nostrorum sigillorum una cum sigillo universitatis oppidi Frankenvordensis dedimus muni-

mine roboratas in memoriam et firmitatem omnium predictorum. Et nos Volradus
scultetus et .. scabini Frankenvordenses, quia vidimus presentes litteras sigillis ..
decani et .. capituli ac Henrici, quondam sculteti, prefatorum sigillatas, ad rogatum
parcium earundem sigillum nostrum presentibus duximus appendendum. Datum anno
domini millesimo ducentesimo nonagesimo sexto, secunda feria proxima post octavas
penthecosten.

*Or. Pgmt. Anhängend 1) Stiftssiegel, 2) Siegel des Dechanten (beschädigt), 3) Siegel des
Schultheissen Heinrich (Bruchstück), 4) Stadtsiegel (2). 1 u 2 in gelbem, 3 u. 4 in grünem
Wachs. St. A. Fr. Barth. St. Nr. 3345.*

*Gedr.: Fichard, Archiv, III, 182, B., 300 nach dem Or. .*

*Verz.: Will, Mainz. Reg., XXXVI No. 455.*

**694.** *Die Gemeinde zu Nied vergleicht sich unter Vermittlung von Magister Ditmar,
Dechant in Frankfurt, und Siegfried von Gisenheim mit dem Stift Mariengreden
zu Mainz über die Bussen für Vergehen gegen das Märkerrecht und die Währung
des Zehnten. (Frankfurter und Mainzer Denare). Es siegelt für die Gemeinde
Nied die Stadt Frankfurt* (universitas) *und der Dechant. 1296 Juni 4.* (prid.
non. iunii.)

*Gedr.: Sauer, I, 714 nach dem Or. Pgmt. im St. A. Wiesbaden.*

**695.** *Schultheiss Volrad, die Schöffen und Bürger von Frankfurt beurkunden, dass
genannte Erben Gypels von Holzhausen ihrem Bruder und Miterben Ludwig von
Holzhausen ihren Antheil an dem Haus Schönau verkauft haben. 1296 Juni 4.*

Nos Volradus scultetus, .. scabini ceterique .. cives de Frankenvord. Tenore presencium recognoscimus, quod Hedwigis, // Greta, Katherina et Johannes, liberi ac heredes
quondam Gyplonis de Holzhusen nostri concivis, in nostra presencia // constituti una cum
Cunrado Burneflecken, Cunrado Albo et Wigelone Rane, maritorum suorum legitimorum,
communi//cata manu parique consensu vendiderunt iusto vendicionis titulo Ludewico
de Holzhusen, fratri suo ipsorumque coheredi, et Kuse, uxori eius legitime, nostris concivibus, ac eorum heredibus partes suas curie et domus nuncupate vulgariter Schonenow
ipsos contingentes et quicquid ad eandem curiam spectare dinoscitur, eo iure, quo
dictus Gyplo ipsam curiam possedit, iure proprietario perpetuo possidendam; resignantes et renunciantes dicti nostri concives omni iuri, quod ipsis in iam dicta curia
competebat, promittentes nichilominus dictis Ludewico et eius heredibus coram nobis
de ipsa curia facere warandiam iustam, debitam et consuetam. Preterea predicti liberi
et heredes ipsius Gyplonis ac mariti earundem tenentur deponere prefatis Ludewico
suisque heredibus singulis annis duas marcas denariorum et quatuor pullos census
annualis, quem Albradis, uxor quondam prefati Gyplonis, in antedicta curia habere
dinoscitur, absque omni impedimento, et de ipsis duabus marcis et quatuor pullis
sepedicti Ludewicus et sui heredes ad domum nuncupatam zů der Schuren, super
quam domum sepefati liberi ipsius Gyplonis duas marcas et dimidiam census annualis
habere dinoscuntur, respectum habebunt, hoc sane addito, quod si predicta domus
zů der Schuren casu aliquo contingente incendio aut aliis periculis quibuscumque
devastaretur, ita quod dicte due marce et dimidia de ipsa domo cedere non possent,
memorati heredes ipsius Gyplonis sepedictis Ludewico et suis heredibus in alio loco
tuto et sicuro assignabunt et ostendent duas marcas et quatuor pullos census annualis

equipollentes et equivalentes duabus marcis et di[mid]ia[a] supradictis.  Testes huius
sunt: Volradus scultetus supradictus, Arnoldus de Glouburg, Hertwicus de Alta domo,
Cunradus de Spira, Sifridus de Gysinheim, Ruthegerus de Holzhusen, Johannes Goltstein, scabini, et quamplures alii cives Frankenvordenses fidedigni.  In cuius rei testimonium et debitam firmitatem nos .. scultetus et .. scabini antedicti ad rogatum
parcium memoratarum sigillum nostre universitatis presentibus duximus appendendum.
Actum anno domini millesimo ducentesimo nonagesimo sexto, pridie nonas iunii.

> *Or. Pgmt. mit anhängendem Stadtsiegel (2). Frankfurt, Archiv der Freiherrn von Holzhausen.
> — Von Nathusius.*
>
> *Gedr.: B., 302 nach Abschrift Fichards ex copia.*


**696.** *Schultheiss Volrad, die Schöffen und Bürger von Frankfurt beurkunden, dass
genannte Erben Gypels von Holzhausen ihren Miterben Konrad Burnfleck und
Frau einen jährlichen Zins von 2½ Mark auf dem Hause zur Scheuer überlassen
haben.  1296 Juni.*

Nos Volradus scultetus, .. scabini ceterique cives de Frankenvort.  Tenore presencium recognoscimus, quod Ludewicus, // Johannes, Greta et Katherina, heredes
quondam Gypelonis de Holzhusen, nostri concives, in nostri presencia constituti, ex
certa et // vera divisione bonorum, quibus ex morte dicti Gypelonis successerunt, deputaverunt et assignaverunt unanimi consensu // Cunrado Burneflecken et Hedewigi, uxori
sue, coheredibus suis, duas marcas et dimidiam denariorum Coloniensium census annualis
super domum dictam vulgariter zů der schuren, perpetuo tollendas et percipiendas,
resignantes et renunciantes iidem heredes Gypelonis coram nobis omni iuri, quod
eisdem in predicto censu competebat, videlicet ita, quod predicti Cunradus Burneflecke
et sui heredes cum eodem censu possunt disponere et ordinare, quicquid ipsis visum
fuerit expedire, contradictione predictorum suorum coheredum qualibet non obstante.
Testes huius sunt: Volradus scultetus supradictus, Hertwicus dictus de Alta domo.
Arnoldus de Glauburg, Cunradus de Spira, Sifridus de Gysenheim, Rudegerus de Holzhusen, Johannes Goltstein, scabini, et quam plures alii fidedigni.  In cuius rei testimonium nos .. scultetus et .. scabini antedicti ad rogatum parcium predictarum sigillum
universitatis Frankenvordensis presentibus duximus appendendum.  Actum et datum
anno domini m̅. c̅c̅. nonagesimo VI., mense iunii.

> *Or. Pgmt. mit anhängendem Rest des Stadtsiegels (2).  St. A. Fr. Hausurkunden, A. 107.
> Regest: Roth, Quellen, I, 451.*


**697.** *König Adolf verleiht auf Bitte des Abtes Heinrich von Fulda der Stadt Stolzenthal
Frankfurter Recht.*  „Opidum ecclesie sue Stolzcental in suburbio castri Stolzcem-
berg instauratum de novo de plenitudine potestatis regie libertamus et eidem
opido et hominibus ipsum inhabitantibus, undecumque illuc confluxerint, omnia
iura, libertates et gratias possidendas perpetuo et habendas, quae civitas nostra
et imperii Frankenfort habet et possidet ab antiquo, de regali clemencia concedimus et donamus.“  *Frankfurt, 1296 Juli 6.  (II non. iulii.)*

> *Gedr.: Dronke, Codex Dipl. Fuldensis, 421, Schannat, Trad. Fuld., 389.
> Verz.: B., Reg. Ad. No. 322.  Vgl. Thomas, Oberhof, 155.*

*a) Loch im Pgmt.*

**698.** *Das Frankfurter Stiftskapitel rererbpachtet dem Ritter Dietrich Zenichin von Bommersheim den Zehnten und den Neunten von seinen, 8 Hufen umfassenden, im Wald Dreieich bei Frankfurt gelegenen Noralfeldern für 10 Achtel Weizen jährlich. 1296 Juli 8.*

. . Decanus et . . capitulum ecclesie Frankenvordensis. Notum facimus universis has litteras inspecturis, quod unani//mi consensu et voluntate concessimus et locavimus honorabili viro Theoderico dicto Zenichein de Bomersheim mi//liti propter grata ipsius servicia nobis et ecclesie nostre hactenus impensa et in posterum impendenda, ut promi//sit, suisque heredibus legittimis et successoribus omne ius' nostrum, videlicet decimam nostram maiorem et nonam ad nos pertinentes, de novalibus sitis in nemore Thrieich nuncupato apud Frankenvord iuxta novale et curiam Henrici dicti de Prumheim militis, quondam sculteti Frankenvordensis, que novalia excoluit et excolet idem Theodericus, videlicet octo mansus, pro decem octalibus siliginis Frankenvordensis mensure nobis singulis annis perpetuo solvendis et assignandis in opido Frankenvord ad granarium nostrum, vel ad quamcunque domum, quam deputaverimus, infra duo festa assumpcionis et nativitatis sancte Marie virginis suis periculis, laboribus et expensis. Et siquid amplius ibidem excolet dictus Theodericus vel sui heredes seu successores quam octo mansus pro rata plus dabunt de quolibet mansu prout contingit modis et condicionibus supradictis. Si vero grando vel exercitus generalis predicta novalia destruxerint, eidem Theoderico suisque heredibus et successoribus faciemus, quod iuris fuerit et consuetudinis terre de bonis perpetuo locatis et concessis, superius et inferius circumquaque sitis. Preterea si prefatus Theodericus aut sui heredes ipsa novalia vendere vel alienare voluerint, vendicionem seu alienacionem huiusmodi non impediemus, dummodo ab emptoribus certificari possimus de pensione nobis competenti, ut est premissum, annis singulis persolvenda. Et ego Theodericus predictus obligo me et meos heredes ad solucionem pensionis predicte iuxta modos et condiciones superius expressas. Ut autem omnia premissa hincinde inviolabiliter observemus et ne a nobis nostrisque successoribus aliqualiter valeant infirmari, nos presentes litteras super hiis confectas utrimque sigillorum nostrorum una cum sigillo universitatis Frankenvordensis dedimus munimine roboratas in memoriam et firmitatem omnium premissorum. Et nos Volradus scultetus et . . scabini Frankenvordenses, quia vidimus presentes litteras sigillis . . decani et . . capituli ac Theoderici predictorum sigillatas, ad rogatum parcium earundem sigillum nostre universitatis presentibus duximus appendendum. Actum et datum anno domini millesimo ducentesimo nonagesimo sexto, octavo idus iulii.

> *Or. Pgmt. Anhängend 1) Stiftssiegel, 2) Siegel Dietrichs (schön erhalten), 3) Stadtsiegel (beschädigt). St. A. Fr. Barth. St. No. 3888.*
> *Gedr.: Fichard, Archiv, III, 185 „ex copia" B., 303 nach dem Or. .*
> *Verz.: Scriba, I, No. 681.*

**699.** *König Adolf bestätigt erneut das Schiedsurtheil zwischen dem Stifte Mariengreden und der Gemeinde Rödelheim (vgl.‘ oben No. 674, 1295 Juni 13) unter Inserirung des vom Stifte ausgestellten Reverses. Landau, 1296 Juli 10 (VI. id. iulii.)*

> *Gedr.: Baur, Hess. Urk., I, 213. Einer zweiten Ausfertigung vom gleichen Tage ist der Revers der Gemeinde Nied inserirt, gedr.: Sauer, I, 717. Vgl. B., Reg. Ad. No. 435.*

**700.** *Pfalzgraf Rudolf I. bei Rhein, Herzog in Bayern, bestätigt, zugleich im Namen seines Bruders, die durch seine Eltern erfolgte Schenkung des Kirchenpatronats zu Hohensachsen an das Deutschordenshaus zu Sachsenhausen. Frankfurt, 1296 August 11.*

Nos Rudolfus dei gratia comes palatinus Reni, dux Bawarie, notum facimus pre//sentium inspectoribus universis, quod, cum felicis recordacionis pater noster karissimus fratri // .. commendatori et conventui domus fratrum Theutonicorum in Franchenfurte, Mo//guntine dyocesis, ius patronatus ecclesie in Hohensaehsenhaim dederit et donaverit cum omni eo iure, quod sibi in premisso iure patronatus conpetiit, et illustris Maethildis, mater nostra predilecta, donacionem et tradicionem premissas pro se approbarit suis litteris ac eciam confirmarit, nos paternis et maternis in hac parte cupientes vestigiis inherere, donacionem et tradicionem, confirmacionem et approbacionem premissas sub ea forma, quam instrumentum dicti patris nostri super dicto iure patronatus prelibate domui datum continet, in anime nostre ac progenitorum nostrorum remedium pro nobis et illustri Lodwico, fratre nostro karissimo, approbamus, confirmamus et in eas nichilominus auctoritate presencium consentimus. Dantes eas in testimonium super eo nostri sigilli robore communitas. Datum in Franchenfurt, anno domini millesimo ducentesimo nonagesimo sexto, in crastino beati Laurentii martyris.

Or. Pgmt. mit dem Reitersiegel des Ausstellers an rothen Seidenfäden. Karlsruhe, General-<br>
Landesarchiv. — Grotefend.<br>
Verz.: Oberrhein. Zeitschr., XXXII., 207, Koch-Wille, Reg. der Pfalsgrafen am Rhein,<br>
No. 1364, Pettenegg, No. 738 nach Kopiar im Deutschordens-Centralarchiv zu Wien.

**701.** *Ritter Heinrich von Hattstein und seine Frau Agnes, Wittwe des Ritters Siegfried von Heusenstamm, schliessen über das Erbrecht der Kinder aus ihren ersten Ehen und das Besitzrecht ihrer beiderseitigen Güter eine Übereinkunft. 1296 September 15.*

Nos Henricus de Hazichstein miles et Agnes, relicta quondam Sifridi militis de Husinstaim, coniuges. Te//nore presencium recognoscimus et ad universorum noticiam cupimus pervenire, quod communicata manu, unani//mi consensu et libera voluntate omnia bona nostra mobilia et immobilia, que a tempore, quo matrimonium con//traximus, usque ad presens tempus comparavimus et adepti sumus et que comparare et adipisci possumus in futurum, liberis nostris, quos ipso tempore contractus matrimonii habuimus, videlicet mei Henrici quatuor liberis et mee Agnetis tribus pueris, tradimus, donamus et assignamus, ut ipsa bona omnia et singula post mortem nostram equaliter dividant et possideant tamquam veri fratres et sorores et legittimi coheredes, nisi alios pueros deo volente procreaverimus, qui maiori et pociori iure ipsis bonis succedent, quibus nolumus aliquod preiudicium generari. Promisimus etiam et promittimus fide prestita manuali loco iuramenti et eligimus, quod quicunque nostrum ex permissione divina primo emigraverit ab hac vita, superstes ad alias nupcias nullatenus evolabit, quod si secus fecerit, quod absit, omnia bona mobilia et immobilia una cum bonis omnibus, que possidet et quibus successit ex morte progenitorum suorum predecessorum et qualicunque modo ad eum sint devoluta, tamquam ex morte ipsius dinoscerentur vacare, et libere ad prefatos liberos nostros libere[a] devolventur, sed si superstes permanet sine contractu aliarum nupciarum, h[uius]modi[b] bona omnia et singula ad tempora vite sue quiete et pacifice possidebit, et deinde post obitum ipsius superstitis ad predictos nostros liberos devolventur et ab eisdem, ut est predictum, equaliter dividantur, hoc tamen salvo permanente, quod bona, quibus quilibet nostrum ex morte suorum progenitorum predecessorum successit, vel qualiter ad eum sint devoluta, post mortem uniuscuiusque nostrum ad suos heredes, ut iustum et consuetum fuerit, revertentur. Testes huius sunt: Volradus scultetus Frankenvordensis, Cunradus Svevus de Sassin-

husin, Sifridus, Gerhardus et Cunradus de Husinstaim, Thilmannus Cappellarius,
Henricus quondam scultetus Frankenvordensis, Hermannus Schelmo de Bergin, Theodericus de Bomirsheim, Wintherus de Bruningisheim, milites; Arnoldus de Glouburg,
Sifridus de Gysinheim, Ruthegerus et Ludewicus de Holzhusin, Johannes Golstein,
scabini, et quamplures alii cives Frankenvordenses fidedigni. In cuius rei evidenciam
et firmitatem pleniorem presentes litteras sigillo universitatis Frankenvordensis rogavimus communiri. Et nos Volradus scultetus et . . scabini Frankenvordenses ad rogatum Henrici militis et Agnetis, coniugum prefatarum(!), sigillum universitatis nostre
presentibus appendimus in testimonium omnium premissorum. Actum et datum anno
domini millesimo ducentesimo nonagesimo sexto, sabbato proximo post exaltationem
sancte crucis.

Or. Pgmt. mit anhängendem, wohlerhaltenen Stadtsiegel (2, grün). München, Reichsarchiv.<br>
Gedr.: Guden, Cod. Dipl., III, 895 — Sauer, I, 718. Auszug: Thomas, Oberhof, 471.


**702.** *Das Stiftskapitel zu Frankfurt beurkundet, dass der Frankfurter Bürger Giselbert
von Friedberg dem Deutschordenshause zu Sachsenhausen Güter in Bornheim und
Heldenbergen im Werthe von 100 Mark auf seinen Todesfall vermacht habe. 1296
September 24.*

Dythmarus decanus totumque . . capitulum ecclesie Frankenvordensis, recognoscimus publice presenti//bus profitentes, quod Gysilbertus dictus de Frideberg, civis
Frankenvordensis, in nostra presencia // constitutus recognovit, se honorandis viris . .
commendatori et . . fratribus domus Theutonice // in Sassinhusin apud Frankenvord
tradidisse, donavisse et assignasse et in nostra presencia tradidit, donavit et assignavit
pro salute anime sue, . . uxoris et omnium parentum suorum omnia bona sua, que in
villis Bůrnheim et Heldebergen pro centum marcis denariorum Coloniensium emit et
comparavit. Ita tamen, quod omnes fructus ipsorum bonorum ad[a] tempora vite sue
percipiat pacifice et quiete et quod dicta bona post ipsius obitum ad prefatos . . commendatorem et fratres de Sassinhusen omni iure, quo ipsa bona possidet, libere
devolventur. In cuius rei testimonium et firmitatem pleniorem ad rogatum predictorum
Gysilberti, . . commendatoris et fratrum sigillum nostrum, quo utimur ad causas, presentibus duximus appendendum. Actum et datum anno domini millesimo ducentesimo
nonagesimo sexto, octavo kalendas octobris.

Or. Pgmt. mit dem anhängenden Stiftssiegel ad Causas. Früher in Sachsenhausen. —<br>
Grotefend.


**703.** *Das Deutschordenhaus zu Sachsenhausen giebt seine Mühle und sonstigen Besitzungen
in Dieburg an Friedrich Hartdrat und Frau auf beider Lebzeiten in Pacht. 1296
December 4. (13?)*

Cum humana memoria labilis sit et caduca, cautum est, ut ea, que in tempore
geruntur, sub scriptorum apicibus et sigillorum testimo//niis firmentur. Hinc est, quod
nos frater Anshelmus commendator domus Theutonice in Sassenhusen iuxta Franken-
vort//necnon et fratres eiusdem domus tenore presencium profitemur et ad noticiam
omnium volumus pervenire, quod nos bona nostra, que nunc ha//bemus et possidemus
sita in Dipurg, cum molendino Friderico dicto Hartdrat et uxori sue Lucen concessimus et concedimus ad tempora vite sue possidenda pro quadam pensione singulis
annis presentanda, videlicet quadraginta maldris siliginis et viginti maldris tritici et
tredecim libris hallensium denariorum legalium et dimidio maldro simile et quatuor

<hr>

a) *Grotefend: „at?"*

44*

 1296 Januar 24.

corporibus agnorum. Cuius pensionis idem Fridericus in festo beati Michahelis mediam partem et in festo beate Walpurgis mediam partem commendatori et fratribus domus Theutonice in Sassenhusen suis laboribus et expensis sine periculo fratrum presentabit. Et si molendinum subtus aquam vel super aquam defectum aliquem sive ruinam pateretur, Fridericus predictus suis edificiis et expensis restaurabit. Quam restaurationem edificii neutrum (!) eorum post decessum alterius nequaquam a fratribus repetere presumat. Etiamsi Fridericus antedictus et uxor eius Luce bona nostra antedicta cum molendino resignare decreverunt, expensas pro edificio in molendino factas nequaquam repetere attemptabunt, nec fratres eas solvere tenentur. Verum eciam, si vir uxorem vel uxor virum supervixerit, adhuc vivens, sive vir sive uxor, bona nostra predicta cum molendino usque ad obitum ipsius, si placuerit, possidebit. Et ego Fridericus et uxor mea Luce sub tenore litterarum premissarum publice profitemur, quod nos animo deliberato, salutem animarum nostrarum attendentes, dimidium mansum quondam Helwici fratribus domus Theutonice in Sassenhusen apud Frankenvort contulimus ad pittanciam ipsorum augmentandam in hunc modum, quod si quempiam nostrum viam universe carnis ingredi contigit, fratres predicti mediam partem fructuum dimidii mansi prehabiti percipient, reliquam vero partem sive vir sive uxor adhuc vivens cum manso usque ad obitum ipsius percipiet et possidebit. Tunc vero mansus dimidius prehabitus cum fructibus integraliter ad fratres predictos domus Theutonice in Sassenhusen et in pittanciam ipsorum sine qualibet contradictione libere transibit. Et ut premissa firmitatis robur obtineant et ista firma permaneant, has litteras commendatoris domus Theutonice in Sassenhusen sigilli munimine petimus roborari. Et nos frater Anshelmus commendator sepedicte domus presentes litteras cum appensione sigilli nostri damus roboratas. Actum et datum anno domini m̅. c̅c̅. nonagesimo sexto, secundo nonas decembris, in die Lucie virginis.

*Or. Pgmt. Es hängt nicht das angekündigte Siegel des Komthurs, sondern dasjenige des Ritters Wilhelm von Dieburg an. München, Reichsarchiv. — Grotefend. Die Daten der Urkunde sind nicht mit einander zu vereinigen.*
*Auszug: Steiner, Bachgau, III, 176 zu Dec. 4.*
*Vers.: Scriba, I, No. 682.*

**704.** *Schultheiss, Schöffen, Rath und Bürger von Frankfurt beurkunden die Freiheiten und Rechte, deren sie sich in ihrer Stadt von Alters her bedienen.* **1297 Januar 24.**

Noverint universi presencium inspectores, quod nos scultetus, scabini, consules ceterique cives de Frankinfort libertatibus et iuribus infrascriptis in nostra civitate utimur ab antiquo et consuevimus observare ac observamus:

1) Primus articulus est talis, quod nullus contra nos potest facere aliquod testimonium vel contra nos probare testibus quibuscunque, quod sit in preiudicium nostrorum corporum sive bonorum.

2) Item nullus potest nos evocare extra muros Frankenfordenses pro aliquibus bonis nostris, nisi prius moveat questionem in civitate coram iudicibus ad hoc deputatis. Si actio est pro hereditate, monstrabimus in curiam, si pro proprietate, monstrabimus in civitatem, ubi bona sunt syta, de quibus questio movetur, si est pro feodo, ostendemus ad dominum feodi.

3) Item libertas nostra est talis, quod nullus potest nos vocare ad duellum nec inpungnare nos sub specie duelli, nec eciam potest nos quod vulgariter dicitur budeilen.

4) Item libertas nostra, quod nec dominus noster rex, nec imperator potest vel debet filios vel filias nostros (!) tradere nuptui vel alicui desponsare, nisi de parentum ipsorum processerit voluntate.

5) Item nec ipse dominus rex, nec imperator non debent ab aliquo civi nostro specialiter exigere aliquam exactionem, nisi forte aliquis aliquem excessum committeret vel perpetraret, pro quo deberet puniri.   Super illo excessu scabini sentenciabunt.

6) Item ius nostrum, quod si aliquis movet actionem alicui in iudicio, debet statim nominare nominatim testes, quos super ipsa actione vult producere; et debet nominare summam debiti sive pecunie.

7) Item si aliquis vulnerat alium in nostra civitate vulnere letali, vulneratus debet custodiri triginta diebus immediate subsequentibus. Si infra dictos triginta dies lesus moritur, lesor, qui ipsum lesit, perdet caput; si convalescit, ipse lesor perdet unam manum, si deprehensus fuerit.

8) Item qui vulnerat alium vulnere animo deliberato, alciorem solvet emendam, que se extendit ad decem libras denariorum.

9) Item qui ledit alium vel verberat ipsum manu, solvet pro emenda[a] iudici tres libras denariorum et leso dabit viginti denarios.

10) Item quicumque nuncupat vel vocat aliquem filium meretricis vel hundisson et talibus verbis consimilibus, alciorem solvet emendam, et solvet illi, quem ita vituperavit, quatuordecim uncias denariorum.

11) Item qui vadium facit coram sculteto, quod vare wette dicitur, solvet sculteto quartale optimi vini et non plus.

12) Item si quis vocatur ad iudicium, si non venit primo edicto, quando citatus est, solvet sculteto quartale vini.   Si in secundo edicto non venerit, solvet tantum, et in tercio iterum tantum.

13) Item nullus civium solvet theolonium in nostra civitate, sed alii hospites advene solvere tenentur.

14) Item quicumque carnifex vendit scienter rancidas vel putridas carnes, solvet tres libras denariorum pro emenda, nisi dicat emptori: carnes tales sunt.

15) Item duo maccella deputari et fieri debent, in quibus huiusmodi carnes suspecte vendantur.

16) Item quicumque deprehenditur cum falsis mensuris, per que mensuratur vinum, oleum et alia quecumque mensuranda, alciorem solvet emendam.

17) Item si hospes conqueritur de alio hospite, illi iudicium fieri debet ultra noctem, quod tuuerchnach dicitur.

18) Item nullum iuramentum, quod fieri debet aput nos, propter messes vel vindemias protrahitur, sed tantum dies ligati cum iuramentis observantur.

19) Item si bubulcus, qui non habet res nec substanciam rerum, excessum facit, poni debet in turrim et puniri debet tamdiu, ut commissa defleat et flenda ulterius non committat.

20) Item cives, qui dicuntur palburgere, in die beati Martini debent intrare cum suis uxoribus et familia civitatem et in ea cum proprio ingne residenciam facere usque ad cathedram sancti Petri, et tunc licitum erit eis exire cum sua familia si placet.

21) Item excessus, qui dicuntur heymsuchen, quicumque illum perpetrat vel facit, alciorem faciet emendam et ad eam tenetur.

Hec ad presens sufficiant.   Et si in aliquo, quod hic non est scriptum vel positum, dubitatum fuerit, recursus ad nos habeatur et dubitacionem illam pro nostro posse ac discrecione expediemus et responsum super ipsis faciemus.

22) Dicimus eciam, quod illi cives, qui dicuntur palburgere, ubicumque faciunt residenciam personalem, ibi tenentur illi plebano, qui tunc ipsis preest, in suis festis summis offerre oblaciones debitas et consuetas.

a) *Vorlage* „emende".

     

23) Item si aliquis nobilis vel miles habet sub se et sua iurisdictione aliquos homines et vult imponere super ipsos aliquam precariam, ut est consuetum et de iure ac antiqua consuetudine, illam debet cum suis officiatis notorie imponere et requirere de domo ad domum. Ita quod ipsam precariam impositam lucide valeat probare; et ultra hoc, quam dictum est, non debet specialiter aliquem de ipsis hominibus elicere, requirendo ab ipsis[a] vel alteri (!) eorum viginti, triginta, vel quadraginta marcas aut minus vel magis, quod ebevang vulgariter nuncupatur, nisi habeat pro[b] ipsa pecunia, quam petit ab ipsis hominibus, pingnora vel fideiussores.

24) Item nullus aput nos potest occupare vel arrestare aliquem hominem pro debitis domini sui, sed si ipse propria in persona alicui est obligatus, ille respondere tenetur.

25) Dicimus eciam, quod si aliquis veniret ad nostram civitatem movendo actionem alicui et optineret in iudicio nostro, quod sibi iudicium super sua actione fieri deberet, si non iudicaretur ei, extunc ubicunque locorum videret illum vel alium de suis concivibus, bene posset eum convenire per iudicium et occupare pro eo, quod iusticia ipsi est denegata.

26) Item dicimus, quod nullus nostrorum concivium, qui dicuntur palburgere, non debent solvere nec dare, quod nodbede dicitur, vel ad currus, qui solent duci ad expediciones, nec debent dare vel facere hospitalitates alio modo, quam ab antiquo est consuetum.

27) Ceterum nullus nostrorum concivium tenetur dare pullos carnispriviales, nisi habeat huiusmodi bona, de quibus merito solvere ab antiquo teneatur.

28) Item si aliquis civis habet unum filium vel filios, qui sunt in sua procuracione et pane suo, nec habet uxorem, quod ille filius libere potest extra domum sui patris ire in mercemoniis, quocunque vult, et intercipere bona aput quoscunque, si placet, nec alicui persone propter hoc est ligatus nec astrictus, sed eodem iure et libertate debet gaudere, quo pater suus gaudet. Et si fides dicto filio forsitan non adhibetur, nuncius illius civitatis, ubi civis est, solus optinebit eum suo iuramento.

29) Preterea dicimus[c] quod si aliquis aput nos efficitur noster concivis, et aliquis inpingit ei dominus, quod ipse sit eidem ligatus vel astrictus, et cogit eum violenter, quod se obliget ei per carceres vel per alia quecunque tormenta, ita quod fideiussores statuat, ne recedat ab eo; si ille homo potest probare et docere per tales personas, que vulgariter nuncupantur gebuseme, sicut est consuetudinis civitatis nostre, nos illum civem iuvare tenemur et propulsare iniuriam sibi irrogatam vel factam pro posse nostro.

30) Item dicimus, si alicui nostrorum concivium inpingitur falsitas de aliqua mensura, sive sit de vino mensura, sive de oleo, vel alio genere quocunque, ab illa falsitate excluditur cum suo iuramento, nisi falsa mensura de plano inveniatur aput eum.

31) Item si aliquis dominus super promissione sibi facta, ut asserit, inculpat aliquem nostrum concivem, nec ipse dominus potest probare huiusmodi promissionem sibi fore factam, ille, cui inscribitur illa promissio, secundum consuetudinem civitatis proprio suo iuramento ab ipso iuramento recedet, nec aliquis contra eundem potest probaciones facere, nisi secundum consuetudinem civitatis.

In premissorum evidens testimonium sigillum civitatis Frankenfordensis presentibus litteris duximus appendendum. Actum et datum anno domini m̄. II.° nonagesimo septimo, feria quinta ante conversionem beati Pauli apostoli.

*Abschrift von 1470 auf Papier. St. A. Fr. Ugb. A 81. P.*

*Über der Abschrift ist folgendes bemerkt:* „Copie enis br(ieves), als die von Wilburg han mit der stede Fr(ankfurt) ingesigel besigelt, und sie brachten den her und baden, yne

a) *Vorlage wiederholt:* „requirendo ab ipsis"   b) *Vorlage:* „per".   c) *Vorlage:* „duximus".

den zu versigeln, dann das siegel zubrochen ist, solichs zu tun, hait yne der rad abe-
gesçlagen, dann der artickel sich vil nu verandert han. Circa purificacionem Marie, anno
XIIII. lXX.*

> Gedr.: *Senckenberg, Sel. iur., I, 518, Orth, Anmerkungen zur Frankfurter Reformation,
> Fortsetzung III, 953, deutsch IV, 12, Fichard, Wetteravia, I, 252, B., 304, nach der-
> selben Vorlage. Vgl.: Thomas, Oberhof, 217.*


**705.** *Walther, Ritter von Kronberg, beurkundet, dass er dem Deutschordenshause in
Sachsenhausen für die ihm zu lebenslänglichem Genuss überlassene Wohnung in Sachsenhausen eine Mark jährlichen Zinses in Frankfurt erkauft habe. 1297 Februar 1.*

Waltherus miles de Cronenberg, constare cupio universis has litteras visuris, quod
ego ob locacionem sive con//cessionem cuiusdam curie apud Conradum Swevum militem
Sassenhusen site, quam religiosi viri frater Anshel//mus conmendator ceterique ..
fratres domus Theutonice Sassenhusen michi locaverunt et concesserunt ad tempora //
mee vite possidendam, dictis .. conmendatori et .. fratribus ob dictam locacionem et
concessionem ipsius curie cum bonis meis mobilibus conparavi et emi unam marcam
denariorum Colonien*sium* monete legalis, singulis annis Frankenvord perpetuo tollendam et percipiendam. Hoc sane addito, quod quandocumque ab hoc seculo, domino
id volente, migravero, dicta curia, quam ab ipsis .. conmendatore et .. fratribus possideo,
cum edificiis et melioracionibus, que vel quas in iam dicta curia fecero aut construxero,
ad ipsos .. conmendatorem et .. fratres libere revertetur, videlicet ita, quod predicti ..
conmendator et .. fratres ipsius domus Theutonice Sassenhusen mee anime memoriam
perpetuam habebunt et habere debebunt. Testes huius sunt: Volradus scultetus
Frankenvordensis, Hertwicus de Alta domo, Arnoldus de Glauburg, Cunradus Burneflecka, Cunradus de Spira, Sifridus de Gysenheim, Ludewicus de Hultzhusen, scabini,
et quam plures alii fidedigni. In cuius rei testimonium ego Waltherus miles supradictus sepedictis .. conmendatori et .. fratribus tradidi has literas sigillo meo et sigillo
universitatis Frankenvordensis roboratas. Et nos .. scultetus et .. scabini antedicti
recognoscimus ad peticionem memorati Waltheri sigillum dicte nostre universitatis una
cum suo sigillo presentibus appendisse. Actum et datum anno domini m̃. c̃c. X̊C. septimo,
in vigilia purificacionis beate Marie virginis.

> Or. Pgmt. *Das Siegel Walthers fehlt, das Stadtsiegel (2) hängt an. Wien, Deutschordens-
> Centralarchiv.*
> Gedr.: *B., 307 nach dem Or. .*
> Verz.: *Pettenegg No. 750, Sauer, I², 9 zu 1297.*


**706.** *Schultheiss Volrad und die Schöffen von Frankfurt beurkunden, dass der Frankfurter Bürger Volkwin von Wetzlar bekannt habe, dem Frankfurter Stiftskapitel
von zwei Hufen bei Frankfurt (auf dem Affenstein) jährlich bestimmte Abgaben
zahlen zu müssen und diese nur ungetheilt vererben zu dürfen. 1297 Februar 17.*

Volradus scultetus et .. scabini de Frankenvord. Recognoscimus presentibus
protestan//do, quod Volgwinus dictus de Wetflaria, noster concivis, in nostra presentia
constitutus, // recognovit, se teneri singulis annis nomine annue pensionis .. decano
et .. capitulo // ecclesie Frankenvordensis de duobus mansis sitis in campis opidi
nostri, quos quondam Henricus dictus Greiz, noster concivis, a dictis .. decano et ..
capitulo et eorum ecclesia tenuit et possedit, quos quidem mansos iidem .. decanus
et .. capitulum sibi concesserunt et locaverunt iure hereditario possidendos, sedecim
octalia siliginis Frankenvordensis mensure infra duo festa assumptionis et nativitatis

sancte Marie virginis ad granarium eorum vel domum, quamcunque in Frankenvord deputaverint, persolvenda et assignanda suis laboribus et expensis, tres solidos et sex denarios leves monete Frankenvordensis et unum capponem in festo beati Martini annui census nomine persolvendos. Recognovit etiam, quod nec ipse Volgwinus, seu heredes, vel successores sui dictos mansos nullatenus divident, sed apud unam personam indivisi perpetuo remanebunt pro pensione et censu supradictis. Et si ipse Volgwinus vel aliquis heredum seu successorum suorum, quocunque titulo ad eos pervenirent, dictos mansos dividerent, nisi infra annum, postquam requisiti seu moniti fuerint a .. decano et .. capitulo antedictis ad tollendam huiusmodi divisionem, tollerent et revocarent, prescriptione seu exceptione qualibet non obstante, caderent a suo iure, quod ipsis competere posset in mansis predictis, et libere redirent ad .. decanum et .. capitulum supradictos. In cuius rei testimonium et firmitatem pleniorem nos .. scultetus et .. scabini predicti ad rogatum Volgwini, nostri concivis antedicti, sigillum universitatis nostre presentibus duximus appendendum. Actum et datum anno domini millesimo ducentesimo nonagesimo septimo, dominica, qua cantatur Exurge.

*Or. Pgmt. Das an grün-weissen Bändern anhängende Stadtsiegel (2) ist beschädigt. Spätere Rückaufschrift: „Uff dem Affenstein“. St. A. Fr. Barth. St. No. 4020.*

*Gedr.: Orth, Rechtshändel, IV, 1017, B., 308 nach dem Or. .*

**707.** *Giselbert und dessen Frau Jutta, Frankfurter Bürger, übergeben dem Kloster Arnsburg alle ihre in der Gemarkung von Münsterliederbach gelegenen Güter und empfangen sie von diesem Kloster zu lebenslänglichem Besitz gegen einen Wachszins zurück. 1297 März 9.*

Gilbertus et Jutta, uxor eius legittima, de Munsterliederbach, cives Frankenvordenses. Constare cupimus // universis has litteras visuris, quod nos communicata manu parique consensu, sponte, libere et non coacte, pie propter//deum et ob remedium nostrarum animarum donavimus donacione inter vivos et presentibus donamus // religiosis viris domino .. abbati et .. conventui monasterii Arnesburg, ordinis Cysterciensis, omnia bona nostra, sive sint in agris, pratis et pascuis, in terminis dicte ville Munsterliederbach sitis, que possidemus et dinoscimur possidere; recipientes dicta bona a iam dicto monasterio ad tempora vite nostre possidenda. Ita videlicet, quod nos prefato monasterio singulis annis de ipsis bonis in purificacione beate Marie virginis debemus, quo ambo advixerimus, porrigere et solvere unam libram cere racione annui census. Postquam vero nos .. coniuges predicti de medio sublati fuerimus, prelibata bona superius expressa ad sepedictum monasterium libere transibunt. Resignavimus nichilominus ipsa bona in iudicio dicte ville in manus monasterii memorati. Testes huius sunt: Archipresbiter de Bonemesa, Hertwicus de Alta domo, Cunradus de Spira, Markolfus de Lintheim, Sifridus de Gysenheim, scabini; Cunradus de Gysenheim, et quam plures alii cives Frankenvordenses fidedigni. In cuius rei testimonium nos .. scabini antedicti ad rogatum parcium predictarum sigillum universitatis Frankenvordensis presentibus duximus appendendum. Actum et datum anno domini m̄. c̄c̄. XC. septimo, sabbato ante dominicam, qua cantatur Reminiscere.

*Or. Pgmt. Anhängend das guterhaltene Stadtsiegel (2). Lich.*

*Gedr.: B., 308 nach dem Or. = Sauer, I², 3.*

*Verz.: Scriba, II, No. 864, Arnsb. Urkb., 218.*

**708.** *Konrad Münzer, ein Frankfurter Bürger, verkauft dem Kloster Arnsburg 6 Morgen Ackerland in der Gemarkung von Gerburgisheim für 8 Mark. 1297 März 18.*

Cunradus dictus Monetarius, civis Frankenvordensis, constare cupio universis has litteras visuris, quod ego accedente // benivolo consensu Cunradi et Jutte, liberorum meorum, vendidi iusto vendicionis titulo religiosis viris domino .. abbati // et .. conventui monasterii Arnesburg, ordinis Cysterciensis, septem iugera et unum quartale terre arabilis, in // terminis ville Gerburgisheim sita, pro octo marcis denariorum Coloniensium legalis monete, michi a dicto monasterio traditis et numeratis; resignans et renuncians una cum dictis meis liberis omni iuri, quod nobis in dictis septem et quartali iugeribus conpetebat; promittens nichilominus prelibato monasterio Arnesburg de ipsis iugeribus facere warandiam in eo loco, ubi de iure et consuetudine fuerit faciendum, iustam, debitam et consuetam; constituens nichilominus sepedicto monasterio cum dictis meis liberis domum meam, quam inhabito, pro subpignore, videlicet ita, quod si .. gener meus est in vita, si ipsum ad partes venire contigerit, quod ipse vendicionem superius expressam tenebit et tenere debebit inviolabiliter ratam atque gratam.  Testes huius sunt: Cunradus Alleum, Markolfus de Lintheim, Rudegerus de Hulzhusen, scabini; frater Wernherus de Arnesburg, et quam plures alii fidedigni. In cuius rei testimonium et debitam firmitatem memorato monasterio tradidi has litteras sigillo universitatis Frankenvordensis roboratas.  Et nos .. scabini antedicti recognoscimus ad peticionem sepedictorum Cunradi suorumque liberorum sigillum dicte universitatis presentibus appendisse.  Actum et datum anno domini ṁ. c̈c. XC̈. septimo, feria secunda post diem beate Gerdrudis.

*Or. Pgmt. mit abhangendem, beschädigten Stadtsiegel (2).   Lich.*
*Gedr.: B., 309 nach dem Or. .*
*Verz.: Scriba, II, No. 865, Arnsb. Urkb., 218.*

**709.** *Emercho, Propst und Kanonikus der Frankfurter Stiftskirche, überträgt dem Kapitel derselben das bisher zur Propstei gehörige Patronatsrecht der Kirche in Ober-Ursel, wogegen das Kapitel dem Propst und seinen Nachfolgern auf ewige Zeiten das Recht einräumt, eine Präbende an der Frankfurter Kirche zu vergeben. 1297 März 20.*

Emercho dei gracia prepositus et canonicus ecclesie Frankenvordensis.  Viris providis et honestis .. decano totique eiusdem ecclesie // capitulo, salutem in domino. Ut vobis nostre subvencionis auxilium et beato Bartholomeo, ecclesie vestre patrono, honorem et // reverenciam impendamus et ut ob hoc eciam apud vos perpetuo nostri memoria habeatur, ius patronatus parrochialis ecclesie in // monte Ursele, quod ad nos et .. prepositos Frankenvordenses pertinere dinoscitur pleno iure, vobis et per vos ecclesie vestre conferimus cum universis suis pertinenciis et appendiciis imperpetuum obtinendum. Ita ut, cum primum parrochiam ipsam vacare contigerit ex morte vel resignacione eius, qui nunc tenet eandem, proventus ipsius ecclesie vestris communibus usibus libere et perpetuo applicetis eamque officiari faciatis per ydoneum sacerdotem, assignantes ei de proventibus ipsius parrochie congruam porcionem, per quam honeste valeat sustentari, dyocesani et loci .. archidyaconi per omnia iure salvo. In cuius rei memoriam et perpetuam firmitatem damus vobis presentes litteras sigilli nostri munimine roboratas.  Nos eciam decanus totumque capitulum ecclesie Frankenvordensis in recompensam huiusmodi gracie nobis facte prefato domino nostro preposito et omnibus successoribus suis conferendi prebendam in ecclesia nostra Frankenvordensi perpetuis temporibus damus liberam potestatem de omnium nostrum beneplacito et consensu, cum primum ad id obtulerit se facultas. In perpetuam igitur memoriam premissorum et stabilem firmitatem sigillum ecclesie nostre presentibus de omnium

nostrum certa sciencia duximus appendendum. Datum et actum anno domini ṁ. c̈c.
nonagesimo septimo, XIII kalendas aprilis.

*Or. Pgmt. Anhängend 1) Siegel des Propstes (gut erhalten), 2) Stiftsiegel, 1) gelb, 2) grün.
St. A. Fr. Barth. St. No. 4195.*
*Gedr.: Würdtwein, Dioc. Mog., II, 41, B., 310 nach dem Or., Sauer I², 4. Vgl.
Lersner, I^b, 110, Müller, Bartholomaeus-Stift, 70.*

**710.** *Schultheiss Volrad und die Schöffen von Frankfurt erkennen, dass Siegfried von
Rendel berechtigt sei, zur Abtragung der mit seiner verstorbenen Frau Adilhild
gemachten Schulden seine Besitzungen auch ohne Einwilligung seiner Kinder zu
verkaufen, und beurkunden, dass er genannte Güter in Rendel dem Ludwig und
dessen Frau Pauline verkauft habe. 1297 April 25.*

Nos Volradus scultetus et . . scabini de Frankenvord, tenore presencium recognoscimus, quod Sifridus de // Rendele, noster concivis, in nostra presencia constitutus
postulavit a nobis sentenciam sibi dari super eo, quod cum ipse, // vivente uxore sua
Adilhilde legittima, quedam debita contraxisset et eidem non suppeteret facultas de
bonis suis // mobilibus persolvere debita antedicta, utrum ipse posset liberis suis,
Ludewico et Gerdrude, irrequisitis vendere quedam bona sua proprietaria ad persolvendum debita prenotata. Nos vero . . scabini antedicti, auditis premissis et plenius
intellectis, ad requisicionem ipsius Syfridi sentenciando pronunciavimus et in hiis scriptis
pronunciamus, eundem Sifridum licite posse vendere et alienare bona sua quecumque
ad solvendum ipsa debita cum dicta sua coniuge contracta, contradictione dictorum
suorum liberorum non obstante. Sentencia vero per nos . . scabinos antedictos sic lata,
prelibatus Sifridus coram nobis in figura nostri iudicii vendidit iusto vendicionis titulo
Ludewico et Pauline, uxori eius legittime, nostris concivibus, tredecim iugera et
dimidium iugerum terre arabilis et unum iugerum cum dimidio pratorum in terminis
ville Rendele sita iure proprietario perpetuo possidenda; resignans et renuncians
idem Sifridus quidquid eidem in predictis quindecim iugeribus competebat; constituens
nichilominus predictis Ludewico et sue coniugi Hermannum de Veteri Moneta et Petrum
Cerdonem, suum fratrem, fideiussores, videlicet ita, quod cum prelibati liberi ipsius
Sifridi ad annos etatis sue legittimos pervenerint, quod ipsi vendicionem premissam
tenere debebunt inviolabiliter ratam atque gratam et renunciacionem ac resignacionem
facient de ipsis bonis quemadmodum est consuetum. Preterea si unus fideiussorum
medio tempore decesserit, sepedictus Sifridus alium fideiussorem infra quindenam loco
defuncti post ipsius obitum statuet, quod si in hoc negligens aut remissus fuerit.
superstes fideiussor fideiussionis debitum in uno hospicio exolvet, quousque loco defuncti
alter eque ydoneus fideiussor per ipsum Sifridum statuetur. Adiectum est eciam,
quod si prenotata Paulina ante obitum Ludewici, sui mariti, de medio sublata fuerit,
dimedietas(!) ipsorum iugerorum ad Johannem, eius natum, de plano devolvetur. Testes
huius sunt: Volradus scultetus, Theodericus Cappellarius, milites; Arnoldus de Glauburg.
Cunradus Burneflecke, Ludewicus de Hulzhusen, scabini; Heinricus de Hachenberg.
Fultzo de Kaldebach, et quamplures alii cives Frankenvordenses fidedigni. In cuius
rei testimonium nos . . scultetus et . . scabini antedicti ad rogatum parcium predictarum
sigillum universitatis Frankenvordensis presentibus duximus appendendum. Actum
anno domini ṁ. c̈c. XC̈. septimo, quinta feria proxima post dominicam, qua cantatur
Quasimodogeniti.

*Or. Pgmt. mit Bruchstück des anhängenden Stadtsiegels (2). St. A. Fr. Barth. St. No. 4612.
Gedr.: B., 310 nach dem Or. . Auszug: Thomas, Oberhof, 442.
Verz.: Scriba, II, No. 867.*

**711.** *Erzbischof Gerhard von Mainz incorporirt infolge der Schenkung des Propstes Emercho die Pfarrkirche in Ober-Ursel der Stiftskirche in Frankfurt. Mainz, 1297 April 29.*

Gerhardus dei gracia sancte Maguntine sedis archiepiscopus, sacri imperii per Germaniam archicancellarius. // Dilectis in Christo . . decano totique capitulo ecclesie Frankenfordensis, salutem in domino sempiternam. Ponentes // coram oculis mentis nostre, quod ecclesia corporalis, quemadmodum sanctorum patrum veneranda testatur auctoritas, sine rebus // corporalibus in modico, immo potius in nullo proficit, sicut nec anima sine corpore corporaliter vivit, et quod servi dei, quanto eis habundantius in temporalibus est provisum, tanto ardentiori studio celestia sitientes vacare possunt debitis officiis divinorum, illam quoque graciam specialem, qua vos et ecclesiam vestram prosequimur, intuentes, parrochialem ecclesiam in monte Ursele, cuius ius patronatus ad prepositum ecclesie vestre hactenus pertinebat, de expresso consensu honorabilis viri Emerchonis, scolastici Maguntini, nunc prepositi vestri, cum omnibus proventibus, redditibus, censibus, decimis, obventionibus et aliis suis iuribus et pertinentiis universis ecclesie vestre Frankenfordensi predicte unimus, incorporamus, unitam et incorporatam esse volumus perpetuis temporibus in futurum. Ita tamen, quod de redditibus supradictis perpetuo vicario, quem loci archidyacono, cum vacaverit ipsa ecclesia, presentabitis, prebenda sive porcio competens relinquatur, unde possit iura episcopalia persolvere, hospitalitatem congruam facere et competentem vite sustentationem habere, residuo in augmentum prebendarum vestrarum per divisionem canonicam convertendo sine iuris preiudicio alieni. Dantes vobis has litteras in testimonium super eo, sigilli nostri robore communitas. Datum Maguntie, anno domini millesimo ducentesimo nonogesimo septimo, tertio kalend*as* maii.

> *Or. Pgmt. Das anhängende erzbischöfliche Siegel mit Rücksiegel ist zerbrochen. St. A. Fr.*
> *Barth. St. No. 4196.*
> *Gedr.: Würdtwein, Dioc. Mog., II, 42, B., 312 nach dem Or., Sauer, I², 5.*

**712.** *König Adolf verspricht dem Erzbischof Gerhard von Mainz als Entschädigungsgelder 5000 Mark und weist ihm bis zu deren Zahlung 500 Mark jährlich vom Ungelt und den Juden in Frankfurt an. Oppenheim, 1297 Juli 7.*

Adolfus dei gracia Romanorum rex, semper augustus. Universis sacri Romani imperii fidelibus // presentes litteras inspecturis, graciam suam et omne bonum. Universitati vestre presentibus innotescat, quod, cum // venerabilis Gerhardus, archiepiscopus Maguntin*us*, princeps et consanguineus noster karissimus, gravia dampna // sustinuerit in persecutione negociorum rei publice, nobis cum armatis utiliter serviendo, et alias vocatus a nobis faciendo expensas, necnon exinde, quod decimam sturarum iudeorum nostrorum idem archiepiscopus dicebat sibi per aliqua annorum curricula non solutam, nos super dampnis huiusmodi volentes principi nostro predicto restaurum facere et compensam, eidem quinque milia marcarum Coloniens*ium* denariorum, tribus hallensibus pro denario computandis, liberaliter duximus largiendas. Et quia ad presens pecuniam non habuimus in parato, sibi redditus quingentarum marcarum predicte monete duximus assignandum, pro quarum ducentis marcis partem ungelti ad nos in Frankenfurt spectantem, pro residuis vero trecentarum marcarum redditibus iudeos nostros ibidem, cum omni iure et utilitate, sicut ad nos pertinent, predicto archiepiscopo et ecclesie sue titulo pignoris obligamus tamdiu percipiendos, retinendos et habendos sine molestia qualibet et pressura, quousque predicta quinque milia marcarum, perceptis in sortem minime computandis, que inquam percepta liberaliter donamus prefato archiepiscopo et successoribus suis consideracione gratorum obsequiorum, que iidem archiepiscopi nobis impenderunt hactenus, et que impendere poterunt graciora, per nos et successores nostros in regno Romano integraliter fuerint persoluta. Hoc acto expresse, quod si pro totali liberacione dictorum reddituum ab ipsis iudeis subsidium duxerimus postulandum, hoc sine offensa archiepiscopi, qui pro tempore fuerit, facere valeamus, dummodo subsidium huiusmodi assignetur eidem archiepiscopo ad liberacionem reddituum huiusmodi convertendum. In cuius rei testimonium hanc litteram exinde conscribi et maiestatis nostre sigillo fecimus communiri. Datum apud Oppenheim. Anno domini millesimo ducentesimo nonagesimo septimo, nonis iulii. Regni vero nostri anno sexto.

*Or. Pgmt. Siegel an Pgmtstreifen anhängend. St. A. Fr. Priv. No. 20.*
*Gedr.: Würdtwein, Dioc. Mog., I, 73, II, 82°, B., 312 nach dem Or. .*
*Verz.: Fr. Inv., III, 2, B., Reg. Ad. No. 353, Scriba, III, No. 2161.*

**713.** *König Adolf verspricht dem Siegfried von Westerburg 1000 Mark, die aus den beiden nächsten Reichssteuern Frankfurts bezahlt werden sollen. Oppenheim, 1297 Juli 11.*

Nos Adolfus dei gracia Romanorum rex, semper augustus, ad universorum sacri Romani imperii fidelium notici//am cupimus pervenire, quod nos, grate devocionis que nobilis vir Sifridus de Westerburg, fidelis noster dilectus, // nobis et imperio hactenus impendit obsequia et inantea impendere poterit graciora, benignius intuentes, // sibi mille marcas denariorum Coloniensium, tribus hallensibus pro denario quolibet computatis, promittimus nos daturos, quarum medietatem de prima exactione seu stura civibus nostris in Frankenfort nostro nomine imponenda eidem duximus deputandam, aliam vero medietatem de alia proxima stura, que extunc eisdem civibus imponetur, dicto Sifrido similiter deputamus. Quibus habitis, ipsas convertet in emptionem prediorum vel de propriis bonis predia ad estimacionem predicte pecunie demonstrabit, que ipse et sui heredes a nobis et nostris successoribus in regno feodali titulo tenere et possidere perpetuo tenebuntur. In cuius rei testimonium sigillum maiestatis nostre presentibus est appensum. Datum in Oppenheim, V idus iulii, indictione decima, anno domini m̃. c̃c̃. LXXXX. VII., regni vero nostri anno sexto.

*Or. Pgmt. Siegel abgefallen. Universitäts-Bibliothek Heidelberg, Lehmann'sche Urkunden.*
*Verz.: B., Reg. Ad. No. 438. — Grotefend.*

**714.** *Heinrich Steinhusere und Mergard, seine Frau, verkaufen dem Kloster Haina eine Korngült (Frankfurter Mass) von ihrem Hofe zu Ginnheim. Unter den Ländereien wird auch ein Morgen, der von dem Deutschorden zu Sachsenhausen eingetauscht ist, erwähnt. Unter den Zeugen: „Hertwicus de Alta domo, Arnoldus de Glauburg, Cunradus de Spira, scabini Frankenvordenses." Die Schöffen siegeln mit dem Stadtsiegel. 1297 Juli 26. (in crast. b. Jacobi ap.)*

*Gedr.: Kuchenbecker, Anal. Hass., VIII, 297, Reimer, I, 562 nach dem Or. Pgmt. und dem Hainaer Kopialbuch. St. A. Marburg.*

**715.** *Der Viceschultheiss Dietrich Keppler und die Schöffen von Frankfurt beurkunden, dass die Beghinen Agnes und Lisa dem Johann Goldstein und dessen Frau Adelheid für einen genannten jährlichen Geldzins ein anderes Unterpfand bestellt haben. 1297 Juli 31.*

Nos Theodericus Capellarius miles, vicescultetus, et .. scabini de Frankenvord. Tenore presencium recognoscimus, // quod venientes ad nostram presenciam Agnes et Lisa sorores, begine, filie quondam Cunradi barbitonsoris in atrio, // ac Bertoldus, earum sororius, nostri concives, rogantes sollicite Johannem dictum Goltstein et Adilheidim, uxorem // eius legittimam, nostros concives, ut ad eorum instanciam occasione cuiusdam subpignoris ipsis olim pro una marca denariorum Coloniens*ium* census annualis, quam dictus Cunradus et Guda, eius uxor legittima, parentes dictarum beginarum, dum adhuc viverent, prefatis Johanni et sue coniugi communicata manu super estuarium apud Cunradum Album situm rite et racionabiliter vendiderunt, prout in instrumento super hoc confecto plenius continetur, dicto subpignori renunciarent, aliud subpignus loco subpignoris predicti recipiendo et acceptando; prefati vero Johannes et eius coniux premissis auditis, precibus dictarum beginarum et Bertoldi inclinati in hac parte, undecim solidos Coloniens*ium* denariorum census annualis super domum contiguam estuario in atrio sitam racione primi subpignoris acceptaverunt, renunciantes sepedicto subpignori primo pro dicta marca census annualis obligato. Hoc sane addito, quod si prelibati Johannes vel sui heredes in ipsis undecim solidis Coloniens*ibus* iacturam vel dispendium paciantur, respectum habere debebunt ad undecim solidos levium denariorum census annualis, quos prefatus Bertoldus in iam dicto estuario habet et dinoscitur habere, et ad hoc se idem Bertoldus astrinxit coram nobis. Testes huius sunt: Hertwicus de Alta domo, Arnoldus de Glauburg, Cunradus de Spira, Cunradus Burneflecke, Sifridus de Gysenheim, Rudegerus et Ludewicus de Hulzhusen, scabini, et quamplures alii fidedigni. In cuius rei testimonium nos .. scabini antedicti ad rogatum parcium predictarum sigillum universitatis Frankenvordensis presentibus duximus appendendum. Actum anno domini ṁ. ċċ. X̊CVĪĪ., feria quarta proxima post festum beati Jacobi apostoli.

*Or. Pgmt. mit anhängendem Stadtsiegel (2). Frankfurt, Archiv der Freiherrn von Holzhausen. — von Nathusius.*

*Gedr.: B., 313 nach dem Or. .*


**716.** *Graf Eberhard von Katzenelnbogen und Tochter, Graf Lutzo von Rieneck und Ulrich von Hanau einigen sich über ihre Ansprüche an die Rieneckische Erbschaft. Als Vertrauensmänner werden erwähnt:* „her Heinrich der schultheiz" *und die Deutschherren zu Frankfurt, unter den Bürgen des Grafen von Katzenelnbogen: [der Frankfurter Bürger]* „Ulbraht fon Eschebach". *1297 September 17.* (an s. Lampertes tage.)

*Gedr.: Reimer, I, 564 nach dem Or.-Pgmt. im St. A. Marburg.*


**717.** *Rudolf der Vogt genannt Beckenhube und dessen Frau Gertrud bekennen für sich und ihre Rechtsnachfolger, dem Deutschordenshause zu Sachsenhausen zur Lieferung von 4 Malter jährlich von einem Hause und Ländereien in Dieburg verpflichtet zu sein. Frankfurt, 1297 October 9.*

Notum sit omnibus presencium inspectoribus, quod ego Růdolfus advocatus dictus Beckenhube // necnon Gerthrudis, uxor mea legitima, cum ceteris nostris legitimis heredibus de domo in Dyburg et dimi//dio mansu et agris ibidem sitis, quos colimus ex parte fratrum Theutonicorum apud Frankenvort, quatuor // maldra siliginis infra assumptionem et nativitatem beate Marie virginis domui predictorum fratrum in Sassenhusen in propriis nostris expensis imperpetuum presentabimus annuatim, pro qua pensione senior heres nobis legitime succedens omni tempore respondebit fratribus memoratis. Ne igitur oriatur imposterum dubitacio de hoc pacto, ipsum ad instanciam fratrum antedicte domus in Sassenhusen conscribi fecimus et sigilli oppidanorum in Dypurg munimine roborari. Datum in Frankenvort, anno ṁ. ċċ. XC.° VII.°, VII.° idus octobris, in die sancti Dyonisii sociorumque eius martirum.

*Or. Pgmt. mit dem Siegel des Vogtes Rudolf von Dieburg. St. A. Darmstadt. — Grotefend.*
*Auszug: Steiner, Bachgau, III, 176.*
*Vers.: Scriba, I, No. 684.*

**718.** *König Adolf verleiht dem Volrad, früherem Schultheissen von Frankfurt, zu den 3 Mark von der dortigen Wage, welche er schon besitzt, die 4 noch übrigen zu Erblehen. Koblenz, 1297 October 22.*

Adolfus dei gracia Romanorum rex, semper augustus. Strennuo viro Volrado, quondam sculteto de Frankenford, fideli suo dilecto, graciam suam et omne bonum. Exigente fidei tue merito, qua circa serenitatis nostre obsequia sollicitus te exerces. volentes tibi porrigere munificencie nostre manum, in augmentum feodorum tuorum, que de manu nostra habere dinosceris, redditibus trium marcarum, que de ponderibus in Frankenford obtines, quatuor marcarum redditus, que supersunt, adicimus per presentes; volentes, ut tu et heredes tui eosdem septem marcarum redditus habeatis et possideatis feodaliter pacifice et quiete, dantesque vobis has nostras li*tt*eras, nostre maiestatis sigillo signatas in testimonium super eo. Datum Confluen*cie*, XI kalenda*s* novembris. Indictione XI. Anno domini millesimo ducentesimo nonogesimo septimo. Regni vero nostri anno sexto.

*Abschrift im Städt. Kopialbuch, II, No. 96. St. A. Fr.*
*Über der Abschrift steht:* „Litteram sigillatam copie subscripte vidimus et audivimus de verbo ad verbum et vero sigillo sigillatam".
*Gedr.: Orth, Reichsmessen, 646, B., 314 nach derselben Vorlage.*
*Vers.: B., Reg. Ad. No. 375, Fr. Inv., III, 2.*

**719.** *Manegold, Bischof von Würzburg, ertheilt allen Besuchern und Wohlthätern der Kapelle der Heiligen Kosmas und Damianus an der Bartholomaeuskirche zu Frankfurt einen Ablass. Frankfurt, 1297 November 29.*

Manegoldus dei gracia episcopus Herbipolensis, .. universis Christi fidelibus has litteras // visuris, salutem in filio dei vivi. Loca sanctorum pia ac prompta devotione // sunt a Christi fidelibus honoranda, ut venerantes dei amicos ipsi nos amica//biles deo reddant, et illorum quodammodo nobis vendicantes patrocinium apud altissimum, quod vota nostra non obtinent, eorum mereamur intercessionibus obtinere. Cupientes itaque capellam sanctorum Cosme et Damiani in Frankenfurt, Maguntine dyocesis, a deo devotis dignis honorum laudibus frequentari, omnibus christiani nominis professoribus, vere penitentibus et confessis, qui ad predictam capellam in festivitatibus subscriptis, videlicet gloriose virginis Marie, apostolorum, in die patronorum, in die et in anniversario dedicationis ipsius capelle ac in sabbatinis et dominicis diebus confluxerint annuatim, propiciationis veniam petituri, quique ad dictam capellam suas largiti fuerint elemosinas, vel alias manum porrexerint subventricem, nos de omnipotentis dei misericordia et beatorum apostolorum eius Petri et Pauli, necnon preciosorum martirum Kyliani sociorumque eius, meritis et auctoritate confisi, XL. dies criminalium et annum venialium, dummodo reverendi patris et domini .. archiepiscopi Maguntini consensus

accesserit, in domino misericorditer relaxamus.  Datum Frankenfurt, anno domini ṁ. c̄c̄.
nonagesimo VÎI., in vigilia beati Andree apostoli, pontificatus nostri anno X̌.

*Or. Pgmt.  Das abhangende Siegel des Bischofs ist etwas beschädigt.  St. A. Fr. Barth. St.
No. 3560.
Gedr.: B., 314 nach dem Or. .*


**720.** *König Adolf belehnt die Ritter Heinrich und Konrad [von Sachsenhausen] mit
einer bei Dortelweil gelegenen Mühle, die Ritter Friedrich von Preungesheim zu
diesem Behufe resignirt hat.  Frankfurt, 1297 November 30.*

Nos Adolfus dei gracia Romanorum rex, semper augustus.  Recognoscimus per
presentes, quod, // strennuo viro Friderico de Bruningesheim milite reportante nobis
feudum cuiusdam // prati, siti in Durkelwile, quod a nobis tenebat, nos ad instanciam
ipsius F. idem // pratum concessimus et concedimus per presentes strennuis viris
Heinrico dicto sculteto et Cunrado, fratrueli suo, militibus, fidelibus nostris dilectis, et
eorum heredibus eodem iure et titulo a nobis et imperio obtinendum; dantes ipsis
has nostras litteras in testimonium super eo.  Dat*um* apud Frankenfurt, anno domini
ṁ. c̄c̄. lXXXXVII., II. kalend*as* decembris, regni vero nostri anno sexto.

*Or. Pgmt. mit Majestätssiegel (zerbrochen) an Pergamentstreifen.  Ullstadt.
Gedr.: Vertheidigtes kaiserl. Eigenthum, Frankenstein contra Frankfurt, 81, B., 315 nach
dem Or. .
Vers.: B., Reg. Ad. No. 381.*


**721.** *Hermann von Köln, ein Frankfurter Bürger, macht sein Testament.  1297 December 31.*

In nomine domini, amen.  Ego Hermannus de Colonia, civis Frankenfurdensis,
notum esse cupio universis, // quod compos mentis executores mei testamenti et manufideles meos constituo et ordino: fratrem Ot//tonem priorem Predicatorum vel fratrem
Gerlacum de Bruningesheim, confratrem ipsius . . prioris, loco // sui, si prior interesse
non potest, magistrum Dithmarum decanum ecclesie Frankenvordensis, Sypelonem de
Gysenheim et Johannem Golstein, scabinos opidi Frankenvordensis, quibus sic constitutis et ordinatis, testamentum meum condidi et legata ordinavi in hunc modum:
Primo Agneti, sorori mee, lego et ordino decem marcas denariorum Coloniens*ium* et
dimidietatem domus mee in Colonia et aliam mediam partem liberis Henrici fratris
mei.  Item lego . . filie fratris mei Henrici, que nuper nupsit marito, decem marcas
pecunie numerate.  Item . . matri mee lego triginta marcas parate pecunie numerate.
Item lego . . decano et capitulo ecclesie Frankenvordensis marcam denariorum Colonien-
*sium* annui census, que dabitur singulis annis in anniversario meo de domo mea
lapidea in cymitherio Frankenvordensi sita, quam inhabito, presentibus tantum.  Item
lego ad sex altaria in parrochia Frankenvordensi, cuilibet altari fertonem denariorum
annui census, unum fertonem de domo Sifridi Benderes, que sita est apud sanctum
Nicolaum, item unum fertonem de domo Henrici lapicide dicti Blineldere, que sita est
apud . . Predicatores, item una marca debet comparari de bonis meis omnibus, que
relinquero.  Item lego unam marcam annui census de domo prefati Heinrici Blinel-
deres . . Predicatoribus in Frankenvord.  Item lego . . Minoribus fertonem, . . Carmelitis
fertonem, . . monasterio in Henehe fertonem annui census, qui conparabuntur de bonis
meis a me relictis.  Item lego hospitali sancti Spiritus infirmorum in Frankenvord
quinque libras hallen*sium* parate pecunie.  Item lego . . Penitentibus quatuor libras
hallen*sium*, . . fabrice sancti Michahelis tres libras hallen*sium*, . . fabrice parrochie sex
libras hallen*sium*, . . fabrice sancti Nicolai tres libras hallen*sium*, . . fabrice sancti

Georgii tres libras hallen*sium* parate pecunie numerate. Item ordino et statuo, ut
redditus pro quinque libris hallen*sium* conparentur ad candelas, que portantur ante
corpus domini ad visitationes infirmorum. Item statuo, ut dimidia marca annui census
conparetur ad conficiendum cereos, qui gewudene kerzen nuncupantur, qui portentur
per ebdomadam infra palmas et pascha vel quamdiu durare poterunt cum corpore
domini ad visitaciones infirmorum. Item lego . . liberis Elyzabethe sororis mee in
Maguncia quadraginta marcas denariorum Colonien*sium* pecunie numerate. Item lego
eidem Elizabeth, sorori mee, cisum meum maiorem argenteum. Item lego Gude, famule
mee, septem libras hallen*sium* numerate pecunie et unam vaccam meliorem quam
habeo, duos lectos, duo pulvinaria, duos cussinos, quatuor lintheamina et unam sargiam.
Item Mathia, consanguineo meo, lego octo libras hallen*sium* et Cristiano, cognato meo,
novem libras hallen*sium* pecunie numerate. Item statuo et ordino, ut de bonis meis
conparetur libra denariorum Frankenvorden*sium* annui census ad perpetuam lampadem,
quam ordinabunt testamentarii mei in parrochia Frankenvordensi, prout ipsis videbitur
expedire. Item lego triginta sacerdotibus, cuilibet eorum triginta denarios leves. Item
lego fratri Cunrado de Morle unam libram hallen*sium*, plebano meo Frankenvordensi et tribus suis sociis quinque libras hallen*sium*, Eckardo clerico tabellioni unam
libram hallen*sium* et . . famulo meo, qui fuit in curia mea ante portas Frankenvordenses, duas libras hallen*sium* et fratri Ottoni priori predicto decem libras hallen*sium*
parate pecunie numerate. Item lego Sypeloni de Gysenheim supradicto annulum
aureum. Item statuo et ordino, ut de bonis meis conparetur conpetens calix ad altaria
in parrochia Frankenvordensi. Preterea volo, statuo et ordino, ut quicquid superesse
poterit de bonis meis, que in mea morte relinquero, hiis omnibus legatis suprascriptis
plenius persolutis, quod per me vel per manufideles supradictos non fuerit ordinatum
vel dispositum pro salute anime mee, super quo ipsis manufidelibus meis do plenariam
potestatem disponendi et ordinandi, prout saluti anime mee viderit expedire, inter
heredes meos, videlicet . . matrem, . . fratres, . . sorores et . . eorum liberos, ita, quod
non in capita, sed in stirpes equaliter dividatur. In huius rei evidens testimonium
et roboris firmitatem presentes litteras sub sigillo universitatis opidi Frankenfordensis,
quod ad preces meas presentibus est appensum, tradidi communitas. Actum anno
domini m̄. c̄c̄. nonagesimo septimo, II. kalenda*s* ianuarii.

Die Vorlage B.'s, 315 „Barth. St. B. III, 15, alte Bezeichnung“ ist von Kriegk nicht<br>
verzeichnet und jetzt nicht mehr aufzufinden, daher ist der Druck B.'s hier wiederholt.<br>
Eine Abschrift der Urkunde steht Barth. St. Bücher, Serie I No. 25 f. 91 v.


**722.** *Genannte Erzbischöfe und Bischöfe verleihen allen Gläubigen, welche die Kapelle*
*des Heiligen Georg an gewissen Festtagen besuchen oder ihr Wohlthaten und Ver-*
*mächtnisse zuwenden, einen vierzigtägigen Ablass. Rom, 1297.*

Universis sancte matris ecclesie filiis, ad quos presentes litere pervenerint, nos
dei gratia Basilius Jerosolomitanus, Philippus Salernitanus, Bonaventura Ragusinus,
archiepiscopi; Azo Casertanus, Bartholus Orthanus, Volradus Brandeburgensis, Aymardus Lucerinus, Raynaldus Alatrinus, Sabbas Militensis, frater Maurus Amiliensis,
Jacobus Acernensis et Ademarus Hostensis, episcopi, salutem in domino sempiternam.
Licet is, de cuius munere venit, ut sibi a suis fidelibus digne ac laudabiliter serviatur,
de abundantia pietatis sue merita supplicium excedens, et vota bene servientibus
multo maiora tribuit, quam valeant promereri; desiderantes tamen domino reddere
populum acceptabilem, fideles Christi ad complacendum[a] ei quasi quibusdam allectivis

a) *B. „complacandum“.*

muneribus, indulgentiis videlicet et remissionibus, invitamur, ut exinde divine gracie reddantur aptiores. Cupientes igitur, ut capella sancti Georgii in Frankvort, Maguntine diocesis, congruis honoribus frequentetur et a cunctis Christi fidelibus iugiter veneretur, omnibus vere penitentibus et confessis, qui ad dictam capellam in festis subscriptis, videlicet in singulis festis beate Marie virginis, sancti Georgii, Andree et Nicolai, in die Ottilie et Lucie, sancte Katherine, in dedicatione capelle et per octavam predictorum festorum, causa devotionis seu peregrinationis accesserint, vel divinum officium seu verbum exhortationis in festis suprascriptis devote audiverint, aut qui predicte capelle fabrice, luminariis, libris, seu aliis necessariis, manus porrexerint, divitias vel quidquam facultatum suarum in extremis laborantes eidem capelle legaverint, donaverint, miserint seu procuraverint: nos de omnipotentis dei misericordia et beatorum Petri et Pauli, apostolorum eius, auctoritate confisi, singuli nostrum singulas dierum quadragenas de iniunctis sibi penitentiis, dummodo consensus diocesani ad id accesserit, misericorditer in domino relaxamus. In cuius testimonium presens scriptum sigillorum nostrorum munimine duximus roborandum. Datum Rome, anno domini m̅. c̅c̅. nonagesimo septimo. Pontificatus domini Bonifacii pape octavi anno tertio.

*Gedr.: B., 317 „ex apographo Fausti ab Aschaffenburg". Erwähnt: Lersner, II^b, 178.*

**723.** *Hedwig, die Wittwe des Ditmar von Massenheim, macht mit Einwilligung Dietrichs, ihres zweiten Mannes, ihr Testament. 1298 Februar 25.*

In nomine domini, amen. Noverint universi presencium inspectores, quod ego Hedewigis, relicta quondam Dythmari de // Massenheim, civis Frankenvordensis, compos mentis mee, presente Theoderico, nunc marito meo legittimo, et de beni//volo consensu eiusdem, in presencia magistri Dythmari, plebani mei Frankenvordensis, Alberti de Derenbach sacer//dotis, socii ipsius .. plebani, confessoris mei, et Eckardi clerici, tabellionis iurati causarum .. officialium domini .. prepositi ecclesie Frankenvordensis, testamentum meum et legata ordinavi, statui et condidi in hunc modum: Primo statuo et ordino, ut domum, quam inhabito, sitam apud Rossebühel, et domum contiguam pro salute anime mee et Dithmari, mariti mei predicti, qui hoc idem vivens mecum ordinaverat, post obitum meum Theodericus, nunc maritus meus, inhabitabit vel aliis locabit ad tempora vite sue et singulis annis de dictis duabus domibus, quamdiu vixerit, dabit in festo beati Martini libram unam denariorum Frankenvordensium levium, de qua libra decem solidi denariorum levium cedent ad altare inferius capelle sancti Mychahelis, et alii decem solidi leves ad structuram ecclesie parrochialis et lumina cerea, que portantur ante corpus domini ad visitaciones infirmorum. Post obitum vero ipsius Theoderici, si dicte domus plus solvere possunt preter libram denariorum predictam et septem solidos levium denariorum et pullum, qui debentur domino Frederico Ferrario nomine census annualis de prefatis domibus et curia attinente, debetur altari, structure et luminibus antedictis. Item statuo et ordino, ut Theodericus, maritus meus prefatus, teneat et possideat mansum unum situm in terminis ville Massenheim apud Velwile et in terminis parrochie eiusdem ville Velwile ad tempora vite sue et usum fructuum percipiat, et post ipsius Th. obitum ipsum mansum dimidium habebit .. plebanus in Velwile, qui pro tempore fuerit, eo modo, ut in capella Massinheim, que eidem .. plebano subiacet iure parrochiali, dicatur de una missa plus in qualibet septimana, quam hucusque sit consuetum; alia media pars mansi predicti deputabitur ad presencias chori ecclesie Frankenvordensis, duobus terminis, videlicet uno termino in anniversario Dithmari, quondam mariti mei prefati, et suorum .. parentum et in alio termino in anniversario meo et .. parentum meorum, ita quod .. canonici, .. socii chori, .. plebanus, qui pro tempore fuerit, et sui .. socii, cuilibet (!) recipiat equalem porcionem de presenciis supradictis. Adicio pro pena, si .. plebanus in Velwile, qui pro tempore fuerit, in missa dicenda in dicta capella Massinheim singulis septimanis, prout supradictum est, fuerit negligens vel remissus, extunc et inantea .. decanus et .. capitulum ecclesie Frankenvordensis supradictum mansum recipient et appropriabunt ecclesie sue et omnes proventus et redditus, de ipso manso provenientes, ministrabunt pro presenciis, modis et condicionibus supradictis. Item ordino et statuo, ut octo iugera terre arabilis sita in terminis dicte ville Massinheim, que teneo et possideo preter mansum predictum, post obitum meum, in quantum solvere possunt, servient ad perpetuum lumen in capella dicte ville Massinheim, et ad tempora vite mee me obligo ad solvendum singulis annis ad lumen in dicta capella unum sumerinum papaveris, prout Dithmarus, maritus meus predictus, de voluntate mea, dum viveret, instituit et ordinavit. Item ordino, ut preter predictum mansum et octo iugera pronotata(!) tria dimidia iugera, in quolibet campo unum dimidium iugerum situm, in quantum solvere possunt singulis annis annue pensionis, duo cerei comparentur et unus locetur ad altare beate virginis Marie, quando ibi in capella Massinheim dicetur missa, et alius in elevatione corporis domini accendatur. Item lego et ordino preter omnia supradicta, ut dimidium iugerum situm in terminis ipsius ville Massinheim, in quantum solvere possit annui census, ut ad luminaria capelle sancti Nicolai, que sita est in Velwile, perpetuo deputetur et ministretur. Item ordino et statuo Theoderico, marito meo antedicto, preter legata omnia prenotata, et excepto uno orto, sito in villa Massinheim, tam in domibus, quam agris, ut ipse teneat et possideat pro suo libito voluntatis. Salvo michi, si incumberet necessitas vel voluntas libera, quod possem omnia inmutare. In omnium premissorum evidens testimonium ego Hedewigis una cum marito meo Theoderico rogavi presens scriptum sigillis universitatis Frankenvordensis et magistri D., plebani mei predicti de Frankenvord, communiri. Et nos .. scultetus et .. scabini de Frankenvord sigillum universitatis nostre et ego D. plebanus prelibatus sigillum parrochie mee prenotate ad rogatum Hedewigis et Theoderici coniugum sepefatorum presentibus duximus appendenda. Datum et actum anno domini millesimo ducentesimo nonagesimo octavo, in die beati Mathie apostoli.

*Or. Pgmt. Nur das Stadtsiegel (2) hängt an, der zweite Siegelstreifen scheint nicht besiegelt gewesen zu sein. St. A. Fr. Barth. St. No. 2958.*

*Gedr.: B., 317 nach dem Or. zu Februar 24.*

*Auszug: Thomas, Oberhof, 443.*

*Verz.: Scriba, II, No. 873 zu Februar 28.*

**724.** *Schultheiss Eberwin Grus, die Schöffen und Bürger von Frankfurt beurkunden, dass Heinrich de Porta, Erlekin und die übrigen Erben des Hermann von Köln mit Einwilligung von dessen Treuhändern dem Wicker vom Widder und dessen Frau genannte vor Frankfurt gelegene Grundstücke für 36 Mark verkauft und diesen Betrag zu frommen Zwecken verwendet haben. 1298 März 17.*

Nos Eberwinus dictus Grus miles, scultetus, .. scabini ceterique cives de Frankenvord. Tenore presencium recognoscimus, quod honesti // viri Heinricus dictus de Porta, civis Coloniensis, frater quondam Hermanni de Colonia nostri concivis, et Erlekinus, eius sororius, // civis Moguntinus, veri et legittimi heredes ipsius Hermanni, pro se suisque .. coheredibus universis, ab eisdem auctoritatem habentes, // accedente consensu testamentariorum et manufidelium dicti Hermanni, videlicet domini Ditmari, decani ecclesie Frankenvordensis, Sifridi de Gysenheim et Johannis Goltsteini, scabinorum Frankenvordensium, vendiderunt iusto vendicionis titulo Wicgero de Ariete et Katherine,

uxori eius legittime, nostris concivibus, curiam prefati Hermanni in ortis extra muros
Frankenvordenses versus villam Burnheim sitam cum suis pertinenciis ad eandem
curiam spectantibus et duodecim iugera minus dimidio terre arabilis in deme Lindehe
sita ac decem et octo iugera terre arabilis, nuncupata vulgariter[a] zů den Heugen, pro
triginta sex marcis denariorum Coloniens*ium* dictis heredibus et . . manufidelibus ab
ipsis Wicgero et sua . . coniuge traditis et numeratis, quam quidem summam pecunie
predicti heredes et . . manufideles ipsius Hermanni pro remedio sue anime ad pia loca
porrexerunt et assignaverunt; resignantes et renunciantes sepedicti . . heredes pro
se suisque heredibus omni iure (!), quod eisdem in predictis curia et iugeribus conpetebat, promittentes nichilominus prenotatis Wicgero et suis heredibus de ipsis curia et
iugeribus facere warandiam iustam, debitam et consuetam. Testes huius rei sunt:
Hertwicus de Alta domo, Arnoldus de Glauburg, Cunradus de Spira, Cunradus Alleum,
Cunradus Burneflecke, Sifridus de Gysenheim, Rudegerus et Ludewicus de Hulzhusen,
scabini, et quam plures alii fidedigni. In cuius rei testimonium et firmitatem debitam
nos . . scabini antedicti ad rogatum parcium prescriptarum sigillum universitatis Frankenvordensis presentibus duximus appendendum. Actum anno domini m̊. c̊c̊. XCVIII.,
feria secunda post dominicam Letare Jerusalem.

*Or. Pgmt. Siegel abgerissen. Frankfurt, Archiv der Freiherrn von Holzhausen. —
Von Nathusius.*

*Gedr.: B., 319 nach dem Or. .*

**725.** *Ruprecht, Sohn des Ritters Friedrich von Karben, verkauft dem Kloster Thron eine
halbe Hufe zu Niederbommersheim. Unter den Bürgen wird genannt:* „Conradus
dictus Rintfleisch de Frankenvord", *unter den Zeugen:* „Trutwinus de Frankenvord", *Laienbruder in Thron. 1298 März 19.* (XIIII. kal. april.)

*Gedr.: Sauer, I³, 10 nach dem Or. Pgmt. im St. A. Wiesbaden.*

**726.** *Schultheiss Konrad von Erlenbach und die Schöffen von Frankfurt beurkunden,
dass Irmgard, die Wittwe Friedrichs von Esslingen, dem Kloster Haina 12 Morgen
Ackerland im Lindau verkauft habe. 1298 März.*

Nos Cunradus de Erlebach miles, scultetus, et scabini de Frankinvord, tenore
presencium recognoscimus, quod Irmengardis, relicta quondam Frederici de Ezzelingen,
nostra concivis, in nostri presentia constituta propter urgentem et evidentem necessitatem eidem incumbentem accedente consensu puerorum sive liberorum suorum utriusque
sexus vendidit iusto venditionis titulo religiosis viris . . domino abbati et conventui
monasterii Hegenes, Cisterciensis ordinis, duodecim iugera terre arabilis in deme Lyndehe
extra muros Frankinvordenses prope viam, qua itur versus villam Gynnynheim, sita pro
quatuordecim marcis denariorum Coloniens*ium* legalis monete, dicte relicte a fratre
Wyderoldo, procuratore dicti monasterii Henehes, traditis, numeratis et solutis; resignans
et renuntians prefata relicta una cum suis liberis omni iuri, quod eisdem in predictis
duodecim iugeribus competebat; promittens nichilominus prelibatis abbati et conventui
de dictis iugeribus facere warandiam iustam, debitam et consuetam. Preterea ut
prefati abbas et conventus magis essent certi et assecurati de emptione dictorum
iugerum, sepedicta Irmengardis Rudegerum de Holtzhusen et Conradum de Heneheim,[a]
eius generos, eisdem constituit fideiussores ad tollendum allocutiones quascunque et
impedimenta quecunque sepedictis abbati et conventui in ipsis duodecim iugeribus
possint exoriri. Testes huius sunt: magister Dithmarus decanus ecclesie Frankinvor-

---

a) „wlgariter". a) *Lesung zweifelhaft, vielleicht:* „Heveheim".

densis, Rudegerus de Holtzhusen, Cunradus de Heneheim, antedicti, Heinricus saccifer, et quam plures alii cives Frankinvordenses fidedigni. In cuius rei testimonium nos scultetus et scabini antedicti ad rogatum partium predictarum sigillum universitatis Frankinvordensis presentibus duximus appendendum. Actum anno domini ṁ. c̀c̀. XCVIḊI., mense marcii.

*Abschrift im Hainaer Kopialbuch f. 1ᵉ. St. A. Marburg. — Grotefend.*
*Gedr.: Kuchenbecker, Anal. Hass., VIII., 299, B., 320 nach derselben Vorlage.*
*Auszug: Thomas, Oberhof, 443.*
    *Vielleicht liegt in dem Datum ein Versehen des Schreibers vor, da 1298 sonst nur Eberwin Grus und nicht Konrad von Erlenbach als Schultheiss nachweisbar ist, dagegen ist Konrad 1299 im Amte gewesen.*


**727.** *Schultheiss Eberwin Grus, die Schöffen und Bürger von Frankfurt beurkunden, dass Gerlach Schottere von Enkheim an Friedrich Beyer und Frau 4 Achtel Weizen Frankfurter Masses von Ländereien in Enkheim verkauft habe.* „Testes huius sunt: Th. Cappellarius, Johannes filius Volradi sculteti, milites; Johannes Golstein, Sifridus de Gysenheym, Cunradus de Hoveheym, Kylmannus Aurifaber, Reinhardus dictus Storkelin, et quam plures alii cives Frankenfordenses fidedigni.“ *Die Schöffen siegeln mit dem Stadtsiegel. 1298 April 1.* (feria 3 post ramos palmarum.)

*Gedr.: Reimer, I, 576, nach Transsumpt der Officialen der Frankfurter Propstei d. d. 1314 Januar 24 (in vig. conversionis b. Pauli ap.). Lich.*
*Regest: Arnsb. Urkb., 437.*


**728.** *Volpert von Eschbach, Frankfurter Bürger, verpflichtet sich, die ihm zu Lehen gegebenen 2½ Hufen zu Preungesheim gegen Zahlung von 50 Mark an Winter und Kuno von Preungesheim zurückzugeben. 1298 April 18.*

Nos Ulbertus de Esschebach, civis Frankenvordensis, et sui heredes. Universis has litteras visuris cupimus // esse notum, quod duos mansos cum dimidio terre arabilis in terminis ville Bruningisheim sitos, quos // a strennuo milite domino Winthero de Bruningisheim et Cunone, suo fratre, titulo feodali // possidemus, pro quinquaginta marcis denariorum Coloniensium, quas eisdem porreximus, ipsos mansos in hunc modum possidere debemus, quod, quandccumque prefati Wintherus et Cuno vel eorum heredes nobis ante festum cathedre beati Petri ipsas quinquaginta marcas dederint vel solverint, dicti mansi ad ipsos vel suos heredes libere revertentur et nos ab homagio nostro pro ipsis mansis facto penitus erimus absoluti. In testimonium premissorum prefatis domino Winthero et suo fratri tradimus has litteras sigillo universitatis Frankenvordensis sigillatas, quod ad preces nostras presentibus est appensum. Datum anno domini ṁ. c̀c̀. XCVIII., feria sexta ante dominicam Misericordia domini.

*Or. Pgmt. mit abhangendem Siegelbruchstück. St. A. Wiesbaden, Kloster Thron No. 42ᵇ.*
*Dorsualnotiz (14. Jahrh.): „De IIj mansis in Bruningisheym possidendis per Volpertum de Eschebach, quousque L. marce den. fuerint integraliter expedita. Cella Frank.“ — Grotefend.*
*Gedr.: Sauer, 1ᵃ, 11, Reimer, I, 578, beide nach dem Or. .*


**729.** *Schultheiss Eberwin Grus und die Schöffen von Frankfurt beurkunden, dass Hermann von der Alten Münze an Arnold von Glauburg zwei ewige Gülten auf dem Hofe und Hause des Heinrich von Strassburg am Luprandsborn und dem Hause des*

*Rüdiger Perdian verkauft und zur grösseren Sicherheit ein Haus jenseits des Grabens verpfändet habe. 1298 April 25.*

Nos Eberwinus Grus miles, scultetus, et scabini de Franckenford. Universis has litteras visuris cupimus esse notum, quod Hermannus de Vetere Moneta et Godelindis, uxor eius legittima, nostri concives, in nostra presencia constituti, communicata manu, accedente consensu Johannis clerici et Hadewigis sororis eius, liberorum ipsius Hermanni, vendiderunt iusto vendicionis titulo honesto viro Arnoldo de Glauburg, nostro concivi, suisque heredibus super curiam et mansionem quondam domini Heynrici de Argentina, apud Luprants fontem sitam, viginti unum solidos denariorum Coloniensium census annualis, dictis Arnoldo et suis heredibus singulis annis in festo sancti Martini de ipsis curia et mansione iure proprietario perpetuo dandos et porrigendos. Item idem Hermannus et eius coniunx consencientibus dictis suis liberis vendiderunt predictis Arnoldo et suis heredibus decem solidos Coloniensium denariorum legalis monete supra domum Rugeri dicti Perdianis census annualis iure proprietario ab ipsa domo singulis annis tollendos et percipiendos; et ut predicti Arnoldus suique heredes sint cauti et certi de iam dictis decem solidis Coloniensibus census annualis, prelibati Hermannus et sui heredes domum ultra fossatum ex opposito domui de Etzelingen pro subpignore obligarunt; resignantes et renunciantes sepedicti Hermannus et eius coniunx una cum dictis liberis omni iure(!), quod eisdem in predictis viginti uno solidis et decem solidis Coloniensium denariorum census annualis competebat; promittentes nichilominus memorati Hermannus et sui heredes, se predictis Arnoldo suisque heredibus de sepedicto censu facere warandiam iustam, debitam et consuetam. Testes huius sunt: Volradus quondam scultetus Franckenfort, Hertwicus de Alta domo, Conradus Alleum, Ludowicus de Holtzhausen, scabini; Reynekinus colorator, Hanzelo de Glauburgk, et quam plures alii cives Franckfordenses fidedigni. In testimonium et firmitatem omnium premissorum nos scultetus et scabini supradicti ad rogatum parcium memoratarum sigillum universitatis Franckfordensis presentibus duximus apponendum. Actum [anno] domini millesimo ducentesimo nonogesimo octavo, feria sexta ante dominicam Jubilate.

*Abschrift des 16. Jahrhunderts, Glauburg, Manuscr. 5. No. 58. S. 10 u. 11. St. A. Fr.*

**730.** *Werner von Münzenberg bestätigt, dass das Deutschordenshaus zu Sachsenhausen von seinen Gütern in Wöllstadt kein Besthaupt zu entrichten habe. („meliora capita, que wlgariter bestehoubeth nuncupantur“.) 1298 April 25. (in die b. Marci ev.)*

*Gedr.: Baur, Hess. Urk., I, 223 nach dem Or. Pgmt. im St. A. Darmstadt, gekürzt. Verglichen durch Grotefend.*

**731.** *Das Weissfrauenkloster zu Frankfurt beurkundet, dass es 2¹/₂ Hufen Ackerland in der Gemarkung von Lich an Dietrich und dessen Frau Kunigunde gegen eine jährliche Abgabe von 33 Achtel Weizen in Erbpacht gegeben habe. 1298 August 11.*

Nos .. priorissa et .. conventus sanctimonialium monasterii sancte Marie Magdalene de ordine // Penitentium in Frankenvord, tenore presencium recognoscimus, quod bona nostra, videlicet // duos mansos cum dimidio manso terre arabilis, sitos in villa Lychen et terminis eius, // concessimus et locavimus Theoderico et Kûnegundi uxori eius legitime de Lychen pro triginta tribus octalibus siliginis mensure Frankenvordensis infra duo festa assumpcionis et nativitatis sancte Marie virginis nobis et monasterio nostro ad domum, quamcunque Frankenvord deputaverimus, nomine annue pensionis persolvendis et assignandis suis laboribus et expensis iure hereditario possidendos, ea condicione mediante, quod si alter eorum decederet et superstes ad secundas nupcias convolaret, pueri seu heredes ex secundis nupciis procreati nil iuris habebunt in bonis prelibatis, sed unus tantum heredum prefatarum coniugum ipsos duos mansos cum dimidio integraliter possidebit et pensionem predictam ministrabit, ita quod perpetuo apud unum tantum heredum prefatorum Theoderici et Kunegundis permaneant indivisi; et si prefate coniuges sine heredibus legitimis decesserint, prefati duo mansi cum dimidio ad nos et monasterium nostrum libere sine contradictione qualibet revertentur. In huius rei testimonium et roboris firmitatem presentes litteras prenotatis Th. et Kû. sigillo nostri monasterii tradimus communitas. Actum et datum anno domini m̃. c̃c. nonagesimo octavo, in crastino beati Laurencii.

*Or. Pgmt. mit abhangendem Siegel. St. A. Stuttgart, Deutschorden-Urkunden, Hessen No. 46 — Von Nathusius.*

*Im Repertorium des Weissfrauenklosters von 1691 sind unter Lit. F. No. 1, 2 Originale dieser Urkunde verzeichnet, die jetzt fehlen.*

*Gedr.: B., 321 nach Abschrift im Korngültregister von 1488, f. 98. St. A. Fr. Weissfrauen-Bücher.*

*Verz.: Scriba, II, No. 874.*

**732.** *Beilegung des Streites zwischen dem Kloster Padershausen und dem Frankfurter Bürger Berthold Morhaid und Genossen um eine halbe Hufe und einen Garten in Petterweil. 1298 November 2.*

Noverint universi presentes litteras inspecturi, quod huiusmodi dissensio sive controversia, que inter .. abbatissam // et .. conventum sanctimonialium cenobii Padenshusen ex una, et Bertoldum dictum Morhaid et Elizabet, // sororem ipsius Bertoldi, et Herpelonem, eius maritum, cives Frankenvordenses, super uno dimidio manso in//terminis ville Peterwile sito, ex parte altera vertebatur, et uno pomerio, quos dicte abbatissa et conventus erga matrem dictorum Bertoldi et Elizabet emerunt legittime et conparaverunt et hactenus pacifice et quiete possiderunt, in hunc modum penitus est decisa, ita quod prefate abbatissa et .. conventus in Padenshusen dederunt prelibatis Bertoldo et Elizabet sex marcas denariorum Coloniensium, ut renunciarent omni actioni, que eis conpeteret sive conpetere posset in dimidio manso et pomerio supradictis. Testes huius sunt: Heinricus quondam scultetus Frankenvord, Cunradus Swevus, Waltherus de Cronenberg, Cunradus Burneflecke, Marcolfus de Lintheim, scabini; Cunradus de Gysenheim, Volcwinus de Wetflaria, Fulczo et Heinricus de Kaldebach, cives Frankenvordenses, et quamplures alii fidedigni. In cuius rei testimonium nos .. scultetus et .. scabini Frankenvordenses ad rogatum parcium predictarum sigillum universitatis Frankenvordensis presentibus duximus appendendum. Actum anno domini m̃. c̃c. X̃CVIII., in crastino omnium sanctorum.

*Or. Pgmt. mit wohlerhaltenem Stadtsiegel (2). München, Reichsarchiv.*

*Gedr.: Guden, Cod. Dipl., III, 768 nach dem Or. (gekürzt).*

*Verz.: Scriba, I, No. 689.*

**733.** *König Albrecht verordnet, dass Heinrich, ehemals Schultheiss in Frankfurt, sein Rödelheimer Burglehen, nämlich den Hof zu Kriftel, nach demselben Rechte besitzen solle, wie die Friedberger Burgmannen ihre Burglehen besitzen. Nürnberg, 1298 November 15.*

Albertus dei gracia Romanorum rex, semper augustus. Universis sacri Romani imperii fidelibus presentes litteras // inspecturis, graciam suam et omne bonum. Attendentes grata et fructuosa, que strennuus vir Heinricus, quondam // scultetus in Franken-

forde, fidelis noster dilectus, nobis et sacro Romano imperio impendit, obsequia, ac
intuentes // sue sincere fidei et devocionis constanciam, qua erga nos et dictum imperium
argumentis prelucidis lucidius dinoscitur enitere, sibi et suis legitimis heredibus ex
liberalitate regia hanc graciam duximus faciendam, quod ipse et sui heredes predicti
feodum castrense, quod idem apud Redelheim, videlicet curiam in Cruftil cum suis
pertinenciis, a nobis et Romano tenet imperio, eo iure et libertate perpetuo possideant
a nobis et dicto imperio, quibus castrenses nostri in Fridberch consueverunt
ibidem sua castrensia feoda possidere. In cuius rei testimonium presens scriptum
exinde conscribi et maiestatis nostre sigillo iussimus conmuniri. Datum apud Nueren-
berch, XVII. kalendas decembris, anno domini millesimo ducentesimo nonagesimo
octavo, indictione XII., regni vero nostri anno primo.

*Or. Pgmt. mit weissseidener Siegelschnur. Ullstadt.*
*Gedr.: B., 321 nach dem Or. = Sauer, I², 17.*
*Verz.: B., Reg. Alb. No. 70, Scriba, II, No. 875.*

**734.** *Schultheiss Konrad von Erlenbach, die Schöffen und Bürger von Frankfurt*
*beurkunden, dass Siegfried von Heusenstamm und Frau den Frankfurter Bürgern*
*Wigel von Wanebach und Wigel Frosch 3 Hufen und einen Hof im Dorfe Rendel*
*zunächst auf vier Jahre wiederlöslich für 100 Mark überlassen haben, unter näherer*
*Bestimmung des den Pfandgläubigern während dieser Zeit zustehenden Abholzungs-*
*rechtes. 1299 Februar 5.*

Nos Cunradus de Erlebach miles, scultetus, . . scabini ceterique cives de Frankenvord. Tenore presen//cium recognoscimus, quod strennuus vir dominus Sifridus de
Husenstam miles et Cunegundis, uxor // eius legittima, in nostri presencia constituti
communicata manu parique consensu vendiderunt Wigloni de Wane//bach et Wigloni
Rane, nostris concivibus, eorumque heredibus tres mansos terre arabilis in terminis
ville Rendele sitos et unam curiam in iam dicta villa cum omni iure et onere, quibus
dicti Sifridus de Husenstam et eius . . coniunx possiderunt, ad quatuor annos inmediate
subsequentes et ad curricula eorundem pro centum marcis denariorum Coloniensium,
pro quolibet denario tribus hallensibus conputatis, dictis domino Si. de Husenstam et
eius . . coniugi traditis et numeratis, quorum trium mansorum duo mansi sunt et cen-
sentur proprii, de tercio vero manso sito in den Roderen dicti Wiglo et Wiglo vel
eorum heredes religiosis dominabus . . abbatisse et . . conventui sanctimonialium in
Engiltal singulis annis in festo beati Martini solvent et porrigent unum talentum
levium denariorum census annualis, tres quoque mansi, quos dicti dominus de Husenstam et sui heredes ibidem dinoscuntur habere, siti in den Roderen, de quibus mansis
tres libre denariorum levium cum omni iure, quo dabantur dictis domino de Husenstam suisque heredibus, Wigloni et Wigloni vel eorum heredibus prefatis in eodem
festo beati Martini porrigentur, quas ipsi eciam dabunt et porrigent . . abbatisse et . .
conventui antedictis. Adiectum est etiam, quod si sepedicti Si. de Husenstam vel sui
heredes infra spacium dictorum quatuor annorum quocunque tempore venerint post
messes ipsius anni vel ante cathedram beati Petri apostoli ad reemendum dictos tres
mansos pro tanta summa pecunie, ut superius est expressa, sepedicti Wiglo et Wiglo
ipsos tres mansos eisdem dabunt ad reemendum, ita tamen, quod ipsa pecunia sit
propria et non aliena memoratorum Si. de Husenstam et suorum heredum, dolo et
fraude quibuslibet exclusis. Si vero sepedicti Si. et sui heredes infra spacium dictorum quatuor annorum prefatos mansos reemere neglexerint, ipsi tres mansi et curia
cum omni iure suo, et reliqui tres mansi apud sepefatos Wiglonem et Wiglonem et
eorum heredes perpetuo permanebunt. Preterea ipsis quatuor annis sic durantibus,

sepefati Wiglo et Wiglo quolibet anno secabunt viginti arbores in nemore, quod dicitur Creyenbruch, si maluerint et reperiuntur in eodem. Si autem in ipso nemore non reperiuntur, tunc in alio ipsorum nemore secabunt, ubicumque ipsis fuerit opportunum et melius videtur expedire. Et si super ipsis arboribus secandis prefati Wi. et Wi. inpignorarentur per quemcumque, huiusmodi inpignoracio in predictos Sifridum de Husenstam suosque heredes redundabit et ipsam deponere tenebuntur. Evolutis etiam dictis quatuor annis, secacio ipsarum arborum penitus cessabit. Et ut premissa inconvulsa et illesa permaneant, memorati Sifridus de Husenstam et eius . . coniunx hos constituerunt fideiussores: Cunradum de Wiena fratrem ipsius Sifridi, Bertoldum Swevum, Heinricum Gramuzere, milites; Sifridum de Gysenheim, Cunradum fratrem eius, et Cunradum de Heldebergen, cives Frankenvordenses. In testimonium et firmitatem omnium premissorum, ego Sifridus de Husenstam supradictus sepedictis Wigloni et Wigloni eorum*que* heredibus tradidi has litteras sigillo meo, sigillo Cunradi mei fratris, necnon sigillo universitatis Frankenvordensis co*m*munitas. Et nos . . scabini antedicti recognoscimus sigillum universitatis nostre ad rogatum parcium predictarum presentibus una cum sigillis Sifridi et Cunradi fratrum militum de Husenstam appendisse. Actum anno domini m̊. c̊c̊. XC. IX., in die beate Agate virginis.

*Or. Pgmt. mit den anhängenden Siegeln Siegfrieds und Konrads, 1) gut erhalten, 2) beschädigt,*
*3) fehlt. München, Reichsarchiv.*
*Gedr.: Guden, Cod. Dipl., III, 769, gekürzt.*
*Verz.: Scriba, II, No. 876.*

**735.** *König Albrecht befiehlt dem Frankfurter Schultheissen, dem Kloster Thron jährlich 12 Malter Korn anzuweisen, und erlaubt den Bewohnern des Frankfurter Klosterhofes täglich einen Wagen Brennholz aus der Dreieich holen zu dürfen. Frankfurt, 1299 Februar 12.*

Albertus dei gracia Romanorum rex et semper augustus, dilecto fideli suo sculteto de Frankinvord, graciam suam et omne bonum. Cum ob remedium anime nostre . . abbatisse et . . conventui monialium de Throno, Cysterciensis ordinis, Moguntine dyocesis, dederimus duodecim maldrorum annone redditus, quibus singulis solempnitatibus beate Marie recreentur, mandamus tibi, ut dictos redditus eis in loco viciniori et competenciori non deferas assignare, in quo deo placidum et acceptum nobis servicium exhibebis. Preterea incolis [curie] predictarum monialium apud Frankinvord concedimus, ut singulis diebus unum plaustrum lignorum de silva nostra Dryeich ducere valeant ad cremandum, unde hoc ipsis monialibus sic facias similiter expediri, ut in hac nostra gracia non fraudentur. Datum apud Frankinvord, pridie idus februarii, indictione duodecima, anno domini m̊. c̊c̊. nonagesimo nono, regni vero nostri anno primo.

*Nach einem Transsumpt der Burgmannen zu Friedberg von 1359 April 1. St. A. Wiesbaden.*
*— Grotefend.*
*Gedr.: Böhmer, Acta, 394, Sauer, I², 21.*
*Verz.: B., Reg. Alb., No. 124.*

**736.** *König Albrecht bestätigt den Frankfurter Bürgern alle Rechte, Freiheiten und Gnaden, welche ihnen von seinen Vorfahren am Reich verliehen worden sind. Frankfurt, 1299 Februar 13.*

Albertus dei gracia Romanorum rex, semper augustus. Universis sacri Romani imperii fidelibus presencium inspectoribus, graciam // suam et omne bonum. Dignum iudicat nostra serenitas et decernit, quod fidelium nostrorum commodis tanto graciosius intendamus, quanto iidem // sacrosancto Romano imperio et nobis, imperii atque rei publice curam gerentibus, fidelius coniunguntur. Cum enim subditorum bonum et com, moditatis augmentum nostra procurat serenitas, dilatacionem honoris regii et dignitatis imperii promovemus. Quapropter inherentes divorum imperatorum et regum, inclite recordacionis antecessorum nostrorum, vestigiis et exemplis, illos, quos ad nos et nostra tempora predictorum imperatorum et regum in conservacione iuris, libertatis et honoris perduxit posteritas, cupientes in eadem, qua et ipsi, gracia confovere; dilectis fidelibus nostris civibus Frankenvordensibus omnia iura, libertates et gracias a magne recordacionis inclito Friderico imperatore Romanorum, antecessore nostro, et aliis ante ipsum Fridericum, prout ipsis civibus iuste et rite sunt tradite et concesse, de benignitate maiestatis regie concedimus et concessas presentis decreti munimine auctoritate regia confirmamus. Nulli ergo hominum huic nostre concessionis privilegio liceat contradicere vel eidem ausu temerario contraire. Quod qui facere presumpserit, gravem nostre celsitudinis indignacionem se noverit incurrisse. In cuius rei testimonium presentem litteram dictis civibus tradidimus sigilli nostre maiestatis munimine communitam. Datum apud Frankenvorde, idus februarii. Indictione XII. Anno domini millesimo ducentesimo nonagesimo nono. Regni vero nostri anno primo.

*Or. Pgmt. mit Majestätssiegel an rothseidenen Fäden. St. A. Fr. Priv. No. 22.*
*Gedr. nach dem Or.: P. et P., I, 13, II, 10 = Lünig, R. A., XIII, 562, B., 322.*
*Verz.: B., Reg. Alb. No. 128, Fr. Inv., III, 3.*
    *Die Urkunde ist eine wörtliche Wiederholung der Privilegien König Rudolfs von 1273 December 5 und König Adolfs von 1294 August 1. Vgl. oben No. 322 und Nr. 655.*

**737.** *König Albrecht verordnet, dass alle diejenigen, welche Güter besitzen, die zu den Zeiten Kaiser Friedrichs Steuern in Frankfurt zahlten, diese auch ferner bezahlen sollen, es sei denn, dass solche Güter zu milden Stiftungen vermacht sind. Frankfurt, 1299 Februar 13.*

Albertus dei gracia Romanorum rex, semper augustus. Universis sacri Romani imperii fidelibus presentes litteras inspecturis, graciam suam et omne bonum. Ut in civitate nostra Frankenfordensi antique consuetudines observentur, volumus, quod omnes illi, qui bona habent vel possident, de quibus tempore illustris quondam Friderici imperatoris, predecessoris nostri, sture sive precarie consueverunt exolvi, adhuc de bonis eisdem cum civibus contribuant et sturas exolvant, nisi tunc bona huiusmodi pro possessorum remedio et salute fuerunt ad pia loca legata, de quibus nulle sture sive precarie requirentur. In cuius rei testimonium presens scriptum maiestatis nostre sigillo iussimus communiri. Datum in Frankenford, idus februarii, indictione XII., anno domini m̅. c̅c̅. nonagesimo nono, regni vero nostri anno primo.

*Abschrift im ältesten städtischen Kopialbuch, I, f. 17, II, 20. St. A. Fr.*
*Gedr.: P. et P., I, 14, II, 11 = Lersner, IIa, 31 = Lünig, R. A., XIII, 562, B., 322 nach derselben Vorlage.*
*Verz.: B., Reg. Alb. No. 129, Fr. Inv., III, 147.*

**738.** *König Albrecht verleiht dem Rathe und Bürgern von Frankfurt die Gnade, dass keiner sie oder einen der Ihrigen mit Kampfrecht oder wegen Schuldforderungen ausserhalb der Stadt vorladen könne oder dürfe. Frankfurt, 1299 Februar 13.*

Albertus dei gracia Romanorum rex, semper augustus. Prudentibus viris .. consulibus et // civibus universis de Frankenvorde, dilectis suis fidelibus, graciam suam et omne bonum. Ut regalis // nostre magnificencie uberiorem benivolenciam et specialiorem graciam senciatis vobis esse pre ceteris graciosius inclina//tam, vobis hanc graciam duximus faciendam, quod nullus vos vel vestrum aliquem modo duellico seu per viam duelli extra civitatem Frankenfordensem possit vel debeat evocare. Volumus eciam, quod nullus vos vel vestrum aliquem pro ullis bonis vel debitis extra dictam civitatem Frankenfůrt citare possit aliqualiter vel vocare, nisi prius in civitate Franchenvorde sibi fuerit insticia denegata. In cuius concessionis nostre gracie testimonium vobis dari fecimus has litteras sigilli nostri munimine roboratas. Da*tum* apud Frankenforde, idus februarii. Indictione XĬI. Anno domini millesimo ducentesimo nonagesimo nono. Regni vero nostri anno primo.

> *Or. Pgmt. Das an rothen Seidenfäden anhängende Majestätssiegel ist durch Wachsauf-*
> *guss in späterer Zeit wieder befestigt. St. A. Fr. Priv. No. 21.*
> *Gedr. nach dem Or.: P. et P, I, 14, II, 12 = Lünig, R. A., XIII, 562, B., 323.*
> *Verz.: B., Reg. Alb. No. 130, Fr. Inv., III, 3.*
> *Die Urkunde ist eine wörtliche Wiederholung des Privilegs König Rudolfs von 1291*
> *Mai 30 und König Adolfs von 1294 August 1. Vgl. oben No. 597 und No. 654.*


**739.** *König Albrecht bestellt den Burggrafen zu Friedberg und den Schultheissen zu Frankfurt zu Schirmherrn des Klosters Thron. Frankfurt, 1299 Februar 13.* (id. febr.)

> *Gedr.: Böhmer, Acta, 394, Sauer, I², 21.*
> *Verz.: B., Reg. Alb. No. 125.*


**740.** *König Albrecht gestattet dem Weissfrauenkloster zu Frankfurt sich aus den benach-barten Reichswäldern mit dem nöthigen Brennholze zu versehen. Frankfurt, 1299 Februar 16.*

Albertus dei gracia Romanorum rex, semper augustus. Universis sacri Romani imperii fidelibus presentes litteras inspecturis, graciam suam et omne bonum. Quia tute illic beneficia collocantur, ubi a datore omnium graciarum expectatur eterni boni infallibilis recompensa, nos tanti patris ineffabilem bonitatem benignius intuentes, dilectis in Christo, priorisse et conventui sanctimonialium in Franken-ford ordinis Penitentum, quas propter celibis vite sue flagrantiam interno affectu prosequimur, intuitu retributionis eterne hanc graciam duximus faciendam, quod de nostris et imperii nemoribus sibi vicinis ligna ipsis necessaria sine contradictione cuiuslibet recipere possint et deducere suis cottidianis ignibus applicanda. Universis forestariis nemorum predictorum firmiter inhibentes, ne predictas sanctimoniales aut earum nuntios in huiusmodi eductione lignorum impediant aut aliquod exigant ab eisdem. In cuius rei testimonium presens scriptum conscribi et maiestatis nostre sigillo iussimus communiri. Datum in Frankenford, XIIII. kalendas marcii. Indictione XII. Anno domini m. cc. nonagesimo nono. Regni vero nostri anno primo.

> *Das Original, St. A. Fr. Weissfrauenkloster Litt. K. No. 15 (Repertorium von 1691) ist*
> *verloren.*
> *Gedr.: Gegeninformation, III, Beilage No. 62., Buri, Bannforsten, 87, Beilage No. 64 =*
> *B., 323, hier wiederholt.*
> *Verz.: B., Reg. Alb. No. 136, Scriba, I, No. 690. Vgl. Lersner, I^b, 79, II^b, 87.*
> *Die Urkunde ist mit unbedeutenden stylistischen Abweichungen dem Privileg König*
> *Rudolfs von 1282 Januar 15 nachgebildet, dagegen nicht der Urkunde König Adolfs von*
> *1293 Juli 14, welche nur eine zeitlich beschränkte Vergünstigung gewährte. Vgl. oben No. 455*
> *und No. 639.*


**741.** *Ritter Heinrich von Hattstein übergiebt dem Kloster Thron 4 Malter Weizen Frank-furter Masses, 5 Schillinge den. lev. Frankenv. und 2 Kapaune jährlich von Gütern in Nieder-Ursel (*„que a me tenuit et possedit iure hereditario Henricus dictus Lechelin, pistor et civis Frankenvordensis“). *1299 Februar 20.* (fer. 6. prox. a. cathedr. b. Petri.)

> *Gedr.: Sauer, I², 23 nach dem Or. Pgmt. im St. A. Wiesbaden.*

**742.** *Emercho von Schöneck, der Propst der Frankfurter Kirche, entscheidet als Schieds-*
*richter den zwischen dem Stiftskapitel zu St. Bartholomaeus und dem Goldschmidt*
*Kulemann über die Miethe des neben dem Pfarrhofe gelegenen, ehemals dem Priester*
*Gottschalk von Königstein zugehörigen Hauses entstandenen Rechtsstreit. 1299 April 6.*

Noverint universi presentium inspectores, quod orta materia questionis inter . .
decanum et . . capitulum ecclesie sancti Bar//tholomei Frankenvordensis ex parte una,
et Cûlemannum aurifabrum, civem Frankenvordensem, ex altera, super locacione seu
con//cessione hereditaria domus quondam Gotschalci sacerdotis dicti de Kûnigestein
et curie eiusdem, contiguis curie plebanatus // Frankenvordensis, pro quatuor marcis
denariorum Coloniensium singulis annis in festo beati Mychaelis nomine census dandis
et persolvendis . . decano et . . capitulo supradictis, eedem partes in nos Emerchonem
de Schonenecken(!), dei gracia prepositum ipsius ecclesie Frankenvordensis, tamquam
in arbitrum, arbitratorem, seu amicabilem compositorem compromittere curaverunt,
promittentes huiusmodi arbitrium seu pronunciacionem nostram sub pena decem marcarum
denariorum Coloniensium, que pena debetur parti arbitrium observanti a parte non
observante, inviolabiliter observare et sub manuali fideidacione loco iuramenti; nos
recepto in nos huiusmodi arbitrio pronunciando statuimus et ordinamus, quod . . decanus
et . . capitulum predicti Cûlemanno supradicto eandem domum et curiam locabunt et
concedent ad tempora vite sue inhabitanda pro tribus marcis denariorum Coloniensium
in festo beati Mychaelis singulis annis nomine census dandis et persolvendis,
qui anni incipient currere anno domini m̄. c̄c̄. nonagesimo nono, in festo beati
Mychaelis nunc venturo, condicionibus et modis adiectis, quod in dicta curia et domo
numquam vinum, cervisia, medo, vel aliquis liquor vendatur per ipsum Cûlemannum
vel per alium tamquam in taberna. Item statuimus et ordinamus, si forte memorata
domus in aliqua parte appareret ruinosa vel ruinam fieri contingeret, ipse Cûlemannus
de scitu et voluntate ac consilio prefatorum . . decani et . . capituli construere debet
et edificare et expensas in huiusmodi constructione et edificacione provenientes debent
in censu supradicto eidem Cûlemanno annis singulis defalcare, excepta dimidia marca
ea, que de eadem curia et domo singulis annis pro presentiis ecclesie Frankenvordensis
predicte, videlicet in die beati Anthonii ferto denariorum levium et in die conversionis
beati Pauli ferto denariorum levium, dabitur, non obstantibus modis et condicionibus
supradictis. Item ordinamus et statuimus, ut in aliis edificiis, utpote tectis, scampnis,
stupis, quocumque nomine censeantur, pro commodo suo reparandis et edificandis pro
sua voluntate edificabit suis propriis expensis et nichil ob* hoc* eidem Culemanno
defalcabunt in censu memorato. Insuper pronunciamus et dicimus, quod si ipse Cûlemannus de scitu et consilio antedictorum . . decani et . . capituli aliqua edificia necessaria
ex timore ruine domus vel in aliqua parte provenientia fecerit et eumdem ante defal-
cacionem huiusmodi expensarum de censu predicto decedere contingerit, iuxta estimacionem huiusmodi expensarum per ipsos . . decanum et . . capitulum deputabitur annuus
census de curia et domo sepefatis, qui dabitur in anniversario ipsius Cûlemanni et
Edelindis, quondam uxoris sue legitime, pro remedio animarum suarum pro presenciis
singulis annis, nisi ad tantam inopiam perveniret et foret pluribus debitis occupatus,
tunc ad estimacionem melioracionum de huiusmodi curia et domo ipsius Cûlemanni
debita persolvantur. In huius rei evidens testimonium presentes litteras sigillo prepositure nostre predicte tradimus sigillatas. Actum anno domini m̄. c̄c̄. nonagesimo
nono, VIII. idus aprilis.

**743.** *Das Mainzer Domkapitel genehmigt die Schenkung und Übergabe der Pfarrkirche in Ober-Ursel seitens des Propstes Emercho von Schöneck an das Frankfurter Stiftskapitel und die durch das Kapitel den Pröpsten eingeräumte Ermächtigung eine Stiftspräbende zu verleihen. 1299 April 16.*

.. Otto decanus totumque .. capitulum maioris ecclesie Maguntine. Dilectis in Christo .. decano ac .. capitulo ecclesie // sancti Bartholomei Frankenvordensis, salutem in domino. Cum dilectus in Christo Emercho de Schonecken, prepo//situs vester, ecclesiam parrochialem in monte Ursela, Maguntine dyocesis, cuius collacio pertinebat ad ipsum, vo//bis in augmentum prebendarum vestrarum donaverit et tradiderit pleno iure, ita tamen, ut de proventibus eiusdem ecclesie .. vicario perpetuo competentes redditus assignentur, per quos honeste valeat sustentari, dyocesani et loci .. archidyaconi per omnia iure salvo; et nichilominus .. preposito dicte ecclesie Frankenvordensis in recompensam huiusmodi gracie facte, necnon omnibus suis successoribus in dicta ecclesia Frankenvordensi, unam prebendam perpetuis temporibus conferendi tradideritis liberam potestatem, et ad huiusmodi donacionem et tradicionem consensum nostrum, ratihabicionem et confirmationem petiveritis adhiberi, nos devotis vestris precibus favorabiliter annuentes, donacionem et tradicionem prefatam, quam venerabilis pater et dominus noster Gerhardus, archiepiscopus Maguntinus, legitime confirmavit. prout in litteris ipsius patris et domini nostri .. archiepiscopi et domini .. prepositi supradicti vidimus plenius contineri, ratam habemus et gratam et eam presenti litterarum testimonio approbamus. In cuius rei evidens testimonium presentes litteras sigillo .. capituli nostri duximus sigillandas. Actum et datum anno domini millesimo ducentesimo nonagesimo nono, XVI. kalendas maii.

> *Or. Pgmt. Das anhängende Stiftssiegel in grünem Wachs ist zerbrochen. St. A. Fr. Barth. St. No. 4197.*
>
> *Gedr.: Würdtwein, Dioc. Mog., II, 43 zu 1297, B., 325, Sauer I², 25, beide nach dem Or. .*
>
> *Erwähnt: Joannis, Res Mog., II, 224 u. 318 zu 1300.*

**744.** *König Albrecht bestätigt dem Konrad von Erlenbach und seinen Erben die Reichslehen, nämlich den Zehnten in Ursel und eine halbe Hufe daselbst, womit Burchard und Berthold, die Vögte von Ursel, ihre Schwester Ida ausgestattet hatten, als sie sich mit dem genannten Konrad vermählte. Oppenheim, 1299 April 20.*

Nos Albertus dei gracia Romanorum rex, semper augustus. Ad universorum sacri Romani imperii // fidelium noticiam volumus pervenire, quod nos volentes strennuum virum Cunradum de Erlebach, fidelem nostrum dilectum, ob ·sue probitatis merita favore persequi gracioso, assignacionem dotis // seu donacionis propter nupcias per strennuos viros Burchardum et Bertholdum advocatos de Ursele fratres racione honeste domine Ide, sororis predictorum advocatorum ac prefati Cunradi uxoris, in bonis, videlicet in decima in Ursele et dimidio manso ibidem sito, que iidem Burchardus et Bertholdus advocati tenere a nobis et Romano imperio dinoscuntur, rite ac provide sibi factam, eidem Cunrado et suis heredibus, feodorum capacibus, ex eadem Ida susceptis, de liberalitate regia confirmamus. Ita quod idem Cunradus et sui heredes predicti ipsa bona a nobis et imperio deservire ac tenere et possidere debeant perpetuo pacifice et quiete. In cuius rei testimonium presentes litteras scribi et maiestatis nostre sigillo fecimus communiri. Datum in Oppenheim, XII. kalendas maii, indictione XII. Anno domini millesimo ducentesimo nonogesimo nono. Regni vero nostri anno primo. [a]

> *Or. Pgmt. Anhängend das zerbrochene Majestätssiegel. St. A. Fr. Mgb. E. 44 No. 1.*
>
> *Gedr.: Lersner, II^a, 603 und 626, B., 325 nach dem Or. .*
>
> *Verz.: B., Reg. Alb. No. 169, Scriba, II, No. 881.*
>
> a) Über Rasur.

**745.** *Schultheiss Konrad von Erlenbach, die Schöffen und Bürger von Frankfurt beurkunden, dass der Frankfurter Bürger Wetzelo und dessen Frau Caecilie ihren Hof in Niedernburg* (Nedernburg) *mit Äckern und Weinbergen, Häuser in Aschaffenburg und 16¹/₂ Pfund Seife* (sepi) *jährlich, die an Caecilie infolge des Todes ihres ersten Mannes Konrad gefallen sind, dem Kloster Schmerlenbach gegen eine jährliche Leibzucht von 38¹/₂ Achtel Weizen Frankfurter Masses, 30 Schillinge leichter Denare* (usualis monete) *und 6¹/₂ Pfund Seife für Caecilie übertragen haben, nach deren Tode die Güter an Adelheid, die Schwester Konrads, und das Kloster fallen sollen. Zeugen:* „Volradus miles quondam scultetus, Cunradus de Spira, Cunradus de Burnefleke, Ludewicus de Holzhusen, scabini; Gyplo de Hoveheim, Hermannus frater Wetzelonis, Rupertus sororius eius, Ludewicus de Lewenberg, et quam plures alii cives Frankenfordenses". *Es siegelt die Stadt Frankfurt. 1299 April 22.* (fer. 4. a. domin. Quasimodo.)

> *Gedr.: Würdtwein, Dipl. Mog., I, 357.*

**746.** *König Albrecht erlaubt den Antonitern zu Rossdorf bei Frankfurt, wöchentlich 3 Wagen Brennholz aus der Dreieich zu holen. Boppard, 1299 April 25.*

Albertus dei gracia Romanorum rex, semper augustus. Universis sacri Romani imperii fidelibus presentes litteras inspecturis, graciam suam et omne bonum. Ad universitatis vestre noticiam volumus tenore presencium pervenire, quod nos honorabilibus et religiosis viris . . magistro et fratribus domus sancti Antonii devotis nostris dilectis apud Frankenford ob specialis dilectionis favorem, quo ipsorum ordinem et sacre religionis habitum amplexamur, singularis prerogative graciam facere cupientes, volumus et ipsis auctoritate regia liberaliter indulgemus, quod singulis septimanis de nemore nostro Drieich tria plaustra lignorum educere valeant pro suis ignibus applicandis, dantes universis et singulis firmiter in mandatis, ne quis ipsos fratres in predicta gracia a nobis ipsis indulta presumat aliqualiter molestare. Et si quis secus fecerit, nostram indignacionem se senciet graviter incursurum. In cuius nostre gracie testimonium presens scriptum maiestatis nostre sigillo fecimus communiri. Datum Bopardie, VII. kalendas maii, anno domini millesimo ducentesimo nonagesimo nono, regni vero nostri anno primo.

> *Erhalten in der Bestätigung König Karls von 1349 Juni 20. St. A. Wiesbaden.*
> *Gedr.: Forschungen, XVI, 101, Reimer, I, 592, hier wiederholt.*

**747.** *Schultheiss Konrad von Erlenbach und die Schöffen von Frankfurt beurkunden die Bedingungen, unter welchen der Goldschmidt Kulemann das neben dem Pfarrhof gelegene Haus von dem Stiftskapitel gemiethet hat. 1299 Mai 10.*

Cunradus de Erlebach miles, scultetus, et . . scabini Frankenvordenses, tenore presencium recognoscimus, profitentes, // quod Culemannus Aurifaber, noster concivis, in nostra presencia constitutus recognovit, sibi domum et curiam // quondam Gotschalci sacerdotis de Kuningestein, contiguas curie plebanatus Frankenvordensis, iuxta ordinacionem et // pronunciacionem honorabilis viri domini E. de Schonecken, preposti Frankenvordensis, per . . decanum et . . capitulum ecclesie Frankenvordensis esse locatas et concessas pro tribus marcis denariorum Coloniensium legalium et bonorum singulis annis nomine census in festo beati Michahelis ipsis . . decano et . . capitulo et eorum ecclesie persolvendis, qui anni incipient currere anno domini ṁ. ċċ. nonagesimo nono, in festo beati Mychahelis nunc venturo, ad tempora vite sue inhabitanda, condicionibus et

modis adiectis, quod nec ipse Culemannus, nec aliquis nomine suo, umquam vinum,
medonem, cervisiam vel aliquem liquorem vendat tamquam in taberna in domo et
curia supradictis.  Et si forte memorata domus in aliqua parte appareret ruinosa
vel ruinam fieri contingeret, ipse Culemannus de scitu, voluntate et consensu .. decani
et .. capituli predictorum construere debet et edificare et expense, que in huiusmodi
edificatione et constructione proveniunt, in censu supradicto debentur eidem C. singulis
annis defalcari, excepta dimidia marca, que de eisdem curia et domo singulis annis pro
presentiis ecclesie predicte, videlicet in die beati Anthonii ferto denariorum levium et
in die conversionis beati Pauli ferto denariorum levium, dabitur, non obstantibus modis et
condicionibus supradictis.  In aliis vero edificiis, utpote tectis, stupis, scampnis, quocumque
nomine censeantur, pro commodo suo reparandis et edificandis, edificabit pro sua
voluntate expensis suis et nichil ob hoc defalcabitur de censu memorato.  Et si ipse
Culemannus de consilio et voluntate prefatorum .. decani et .. capituli aliqua edificia
necessaria ex timore ruine domus, vel in aliqua parte proveniencia fecerit, et eum
ante defalcationem huiusmodi expensarum de censu predicto decedere contingerit,
iuxta estimationem huiusmodi expensarum per .. decanum et .. capitulum prefatos
deputabitur annuus census de curia et domo sepefatis, qui dabitur in anniversario
ipsius Culemanni et Edelindis, uxoris sue, pro remedio animarum suarum pro presentiis
singulis annis; nisi ipse Culemannus ad tantam inopiam perveniret et foret pluribus
debitis occupatus, tunc ad estimacionem melioracionum de huiusmodi curia et domo ipsius
C. debita persolvantur.  In huius rei evidens testimonium nos C. scultetus et .. scabini
predicti ad rogatum prelibati Culemanni sigillum universitatis nostre presentibus duximus appendendum.  Datum et actum anno domini m. cͨ. nonagesimo nono, VⅠ. idus maii.

> *Or. Pgmt.  Das Stadtsiegel (2) hängt ab.  St. A. Fr. Barth. St. No. 764.*
> *Gedr.: B., 326 nach dem Or. .*

**748.** *Genannte Erzbischöfe und Bischöfe verleihen den Besuchern und Wohlthätern der
Kirche des Heiligen Bartholomaeus einen vierzigtägigen Ablass.  Rom, 1299 [vor
Juni 20].*

⸿ Universis ⸿ sancte matris ecclesie filiis, ad quos presentes littere pervenerint,
nos miseracione divina Henricus, Jadrensis archiepiscopus, Thomas Coronensis, Matheus
Castensis, Georgius Sardenensis, Lambertus // Aquinatis, Jacobus Calcedonie, Nicolaus
Turribulensis, Antonius Feretranus, Monaldus Civitatis Castellani, Angelus Nepetinus,
Andreas Venefretanensis, Rodericus Mindonensis, Stephanus Darnacensis, Paganus
Limonensis, // et Maurus Amiliensis, episcopi, salutem in domino sempiternam.  Gloriosus
deus in sanctis suis et in maiestate mirabilis, cuius ineffabilis altitudo prudencie nullis
inclusa limitibus, nullis terminis comprehensa, // recti censura iudicii celestia pariter
et terrena disponit, et si cunctos eius ministros magnificet, altis decoret honoribus et
celestis efficiat beatitudinis possessores; illos tamen, indignis digna rependeat, pocioribus
attollit insigniis dignitatum ac premiorum uberiori retribucione prosequitur, quos
digniores agnoscit et commendat ingencior excellencia meritorum.  Cupientes igitur,
ut ecclesia sancti Bartholomey Frankenfurdensis congruis honoribus frequentetur et
a cunctis Christi fidelibus iugiter veneretur: omnibus vere penitentibus et confessis,
qui ad predictam ecclesiam in festis subscriptis, videlicet: nativitatis domini, resurreccionis, ascensionis et pentecostes, in singulis festivitatibus gloriose virginis Marie,
in nativitate beati Johannis baptiste, in festis beatorum Petri, Pauli, Bartholomey,
et omnium aliorum apostolorum et in dedicacione ipsius ecclesie et in festo omnium
sanctorum atque in festo sancti Nicolay et per octavas predictarum festivitatum causa
devocionis seu peregrinacionis accesserint et ibidem divinum officium in eisdem festi-

vitatibus devote audierint, vel qui prefate ecclesie fabrice, luminariis seu aliis necessariis manus porrexerint adiutrices, necnon qui presbitero corpus Christi ad infirmos
deportanti spiritu humilitatis devotam prebuerint comitivam: nos de omnipotentis
dei misericordia, beatorum Petri et Pauli, apostolorum eius, auctoritate confisi, singuli
nostrum singulas dierum quadragenas de iniunctis sibi penitenciis, dummodo consensus
diocesani ad id accesserit, misericorditer in domino relaxamus. In cuius rei testimonium
presenti scripto sigilla nostra duximus apponenda. Datum Rome, anno domini ṁ. c̊c̊.
nonagesimo nono, pontificatus domini Bonifacii pape VIII. anno quinto.

> *Or. Pgmt. Die 14 anhängenden rothen Siegel an Hanffäden sind grösstentheils stark
> beschädigt, das des Maurus fehlt, für Matheus siegelte Monaldus nochmals. St. A. Fr.
> Barth. St. No. 3564.*
>
> *Die Urkunde ist am oberen Rande mehrfach eingerissen, in den Ecken zwei grosse
> Nagellöcher, auf der Urkunde zahlreiche Wachstropfen. Auf der Rückseite:* „Ad ecclesiam
> sancti Bartholomei".
>
> *Gedr.: B., 328 nach Abschrift im* „Liber Variorum" *s. Barth. St. Bücher Serie I, No. 22*b
> *f. 195a.*

**749.** *Erzbischof Gerhard von Mainz bestätigt als Dioecesanbischof den Ablass für die
Bartholomaeus-Kirche. Kastel, 1299 Juni 20.*

Nos Gerhardus dei gracia sancte Maguntine sedis archiepiscopus, sacri imperii
per Germaniam // archicancellarius, presentes venerabilium patrum, tam archiepiscoporum, quam episcoporum, indul//gencias, sicut pia consideracione ad honorem dei et
profectum et salutem plebis et ecclesie // sancti Bartholomei Frankenfordensis et
fidelium aliorum nostre dyocesis sunt tradite, ita pia mente suscipimus et gratas ac
ratas habentes auctoritate dyocesana in nomine domini confirmamus, sub presencium
testimonio litterarum nostrarum huic cartule annexarum ad maiorem evidenciam et
certitudinem huius rei. Datum Kastele, anno domini ṁ. c̊c̊. nonagesimo nono, XII.
kalen*das* iulii.

> *Or. Pgmt. Nur Siegeleinschnitt, ursprünglich Transfix zu der vorigen Urkunde. St. A. Fr.
> Barth. St. No. 3565.*

**750.** *König Albrecht weist dem Erzbischof Gerhard von Mainz 500 Pfund Heller
jährlicher Einkünfte von den Frankfurter Juden an, als Entschädigung für die
Zehnten und Gefälle, welche der genannte Erzbischof als Erzkanzler künftig von
Juden in Deutschland zu empfangen haben könnte. Oppenheim, 1299 October 3.*

Nos Albertus dei gracia Romanorum rex, semper augustus. De maturo consilio
fidelium // et procerum nostrorum venerabili Gerhardo, sancte Maguntin*e* sedis archiepiscopo, sacri // imperii per Germaniam archicancellario, principi et conpatri nostro
karissimo, acceptan//ti quingentas libras hallens*ium* percipiendas annis singulis a
iudeis nostris Frankenfordens*ibus* pro decima et iuribus eidem archiepiscopo racione
cancellarie cedentibus in futurum de bonis iudeorum per Germaniam, seu exactionibus,
quas eisdem in antea duxerimus inponendas, liberaliter assingnamus,[a] salvis ante omnia
ipsi archiepiscopo trecentis marcis denariorum Colonien*sium*, per felicis recordacionis
domini Adolfi, predecessoris nostri, donacionem et nostram confirmacionem ex certa
sciencia subsecutam, debitis annuatim in iudeis Frankenfordens*ibus* supradictis; li*tt*eris
quoque nostris et prefati quondam regis Adolfi salvis et intactis omnino, confectis
super hiis et aliis, que in ipsis expressius continentur. In quibus omnibus prenominatum
archiepiscopum, principem et conpatrem nostrum dilectum, manutenebimus et per nostre

[a] *Sol*

manum mangnitudinis[a] defendemus, quandocunque et quocienscunque fuerit hoc necesse.
Nullam eciam peticionem, sturam vel exactionem prefatis iudeis Frankenfordens*ibus*,
qui nunc ibidem sunt aut erunt, aliqualiter inponemus, existentibus taliter in manibus
archiepiscopi memorati; ad que nos obligamus presentibus, nostris et ipsius archiepiscopi temporibus, et non ultra, inviolabiliter duraturis, quas nostre typario maiestatis
ad omnium premissorum certitudinem fecimus co*m*muniri. Datum Oppinheym. Anno
domini m̃. c̃c̃. nonagesimo nono, quinto nonas octobris.

> *Or. Pgmt. Das Majestätssiegel hängt beschädigt an rothseidenen Fäden an. St. A. Fr.*
> *Priv. No. 23.*
> *Gedr.: Guden, Cod. Dipl., I, 919, B., 327 nach dem Or. .*
> *Verz.: B., Reg. Alb. No. 213, Fr. Inv., III, 3.*

**751.** *Siegfried von Heusenstamm und dessen Gemahlin Kunigunde verkaufen dem Kloster
Padershausen einen Hof und zwei Hufen in Rendel. 1299 November 13.*

Sifridus miles de Husenstam et Cunegundis, uxor eius legittima, constare cupimus
universis // has litteras visuris, quod nos co*m*municata manu parique consensu vendidimus iusto vendicionis titulo // religiosis dominabus .. abbatisse et .. conventui sanctimonialium monasterii Padenshusen, ordinis // Cysterciensis, curiam nostram in villa
Rendele sitam et duos mansos in terminis dicte ville sitos pro centum et triginta
marcis denariorum Coloniens*ium*, tribus hallensibus pro denario conputatis, nobis ab
eodem monasterio traditis et numeratis, ipsam curiam et ipsos duos mansos iure proprietario perpetuo possidendos, resignantes et renunciantes omni iuri, quod nobis in
predictis curia et mansis co*m*petebat, promittentes nichilominus prefatis .. abbatisse
et .. conventui ipsius monasterii Padenshusen de prelibatis curia et mansis facere
warandiam iustam, debitam et consuetam, et pro eadem warandia eisdem facienda, ut
est consuetum, Rudegerum de Holtzhusen scabinum, Cunradum de Byberahe, cives
Frankenvordenses, Rupertum de Bergele, Eberhardum seniorem et iuniorem de Meilsheim cum eorum co*m*plicibus memoratis .. abbatisse et conventui constituimus fideiussores. Testes vendicionis premisse sunt hii: Gerhardus iudex in Rudingheim, Arnoldus
de Glauburg, Hertwicus de Alta domo, Cunradus de Spira, Cunradus Burneflecke,
Sifridus de Gysenheim, Cunradus Alleum, Marcolfus de Lintheim, Ludewicus et Rudegerus de Holtzhusen, scabini, et quamplures alii cives Frankenvordenses fidedigni.
In testimonium premissorum nos .. scabini antedicti ad requisicionem parcium prescriptarum sigillum universitatis Frankenvordensis presentibus duximus appendendum.
Actum anno domini m̃. c̃c̃. XC̃. IX., feria sexta proxima post festum beati Martini.

> *Or. Pgmt. mit anhängendem, etwas beschädigten Stadtsiegel (2). München, Reichsarchiv.*
> *Gedr : Guden, Cod. Dipl, III, 770.*

**752.** *Berlewin, Scholaster zu Worms und Propst zu Neuhausen bei Worms, beurkundet,
dass sein verstorbener Bruder, Ritter Werner von Weinheim, das Gericht zu Weinheim bei Alzei dem Deutschordenshause zu Sachsenhausen geschenkt habe. 1300
Februar 6.*

Berlewinus, scolasticus ecclesie Wormaciensis et prepositus ecclesie Nuehusen
extra muros Wormacienses, constare cupimus universis et publice profitemur, quod
Wernherus de Weyenheim bone memorie, frater noster, miles, omne ius iurisdictionis,[a]
quod habuit in villa Weyenheim predicta, necnon et possessionem omnium bonorum

---

a) *So!* a) *Vorlage:* „iurisdictionem".

suorum, tam in villa quam in terminis ville eiusdem, commendatori et fratribus domus Theutonice in Franckenfort contulit, donavit et legavit cum omni iure, quo diebus vite sue possedit, collocans eos in usumfructum et possessionem dictorum bonorum libere et absolute, sicut ipse possedit, possidendos et secundum omnem consuetudinem et ius, quod hubarii eiusdem ville solebant sibi arbitrari. In testimonium et robur dicte donacionis et legacionis ad peticionem dictorum commendatoris et fratrum domus Theutonice memorate hanc cetulam sigillo nostro fecimus roborari. Datum anno domini millesimo tricentesimo, in crastino Agathe virginis.

Abschrift im Deutschordens-Dokumentenbuch f. 219ᵛ. St. A. Stuttgart. — Von Nathusius.

**753.** *Schultheiss und Schöffen von Frankfurt beurkunden, dass Siegfried von Erlenbach, Vikar an der Frankfurter Stiftskirche, dem Kloster Arnsburg alles, was er getheilt und ungetheilt in Dortelweil besitzt, mit Ausnahme von 6 Morgen Ackerland, gegen eine an ihn lebenslänglich und eine andere an 8 genannte Altäre in Frankfurt ewig zu entrichtende Fruchtrente übergeben habe. 1300 Februar 28.*

Nos .. scultetus et .. scabini de Frankenvord, tenore presentium recognoscimus publice // profitentes, quod Sifridus dictus de Erlebach, vicarius ecclesie Frankenvordensis, in nostra pre//sencia constitutus de consensu et bona voluntate Marquardi, filii .. sororis eiusdem Sifridi, // presente et consenciente, omnia bona sua, que ipse Sifridus tenuit et possedit, et ipsum pro media parte contingencia de bonis, que ipse Sifridus et Marquardus adhuc indivisa tenent et possident in terminis et villa Durkelwila sita, preter sex iugera terre arabilis, que emit et comparavit pro parata pecunia .. pater antedicti Marquardi erga Reinheidim, matrem prelibati Sifridi, et curiam ipsis bonis attinentem, sitam in dicta villa Durkelwila, quam ipse Sifridus Marquardo, suo consanguineo predicto, dedit et deputavit, .. abbati et .. conventui monasterii in Arnsburg, ordinis Cysterciensis, legavit et irrevocabiliter donavit modis et condicionibus infrascriptis, ita quod singulis annis, quamdiu ipse Sifridus vixerit, dabunt et presentabunt eidem in omnem eventum Frankenvord infra duo festa assumptionis et nativitatis sancte Marie virginis ad domum quamcumque deputaverit quatuor octalia tritici et viginti duo octalia siliginis mensure Frankenvordensis suis periculis, laboribus et expensis; post ipsius vero Sifridi obitum prefati abbas etª .. conventus de eisdem bonis ipsum contingencia(!) perpetuo singulis annis octo octalia siliginis mensure predicte ad altaria sita in parrochia Frankenvordensi et cymitherio, videlicet ad altare beate Marie virginis, sancte Katherine, sancti Johannis ewangeliste, sancti Jacobi, sancte Marie Magdalene, sanctorum Petri et Pauli apostolorum, sancti Mychaelis et ad superius altare in ipsa capella sancti Mychaelis super ossa mortuorum edificatum, ad quodlibet altare unum octale siliginis, dabunt et presentabunt Frankenvord infra supradicta duo festa suis laboribus et expensis .. camerario .. decani et .. capituli ecclesie Frankenvordensis, qui pro tempore fuerit, ut ipse .. camerarius eadem octo octalia siliginis presentet et ministret singulis annis deservientibus pro tempore ad altaria antedicta. Et quicquid de supradictis bonis ultra supradicta octo octalia cedere poterit annis singulis, ministrari debet .. abbati et .. conventui predictis in Arnsburg pro consolacione sive pytancia in anniversario Sifridi memorati. Predictus etiam Sifridus in nostra presencia constitutus supradicta bona et omne ius, quod in eisdem habuit et habet, prefatis .. abbati et .. conventui in Arnsburg resignavit perpetuo possidenda modis et condicionibus supradictis. Adiectum est insuper, quod, quandocunque placuerit prenotatis .. abbati et .. conventui, supradicta bona divident equaliter

<hr>

ª) *Dignitätspunkte am Rande nachgetragen.*

cum Marquardo, ipsius Sifridi consanguineo supradicto, ipsius Marquardi contradictione non obstante. Testes huius sunt: magister Ditmarus decanus ecclesie Frankenvordensis, Hertwicus de Alta domo, Sifridus de Gysenheim, Johannes Goltstein, scabini, et quamplures alii clerici et layci de Frankenvord fidedigni. Et nos .. scultetus et .. scabini prenominati ad rogatum Sifridi vicarii et Marquardi, consanguinei sui, sepedictorum, sigillum universitatis nostre presentibus duximus appendendum in testimonium omnium premissorum. Datum et actum anno domini millesimo tricentesimo, III. kalendas marcii.

*Gleichzeitige Abschrift ohne Siegeleinschnitt und Spur von Besiegelung. St. A. Fr. Barth.*
*St. No. 2707.*
*Gedr.: Würdtwein, Dioc. Mog., II, 537 zu 1303 März 1, B., 328 nach derselben Vorlage.*
*Vers.: Scriba, II, No. 885 zu Febr. 17.*

**754.** *Schultheiss Konrad von Erlenbach und die Schöffen von Frankfurt beurkunden einen Vergleich, den Wigel Frosch mit seiner Stieftochter Hedwig über den von ihm bewohnten Hof des verstorbenen Konrad von Alsfeld nach dem Ausspruch genannter Schiedsrichter getroffen hat. 1300 März 13.*

Nos Cunradus de Erlebach miles, scultetus, et .. scabini de Frankenvord, tenore presencium recognoscimus, // quod mediantibus honestis viris, Hertwico de Alta domo, Ludewico de Holtzhusen, scabinis; Fultzone de Kal//debach, Alberto dicto Mintzenbergere et Ludewico de Lympurg, nostris concivibus, ceterisque amicis suis // super curia et mansione, que quondam fuit Cunradi de Alsvelt, quam Wiglo Rana et Katherina, eius uxor legittima, nunc inhabitant, inter prefatum Wiglonem et Katherinam, eius coniugem, ac Hedewigim, natam ipsius Katherine, quam ab Arnoldo, quondam marito suo legittimo, procreaverat, utrisque partibus consencientibus, de ipsa curia et mansione per prefatos cives comportacio et ordinacio est facta et celebrata, videlicet talis, quod prefatus Wiglo Rana debet et potest ipsam curiam et mansionem edificare et emendare quibuscumque edificiis pro sue libito voluntatis. Hoc sane adiecto, quod si eadem Katherina, eius uxor, ante ipsum Wiglonem ab hac luce migraverit, sepedictus Wiglo, vel quecumque persona se suo nomine de ipsis curia et mansione intromiserit, infra spacium ipsius anni post obitum ipsius Katherine Hedewigi, nate sue predicte, dabit et solvet octoginta marcas denariorum Coloniensium pecunie numerate, pro quolibet denario tribus hallensibus conputatis, quod si iidem Wiglo, vel qui se suo nomine de eisdem curia et mansione, ut est pretactum, ingesserit, negligens aut remissus in solucione ipsius pecunie infra ipsum annum exstiterit, prefata curia et mansio cum edificiis in eisdem per ipsum Wiglonem constructis ad ipsam Hedewigim, natam ipsius Katherine, contradictione qualibet non obstante penitus devolvetur. Preterea si sepedictus Wiglo ante Katherinam, suam coniugem, de medio sublatus fuerit, sepedicta curia et mansio cum quibuscunque edificiis in eisdem constructis sive edificatis ad ipsam Katherinam eiusque natam libere devolventur. Testes huius sunt: Arnoldus de Glauburg, Cunradus de Spira, Cunradus Burneflecke, Sifridus de Gysenheim, Cunradus Alleum, Markolfus de Lintheim, Rudegerus de Holtzhusen, Johannes Goltstein, scabini, et quamplures alii cives Frankenvordenses fidedigni. In testimonium et firmitatem omnium premissorum nos .. scultetus et .. scabini antedicti ad rogatum parcium supradictarum sigillum universitatis Frankenvordensis presentibus duximus appendendum. Actum anno domini m̄. c̄c̄c̄., in dominica, qua cantatur Oculi.

*Or. Pgmt. Anhängend das Stadtsiegel (2) beschädigt. St. A. Fr. Liebfrauenstift No. 681.*
*Gedr.: Kriegk, Bürgerthum, Neue Folge, 405 nach dem Or. .*

**755.** *Gerlach Schelm,. Ritter, setzt als Dorfrichter in Rödelheim die Frankfurter Bürger Konrad von Heldenbergen und Walther zum Löwenstein in den Besitz der in der Rödelheimer Gemarkung gelegenen Güter des Volpert von Sassen, um sich daran wegen einer für diesen geleisteten Bürgschaft zu erholen. 1300 März 19.*

.. Nos Gerlacus dictus Schelme miles, iudex ville in Redelinheim, publice recognoscimus et ad // universorum noticiam cupimus pervenire, quod discreti viri, Conradus de Heldeberg et Walthe//rus zů Lewenstein, cives. Frankenvordenses, coram nobis in predicta villa in iudicio constituti, pe//cierunt sibi de curia et bonis seu agris Volperti dicti de Sassen, opidani in Groninberg, qui eosdem apud .. iudeos Frankenvordenses pro quadam summa pecunie fideiussores obligaverat et exsolvere ab huiusmodi fideiussione non curavit, fieri iusticie conplementum. Nos ipsorum peticione audita et intellecta ac omnibus, que secundum ius et approbatam consuetudinem terre facienda fuerant, legitime observatis, predictis civibus de prefatis bonis dicti Volperti, sitis in terminis ville Redelinheim predicte, unum mansum cum dimidio et quatuor iugera agrorum, ad curiam ipsius in eadem villa sita pertinentes, et ipsam curiam rite et sentencialiter adiudicavimus et ipsis assignavimus possessionem eorumdem pro solucione debiti memorati; decernentes per eandem nostram sentenciam, ut eadem bona seu agros predictos iure et racionabiliter possent vendere cuicunque et ea alienare tamquam propria, prout ipsis videretur pro suo commodo melius expedire. In cuius testimonium et evidens argumentum presenti sentencie sigillum nostrum duximus appendendum. Datum anno. domini m. cĉc., sabbato proximo ante dominicam Letare.

> *Or. Pgmt. Das abhangende Siegel ist abgefallen. St. A. Fr. Liebfrauenstift No. 1123.*
> *Gedr.: B., 330 nach dem Or., Sauer, I², 33.*
> *Verz.: Scriba, II, No. 888.*

**756.** *Der Dominikanerprior Otto zu Frankfurt [1] („frater Otto prior fratrum Predicatorum domus in Frankinvort"), der Dominikanerbruder Wigand und der Pfarrer Heinrich in Friedberg, Stellvertreter des Pfarrers Heinrich in Beldersheim, als Testamentsvollstrecker der Mathilde Zimmermann („dicte Zymmermennin de Frideberg"), beurkunden, dass diese den Frankfurter Dominikanern 20 Mark zum Erwerb eines Hauses in Friedberg vermacht habe. „Item Predicatoribus in Frankinvort viginti marcas denariorum pro hospicio sibi comparando in civitate Fridebergensi, quod hospicium, si vendere voluerint, ad illos de Padinshusen devolvatur." 1300 März 26. (VII. kal. april.)*

> *Or. Pgmt. mit den abhangenden Siegeln der Stadt Friedberg, des Priors Otto und des Pfarrers Heinrich. München, Reichsarchiv.*

**757.** *Schultheiss Volrad und die Schöffen von Frankfurt beurkunden, dass der Frankfurter Bürger Konrad Snabel dem Kürschner Wortwin und dessen Frau 5 Schillinge an einem jährlichen Grundzins von 22 Schillingen, welchen diese selbst schuldeten, verkauft habe. 1300 April 4.*

Nos Volradus miles, scultetus, et .. scabini de Frankenvord, recognoscimus, quod Conradus dictus Snabel, noster // concivis, coram nobis constitutus, de viginti duobus solidis denariorum levium census annualis, quos habere dinosce//batur super una domo

---

[1] *Derselbe wird 1299 Juli 23 (in crast. b. Marie Magdalene) genannt. Vgl. Arnsb. Urkb., 197.*

in vico nuncupato Zigergaze sita, quam Wortwinus pellifex et Elizabeth, uxor eius legit//tima, ab ipso Conrado Snabel iure hereditario possident, prefatus Conradus Snabel de ipsis viginti duobus solidis denariorum levium census annualis vendidit iusto vendicionis titulo prenominatis Wortwino pellifici et eius .. coniugi, nostris concivibus, eorumque heredibus super prefata domo quinque solidos[a] denariorum Coloniensium[a] census annualis, qui quinque solidi denariorum Coloniensium census de ipsis viginti duobus solidis denariorum levium defalkabuntur; resignans et [b]renuncians sepedictus C. Snabel omni iuri, quod eidem in predictis solidis quinque denariorum Coloniensium census annualis competebat, et cum idem C. Snabel habuerit unum puerum procreatum a sua uxore prima sub annis discrecionis existentem, unam dimidiam partem unius domus sitam(!) inter Linistas, quam emit erga Herbordum dictum Luscum, prelibatis Wortwino et eius heredibus pro subpignore obligavit, ita quod, cum dictus puer ipsius C. Snabelis ad annos etatis sue legittimos pervenerit, quod vendicionem predictorum quinque solidorum Coloniensium tenere debebit inviolabiliter ratam atque gratam. Testes huius sunt: Conradus de Spira, Sifridus de Gisinheim, Johannes Goltstein, Culmannus de Ovinbach, Drutwinus Srenko, Markolfus de Lintheim, scabini, et quamplures alii fidedigni. In testimonium premissorum ad rogatum parcium predictarum sigillum universitatis Frankenvordensis presentibus duximus appendendum. Actum anno domini ṁ. c̃c̃c., feria secunda proxima post ramos palmarum.

*Or. Pgmt. Abhangend das kleine Stadtsiegel (3), welches hier zuerst vorkommt. Rückaufschrift (14. Jahrh., 1. Hälfte): „De V. solidis Coloniensibus inter Linistas in vico sutorum“. St. A. Fr. Liebfrauenstift No. 384.*
*Gedr.: B., 331 nach dem Or. . Auszug: Thomas, Oberhof, 443.*

**758.** *Der Komthur des Deutschordenshauses zu Sachsenhausen und der Ritter Richard von Göns (de Gunse) erklären, dass sie in ihrem Streite um das von Richard beanspruchte Vogtrecht (voitreith) über Güter bei Göns den früheren Pfarrer Walter zu Wetzlar und den dortigen Schöffen Hartrad Blyde zu Schiedsrichtern erwählt haben; Richard erkennt den seine Forderungen abweisenden Spruch der Schiedsmänner an. Es siegeln der Dechant Wigand, der Pfarrer Walter zu Wetzlar, die Stadt Wetzlar und Ritter Richard von Göns. Wetzlar, 1300 Mai 4. (crast. invent. s. crucis.)*

*Or. Pgmt. mit den 4 gut erhaltenen Siegeln im St. A. Darmstadt. — Grotefend.*
*Gedr.: Baur, Hess. Urk., I, 299, stark gekürzt.*

**759.** *Schultheiss Heinrich und die Schöffen von Frankfurt erkennen, dass der Meister Heinrich Blineldere, ein Steinmetz, und dessen Frau berechtigt sind zur Abzahlung ihrer Schulden einen Zins auf ihrem Haus zu verkaufen, und beurkunden, dass diese einen solchen Zins an den Vikar Jakob von Sprendlingen und dessen Schwester wirklich verkauft haben. 1300 Mai 20.*

Nos Heinricus miles, scultetus, et .. scabini de Frankinvord, tenore presencium recognoscimus, // quod magister Heinricus dictus Blineldere lapicida, noster concivis, in nostri presencia constitutus, // exposuit nobis, quod ipse cum uxore sua legittima Gela, necessitate cogente, quedam debita // contraxisset cum ea et non suppeteret sibi facultas substancie, ut ipsa debita persolvere posset, et hoc legittime probavit

a) *Das Or. hat stets:* „sollidos“ *etc. und* „Collonienses“ *etc.* b) „resig“ *gestr.*

coram nobis, postulans et requirens, per nos sentenciam sibi dari, si ipse posset vendere unum fertonem denariorum Coloniens*ium* census annualis supra domum et mansionem suám, quám inhabitat, apud Predicatores sitam, non obstante contradictione puerorum suorum, quos ex predicta Gela, uxore sua legittima, procreaverat. Nos auditis hinc inde propositis super sua requisicione et postulacione sentenciando pronunciavimus et in hiis scriptis pronunciamus, dictum magistrum Heinricum licite posse vendere et alienare ipsum fertonem denariorum Coloniens*ium* ad solvendum debita sic contracta, . . pueris suis minime requisitis. Sentencia vero lata, ut est per nos pretactum, idem magister Heinricus lapicida vendidit ipsum fertonem denariorum Coloniens*ium* super dictis domo et mansione sua domino Jacobo dicto de Sprendelingin sacerdoti, vicario ecclesie Frankinvordensis, et Lugardi, sorori eius, nomine census annualis dicto domino Jacobi(!) sueque . . sorori singulis annis in decollacione beati Johannis baptiste perpetuo dandum et porrigendum; resignans et renuncians idem magister Heinricus omni iuri, quod sibi in dicto fertone denariorum Coloniens*ium* census conpetebat; promittens nichilominus prelibatis domino Jacobo eiusque sorori de prenotato fertone census facere warandiam iustam, debitam et consuetam. Testes huius sunt: Heinricus miles scultetus, Arnoldus de Glauburg, Hertwicus de Alta domo, Sifridus de Gysenheim, Cunradus Burneflecke, Cunradus de Spira, Rudegerus et Ludewicus de Holtzhusen, Johannes Goltstein, scabini; Hertwicus de Vite, et quamplures alii cives Frankinvordenses fidedigni. In testimonium et firmitatem omnium premissorum nos . . scultetus et . . scabini supradicti ad rogatum parcium predictarum sigillum universitatis Frankinvordensis presentibus duximus appendendum. Actum et datum anno domini ṁ. c̊c̊c̊., in crastino ascensionis domini.




**760.** *Das Kloster Seligenstadt beurkundet, dass Albert von Karben* (de Carbyn), *Kantor zu Frankfurt und Pfarrer zu Steinheim, wegen Körperschwäche seiner Pfarre nicht länger vorstehen könne und deren Einkünfte für seine Lebenszeit dem Kloster verkauft habe. 1300 Mai 31.* (3. fer. prox. p. fest. penthecostes.)




**761.** *Gütertausch zwischen dem Deutschordenshause in Sachsenhausen und Hermann, Schultheiss von Langenselbold, und Genossen. Langenselbold, 1300 Juni 1.*

Notum sit universis presens scriptum intuentibus, quod quedam commutatio sive transmutatio facta est de quibusdam // agris inter honorabiles viros commendatorem videlicet et fratres sacre domus sancte Marie Theutonicorum de Sasinhusin apud // Frankenvurt et personas infrascriptas, Hermannum scultetum de Selbolt cum uno iugere et dimidio, Arnoldum Wernchen[a] cum // uno iugere et dimidio, Cunradum et Wigandum cum duobus iugeribus et dimidio, Gerwicum cum duobus iugeribus, Druthlibum cum uno iugere, Henricum filium dicti Windilsteher[b] cum[c] uno;[c] sub tali pacto, si bona predictis fratribus assignata in huiusmodi commutatione in posterum per heredes aut successores evicta fuerint ab ipsis fratribus vel eorum successoribus personarum supradictarum, extunc ipsi fratres resument et recipient sua bona, que in commutatione

a) *Or.* „Wǔchen". b) *Or.* „Windilsteh". c) *Über der Zeile.*

assignaverunt, in quibus iam vinee plantantur, contradictione qualibet procul mota.
In cuius rei testimonium nos predicti de Selbolt in signum nostre recognitionis sigilla (!),
videlicet domini Jo. prepositi Selboldensis ecclesie et sui conventus, ad peticionem nostram
presentibus sunt appensa (!).  Actum aput Selbolt, anno domini m̆. c̆c̆c., feria quarta
in septimana pentecostes, in iudicio, quod merchirdinge vulgariter nuncupatur.

*Or. Pgmt. mit den anhängenden Siegeln des Propstes und des Klosters.  Wien, Deutsch-*
      *ordens-Centralarchiv.*
*Gedr.: B., 332, Reimer, I, 598, beide nach dem Or. .*
*Vers.: Pettenegg No. 800.*

**762.** *Schultheiss Konrad von Erlenbach, die Schöffen und Bürger von Frankfurt*
      *beurkunden, dass Adelheid Wingerteren dem Deutschordenshause in Sachsenhausen*
      *wegen der Aufnahme ihres Sohnes Konrad in den Deutschorden an ihrem der-*
      *einstigen Nachlass ein Kindstheil verschafft habe.  1300 Juni 8.*

Nos Cunradus de Erlebach miles, scultetus, .. scabini ceterique cives de Frankinvord, constare // cupimus universis has litteras visuris et audituris, quod Adilheidis
dicta Wingerteren, // civis Fridebergensis, anno domini m̆. c̆c̆c., feria quarta proxima
post dominicam Trinitatis coram // nobis in figura nostri iudicii constituta publice
recognovit, quod ipsa religiosos viros .. conmendatorem ceterosque .. fratres domus
Theutonice in Sassenhusen occasione Cunradi filii sui, quem predicti .. conmendator
et .. fratres dicte domus Theutonice pie propter deum in suum ordinem et confratrem
quibusdam annis elapsis, sub Volrado milite, tunc sculteto Frankinvordensi, receperunt,
cum omnibus bonis suis proprietariis, hereditariis seu quocumque nomine censeantur,
tamquam heredes veros et legittimos hereditavit.  Ita sane, quod, quandocumque prefata Adilheidis domino volente de medio sublata fuerit, prelibati .. conmendator et ..
fratres domus Theutonice prenotate bona quecunque ab ipsa Adilheide relicta cum suis
.. liberis et heredibus condivident equa lance et cum eisdem equalem habebunt porcionem.  Testes huius rei sunt: Cunradus Swevus miles, Arnoldus de Glauburg, Hertwicus de Alta domo, Sifridus de Gysinheim, Cunradus de Spira, Cunradus Burneflecke,
Markolfus de Lintheim, Rudegerus et Ludewicus de Holczhusen, Johannes Goltstein,
scabini, et quam plures alii cives Frankinvordenses fidedigni.  In cuius rei testimonium
nos .. scultetus et .. scabini prenotati ad rogatum parcium predictarum sigillum universitatis Frankinvordensis presentibus duximus appendendum.  Actum et datum anno
et die prenotatis.

*Or. Pgmt. mit anhängendem Stadtsiegel (2).  Sachsenhausen. — Grotefend.*
*Gedr.: B., 333 nach dem Or. .*

**763.** *Der Dechant von St. Bartholomaeus bezeugt als vom Papst delegirter Richter, dass*
      *Egelo von Friedberg, „filius .. monetarii", und Schwiegersohn der Adelheid, Wittwe*
      *des Rudolf Wingerter zu Friedberg, auf die Ansprüche seiner Frau, als Tochter*
      *der Adelheid, an die von dieser dem Deutschordenshause Sachsenhausen verkauften*
      *1¹/₂ Hufen Ackerland bei Nieder-Wöllstadt (inferius Wllenstad) verzichtet habe.*
      *1300 Juni 11.* (sabb. p. fest. Trinit.)

*Or. Pgmt. mit wohlerhaltenem Siegel des Dechanten Ditmar.  St. A. Darmstadt. — Grotefend.*
*Gedr.: Baur, Hess. Urk., I, 301, mit starken Kürzungen.*

**764.** *König Albrecht genehmigt den Verkauf dreier reichslehnbarer, zwischen Dortelweil und Karben gelegener Hufen von Seiten des Siegfried von Heusenstamm an Hermann Schelm von Bergen und Hermann Halber von Friedberg. Mainz, 1300 Juli 5.*

Albertus dei gracia Romanorum rex, semper augustus. Universis sacri Romani imperii // fidelibus, graciam suam et omne bonum. Accedens nostre maiestatis presenciam strennuus vir // Sifridus de Husenstam, fidelis noster dilectus, nobis humiliter supplicavit, ut vendicioni facte per eum // de tribus mansis sitis inter villas Turkelwile et Karben, quos in feudo a nobis et imperio hactenus tenuit, strennuis viris Hermanno dicto Schelme de Bergen et Hermanno dicto Halber de Frideberch nostrum consensum adhibere de benignitate regia dignaremur. Nos ipsius peticionibus favorabiliter annuentes, dicte vendicioni consensum nostrum impertimur benivolum et assensum. Ita tamen, quod iidem Hermannus et Hermannus et sui heredes dictos mansos in feodum tenere ab[a] imperio[a] debeant et habere. In cuius consensus nostri evidens testimonium et cautelam presentes litteras sigillo maiestatis nostre iussimus communiri. Datum Maguncie. III. nonas iulii. Anno domini m̄. c̄c̄c̄. Indictione XIII. Regni vero nostri anno secundo.

> *Or. Pgmt. Siegelrest anhängend. St. A. Fr. Mgb. E. 35 No. 1 (Bornheim).*
> *Gedr.: B., 333 nach dem Or. .*
> *Verz.: B., Reg. Alb. No. 297, Scriba, II, No. 894.*


**765.** *Hermann Halbeir, Ritter von Kleeberg (de Cleberg), verzichtet auf seine Ansprüche an eine Hufe Ackerland bei Lang-Göns (Langengunse) zu Gunsten des Deutschordenshauses Sachsenhausen. Zeugen: die Ritter* Cunradus Svevus senior de Sassinhusen *und* Fridericus Dugel, *Burggraf zu Friedberg und Schwiegersohn Hermanns. 1300 Juli 13.* (in die b. Margarete.)

> *Or. Pgmt. ohne Siegel. St. A. Darmstadt. — Grotefend.*
> *Danach gedr. mit starken Kürzungen: Baur, Hess. Urk., I, 301 zu Juli 12.*


**766.** *Schultheiss Konrad von Erlenbach und die Schöffen von Frankfurt beurkunden, dass Richmud, die Wittwe Werner Falkins, den Weissfrauen in Frankfurt Gefälle in Niederrad und von einem Haus am Dumpilbrunnen vermacht habe. 1300 Juli 16.*

Nos Cunradus de Erlebach, miles, scultetus et . . scabini de Frankinvord, constare cupimus // universis has litteras visuris, quod Rychmudis, relicta quondam Wernheri Falkin, nostra con//civis, in nostri presencia constituta pie propter deum et remedium anime sue ac remedium // anime dicti sui mariti, ut eorum perpetua memoria habeatur, legavit, contulit et donavit religiosis dominabus . . priorisse et . . conventui sanctimonialium ordinis Penitentum Frankinvord quinque solidos Colonienses et tres cappones census annualis super quibusdam agris in terminis ville inferioris Rode sitis, dictum censum in festo beati Martini quolibet anno perpetuo tollendum et percipiendum. Insuper dictis . . priorisse et . . conventui legavit unum pullum, qui singulis annis in dicto festo beati Martini de domo cuiusdam sacciferi dicti Vetere apud Dumpilburnen debet dari. Hoc sane addito, quod prefata Rychmudis dictum censum, quo ad viverit, de predictis . . priorissa et . . conventu recipere debebit et in eo debet esse contenta. Testes huius sunt: Hertwicus de Alta domo, Arnoldus de Glauburg, Ludewicus de

---

a) *Über Rasur.*

Holtzhusen, scabini Frankinvordenses; Wernherus gener Hertwici de Alta domo predicti,
et quamplures alii cives Frankinvordenses fidedigni. In cuius rei testimonium nos . .
scultetus et . . scabini antedicti ad rogatum parcium sigillum universitatis Frankinvordensis presentibus duximus appendendum. Actum anno domini ṁ. ččč., in crastino
divisionis apostolorum.

*Or. Pgmt.   Stadtsiegel (2) abhangend.     St. A. Fr. Weissfrauenkloster, Lade 15 C, No. 1.*
*Gedr.: B, 334 nach dem Or. .*

**767.** *(Ditmar) der Dechant der Frankfurter Stiftskirche, beurkundet als Subdelegat des*
*Erzbischofs von Mainz, was die Beghine Drutlindis vor Antritt einer beabsichtigten*
*Wallfahrt nach Rom über ihre Ansprüche an das Kloster Arnsburg bekannt hat.*
*1300 August 12.*

     . . Decanus ecclesie Frankenvordensis, iudex causarum honorabilium virorum . .
abbatis et . . conventus // monasterii de Arnsburg, ordinis Cysterciensis, a reverendo
in Christo patre ac domino . . archiepiscopo Maguntino, iudi//ce a sede apostolica
delegato, subdelegatus. Recognoscimus per presentes, quod Drutlindis begina // de
Frankenvord sana corpore et compos mentis, volens visitare lumina beatorum Petri
et Pauli apostolorum pro peccatis suis, constituta in figura iudicii, coram nobis recognovit proprio ex motu et non coacta, se nichil iuris habere in omnibus bonis, que
tenent et possident . . abbas et . . conventus de Arnsburg, preter pensionem quatuordecim octalium et dimidii octalis siliginis, dimidii octalis tritici et dimidii octalis
pisorum, mensure Frankenvordensis, que ipsi Drutlindi singulis annis nomine pensionis
de bonis quondam suis, sed nunc monasterii de Arnsburg predicti, ipsi . . abbas et . .
conventus ad tempora vite sue tenentur ministrare et in domo sua, sita apud . .
Predicatores, quam inhabitat ipsa Drutlindis, de quo (!) annis singulis dat et solvit decem
solidos denariorum lev*ium* et unum pullum Martini nomine annui census monasterio
de Arnsburg antedicto, recognovit sibi nichil iuris *competere* de iure vel de facto;
sed ipsa defuncta predicta pensio et domus preter quinque octalia, que Harperno fratri
ipsius Drutlindis, et duo octalia siliginis mensure predicte, que Katerine filie . . sororis
singulis annis nomine pensionis ad vite eorum tempora ministrabunt, si ipsam Drut-
lindim supervixerint, et non aliis eorum heredibus cuiuscu*m*que condicionis existant, et
ipsis H. et K. defunctis, libere et sine omni contradictione apud prefatum monasterium
perpetuo remanebunt. Actum anno domini ṁ. ccč., II. idus augusti.

*Or. Pgmt.   Das abhangende Siegel ist beschädigt.  Lich.*
*Gedr.: B., 334 nach dem Or. .*
*Verz.: Scriba, II, No. 895.*

**768.** *Schultheiss Konrad von Erlenbach und die Schöffen von Frankfurt beurkunden,*
*dass Volkwin von Wetzlar, Bürger zu Frankfurt, und seine Frau ihren in dem*
*Kloster Thron befindlichen Töchtern gleiches Erbrecht mit ihren übrigen Kindern*
*zugesichert haben.  1300 August 14.*

     Nos Cunradus de Erlebach scultetus et . . scabini de Frankinvord, tenore pre-
sentium recognoscimus, // quod Volcwinus de Wetflaria et Gertrudis, eius uxor legittima,
nostri concives, in nostri presentia // constituti, communicata manu parique consensu
Adilheidim, Juttam et Katherinam, filias suas, in // cenobio monasterii de Throno
existentes, et nichilominus Gretam, filiam suam, cum ad ipsum monasterium de Throno

convolaverit habitum ibidem recipiendo, hereditaverunt et presentibus iure hereditario
hereditant cum omnibus bonis suis, quocumque nomine censeantur, cum aliis liberis
suis utriusque sexus sive heredibus in seculo existentibus, videlicet ita, quod prefate
filie in ipso monasterio Throni post obitum dictorum Volcwini et sue .. coniugis cum
dictis suis heredibus et ipsum monasterium bona, que relinquerint, condividant equa
lance. Adiectum est eciam, quod, si aliqua predictarum filiarum ante obitum dictorum
Volcwini et sue .. coniugis ab hac luce migraverit, pars sue hereditatis, cui succedere
deberet, ad ipsos Volcwinum suosque heredes revolvetur. Testes huius sunt: Arnoldus
de Glouburg, Hertwicus de Alta domo, Syfridus de Gysinheim, Cunradus de Spira,
Rudegerus et Ludewicus de Holtzhusen, Johannes Goltstein, scabini, et quam plures
alii fidedigni. In testimonium premissorum nos .. scultetus et .. scabini supradicti ad
rogatum predictorum Volcwini et sue .. coniugis sigillum universitatis Frankinvordensis
presentibus duximus appendendum. Actum anno domini ṁ. cċ̇., in vigilia assumpcionis
beate Marie virginis.

Or. Pgmt. Das Siegel fehlt. St. A. Wiesbaden, Kloster Thron No. 47. — Grotefend.<br>
Gedr.: Sauer, I², 36, nach dem Or. .

**769.** *Propst Johannes und das Stift zu Ilbenstadt geben zu dem Verkaufe einer halben
Hufe bei Schwalbach durch ihren Mitkanonikus Dietrich von Eschbach an das
Deutschordenshaus zu Sachsenhausen ihre Zustimmung. 1300 September 8.*

Nos Johannes prepositus totusque conventus monasterii in Elewenstad, ordinis
Premonstratensis, tenore presencium recognoscimus et universis, quorum nosse interest,
cupimus fore notum, quod accedente nostro consensu et bona voluntate Theodericus
de Eschebach, noster concanonicus, bona, videlicet dimidium mansum terre arabilis in
terminis ville Schwalbach situm, vendidit iusto vendicionis titulo religiosis viris fratri
Conrado commendatori et fratribus domus Theutonice in Sassenhusen, nos quoque
huiusmodi vendicionem ratam et gratam habituri, renunciamus de plano et precise
omni iuri, quod nobis in eisdem bonis competere videbatur, ita quod dictus Theodericus,
nobis minime impedientibus, prefatis commendatori et fratribus de bonis prenominatis
warandiam facere patitur debitam et consuetam. In cuius rei testimonium has literas
ipsis commendatori et fratribus [damus] sigillorum tam nostri quam conventus munimine
roboratas. Actum et datum anno domini millesimo tricentesimo, nativitate beate Marie
virginis.

Abschrift im Deutschordens-Dokumentenbuch, f. 236 r. St. A. Stuttgart. — Von Nathusius.

**770.** *Schultheiss Konrad von Erlenbach und die Schöffen von Frankfurt beurkunden,
dass das Deutschordenshaus zu Sachsenhausen dem Wigel Frosch und dessen Frau
einen jährlichen Zins auf dem Hause Werner Seltzeres tauschweise überlassen habe.
1300 September 14.*

Nos Cunradus de Erlibach miles, scultetus, et .. scabini de Frankinvord, tenore
presencium // recognoscimus, quod frater Winricus conmendator ceterique .. fratres
Theutonice domus in Sassen//husen, nostri concives, in nostri presencia constituti,
per modum concanbii et non titulo empcionis // deputaverunt et assignaverunt Wigloni
Rane et Katherine, uxori eius legittime, nostris concivibus, supra domum Wernheri
dicti Seltzeres, contiguam curie dicti Wiglonis, viginti denarios leves census annualis,

quem censum dicti fratres in iamdicta domo singulis annis habere dinoscebantur. Vice
vero reciproca prefatus Wiglo dictis . conmendatori et . . fratribus supra domum Cunradi de Heldebergen, quam inhabitat, deputavit et assignavit per modum eciam concanbii viginti denarios leves census annualis. In testimonium premissorum nos . .
scultetus et . . scabini supradicti ad rogatum parcium predictarum sigillum universitatis
Frankinvordensis presentibus duximus appendendum. Actum anno domini m̊. cc̊c., in
exaltacione sancte crucis.

Or. Pgmt. Das abhangende Siegel ist abgefallen. St. A. Fr. Liebfrauenstift No. 691.<br>
Gedr.: B., 335 nach dem Or. .

**771.** *Die Officialen des Propstes der Frankfurter Kirche beurkunden, wie Bertradis vor
ihnen durch Zeugen erwiesen, dass sie von dem verstorbenen Gerlach gewisse, auf
genannten Gärten vor Frankfurt lastende Jahreszinsen erkauft habe.*    *1300
September 30.*

    . . Officiales domini . . prepositi ecclesie Frankenvordensis. Recognoscimus per
presentes, quod Ber//tradis mulier de ortis ante portas Frankenvordenses sitis coram
nobis in figura iudicii // constituta, per vivum testimonium plurimorum proborum
virorum de ipsis ortis, quibus fides // est adhibenda, legitime probavit, quod rite et
racionabiliter et iusto empcionis titulo comparaverit et emerit erga quondam Gerlacum
commorantem in cymitherio . . Iudeo apud Frankenvord solidum Coloniens*ium* denariorum
in uno orto sito apud fontem Nigri Hermanni, item in alio orto contiguo solidum
Coloniens*ium* denariorum annui census in nativitate domini dandos et persolvendos,
quos quidem ortos tenet et possidet Heilmannus dictus Duvel de ortis, et ipsum
censum solvit. Item probavit, quod erga eundem Gerlacum comparavit et emit decem
et octo Colonienses denarios in duobus dimidiis iugeribus ortorum annui census, in
festo beati Martini novem denarios Colonienses et in festo beati Jacobi apostoli novem
Colonienses denarios dandos et persolvendos, quorum ortorum dimidium iuger situm
est apud viam, qua itur Burnheim, et aliud dimidium iugerum iuxta Pingestweide et
dicitur Schobinruke, quos tenet et possidet Crafto, privignus prefati Heilmanni Duveles,
et Gerlacus, filius Gerlaci quondam supradicti, nullum censum plus vendet in orto
contiguo prefato dimidio iugeri dicto Schobinruke, quem nunc tenet et possidet, preter
censum, quem nunc solvit, et si idem Gerlacus ad tantam inopiam devenerit, quod
predictum orto[a] colere non poterit nec censum solvere de eodem, ad ipsam Bertradim
ipse ortus devolvetur libere et precise, contradictione qualibet non obstante. Datum
sub sigillo nostro et actum anno domini m̊. cc̊c., in crastino beati Michaelis.

Or. Pgmt. Das abhangende Siegel ist abgerissen. St. A. Fr. Karmeliter Urk. No. 103.<br>
Gedr.: B., 336 nach dem Or. .

**772.** *König Albrecht verkündigt den Städten Oppenheim, Boppard, Oberwesel, Frankfurt, Friedberg, Wetzlar und Gelnhausen, dass er den Ulrich von Hanau zu ihrem
gemeinschaftlichen Generalvogt ernannt habe. Worms, 1300 October 20.*

    Albertus dei gracia Romanorum rex, semper augustus. Prudentibus viris . .
scultetis, . . consulibus seu scabinis in // Oppenheim, Bopardia, Wesalia, Frankenvort,
Frideberch, Wetzelaria et in Geilnhusen, fidelibus suis dilectis, graciam suam et // omne
bonum. Cupientes ex sinceri cordis affectu hiis, que promocionem sacri imperii respiciunt,
tam sollerter inten//dere, quod fidelium et devotorum nostrorum salutare commodum

---

[a] *So!*

feliciter dirigatur, habito itaque maturo deliberacionis consilio de preficiendo vobis advocato generali et rectore, in hoc nostrum resedit consilium et voluntas, quod nobili viro Ulrico de Hanowe, fideli nostro dilecto, de cuius circumspectionis industria, strennuitate et fidelitate fiduciam gerimus inconcussam, gubernationem vestram et civitatum vestrarum duximus committendam. Volentes pariter et mandantes, quatenus eidem tamquam advocato vestro nostro et imperii nomine intendatis in omnibus et fideliter pareatis, presentium testimonio litterarum. Dat*um* in Wormatia, XIII. kalend*as* novembris, indictione XIIIĬ., anno domini millesimo trecentesimo, regni vero nostri anno tertio.

> *Or. Pgmt. Das Siegel ist vom Pgmtstreifen abgefallen. St. A. Marburg, Hanauer Urk., Kaiser und Reich. — Grotefend.*
>
> *Gedr.: B., 336 nach der „Beschreibung der Hanau-Münzenberg. Lande“, Doc. No. 25. Ältere Drucke verz.: B., Reg. Alb. No. 314, Scriba, II, No. 897, ausserdem gedr. Reimer, I, 600 nach dem Or., wo weitere Litteratur.*

**773.** *Genannte Erzbischöfe und Bischöfe verleihen den Besuchern und Wohlthätern der Bartholomaeuskirche zu Frankfurt einen vierzigtägigen Ablass. Rom, 1300 October 20.*

Universis Christi fidelibus presentes litteras inspecturis, nos miseracione divina frater Basilius Gerosolimitanus,[a] frater Rainucius Callatertanus, et Adinulfus Consanus, archiepiscopi; frater Nicolaus Tercibulensis,[a] frater Jacobus Capeedoniensis,[a] frater Anthonius Cenodiensis, Manfredus sancti Marci, Nicolaus Neucastrensis, Rambuttus Camerinensis, episcopi, salutem in domino sempiternam. Splendor paterne glorie, qui sua mundum illuminat ineffabili claritate, pia vota fidelium de clementissima ipsius maiestate sperancium tunc precipue benigno favore prosequitur, cum devota ipsorum humilitate[a] sanctorum precibus et meritis adiuvatur. Cupientes igitur, ut parrochialis ecclesia sancti Bartholomei in Frankenvort, Maguntine diocesis, congruis honoribus frequentetur et a cunctis Christi fidelibus iugiter veneretur, omnibus vere penitentibus et confessis, qui ad dictam ecclesiam in omnibus festivitatibus subscriptis, videlicet nativitatis, resurreccionis, ascensionis domini, et penthecostes, necnon in omnibus festivitatibus beate Marie semper virginis, in commemoracione omnium sanctorum, in festivitatibus apostolorum Petri et Pauli et aliorum omnium apostolorum, in festo beatorum Johannis baptiste et ewangeliste, sancti Jacobi, Christofori, Laurencii, Stephani, Thome martirum, in festo beati Benedicti, Nicolai, Silvestri, Martini confessorum, in festo beate Marie Magdalene, Margarete, Katherine, Lucie, Agathe, et Agnetis virginum, et in festo beati Bartholomei, in cuius honore ipsa ecclesia est constructa, et per ipsarum festivitatum octavas habencium, causa devocionis accesserint et manus pro reparacionibus, emendacionibus, structuris, luminaribus, calicibus, ornamentis, vestimentis, libris, campanis, vel aliis quibuscunque dicte ecclesie necessariis porrexerint adiutrices, vel qui in bona sui corporis sanitate, seu eciam in extremis laborantes, quicunque[a] facultatum suarum legaverint misericordie[a] seu mittere procuraverint modo licito ecclesie supradicte, et qui presbiterum dicte ecclesie Christi corpus ad infirmos deferentem honeste associaverint et oracionem dominicam virginis Marie pia mente dixerint et sibi fecerint comitivam: nos de omnipotentis dei misericordia et beatorum Petri et Pauli, apostolorum eius, auctoritate confisi singuli nostrorum quadraginta dierum indulgencias de iniunctis eis penitenciis misericorditer in domino relaxamus, dummodo diocesani voluntas ad id accesserit et consensus. In cuius

a) *So!*

testimonium presentibus nostra sigilla iussimus apponi. Datum Rome, anno domini
ṁ. ććc., XIII. indiccione, die XX. mensis octobris, pontificatus domini Bonifacii
pape VIII. anno sexto.

*Abschrift in Barth. Bücher, Serie I No. 22ᵇ f. 185ᵇ. St. A. Fr.*

**774.** *Schultheiss Heinrich, die Schöffen und Rathsherren zu Frankfurt beurkunden,
dass Johannes, Sohn des Kürschners Friedrich von Umstadt, alle seine Güter
in und bei Frankfurt und in Petterweil dem Kloster Arnsburg vermacht habe.
1300 December 14.*

Nos Heinricus miles, scultetus, .. scabini et .. consules de Frankinvord. Tenore //
presencium recognoscimus, quod Johannes, natus quondam Frederici pellificis de Ome-
stad // et Drutlindis uxoris eius legittime, nostrorum concivium, in nostra presencia
constitutus // omnia bona sua, sive sint in agris, sive in censibus, extra muros Frankinvordenses et infra muros sita et quedam bona sua in villa Peterwile sita, quibus ex
morte dictorum suorum .. parentum successit tamquam verus et legittimus heres, pie
propter deum et redmedium(!) animarum dictorum suorum .. parentum, ut ipsius perpetua habeatur memoria, contulit et donavit de plano et precise cum omni iure, quo
eadem bona possedit, religiosis viris domino .. abbati et .. conventui monasterii Arnisburg, ordinis Cysterciensis, perpetuo possidenda; resignans et renuncians idem Johannes
omni iuri, quod eidem in prefatis bonis et censibus [competebat] seu competere videbatur. Testes huius sunt: Heinricus scultetus, Arnoldus de Glauburg, Hertwicus
de Alta domo, Sifridus de Gysenheim, Rudegerus et Ludewicus de Holtzhusen,
Markolfus de Lintheim, Johannes Goltstein, scabini, Hertwicus de Vite, Volcwinus
de Wetflaria, et quamplures alii cives Frankinvordenses fidedigni. In testimonium
premissorum nos .. scultetus et scabini antedicti ad rogatum parcium predictarum
sigillum universitatis Frankinvordensis presentibus duximus appendendum. Actum
anno domini ṁ. ććć., in crastino beate Lucie virginis.

*Or. Pgmt. Das anhängende Stadtsiegel (2) ist beschädigt. Lich.*
*Regest: Arnsb. Urkb., 221.*
*Verz.: Scriba, IVˢ, No. 3681.*

**775.** *Genannte Bischöfe verleihen allen denjenigen, welche etwas zur Unterhaltung der
Frankfurter Mainbrücke beisteuern, einen Ablass. Rom, 1300.*

Universis sancte matris ecclesie filiis, ad quos[a] presentes littere pervenerint.
Nos miseracione divina Nicolaus Capretanus, Landulphus Brixinensis, Nero Pontanus, //
Stephanus Oppidanus, Andreas Feretranus, Thomas Etisinus, Romanus Croensis,
Monaldus Civitatis Castellani, Maurus Amiliensis, Johannes Turritanus, Jacobus Calcedonie, Fredericus // Valvensis, Nicolaus Turtibulensis, frater Angelus Nepitinus, et
Jacobus Castellanus, episcopi, salutem in domino sempiternam. Quoniam, ut ait apostolus, omnes stabimus ante tribunal domini // nostri Jesu Christi, recepturi, prout in
corpore gessimus, sive fuerit bonum sive malum, oportet nos diem messionis extreme
misericordie bonis operibus prevenire ac eternorum intuitu seminare in terris, quod
reddente domino cum multiplicato fructu recolligere valeamus in celis, firmam spem
fiduciamque tenentes, quoniam, qui parce seminat, parce et metet, et qui seminat in
benediccionibus, de benediccionibus metet et vitam eternam. Cupientes igitur, ut

---

a) quas? — *Grotefend.*

pons de Frankenvort, ubi multitudo hominum, animalium, curruum, vehiculorum transitus multiplices et frequentes facit, congruis elemosinis a Christi fidelibus caritative sustentetur, omnibus vere penitentibus et confessis, qui predicti pontis reparationibus, emendacionibus seu aliis eiusdem necessariis, si que flumina multa periculosa cursus suos faciunt, ita quod, nisi recenter et continue idem pons reficiatur, dampna multimoda, tedia et impedimenta maxima toti populo frequenter imminebunt, quo quibusque valeant de bonis sibi a deo collatis manus porrexerint adiutrices vel quicquam facultatum suarum in extremis laborantes eidem ponti legaverint, donaverint, miserint seu procuraverint, necnon qui predictum pontem de Frankenvort, Maguntine diocesis, per grata karitatis subsidia spiritu humilitatis et misericordie visitaverint seu visitari fecerint, nos de omnipotentis dei misericordia beatorum Petri et Pauli, apostolorum eius, auctoritate confisi, singuli nostrum singulas dierum quadragenas de iniunctis sibi penitenciis, dummodo consensus diocesani ad id accesserit, misericorditer in domino relaxamus. In cuius rei testimonium presenti scripto sigilla nostra duximus apponenda. Datum Rome, anno domini millesimo ccc̄., pontificatus domini Bonifacii pape VIII. anno sexto.

Godefridus plebanus in Svalbach hanc indulgenciam ad pontem Fran. de curia Romana attulit.



**776.** *Schultheiss Heinrich, die Schöffen und Rathsherrn zu Frankfurt beurkunden, dass Ritter Gerlach von Rohrbach mit Einwilligung seiner Söhne dem Wicker vom Widder und dessen Frau 8 Achtel Weizen jährlicher Rente auf einer Hufe in der Gemarkung von Ober-Dorfelden verkauft habe. 1301 Januar 14.*

Nos Heinricus scultetus, .. scabini et consules de Frankinvord. Tenore presencium recognoscimus publice // profitendo, quod Gerlacus de Rorbach miles, noster concivis, una cum Eberwino, Theoderico et Gerlaco, // filiis suis, quos quondam a domina Jutta de Cronenberg, uxore eius legittima, procreaverat, communicata manu pa//rique consensu vendidit iusto vendicionis titulo Wicgero de Ariete et Katherine, uxori eius legittime, nostris concivibus, eorumque heredibus super uno manso proprietario in terminis superioris ville Dorvelden sito, quem quidem mansum dictus Gerlacus cum dicta uxore sua Jutta emerat et conparaverat apud Wolframum campanarium ibidem, octo octalia siliginis Frankinvordensis mensure annue et perpetue pensionis. Que vero octo octalia siliginis prefatis Wicgero suisque heredibus singulis annis infra duo festa assumpcionis et nativitatis beate Marie virginis debent porrigi Frankinvord et amministrari; resignans et renuncians idem Gerlacus una cum dictis suis filiis omni iuri, quod eisdem in predictis octo octalibus siliginis conpetebat, promittens nichilominus prelibatis Wicgero suisque heredibus de eadem pensione siliginis facere warandiam iustam, debitam et consuetam. Et super ipsa warandia facienda Heinricum de Hatzichenstein et Volradum, quondam scultetum Frankinvordensem, milites, memoratis Wicgero et eius heredibus constituit fideiussores. Condictum est eciam, quod quocumque casu contingente sepedicti Wicgerus vel sui heredes in predicta pensione siliginis inpedimenta paterentur, ipsi se de predicto manso, unde ipsa pensio siliginis derivatur, intromittere debebunt et ipsum mansum locare tamdiu, quousque ipsi suam pensionem siliginis neglectam penitus consequantur. Testes huius rei sunt: Arnoldus de Glauburg, Hertwicus de Alta domo, Sifridus de Gysinheim, Cunradus de Spira, Cunradus Burneflecke, Markolfus de Lintheim, Rudegerus et Ludewicus de Holtzhusen, Johannes Goltstein, scabini, et quam plures alii fidedigni. In cuius rei testimonium et debitam firmitatem nos .. scultetus et .. scabini antedicti ad rogatum parcium predictarum sigillum universitatis Frankinvordensis presentibus duximus appendendum. Actum anno domini m̃. c̃c̃c̃. primo, in crastino octave epiphanie domini.

*Or. Pgmt. mit beschädigtem Siegel. Lich.*

*Gedr.: B., 337, Reimer, II, 1, beide nach dem Or. . Auszug: Thomas, Oberhof, 444.*


**777.** *Werner von Griesheim und seine genannten Söhne bekennen, von den Prorisoren des Heiligen Geist-Hospitals zu Frankfurt einen Hof bei Griesheim mit 8¹/₂ Hufen Ackerland und 11¹/₂ Morgen Wiesen bei Rödelheim in Erbpacht erhalten zu haben. 1301 Januar 29.*

Nos Wernherus de Griszheim, Heinricus et Johannes, filii sui, tenore presencium recognoscimus, quod ab honestis viris Conrado de Spira et Volcwino de Wetflaria, civibus Frankenfurdensibus, provisoribus hospitalis sancti Spiritus infirmorum Frankenfurdens*is*, accedente consensu fratrum et sororum huiusdem hospitalis, conduximus curiam ipsius hospitalis apud villam Griszheim sitam et octo mansos cum dimidio, ad ipsam curiam pertinentes, et undecim iugera cum dimidio pratorum apud Redelnheim sitorum pro nobis nostrisque heredibus successivis cum omni iure et onere, quo ipsum hospitale ipsos mansos et iugera pratorum possidet, iure hereditario perpetuo possidendos, ita videlicet, quod nos nostrique heredes tenemur singulis annis infra duo festa assumpcionis et nativitatis beate Marie virginis prefato hospitali perpetuo dare et porrigere Frankford*ie* septuaginta octalia siliginis minus duobus octalibus Frankenfordensis mensure et duos anseres nomine annue[a] pensionis nostris laboribus et expensis, preterea tenemur honorandis viris domino decano et capitulo sancte Marie ad Gradus Moguntin*e* de uno manso de prefatis mansis, cum facultas se obtulerit, solvere melius caput, et non hospitali predicto, et nichilominus quinque solidos denariorum de ipsis pratis annui census. Testes huius sunt: Arnoldus de Glauburg, Hertwicus de Alta domo, Sifridus de Gisenheim, Conradus Burnflecke, Markolfus[b] de Lintheim, Rudigerus et Ludwicus de Holtzhusen, Johannes Goltstein, scabini, et quam plures alii fidedigni. In cuius rei testimonium memorato hospitali tradimus has literas sigillo universitatis Frankenvordensis sigillatas, quod ad preces nostras et sepedicti hospitalis presentibus per scabinos predictos est appensum. Actum anno domini m̃. c̃c̃c̃. primo, in dominica, qua cantatur Circumdederunt. Preterea recognoscimus, nos sepedicto hospitali sex iugera terre arabilis proprietaria, ut in pensione magis sit certum, in terminis dicte ville Grieszheim sita pro subpignore obligare.

*Abschrift im Kopialbuch Wigand Vogts. Am Rande:* „Litera non habetur". *St. A. Fr. Heil. Geist.-Hosp. Bücher.*


**778.** *Altrudis, die Wittwe des Ritters Rutschard von Lorch, schenkt dem Johanniter-Orden zu Frankfurt alle ihre jetzigen und künftigen beweglichen Güter und alle ihre ausstehenden Forderungen. 1301 Februar 9.*

Notum sit tam presentibus quam futuris harum litterarum inspectoribus universis, quod ego Altrudis, relicta // quondam .. Rutschardi militis de Loricha, sana mente et corpore constituta, omnia et singula // mobilia bona mea, que ubicunque locorum

<hr>

a) *Vorlage:* „ale" (!) b) *Vorlage:* „Marckolffus"

in presenti habeo et in posterum fuero habitura, quocu*n*que // nomine nuncupentur,
necnon universa debita, in quibus michi debitores quicu*n*que obligati existunt, religiosis
viris fratribus Hermanno, priori domorum per Alemaniam, et Herbordo de Loricha,
conmendatori domus in Frankenfort, ordinis hospitalis sancti Johannis J*h*erosolemitani,
nomine domus antedicte, do et trado donacione irrevocabili et legittima inter vivos;
transferens in eosdem iura et actiones, que michi in eisdem debitis competere possent
presenti tempore et futuro; dans quoque cuilibet eoru*n*dem fratrum specialem in
solidum potestatem dandi, distribuendi et alienandi dicta bona, quandocu*n*que et quo-
modocu*n*que eis placet, ad utilitatem prefate domus in Frankenfort, secundum quod
ipsis fratribus pro salute anime mee videbitur melius expedire. In quorum omnium
et singulorum evidenciam et testimonium peto cum instancia sub sigillo honorabilium
virorum dominorum .. iudicum sancte Moguntin*e* sedis hanc litteram roborari. Nos ..
iudices sancte Moguntin*e* sedis recognoscimus. omnia et singula premissa acta esse
coram nobis in modum pretactum, sigillum nostrum ad rogatum predicte Altrudis
presentibus appendentes, in firmitatem debiti roboris premissorum. Actum et datum
anno domini ṁ. cc̄c. ꝉ., quinto ydus februarii.

*Or. Pgmt. Das abhangende Siegel fehlt. St. A. Fr. Johanniter-Urk. No. 5.*

**779.** *Der Dechant der Frankfurter Kirche, Magister Ditmar, bezeugt als päpstlicher*
*Delegat, dass Peter Smizcekil und dessen Frau Kusa einen ihnen bisher von dem*
*Deutschordenshause zu Sachsenhausen entrichteten Zins dem Orden verkauft haben.*
*1301 Februar 16.*

Magister Ditmarus, decanus ecclesie Frankenvordensis, iudex causarum honorabilium virorum // dominorum .. co*n*mendatoris et .. fratrum domus Theutonice in
Sassinhusen a sede apostolica // [d]elegatus. Recognoscimus, quod Petrus dictus Smizcekil et Cusa, uxor eius le // [g]itima, coram nobis in figura iudicii consti*t*uti recognoverunt,
se iusto vendicionis titulo vendidisse prefatis .. co*n*mendatori et .. fratribus triginta
denarios lev*es* [Fra]nkenvordensis monete, quos iidem .. co*n*mendator et .. fratres
ipsis .. coniugibus annis singulis tenebantur nomine annui census, pro triginta septem
solidis et [se]x denariis lev*ibus* monete predicte et ipsam pecuniam ab eisdem .. co*n*-
mendatore et .. fratribus numeratam et integram recepisse; et resignacione iusta et
debita coram nobis facta, renunciaverunt pro se et suis heredibus omni iuri sive
actioni, quod vel que ipsis .. coniugibus et eorum heredibus in prefatis triginta
denariis posset aliqualiter co*n*petere in futurum. Presentes fuerunt: Cunradus clericus
cellerarius nostri decani, Rudolfus linista gener Lebiste liniste, et quamplures alii fidedigni. Actum anno domini millesimo tricentesimo primo, XIIII̅. kalend*as* marcii.

*Or. Pgmt. mit abhangendem Siegel. Die linke Seite der Urkunde ist z. Th. ausgerissen.*
*St. A. Fr. Deutschordens-Urk. No. 54.*

**780.** *Hermann von Schartfeld, Kanonikus zu Mainz, rererbpachtet sein Haus Zum Blicke*
*in Frankfurt an Konrad Rindfleisch und dessen Frau Kunigunde. Frankfurt,*
*1301 Februar 18.*

Datum per copiam sub sigillo mei .. officialis prepositure ecclesie sancti Petri
extra muros Moguntie: In nomine domini, amen. Universis has litteras inspecturis
pateat manifeste, quod ego Hermannus de Schartvelt, canonicus ecclesie Moguntin*e*,
tenore presencium publice recognosco, me domum meam cum curia sita in Franken-
*vord* iuxta domum quondam Marquardi de Wullenstat, dictam zum Blicke, cum omni
iure, quo ad me dinoscitur pertinere, Cunrado dicto Rintfleis et Kûnegundi, coniugibus
legitimis, pro se et suis heredibus recipientibus, ad pensionem infrascriptam michi

solvendam, prout inferius continetur, locasse seu iusto locacionis titulo concessisse, ab ipsis et suis heredibus iure hereditario perpetuo possidendam, ita sane, quod ipsi suique heredes dictam domum cum curia per se vel per alios inhabitent et edificiis suis seu melioracionibus, prout eis[a] placuerit et melius visum fuerit expedire, teneant et conservent suis periculis, laboribus et expensis; viceversa quoque nos Cunradus et Kunegundis, coniuges supradicti, publice confitemur, nos ex causa locacionis huiusmodi predicto domino Hermanno teneri et obligatos esse in quatuor marcis denariorum Coloniens*ium* legalium et bonorum, quolibet denario pro tribus hallensibus computato, nomine perpetui census seu annue pensionis, quem censum sive pensionem ipsi domino Hermanno sollempniter[b] stipulanti aut locis sive personis, quibus legaverit vel alias deputaverit, in omnem eventum sine protractione qualibet singulis annis in perpetuum in festo beati Martini episcopi tempore hyemali nostro et heredum nostrorum nomine solvere promittimus integraliter et complete et Moguncia*m* presentare nostris periculis, laboribus et expensis.  Spontanee eligentes, quod honor*abiles* viri domini iudices sancte Moguntine sedis in nos et heredes nostros, nobis in predictis bonis succedentes, quocienscu*n*que in solucione et presentacione dicti census, sicut premittitur, nos fuerimus et ipsi heredes fuerint negligentes,[c] excommunicacionis sentenciam, octo dierum monicione premissa, proferant, ad simplicem requisicionem prefati domini Hermanni vel illius seu illorum, ad quem seu ad quos census sive pensio huiusmodi devolvetur, omni iudiciorum strepitu quiescente, tamdiu execucione debite[d] demandandam, donec tam de dicto censu, quam et de expensis, dampnis et interesse, que excreverint, ipsi domino Hermanno vel suis successoribus in eodem fuerit plenarie satisfactum, quas expensas, dampna et interesse sibi una cum censu predicto neglecto solvere promittimus et integraliter resarcire et super eis dicti domini Hermanni vel successorum aut procuratoris eorum stare simplici iuramento sine aliqua alia probacione vel iudicis taxacione super hoc aliquatenus requirenda, pro quibus omnibus et singulis ratis et firmis habendis perpetuo et tenendis, nos predicti coniuges co*m*municata manu domum nostram sitam in Frank*en*fort iuxta cappellam sancti Nycolai, dictam zů Landecke, cum omnibus iuribus et pertinenciis suis predicto domino Hermanno et suis successoribus in censu predicto tytulo ypothece seu pignoris sollempniter obligamus, et recognoscentes expresse ea*m*dem domum nulli hominum fore quomodolibet obligatam, set ab omni obligacione liberam et omnino[e] vacuam; promittimus sepedicto domino Hermanno, quod super dicta domo ypothecaria nullam in futurum obligacionem vel contractum aliquem faciemus, per quam vel quem sibi aliquod dampnum vel preiudicium valeat generari, ad premissa nos et nostros heredes sine aliqua excepcione iuris et facti, cui renunciamus expresse, presentibus obligando.  In quorum omnium testimonium et perpetuam roboris firmitatem nos Hermannus et coniuges supradicti presentes li*tt*eras scribi fecimus et universitatis Frank*enfordensis* sigilli appensione muniri.  Nos quoque scultetus, .. scabini .. et universitas de Frank*en*fort recognoscimus, premissa coram nobis rite et racionabiliter acta fuisse et ad peticionem predicti domini .. Hermanni canonici et coniugum prefatorum sigillum nostrum hiis li*tt*eris appendisse in perpetuam memoriam geste rei.  Actum in Frank*en*fort, anno domini millesimo ccc. primo, XII. kalend*as* marcii.

*Abschrift (A.) im Städt. Kopialbuch IV. No. 63 (c. 1360—70).  St. A. Fr.*
*Verz.: Fr. Inv., III, 147.*
    *Die Urkunde ist ausserdem in einem notariellen Transsumpt (B.) von 1376 Januar 1 eines Vidimus der Stadt Frankfurt von 1331 Februar 18 (XII. kal. marcii) erhalten (St. A. Fr. Liebfrauenstift No. 449).  Diese Quelle bietet aber einen schlechteren Text des Originals.*

a) *A.:* „eiis!"   b) *Nach B. in A.:* „solempniter".   c) *A.:* „neglientes".   d) *A.:* „debete".   e) *A.:* „omnio".

**781.** *Erzbischof Diether von Trier gestattet den Dominikanern zu Frankfurt die Predigt und Seelsorge in dem ihrem Kloster zugetheilten Bezirk seiner Diöcese. 1301 Februar 25.*

Frater Dittherus, dei et apostolice sedis gracia Trivirorum archiepiscopus, viris religiosis // in Christo sibi dilectis priori et conventui fratrum ordinis Predicatorum in Frankinword, salutem et continuum // gracie salutaris aucgmentum. Quoniam arduis frequenter inpediti negociis, curisque distracti // diversis, sollicitudinem debitam singulis commissorum nobis necessitatibus, prout debemus, inpendere non valemus, vos, de quorum sciencie lumine, karitatis fervore, salutis animarum zelo et devocione ac dono multiplicis gracie fidem gerimus indubitatam, in partem cure nostre duximus advocandos, securi quod per vestram diligenciam et sollerciam possint et dibeant(!) suppleri, que per ocupacionem(!) continuam a nobis contigerit preteriri. Hinc est, quod vobis priori ac fratribus a vobis ad hoc electis in dyoces*i* nostra Treverensi, quantum ad terminos, qui ad conventum ᵃ vestrum pertinere dinoscuntur, damus facultatem predicandi verbum dei, ac omnibus, qui devote vos seu dictos fratres audierint, XL. dierum indulgenciam de iniuncta sibi penitencia conferendi, audiendi eciam confessiones, et iniungendi pro modo culparum penitenciam salutarem, eciam in casibus nobis a iure vel consuetudine ᵇ reservatis, exceptis dumtaxat homicidio voluntario et manifesto, sortilegio de corpore Christi facto, periurio sollempni et dampnoso, incestu cum matre vel filia, heresi publice docmatizatha, incendio sacrorum locorum, effraccione ecclesiarum, commutacione votorum terre sancte, apostolorum Petri et Pauli et beati Jacobi, que nobis retinemus. Insuper concedimus vobis potestatem absolvendi a sentenciis latis in generali vel in synodo seu eciam in concilio, que per testes non poterunt probari, absolvendi eciam a sentencia propter violentam manuum inieccionem in clericum infra XX. annos. Datum anno domini m̊. c̊c̊c̊., in crastino beati Mathie apostoli.

Or. Pgmt. mit anhängendem Siegelrest. St. A. Fr. Dominikaner-Urk. No. 30.

**782.** *Schultheiss Heinrich, die Schöffen und Bürger von Frankfurt beurkunden, dass der Frankfurter Bürger Hermann von Trais und Frau an Volkwin von Wetzlar und Frau eine ewige Korngülte auf Gütern in Dörnigheim verkauft haben. 1301 März 17.*

Nos Heinricus miles, scultetus, . . scabini ceterique cives de Frankinvord. Tenore presentium recognoscimus, quod Hermannus dictus de Treyse et Adilheidis, uxor eius legittima, nostri concives, in nostri presencia constituti communicata manu parique consensu vendiderunt iusto vendicionis titulo Volcwino de Wetflaria et Gerdrudi, uxori eius legittime, nostris concivibus, eorumque heredibus super dimidio manso et uno quartali terre arabilis in terminis ville Durengheim sitis maldrum siliginis Frankinvordensis mensure singulis annis infra duo festa assumpcionis et nativitatis beate Marie virginis, ipsum maldrum siliginis dictis Volcwino suisque heredibus Frankinvord dandum et porrigendum; resignantes et renunciantes dicti . . coniuges omni iuri, quod eisdem in predicto maldro siliginis conpetebat, promittentes nichilominus prelibatis Volcwino suisque heredibus de ipso maldro siliginis facere warandiam iustam, debitam et consuetam. Et super ipsa warandia facienda Heinricum Lebere, Johannem filium Ludewici cerdonis, Heilmannum et Bertoldum fratres de Duringheim constituerunt fideiussores, et nichilominus dicti . . coniuges ad maiorem cautelam domum suam Sassenhusen pro subpignore obligarunt. Testes huius sunt: Arnoldus de Glauburg, Hertwicus

a) „conventum" einmal durch Rasur getilgt.  b) Or. „consuedine".

de Alta domo, Sifridus de Gysenheim, Cunradus Burneflecke, Cunradus de Spira, Markolfus de Lintheim, Rudegerus et Ludewicus de Holczhusen, Johannes Goltstein, scabini, et quam plures alii cives Frankinvordenses fidedigni.   In cuius rei testimonium nos . . scultetus et . . scabini antedicti ad rogatum parcium presencium sigillum universitatis nostre presentibus duximus appendendum.   Actum anno domini m̃. cc̃c̃. primo, feria sexta proxima ante dominicam Judica.

Or. Pgmt.  Das anhängende Siegel ist abgefallen.  St. A. Marburg. — Grotefend.
Gedr.: Reimer, II, 3, nach dem Or. .

**783.** *Schultheiss Heinrich und die Schöffen von Frankfurt beurkunden, dass Ludwig, dessen Frau Paulina und deren Sohn aus erster Ehe Johannes dem Frankfurter Stiftskapitel ihre Besitzungen zu Rendel vermacht und ferner unter sich einige Vermögensverhältnisse geordnet haben.   1301 April 29.*

Nos Henricus scultetus et . . scabini de Frankenvord, tenore presentium recognoscimus, quot(!) Lu//dewicus et Paulina, uxor eius legittima, et Johannes, filius eiusdem Pauline, in nostri presencia constituti re//cognoverunt, se omnia bona in villa Rendele sita, que prefati Ludewicus et Paulina contra Sifridum dictum // de Rendele, quondam concivem nostrum, iusto emptionis titulo comparaverunt, honorabilibus viris dominis . . decano et . . capitulo ecclesie Frankenvordensis donassent, tradidissent et contulissent pro remedio animarum suarum perpetuo iure proprietario possidenda, ita tamen, quod prefati . . decanus et . . capitulum omnes fructus et proventus, qui cedere et derivari poterunt de bonis memoratis, tollent et recipient et ipsis Ludewico, Pauline et Johanni equaliter iuxta porcionem eorum, quemlibet pro sua tercia parte contingentem, ministrabunt eorumdem Ludewici, Pauline et Johannis periculis et expensis, et ipsis tribus personis vel alteri(!) eorum defunctis, sua tercia pars libere perpetuo manebit apud . . decanum et . . capitulum predictos et in anniversario eiusdem persone et eorum singulorum pro presenciis ministrabuntur . . canonicis et . . vicariis ecclesie supradicte. Preterea recognoscimus, quot(!) prefatus Johannes recognovit, se decem marcas denariorum Coloniens*ium*, tribus hallens*ibus* pro Coloniens*i* denario computatis, a Ludewico, vitrico suo predicto, in numerata pecunia recepisse, quas eidem tradidit ob contractum matrimonii, pro quibus decem marcis supradictus Ludewicus, si Paulinam, uxorem eius, supervixerit, decem marcas denariorum Coloniens*ium* preaccipiet, et aliam substanciam, tam in mobilibus, quam in immobilibus, idem Ludewicus et Johannes equaliter divident, ac ipse Ludewicus domum, quam nunc inhabitant, ad tempus vite sue possidebit et tenebit sine alienacione et vendicione, et ipso Ludewico defuncto ipsa domus ad prelibatum Johannem libere devolvetur.   In quorum omnium testimonium ad rogatum parcium suprascriptarum sigillum universitatis Frankenvordensis presentibus duximus appendendum.   Actum anno domini m̃. cc̃c̃. primo, III. kalendas maii.

Die Urkunde ist in zwei gleichlautenden Ausfertigungen vorhanden (St. A. Fr. Barth. St. No. 3034a u. b).  Der hier gegebene Druck ist nach No. 3034b.  No. 3034a, worauf der Druck bei B., 338 beruht, ist ziemlich schlecht erhalten, die erloschenen Schriftstellen sind von einer späteren Hand ungeschickt ausgefüllt, das bei b etwas beschädigte Siegel fehlt bei a.
Auszug: Thomas, Oberhof, 444.
Verz.: Scriba, II, No. 902.

**784.** *Albert und dessen Frau Adelheid vermachen dem Heiligen Geist-Hospital in Frankfurt einen Vierling jährlichen Zinses von ihrem Hause in der Schnurgasse. 1301 Juni 5.*

Noverint universi presencium inspectores, quod nos Albertus et Alheidis, uxor eius legittima, // relicta quondam Heinrici dicti de Else pannificis, cives Frankinvordenses, communicata manu pa//rique consensu contulimus et legavimus ac presentibus legamus ob remedium anime dicti Hein//rici defuncti animarumque nostrarum salutem hospitali sancti Spiritus infirmorum Frankinvord unum fertonem denariorum Coloniens*ium* supra domum nostram contiguam domui domini Johannis dicti de Rendele in der Snargazzen sitam, dictum fertonem singulis annis in decollacione beati Johannis baptiste de predicta domo nomine census perpetuo tollendum et percipiendum. Renunciamus eciam omni iuri, quod nobis in prefato fertone census conpetebat. Hoc eciam addito, ut in hospitali predicto memoria perpetua nostrarum animarum habeatur. In testimonium premissorum nos .. scultetus, .. scabini et .. consules de Frankinvord ad rogatum coniugum et hospitalis predictorum sigillum universitatis Frankinvordensis presentibus duximus appendendum. Actum anno domini m̅. c̊c̊. primo, feria secunda proxima post octavam Trinitatis.

*Or. Pgmt. mit dem abhangenden Stadtsiegel (2).    St. A. Fr. Heil. Geist-Hosp. Litt. A. No. 50.*
*Gedr.: B., 339 nach dem Or. .*

**785.** *Schultheiss Heinrich und die Schöffen von Frankfurt beurkunden, dass die Beghine Adelheid von Fechenheim dem Kloster Arnsburg ihr Haus in Frankfurt und ihre Besitzungen in Fechenheim mit Vorbehalt des lebenslänglichen Niessbrauches geschenkt habe. 1301 Juni 5.*

.. Nos Henricus miles, scultetus, et .. scabini de Frankenvord. Tenore presencium // recognoscimus, quod Adelheidis begina, nostra concivis, de Vechinheim in nostri presentia con//stituta donavit donatione inter vivos et deputavit religiosis viris domino .. abbati // et .. conventui monasterii in Arnsburg domum suam, quam inhabitat, apud domum puerorum de W̊llinstat sitam in Frankenvord post eius obitum et alia bona, quecunque habet et possidet ac habere dinoscitur in villa Vechinheim et in terminis eiusdem, sive sit in agris sive in ortis seu quocunque nomine censeantur. Ita sane, quod ipsa dicta bona possideat ad tempora sue vite; postquam de medio sublata fuerit, prefata bona et predicta domus ad predictos .. abbatem et .. conventum dicti monasterii Arnsburg libere devolventur. Preterea si Kunegundis, soror dicte Adelheidis, ipsam supervixerit, prelibatam domum in Frankenvord ad eius vitam possidebit et inhabitabit, ea sane protestatione, quod ipsam domum per edificia emendare debebit, cum fuerit necesse, ita quod ipsa domus in tali statu permaneat, quo ipsam intravit, alioquin ab ipsa domo per ipsos .. abbatem et .. conventum poterit amoveri, quod in optione dicti .. conventus stabit et stare debebit. Testes huius sunt: Arnoldus de Glouburg, Hertwinus de Alta domo, Cunradus de Spira, Cunradus Burnefleke, Sifridus de Gysinheim, Rudegerus et Ludewicus de Holzhusin, scabini, et quamplures alii fidedigni. In testimonium premissorum nos .. scultetus et .. scabini antedicti ad rogatum parcium predictarum sigillum universitatis Frankenvordensis presentibus duximus appendendum. Actum anno domini millesimo trecentesimo primo, in die beati Bonifacii.

*Or. Pgmt. mit dem anhängenden Stadtsiegel (2).   Lich.*
*Gedr.: B., 339 nach dem Or. = Reimer, II, 3.*
*Vers.: Scriba, II, No. 903.*

**786.** *Abt Heinrich von Arnsburg und der Augustiner-Prior Emercho zu Friedberg entscheiden einen Streit zwischen den Frankfurter Dominikanern und den Treuhändern der Mechthild Zimmermann über ein Haus in Friedberg[1] in folgender Weise:*

[1] *Die Lage dieses Hauses, die in der Urkunde nicht bezeichnet wird, ergiebt sich nur aus einer Dorsualnotiz des 16. Jahrhunderts. Für die Orts-* *angabe Frankfurt, die in den Regesta Boica l. c. angegeben wird, ist kein Anhaltspunkt vorhanden.*

„Nos .. ordinamus et diffinimus, ut supradicta domus, de qua hactenus mota est
questio, monasterio in Padenshusen perpetuo maneat simpliciter et precise. Predicatoribus autem adiudicamus et assignamus dimidietatem curie, que sita est
in Hauge, in ea parte, que proxima est curie Dytwini de Oistheim, ad usum
hospitalitatis ipsorum seu ordinis perpetuo possidendam. Insuper domina abbatissa
predicti monasterii de Padenshusen infra hinc et assumptionem beate virginis
proxime venturam dabit eisdem Predicatoribus sex marcas numerate pecunie,
quas tenebuntur infra biennium a recepcione ipsarum in melioracionem assignati
hospicii notorie convertere.“ *Friedberg, 1301 Juli 20.* (XIII. kal. aug.)

*Or. Pgmt. mit den anhängenden Siegeln der beiden Aussteller. München, Reichsarchiv.*
*Vers.: Regesta Boica, V, 11.*


**787.** *Marquard von Preungesheim, Ritter, und Volkwin von Wetzlar, ein Frankfurter
Bürger, vertauschen unter einander genannte in der Gemarkung von Frankfurt
und sonst in der Nähe gelegene Grundstücke.* 1301 August 24.

Ego Marquardus miles dictus de Bruningesheim. Recognosco presentibus publice
profitendo, quod de scitu et consensu Henrici militis, // fratris mei, et aliorum meorum
coheredum ac bona et matura deliberacione prehabita necnon plenius utilitate, con-
venientia et profectu // consideratis in concambio tradidi, donavi et assignavi Volgwino
dicto de Wetflaria, civi Frankenvordensi, et heredibus et successo//ribus suis novem
iugera terre arabilis et quartale unum, quorum quedam iure proprietario et quedam
in feodum possedi, que sita sunt in campis in hunc modum: videlicet quatuor iugera
iuxta pascuam dictam Markebach in via, qua itur Eschirsheim. Item duo iugera cum
dimidio sita sunt apud predicta quatuor iugera et tangunt ea uno fine. Item iuger
cum dimidio sita sunt versus villam Buckenheim et tangunt uno fine super Markebach,
pascuam predictam, et fuerunt quondam Henrici dicti Babinbergeres. Item quinque
quartalia sita sunt versus Buckenheim et tendunt uno fine ad agros dominarum de
Trono et adiacent agris magistri Marquardi de Bruningesheim, que iugera omnia
ipsi Volgwino tamquam propria exemi et eximo libere possidenda. Et ipse Volgwinus e converso michi, meis heredibus et successoribus tradidit, donavit et assignavit iugera infrascripta, que omnia tamquam propria possedit, que in recompensam
feudorum meorum et bonorum meis feudis et bonis attribui et attribuo a me et
successoribus meis possidenda et tenenda perpetuo, modo quo iugera per me in
concambio superius assignata possedi. Que scilicet iugera in campis sita sunt in hunc
modum: unus iuger cum dimidio sita sunt iuxta viam, qua itur Prumheim, et tangunt
uno fine ipsam viam et fuerunt quondam Friderici de Buckenheim. Item dimidium
iuger situm est apud Cusam beginam de Frankenvord. Item versus Ginnenheim et
Markebach unum iuger situm est. Item quinque quartalia pratorum sita in pratis
ville Buckenheim attinentibus, que omnia fuerunt quondam Wecelonis. Item unum
iuger situm est in novali et uno fine tendit super rubem dictam Hartradisbuzs. Item
dimidium iuger situm est in campis ville Husin. Item unum iuger cum dimidio sita
sunt in campis ville Buckenheim an dem Langenstriche. Item unum iuger situm est
an dem Vehewege. Item quartale unum situm est iuxta Steingrubin, que omnia etiam
fuerunt quondam Wecelonis. Dico etiam et volo omni dolo et fraude exclusis, quod, si
aliqui heredum seu successorum meorum ipsum Volgwinum vel suos heredis(!) in aliqua
parte in prefatis iugeribus ipsis per me assignatis, ut premittitur, inpediverint et
molestaverint, omnia iugera predicta michi per eumdem assignata ipse Volgwinus et
sui heredes reaccipient et libere possidebunt. Et in testimonium premissorum sigillum

meum una cum sigillo Henrici, fratris mei predicti, duxi presentibus litteris appendendum. Et ego Henricus, miles predictus, in testimonium veritatis, quod assensum et consensum meum premissis omnibus adhibuerim, sigillum meum una cum sigillo Marquardi, fratris mei, apposui huic carte. Datum et actum anno domini millesimo tricentesimo primo, in die beati Bartolomei apostoli.

*Or. Pgmt. Die zwei Siegel sind stark beschädigt. St. A. Marburg. — Grotefend.*

*Gedr.: B., 340 nach dem Kopialbuch der Johanniter No. 15 f. 50a, St. A. Fr., Reimer, II, 4*

*nach dem Or. .*

**788.** *Der Kantor des Frankfurter Bartholomaeusstiftes Albert von Karben ernennt seinen Mitkanonikus Gerlach Reschoven und den Kaplan des Frankfurter Heiligen Geist-Hospitals* (cappellanus hospitalis sancti Spiritus infirmorum in Franckinvord) *und Vikar des Bartholomaeusstiftes Friedrich Eisenmenger* (Ferrarius) *zu seinen Testamentsvollstreckern. Ausser dem Aussteller siegelt der Dechant Ditmar. 1301 August 31.* (II. kal. septemb.)

*Abschriften in Barth. St. Bücher, Serie I, No. 23 f. 137a und No. 24 f. 143a. St. A. Fr.*

**789.** *Der Kantor des Frankfurter Bartholomaeusstiftes Albert von Karben macht sein Testament. 1301 August 31.*

In nomine domini, amen. Noverint universi presencium inspectores, quod ego Albertus dictus de Carben, // cantor et canonicus ecclesie Frankenvordensis, licet debilis corpore, tamen compos mentis, testa//mentum meum lego et ordino in hunc modum: Primo .lego et ordino curias meas, bo//na mea, pratrum(!) meum,[1] quod emi, et curiam quondam fratris mei Rudolfi in terminis et villa minori Carben sita, cuius Rudolfi, fratris mei, sum manufidelis, dominis meis et sociis chori ecclesie Frankenvordensis, ut peragant anniversarium mei, Rudolfi, fratris mei, et parentum nostrorum, et si de ipsis curiis, bonis et prata(!) non posset haberi una marca denariorum annui census, que detur singulis annis in anniversario predicto presentibus, compleri debet de anno meo gracie. Item lego duas marcas denariorum annui census pro duabus presenciis, quarum una dabitur in festo Trinitatis et alia marca in festo assumpcionis beate virginis Marie pro presentiis, que quidem due marce comparabuntur de omnibus bonis meis mobilibus et suppellectilibus domus mee, vasis argenteis, lectisterniis, frugibus sive annona et vinis ac aliis, que in morte mea relinquero, ac aliis bonis, de quibus per me non fuerit dispositum et ordinatum. Item lego famulo meo Friderico Kachelhardo duas marcas denariorum parate pecunie. Item lego Heilemanno minori famulo duas marcas pecunie numerate. Preterea committo manufidelibus meis, ut si qui superveniant et ‑debito modo declarant suo iuramento, me eis in aliquo teneri, ipsis persolvant debita declarata. Datum sub sigillo meo et actum anno domini m̄. c̄c̄c̄. primo, II. kalendas septembris.

*Or. Pgmt. Siegelstreifen und Siegel abgerissen. St. A. Fr. Barth. St. No. 2807.*

**790.** *Die Stadt Seligenstadt tritt als Reichsstadt dem Bündniss der vier Reichsstädte der Wetterau bei. 1301 September 28.*

Nos .. advocatus, .. scabini, .. consules et universi cives oppidi de Selingistad. Tenore presencium recognoscimus publice profitentes, quod, cum nos sacro Romano imperio astricti, ligati, prout civitates Weteravie, videlicet Frankinvord, Frideberg,

---

[1] *Nach einer Rückaufschrift der Urkunde lagen diese Güter in ,Grunnaw".*

Wetflaria et Geylinhusen, simus omni fidelitatis devocione et promptitudine famulatus
subiugati, predictis Frankinvord, Fredeberg, Wetflaria et Geylinhusen oppidis astare
consilio, auxilio et opere contra quoscumque ipsorum iniuriatores et sacri Romani
imperii emulos pro totis nostris viribus presentibus litteris nos ipsis astringimus
fideliter et obligamus et hoc totis condicionibus et modis, quibus iam dicte civitates
pro nobis ferendo auxilio et iuvamine se nobis suis litteris patentibus obligarunt. In
testimonium et firmitatem omnium premissorum nos . . advocatus, . . scabini et consules
ac universi cives de Selingistad predicti sigillum nostre universitatis presentibus
duximus appendendum. Actum et datum anno domini ıħ. cċc. primo, in vigilia beati
Michahelis archangeli.

*Or. Pgmt. mit anhängendem Siegel. St. A. Wetzlar. — Grotefend.*
*Gedr.: Reimer, II, 6 nach dem Or. .*
*Verz.: B., Reg. Reichss., No. 253, Scriba, I, No. 707.*


**791.** *Das Deutschordenshaus in Sachsenhausen empfängt von dem Frankfurter Schult-*
*heissen Heinrich von Praunheim im Tausch für den ihm erlassenen Grundzins*
*von seinem Hof in Sachsenhausen einen andern Grundzins von dessen Gütern in*
*Bürgel. 1301 October 2.*

. . Commendator et . . fratres domus Theutonice in Sassinhusen, ordinis sancte
Marie, ac Henricus de Prumheim mi//les, scultetus Frankenvordensis, universis presencium inspectoribus presenti[bus] et futuris cupimus esse notum, // quod concambio
inter nos facto matura deliberacione prehabita, ego He[nricu]s miles, scultetus predictus.
in restau//rum et recompensam viginti denariorum *levium* monete Frankenvordensis et
[uniu]s pulli annui census, quos singulis annis prefatis . . commendatori et . . fratribus
ac eorum domui dare teneba[r perpet]uo in festo beati Martini de curia mea tota in
Sassinhusen sita apud curiam et domum . . commendatoris [et . .] fratrum antedictorum
versus Mogum, michi per eos remissorum et resignatorum, eisdem . . commendatori et
. . fratribus ac [eo]rum domui tradidi, donavi et assignavi et presentibus trado, dono
et assigno viginti septem denarios *leves* monete prefate annui census in festo beati
Martini de bonis meis in villa Birgele et terminis eius sitis percipiendos perpetuo et
tollendos, contradictione meorum heredum et successorum qualibet non obstante. Et
ne huiusmodi factum excidat extra memoriam hominum et aliqualiter violetur, presentes
litteras sigillis nostris hinc et inde tradimus sigillatas. Datum anno domini millesimo
tricentesimo primo, in crastino beati Remigii.

*Or. Pgmt. Anhängend Siegel des Komthurs (etwas beschädigt) und Bruchstück vom Siegel*
*Heinrichs. St. A. Fr. Liebfrauenstift No. 1193. Die Urkunde ist an einer Stelle durch-*
*löchert, die ergänzten Stellen sind oben in eckigen Klammern gegeben. Ein zweites Or.*
*befindet sich in Ullstadt.*
*Gedr.: B., 341 nach dem Or. .*
*Verz.: Scriba, I, No. 708.*
*Erwähnt: Lersner, I ª, 266.*


**792.** *Schultheiss Heinrich, Schöffen und Rath zu Frankfurt beurkunden, dass Franko*
*von Buchen und dessen Frau einen ewigen Zins von ihrem Hause in Frankfurt*
*an den Pfarrer Philipp zu Königstein verkauft haben. 1301 October 2.*

Wir Heynrich ritter, scholtisse, die scheffen und die ratmanne von Francfort.
dun kunt allen luden, die disen brieff ansehent odir horent lesen, daz Francke von
Buchin bi sancte Anthonien und Gudele, syn eliche huszfrauwe, unse mideburgere.

stunden vor unsz und verkaufften mit glichem willen rechtlichen und redelichen dem
wisen manne herrn Philips, perrer zu Kungisteyn, eyn marck kolscher pennige, jerliches
zinses, uff irme huse, darinne sye wanen, und uff deme, daz darzu gehoret. Disen
zins sollent der vorgenanten Francke, syn huszfrauwe und syn erbin eweclichen alle
jar geben dem vorgenanten hern Philipse uff dem cristdag von deme vorgenanten huse,
und hant derselbe Francke und syn huszfrauwe verzugen und uffgegeben alles recht,
das sy in der marck jerlichs zinses hatten. Ouch han sy gelobt, dem dicke genanten
hern Philip rechte, schuldige und gewo(n)liche werunge zu dune von deme zinse. Des
sint gezuge etc(!). Zu dises dinges gezucnisse und stediger vestikeit han wir der
schultisse und die scheffen vorgenant durch bede willen beyder partien unser stede
ingesigel an disen brieff gehangen. Der gegebin wart nach godes geburte druzehen
hundert jar und eyn jar, des andern dages nach sancte Remigius dag.

Deutsche Übersetzung des 15. Jahrhunderts im Falkensteiner Kopiar f. 173. Kreis-<br>archiv Würzburg. Regest: Sauer, I³, 50.

**793.** *König Albrecht erlässt den Städten Frankfurt, Friedberg und Wetzlar nach Empfang
einer gewissen Summe die Zahlung der Reichssteuer bis zum nächsten Weihnachten
und von da an auf weitere drei Jahre. Frankfurt, 1301 October 29.*

Nos Albertus dei gratia Romanorum rex, semper augustus. Ad universorum
noticiam volumus perve//nire, quod fructuosa et utilia servicia per prudentes viros
de Frankenfurt, Frideberg et Wetflaria // consules et cives nobis et imperio exhibita
et impensa et gratiora per ipsos exhibenda inantea pre // oculis collocantes ac attendentes labores innumeros, quos iidem sunt pro nobis hoc anno perpessi, ipsis, accepta
ab eis quadam summa pecunie, eam graciam duximus faciendam, quod exnunc et usque
ad festum nativitatis domini proximum et abinde ad tres annos immediate * sequentes
ab omni stura et exactione debeant esse liberi et soluti, dantes eis has nostras litteras
in testimonium super eo. Datum in Frankenfurt, anno domini millesimo trecentesimo
primo, indictione XV̇., IIĪI. kalend*as* novembris, regni vero nostri anno quarto.

Or. Pgmt. mit anhängendem Siegel. St. A. Wetzlar. — Grotefend.<br>Gedr.: B., Acta, 406, wohl nach derselben Vorlage.<br>Verz.: B., Reg. Alb., No. 357.

**794.** *Ritter Krafto von Greifenstein verzichtet auf alle Ansprüche wegen der Zerstörung
der Burg Greifenstein durch die vier Wetterau-Städte. 1301 October 29.*

Nos . . Crafto de Grifensteine miles. Notum facimus presentium inspectoribus //
universis, quod super destructione castri nostri de Grifenstein, quam commiserunt
civitates de Frankenforde, de Vredeberg, de Wetfloria(!) et de Geylenhousen, et super
eisdem civitatibus renunciamus omni actioni facte ex parte incliti domini quondam
Adulfi, Romanorum regis. Datum anno domini m̄. cc̄c̄. primo, in crastino beatorum
Symonis et Iude apostolorum.

Or. Pgmt. mit anhängendem Siegel. St. A. Wetzlar. — Grotefend.<br>Gedr.: Reimer, II, 6, nach dem Or. .

**795.** *Der Richter Konrad und Frau bekennen, dass sie an Arnold von Glauburg einen
jährlichen Erbzins auf ihrem Hause verkauft haben. 1301 December 7.*

<hr>

a) *Böhmer las: „inmediate".*

Cunradus iudex et Adilheidis, uxor eius legittima, cives Frankinvordenses, tenore presencium re//cognoscimus, quod cum uno fertone denariorum Coloniensium census annualis, quem communicata manu parique con//sensu super curiam et mansionem nostram vendidimus Arnoldo de Glauburg suisque heredibus, // prefatis Arnoldo et suis heredibus de dicta curia et mansione nostra tenemur solvere et porrigere perpetuo singulis annis in festo beati Martini duas marcas denariorum Coloniensium census annualis. Testes huius sunt: Hertwicus de Alta domo, Cunradus de Spira, Sifridus de Gysinheim, Rudegerus et Ludewicus de Holtzhusen, scabini, et quam plures alii fidedigni. In testimonium premissorum nos . . scabini antedicti ad rogatum parcium predictarum sigillum universitatis Frankinvordensis presentibus duximus appendendum. Actum anno domini ṁ. ċċċ. primo, in crastino beati Nicolai episcopi.

*Or. Pgmt. Das Siegel ist abgefallen. Frankfurt, Archiv der Freiherrn von Holzhausen. — Von Nathusius.*

*Gedr.: B., 342 nach dem Or. .*

**796.** *Schultheiss Heinrich, die Schöffen und der Rath von Frankfurt beurkunden, dass Hermann zur Alten Münze dem Weissfrauenkloster in Frankfurt wegen seiner in dasselbe aufgenommenen Tochter Kunigunde 1 Mark jährlichen Zinses von seinen zwei Kaufläden überwiesen habe. 1301 December 22.*

Henricus miles, scultetus, scabini et consules de Frankenvord,[a] tenore presencium recognoscimus publice profitentes, quod Hermannus de Veteri Moneta, noster concivis, in nostra presencia constitutus de consensu et bona voluntate Godelindis, uxoris sue legitime, ac domino Johanne sacerdote et Hedwigi, liberis ipsius Hermanni, renunciantibus et libere consencientibus, coram nobis unam marcam denariorum Coloniensium census annualis super duas apotecas suas, quondam Thilmanni[b] de Colonia et Eberwini dicti Duchmechers, civium Frankenfordensium, in quibus pannos suos vendere consueverunt, religiosis dominabus priorisse et conventui sanctimonialium ordinis Penitencium in Frankenfort[a] occasione Cunegundis, filie predicti Hermanni, quam predicta priorissa et conventus in suum cenobium et ordinem receperunt, pure propter deum contulit, dedit et assignavit, singulis annis in festo beati Martini sine impedimento quolibet perpetuo tollendam et percipiendam. Idem quoque Hermannus cum uxore sua, domino Johanne sacerdote ac Hedewige, liberis suis predictis, renunciavit omni iuri, quod eisdem in predicta marca census competebat seu competere videbatur. Testes huius sunt: Arnoldus de Glauburg, Hertwicus de Alta domo, Sifridus de Gisenheim,[c] Conradus de Spira, Conradus Borneflecke,[d] Markolfus de Lintheim, Rudigerus et Lodewicus de Holtzhausen,[e] Johannes Goltstein, scabini, et quam plures alii fidedigni. In testimonium et firmitatem omnium premissorum nos scabini antedicti ad rogatum parcium predictarum sigillum universitatis Frankenvordensis presentibus duximus appendendum. Actum anno domini ṁ. ċċċ. primo, in crastino beati Thome apostoli.

*Hier gedr. nach Abschrift Fichards, Geschlechter, Holzhausen, Urk. No. 6, St. A. Fr., die auch die Vorlage für B., 342 bildete. Eine weitere, aber schlechtere Abschrift findet sich in Weissfrauenkloster-Bücher, Serie II No. 8, f. 62. St. A. Fr. Siehe die Varianten. Das jetzt verlorene Or. ist im Repertorium von 1691 unter Littera B, No. 6 verzeichnet. Auszug: Thomas, Oberhof, 444.*

a) „Francenvord". b) „Culmanni". c) „Gysenheim". d) „Burneflecke". e) Rodegerus et Ludevicus de Holtzhusen".

**797.** *König Albrecht verpfändet an Ulrich von Hanau die Reichslehen und Pfandschaften Gerlachs von Breuberg in und bei Frankfurt (darunter den dortigen Zoll) und in Gelnhausen, die Gerichte Selbold und Gründau und überweist ihm das Ungelt zu Frankfurt auf 4 Jahre. Speyer, 1301 December 28.*

Albertus dei gracia Romanorum rex, semper augustus. Tenore presencium notum facimus universis, quod, cum // vir nobilis Ulricus de Hanowe, fidelis noster dilectus, nobis et imperio indefesse servierit, nos in recompen//sam expensarum suarum et dampnorum, si qua in obsequio nostro et imperii pertulit, eidem Ulrico omnia iudicia, feoda et obligaciones, que vel quas vir nobilis Gerlacus de Bruberch ab imperio in Franchenfort[a] et in terminis ibidem tenuit vel tenere dinoscitur, tytulo pignoris obligamus. [Preterea] adicimus[b] obligando theloneum nostrum in Franchenfurt, iudicia in Selbolt et in Grinda, [necnon omnia] feoda castrensia spectancia in Geilenhusen, que prefatus Gerlacus de Bruberch tenuit, habenda [per ipsum] Ulricum de Hanowe, sicut eadem iudicia et feoda iam dictus Gerlacus de Bruberch tenuit et possedit. Insuper obligacionis nomine assignamus prelibato Ulrico de Hanowe ungeltum in [Frankenford[c] a] festo beate[d] Walpurgis proxime affuturo ad quatuor annos continuos pro refusione damnorum,[e] ut supra tetigimus, deferendum. In cuius rei testimonium [hanc cartam][f] exinde conscribi ac nostre [maiestatis] sigillo fecimus communiri. Datum Spire, anno domini millesimo trecentesimo secundo, V. kalendas ianuarii, indictione XV., regni vero nostri anno quarto.



**798.** *Die Schultheissen und Schöffen von Frankfurt und Bischofsheim beurkunden, dass Hermann Bruchwyhe und seine beiden Töchter dem Meister und den Brüdern des Hauses der Leprosen vor Frankfurt bei ihrer Aufnahme genannte Güter in Bischofsheim geschenkt haben. 1302 Februar 3.*

Nos Heinricus miles, scultetus, et .. scabini de Frankinvord, necnon Wortwinus scultetus et .. scabini de Byscho//visheim. Tenore presencium recognoscimus, quod Hermannus dictus Brûchwyhe, Petrissa et Methildis, filie sue, ob bene//ficium ipsis per religiosos viros .. magistrum et fratres domus leprosorum extra muros Frankinvordenses, qui ipsos in suum ordi//nem pie propter deum receperunt, dicti Hermannus et sue .. filie accedente consensu Hermanni et Volradi, filiorum predicti Hermanni, communicata manu parique consensu ob remedium animarum suarum prefatis .. magistro et .. fratribus dicte domus leprosorum contulerunt et donaverunt donacione inter vivos curiam suam in villa Byschovisheim nuncupatam vulgariter sedilhoif et omnia alia bona sua, sive sint in vineis sive in agris, in terminis dicte ville sita cum omni iure, quo eadem bona possiderunt; resignantes et renunciantes coram .. sculteto et .. scabinis dicte ville Byschovisheim infra quatuor maccella, que vulgariter nuncupantur vier schirnen, omni iuri, quod eisdem in predictis curia et bonis conpetebat. Testes huius sunt: Arnoldus de Glauburg, Hertwicus de Alta domo, Sifridus de Gysinheim, Cunradus de Spira, Johannes Goltstein, Wortwinus scultetus, Cunradus dictus Weczil, Wortwinus et Cunradus de Bergin, scabini in Byschovisheim, et quamplures alii fidedigni. In cuius rei testimonium nos .. scabini de Frankinvord ad rogatum parcium

<hr>

a) „Franchenfurt“ *Reimer.* b) „addicimus“ *Reimer.* c) „Franchenfort“ *Reimer.* d) „sancte“ *Reimer* e) „dampnorum“ *Reimer.* f) „hanc cartam“ *fehlt im Or.*

predictarum sigillum universitatis oppidi nostri presentibus duximus appendendum.
Actum anno domini ṁ. cċċ. secundo, in crastino purificacionis beate Marie virginis.



**799.** *Schultheiss Heinrich, die Schöffen und der Rath von Frankfurt beurkunden, dass
der Bäcker Hartmud Blumechin und dessen Frau Herlaugis ihr Wohnhaus in
Frankfurt an Antonia, Wittwe Heinrich Froschs, verkauft haben. 1302 März 16.*

Nos Heinricus miles, scultetus, .. scabini et .. consules de Frankinford, tenore
presencium recognoscimus, quod Hartmudus dictus Blumechin pistor et Herlaugis,
uxor eius legittima, nostri concives, in nostri presencia constituti, communicata manu
parique consensu vendiderunt iusto vendicionis titulo domum suam, quam inhabitant,
contiguam domini[a] Conradi de Heldebergin, honeste matrone Anthonie, relicte quondam
Heinrici Rane, et suis heredibus, nostris concivibus, cum omni iure, quo dictam domum
possiderunt, perpetuo possidendam; resignantes et renunciantes dicti Hartmudus et
eius coniunx omni iuri, quod eisdem in predicta domo conpetebat; promittentes
nichilominus prelibate Antonie et eius heredibus de predicta domo facere warandiam
iustam, debitam et consuetam, et super ipsa warandia, ut est consuetum, prefate
Antonie et suis heredibus facienda, Wiglonem dictum Schakin de Meyinberg et Her-
burdum de Acryberahe memorati Hartmudus et eius .. coniunx constituerunt fideiussores. Testes huius rei sunt: Arnuldus de Glauburg, Hertwicus de Alta domo, Conradus de Spira, Syfridus de Gysinheim, Cunradus Bůrneflecke, Markolfus de Lintheim,
Rudegerus et Ludewicus de Hultzhusen, Johannes Goltstein, scabini, et quam plures
alii fidedigni. In testimonium et firmitatem omnium premissorum nos scultetus et ..
scabini prenotati ad rogatum .. parcium predictarum sigillum universitatis Frankinfordensis presentibus duximus appendendum. Actum et datum anno domini ṁ. cċċ.
secundo, feria sexta proxima post dominicam, qua cantatur Invocavit.



**800.** *König Albrecht schliesst mit dem Erzbischof Gerhard von Mainz Frieden. In
dem Vertrage wird u. A. stipuliert:* „Daz ungelt und die Juden zu Franckenfurd,
die sal er *(d. h. der Erzbischof)* behalden recht, als unser breffe stant und kunik
Adolfs, die er daruber hat, die briffe sal er auch behalden." *Speyer, 1302
März 21. (an s. Benedicten tage in der vasten.)*



**801.** *Markelo von Ossinheim, ein Frankfurter Bürger, schenkt dem Weissfrauenkloster
in Frankfurt wegen der Aufnahme seiner Tochter Lysa eine Hufe zu Ginnheim
und einen halben Hof daselbst, unter gewissem Vorbehalt. 1302 Mai 3.*

Noverint universi presencium inspectores, quod ego Markelo de Ossinheim, civis
Frankinvordensis, ob recepcionem // Lyse, filie mee, quam religiose domine .. priorissa
et .. conventus sanctimonialium ordinis Penitentum Fran//kinvord in suum ordinem
et habitum pie propter deum et ad instanciam precum amicorum meorum receperunt, //
dictis .. priorisse et .. conventui, accedente benivolo consensu .. Johannis et Dyne,
liberorum meorum, in annis etatis sue legittimis constitutis, dedi, contuli, donavi et

assignavi unum mansum terre arabilis in terminis ville Gynninheim situm et dimidietatem curie in ipsa villa ad ipsum mansum spectantem, post obitum Rychmudis, relicte quondam Wernheri dicti Falkin mei fratris, civis Frankinvordensis, ipsum mansum et dimidietatem curie iure proprietario perpetuo possidendum. Hoc sane addito, quod post obitum dicte Rychmudis, ut est pretactum, dicte priorissa et . . conventus Penitentum, que pro tempore fuerint, duodecim marcas denariorum Coloniensium legalis monete, quibuscumque personis deputaverit sive assignaverit, dare et porrigere tenebuntur, et extunc ipse mansus et pars curie antedicte libere et precise ad . . priorissam et . . conventum antedictas libere revertentur; resignans et renuncians una cum dictis meis liberis omni iuri, quod nobis in predictis manso et parte curie conpetebat. Preterea Volradum quondam scultetum, Cunradum de Spira et Johannem Goltstein pro Adilheide, filia mea sub annis minus legittimis constituta, prenotatis . . priorisse et . . conventui constitui fideiussores, quod quandocumque dicta Adilheidis ad annos etatis sue legittimos pervenerit, quod donacionem superius annotatam tenere debebit inviolabiliter ratam atque gratam et renunciacionem ac resignacionem faciet de eisdem. Testes huius sunt: dominus Ditmarus decanus ecclesie Frankinvordensis, Arnoldus de Glauburg, Hertwicus de Alta domo, Sifridus de Gysinheim, Cunradus Burneflecke, Markolfus de Lintheim, Rudegerus et Ludewicus de Holtzhusen, scabini, et quamplures alii cives Frankinvordenses fidedigni. In cuius rei testimonium et firmitatem debitam omnium premissorum ad rogatum parcium predictarum nos . . scabini antedicti sigillum universitatis Frankinvordensis presentibus duximus apponendum. Actum anno domini m̄. c̄c̄c̄. secundo, feria quinta post dominicam Quasimodo geniti.

Or. Pgmt. mit abhangendem Stadtsiegel (2). St. A. Fr. Weissfrauenkloster, Lade 17, F. No. 1.<br>
Gedr.: B., 343 nach dem Or., desgl. Reimer, II, 10. Erwähnt: Lersner, II b, 95.

**802.** *Schultheiss Heinrich und die Schöffen zu Frankfurt beurkunden, dass Ritter Gernod von Eschbach und dessen Frau dem Kloster Arnsburg ein Kindstheil an ihrem Nachlass zugesichert haben. 1302 Mai 22.*

Nos Heinricus miles, scultetus, et . . scabini de Frankinvord. Tenore presencium recognoscimus publice profiten//tes, quod honestus vir dominus Gernodus miles de Esschebach et Gerdrudis, eius collateralis legittima, in nostri presencia // constituti communicata manu parique consensu, titulo et nomine fratris Johannis, filii ipsorum, in monasterio Arnisburg // ordinis Cysterciensis, Maguntine dyocesis, existentis, ipsum monasterium Arnisburg post eorum obitum cum omnibus bonis proprietariis et hereditariis, que nunc habent et in posterum poterunt adipisci, quocumque nomine censeantur, hereditaverunt et presentibus hereditant tamquam alios heredes eorum successivos in seculo existentes, videlicet ita, quod prefatum monasterium Arnisburg et magistratus ipsius monasterii post decessum predictorum domini Gernodi et sue . . collateralis omnia bona, ut superius est expressum, que reliquerint, cum . . heredibus eorum, quos reliquerint, condividet equa lance et equalem porcionem bonorum relictorum recipiet cum eisdem. Testes huius sunt: Arnoldus de Glauburg, Hertwicus de Alta domo, Cunradus de Spira, Cunradus Burneflecke, Sifridus de Gysinheim, Markolfus de Lintheim, Rudegerus et Ludewicus de Holtzhusen, Johannes Goltstein, scabini, et quamplures alii cives Frankinvordenses fidedigni. In cuius rei testimonium nos . . scultetus et scabini antedicti ad rogatum parcium predictarum sigillum universitatis Frankinvordensis presentibus duximus appendendum. Actum anno domini m̄. c̄c̄c̄. II., feria tertia post dominicam Cantate.

Or. Pgmt. mit anhängendem, wohlerhaltenen Stadtsiegel (2). Lich.<br>
Gedr.: B., 344 nach Abschrift Kindlingers.<br>
Verz.: Scriba, II, No. 909.

**803.** *Der Scholaster von St. Mariengreden zu Mainz beurkundet als vom Papst ernannter
Richter, dass das Kloster St. Alban zu Mainz und das Deutschordenshaus zu
Sachsenhausen in ihrem Streite über das vom Kloster beanspruchte Besthaupt
(„optimale sive melius caput“) von Gütern zu Nieder-Wöllstadt den Dechanten zu
Frankfurt und den Kanonikus zu Morstadt, Heinrich Meun, zu Schiedsrichtern
erwählt haben. 1302 Juni 2. (IV. non. iunii.)*

*Gedr.: Baur, Hess. Urk., I, 306 nach dem Or. Pgmt. im St. A. Darmstadt.*

**804.** *Das Weissfrauenkloster zu Frankfurt schliesst einen Vergleich über die Weide-
berechtigung in Griesheim mit der dortigen Gemeinde und dem St. Mariengreden-
Stift zu Mainz. 1302 Juni 15.*

In nomine domini, amen. Nos Beatrix priorissa totusque conventus sanctimonialium Penitentum in Frankinvord notum facimus uni//versis presentes litteras
inspecturis, quod, cum honorabiles viri domini . . decanus et . . capitulum ecclesie sancte
Marie ad // Gradus Maguntine nobis in foro ecclesiastico aliquamdiu litem et questionem
movissent super eo, quod in preiudicium ipsorum // et dampnum incolarum ville Grizheim, ut dicebant, in eadem villa specialem haberemus pastorem et numerum ovium
quondam nobis ex gracia, ut dicebant, ab ipsis . . decano et . . capitulo concessum et
permissum longe excedentem, cum tamen in dicta villa Grizheim et terminis eiusdem
ius habendi specialem pastorem et pellendi ac pascendi gregem ovium nostrarum et
pecudum, utpote proprietatis titulo spectantibus ad predictam ecclesiam sancte Marie
ad Gradus Maguntine absque voluntate et consensu predictorum . . decani et . . capituli,
ut asserebant, non deberemus vel possemus aliqualiter usurpare, cupientes cum dictis
. . decano et . . capitulo modis omnibus in tranquillitate pacis et concordie vinculo
adunari, inter nos et . . predictos . . decanum et capitulum super huiusmodi lite et
questione talis ordinacio et amicabilis composicio intervenit, ita quod de consensu et
bona voluntate eorundem . . decani et capituli possumus in prelibata villa Grizheim
de cetero habere et tenere cum pastore speciali quadringentas oves, tantum et non
plures, proprias et non accomodatas nec pro mercede conductas, in terminis eiusdem
ville pellendas, pascendas seu nutriendas. Qui quidem numerus ultra festum beati
Martini episcopi hyemalis nullatenus excedetur, etiamsi per novos fetus eundem
numerum tempore estivali contigerit augmentari. Hoc adiecto, quod ad hec loca,
videlicet inter fossam superiorem et villam Grizheim predictam, item inter fossam
inferiorem et villam eandem, oves nostre non pellantur nec pascantur, ex eo quod
eadem loca pro pascuis equorum nostrorum et universitatis predicte ville sunt specialiter deputata. Preterea pastores nostri vitabunt omnia alia loca nec ad ea pellent
oves et pecora nostra, que loca per universitatem predictam et nuncium nostrum,
regentem in dicta villa curiam nostram, ad hoc deputatum, sub pena unionis per
custodiam, que vulgariter dicitur hegen, precipiantur et debeant evitari. Ceterum
singulis annis dabimus tria octalia siliginis Frankinvordensis mensure pastori incolarum
pro eo et eo nomine, quod nos in dicta villa Grizheim pellendo oves et pecora nostra
habemus pastorem specialem, quod, si secus in premissis seu aliquo eorundem per nos
fuerit attemptatum, quocienscunque notorie rei inventi fuerimus, tociens nomine pene
et unionis, que eynunge nuncupatur, quinque solidos Frankinvordensium denariorum
sine contradictione qualibet persolvemus. Insuper promittimus et debemus omnes et
singulas uniones per predictam universitatem in Grizheim et nostrum nuncium concorditer statuendas, sicut incole ipsius ville, firmiter et inviolabiliter observare. In
cuius rei evidentiam et testimonium predictorum honorabilium virorum dominorum . .

iudicum sancte Maguntine sedis, nostro et predictorum .. decani et capituli sigillis presentes litteras obtinuimus communiri. Nos .. iudices sancte Maguntine sedis, quia .. priorissa et conventus, necnon .. decanus et capitulum prenotati omnia supradicta sic esse acta in nostra presencia sunt confessi, ad utriusque partis instanciam et rogatum has litteras cum appensione nostri sigilli duximus roborandas. Actum et datum anno domini m̅. ċċ̇. secundo, XVII̊. kalendas iulii.

Or. Pgmt. mit 2 anhängenden Siegeln (Mariengreden und Weissfrauenkloster), dasjenige<br>
der Mainzer Richter fehlt. München, Reichsarchiv.<br>
Gedr.: Sauer, I², 51 (gekürzt).

**805.** *Schultheiss Heinrich und die Schöffen zu Frankfurt beurkunden, dass Wolfram, Sohn des Gärtners Friedrich, und seine Erben den Antonitern von Rossdorf Hof und Wohnhaus neben deren Niederlassung in Frankfurt verkauft haben. 1302 Juni 25.*

Nos Heinricus miles, scultetus, et .. scabini de Frankinvord, tenore presentium recognoscimus publice // profitendo, quod Wolframus, filius quondam Frederici Ortulani, Fultzo, Fredericus et Eppo, filii sui, Methildis, Elizabet // ac Gudele, nate sue, nostri concives, in nostri presencia constituti, communicata manu parique consensu vendide// runt iusto vendicionis titulo religiosis viris fratri Petro preceptori domus sancti Antonii Rosdorf ceterisque .. fratribus dicte domus, nostris concivibus, curiam suam et mansionem contiguam curie sancti Antonii in Frankinvord cum omni iure et onere, quo d[ictu]s Wolframus et sui .. liberi utriusque sexus ipsam curiam et mansionem possiderunt, pro triginta marcis denariorum bonorum et legalium ipsis Wolframo et suis .. liberis ab ipso fratre preceptore traditis, numeratis et penitus persolutis, ipsas, curiam et mansionem, perpetuo possidendas suisque usibus in omnem eventum applicandas; resignantes et renunciantes prefati Wolframus et eius .. liberi omni iuri, quod eisdem in predictis curia et mansione conpetebat; promittentes nichilominus sepedictis .. preceptori et .. fratribus predicte domus Rosdorf de ipsis curia et mansione facere warandiam iustam, debitam et consuetam. Testes huius sunt: Arnoldus de Glauburg, Hertwicus de Alta domo, Sifridus de Gysinheim, Cunradus de S[pira], Cunradus Burneflecke, Rudegerus et Ludewicus de Holtzhusen, Johannes Goltstein, [s]cabini, et quam plures alii fidedigni. In testimonium et firmitatem premissorum nos .. scultetus et .. scab[in]i antedicti ad rogatum .. parcium predictarum sigillum universitatis Frankinvordensis presentibus d[uximus] appendendum. Actum anno domini m̅. ċċ̇. secundo, in crastino beati Johannis baptiste.

Or. Pgmt. Das Stadtsiegel (2) hängt zerbrochen ab. Das Pergament ist durch Mäusefrass<br>
beschädigt. — St. A. Wiesbaden, Rossdorf-Höchst No. 40.

**806.** *Schultheiss Heinrich und die Schöffen zu Frankfurt beurkunden, dass Guda, die Tochter des Ritters Heinrich von Hattstein und Wittwe des Ritters Johann von Rohrbach, zur Abtragung der Schulden ihres verstorbenen Gemahls den Frankfurter Bürgern Dietrich Eisenmenger und dessen Sohn Friedrich gewisse Güter in der Gemarkung von Klein-Altenstadt verkauft habe. 1302 Juli 2.*

Nos Henricus miles, scultetus, et .. scabini de Frankenvord, tenore presentium recognoscimus publice profiten//do, quod Guda, nata domini Henrici militis de Hatzichinstein, relicta quondam domini Johannis militis de Rorbach, in // nostra presencia constituta occasione debitorum, que eius maritus, dum viveret, contraxerat, nec eidem suppeteret // facultas bonorum mobilium, ut ipsa debita contracta persolveret, ut

notorie fuit manifestum, ipsa Guda vendidit iusto vendicionis titulo Theoderico dicto
Ysinmengere apud fratres Minores et domino Friderico sacerdoti, eius filio, nostris
concivibus, duos mansos terre arabilis in terminis ville minoris Aldinstad sitos et
unam aream in ipsa villa ad ipsos duos mansos pertinentem pro sexaginta sex marcis
denariorum legalium prefate Gude ab ipsis Theoderico et Friderico, eius filio, traditis
et numeratis. Item iidem Theodericus et eius filius eodem modo emerunt et comparaverunt erga eandem Gudam quatuor iugera pratorum in terminis prefate ville sita,
sub eodem pacto et taxatione, quemadmodum alia iugera quatuor in ipsis duobus
mansis solvi contingunt; resignans et renuncians predicta Guda omni iuri, quod
eidem in predictis mansis et area, necnon quatuor iugeribus pratorum competebat,
promittens nichilominus prelibatis Theoderico et .. eius nato facere warandiam iustam,
debitam et consuetam, et de ipsa warandia facienda ipsis Th. et .. eius filio dominum
Wolframum militem, filium domini Henrici militis sculteti, Wolframum et Henricum,
fratres ipsius Gude, et Gerlacum, filium domini Gerlaci militis de Rorbach, constituit
fideiussores; ita sane, quod quandocunque liberi sepedicte Gude utriusque sexus ad
annos etatis sue legitimos pervenerint et constituti fuerint, quod ipsi vendicionem
premissam a sua matre factam tenere debebunt inviolabiliter ratam atque gratam.
Adiectum est etiam, quod, si aliquis fideiussorum predictorum ante warandiam sepedictis Theoderico et eius filio faciendam, ante complecionem annorum legitimorum
dictorum liberorum et resignacionem ipsorum bonorum venditorum ab hac luce migraverit, sepefata domina Guda unum eque ydoneum fideiussorem loco defuncti statuet
infra mensem; quod si non fecerit, superstites fideiussores, commoniti ab ipsis Th.
aut eius filio, in unum hospicium se Frankenvord recipient, fideiussionis sue debitum
exoluturi tamdiu, quousque loco defuncti alter eque ydoneus fideiussor subrogetur.
Testes huius sunt: Henricus miles scultetus predictus, Gerlacus de Rorbach, Volradus
olim scultetus, milites; Arnoldus de Glouburg, Hertwicus de Alta domo, Cunradus
de Spira, Sifridus de Gysinheim, Rudegerus et Ludewicus de Holzhusen, et Johannes
Goltstein, scabini, ac quamplures alii fidedigni. In cuius rei testimonium et debitam
firmitatem nos .. scultetus et .. scabini antedicti ad rogatum parcium predictarum
sigillum universitatis Frankinvordensis presentibus duximus appendendum. Actum anno
domini millesimo trecentesimo secundo, feria secunda proxima post festum beatorum
Petri et Pauli apostolorum.

Or. Pgmt. Anhängend das guterhaltene Stadtsiegel (2). Rückaufschrift: (14. Jahrh., 1. Hälfte):<br>
„Super bonis vicarie sancti Andree“. St. A. Fr. Barth. St. No. 1000.<br>
Gedr.: B., 345 nach dem Or. . Auszug: Thomas, Oberhof, 445.<br>
Verz.: Scriba, II, No. 910.

**807.** *Friedrich, Konrad, Hertwig, Brüder von Seckbach, und deren Schwestern Hildegunde und Kunigunde übertragen dem Kloster Arnsburg unter gewissen Bedingungen
Haus, Hof und Güter in Seckbach vor dem dortigen Gerichte. Zeugen:* Henricus
miles scultetus, Arnoldus de Glouburg, Hertwicus de Alta domo, Cunradus de
Spira, Sifridus de Gysinheim, Markolfus de Lintheim, Rudegerus et Ludewicus
de Holzhusin, Johannes Goltstein, scabini de Frankinvord. *Schultheiss und
Schöffen von Frankfurt siegeln mit dem Stadtsiegel. 1302 Juli 6.* (in octava
b. Petri et Pauli ap.)

Gedr.: Reimer, II, 12 nach dem Or. Pgmt. im St. A. Marburg, Arnsb. Urkb., 227, gekürzt<br>
nach zweitem Or. in Lich.

**808.** *Magister Ditmar, der Dechant der Frankfurter Kirche, beurkundet, dass Bertold
Zuruchere, Vikar am St. Marien-Magdalenenaltar in der Frankfurter Stiftskirche,
ein zu diesem Altar gehöriges, am Schlachthaus gelegenes Haus dem Schuster
Hermann vererbpachtet habe.　1302 Juli 15.*

Nos magister Ditmarus, decanus ecclesie Franckenfurdensis, tenore presencium
recognoscimus publice profitendo, quod Bertoldus dictus Zuruchere[a] sacerdos, vicarius
altaris sancte Marie Magdalene in ecclesia nostra predicta in nostra presencia constitutus, de scitu et voluntate nostra domum unam, altari suo predicto attinentem,
sitam super Slaheberge prope Slahehus carnificum in Franckenfurd, Hermanno cerdoni
et Elyzabeth, uxori eius legittime, ac heredibus eorundem locavit et concessit pro
decem sollidis(!) denariorum Coloniensium legalium et bonorum, ipsi Bertoldo aut
cuicunque vicario eiusdem altaris, qui pro tempore fuerit, in festo kathedre beati
Petri annis singulis annui census nomine persolvendis, iure hereditario perpetuo
possidendam.　Et in testimonium premissorum nos decanus ad instantes preces tam
Bertoldi vicarii, quam Hermanni et Elyzabeth prefatorum dedimus has litteras utrique
parti hinc et inde sigilli nostri munimine roboratas.　Et nos Bertoldus vicarius,
Hermannus et Elyzabeth predicti recognoscimus, quod supradictus magister decanus
ad rogatum nostrum siligillum(!) suum duxit presentibus appendendum.　Actum anno
domini m̅. c̅c̅c̅. secundo, in divisione apostolorum.

> *Abschrift in Barth. St. Bücher, Serie I, No. 25 f. 142a.*
> *Gedr.: B., 346 nach derselben Vorlage.*


**809.** *Elisabeth, die Tochter des Gerhard Luschus, überweist 5¹/₂ Morgen Weinberge,
Wiesen bei Meerholz und ihr Wohnhaus am Holzthor zu Gelnhausen dem Frank-
furter Bürger Arnold von Glauburg für eine Schuld ihres verstorbenen Vaters im
Betrage von 300 Pfund Hellern.　1302 September 29.　(in die Michaelis.)*

> *Gedr.: Reimer, II, 15 nach dem Deutschordens-Dokumentenbuch.　St. A. Stuttgart.*


**810.** *Der Dominikaner Johannes zu Frankfurt, Kulmann und Heilmann, Johanniter zu
Frankfurt, die drei Söhne des verstorbenen Frankfurter Bürgers Konrad Hilde,
geben zwei Weinberge (2³/₄ Morgen) in der Gemarkung von Kilianstädten an
Eberhard, Sohn Martins, für 8 Achtel Roggen jährlich in Erbpacht.　„Testes huius
sunt: Petrus custos, Johannes scolasticus ecclesie Franckfurdensis, Gerlacus
miles de Rorbach, Theodericus filius suus, Conradus de Spira, Johannes pellifex,
Wernherus de Lympurg, magister Sigelo medicus, Nicolaus Rosa, frater Drabodo.[1]
Es siegeln Schultheiss und Schöffen von Frankfurt mit dem Stadtsiegel.　1302
October 19.　(feria sexta post festum b. Galli.)*

> *Gedr.: Reimer, II, 16, nach Abschrift in Johanniter-Bücher, No. 15 f. XXIV.　St. A. Fr.*
> *　　In einer Urkunde der Officialen des Frankfurter Propstes („officiales domini prepo-
> siti ecclesie Franckenfurdensis“) über dieselbe Verleihung vom 22. October 1302 („feria
> secunda post diem b. Galli“) wird zugesetzt, dass die drei Brüder von einem der beiden
> Weinberge jährlich 5 Schillinge und 4 Pfennige leichter Wetterauischer Münze an das
> Kloster Altenmünster in Mainz zu entrichten haben.　Der oben wiedergegebenen Zeugen-
> reihe ist u. A. „Ebirhardus de Furbach, cantor ecclesie Franckfurdensis“ eingefügt.　Es
> siegelt ausser den Officialen auch das Kloster Altenmünster.*

> a) *Die Lesung des Namens ist unsicher, es kann auch „Zvruchere“, oder „Zbruchere“ richtig sein.*

[1] *Die folgenden Zeugen sind für Frankfurt
unwichtig.*

*Vgl. Reimer, l. c. Anm. nach Abschrift an gleichem Orte.*

*Am 18. November 1302 („in octava beati Martini") veräusserten die genannten drei Brüder, hier bezeichnet als Söhne Konrads von Gelnhausen, die Pachtgült an Bruder Hermann Jude, den Meister, und die Brüder der Frankfurter Johanniter. Heinrich, Ritter und Schultheiss, und die Frankfurter Schöffen siegeln mit dem Stadtsiegel. Gedr.: Reimer, II, 17 nach Abschrift an gleichem Orte.*

**811.** *Uda, die Tochter des Frankfurter Bürgers Konrad von Wöllstadt, vermacht ihrem Bruder Konrad und nach dessen Tode dem Kloster Arnsburg genannte Hauszinsen in Frankfurt. 1302 October 26.*

Ea, que geruntur in tempore, ne simul labantur cum tempore, necesse est, ut litteris et proborum virorum testimo//nio perhennentur. Hinc constet presencium inspectoribus universis, quod ego Ůda, filia quondam Cun//radi de Wllenstad, civis Frankenfordensis, pure propter deum contuli et legavi nomine testamenti // Cunrado, fratri meo, dicto de Wllinstad unam marcam denariorum censuum annualium et tres pullos, de qua marca Heilemannus dictus Selege dat octo solidos levium denariorum et unum pullum de domo Godelindis sita in vico dicto Geilinhusersgazse Martini: item Cunradus dictus Geilinhusere de domo sua, quam inhabitat, et de quadam alia domo, sitis in predicto vico, septem solidos levium denariorum, minus duobus denariis levibus Martini; item . . relicta quondam Arnoldi dicti Bumeister et sui heredes de quadam domo sita in dicto vico tres solidos denariorum levium minus duobus denariis levibus Martini; item . . relicta Gotfridi ligatoris vasorum de Grůnenberg de domo sua in supradicto vico sita viginti denarios leves et unum pullum Martini; item dominus Heilemannus sacerdos, filius quondam . . piscatricis, de domibus suis in prenominato vico sitis viginti septem Coloni*en*ses denarios et unum pullum Martini, annis singulis ad tempora vite sue tollendam et percipiendam; et ipsi (!) Cunrado fratri(!) meo defuncto predicta marca census annualis et tres pulli cedent perpetuo monasterio Arnesburg, ordinis Cisterciensis, contradictione quorumlibet non obstante. Et hec presentibus protestor et ratificari petii sub sigillo officialatus prepositure ecclesie Frankenfordensis. Et nos . . officiales domini . . prepositi ecclesie Frankenfordensis predicte ad rogatum Ůde prelibate sigillum officialatus nostri presentibus duximus appendendum. Actum et datum anno domini ṁ. cċc. secundo, feria sexta ante festum omnium sanctorum.

*Or. Pgmt. mit abhangendem Siegel. Lich.*
*Gedr.: Arnsb Urkb, 228 (gekürzt).*
*Verz.: Scriba, IV², No. 3699.*

**812.** *Das Stiftskapitel zu Frankfurt beurkundet, dass die Hebamme Dyna ihr in der Fahrgasse gelegenes Haus dem Deutschordenshause zu Sachsenhausen vermacht habe. 1302 November 7.*

Magister Ditmarus decanus et . . capitulum ecclesie Frankenfordensis, recognoscimus per // presentes et constare cupimus universis, quod Dyna obstetrix, mulier Frankenfordensis, // in nostri presencia constituta, sana corpore et compos mentis, voluntarie et non coacta, pro // remedio anime sue tradidit et donavit donatione inter vivos domum suam, quam inhabitat, in Frankenford in Vargazsen sitam, de qua solvit annis singulis in festo beati Martini octo solidos denariorum levium annui census nomine . . commendatori et . . fratribus domus Theutonice in Sassenhusen, eisdem . . commendatori et . . fratribus post obitum ipsius Dyne integre et libere possidendam;

ea sane protestatione mediante, quod ad tempora vite sue ipsam domum suam inhabitabit et censum memoratum solvet, et ipsa defuncta dicti . . commendator et . . fratres de eadem domo disponent et ordinabunt, prout ipsis visum fuerit expedire. In testimonium prefate donacionis ad rogatum Dyne supradicte sigillum ecclesie nostre, quo utimur ad causas, presentibus duximus appendendum. Datum anno domini m̄. cc̄c̄. secundo, VII. idus novembris.

> *Das Or., das sich wahrscheinlich noch in Sachsenhausen befindet, konnte von mir nicht*
> *eingesehen werden.*
> *Gedr.: B., 346 nach dem Or. .*

**813.** *Mechtild, die Tochter Konrad Durrenbosches, eine Beghine, schenkt dem Dominikanerkloster in Frankfurt einen Grundzins von zwei Häusern für ihr Seelgerät. 1302 November 12.*

Noverint universi presentes litteras inspecturi, quod ego Mechhildis[a] beggina, nata quondam Conradi dicti Durrenbosche,[b] civis Frankenfordensis, sana deliberacione prehabita, accedente consensu Heinrici pistoris, mei fratris, pie propter deum et ob remedium anime legavi, contuli et donavi donacione inter vivos religiosis viris priori et conventui domus Predicatorum Frankenfordensis super duabus domibus contiguis domui[c] Culmanni barbytonsoris[d] ex opposito domus Heinrici de Hachenberg sitis VIII. solidos denariorum Coloniensium legalis monete Frankenfordensis annui et perpetui census cum omni iure et onere, quo ipsum censum possedi, singulis annis · de ipsis duabus domibus tollendum de plano et percipiendum. Hoc sane addito, quod predicti prior et conventus debebunt perpetuo peragere singulis annis[e] anniversarium mei obitus cum vigiliis, missis et oracionibus more solito et consueto; resignans et renuncians omni iuri, quod mihi in predictis octo solidis denariorum census competebat. Preterea statuo et ordino, quod prefati octo solidi denariorum Coloniensium non debeant[f] ab ipsis priore et conventu[g] Predicatorum vendi, distrahi aut alienari ullo modo, quod si secus factum fuerit, ipso facto prefatus census ad meos coheredes penitus devolvetur[h] contradictione qualibet non obstante. Testes huius sunt: Arnoldus de Glauburg, Marckolffus de Lintheim,[i] Syfridus[k] de Gisenheym, scabini; Hertwicus de Vite, Heinricus de Hachenburg,[l] et quam plures alii cives Frankenfordenses fidedigni. In cuius rei testimonium nos scabini antedicti ad rogatum parcium predictarum sigillum universitatis Frankenfordensis presentibus duximus appendendum. Actum anno domini m̄. cc̄c̄. II., in crastino beati Martini episcopi.

> *Abschrift in Dominikaner-Bücher No. 2 f. 46b, 47a (A.) und nochmals ib. f. 73 ab (B.).*
> *St. A. Fr. Druck hier nach A., Varianten nach B. (a ff).*
> *Gedr.: B., 347 nach B. (?).*

**814.** *Schultheiss Heinrich und die Schöffen von Frankfurt beurkunden, dass der bisherige Streit um Güter bei Reifenberg zwischen dem Kloster Engelthal und Marquard und Hartmud von Sachsenhausen von ihnen zu Gunsten des Klosters ausgeglichen ist. 1302 December 6.*

Nos Heynricus miles, scultetus, et scabini de Frankenfort, tenore presencium recognoscimus publice profitentes, quod huiusmodi controversia et dissensio, que inter religiosas dominas abbatissam et conventum sanctimonialium monasterii de Engeltail,

---

Varianten von B.: a) „Mechildis“. b) „Durrenbusche“. c) „domini“. d) „barbitonsoris“. e) „annis“ fehlt. f) „debent“. g) „conventui“. h) So B., A. „devolventur“. i) „Kincheim“. k) „Sifridus“. l) „Hachenberg“.

ordinis Cisterciensis, ex una et Marquardum et Hartmudum fratres, natos quondam Hartmudi militis de Sassenhusen, nostros concives, ex parte altera vertebatur, super quibusdam bonis proprietariis ultra alpes versus Ryffenberg in diversis villis sitis, que quidem bona prefatus Hartmudus miles, genitor dictorum Marquardi et Hartmudi, prefato monasterio Engeltail pure propter deum ad Adelheidim, filiam suam, in dicto monasterio existentem, contulit et donavit, dicta dissensio et controversia per nos scultetum et scabinos antedictos per viam amicitie utrisque partibus consentientibus in hunc modum penitus est decisa, ita videlicet, quod prefati Marquardus et Hartmudus fratres pro se suisque heredibus renunciaverunt omni actioni, quam habere credebant et habere sperabant, super bonis memoratis, ita sane, quod de cetero ipsum monasterium Engeltail nunquam debebunt super bonis prenotatis impetere nec gravare verbo, opere sive facto, et hoc memorati Marquardus et Hartmudus fratres coram nobis promiserunt bona fide. Testes huius rei sunt: Arnoldus de Glauburg, Hertwicus de Alta domo, Cunradus de Spira, Sifridus de Gysinhem, Conradus Burneflecke, Rudegerus et Ludewicus de Holczhusen, Johannes Goltsteyn, scabini, et quam plures alii fidedigni. In testimonium et firmitatem debitam premissorum nos scultetus et scabini supradicti ad rogatum parcium predictorum (!) sigillum universitatis Frankenvordensis presentibus duximus appendendum. Datum anno domini ṁ. cċc. secundo, die Nicolai episcopi.

*Abschrift im Engelthaler Kopialbuch. St. A. Darmstadt. — Grotefend.*
*Gedr.: Baur, Hess. Urk., V, 171 (gekürzt) nach dieser Vorlage.*

**815.** *Die Johanniter-Kommende zu Frankfurt beurkundet, dass sie dem Arzte Meister Sigelo ein Haus am Luprandsborn gegen dessen bei dem Johanniterhofe gelegenes Haus in Tausch gegeben habe.* **1303 Januar 9.**

Wir brudir Herman von Mentze, conmendur des husis sente Johannis zu Frankinvord, der da // brudir Heinrichis von Kindehusen, des hohin meistirs des spidals sente Johannis von Jerusalem, stad // heldit in der Weidireibe und in Nydirlant, und die anderen brudere des selbin husis an eime deile, // unde meistir Sigele der artzit von Frankinvord an deme anderen deile, bekennen uns mit diesin geinvurtegin[a] briven und daz geschehin ist mit gehangnůsse unde mit willin hern Johannis Goltsteins, der da montbor was meistir Sygelin kindere, also wol kůntlich ist hern Sifride von Gysinheim, hern Cunrade von Spire, hern Ludewige von Holtzhusen, die scheffenen sint zů Frankinvord, unde hern Cunrade von Gysinheim, daz meistir Sygelin kint kůren hern Johannen Goltstein den vorgenantin zů montbor ubir alliz meistir Sigelin eigin und erbe, und mit namen ubir meistir Sigelin geseze alliz samit, daz da gelegin ist bi unserme hove zů sente Johanne. Daz ist also ubirtragin unde geshehin, daz meistir Sygele der vorgenante hait uns brudere Hermanne unde deme vorgenantin sente Johannis ordene daz nemeliche geseze ůfgegebin und ůfgelazin mit alleme deme rectbe, also her daz nemeliche geseze besaz, ewecliche und eigintliche zů besitzinde. Darwidere so hain wir brudir Herman unde die andern brudere sente Johannis die vorgenantin meistir Sygelin unde sinen erbin gegebin und ůfgelazin den hoif, der da ist gelegin bi Luprandisburnen, den brudir Heinrich Vende deme ordene gab, mit alleme deme recthe, als in der nemeliche brudir Heinrich Vende an uns brathe und wirn besazin, ewecliche und eigintliche zů besitzinde, und darzů han wir meistir Sygelin gegebin sesunddrizig marc Kolschir unde gezaltir penninge. Unde daz diese vorgenante rede

a) *Or. „geinwrtegin".*

stede unde veste blibe, des hait uns meistir Sigele gesatz zû burgin hern Sifridin von
Gysinheim, hern Johannen Goltstein, die scheffenen sint, und hern Cunradin von
Gysinheim, burgere von Frankinvord, recthe wershaf zû dûnne, also gewonlich ist,
unde dieselbin burgin hain wir brudir Herman und die andern brudere sente Johannis
meistir Sygelin widir gesatz recthe wershaf zû dûnne.  Uffe susliche rede, also hievor
geschriben ist, so hain wir brudir Herman der vorgenante vor uns und unsir brudere
unde meistir Sigele vor sich und her Johan Goltstein vor meistir Sigelin kint, die
ieme gantze macht haint gegebin mit alleme irme erbe zû dûnne und zû lazene, gentz-
lich virzig gedan vor shultheizin unde vor sheffenen zû Frankinvord.  Unde wir
shultheize Heinrich und die sheffenen von Frankinvord bekennen uns, daz wir hain
gesehin unde gehort lesen ûffene brive brudir Heinrichis von Kyndehûsen, des hohin
meistirs von sente Johanne, mit den her mach hat gegebin brudir Hermanne von
Mentze deme vorgenanten zû dûnne unde zû lazene von sinen unde von des ordenis
wegin zû Wedireibe und zû Nidirlant.  Unde bekennen uns auch, daz diese vorge-
schribine rede vor uns gehandilt ist, unde dûrch bede brudir Hermannis, sinir brudere
unde meistir Sygelin der vorgenanten hain wir ingesigil unsir stad zû Frankinvord
gehenkit an diesin brif.  Und ist gegebin nach godis geburte, da man zalte dûsent
drûhûndert iar und in deme drittin iare, an der nehistin mittewochin nach deme
zwelftin dage.

*Or. Pgmt. mit anhängendem Stadtsiegel (2).  St. A. Fr. Johanniter Urk. No. 10.*
*Gedr.: Kriegk, Bürgerthum, Neue Folge, 406 nach dem Or. .*

**816.** *König Albrecht beauftragt Ulrich von Hanau, den Landvogt in der Wetterau, die
dem Reiche entfremdeten Güter wieder einzuziehen.  Speyer, 1303 Januar 23.*
(X̊. kal. febr.)

*Gedr.: B., 348 nach dem Druck in der „Beschreibung der Hanau-Münzenberg. Lande",*
*II, 25; Reimer, II, 18 nach dem Or. Pgmt. im St. A. Marburg.*
*Sonstige Drucke verz.: B., Reg. Alb. No. 418 und Reimer, l. c. .*

**817.** *König Albrecht verleiht auf Bitten Ulrichs von Hanau der Stadt Hanau die Rechte
und Freiheiten von Frankfurt und einen Wochenmarkt:* „opido et opidanis suis in
Hanowe favoris regii plenitudinem impertimur et concedimus eisdem culminis
auctoritate regalis libertates, emunitates, iura, consuetudines et gracias, quibus
civitas et cives in Frankenfurt, fideles nostri, gaudere et perfrui dinoscuntur."
*Speyer, 1303 Februar 2.*  (IIÏI. non. febr.)

*Bester Druck nach dem Or. Pgmt. im St. A. Marburg: Reimer, II, 18.*
*Ältere Drucke verz.: ib. und B., Reg. Alb. No. 421.*

**818.** *Das Deutschordenshaus zu Sachsenhausen (*„frater Winricus commendator ceterique
fratres Theutonice domus in Sachssenhausen"*) erwirbt von Arnold von Glauburg
die in der Urkunde von 1302 September 29 (vgl. oben No. 809) erwähnten
Besitzungen des Gerhard (Luschus), Neffen (sororius) Arnolds, in und bei Gelnhausen und verpflichtet sich zur Bezahlung des Kaufpreises von 300 Pfund Hellern
in Raten zu 50 Pfund Hellern während der nächsten sechs Jahre.  1303 März 3.*
(in dominica Reminiscere.)

*Gedr.: Reimer, II, 19 nach Abschrift im Deutschordens-Dokumentenbuch.  St. A. Stuttgart.*
*Vgl. Niedermayer, 159.*

52*

**819.** *Arnold von Glauburg überlässt dem Deutschordenshause zu Sachsenhausen die in der vorigen Urkunde erwähnten Güter. Schultheiss und Schöffen von Frankfurt siegeln mit dem Stadtsiegel. 1303 März 3.* (dominica Reminiscere.)

*Or. Pgmt. mit Siegelrest. Wien, Deutschordens-Centralarchiv.*

*Gedr.: B., 330 nach dem Or., aber irrig zu 1300 März 6, Reimer, II, 20 nach dem Or. .*

*Verz.: Pettenegg No. 836.*

**820.** *Der Dechant der Frankfurter Kirche spricht einen bisher zwischen dem Deutschordenshause zu Sachsenhausen und der Gemeinde zu Neuenhain streitigen Weinberg zu Neuenhain dem ersteren zu. Frankfurt, 1303 März 19.*

In nomine domini, amen. Decanus ecclesie Frankenfordensis, iudex a sede apostolica delegatus. Noverint universi // presencium inspectores, quod, cum .. commendator et .. fratres domus Theutonice in Sassinhusen .. universita//tem ville Nove Indaginis super uno iugere vinearum, quem quondam Fridericus de Eschebach et Gysela, // uxor eius legittima, tenebant et possidebant, coram nobis traxissent in causam, peticionem suam proposuerunt in hunc modum: Coram vobis domino .. decano ecclesie Frankenfordensis, iudice a sede apostolica delegato, dicunt et proponunt in iure .. commendator et .. fratres domus Theutonice in Sassinhusin contra .. universitatem ville Nove Indaginis, quod, cum Fridericus quondam de Eschebach et Gysela, uxor eius legittima, communicata manu parique consensu ante viginti duos annos omnia bona sua, que tunc habuerunt et in posterum poterant adipisci, ipsis .. commendatori et .. fratribus donaverint donacione inter vivos liberaliter pro remedio anime sue, eadem tamen universitas unum iugerum vinearum in terminis ville Nove Indaginis situm de bonis Friderici predicti et eius coniugis sibi usurpaverint, eum in preiudicium dictorum .. commendatoris et .. fratrum detinendo et eos de fructibus dicte vinee hoc anno temere spoliando, petunt .. prefati .. commendator et fratres predictam universitatem, ut ipsam vineam deoccupent et fructus ablatos reddant, per vestram diffinitivam sentenciam condempnari et compelli, ut ipsos .. commendatorem et .. fratres de eadem vinea frui permittant pacifice et quiete, hec dicunt et cetera. Ad que petita ex parte universitatis per modum litem contestandi respondebatur, quod ipsa vinea esset eis ante decem annos donata per dictum Fridericum pro elemosina ad capellam ipsius ville Nove Indaginis. Ex parte vero .. commendatoris et .. fratrum ex adverso fuit responsum et propositum, quod prefatus Fridericus et .. uxor eius legittima longe ante donacionem, si qua eis esset facta de ipsa vinea, omnia bona sua, que tunc habuerunt in presenti vel que adipisci possent in futurum, ipsis .. commendatori et .. fratribus et eorum ordini pro elemosina donacione inter vivos legittime donaverunt, et ad hoc probandum iidem .. commendator et .. fratres se petebant admitti. Lite sic legittime contestata et admissis dictis .. commendatore et .. fratribus ad probandum de donacione ipsis facta, de ree partis voluntate receptis testibus et eorum deposicionibus publicatis renunciatisque omnibus aliis probacionibus et allegacionibus hinc et inde et concluso in causa ac sentenciam diffinitivam pro utraque parte ferri petentibus, die quoque data ad ferendum diffinitivam sentenciam, videlicet feria tercia post dominicam Letare,[1] dictis partibus prefata feria tercia coram nobis constitutis et sentenciam ferri postulantibus, nos habita penes nos plena deliberacione et iurisperitorum consilio, quia invenimus, prefatos .. commendatorem et .. fratres intencionem suam, quoad donacionem ipsis per Fridericum et eius uxorem factam, per testes legittime probavisse, supradictam vineam cum fructibus hoc anno inde perceptis per nostram diffinitivam sentenciam adiudicamus, supradicte universitati super ipsa vinea

---

[1] *1303 März 19.*

perpetuum silencium inponentes, reservata penes nos peticione et declaracione legittima
expensarum, quarum taxacionem eciam nobis presentibus reservamus.  Lata est hec
sentencia in claustro ecclesie Frankenfordensis, anno domini millesimo tricentesimo
tercio, X̊I̊I̊I̊I̊. kalendas aprilis.

*Or. Pgmt.  Das Siegel fehlt.  St. A. Wiesbaden. — Von Nathusius.*

*Regest: Sauer, I³, 53.  Vgl., Niedermayer, 144.  Am gleichen Orte giebt Sauer ein Regest
über das am 3. März 1303 (III non. marcii) abgehaltene Zeugenverhör.  Aus dieser
Aufzeichnung, deren Or. sich gleichfalls im St. A. Wiesbaden befindet, sind nur folgende
Angaben bemerkenswerth: Die Schenkung an das Deutschordenshaus hatte zu Anfang
der Regierungszeit König Rudolfs unter dem Komthur Ludwig von Schwalbach stattgefunden und das gesammte bewegliche und unbewegliche Eigenthum der Schenkgeber
umfasst, denen dafür Wohnung und Kost im Ordenshause gewährt wurde.  Nach dem
Tode der Ehegatten hatte ein gewisser „Zol de Eschebach“ auf 4 Morgen Ackerland
im Bezirke von Eschbach Anspruch erhoben, war jedoch durch die Mainzer geistlichen
Richter abgewiesen und zur Erstattung der Gerichtskosten verurtheilt worden.  Endlich
hatte Arnold Vogt von Eschbach die Schenkung in dem dortigen Gerichte erneuert.
(Nach Abschrift von Nathusius'.)*

**821.** *Das Leprosenhaus vor Frankfurt nimmt von Heinrich Palmistorfer und dessen
Frau Adelindis genannte Äcker bei dem Leprosenhof in Erbpacht.  1303 März 20.*

Nos magister Rudolphus domus leprosorum extra muros Frankenfordenses ceterique
fratres et sorores eiusdem domus, tenore presencium recognoscimus publice profitentes,
quod conduximus a Henrico dicto Palmistorfore pannifice et Adelindi(!), uxore eius legittima,
civibus Frankenfordensibus, unum mansum et duo iugera cum dimidio terre arabilis apud
nostram curiam situm, quem dictus Henricus Palmistorfore apud Rudolphum, quondam
magistrum fabrice ecclesie Frankenfordensis, et eius uxorem legittimam, cives Frankenfordenses, racionabiliter emit et conparavit, iure hereditario perpetuo possidendum, ea
sane protestacione, quod nos magister Rudolphus et fratres dicte domus leprosorum,
aut qui post nos pro tempore fuerint, dabimus et porrigemus singulis annis infra duo
festa assumpcionis et nativitatis beate Marie virginis prefatis Henrico et suis heredibus
undecim octalia siliginis Frankenfordensis mensure ad domum, quam in Frankenforden(!)
deputaverint, nostris laboribus et expensis; et ut iidem Heinricus Palmistorfore et sui
heredes de ipsa pensione siliginis sint securi et assecurati, si in ipsa pensione ipsis
porrigenda et danda suo tempore essemus, quod absit, negligentes aut remissi, respectum
ad nostram curiam et domum de plano habebunt et ad hoc nos astringimus litteras
per presentes.  In cuius rei testimonium nos .. scultetus et scabini de Frankenford
ad rogatum partium predictarum sigillum universitatis Frankenfordensis presentibus
duximus appendendum.  Actum anno domini millesimo trecentesimo tercio, feria quarta
post dominicam, qua cantatur Letare.

*Nach einem notariellen Transsumpt von 1406 Mai 6.  St. A. Fr. Weissfrauenkloster, Lade
17, L. No. 1.*

*Gedr.: B., 348 nach derselben Vorlage.*

**822.** *Wigand von Buches und Frau, wohnhaft in Heldenbergen, verkaufen dem Deutschordenshause zu Sachsenhausen einen Hof, einen Garten, 3¹⁄₂ Hufen weniger 6¹⁄₂
Morgen in der Gemarkung des Dorfes Heldenbergen für 178 Mark zu Eigenthum.
Zeugen: „Cunradus antiquus Swevus, Wilhelmus Ulnere, Syboldus de Heldebergin,
Bertoldus iuvenis Swevus, milites; Sifridus de Gysinheim et Johannes Goltstein,
scabini Frankinvordenses.“ Schultheiss und Schöffen von Frankfurt siegeln mit
dem Stadtsiegel.  1303 März 25.  (fer. secunda p. domin., qua cantatur Judica).*

*Or. Pgmt. mit anhängendem Stadtsiegel (2).  St. A. Darmstadt.*

*Gedr. danach: Baur, Hess. Urk., I, 307 zu April 26.*

**823.** *Siegfried von Eppstein und seine Frau Isingardis verkaufen an Wicker vom Widder und dessen Frau Katherina ihren Thurm (Hof?) in Sossenheim und einen Theil des Zehnten in Nieder-Erlenbach.  1303 April 9.*

Sifridus dominus de Eppinstein et Isengardis, eius collateralis, notum facimus universis has literas visuris et audituris, quod nos coniuncta manu parique consensu turrim[a] nostram, in villa Sozinhaim sitam, cum omnibus agris, pratis in terminis dicte ville[b] Sozinhaim sitis, ad predictam turrim nostram spectantibus, et partem decime ville inferioris Erlebach nos contingentis, quibus ex morte nobilis viri domini Wernheri quondam de Muntzenberg, socri et genitoris nostri, legitima divisione successimus, cum omni iure, quo prefatus dominus Wernherus de Muntzenberg predicta bona, videlicet turrim, agros, prata ac decimam, et nos a tempore sui obitus hactenus possedimus et possedit, vendidimus rite et rationabiliter iusto venditionis titulo honesto viro Wickero de Ariete et Cathrine, uxori eius legitime, civibus Frankinvordensibus, et eorum heredibus, predicta bona iuste et titulo proprietario perpetuo possidenda, resignantes etiam et renunciantes de plano et precise omni iuri, quod nobis in predictis bonis competebat, promittentes nichilominus prenominatis Wickero et eius coniugi et eorum heredibus de memoratis bonis facere warandiam iustam, debitam et consuetam. In cuius rei testimonium et firmitatem debitam omnium premissorum nos Syfridus dominus de Eppinstein et Isingardis, eius collateralis, prenotati memoratis Wigero suisque heredibus tradimus has literas sigillorum nostrorum munimine una cum sigillo Philippi domini de Muntzenberg roboratas. Et nos Philippus dominus de Muntzenberg iamdictus recognoscimus sigillum nostrum ad petitionem nobilis viri Sifridi[c] domini de Eppinstein et Isingardis, sue collateralis, nostre sororis, una cum sigillis suis presentibus appendisse. Actum et datum anno domini m. ccc. III., feria tertia in festo pasche.

*Abschrift Fichards: Geschlechtergeschichte, Wedel, Beilage A.,* „ex libro copiali“ *des Holzhausen-Archivs.  St. A. Fr.*

**824.** *Schultheiss Gotze Beyer, die Schöffen und der Rath von Frankfurt beurkunden, dass ihre Zwistigkeiten mit Ulrich von Hanau ausgeglichen sind, und schliessen einen Bund mit ihm.  1303 Mai 19.*

Ich Gotze Beyer der schultheize, die . . scheffenen unde der rait gemeinsamecliche von Frankin//vord, dûn kûnt allen den, de diesin geinvurtegin brif gesehin odir gehorint lesen, daz alsoliche // zweiûnge unde misschellûnge, die wir mit deme edelin manne herrin Ulriche von Henouwe, un//serme lantfoide zû Wedireibe, hattin, unde her mit uns, an broichin und an werrin, die undir uns und ieme ûfgelaufin warin, an diesin hudegin dag, der nemelichin zweiûnge und der brûche hain wir gantz virzygin unde luterliche, unde her auch ûf uns, unde sprechin, daiz wir hain globit deme vorgenanten edelin manne herrin Ulriche von Henouwe, won her ein burger ist des kûnegis und der stat zû Frankinvord, wer der were, der ieme unrethe dede odir wolde gewalt dûn an keinen dingin, des her vor uns zû rethe wolde kûmen unde sten als ein burger unde wolde reth nemen unde gebin, wer ieme des nith wolde dûn, so sollin wir ieme beholfin sin mit rade, mit dade unde mit helfe, also lange biz man [r]eth von ieme neme ane alle arge liste, als unserme burger, her si arm odir riche, unde sollin ieme unser stait zû Frankinvord ûffenen zû deme criege glichir wis, als uns der nemeliche

a) *Fichard las erst* „turrim“, *schrieb dann darüber* „curtim“, *das er aber wieder tilgte. Die Lesart* „curtim“ *erscheint wahrscheinlicher.*  b) *Vorlage:* „dictae villae“, *auch sonst stets* „ae“ *statt* „e“.  c) *Vorlage:* „Sigfridi“.

edele man von H[enouwe] sal uffenen alle sine vestenen, ob iz uns noit dût, ane alleine unsern herrin den Romeschin kûnig und daz ryche, daz neme wir ûz aller dinge. Wir sprechin auch daz, daz wir den vorgenantin edelin man sollin erin unde vurderin nach unser maich an allin stûcki[n], daizselbe sal her uns wider dûn. Der vorgenantin rede sint gezuge die ersamen lude: h[er] Cunrad von Clen, her Crafth von Beldirsheim, schultheize Heinrich, schultheize Volrad, h[e]r Sybolt Bulgerin, die ritthere sint; her Arnolt von Glauburg, her Hertwin von me Hohinhûs, her Sifrid von [Gysin]-heim, her Rudeger unde her Ludewig von Hûltzhusin, her Johan Goltstein, die scheffenen; her Hertwin von me Rebestocke, Wigle von Wanebach, Wigle von deme Vroyshe, Cunrad von Heldebergin, her Cunrad Zurchere, die ratmane sint zû Frankinvord, unde ander birbir lûde vil unde gnûg. Daz diese vorgenante rede stede unde veste blibe, des hain wir [die] scheffenen und der rait von Frankinvord diesin geinvurtegin brif gegebin deme vorgenantin edelin manne herrin Ulriche von He[nou]we besigilt mit ingesigele der gemeinde von Frankinvord. Unde ist der brif gegebin, da man zalte nach godis geburte dusint iar, drûhûndert iar, in deme drittin iare, an deme sûndage nach unsers herrin ûffart.

> *Or. Pgmt. mit anhängendem Stadtsiegel (2). St. A. Fr. Priv. No. 23a. (Ugb. A. 81 F.)*
> *Gedr.: Fichard, Entstehung, 356 „ex copia“, vgl. 171 = B., 349 = Reimer, II, 24.*
> *Verz.: Fr. Inv., III, 3.*

**825.** *Ritter Heinrich von Katzenelnbogen, genannt von Altendorf, und Frau verkaufen ihre Güter in und bei Ober-Wöllstadt an Hedwig, Wittwe des Frankfurter Bürgers Friedrich Kachelhart. 1303 Juni 10.*

Nos Henricus miles de Caczinellinbogin dictus de Aldindorf et Lucardis, uxor eius legittima. Tenore pre//sencium recognoscimus publice profitentes et constare cupimus presencium inspectoribus universis, quod nos // matura deliberacione prehabita, communicata manu parique consensu omnia et singula bona nostra in villa sup//eriore Wllinstad et terminis eiusdem ville sita, que nobis a Wernhero quondam milite dicto de Beldersheim, patre mee Lucardis et socero mei Henrici, ex iusta divisione heredi-taria, que vulgariter dateil nuncupatur, derivabantur, Hedewigi, relicte quondam Friderici dicti Kachilhart, civis Frankenfordensis, iusto vendicionis titulo vendidimus pro centum et quinquaginta marcis denariorum Coloniensium legalium et bonorum, ab eadem Hedewigi receptis in pecunia numerata, cum omni iure, prout eadem bona hucusque pacifice possedimus et quiete, iure proprietario perpetuo possidenda, resig-nantes et renunciantes pro nobis nostrisque heredibus et successoribus universis, quod eciam fecit una nobiscum Cunradus dictus Colbindensel miles de Beldersheim, quem quoad ipsa bona procuratorem seu mundiburdum nostrum constitueramus, dolo et fraude exclusis, omni iuri sive actioni, quod vel que nobis vel ipsis heredibus et successoribus nostris de iure vel de facto posset competere in futurum. Statuimus etiam prelibate Hedewigi relicte hos subnotatos, videlicet Fridericum dictum Dugel seniorem, Cunradum de Hatzichinstein, Cunradum de Erlebach, milites; et Cunradum dictum de Heldebergin, civem Frankenfordensem, fideiussores, quemlibet eorum in solidum, ita quod non sit melior condicio occupantis, de warandia facienda iusta, debita et consueta. Testes huius sunt et presentes interfuerunt huic vendicioni et resignacioni: Henricus advocatus de Erlebach miles, Sifridus dictus de Gysenheim, scabinus Frankenfordensis, frater Wernherus et frater Fridericus, procuratores curia-rum monasteriorum de Arnesburg et de Schonenouwe in Frankenford, Henricus scul-tetus, . . scabini et alii incole dicte ville Wllinstad, Wigandus dictus Elwinstedere de

Acarbin, Gerlacus dictus Ruzso de inferiore Wllinstad, et quam plures alii fidedigni.
In testimonium et memoriam omnium premissorum, et ut inviolata permaneant, presentes litteras supradicte Hedewigi sigillo mei Henrici et sigillis . . universitatis de
Frankenford ac Cunradi dicti Colbindensel militis predicti tradimus sigillatas. Et
nos . . scultetus et . . scabini de Frankenford sigillum universitatis nostre et ego
Cunradus Colbindensel miles predictus sigillum meum una cum sigillo Henrici dicti
de Aldindorf militis antedicti recognoscimus hiis litteris appendisse ad rogatum parcium
prefatarum. Datum et actum anno domini millesimo tricentesimo tercio, in vigilia
beati Barnabe apostoli.

Or. Pgmt. mit den drei anhängenden Siegeln, 1 und 2 beschädigt.  Lich.<br>
Gedr.: Guden, Cod. Dipl., III, 15 „ex autographo“, Arnsb. Urkb., 233 (gekürzt) nach dem Or.<br>
Verz.: Scriba, IV², No. 3707.

**826.** *Peter von Berkersheim und seine Frau Irmgard verzichten auf alle Ansprüche auf
die von Hartmann von Kaldebach und dessen Frau der Johanniter-Kommende zu
Frankfurt gegebenen Güter.  1303 Juni 25.*

Ich Peter von Berkirsheim, brudir Johannis von Erlebach, der da wonen zů
Kaldebach, unde // Irmengard, min eliche wirtin, unde alle unsir kind, důn kůnt allen
den, die diese geinvurtege // brive gesehin odir gehorin lesin, daz wir allir der vorde-
runge, die wir hattin, unde allis des // recthis, daz wir wandin hain, gein den ersamen
luden, deme conmendůre unde den brůderin des ordenis sente Johannis zů Frankinvord, umme alsolich gůt, als in Hartman von Kaldebach unde ver Engilreiz, sin eliche
wirtin, hain gegebin, hain virzigin unde virzihin an diesin briven luterliche unde gentz-
liche mit einandir.  Unde von uns die vorgenantin conmendur unde die brudere
mit recthe bewistin vor den ersamen shultheizin Volrade, hern Sifride von Gysinheim,
hern Fultzin, hern Heinriche von Kaldebach den gebruderen, Hardunge von Kaldebach
unde vor Johanne, minme brůdere deme vorgenantin, unde vor andern birbir luden
gnůg, daz wir diekein reth noch vorderůnge zů deme nemelichin gude hain noch
haben soldin, des hain wir in deme dinghove zů Kaldebach, dar des nemelichin gůdis
ein deil in horit, vor Hartmanne Metzelere, vor Johanne von Morle, vor Hardůnge
deme vorgenantin unde vor Ulriche von Eckinheim, die sheffenen sint des nemelichin
hoves, allir vorderůnge unde ansprache virzigin unde virzihin ir an diesin briven.
Zů eime urkůnde unde gezugnisse dirre vorgenantin rede, so hain wir shultheize Volrad unde her Sifrid von Gysinheim, die vorgenantin, důrch bede willin Petirs von
Berkirsheim, Irmengarde, siner elichin wirtin, unde ir kinde unsir ingesigele an diesin
brif gehenkit.  Unde ist gegebin, da man zalte nach godis geburte důsent iar, drů-
hůndirt iar, in deme drittin iare, an deme nehistin dage nach sente Johannis dage
baptistin . .

Or. Pgmt.  Das Siegel Volrads ist stark beschädigt, dasjenige Siegfrieds von Gisenheim<br>
ziemlich gut erhalten.  Es zeigt im Schilde zwei hängende Trinkhörner, dazwischen einen<br>
überschäumenden Becher.  Es ist, soweit bekannt, das älteste erhaltene Frankfurter Bürger-<br>
siegel.  St. A. Wiesbaden.<br>
Regest: Sauer, I², 53.

**827.** *Das Stiftskapitel zu Frankfurt verpachtet an Friedrich, den Schultheissen in Langen,
und dessen Frau auf beider Lebenszeit die Nona in Tribur und Steden gegen
18 Achtel Weizen und 28 Matten.  1303 Juli 13.*

Magister Ditmarus decanus, totumque . . capitulum ecclesie Frankenfordensis.
Constare cupimus presencium inspectoribus universis, quod nos pari consensu et unanimi voluntate nonam ecclesie nostre predicte in Triburio et in Stedin, quam a sacro
imperio cum uno iugero agri quondam Marquardi tenemus pacifice et quiete, Friderico,
filio Ditwini, sculteti de Langene, et Engele, uxori eius legittime de Triburio, concessimus et presentibus concedimus ad vite ipsorum duorum et alterius eorum tempora
possidendam pro decem et octo octalibus tritici legalis et boni, mensure Frankenfordensis, et viginti octo mattis magnis et parvis in omnem eventum, grandini(!), exercitu
ac aliis penuriis non obstantibus, in festo omnium sanctorum annis singulis, quoad
vixerint, Frankenford ad nostram ecclesiam et granarium nostrum vel domum, quamcunque deputaverimus, ministrandis, porrigendis et persolvendis eorum propriis laboribus
et expensis.   Prefate(!) vero . . coniuges, Fridericus et Engela, ut ex certo reddamur
certiores, nobis et ecclesie dimidium mansum agrorum et pratorum in terminis ville
Triburiensis in hunc modum situm, videlicet sex iugera in Fuzshlocheren, octo iugera
prope dicta sex iugera, duo iugera et dimidium in Barcisrode[a] terre arabilis et unum
iugerum et dimidium pratorum, pro subpignore obligarunt, ut, si in solucione prefate
annue pensionis termino supradicto negligentes fuerint vel remissi et ex hoc dampna
seu dispendia aliqua incurramus, ad prefatum dimidium mansum respectum habeamus,
contradictione antedictarum(!) . . coniugum aut eorum . . heredum qualibet non obstante.
In testimonium premissorum presentes litteras prelibatis coniugibus sigillo ecclesie
nostre tradimus sigillatas.   Datum anno domini m̅. tricentesimo tercio, in die beate
Margarete.

*Abschrift in Barth. Bücher, Serie II, Nr. 7, f. 76 b.   St. A. Fr.*
*Gedr.: B., 356 nach derselben Vorlage.*
*Vers.: Scriba, I, No. 720.*

**828.** *Volkwin von Wetzlar und dessen Frau Gertrud vermachen ihren vier in den
Johanniterorden aufgenommenen Söhnen und nach deren Tod der Frankfurter
Kommende dieses Ordens 4 Mark jährlicher Einkünfte von den Kaufläden im
Langhaus zu Frankfurt. 1303 Juli 14.*

Volcwinus de Wetflaria et Gerdrudis, uxor eius legittima, cives Frankinvordenses,
constare cupimus universis has // litteras visuris et audituris, quod nos pie propter deum
et ob remedium animarum nostrarum quatuor[a] filiis nostris in ordi//ne sancti Johannis
Jerosolemytani existentibus communicata manu parique consensu deputavimus et presentibus deputamus et assigna//mus post nostrum amborum . . coniugum obitum quatuor[a]
marcas denariorum legalis monete Frankinvord perpetui census super apotecas nostras
in domo nuncupata vulgariter[b] zů deme Langinhůs sitas, cuilibet dictorum . . filiorum
nostrorum unam[a] marcam[a] denariorum, quoad vixerit, ad emendandum ea, de quibus
indiguerit, in quantum extendit se marca illa.   Preterea ordinamus et volumus, quod
quicumque dictorum . . filiorum nostrorum propinquior est aut erit apud nos manendo
in terminis, quod ille tollat et percipiat singulis annis in nativitate beate Marie
virginis de dictis nostris apotecis ab inquilinis eorum ipsas quatuor[a] marcas et unicuique suorum . . fratrum tribuat unam marcam, et si ille, qui illum censum percipit,
fraudulenter egerit, ipsam pecuniam suis . . fratribus detinendo, volumus, quod sua
porcione ipso facto sit privatus usque ad condignam satisfactionem.   Insuper statuimus
et ordinamus, quod, si aliquis predictorum filiorum nostrorum aliqua levitate motus
aut ex suggestione diaboli saltum faceret extra suum ordinem, volumus, quod ipso

a) „Bartisrode?"   a) *Ueber Rasur.*   b) *Or.:* „wlgariter".

facto sua marca denariorum sit privatus, quousque excessum suum duxerit corrigendum, et si unus ex eis ante alium moritur, superstites sui fratres sue succedent porcioni, ipsis quatuor[a] de medio sublatis predicte quatuor[a] marce denariorum census perpetui ad domum hospitalis sancti Johannis Jerosolemytani in Frankinvord devolventur.  In testimonium et firmitatem debitam premissorum sepedictis . . filiis nostris tradimus has litteras sigillo universitatis Frankinvordensis sigillatas.  Actum anno domini m̄. c̄c̄c̄. tercio, in crastino beate Margarete virginis.

*Or. Pgmt.  Das abhangende Siegel fehlt.  St. A. Fr.  Johanniter Urk. No. 9.*
*Gedr.: B., 350 nach dem Or. .*


**829.** *Erzbischof Gerhard von Mainz bekennt, dem Siegfried von Eppstein namens der Mainzer Kirche 2000 Mark schuldig zu sein, verspricht die eine Hälfte in Terminen zu zahlen und, verpfändet ihm wegen der andern Hälfte 100 Mark jährlich von den Einkünften, welche die Frankfurter Juden an die Mainzer Kirche zu entrichten haben.  Arnsburg, 1303 October 8.*

Nos G. dei gracia sancte Maguntine sedis archiepiscopus, sacri imperii per Germaniam archi//cancellarius, recongnoscimus tenore presencium publice profitentes, quod nos cum no//bili viro Sifrido de Eppinsteyn, nostro consanguineo, super dampnis, que sustinuit // in nostris et ecclesie Maguntine serviciis, et expensis, quas fecit, et serviciis, que nobis et ecclesie iam dicte inpendit, habita plenaria racione et omnibus conplanatis, sibi et heredibus suis post eum remansimus debitores in duobus milibus marcarum denariorum Coloniensium, tribus hallen*sibus* pro quovis denario conputandis, quorum trecentas in festo nativitatis domini proximo, trecentas in festo pasche inmediate sequente, et quadringentas marcas in festo penthecostes proxi[me][a] secuturo. ipsi, et post eum suis heredibus, promittimus nos daturos.  Pro aliis vero mille marcis assignamus eidem Sifrido centum marcas denariorum monete predicte, percipiendas per ipsum, aut per suos heredes post eum, annis singulis a festo nativitatis domini iam dicto post annum revolutum, de redditibus nobis annuatim debitis a iudeis Franckeforden*sibus*, tamdiu, donec sibi mille marce predicte a nobis vel nostris successoribus fuerint persolute, perceptis vel percipiendis in sortem minime computatis.  Si autem predictus S. vel heredes ipsius in predictis centum marcis percipiendis inpedirentur quoquam modo, nos vel nostri successores in aliis bonis nostris vel archiepiscopatus nostri ipsis huiusmodi centum marcas modo supradicto tenebimur resarcire.  Testes huius rei sunt devoti nostri: Got. custos, Emircho scolasticus, Sifridus de Solmeze. et Henricus de Liebbesberg, canonici Maguntini; Conradus scriptor curie nostre canonicus Worma*ciensis*, Gerlacus scolasticus Aschaffenburgensis, et magister Hildebrandus noster prothonotarius, . . ac nobiles viri: Ger. de Bruberg, et Ulricus de Hanowe; Th. in Starkenberg et Th. Randeckeren in Beckelnheym burgravii, Vol. scultetus, et Cunradus noster vicedominus in Aschaffenburg. milites.  Et nos ad maiorem certitudinem premissorum nostrum sigillum apponi fecimus huic scripto.  Datum apud Arnisburg.  Anno domini m̄. c̄c̄c̄. tercio, VIII. idus octobris.

*Or. Pgmt.: Das abhangende Siegel ist beschädigt.  St. A. Fr. Ugb. B. 43 N.*
*Gedr.: B., 351 nach dem Or. .  Regest: Sauer, I², 54.*
*Verz.: Scriba IV², No. 5356.*


**830.** *Schultheiss Gottfried Beyer und die Schöffen von Frankfurt beurkunden, dass Volkwin von Wetzlar und dessen Frau Gertrud dem Wigel von Wanebach und*

a) Ueber Rasur.  a) Or.: „proxi“.

*seiner Frau Katherina das Haus Wolkenburg und den Keller unter dem Lang-*
*haus, mit Ausschluss einiger zum ersteren gehörigen Kaufläden, unter genannten*
*Bedingungen verkauft haben.  1303 October 11.*

Nos Gotfridus Beyer miles, scultetus, et . . scabini de Frankinvord.  Tenore
presencium recognoscimus // publice profitentes, quod Volgwinus dictus de Wetflaria
et Gerdrudis, uxor eius legittima, nostri concives, in nostra // presencia constituti
communicata manu parique consensu vendiderunt rite et racionabiliter iusto vendicionis
titulo // Wigeloni dicto de Wanebach et Katherine, uxori eius legittime, nostris concivibus, eorumque heredibus domum suam vulgariter[a] nuncupatam zů Wolkinburg et
cellarium dicte domui contiguum vulgariter[a] nuncupatum zůme Langinhuzsh sub
trabibus super ipsum cellarium iure proprietario perpetuo possidend*um*, apothecis
tamen ipsam domum Wolkinburg ex latere intrantibus dumtaxat exceptis.  De quibus
apothecis dicti Wigelo aut eius heredes vel ipsi succedentes nil disponere habebunt,
nisi de una ipsarum apothecarum, quam Walterus dictus Seddelere tenet et possidet;
iidem Wigelo vel sui heredes aut successores ipsius per nundinas Frankinvorden*ses*
introitum et exitum per suam domum Wolkinburg, si placet, habebunt, eo iure quo
ipse Volgwinus dicta apotheca fruebatur, ita sane, quod predicti Wigelo, eius heredes,
vel successores ipsi Waltero, vel qui suo nomine ipsam apothecam possidet, locum in
ipsa domo zůme Langinhuzsh ad spacium ipsarum nundinarum ad locacionem suorum
pannorum procurabunt; resignantes et renunciantes supradicti Volgwinus et eius . .
coniunx omni iuri, quod ipsis in predictis domo Wolkinburg et cellario competebat;
promittentes nichilominus de ipsis domo et cellario antedictis Wigeloni et eius heredibus facere warandiam iustam, debitam et consuetam.  Condictum est eciam, quod
prefati Wigelo vel sui heredes possunt edificare in ipsa domo Wolkinburg et construere
edificia quecu*n*que, dummodo non sint nec fiant in preiudicium apothecarum sepedicte
domus Wolkinburg.  Preterea si trabes subtus cellarium ipsius domus zůme Langinhuzsh ruinam sive destructionem minantur, aut per incendium destruerentur, prelibati
Wigelo suique heredes, aut quicu*n*que ipsis successerint in domo Wolkinburg, ipsas
trabes dicti cellarii reformare et reedificare suis laboribus et expensis per omnia tenebuntur.  Testes huius sunt: Arnoldus de Glouburg, Hertwicus de Alta domo, Cunradus
de Spira, Cunradus Bůrneflecke, Syfridus de Gysinheim, Johannes Goltstein, Rudegerus
et Ludewicus de Holtzhusin, scabini, et quamplures alii cives Frankinvordenses fidedigni.  Et nos . . scultetus et . . scabini antedicti ad rogatum parcium memoratarum
sigillum universitatis Frankinvordensis presentibus duximus appendendum in testimonium omnium premissorum.  Actum et datum anno domini millesimo trecentesimo
tercio, V̊. idus octobris.

*Or. Pgmt.  Das abhangende Siegel fehlt.  St. A. Fr.  Johanniter Urk. No. 11.*
*Gedr.: B., 352 nach dem Or. .*

**831.** *Erzbischof Gerhard von Mainz weist die Judengemeinde in Frankfurt an, dem*
*Siegfried von Eppstein, seinem Verwandten, von den ihm, dem Erzbischof, schuldigen*
*Abgaben jährlich 100 Mark bis zur Ablösung von 1000 Mark auszuzahlen.*
*Aschaffenburg, 1303 October 16.*

G. dei gracia sancte Maguntine sedis archiepiscopus, sacri imperii per Germaniam
archicancellarius.  Universis iudeis in Franc//kenfort sibi dilectis, salutem et omne
bonum.  Universitati vestre committimus, volentes, ut nobili // viro Sifrido domino
de Eppensteyn, nostro consanguineo dilecto, vel suis post eum heredibus annis sin//gulis

a) *Or. : „wlgariter".*

53*

a festo nativitatis domini proximo post annum revolutum centum marcas Coloniens*ium*
denariorum, tribus hallen*sibus* pro quovis denario conputandis, de redditibus nobis[a]
annuatim a vobis debitis nostro nomine tribuatis, donec ei vel post eum suis heredibus
dederimus mille marcas denariorum Coloniens*ium*, et hoc vobis per nostras litteras
notificaverimus, et quicquid sibi iuxta tenorem premissum dederitis, de hoc vos quitos
et solutos dicimus, sub presencium testimonio li*tt*erarum. Datum *Aschaffenburg*, anno
domini ṁ. cĉc. tercio, XVII. kalen*das* novembris.

*Or. Pgmt. Das abhangende Siegel fehlt. St. A. Fr. Ugb. E. 43. Cc.*
*Gedr.: B., 353 nach dem Or. .*
*Regest: Sauer, I², 54.*

**832.** *Schultheiss Gottfried Beyer und die Schöffen von Frankfurt beurkunden, dass
Diether von Obersteden und dessen Frau Elisabeth an die Frankfurter Bürgerin
Greta, Wittwe des Konrad Weiss von Dieburg, 10 Achtel Roggen jährlich von zwei
in Steden an Greta resignirten Hufen verkauft haben. 1303 October 16.*

Nos Gotfridus dictus Beyer miles, scultetus, et . . scabini de Frankinvord, recognoscimus et constare // cupimus presencium inspectoribus et auditoribus universis, quod
Dytherus et Elyzabeth, eius uxor // legittima, de villa superiori Stedin in nostra
presencia constituti communicata manu parique consensu vendide//runt iusto vendicionis titulo Grete, relicte quondam Cunradi dicti Wizsin de Dypurg, nostre concivi,
decem octalia siliginis Frankinvordensis mensure legalis et bene purgate annone pro
viginti quinque marcis denariorum Coloniens*ium* legalium et bonorum, ipsis Dythero
et Elyzabeth, eius coniugi, ab ipsa Greta traditis. numeratis et persolutis, dicta decem
octalia siliginis perpetuo iure proprietario possidenda et ad disponendum et faciendum
de ipsis decem octalibus, quod ipsius Grete placuerit voluntati, ipsaque decem octalia
siliginis nomine annue pensionis ipsi Grete annis singulis infra duo festa assumptionis
et nativitatis beate Marie virginis Frankinvord ad domum, quamcunque maluerit,
presentanda et assignanda suis laboribus et expensis, super duobus mansis proprietariis, tam agrorum quam pratorum, in terminis dicte ville Stedin sitorum in hunc
modum: videlicet viginti iugera terre arabilis sita sunt in illo manso sito infra villas
superiorem Stedin et villam mediocrem Stedin in inferiori sulco dicti mansi; item
novem iugerera(!) pratorum, que sita sunt et contigua prefatis viginti iugeribus terre
arabilis, item decem iugera in uno agro sito retro curiam inferiorem ipsius Dytheri,
et in uno agro dicto Anewendere contiguo prefato agro retro curiam sito, septem
virgarum longitudine minus et unius virge in latitudine; item duodecim iugera sita
sunt in uno agro an dem Hoinmargsteine[a] et transeunt viam dictam Hoinberger
weig; item in uno agro dicto Oleiagkir sito apud prefatam viam, qua itur Hoinberg, unus iuger et dimidius et una virga in latitudine et triginta virge in longitudine
sunt siti; item inferius apud ipsam viam in uno agro dicto an dem Gerin quatuor
iugera sunt sita; item exadverso trans viam predictam super rubum dictum Ditdin-
keimer hecke quatuor iugera minus[b] dimidio iugere sunt sita. Resignaverunt etiam
iidem Dytherus et Elyzabeth prefatos duos mansos, sicut situ(!) sunt in agris et
pratis, ut superius est expressum, in manus prelibate Grete coram nobis, resumendo
eosdem ab ipsa Greta iure hereditario possidendos. Quam quidem resignacionem et
resumptionem prefati Dytherus et Elyzabeth fecerunt in predicta villa Stedin coram
sculteto, . . scabinis et aliis incolis ipsius ville Stedin in manus et de manu prelibate
Grete, presentibus Cunone armigero de Brüningisheim et Wigeloni Rane(!), sororii(!)

a) *Ueber Rasur.* a) *Vielleicht auch „Heinmargsteine".* b) *Ueber Rasur für getilgtes „sunt"*

prenominate Grete, quos secum deduxit ad videndum et audiendum omnia prenotata. Renunciaverunt nichilominus prelibati Dytherus et eius coniunx pro se et suis heredibus omni iuri, quod ipsis in prefatis decem octalibus siliginis posset competere in futurum. Condictum est etiam, quod prescripti duo mansi non debent dividi vel abinvicem separari, sed apud unum tantum heredem ipsorum Dytheri et sue coniugis perpetuo permanebunt. Et si prefatus Ditherus et eius uxor aut ipsorum heredes in solucione prefate pensionis termino supradicto negligentes fuerint vel remissi, vel si prenotatos mansos aliqualiter dividerent, statim cadent a suo iure, quod ipsis in dictis duobus mansis competebat, et ipsa Greta ipsos duos mansos sibi assumere debet et de eisdem disponere ad sue libitum voluntatis. Statuerunt insuper dicti Dytherus et eius coniunx sepedicte Grete fideiussores, Bertholdum armigerum advocatum de Ursele, et Reinhardum scultetum de Ursele in monte, pro warandia facienda iusta, debita et consueta. Testes huius facti sunt: Gotfridus Beyer miles scultetus, Arnoldus de Glouburg, Cunradus Burneflecke, Hertwicus de Alta domo, Cunradus de Spira, Sifridus de Gysinheim, Markolfus de Lintheim, Johannes Goltstein, Ludewicus et Rudegerus de Holtzhusin, scabini; Margwardus et Henricus fratres, milites, et Cuno armiger dicti de Bruningesheim, Bertoldus advocatus de Ursele, Wigelo de Rana, et quamplures alii cives Frankinvordenses fidedigni. Et in testimonium omnium prescriptorum nos scultetus et . . scabini de Frankinvord antedicti ad instantem rogatum parcium memoratarum sigillum universitatis Frankinvordensis presentibus duximus appendendum. Actum anno domini millesimo tricentesimo tercio, XVII. kalendas novembris.

> *Or. Pgmt. Das Stadtsiegel (2) hängt an. Transfigirt ist die bei B., 534 gedruckte Urkunde*
> *von 1336 März 17. St. A. Fr. Barth. St. No. 3085.*
> *Gedr.: B., 353 nach dem Or. .*
> *Regest: Sauer, I³, 54.*


**833.** *Landrechte der Grafschaft zum Bornheimer Berg. 1303 October 29.*

Dit sint die lantreht der grashefte zů Burnheimer berge, da mide sich geistliche lude, burgere unde andere gůde lude sich unde ir lantsedelen unrehter node an unrehteme dienste ᵃ // in den dorfen sollint erweren.ᵇ

Alle,ᵇ die disen brief gehorint unde gesehint, die sollint wizzen, daz groze clage ist gewesen fon geistlichen luden unde fon burgeren unde auch fon anderen gůden luden, die gůt hant ligen // in des kuneges grashaft zů Burneheimer berge, daz man ir lantsidelen in den dorfen drunge zů unrehteme dienste, von vazzere unde fon weide, daz sie niemanne shuldig sint zů důne // dan eime konege. Dise clage wart geworfen fur die sheffen fon Frankenford unde fur den rad gemeinliche unde darzů fur die cingrefen, die zů Burnheimer berge horen, die daz // lantreht sprechen sollen. Die namen zů in die rittere, die des koneges ammetlude fon aldere waren gewesen, unde wurdin mit einandir eindrehteg unde deilten mit glichem munde: 1) daz wazzer unde weide des koneges si unde niemannes me, unde daz man dafone deme konege dienen sal in den dorfen unde dekeime anderme herren; wan also fil, obe kein stifht adir kein herre adir kein ritter unde auch edele knehte hetten keinen hof ligen in eime dorf in des koniges grashefte, darubir sie foide weren, darin dinglich gůd horte, der sulde nemen sin foirehtᵝ ubir den hof unde an deme gude, daz drin zů dinge horte unde deme hofe zů dinste wer gebunden, nach allem deme rehte, alse die lude deilen, die des hofes gůd erbliche hant besezzen, unde sullint auch furbaz me des hofes gůd mit nihte dragen, wan also in in deme hofe wirt gedeilit.[c]

2) Me hat auch gesprochen der forgenante rad fon Frankenford unde auch die cingrefen, daz die forgenanten foide uzwendig irs foithofes und des gůdes, daz darin horit, niemannes gůt ioch[d] niemannes lantsidelen niht insollent drangen zů keinerleige dienste, komet iz abir also, daz die furgenanten foide keines mannes gůd adir sinen lantsidel furbaz zů unrehte wollint dringen, daz sal durch reht eines koneges ammetman abelegen mit der stede helfe.

3) Auch ist me gein den forgenanten foiden ůzgedragen, wanne irs hofes ammetman [umme][γ] ir foitgůd, umme ir zinse unde umme ir gulde nach des hofes rehte unde nahc der lude urteile, die zů rehte darubir sprechen sullint, erdinget unde gefronet[δ] in der herren gewald; wer daz gůd furbaz anegrifet ane der foide laube, der sal iz ferbuzen mit der bůze, alse man in deme hofe deilit.

4) Furbaz ist me gedeilit, welich man hofes gůd hat, der iz verluhen hat zů erbeidene umme halb, der sal sin gůd ferrihten nahc des hofes rehte, unde sal sin lantsidil deme konege dienen fon des pluges diele.[ε] Iz ensie dan also fele, daz des lantsedils lehenherre mit eme geredet habe, daz er eme sin erbe ferrihte, sa muz der lantsidele den foiden ir foitreht důn fon des hofes gůde, und deme konege dienen fon wazzere unde fon weide.

5) Auch quam clage an daz lantgerihte zů Burnheimer berge fon den lantluden, daz man sie lude zweier wege umme ihr lantreht. Daz wart fon den cingrefen uzgedragen unde einmudeclich gedeilit, daz man keinen man nirgen sal laden umme sin lantreht dan an des koneges gerihte zů Burnheimer berge; sit der koneg rihten sal fon rehte ubir hals unde ubir haubit, unde ubir alliz daz, waz clagebere ist in deme lande. Mit deme undirsheide, obe ieman swert, mezzer adir kolbin zuhit und doch keinen shadin nit endůt, der sal deme cingrefen in deme dorf adir uf dem[ε] felde, da iz geshehit, buzen die missedat nahc allen deme rehte, alse man uffe dem berge deilit.

6) Me hant auch die cingrefen gesprochen unde gedeilit, daz nieman in deme lande kein[f] frabil ferbuzen sal umme wunden adir umme watshar, ioch[g] fon solichen dingin, die sich darzů geziehint, dan deme konege eine. Komet iz abir also, daz umme die forgenanten sache ieman in deme lande wette adir buze forderen wil, daz sal der koneg abelegen adir sin ammetman, sit nieman frabils buze forderen sal dan der koneg eine.

7) Auch ist for den cingrefen ůzgedragen unde gedeilit, daz in keime dorfe in des koneges grashefte nieman keinen sundir hirten haben sal, iz insi dan mit der lude willen,[h] die in den dorfen wazzer unde weide deme konege sollint ferzinsen. Kummet iz abir also, daz die forgenanten lude keinen manne eins sundir hirten gunnent[ζ] in den dorfen adir einir sheferie, sa sal der shefere den luden helfen des koneges dienst zů rehte dragen, sie enwullen is in dan durch liebe erlazen.

8) Auch ist for den cingrefen ůzgedragen, obe ieman gewald adir keinerleige unrehte nod an die lude in den dorfen wulde legen, daz sal eines koneges ammetman rehtfertegen unde abelegen.

<hr>

c) *Der Schreiber hatte die Worte „wirt gedeilit“ ausgelassen, schrieb dann zunächst „wirt“ am Rande hinzu, tilgte das Wort aber durch Rasur und brachte die fehlenden zwei Worte in der darunter liegenden Zeile unter.* d) *So!* e) *Ursprünglich „deme“, das zweite „e“ ausradirt.* f) *Die Worte „in — kein“ stehen über Rasur.* g) *So!* h) *Ursprünglich „willent“, das „t“ ausradirt.*

γ) *Fehlt in A.* δ) *„fronet“.* ε) *„deile“.* ζ) *Fehlt in B.*

9) Noch ist me for den cingrefen¹ uzgedragen unde gedeilit, obe ieman in deme lande keinerleie fruht uf die gemeinde sewen wulde ane des . . ᵏη willen, die mag ein rihtere fon Frankenford mewen adir sniden. Unde geshehit iz auch also, daz die lude in etteslichim dorf der forgenanten grashefte ir gemeinde mit der kuntshaft beleiden wollent, da sal der rihtere bi sin, obe is nod ist, unde auch¹ die lantlude, obe sie is dorfen, daz in ieman kein unrehte gewalt an ir gemeinde lege.

10) Auch mag des koneges ammetman unde ein rihtere fon Frankenford in allen dorfen der forgenanten grashefte die gemeinde rehtfertegen unde beleiden, wanne sie wollen, obe is wol die dorf nit enheisent adir forderin gedorrint.

11) Me ist auch for den cingrefen uzgedragen unde gedeilit, swanne nit koneges enist, daz die forgenante grashaft der stad fon Frankenford mit aller der maht, die sie fermag, sal dienen, mit solicheme undirsheide, daz die forgenante stat daz lant und die dorf unde auch die lude sal befreden unde beshirmen, also ferre alse sie ir craft gedragen mag.

12) Auch ist for den cingrefen uzgedragen unde uzgerihtet, daz nieman an ϑ deme lantgerihte kein sondir urteil sagen sal, daz in den dorfen ist gehandelit. Wan geshehit iz also, daz urteil gein urteile in den dorfen wirt gesucht, daz die lude nit finden kunnent adir werdint is selbe widir worfen, daz sal man zwein besheidenen mannen zû des dorfes cingrefen bevelhen, da iz inne geshehit, die sollint iz antwurten an daz lantgerihte fur die cingrefen, die sollint iz uz nach rehte rihtin, sa sie mogint aller best unde also sie deme lande gesworen hant; unde sullint iz danne mit den selben dren mannen widir senden zû dorfe, da iz inne gehandilt ist, unde sweme denne die cintgrefen hant bestanden, des urteil sal furgang habin.ᶦ

13) Auch ensal man an deme lantgerihte keinen man beclagen ioch kummeren, ioch uf der strazen, deme des koneges ammetman dar hat geboden zû komene umme die lantfolge adir umme andir sache. Geshehit iz abir also, daz kein man bekummert wirt, den sal des koneges gerihte ledeg machin, sit nieman lazen gedar, er enmûze komen an daz lantgerihte, alse eme eines koneges ammetman adir ein rihtere fon Frankenford dar gebudet.

14) Auch hant die cingrefen daz gedeilit, daz kein dorf ioch niemannes gûd widir sinen willen unde auch dieˣ lude keines sundir dinstes sint gebunden, wan waz man deme konge dienen sal, daz sal daz land gemeinliche dûn und ieder man nahc siner maht, darnahc er in den dorfen ist gesezzen unde nuzzet wazzer unde weide.

15) Auch ist me for den cingrefen uzgedragen, daz iecliches dorfes gemeine hirte uf daz andir faren mag, wa man iz ane shaden mag gedûn nahc allen deme rehte, alse der gemeine hirte fon Frankenford zû dribene hat gewalt. Mit solichem undersheide, daz man in der dorfe holzmarke mit keinem fehe driben sal.

16) Auch hat maht des koneges ammetman unde ein rihtere fon Frankenford, daz sie den dorfen mogint gebieden an daz lantgerihte zû rugene unde fur zû brengene alliz daz, daz den dorfen shadelich ist, unde auch den luden, unde alliz daz, daz des koneges reht gedrucken mag, iz sie an felde, an wazzere unde an weide unde an unrehteme gerihte unde an unrehteme dienste unde an unrehter forderunge, daz sollint auch die forgenanten ammetlude den dorfen mit der stede helfe zû rehte abelegen.

17) Auch hant die cintgrefen daz reht, daz sie nimanne kein dienest sollen dûn in den dorfen, unde daz der stede kneht fon Frankenford innewendig der ringmuren sollint in rihten ane gold unde ane silbir, waz sie hant zû shaffene. Auch sullint die

1) *Ueber Rasur.* k) *Das ursprüngliche Wort, wahrscheinlich „richtirs“, ist ausradirt und an dessen Stelle von einer Hand des 15. Jahrhunderts „dorffes“ über die Zeile geschrieben.*

η) „dorfes“. ϑ) „daz man keinen manne an“. ι) „des — habin“ *fehlt.* ϰ) „der“.

cingrefen in der erne des berges budele in den dorfen gereit sin sine sichelinge zů eishene, unde ist er iedem mane shuldig eine wize hubin adir fir [λ] lihte pennenge darfure.

Dise forgenanten sache umme des landes not unde umme der lude clage wart uzgerihtet an deme lantgerihte zů Burnheimer berge fon der stad fon Frankenford unde fon den cingrefen, an deme dinsdage for allir heillegen dage. Undir deme edelen manne hern Ulriche fon Haynauwe, eins koneges lantfoide, unde undir hern Gozzen Beigere,[μ] eime rittere unde eime sholtheizen fon Frankenford. Da man zalte fon godis geburte druzenhundirt iar unde dru iar.

Zusätze:[1]

Iz geschach undir kunig Albrachte unde undir syme lantfoygde, her Ulriche von Hanaẇ, daz her Margward unde her Heynrich syn bruder, hern Wynthers sone von Brůnyngsheym, unde her Wynther unde Erwyn sin brůder, hern Erwyns sone von Brunyngsheym, namen sich ane herschaft zů Bockinheym zů habene, die ire aldern da nẏ gewonnen, mit atzung, mit seumern,[m] mit buszen von fravil, mit sondern hirten. mit fasnacht hůnren unde mit andirleyge unrechtem gewalde ubirladen unde anefertigen wyder dem rechten dy armen lude zů Bockenheym. Daz clageten sie gemeynliche iren lehenherren, uf der gude sie gesezzin waren, si weren geystlich odir werntlich. Die hauften sich, mit namen die Dutschin herren, die sent Johannes herren, die Wyszen frauwen, dẏ frauwen von dem Throne unde die burger gemeynlich von Frankinfurd. die da gut hatten zů Bockinheym unde noch hant, clageten von den vorgenanten luden zů Bockenheymerberge unde von dem rade zů Frankinford, daz sie iren lantsydeln zů Bockinheym unrechte teden unde ir gut wusteten wider recht mit unrechter gewalt unde mit unrechtem gedrange, mit solichem dynste, dez sie sich da anenamen. dez man yn nyt schuldig waz zů tůne odir nẏman dan alleyne dem kůnige. Des qwamen sie fůr zů antworte unde sprachen, man sal iz uns tůn von wazzer unde von weyde. unde daz gerichte were ir zů Bockinheym. Daz verantworte myn herre her Ulrich von Hanauẇ unde her Gotze Beyger, eyn ritter unde ein schultheize zů Frankenford. unde sprachin also. sie wenden des, daz die graschaff zů Bornheymer berge unde die dorffe, die dynne lygen, eyns kuniges weren, unde daz man deme solde dynen von wazzer unde von weyde unde nẏmanne me unde daz he richten solde in felde unde in dorfe alliz, daz clageber were, unde anders nẏman me, wande hetten sie keynen hoff in dem dorffe, da gut yn horte zů dinge. da solden sie ynne nemen, daz ẏn die hubener teylent; daz enweret ẏn der kunig nit zů Bockinheym in syme dorff unde andern herren unde rittern in andern synen dorffen in der graschaft; want uzewendig irre dinghofe solden sie nẏmans gůt ioch nymans lantsydeln dryngen zů keynrleẏ dẏnste von wazzer odir von weyde, want man enwere iz nyman schuldig zů tůne dan eyme kůnig alleyne. Da sprachin die vorgenanten vier man, her Margward. her Heynrich. her Winther unde Erwin, waz yn entsagit werde mit deme rechten, des musten sie enberin. Da warff der vorgenante herre her Ulrich von Hanaẇ, eyns kůniges lantfogit, unde her Gotze Beyger, eyn ritter unde eyn schultheize zů Frankinfurd, dẏse clage des vorgenanten lehinherren umbe ire lantsydeln zů Bockinheym unde auch die antworte her Margwarts, her Heynrichs, her Winthers unde Erwyns fůr dẏ scheffin unde fůr den rat zů Frankinfurd unde auch fůr dẏ cyntgreffin zů Burnheymer berge, daz sie uzdrugen mit rechte. waz dynstis, waz rechtis, waz buzze der kůnig habin solde in synen dorffen in der graschaft zů Burnheymer berge unde nẏmann me, unde weme der plug von syme teile von rechte solde dẏnen von wazzer unde von weyde. Des

---

1) *Die Zusätze von ca. 1340 stehen auf der Rückseite von B.*    m) C.: „sturunge".

λ) „dri phenninge".    μ) „Beyere".

wart uzgedragen eynmȯdecliche umbe dyse vorgenante clage unde antworte von den scheffin unde von dem rade zů Frankinford unde von den cintgreffin zů Burnheymer berge dyse recht,[a] dẙ andir syt an dysem bryffe geschriben stent.

[b]Man sal wizzen, daz, da daz urteyl gefil den lehinherren zů Burnheym unde auch den luden, die da uff irme gude gesezzen warn, von den scheffin und von dem rade zů Frankinfurd unde auch von den cyntgreffin von Burnheymer berge, daz die vorgenanten vier man, her Margward, her Heinrich, her Winther unde Erwin uzewendig irs dinghofis solden niht me han dan andir lude an sondern hirten, an vorsnẙde, an vasnachthůnren, an fravils busze, unde daz sie in irme hȯltze niht zuschaffin enhetten noch mit dem eckerin, umbe daz sie gerodit unde gerudit hatten drẙ welde, die zů des kůniges dorffe zů Bockinheym horten unde zů dem gude, daz in syner termenuge waz gelegen, ane der lehinherren laůbe, der eyne geheizen waz der Donechelo,[c] der andir dẙ Langehecke, der dritte daz Affaldere, unde darzů dy gemeynde uffe der heyde, die sie iren unde saden. Da hyschin die vorgenanten lehinherren geystlich unde werntlich deme lantfoyde myme herren von Hanaẘ, daz man die gemeynde beleydete. Daz undirfuren die scheffin von Frankinfurd mit grozzer nod, daz dez niht geschach, unde daz sie furbaz her Marqward, her Heinrich, her Winther unde Erwin unde ire erben solden ummerme irlazen allir unrechten fordirunge, die sie biz an dyse ziit mit unrechte gnomen hatten von der lehinherren lantsydeln in des kuniges dorffe zů Bockinheym mit seumern, mit atzůng, mit sondern hirten, mit fronedagen, mit irme hultze zu hauwene, mit fasnach hůnren und mit schoczin[d] zů setzen uf daz veld.

> *Die Landrechte sind in zwei feierlichen Ausfertigungen erhalten. Die eine (A) befindet sich im St. A. Fr., Mgb. E. 11 No. 1. Sie ist gleichzeitig auf Pgmt. geschrieben, jedoch ohne Spur von Besiegelung. Sie enthält nur die Landrechte selbst. Das zweite Exemplar (B), ebenfalls auf Pgmt. und ohne Besiegelung, beruht im St. A. Marburg. Auf der Rückseite stehen die hier nach Reimer wiedergegebenen Zusätze. Diese sind auch in einer Abschrift (C) aus dem Ende des 14. Jahrhunderts (St. A. Fr. Mgb. A. 64) überliefert.*
>
> *Gedr.: 1) Mit den Zusätzen: Hanau-Münzenberg. Landesbeschreibung, Doc. 72, Reimer, II, 29 nach B. 2) Die Landrechte allein: Documentirte Vorstellung, was es eigentlich vor eine Beschaffenheit mit denen Reichslehen der Graffschaft Hanau-Münzenberg habe, 49, Documente aus dem Hanau-Münzenberg. Archiv, welche zu der Beschreibung der Hanau-M. Lande gehörig seynd, 76, Guden, Cod. Dipl., V, 1001, B., 355 nach A = Grimm, Weistümer, III, 481. 3) Die Zusätze: Thomas, Oberhof, 581 = Grimm, l. c. Anm. .*
>
> *Auszug: Frankf. Arch., N. F., IV, 289.*

**834.** *Wicker zum Wedel (de Ariete) und seine Frau Katharina verkaufen dem Kloster Arnsburg eine Korngült von 8 Achtel Roggen Frankfurter Maasses von ihrer eigenen Hufe in der Gemarkung von Ober-Dorfelden ("in terminis superioris ville Dorveldin") für 21 Mark köln.. Sie stellen als Bürgen: "Jacobum dictum Goltstein et Ludewicum dictum de Lympurg, cives Frankinvordenses." Zeugen: "Hertwicus de Alta domo, Cunradus de Spira, Johannes Goltstein, scabini" und die beiden Bürgen. Die Schöffen von Frankfurt siegeln mit dem Stadtsiegel. 1303 October 29. (in crast. b. Symonis et Iude ap.)*

> *Gedr.: Reimer, II, 35 nach dem Or. Pgmt. in Lich. Auszug: Arnsb. Urkb., 235.*
> *Vers.: Scriba, IV², No. 3710.*

---

a) *In C.:* „rechte als hernach gescriben steet. — Man sal wiszen etc." b) *In B. von derselben Hand.* c) *C.:* „Donechels". d) *C.:* „schuczen".

**835.** *Das Deutschordenshaus zu Mainz beurkundet den Austausch seiner Güter in Karben mit solchen des Deutschordenshauses zu Sachsenhausen in Partenheim und Vendersheim. 1303 November 23.*

Nos frater Marchwardus, commendator[a] domus Theutonice opidi Moguntinensis, ceterique fratres eiusdem domus, serie presencium recognoscimus publice protestando, nos concambium sive commutacionem bona deliberacione prehabita et libro arbitrio cum consensu preceptoris Alemanie, fratris Wenrici, fecisse et inisse[b] cum bonis nostris in villa Carben sitis pro bonis fratrum Theutonicorum apud Franckenfort, sitis in villulis Parthenheim et Vendersheim, tali tamen apposita condicione, ut dicti fratres Theutonici apud Franckenfort commorantes nobis nostreque domui in Maguncia super prefato concambio sive commutacione bonorum memoratorum decem et novem marcas supra addentes suis bonis in Parthenheim et Vendersheim renuncient et abnegent, de cetero ea minime tollendo. Ut autem huius permutacionis contractus a fratribus utriusque domus Theutonice, Moguntine videlicet et Franckfurdie, ratus et inconvulsus perpetuo perseveret, presentem cartulam sigilli nostri munimine sepefatis fratribus apud Franckenfort dedimus roboratam. Actum et datum anno domini millesimo trecentesimo tercio, in die beati Clementis martiris et pontificis.

*Abschrift im Deutschordens-Dokumentenbuch. St. A. Stuttgart. — Von Nathusius.*

**836.** *Siegfried von Heusenstamm und Frau verzichten zu Gunsten des Klosters Padershausen auf ihre Güter im Dorfe Rendel. 1304 Januar 2.*

.. Noverint universi presencium inspectores, quod quedam discordia sive guerra inter venerabilem dominam abbatissam // et conventus[a] in Padenshusin ex parte una et honorabilem militem Sifridum de[b] Husinstam[b] et suam legittimam Cůnegundim // ex parte altera vertebatur pro quadam empcione inter ipsos facta in villa Rendele et in terminis ipsius ville // in duobus mansis et decem et octo iugeribus cum quartale[a] unius iugeri[a] terre arabili,[a] ut dicta discordia unanimiter et concorditer fuerit ordinata, nos Sifridus et Cůnegundis iura nostra in predictis agris resignavimus et in presentibus resignamus. Huius rei testes sunt: Hertwicus de Alta domo, Wigelo de Wanebach, Wigelo de Rana, cives Franckenwordenses, plebanus de Husinstam, Rupertus de Birgele, et Wernerus de Wina. Datum anno domini [m̄.]c cc̄c. IIII.,[d] in octava beati Stephani. Ut predicta sint rata et roborata, sigillum meum duximus apponendum.

*Or. Pgmt. mit abhangendem, beschädigten Siegel. München, Reichsarchiv.*

**837.** *Philipp der Ältere und Philipp der Jüngere von Münzenberg und Werner, Philipps Sohn, verleihen ihrer Stadt Münzenberg die Freiheiten und Rechte von Frankfurt:* „Dantes oppidanis nostris sepedictis ea frui libertate et iure, quo et cives Francenfordenses utuntur libere ac fruuntur. *1304 Januar 7—13.* (infra octav. epyph. dom.)

*Gedr.: Hessisches (Darmstädter) Archiv, I, 3, 414.*<br>*Verz.: Scriba, II, No. 920. Vgl. Thomas, Oberhof, 147.*

<hr>

a) *Vorlage:* „comendator".   b) *Vorlage:* „iuvisse".   a) *So!*   b) *Ueber der Zeile.*   c) *m̄. fehlt.*   d) „in die" *ist gestrichen.*

**838.** *Das Kloster Meerholz verkauft ein Haus in Gelnhausen neben demjenigen des Gerhard Luschus an das Deutschordenshaus zu Sachsenhausen für 8¹/₂ Pfund Wetterauer Denare. 1304 Februar 26.* (in crast. Mathie ap.)[1]

*Gedr.: Reimer, II, 38 nach dem Deutschordens-Dokumentenbuch. St. A. Stuttgart. Erwähnt: Niedermayer, 159.*

**839.** *Das Frankfurter Stiftskapitel und das Kloster Haina treffen eine freundschaftliche Übereinkunft über verschiedene nachbarliche Verhältnisse zwischen dem Dechaneihof und dem Hainerhof in Frankfurt. 1304 März 23.*

Nos Philippus decanus[2] totumque capitulum ecclesie Frankenfordensis, notum facimus presentium // inspectoribus universis, quod, cum honorabiles viri dominus abbas et conventus monasterii de He//genehe, ordinis Cisterciensis, nobis et ecclesie nostre donaverint et tradiderint particulam aree sue sitam in // orto curie ipsorum retro curiam decanatus nostre ecclesie super fossatum, quod transit civitatem Frankenford, et indulserunt bona et concordi voluntate, quod nos Philippus decanus, capitulum et ecclesia nostra possimus et debeamus a cornu camini ministrantis ad stupam curie decanatus directe usque ad fossatum predictum construere et edificare murum; ita tamen, quod nulle ianue, fenestre sive foramina per ipsum murum, vel in edificiis desuper edificatis vel edificandis, fiant versus ortum et curiam dicti monasterii Hegenehe, et quod stillicidium, quod droiff vulgariter nuncupatur, infra cornu dicti camini versus curiam decanatus cadat et non ultra, eisdem abbati et conventui vice versa hanc infrascriptam amiciciam duximus faciendam, videlicet quod canale, quod canell in vulgari dicitur, quod posuerunt et ponere tenebantur suis laboribus et expensis sub tegmine domus eorum lapidee, site a sinistris, cum exitur curiam(!) decanatus, ad tollendum et amovendum stillicidium a curia decanatus in antea ponere perpetuo non debent neque tenebuntur. Et stillicidia tam domus eorum predicte quam domorum sive edificiorum curie decanatus nostri habere debebunt fluxum et motum per aqueductum, qui dicitur aeduche, per murum versus horreum constructum in curia monasterii de Hegenehe prelibati. Et ut hec premissa a nobis et successoribus nostris inviolabiliter perpetuo observentur, presentes literas nos decanus et capitulum, abbas et conventus predicti sigillis nostris hincinde tradimus communitas. Datum et actum anno millesimo tricentesimo quarto, feria secunda post ramos palmarum.

*Von dem Or. Pgmt. (St. A. Marburg, Hainaer Urkunden) sind nur noch Spuren zu erkennen. Das Siegel des Bartholomaeus-Stifts liegt lose bei. Die Abschrift im Hainaer Kopialbuch f. 2 (ebendort) ist, soweit nöthig, dem Drucke zu Grunde gelegt. — Grotefend. Gedr.: Guden, Cod. Dipl., III, 17, B., 259 nach dem Kopialbuch.*

**840.** *Revers des Klosters Haina in gleicher Sache. 1304 März 23.*

Nos frater Wilhelmus dictus abbas et .. conventus fratrum monasterii de Hegenche, ordinis Cysterciensis, te//nore presentium recognoscimus publice profitentes, quod, cum venerabiles viri .. decanus et .. capitulum // ecclesie Frankenfordensis nobis et monasterio

---

[1] *Der von B., 358, zu 1304 März 12 abgedruckte Vertrag zwischen Gottfried von Eppstein und Frankfurt ist von 1404 März 13. Vgl. Fr. Inv., II, 15. B. ist durch Lersner, II ᵃ, 302, der seine Quelle war, irre geführt worden.*

[2] *Derselbe urkundet als „iudex causarum monasterii in Arnesburg“ 1304 Februar 5 („in die b. Agathe virg. et martyris“) für dieses Kloster.*

*(Vgl. Arnsb. Urkb, 236, Sauer, I², 56). 1304 April 16, Viterbo, beauftragte ihn Papst Benedikt XI. mit dem Schutze des Klosters St. Anton (Régistres de Bénoit XI, No. 1024), ebenso 1304 Mai 23 mit Schutze der Klöster Retters und Thron. (l. c. No. 1318, 1319. Potthast No. 25430, 25430 ᵃ)*

nostro unanimi consensu donaverint et concesserint, quod ammodo // inantea numquam debeamus et teneamur ponere et procurare nostris laboribus et expensis, sicut tenebamur hucusque, canale, quod canel vulgariter nuncupatur, ad capiendum et amovendum stillicidium domus nostre lapidee, site in curia nostra Frankenford contigue curie decanatus ecclesie Frankenfordensis predicte, ita tamen, quod stillicidium tam domus nostre predicte, quam etiam domus et edificiorum curie decanatus predicti fluant et fluxum habeant et retineant et meatum per aqueductum, qui âduch nuncupatur, per murum versus horreum nostrum in curia nostra supradicta, ipsis . . decano et . . capitulo viceversa hanc gratiam refundere cupientes, eisdem unanimi consensu donavimus, tradidimus et concessimus particulam quandam aree, sitam in orto nostro in curia nostra retro curiam decanatus ecclesie Frankenfordensis predicte super fossatum, quod transit civitatem Frankenford, quod ipse . . decanus et . . capitulum pro commodo suo in ipsa parte aree a cornu camini ministrantis ad stupam curie et domus decanatus directe usque ad fossatum edificare et construere possunt et debent murum, ita sane, quod nec ianue, fenestre, vel foramina fiant per ipsum murum vel edificia desuper edificata vel edificanda versus curiam et ortum nostrum antedictum, et quod stillicidium cadat et remaneat infra cornu camini antedicti et non ultra se extendat. Ut autem hec premissa a nobis et . . successoribus nostris inconvulsa inmutabiliter observentur, nos . . abbas et . . conventus, . . decanus et . . capitulum, antedicti presentes litteras hinc et inde sigillorum nostrorum munimine tradimus roboratas. Actum et datum anno domini millesimo tricentesimo quarto, feria secunda proxima post ramos palmarum.

Or. Pgmt.   Es hängen nur die Siegel des Bartholomaeus-Stiftes und des Dechanten Philipp<br>an.   St. A. Fr.   Barth. St. No. 178.

**841.** *Schultheiss Gottfried Beyer und die Schöffen von Frankfurt beurkunden, dass der Schuhmacher Tilmann Rendeler und dessen Frau Lukardis der Johanniter-Kommende zu Frankfurt 17 Morgen Ackerland in der Gemarkung von Petterweil verkauft haben. 1304 April 3.*

Nos Gotfridus Beyer miles, scultetus, et scabini de Franckfurt. Recognoscimus, quod Tilmannus dictus Rendeler calcifex et Lucardis, uxor eius legittima, nostri concives, in nostri presencia constituti, communicata manu parique consensu vendiderunt iusto vendicionis tytulo religiosis viris fratri Hermanno de Maguntia commendatori et fratribus hospitalis sancti Johannis Jherosolemytani in Franckfurt decem et septem iugera terre arabilis in terminis ville Petterwile sita cum omni iure, quo ipsa decem et septem iugera possiderunt,[a] perpetuo possidenda; resignantes et renunciantes omni iuri dicti[b] coniuges, quod eisdem in predictis decem et septem iugeribus agrorum competebat; promittentes nichilominus prelibatis fratri Hermanno et fratribus facere warandiam iustam, debitam et consuetam. Testes huius sunt: Hertwicus de Alta domo, Conradus de Spira, Sifridus de Gysenheym, Markolfus de Lyntheim, Rudegerus de Hultzhusen, scabini, et quam plures alii cives Franckfurdenses fidedigni. In testimonium premissorum nos scultetus et scabini antedicti ad rogatum parcium prefatarum sigillum universitatis Franckfurdensis presentibus duximus appendendum. Actum anno domini millesimo tricentesimo quarto, feria sexta ante dominicam Quasimodogeniti.

Abschrift in Johanniter Bücher No. 15 f. XIII.   St. A. Fr.<br>Gedr.: B., 360 nach derselben Vorlage.<br>Verz.: Scriba, II, No. 926.

a) *Vorlage:* „possiderint“. b) *Vorlage:* „dicte“.

**842.** *Schultheiss Gottfried Beyer und die Schöffen von Frankfurt beurkunden, dass der Krämer Heinrich Rufus und dessen Frau Hedwig dem Deutschordenshause zu Sachsenhausen 1 Hufe und 7¹|₂ Morgen Land bei Huleshoven verkauft haben. 1304 April 6.*

Nos Gotfridus Beyer miles, scultetus, et scabini de Frankenford, tenore presencium publice profitentes recognoscimus, quod Henricus Rufus institor et Hedewigis, uxor eius legittima, nostri concives, in nostra presencia constituti communicata manu parique consensu vendiderunt iusto vendicionis titulo religiosis viris commendatori et fratribus Theutonice domus in Sassenhusen, nostris concivibus, unum mansum et septem iugera cum dimidio vel paulo plus aut minus terre arabilis in terminis ville Huleshoven sitos cum omni iure, quo ipsi coniuges ipsos mansum et iugera per ipsos emptos insimul comparaverunt et emerunt ac possiderunt, perpetuo possidendos; resignantes et renunciantes omni iuri, quod eisdem in predictis manso et iugeribus competebat, promittentes nichilominus prefatis commendatori et fratribus de ipsis manso et iugeribus facere warandiam iustam, debitam et consuetam. Testes huius rei sunt: Hertwicus de Alta domo, Cunradus de Spira, Sifridus de Gysenheim, Markolfus de Lyntheim, Rudegerus et Ludewicus de Holtzhusen, Johannes Goltstein, scabini, et quam plures alii cives Frankenvordenses fidedigni. Actum anno domini m. ccc. IV., feria II. proxima post octavas pasche.

*Or. Pgmt. Siegel abgeschnitten. St. A. Darmstadt.*

*Gedr.: Baur, Hess. Urk., I, 311, gekürzt zu April 7. Auszug: Niedermayer, 163. Eine Abschrift dieser Urkunde findet sich im Deutschordens-Dokumentenbuch f. 90. St. A. Stuttgart.*

**843.** *Adelheid, die Wittwe des Fassbinders Giselbert, verkauft an Margaretha, die Wittwe des Konrad Weiss von Dieburg, einen Grundzins auf einem steinernen, bei St. Nikolaus gelegenen Hause. 1304 Mai 21.*

Ego Adelheidis, relicta quondam Gyselberti ligatoris, civis Frankenfordensis, tenore presentium recognosco, me de consensu liberorum meorum sive puerorum utriusque sexus, videlicet Gyplonis et Heilmanni, Gude bechine ac Berthe, et etiam accedente consensu Bertholdi dicti Bockishorn, mariti prefate Berthe, et Gude, filie Henrici dicti Lowere pistoris, uxoris Heilmanni predicti, vendidisse rite et rationabiliter iusto vendicionis titulo super domum lapideam apud sanctum Nicolaum sitam, quam prefatus Gyplo, filius meus, inhabitat, honeste matrone Grete, relicte quondam Cunradi Albi de Dypurg, civi Frankenfordensi, unam marcam legalis monete Frankenfordensis annui et perpetui census, singulis annis in festo beati Martini hyemalis de ipsa domo tollendam perpetuo et percipiendam, pro quatuordecim marcis denariorum et dimidia marca, michi meisque pueris numeratis, traditis et solutis; resignans et renuncians una cum dictis meis pueris omni iuri, quod nobis in predicta marca census competebat. Preterea prefata Greta cum eadem marca denariorum census annualis, qui precedit alium censum totius fundi et est primus, poterit facere, disponere et ordinare, quidquid ipsius placuerit voluntati, contradictione cuiuslibet vel quorumlibet non obstante. Testes huius sunt: Hertwicus de Alta domo, Cunradus de Spira, Rudegerus de Hultzhusen, Culmannus de Ovenbach, scabini; Hartungus de Caldebach sutor et . . eius frater, ac alii quamplures cives Frankenfordenses fidedigni. In testimonium omnium premissorum nos Gotfridus Beier miles, scultetus, et . . scabini de Frankenford ad rogatum partium prefatarum sigillum universitatis Frankenfordensis presentibus duximus appendendum. Actum anno domini m. ccc. quarto, feria quinta in festo penthecostes.

*Gedr.: Guden, Cod. Dipl., V, 1005. = B., 361. Hier wiederholt. Auszug: Thomas, Oberhof, 445.*

**844.** *Das Wormser geistliche Gericht beglaubigt das Vermächtniss von Korn- und Geld-*
*gülten in Freimersheim, Mauchenheim und Weinheim durch Gertrud von Weinheim*
*an das Deutschordenshaus in Sachsenhausen. 1304 Juni 15.*

Iudices Wormacienses. Ad universorum noticiam volumus pervenire, quod in nostra
constituta presencia Gertrudis mulier de Weyenheim mota favore et dilectione speciali,
quam et que gerit et habet ad ordinem milicie domus Theutonice, volens et saluti
anime sue providere, cum nichil [sit][a] certius morte et incertius hora mortis, dedit
et donavit donacione facta inter vivos simplici et pura religiosis viris commendatori
et fratribus domus Theutonice in Franckenfort, Moguntinensis diocesis, redditus quinque
maldrorum siliginis in Frimersheim annuos et perpetuos; item redditus sex maldrorum
siliginis in Mauchenheim annuos et perpetuos; item in eadem villa Mauchenheim redditus undecim maldrorum siliginis cum dimidio annuos et perpetuos; item decem
solidos hallensium et quattuor cappones annuos et perpetuos cedentes annis singulis
nomine census de domo et orto[b] ibidem; item redditus quattuor maldrorum siliginis
in villa Weigenheym; item octo maldrorum siliginis ibidem annuos et perpetuos et
unam libram hallensium nomine census ibidem annui et perpetui; item in eadem villa
censum quattuor unciarum hallensium et quattuor capponum annuum et perpetuum;
item in eadem villa domum et ortum, quatuor iugra vinearum et dimidium iugrum
agri campestris, sita in terminis ville eiusdem, que inquam bona prefata Gertrudis
dedit, legavit et in testamento reliquit ob remedium anime sue, Wernheri de Weyenheim militis quondam et omnium amicorum et parentum eorundem commendatori et
fratribus domus in Franckenfort antedicte in elemosinam pure propter deum, ut animarum suarum memoria ibidem perpetuo peragatur, nichil omnino iuris sibi in eisdem
bonis, nisi tantum usumfructum ad tempora vite sue, reservando, resignans presentibus
dicta bona irrevocabiliter in manus et potestatem commendatoris et fratrum ac domus
eorum predictorum; renunciavit insuper omni excepcioni doli mali in factum ac omni
iuris auxilio canonici et civilis, quibus iuvari potest seu posset contra[c] donacionem
predictam seu legatum supradictum. In cuius rei testimonium presentes literas sigillo
curie nostre ad rogatum Gertrudis predicte prefatis commendatori et fratribus domus
in Franckenfort [dedimus][d] sigillatas. Datum anno domini millesimo tricentesimo
quarto, feria secunda post Nazarii proxima.

*Abschrift im Deutschordens-Dokumentenbuch f. 220. St. A. Stuttgart. — Von Nathusius.*


**845.** *König Albrecht verleiht auf Bitten des Johannes von Limburg dem Dorfe Staden die*
*Freiheiten und Rechte von Frankfurt.* „Oppidum suum Staden .. libertamus,
volentes, quod idem oppidum per omnia eisdem libertatibus et iuribus gaudeat
et fruatur, quibus civitas nostra Frankenfort frui dinoscitur et gaudere."
*Frankfurt, 1304 Juli 2.* (VI. non. iulii.)

> Gedr.: u. a. Landau, Ritterburgen, IV, 334 u. 338 Anm. 8 Extract.
> Verz.: B., Reg. Alb., No. 684 zu Juli 4, Scriba, II, No. 936, IV², No. 3717 zu Juli 2
> u. mit IV. non. iuli. Vgl. Thomas, Oberhof, 154.


**846.** *Das Stiftskapitel zu Frankfurt beurkundet, dass Arnold von Glauburg einen Altar*
*in der St. Michaelskapelle unter der Bedingung dotirt habe, dass der dabei anzu-*
*stellende Priester jedesmal von dem Dechanten und den zwei Ältesten seines*
*Geschlechtes ernannt werde. 1304 Juli 15.*

a) „sit" fehlt in der Vorlage.   b) Vorlage: „ortu".   c) Vorlage: „quam". Vielleicht auch „quoad"
d) „dedimus" fehlt in der Vorlage.

.. Decanus totumque capitulum ecclesie Frankenfordensis. Recognoscimus et tenore presencium // publice profitemur, quod Arnuldus dictus de Glouburg, civis Frankinfordensis, de nostro consensu et // libera voluntate altare in capella sancti Michahelis nostre ecclesie annexa in honorem omnipotentis dei, // beate virginis Marie et omnium sanctorum fundavit et eidem altari de proventibus suis pro sustentacione sacerdotis ibidem celebrantis competentes redditus assignavit. Hac itaque interposita conditione, quod nos .. decanus ecclesie predicte una cum duobus de predicti Arnuldi successoribus, qui in eadem parentela seniores inventi fuerint, ipsum altare, quando et quocienscunque vacare contigerit, iuxta nostram conscientiam conferemus. In predictorum testimonium et robur evidens presentes littere sunt confecte, nostri capituli, civitatisque Frankinfordensis sigillorum munimine roborate. Datum anno domini m̃. ccc̃. IIII., in divisione apostolorum.

*Or. Pgmt. Das Siegel fehlt. Frankfurt, Archiv der Freiherrn von Holzhausen. — Von Nathusius. Der Druck B.'s, 361, beruht auf der Abschrift in Barth. Bücher, Serie I No. 22ᵇ f. 152, eine weitere Abschrift in Serie II No. 7, f. 76ᵇ. St. A. Fr.*

*Ausserdem gedr.: Würdtwein, Dioc. Mog., II, 743. Vgl. Lersner, Iᵇ, 129, IIᵃ, 175, Müller, Barth. St., 155.*

**847.** *Der Knappe Kuno, Sohn des Ritters Erwin von Preungesheim, ein Frankfurter Bürger, vermacht zu seinem und seiner Eltern Gedächtniss dem Stiftskapitel, dem Deutschordenshause und dem Weissfrauenkloster in Frankfurt genannte Grundzinsen von seinem Hof in Rödelheim. 1304 Juli 28.*

In nomine domini, amen. Ego Cuno armiger, civis Frankenfordensis, natus quondam Erwini militis de Bru//ningesheim, constare cupio presencium inspectoribus presentibus et futuris, quod favente gracia salvatoris, sanus // corpore et compos mentis, sponte, libere et non coacte, nomine testamenti et legati condo, lego, statuo, deputo, or//dino et dispono honorabilibus viris dominis .. decano et .. capitulo ecclesie Frankenfordensis dimidiam marcam denariorum Coloniens*ium*, .. commendatori et .. fratribus domus Theutonice in Sassenhusen fertonem denariorum, et .. priorisse et .. conventui sanctimonialium monasterii sancte Marie Magdalene ordinis Penitentum in Frankenford fertonem denariorum levium, annis singulis nomine annui census de curia mea in Reddelnheim sita et omnibus bonis meis proprietariis in agris, pratis et vineis, ipsi curie mee pertinentibus et attinentibus, in terminis ville Reddelnheim sitis, perpetuo tollendos et percipiendos et pro presenciis sive consolacionibus personis in prefatis ecclesiis domino famulantibus ministrandis, ut mei parentumque meorum apud eos memoria habeatur; reservato michi tamen usufructu ipsius legati ad tempora mee vite; et hoc michi salvo, quod huiusmodi legatum in omnibus possim, si decrevero, immutare et ipsam curiam et bona attinencia, evidentj necessitate cogente, valeam vendere et alienare, contradictione qualibet non obstante. In cuius rei roboris firmitatem presens scriptum sigilli mei et sigilli parrochie Frankenfordensis tradidi munimine roboratum. Et ego Albertus de Derenbach, vices gerens honorabilis viri magistri Wigeri, plebani Frankenfordensis, sigillum parrochie Frankenfordensis ad preces Cunonis predicti, parrochialis de Frankenford, duxi huic scripto apponendum .. Datum et actum anno domini m̃. cc̃c. quarto, V̊. kalend*as* augusti.

*Or. Pgmt. Die zwei abhangenden Siegel sind schön erhalten. St. A. Fr. Barth. St. No. 2033. Gedr.: B., 362 nach dem Or. . Regest: Sauer, Iᵃ, 58. Verz.: Scriba, II, No. 938.*

**848.** *Kuno von Preungesheim vermacht zu gleichem Zwecke dem Kloster Schönau 2 Morgen Wiesen bei dem Schloss Rödelheim. 1304 Juli 28.*

In nomine domini, amen. Ego Cuno armiger, natus quondam Erwini militis de Bruningesheim pie // memorie, notum facio presentium inspectoribus universis, quod divina favente clemencia, sanus corpore // et compos mentis, sponte et libere, nomine testamenti et legati condo, lego, statuo, ordino et dispono re//lligiosis viris domino .. abbati et .. conventui monasterii in Schonenauwe, ordinis Cysterciensis, duo iugera pratorum apud castrum Reddelnheim sita, que quondam fuerunt .. fabri de Reddelnheim, perpetuo possidenda et tenenda, ut perpetuo mei meorumque parentum in ipso monasterio perpetuo[a] memoria habeatur, reservato tamen michi usufructu ad tempora vite mee, et hac protestacione michi salva, quod huiusmodi possim, si decrevero, immutare et necessitate evidenti compulsus pro meis necessariis vendere et alienare ipsa duo iugera pratorum pro mee libito voluntatis. In cuius rei testimonium presentes litteras duxi sigillorum, mei et parrochie Frankenfordensis, munimine roborandas. Et ego Albertus de Derenbach, gerens vices honorabilis viri magistri Wigeri, plebani Frankenfordensis, ad rogatum Cunonis supradicti, parrochialis de Frankenford, sigillum parrochie Frankenfordensis predicte duxi presentibus appendendum in testimonium veritatis. Datum et actum anno domini m̊. ccc̊. quarto, V̊. kalendas augusti.

*Or. Pgmt. Das erste Siegel fehlt, das zweite ist schön erhalten. St. A. Fr. Schönauer Urk.*

**849.** *Das Kloster Gnadenthal verkauft an Konrad Bornfleck und dessen Frau Hedwig Erbzinsen von 10 Brottischen in Frankfurt und Ländereien in Bockenheim. 1304 September 3.*

Nos soror Lucardis de Weilnawe dicta abbatissa totusque conventus cenobii in Gnadendail, notum facimus universis has litteras visuris, quod unanimi consensu et voluntate vendidimus iusto vendicionis titulo honesto viro Cunrado dicto Burneflecken et Hedewigi, uxori eius legitime, civibus Frankenfordensibus,[a] eorumque heredibus super decem mensis, in quibus panis venditur Frankenfordensis[b] et vendi hactenus consuevit, duas marcas cum dimidia et unum solidum Coloniensium denariorum usualis monete Frankenfordensis[b] census annualis cum omni iure, quo ipsum censum possedimus, eundem censum singulis annis in nativitate Johannis baptiste de ipsis decem mensis perpetuo tollendum et percipiendum. De quibus duabus marcis et dimidia et uno solido dicti Cunradus Burneflecke et eius coniunx in ipsa nativitate dicti Johannis baptiste tenebuntur perpetuo porrigere hospitali sancti Spiritus infirmorum[c] Frankenfordensi decem et octo solidos[d] Coloniensium denariorum annui census. Item recognoscimus, prefatis civibus vendidisse super domibus, agris et pratis in villa Buckenheim et terminis eiusdem sitis undecim solidos denariorum Coloniensium et sex Colonienses denarios[e] singulis annis in decollatione beati Johannis baptiste de eisdem domibus, agris et pratis et duos pullos[f] perpetuo tollendos et percipiendos, resignantes et renuntiantes omni iuri, quod nobis in predictis decem mensis[g] Frankenfordensibus[a] et domibus, agris et pratis in terminis ville Buckenheim sitis conpetebat, promittentes[h] nichilominus sepedictis Cunrado et sue coniugi[i] de memoratis censibus facere warandiam iustam, debitam et consuetam. Testes huius sunt: Hertwicus de Alta domo, Cunradus de Spira[k] Sifridus de Geisenheim, Rudegerus et Ludewicus de Holzhusen,[l] Johannes Goltstein, scabini, et quamplures alii cives Frankenfordenses[a] fidedigni. In cuius rei testimonium nos abbatissa et conventus supradicti memoratis Cunrado et Hedewigi, eius uxori, tradimus has litteras sigillo nostri conventus una cum sigillo universitatis Frankenfordensis[a] roboratas. Et nos scultetus et scabini de Frankenford[m] recog-

a) *So!* a) *In der Vorlage:* „Franckfordienses“. b) Franckfordiensis“. c) „infirmorem“. d) *Fehlt in der Vorlage.* e) „denarium“. f) „pollos“. g) „mansis“. h) „pronunctiantes“. i) „congugi“. k) „Spura“. l) „Holczhaussenn“. m) „Franckford“.

noscimus sigillum nostre universitatis ad preces abbatisse et conventus prefatarum[a] una cum sigillo eiusdem conventus presentibus appendisse. Actum et datum anno domini M. III. IIII., feria quinta ante nativitatem beate Marie virginis.

*Abschrift im Marienborner Kopialbuch. Büdingen.*
*Gedr.: Reimer, II, 51 nach dieser Vorlage. Hier wiederholt. Gekürzt: Wenck, Hess.*
*Landesgesch., I, 104ª.*

**850.** *Die Beghine Methildis von Rode stiftet die Klause in Oberrad. 1304 September 7.*

In nomine domini, amen. Ego soror Methildis begina de Rode, notum facio presencium inspectoribus universis, quod misericordie et pietatis visceribus mota, aream retro cymitherium in Rode sitam, in qua reclusorium sive clusa est constructum, quam proprietatis titulo possedi, obtuli et dedi et presentibus offero et dono pure et simpliciter propter deum, ut in ipsa area reclusorium sive clusa ad includendum personas domino nostro Jhesu Christo famulantes perpetuo habeatur. In cuius rei testimonium presentes litteras sigillo honorabilium virorum dominorum decani et capituli ecclesie Frankenfordensis, quo utuntur ad causas, et sigillo officialatus prepositure Frankenfordensis petii communiri. Et nos Philippus decanus et capitulum et officiales prepositure predicti ad rogatum sororis Methildis prelibate sigilla nostra, de quibus supra fit mentio, presentibus duximus appendenda in testimonium veritatis. Datum anno domini millesimo tricentesimo quarto, in vigilia beate virginis Marie.

*Gedr.: Fichard, Archiv, I, 219, „ex originali" = B., 362. Hier wiederholt.*
*Vgl. Frankf. Arch., V, 161.*

**851.** *Schultheiss Gottfried Beyer und die Schöffen von Frankfurt beurkunden, dass Ulrich von Erlenbach und seine Frau an Hartwich von Bürgel und dessen Erben eine Korngült von Gütern in Nieder-Eschbach verkauft haben. 1304 September 30.*

Nos Gotfridus Beier miles, scultetus, et . . scabini de Frankenford. Tenore presencium recognos//cimus, quod Ûlricus de Erlebach et Demûdis, uxor eius legittima, in nostri presencia constituti com//municata manu parique consensu vendiderunt iusto vendicionis titulo Hertwico de Byrgele et Gerdru//di, uxori eius legittime, nostris concivibus, eorumque heredibus super uno dimidio manso proprietario terre arabilis in terminis inferioris ville Eschebach sito octo octalia siliginis Frankenfordensis mensure annue et perpetue pensionis, quam quidem pensionem siliginis prefati Ulricus et sui heredes singulis annis[b] infra duo festa assumptionis et nativitatis beate Marie virginis dictis Hertwico et suis heredibus Frankenford porrigere tenebuntur eorum laboribus et expensis. Et ut iidem Hertwicus et sui heredes sint magis certi et assecurati de ipsa pensione siliginis, prelibati Ûlricus et sua coniunx curiam suam in dicta villa Erlebach sitam pre cunctis aliis hominibus pro subpignore obligarunt. Preterea quandocumque socrus prefati Ulrici ab hac luce migraverit, si prefati Ûlricus et sua coniunx dictum dimidium mansum bonis a dicta sua socru relictis iniecerint, extunc de prefatis bonis unum dimidium mansum terre arabilis equivalentem prelibato dimidio manso de ipsis bonis deputabunt et assignabunt sepedictis Hertwico et suis heredibus in terminis ipsius ville Eschebach et in eo contenti esse debebunt. Memorati etiam Ûlricus et . . eius coniunx ipsis Hertwico suisque heredibus Arnoldum et Heilmannum fratres, filios quondam Arnoldi advocati de Eschebach, et Bertoldum scultetum de Erlebach constituerunt fideiussores sub hac forma, quod, si ipsi negligentes aut remissi fuerint in presentatione pensionis siliginis tempore superius expresso, dicti

a) „prefatorum". b) *Ueber der Zeile.*

fideiussores dictis Hertwico et suis heredibus constituti fideiussionis sue debitum Frankenvord exolvent tamdiu, quousque ipsa pensio siliginis sepedictis Hertwico et suis heredibus fuerit presentata. Et si aliquis dictorum fideiussorum medio tempore decesserit, sepefati Ulricus aut sui heredes infra spacium illius anni eque ydoneum fideiussores(!) loco defuncti ipsis Hertwico et suis heredibus constituent. Quod si non fecerint, superstites fideiussores fideiussionis debitum exolvent, quousque loco defuncti alter fideiussor subrogetur. Testes huius sunt: Hertwicus de Alta domo, Cunradus de Spira, Sifridus de Gysenheim, Rudegerus et Ludewicus de Holtzhusen, Johannes dictus Goltstein, Volgwinus de Wetflaria, Culmannus de Ovenbach, Wigelo de Wanebach, scabini, et quam plures alii fidedigni. In cuius rei testimonium nos .. scultetus et .. scabini antedicti ad rogatum parcium predictarum sigillum universitatis Frankenfordensis presentibus duximus appendendum. Actum anno domini m̂. cĉc. quarto, in crastino beati Michahelis archangeli.

Or. Pgmt. mit abhangendem Stadtsiegel (2). München, Reichsarchiv.

**852.** *Schultheiss Gottfried Beyer und die Schöffen von Frankfurt beurkunden, dass Rüdiger von Holzhausen und dessen Frau Mechtild an Greta, die Wittwe des Konrad Weiss von Dieburg, einen Grundzins auf ihrem Haus Zur alten Hellen verkauft haben. 1304 October 7.*

Nos Gotfridus Beier miles, scultetus, et .. scabini de Frankenford, tenore presencium // recognoscimus, quod Rudegerus de Holtzhusen et Methildis, eius uxor legittima, nostri // concives, in nostri presencia constituti, communicata manu parique consensu vendiderunt iusto // vendicionis titulo honeste matrone Grete, relicte quondam Cunradi Albi de Dypurg, nostre concivi, super domum suam nuncupatam vulgariter zû der Alden Hellen quatuor marcas denariorum Coloniens*ium* legalis monete Frankenford perpetui census annualis. Quem quidem censum dicta Greta singulis annis in nativitate beate Marie virginis de eadem domo percipere in omnem eventum absque impedimento debebit. Preterea eadem Greta poterit disponere et ordinare de dictis quatuor marcis census, quandocumque voluerit, ad libitum sue voluntatis, contradictione quorumlibet vel cuiuslibet non obstante. Resignaverunt et renunciaverunt eciam iidem Rudegerus et eius .. coniunx omni iuri, quod eisdem in predictis quatuor marcis denariorum census annui competebat; promittentes nichilominus sepedicte Grete de ipso censu facere warandiam iustam, debitam et consuetam. Testes huius sunt: Hertwicus de Alta domo, Cunradus de Spira, Ludewicus de Holtzhusen, Johannes Goltstein, Drutwinus Schrenke, Volgwinus de Wetflaria, Wigelo de Wanebach, scabini, Heilmannus de Holtzhusen, et quamplures alii fidedigni. In testimonium premissorum nos .. scultetus et .. scabini antedicti ad rogatum parcium predictarum sigillum universitatis Frankenfordensis presentibus duximus appendendum. Actum et datum anno domini millesimo trecentesimo quarto, feria quarta post Remigii.

Or. Pgmt. Anhängend das beschädigte Stadtsiegel (2). St. A. Fr. Barth. St. No. 2136.<br>Gedr.: B., 363 nach dem Or.. Auszug: Thomas, Oberhof, 445, versehentlich zu October 4.

**853.** *Johannes, der Sohn des verstorbenen Gipel von Holzhausen, und dessen Frau Irmtrud verkaufen dem Konrad Bornfleck und seiner Frau Hedwig 4 Mark jährlichen Zinses auf ihrem Hause Zum alten Wobelin und den dazu gehörigen Brodtischen. 1304 November 24.[1]*

<hr>

[1] *Die von B., 364, zu 1304 November 18 nach Abschrift in Jacquin, Codex Probationum, Dominikaner-Bücher, No. 16 a, St. A. Fr. wiedergegebene Urkunde gehört zu 1334.*

Johannes, filius quondam Gypelonis de Holtzhusen, et Irmendrudis, uxor eius
legittima, cives Frankenvordenses, universis has litteras visuris cupimus esse notum,
quod nos communicata manu parique consensu rite et racionabiliter iusto vendicionis
titulo vendidimus honesto viro Cunrado dicto Burneflecken et Hedewigi, uxori eius
legittime, nostris concivibus, super domum nostram nuncupatam volgariter zu dem
Alden Wobeline et super mensis, in quibus panis venditur, dicte domui attinentibus
ex latere, et quidquid ad ipsam domum pertinet tam ante quam retro, quatuor marcas
denariorum legalis monete Frankenfordensis perpetui census et annualis pro sexaginta
marcis denariorum bonorum et legalium, nobis a prefato Cunrado et sua coniuge
traditis, numeratis penitus et persolutis, quem quidem censum a predictis domo et
mensis singulis annis in festo beati Martini predictis Cunrado et sue coniugi porrigere
perpetuo tenemur; resignantes et renunciantes omni iuri, quod nobis in prelibatis
quatuor marcis denariorum census annualis competebat. Adiectum est eciam, quod,
si quis dictorum coniugum primo ante alium ab hac luce migraverit, superstes coniunx
cum sepedicto censu potest disponere, ordinare et facere, quidquid sue placuerit
voluntati, et sic sepedicti coniuges in invicem comportaverunt. Testes huius rei sunt:
Johannes Goltstein, Ludewicus de Holtzhusen, Volgwinus de Wetflaria, Culmannus de
Ovenbach, Wigelo de Wanebach, scabini; Wigelo de Rana, et quamplures alii cives
Frankenfordenses fidedigni. In testimonium et firmitatem premissorum nos .. scultetus
et .. scabini de Frankenford ad rogatum partium predictarum sigillum universitatis
Frankenfordensis presentibus duximus appendendum. Actum anno domini millesimo
tricentesimo quarto, in vigilia beate Katherine virginis.

Gedr.: Guden, Cod. Dipl., V, 1006 = B., 364. Hier wiederholt. Auszug: Thomas, Ober-<br>hof, 445.

**854.** *Schultheiss Gottfried Beyer und die Schöffen von Frankfurt beurkunden, dass
Heinrich von Erlenbach 17 Morgen bei Nieder-Erlenbach an das Kloster Haina
verkauft und darauf von dem Kloster in Erbpacht zurückerhalten habe. 1304
December 13.*

Nos Gotfridus Beier miles, scultetus, et .. scabini de Frankenford, tenore presencium // recognoscimus publice profitentes, quod Heinricus de Erlebach dictus
de Eschersheim, // filius Johannis de Erlebach, nostri concivis, et Guda, uxor eius
legittima, in nostra presentia // constituti recognoverunt, se iusto venditionis titulo
vendidisse honorabilibus viris dominis abbati et .. conventui monasterii in Henehe,
ordinis Cistercien*sis*, communicata manu parique consensu decem et septem iugera
terre arabilis, sita in terminis ville inferioris Erlebach, pro quindecim marcis denariorum
Coloniensium numerate pecunie et recepte iure proprietario perpetuo possidenda. Que
quidem iugera sita sunt in hunc modum, videlicet quatuor iugera sita sunt in Hoverfelde et dicuntur Sluzselstucke; item exopposito ipsorum quatuor iugerorum trans
ripam tria iugera sunt sita; item unum iugerum situm est uff dem Wide; item duo
iugera et dimidium sita sunt in eodem campo in longo frusto sive agro; item quatuor
iugera minus quartali sita sunt in duobus frustis sive agris exopposito et tangunt
viam, qua itur Fredeberg, in eodem campo; item duo iugera sita sunt in uno frusto
sive agro in fundo dicto Menczer grunt; item exopposito situm est unum iugerum
et etiam tangit fundum Menczer grunt predictum. Et de warandia iusta, debita et
consueta facienda iidem Henricus et Guda, eius coniunx, ipsi monasterio Henehe
constituerunt fideiussores, renunciata omni actioni, que ipsis in dictis decem et septem

iugeribus agrorum competere posset, Johannem, patrem ipsius Henrici, Johannem,
filium eius, et Ditmarum de Frankinberg, generum predicti Johannis, nostros concives,
quemlibet eorum in solidum.  Recognoscimus etiam, quod frater Wideroldus, procurator
sive sindicus monasterii Henehe predicti, hiis premissis omnibus enarratis, supradicta
decem et septem iugera prelibatis . . coniugibus et eorum heredibus concessit nomine
sui monasterii pro sex octalibus siliginis mensure Frankenfordensis annue pensionis.
annis singulis Frankenford presentandis ad domum, quam ipsum monasterium maluerit,
infra festa assumptionis et nativitatis beate Marie virginis suis laboribus et expensis,
quamdiu solutionem dicte pensionis expedite solverint, iure hereditario possidenda.
Nec melius caput, quod bestehoubeth vulgariter nuncupatur, unquam ab ipsis iugeribus
vel possessoribus premissis exigetur vel persolvetur.  Testes huius sunt: Hertwicus
de Alta domo, Conradus de Spira, Sifridus de Gysenheim, Wigelo de Wanebach, scabini:
Wigerus scultetus de Erlebach, Folzo, Henricus faber, Ulricus pistor, Wenczelo Hakenrode, Wenczelo rasor, Johannes Habercorn de Erlebach, Henricus saccifer, et alii quam
plures cives Frankenvordenses fidedigni.  Et nos . . scultetus et . . scabini de Frankenvord antedicti in testimonium veritatis omnium premissorum ad rogatum partium
memoratarum sigillum universitatis nostre presentibus duximus appendendum. Actum
anno domini ṁ. ccċ. IIIÎ., in die beate Lucie virginis.

Or. Pgmt.  Sehr zerfressen.  Das abhangende Siegel ist abgefallen.  St. A. Marburg. Zur<br>
Ergänzung ist die Abschrift im Hainaer Kopialbuch f. 26 (ebendort) hinzugezogen. —<br>
Grotefend.<br>
<br>
Gedr.: Kuchenbecker, Anal. Hass., VIII, 300 (schlecht).


**855.** *Erzbischof Gerhard von Mainz verkauft seinem Wirthe Konrad Bornfleck und
dessen Frau Hedwig die Hälfte seines Ungelts zu Frankfurt auf zwei Jahre für
eine Schuld von 300 Mark.  1305 Februar 7.*[1]

Wir Gerhard, von godes gnaden erzebischof des heiligen stules zû Mentze, des
heiligen // riches ober Dutschlant erzekenzelere, vir//iehen und tûn kûnt allen den, die
disen geinwrthigen brib ansehent oder horent lesen, das wir Cunrade Burneflecken,
un//seme liben wirthe zû Frankenford, unde Hedewige, siner elichen wirthen, das
halbe teil des ungeltes zû Frankenford, das wir da hoin, reiches(!) koufes hon virkouft
um druhunderth marc Colser pennige, dri haller vor den Colser ze rechene, an irre
schult, di wir in schuldic sin, zwei iar zu nemene und ufzuhebene und in allin iren
nûtzh ze wendene, und die zwei iar solin anegein von nû pingesten die nehesten, die
kûment, ûbir ein iar; und des in unde iren erben rechte werschaf zû tûne, hon wir
in zu burgen gesast, die hernaich stent gescriben, mit namen Sifreden von Solmezse
den probist zû Aschaffinburg, den edeln man Gerlachen den herren von Bruberg,
Sifreden den herren von Eppenstein, Cunraden Svaben, unsen hobescribere, Theoderichen
burgraven von Starkenberg, Thederichen Randeckere den burgraven von Beckelnheim,
Erenbraten den vicedûm zû Rynckouwe, Volraden der etthewanne scholtheizse was zû
Frankenford, unde Mengezsen Sethzepanth richtere, ir ieglichen noch burgenrechte,
mit solichen underworthen, als hernoch gescriben steit. Wer is, das dieselben Cunrad
Burneflecke, Hedewig, sine wirthten, oder ir erben an demselben ungelte gehindert

---

[1] *In einer Urkunde des Ritters Marquard von
Rödelheim von 1305 Januar 13 (in octav. epiph.
dom.) werden als Zeugen u. a. genannt:* „Gozzo
Baurus scultetus, . . Johannes scolasticus in
Frankinfurd, Gernodus Schyndebog de Alsheym filius
Nycholai, Culmannus de Ovinbach scabinus, Wykerus
fon demeWedere, cives in Frankinfurd." *Vgl. Arnsb.
Urkb., 241, vgl. auch ib. 242.*

wrden (!), von wilher sache das queme, daz sie is nich mochten genemen oder geneizsen
in den zwen iaren, hont sie ich des ungeltes ufgehaben, daz solen sie abeslahen an
den dreuhunderth marken und sint vûrwert, me ie zû dem veirteil iare solen wir gelden
noch der markzal, als wir daz ungelt hon virkouf, das achte geteil der druhundert
marke. Wer is also, das wir des nich entdeden, werdent unse burgen gemant von den
vorgenanten Cunrade, Hedewige, oder von iren erben oder von iren muntborn, so sal
ie der burge einen kneth und ein perth legen in Lutzen huzh von Holtzhusen, der
burger ist zû Frankenford, also lange ze leistene, biz das wir virgelten, das sich
geburet noch der markzale ie zu dem veirteil iares. Geit der burgen dikeiner abe
von dodes wegen in dirre zit dirre iare, des got nich enwolle, nochdem daz wir gemanet
werden, solen wir bin eime mande einen also guden sethzen an dez doden stait oder
die andern burgen solen leisten, als dovor ist gescriben, also lange, ob sie werdent
gemanit, bis wir einen andern gesethzen. Wir geloben auch, unse burgen ze losene
ene schaden. Wir beiehen auch, daz wir dasselbe nemeliche ungelt den vorgenanthten
burgen hoin ze phande gesast also lange, bis wir sie gelosen ene schaden. Unde zu
einer stedekeide dirre vorgescribener dinge hoin wir dissen breip gegeben besigelet
mit unseme ingesigele. Dirre breip ist gegeben, do man zalthe von godis geburtde
dusent druhunderth iar in dem funthen iare, an deme sundage dem nehesten vor dem
sundage, so man Alleluia leit.

*Or. Pgmt. mit abhangendem, beschädigten Siegel. Die Urkunde ist durch Einschnitte
kancellirt. München, Reichsarchiv.*

**856.** *Friedrich und Hartwich, Brüder, und Hildegund und Kunigunde, Schwestern von
Seckbach vermachen dem Kloster Haina genannte Grundzinsen in und bei Frankfurt, sowie in Seckbach, nebst zwei Häusern in der Töngesgasse, alles unter
gewissem Vorbehalt. 1305 Februar 8.*

Nos Fridericus,[a] Hertwinus fratres, Hildegundis et Kunegundis begine sorores
eorundem de Seckebach, recognoscimus, quod pie propter deum et ob remedium animarum nostrarum deputavimus et presentibus assignamus communicata manu parique
consensu religiosis viris domino abbati et conventui monasterii de Henehe, ordinis
Cisterciensis, quatuor marcas denariorum legalis monete Frankenfordensis et quindecim
solidos levium,[b] que cedent singulis annis perpetuo in festo Martini, excepta dimidia
marca, que cedet in cathedra beati Petri singulis annis. Cuius census annualis due
marce denariorum cedent de domo et mansione Johannis dicti de Ostheim et Irmengardis, sue uxoris, in vico sancti Anthonii tam ante quam retro sitis. Item de
domibus, quas Heinricus Ulnere in vico Markolffi de Lyntheim possidet et tenet, una
libra denariorum. Item de domo, quam Hartmudus iunior de Nyda inhabitat, sita
apud mansionem Carmelitarum quatuordecim solidi levium[b] cedent Martini. Item de
domo contigua domui dicti Hartmudi, quam Conraidus[c] de Wizsenkirchen inhabitat
et possidet, dimidia marca cedet annis singulis in cathedra beati Petri. Item novem
solidi levium denariorum cedent de uno orto, sito ubi itur Burnheim, quem tenet et
possidet Cunradus dictus Gysubel. Item in villa Seckebach sex solidi levium, qui
derivantur de domo et area, quas dominus Hurruzh[d] olim possedit, et solidi duo
derivantur de domo et orto, quos possidet Hertwinus dictus Lubenheimere[e] ibidem.
Quos quidem octo solidos denariorum cedentes in Seckebach monasterium de Arnesburg tradere et solvere tenetur annis singulis Martini monasterio Henehe prelibato.
Insuper duas domus[f] sitas in vico sancti Anthonii contiguas domui Johannis de Ostheim

*Varianten des Druckes bei B.:* a) „et Hertwicus". b) „leves". c) „Conradus". d) „Hurenz".
e) „Lubenhennere". f) „domos".

et eius coniugis cum edificiis et ortis ad ipsas spectantibus eidem monasterio Henehe deputamus et assignamus, eo salvo, quod Catherina, nostra consanguinea, minorem domum et Heinricus, noster consanguineus, maiorem domum illarum domorum[g] sine demembracione, si nos supervixerint, ad vite sue tempora tantum possideant et ipsis de medio sublatis ad dictum monasterium Henehe libere devolventur. Census vero et domus supradictos et supradictas cum omni iure et onere, quo[h] ipsos et ipsas possedimus, in manus memorati monasterii Henehe de plano resignamus. Ea tamen protestacione, quod ipsum monasterium nobis omnibus et singulis annis singulis, quoad vixerimus, supradictos census suo tempore, ut supra dicitur, ministrabit. Nobis quoque omnibus fratribus et sororibus de medio sublatis supradicti census et domus superius expressi[l] apud ipsum monasterium Henehe cum suis aminiculis permanebunt. Adiectum est etiam, quod, si nobis aut alicui nostrum[k] talis necessitas, quod absit, incubuerit, causa inopie licitum erit nobis et esse debebit, fraude et dolo exceptis, ipsos census et domos vendere et alienare pro nostra sustentacione, contradictione qualibet non obstante. Testes huius sunt: Gotfridus Beier miles scultetus, Markolfus de Lintheim, Rudegerus de Holtzhusen, Drutwinus Schrencke, scabini, Gysilbertus de Sassenhusen dictus de Frideberg, et quam plures alii cives Frankenvordenses fidedigni. In testimonium omnium premissorum nos scabini antedicti ad rogatum partium predictarum sigillum universitatis Frankenfordensis appendi fecimus huic scripto. Actum anno domini m̃. ccc̃. quinto, VI. idus februarii.

*Abschrift im Hainaer Kopialbuch, II f. 3, (St. A. Marburg, Grotefend), danach gedr. Kuchenbecker, Anal. Hass., VIII, 302 und Reimer, II, 53. Auch der Druck B.'s, 365, geht wahrscheinlich auf diese Quelle zurück. B. sagt: „Kopialbuch de ca. 1500", vielleicht ist damit ein anderes, verlorenes Kopialbuch gemeint. Siehe die Varianten in den Anmerkungen.*


**857.** *Das Dominikanerkloster in Mainz verkauft dem Frankfurter Stiftskapitel Güter in Ober-Eschbach. 1305 Februar 13.*

Nos .. prior totusque conventus fratrum ordinis Predicatorum domus Maguntine, tenore presencium profitemur, // quod pari consensu, contractu legitimo bona nostra in superiori Essebach, ad nos devoluta post mortem // domini H., quondam plebani in Ygestat, vendidimus honorabilibus dominis .. decano et cano//nicis ecclesie Frankinvordensis pro decem et octo marcis cum dimidia Coloniensis monete, quam quidem pecuniam nos recepisse et in utilitatem nostri conventus convertisse recognoscimus per presentes. In cuius rei evidenciam presentem litteram nostri conventus sigillo tradidimus communitam. Datum et actum anno domini m̃. cc̃c. V̊., idibus februarii.

*Or. Pgmt. Abhangend das etwas beschädigte Siegel. St. A. Fr. Barth. St. No. 2734. Gedr.: B., 366 nach dem Or. . Verz.: Scriba, II, No. 941, III No. 2286.*


**858.** *Schultheiss, Schöffen, Rath und Bürger von Frankfurt befreien die Güter des von Arnold von Glauburg in der St. Michaels-Kapelle gestifteten Altars von Bede und Steuern. Frankfurt, 1305 Februar 24.*

Scultetus, .. scabini, .. consules .. ceterique cives Frankinfordenses. Noverint universi // Christi fideles, ad quos hoc presens scriptum pervenerit, quod, cum Arnuldus dictus de Glouburg,// noster concivis, ex inspiratione divina altare in capella sancti

*Varianten des Druckes bei B.: g) „domuum". h) Kopialbuch „quos", ebenso auch B.'s Vorlage nach Bemerkung im M. S. l) B. „expresse", so auch Reimer. k) „nostrorum".*

Michahelis, nostre civitatis, // in honore omnipotentis dei, beate et gloriose virginis
Marie ac omnium sanctorum fundasset et de propriis redditibus suis idem altare pro
anime sue, parentum, omniumque amicorum suorum et omnium eorum, quorum rebus
seu subsidio fundatum esse dinoscitur, remedio dotare salubriter decrevisset, petivit
a nobis humiliter et devote, ut redditus sive census memorato altari assignatos ab
omni exactionis precarie sive contributionis honere pure propter deum eximere curaremus, videlicet II. marcas legalium[a] denariorum[a] de domo Cunradi iudicis in vico,
qui dicitur Luprandisgazze, retro curiam fratrum sancti Johannis, et XXVIII. solidos
Colonienses[b] de duabus domibus sitis in vico exopposito Reinekyni coloratoris, que
quondam fuerunt cuiusdam[c] viri,[c] nomine Speculum de Diepurg, quarum una solvit
XVIII. solidos Colonienses,[b] reliqua vero X. solvit solidos Colonienses;[b] item de domo
tota Forhteliebi aurifabri, que quondam ad Antiquum Burgravium vocabatur, IIII.
marcas levium denariorum; item de domo cuiusdam nomine Perdian, sita iuxta domum,
que dicitur ad Gruem, I. libram denariorum levium; item dimidiam marcam de domo,
que dicitur zûme Kaufhus, iuxta Forhtliebum[c] aurifabrum.  Nos vero . . scultetus, . .
scabini, consules civesque supradicti, dignum ducentes, peticionem huiusmodi tum
divine reverentie, tum predicti concivis nostri benevolentie intuitu exaudire, redditus
sive census altaris supradicti ab omni exactionis, precarie sive contributionis honere
eximimus per presentes.  In cuius rei testimonium presentes conscribi fecimus litteras
sigilli nostre civitatis munimine roboratas.  Actum et datum in Frankinford, anno
domini m̃. c̃c̃c. V̊., V̊I. kalendas marcii.

*Pgmt.  Nur Siegeleinschnitte vorhanden.  St. A. Fr. Barth. St. No. 2956c.*

*Die Urkunde ist nicht in der städtischen Kanzlei geschrieben.  Wahrscheinlich handelt
es sich nur um einen Entwurf, welcher der Stadtbehörde zur Bestätigung eingereicht werden
sollte.  Dafür spricht der Umstand, dass die Urkunde noch einmal in Abschrift überliefert
ist, und zwar mit dem Datum 1304 Juli 15 (die divisionis apostolorum, Barth. Bücher,
Serie I No. 22[b] f. 169[a]): Hier ist vor dem Satze „Nos vero scultetus etc." noch folgendes
eingeschoben:* „Item notandum, quod una libra denariorum levium predictorum censuum
pertinet ad luminaria altaris memorati, videlicet ad lampadem nocte dieque ardentem et
ad duas candelas in altari pro missa ardentes de duabus libris cere factas et ad candelam
tortam de quatuor libris factam, tenendam in elevacione eucharistie, et specialiter sunt
ordinati seu assignati de domo Perdian in die sancti Michaelis libra denariorum levium.
Item de domo, que dicitur zum Kauffhuse, dimidia marca in nativitate beate virginis.
Item octo solidi denariorum levium, qui recipiendi sunt de triginta solidis Colonien*sibus*,
qui cedunt in die sancti Martini, de duabus domibus sitis in vico Sack ex opposito quondam
Reynekini follonis seu coloratoris, ut supra.  Preterea sciant presentium inspectores, quod
ego Girlacus, primus cappellanus altaris supradicti, scilicet omnium sanctorum in capella
sancti Michaelis in Franckinfort, de consensu decani et tocius capituli ecclesie sancti
Bartholomei Franckinfordensis vendidi honeste domine Hedewigi, relicte quondam Hantze-
lonis dicti de Glauburg, duas marcas denariorum annui census, videlicet de quatuor marcis,
que cedunt de domo Forhtlieben quondam aurifaber(!), ut supra, quarum una cedit in die
Philippi et Jacobi, reliqua cedit vero in festo nativitatis virginis gloriose, et cum ipsa
pecunia mansum proprietarium in villa Soltzbach comparavi. Et post mortem Güde, sororis
Methildis de Rufa domo, adhuc unus mansus cedit predicto altari, sed ipsa Guda recipiet
fructus mansi, quamdiu vivit ipsa." *Dann folgt wie oben:* „Nos vero scultetus, scabini
u. s. w."*

**859.** *Marquard und Hartmud, die Söhne des Ritters Hartmud von Sachsenhausen, und
ihre Gemahlinnen Gela und Christine verkaufen dem Deutschordenshause in Sachsenhausen genannte in und bei Sachsenhausen gelegene Grundzinsen. 1305 April 14.*

a) *Ueber der Zeile.*  b) *Or. „Coll" mit Strich durch die beiden l.*  c) *Ueber Rasur.*

Ego Marquardus et Hartmudus, filii quondam Hartmudi de Sassenhusen militis, necnon Gela et Cristina, uxores nostre legitime, // recognoscimus ac universis presencium inspectoribus notum facimus in hiis scriptis, quod nos pari consensu et unanimi voluntate vendidimus ac iusto // venditionis titulo vendimus in villa predicta Sassenhusen .. commendatori ac fratribus universis domus Theutonice ibidem nomine census novem solidos et // undecim denarios leves Frankinfordensis monete et dimidium capponem, videlicet in area Heinrici dicti Grazze, sita apud fossatum ville predicte. quinque solidos leves et septem denarios leves; item in curia Theoderici dicti Kalcburner et quibusdam agris in campo ville supradicte sitis viginti octo denarios leves: item quinque denarios leves in quatuor iugeribus sitis iuxta predictos agros, qui* sunt Wigandi filii quondam Diemari; item in domo Bauri solidum levem; item in curia fratrum predictorum, quam nunc inhabitat Gerhardus dictus Windranc, septem denarios leves et dimidium capponem. Quem inquam censum prescriptum damus et assignamus fratribus supradictis omni iure et condicionibus, quo et quibus dinoscebamur hactenus possedisse, pro sex marcis denariorum Coloniens*ium*, minus tribus Coloniens*ibus*, legalium et bonorum, tribus hallensibus pro quovis denario computatis, quos quidem denarios de fratribus sepefatis profitemur plenarie recepisse et in usus nostros utiles convertisse. In cuius rei testimonium et perpetuam firmitatem sigilla nostra duximus presentibus appendenda. Actum anno domini ṁ. ċċċ. V̊., in die sancti Ambrosii episcopi. Testes huius rei sunt: honestus vir Heinricus dictus Wihse miles, Wolframus de Sassinhusen armiger, Heinricus dictus de Urbruch, et quamplures alii fidedigni.

*Or. Pgmt. mit den zwei wohlerhaltenen Siegeln. Wien, Deutschordens-Centralarchiv.*
*Gedr.: B., 366 nach dem Or., Periodische Blätter der Geschichts- und Alterthumsfreunde, 1854, 3, 98.*
*Verz.: Pettenegg No. 857 zu Dec. 7.*

**860.** *Die Pfalzgrafen Rudolf und Ludwig bei Rhein, Herzöge in Bayern, bestätigen die Schenkung ihres Vaters an das Deutschordenshaus zu Sachsenhausen, betr. das Gericht zu Weinheim bei Alzei. Heidelberg, 1305 April 20.*

Nos Rudolfus et Ludowicus, dei gracia comites palatini Reni, duces Bowarie, notum facimus et presentibus profitemur, quod moti piissimo miseracionis affectu donaciones et gracias per patrem nostrum illustrem Ludowicum piissime recordacionis commendatori et fratribus in Sassenhusen prope Franckenfort in iudicio ville Weyenheim factas et concessas presentibus approbamus et ratas tenere volumus, ita tamen, ut positum nostrum dominum tutorem seu defensorem in predicta villa non debeant eligere ullo modo, sed nostri advocati tenentur eos specialiter protueri, dantes sibi has meas(!) literas nostro minori sigillo sigillatas in testimonium super eo. Datum in Heidelbergk, anno domini millesimo tricentesimo quinto, tercia feria proxima post festum diem pasche.

*Abschrift im Deutschordens-Dokumentenbuch f. 222. St. A. Stuttgart. — Von Nathusius.*

**861.** *Dietrich von Massenheim verkauft seine Leibzucht an einer von seiner verstorbenen Frau zur Hälfte dem Frankfurter Stiftskapitel, zur andern Hälfte dem Pfarrer zu Vilbel vermachten Hufe, soweit es die dem Stifte zustehende Hälfte betrifft, an dieses und nimmt diesen Theil von dem Stifte in Erbpacht. 1305 Mai 9.*

Ego Theodericus de Massinheim, civis Frankenfordensis, tenore presencium recognosco publice profitendo, quod, cum // Hedewigis de Massinheim, uxor mea legitima bone memorie, unum mansum proprietarium ad eam devolu//tum, situm in terminis

a) *Ein Wort radiert.*

ville Massinheim, de consensu meo benivolo pro remedio anime sue et quondam Dit-
ma//ri de Massinheim, mariti sui legitimi, antecessoris mei, legaverit et donaverit,
medietatem ipsius mansi . . decano et . . capitulo ecclesie Frankenvordensis et aliam
medietatem . . plebano, qui pro tempore fuerit in Velwile, reservato tamen michi
Theoderico usufructu ipsius mansi ad tempora vite mee, prout in litteris super ipso
legato confectis plenius continetur; (qui quidem mansus situs est in hunc modum,
videlicet quatuor iugera in via Hoirheim, item non longe deinde duo iugera in duobus
locis, item iuxta Erlehe duo iugera in duobus locis, item iuxta Reichweg duo iugera
in duobus locis, item versus campum duo iugera in uno loco, item duo iugera in uno
loco attingencia Reich, item unum iuger iuxta ripam prope villam; item in secundo
campo unum iuger et dimidium in duobus locis iuxta ripam, item in campo ville
Velwile unum iuger, item in via ville Durkelwile duo iugera in uno loco, item tria
iugera dicta Anewendere in uno loco prope ibidem, item unum iuger non longe ab
eisdem; item in tercio campo in via ville Erlebach unum iuger, item iuxta viam
Clopheim unum iuger in duobus locis, item in inferiori via Erlebach unum iuger et
dimidium in uno loco, item prope ibidem dimidium iuger, item non longe abinde
unum iuger, item in via Eschebach unum iuger et dimidium sunt sita); ipsum usufructum
de medietate ipsius mansi, ad tempora vite mee possidendum, predictis dominis . . decano
et . . capitulo ecclesie Frankenvordensis vendidi iusto vendicionis titulo pro decem
marcis denariorum Coloniens*ium* numerate et percepte pecunie ab eisdem iure proprietario perpetuo possidendum.  Recognosco eciam, quod ego Theodericus predictus
prefatum dimidium mansum, sic per me venditum, a prefatis . . decano et . . capitulo
conduxi iure hereditario possidendum pro octo octalibus siliginis legalis et bene purgate
annone mensure Frankenfordensis annis singulis infra festum assumptionis et nativitatis beate Marie virginis ipsis Frankenford ad domum, quam maluerint, vel cui
deputaverint, solvendis et presentandis meis laboribus et expensis.  Hoc eciam addico,
quod, cum de medio sublatus fuero, unus tantum heredum meorum ipsum dimidium
mansum pro predicta pensione octo octalium possidebit et sic perpetuo, ita quod
permaneat indivisus, et ipse heres quinque iugera de aliis suis bonis proprietariis
pro predicta pensione sic solvenda ipsis . . decano et . . capitulo pro subpignore obli-
gabit.  In cuius rei testimonium et roboris firmitatem presentes litteras una cum . .
decano et . . capitulo supradictis sigillo universitatis Frankenfordensis pecii communiri.
Et nos . . scabini de Frankenford recognoscimus, nos sigillum nostre universitatis hiis
litteris appendisse ad rogatum partium prefatarum, nostrorum concivium, in testimonium
omnium premissorum.  Actum et datum anno domini millesimo trecentesimo quinto,
dominica, qua cantatur Jubilate.

Or. Pgmt.  Nur das etwas beschädigte Stadtsiegel (2) hängt an.  St. A. Fr.  Barth. St.<br>No. 2956 a.

**862.** *Ritter Winter von Preungesheim verkauft mit Zustimmung der Vormünder seiner<br>
unmündigen Kinder 2 Hufen zu Haarheim an den Frankfurter Bürger Jakob<br>
Goldstein und dessen Frau Heidendrudis.  1305 Juli 15.*

Ego Wintherus miles de Brüningesheim tenore presencium recognosco publice profitendo, quod huiusmodi // bona omnia et singula in villa Horheim et terminis eiusdem
sita, videlicet duos mansos terre arabilis, curi//as, domos, cum universis suis attinenciis
et pertinenciis, et sex anseres annis singulis cedentes, quibus quidem // bonis ex morte
quondam Theoderici de Bomersheim militis, soceri mei, successi tamquam heres legittimus, de benivolo consensu Cunradi canonici ecclesie Aschaffenburgensis, Heilmanni
et Wolframi militum, fratrum, sororiorum meorum, tutorum seu curatorum Theoderici,

Gudele et Lyse, liberorum meorum, vendidi iusto vendicionis titulo [Jacobo] dicto
Goltstein et Heidendrudi, uxori sue legitime, civibus Frankenfordensibus, ac heredibus
eorundem pro centum [marcis denariorum] Coloniensium legalium et bonorum minus
tribus marcis, michi ab eisdem Jacobo et Heidendrudi coniugibus in [parata pecuni]a
numeratis, traditis et persolutis et in solucionem meorum debitorum conversis, iure
proprietatis [perpetuo posside]nda; ita sane, si aliqui agri ultra duos mansos inveniuntur,
quod sub eodem pacto, quo dicti [mansi venditi sunt,] secundum suam estimacionem
apud ipsum Jacobum et suos heredes permanebunt, et valorem eorum supra[addent.
Si autem] minus quam duo mansi inveniuntur, secundum huiusmodi defectum, iuxta
quod markzale vulgariter [nominatur, idem] Jacobus defalcabit in pecunia supradicta.
Et quia prelibati mei liberi adhuc existunt inf[ra annos] discrecionis, supradictis
Jacobo, Heidendrudi et eorum heredibus Cunradum canonicum, Heilmannum, Wolframum,
milites predictos, ac Theodericum canonicum ecclesie Aschaffenburgensis predicte,
ipsorum fratrem, meos sororios, constitui fideiussores de warandia facienda iusta,
debita et consueta, et quod prefatos meos liberos, cum ad annos discrecionis pervenerint, ad hoc inducere tenentur et debebunt, quod renunciacionem et resignacionem
de ipsis bonis, sicut ego presentibus renuncio et resigno, facient expeditam. Adiectum
est eciam, quod, si quis fideiussorum meorum predictorum, quod absit, ante quam
prenominati mei .. liberi ad annos legitime etatis pervenerint et ante quam renunciacionem et resignacionem super prelibatis bonis fecerint, decesserit, commonitus ab
ipso Jacobo vel suis .. heredibus infra mensem alium fideiussorem substituam eque
bonum.    Alioquin superstites mei fideiussores commoniti super me fideiussionis sue
debitum exolvere debebunt, quousque alter fideiussor loco defuncti eque ydoneus per
me fuerit subrogatus, et hec tociens, quociens ad huiusmodi casum contingerit evenire.
In cuius rei memoriam et firmitatem pleniorem presentes litteras sigillis, mei Wintheri,
Cunradi et Theoderici canonicorum, Heilmanni et Wolframi militum, fratrum, sororiorum
meorum supradictorum, sepedicto Jacobo[a] suisque heredibus tradidi sigillatas.   Et nos
Cunradus et Theodericus canonici, Heilmannus et Wolframus milites, fratres antedicti,
in signum nostri consensus et in testimonium omnium premissorum sigilla nostra una
cum sigillo Wintheri militis, sororii nostri prelibati, presentibus duximus appendenda.
Actum et datum anno domini millesimo tricentesimo quinto, in divisione apostolorum.

*Or. Pgmt. (sehr vermodert).   Von den Siegeln hängt 1) in Bruchstücken an, 2) und 3) sind
abgefallen, 4) und 5) sind beschädigt.   Frankfurt, Archiv der Freiherren von Holzhausen. — Von Nathusius.*
*Regest: Euler, Frankf. Neujahrsblatt, 1859, 25, vgl. ib. 1878, 16.*

**863.** *Volkwin von Wetzlar und dessen Frau übergeben dem Weissfrauenkloster zu Frankfurt eine Hufe Ackerland in der Gemarkung von Ginnheim und ausserdem ihren
in das Kloster aufgenommenen Enkelinnen einen Grundzins auf 5 Häuschen am
Rossbühel, welcher nach deren Tod ebenfalls an das Kloster fallen soll.   1305
September 3.*

Nos Volgwinus de Wetflaria et Gerdrudis, uxor eius legitima, cives Frankenfordenses, tenore presencium // recognoscimus, quod communicata manu parique consensu ob receptionem Irmendrudis et Gerdrudis, filiarum // quondam Volgwini filii mei
Volgwini antedicti, quas .. priorissa et .. conventus sanctimonialium ordinis // Penitentum
in Frankenford pie propter deum in suum ordinem receperunt, dictis .. priorisse et
.. conventui[b] unum mansum terre arabilis in terminis ville Gynnenheim situm, accedente

a) *Or.:* „Jacobus".   b) *Or.:* „contui".

consensu . . fratrum dictarum Irmendrudis et Gerdrudis, deputavimus et assignavimus et presentibus deputamus et assignamus, ipsum mansum cum omni suo iure perpetuo tenendum et possidendum; resignantes et renunciantes omni iuri iidem Volgwinus et eius coniunx una cum fratribus Irmendrudis et Gerdrudis predictarum, quod eisdem in predicto manso competebat seu competere videbatur. Preterea nos Wolgwinus et Gerdrudis, eius uxor, antedicti recognoscimus, quod eciam communicata manu parique consensu post nostrum amborum obitum pie propter deum et in remedium animarum nostrarum deputavimus et assignavimus et presentibus deputamus et assignamus supradictis Irmendrudi et Gerdrudi super quinque domunculis in nova curia nostra iuxta montem dictum Rossebuhel versus murum civitatis in arto vico sitis duas marcas denariorum legalis monete in Frankenford census annualis, ut eo melius in suo ordine sustententur, ita sane, quod quecumque . . sororum antedictarum ante aliam ab hac luce migraverit, una marca ex illis duabus marcis pretactis ad ipsos . . priorissam et . . conventum derivabit, secunda vero sorore de medio eciam sublata, reliqua marca denariorum eodem modo apud dictos . . priorissam et . . conventum perpetuo remanebit. Testes huius rei sunt: Cunradus de Spira, Sifridus de Gysenheim, Johannes Goltstein, Ludewicus de Holtzhusen, scabini; Henricus de Hachinberg, et quamplures alii cives Frankenfordenses fidedigni. In cuius rei testimonium et firmitatem perpetuam sigillum universitatis Frankenfordensis per . . scabinos antedictos ad instantem rogatum nostrum presentibus est appensum. Actum et datum anno domini m̄. c̄c̄c̄. quinto, feria sexta ante nativitatem Marie virginis gloriose.

Or. Pgmt. Stadtsiegel (2) abhangend. Rückaufschrift 15. Jahrh.: „von hern Fulkwin zů<br>
Wolkenburg". St. A. Fr. Weissfrauenkloster, Lade 15, C. No. 2.<br>
Gedr. nach dem Or.: B., 367, Reimer, II, 62.

**864.** *Der Official der Frankfurter Propstei beurkundet das Zeugniss des Hermann Rorici, Vikars am Altar des Heiligen Mathias im alten Hospital in Frankfurt, dass die Kollatur dieser Vikarie dem Dechanten der St. Bartholomaeuskirche und dem ältesten Schöffen zustehe. 1305 September 26.*

Officialis prepositure Franckfurdensis, dioce*sis* Moguntine. Recognoscimus et ad universorum, quorum interest vel interesse poterit in futurum, noticiam deducimus,[a] quod in nostra et testium subscriptorum presencia constitutus honestus et discretus vir Hermannus Rorici, vicarius vicarie sancti Mathie prope hospitale antiquum in opido Franckfurden*si* site, publice et expresse meliori modo, iure et forma, quibus melius valere poterat, libere et sponte et non coactus recognovit et presentibus recognoscit, quod dicte vicarie sue, quam pluribus annis tenuit, cum ipsam vacare contigerit, collacio, provisio ac disposicio ad dominum decanum ecclesie sancti Bartholomei Franckfurdensis et scabinum seniorem ibidem pro tempore existentes dumtaxat debeat pertinere, et sic eciam dicta vicaria sibi extitit assignata et collata post resignacionem[b] factam de eadem per quondam dominum Hildebrandum, primum vicarium vicarie supradicte, nec idem Hermannus, ut asserit, unquam de eius contrario quicquid intellexit,[c] licet ipse ab aliquibus investigacionem a diversis et honestis super hoc, in quantum potuit, fecerit diligentem.[d] Premissa omnia deponit sanus et compos mente, que, si necesse fuerit, per iuramentum suum tactis sacrosanctis ewangeliis declarabit. Huic deposicioni[e] et confessioni presentes erant honesti et discreti viri: dominus Johannes Alleciator vicarius ecclesie sancti Bartholomei ibidem, Hermannus Schrantz de Sassenhusen, Theodericus de Halgarten, et quam plures alii fidedigni ad

a) Vorlage: „deducentes". b) „assignacionem". c) „intellexerit". d) „diligenciam". e) „hanc deposicionem (!)".

premissa pro testibus vocatis specialiter et rogatis, in curia habitacionis nostre ibidem, dudum ante pulsum prime. In premissorum omnium et singulorum testimonium evidens et roboris firmitatem presentes dedimus li*tt*eras[a] sigillo officialitatis nostre co*mm*unitas. Anno domini millesimo tricentesimo quinto, VI. kalen*das* octobris.

*Abschrift des 15. Jahrhunderts in dem Kopialbuch, betr. dem Rath unterstehende Stiftungen. St. A. Fr., Ugb. C. 10 No. VI.*

*Gedr.: B., 368 nach derselben Vorlage.*

**865.** *Adelheid, die Frau des Hartwich vom Rebstock, vermacht dem Kloster Haina eine Mark jährlichen Zinses von ihrem neben dem Hause zum Rebstock gelegenen Hause. 1305 September 30.*

Noverint universi presentes litteras inspecturi, quod ego Adelheidis, uxor Hertwici de Vite legittima, civis Frankenfordensis, accedente benivolo consensu iam dicti mei mariti, pie propter deum et ob remedium anime mee post meum obitum legavi et deputavi religiosis viris domino abbati et conventui monasterii Hegene, ordinis Cisterciensis, supra domum meam meique mariti contiguam domui de Vite, quam magister Jacobus fusor campanarum inhabitat, unam marcam denariorum legalium Frankenfordensium cum suo iure et onere perpetuo singulis annis post meam mortem de ipsa domo tollendam et percipiendam. Ita sane, quod prefati abbas et conventus, qui pro tempore fuerint, anniversarium meum singulis annis peragant cum vigiliis, missis et orationibus solitis, debitis et consuetis. Testes huius rei sunt: Sifridus de Gysenheim, Theodericus notarius, Gisilbertus de Sassinhusen dictus de Frideberg, Heinricus saccifer Longus, et quam plures alii cives Frankenvordenses fidedigni. In cuius rei testimonium nos Volradus miles, scultetus, et scabini de Frankenvord ad rogatum prefate Adelheidis suique mariti et prefati domini . . abbatis sigillum universitatis Frankenfordensis presentibus duximus appendendum. Actum anno domini m̃. cc̃c. quinto, in crastino beati Michaelis archangeli.

*Abschrift im Hainaer Kopialbuch f 2ᵒ. St. A. Marburg. — Grotefend.*

*Gedr.: B., 369 nach derselben Vorlage.*

**866.** *Philipp der Ältere von Münzenberg verzichtet zusammen mit seinem Sohne Werner auf die Forderung des Bedeweizens von den Gütern des Deutschordenshauses zu Sachsenhausen in und bei Niederwöllstadt, unter der Einschränkung, dass künftig zu erwerbende Güter von dem Deutschorden an Colonen verpachtet und die Abgaben von diesen gezahlt werden sollen. 1305 October 27.*

Nos Philippus dominus de Mintzenberg senior. Universis presentium inspectoribus et audito//ribus cupimus esse notum, quod, cum materia questionis seu controversie inter nos ex una // et honestos viros . . commendatorem et . . fratres domus ordinis Theutonice in Sassenhu//sen, Maguntine diocesis, ex parte altera verteretur, videlicet super eo, quod iura nostra et obventiones in tritico, quod triticum dicitur vulgariter Bedewezze, in bonis eorundem in villa Wllenstad inferiori et terminis eius sitis hactenus sunt neglecta, mediantibus amicis nostris hincinde, huiusmodi ordinacio intercessit, ita, quod super omnibus iuribus racione seu occasione predicti tritici nobis[b] competentibus de ipsorum . . commendatoris et . . fratrum bonis in terminis dicte ville Wllenstad sitis, que iam in presenti tenent et possident, usque in hodiernum diem neglectis, de benivolo et libero consensu Wernheri, nati nostri dilecti, ac aliorum heredum nostrorum

a) *Vorlage „litteras" doppelt.*   b) *Ueber der Zeile.*

pure propter deum et in remedium anime nostre renunciamus publice per presentes,
ea sane condicione mediante, quod supradicti .. commendator et .. fratres nulla bona
in terminis prelibate ville Wllenstad inantea emere debebunt; sed pro tanto, quod
si aliqui homines habentes bona in prenominata villa Wllenstad seu terminis eius ..
commendatori et .. fratribus antedictis aliqua bona pro remedio animarum suarum
legare voluerint seu legaverint, quod huiusmodi bona propriis aratris non colent, sed ..
colonis ea bona locabunt, qui nobis de iuribus nostris satisfacient, ne nos et nostri
successores in iuribus nostris inantea defraudemur. Testes huius rei sunt: Philippus
decanus ecclesie Frankenfordensis, Henricus de Hatzichenstein, Volradus et Henricus
quondam sculteti in Frankenford, Fridericus Dugelo senior, Cunradus et Bertholdus
dicti de Morle, milites, et quam plures alii fidedigni. In testimonium omnium et singulorum predictorum sigillorum nostrorum Ph. domini de Mintzenberg et domus Theutonice de Sassenhusen antedictorum fecimus munime(!) roborari litteras suprascriptas.
Actum anno domini millesimo ccĕ. quinto, in vigilia beatorum Symonis et Jude
apostolorum.

Or. Pgmt. mit beschädigtem Siegel Philipps, das zweite fehlt   Assenheim.<br>
Verz.: Herquet: Regesten des Gräfl. Solms-Rödelheim'schen Archivs No. 12.   Eine zweite<br>
Ausfertigung mit beiden Siegeln an grünseidenen Schnüren befindet sich im St. A. Darm-<br>
stadt, danach gedr.: Baur, Hess. Urk., I, 313, gekürzt.

**867.** *Die Ganerben von Heusenstamm beurkunden die mit Adelheid, Wittwe des Ritters
Konrad von Heusenstamm, über deren Wittum geschlossene Uebereinkunft.* „Testes
huius sunt: honorabilis vir dominus Hermannus Jude, magister domus ordinis
sancti Johannis Irosolomitani in Frankenford,[1] frater Bertoldus de Gysenheim,
frater eiusdem ordinis, .. Henricus quondam scultetus, .. Gotfridus Beier, quondam scultetus in Frankenford, milites“ *u. a. 1305 December 5* (die domin. ante
festum b. Nicolai ep.)

Gedr.: Guden, Cod. Dipl., V., 790 „ex autographo“.

**868.** *Das Mainzer geistliche Gericht beurkundet, dass das Kapitel von St. Stephan in
Mainz seinen Hof in Eschborn an Heinrich Frosch und dessen Sohn auf beider
Lebenszeit in Pacht gegeben habe. 1305 December 31.*

Iudices sancte Maguntine sedis. Recognoscimus per presentes, quod honorabilibus
viris dominis .. decano, scolastico, .. cantore et capitulo ecclesie sancti Stephani
Maguntine ex una // parte, et Heinrico dicto Froesch, cive Frankenfurdensi, ex altera,
in nostra presencia constitutis, iidem domini .. decanus, .. scolasticus, .. cantor et
capitulum provida delibera//cione prehabita et unanimi voluntate infrascriptum contractum cum dicto Heinrico sub tenore verborum, qui sequitur, concorditer inierunt:
Nos .. decanus, .. scolasti//cus, .. cantor et capitulum ecclesie sancti Stephani Maguntine
publice recognoscimus in hiis scriptis, quod nos curtim nostram sitam in Escheburne
cum universis agris, bonis, iuribus, libertatibus, honoribus et pertinenciis suis Heinrico
dicto Froesch, civi Frankenfurdensi, et eius filio, qui post mortem ipsius Heinrici
senior laicus fuerit, iusto locacionis et conductionis titulo ad firmam locavimus et
concessimus ad ipsorum vite tempora possidendam, sub modis et condicionibus infra-

---

[1] *Derselbe wird als* „bruder Herman von Megenze,     *in einer Urkunde Adelheids von 1305 April 28*
der kumenture sente Johannes hus zu Frankenfort“     (an sente Vitalis tage) *(gedr. l. c., 789) genannt.*

scriptis, videlicet quod idem Heinricus et eius filius nobis quadraginta maldra siliginis
et viginti quinque maldra tritici ad granarium ecclesie nostre commune, et sedecim
maldra siliginis . . decano ad curiam suam specialiter, mensure Maguntine, singulis
annis infra assumpcionis et nativitatis beate virginis duo festa suis periculis, laboribus
et expensis in omnem eventum solvant integraliter et presentent. Nec aliqui casus
fortuitus ipsos relevabunt a solucione predicta, grandine et exercitu generali dumtaxat
exceptis, quam vel quem, quod absit, si accedere contigerit, infra triduum, postquam
evenerit vel evenerint, nobis intimare debebunt, alioquin ad dictam pensionem nobis,
ut suprascriptum est, integre tenebuntur, preterea triginta duos solidos . denariorum Coloniensium et quatuor libras cere in octava beati Martini hyemalis annuatim
nobis solvent et nichilominus officiatos nostros, quando ipsos ad dictam villam Escheburne pro ecclesie nostre negociis declinare contigerit, decenter in expensis procurabunt, et annis singulis duo iugera ex agris nostris fimabunt et unum iugerum melio-
rabunt, quod vulgariter mergelen nuncupatur, curtim eciam nostram in debitis et
decentibus edificiis honeste conservabunt. Et est adiectum sub pena triginta marcarum
denariorum Coloniensium nobis solvendarum, quod, si predictus Heinricus vel eius filius
aliquo annorum in premissis et premissorum singulis negligentes inventi fuerint vel
remissi, extunc ipsi dictam penam incident et committent, et nichilominus dicta curtis
cum universis agris, bonis, iuribus, libertatibus, honoribus et pertinenciis suis ad nos
libere revertetur, contradictione eorundem vel alterius eorum qualibet non obstante;
promittimus eciam nos . . decanus et capitulum predicti, dummodo dicti conductores
pensionem persolvant ac curtim et agros in debita cultura et aedificiis conservent,
quod memorata bona ante obitum eorundem nec debemus nec possumus quomodolibet
revocare. Ipsi autem conductores, antequam diem claudant extremum, resignare nobis
invitis dicta bona, quin penam predictam incidant, non poterunt nec debebunt. Ipsis
vero mortuis, dicta curtis cum omnibus suis pertinenciis supradictis ad nos libere
revertetur, heredum suorum contradictionis strepitu quolibet quiescente. *Nos eciam
iudices sancte Maguntine sedis predicti recognoscimus, quod dictus Heinricus pro se
et filio suo predicto elegit voluntarie coram nobis, quod, si in observacione omnium
et singulorum, ut predicitur, in dicto contractu contentorum ullo uncquam(!) tempore
negligentes inventi fuerint vel remissi, extunc ipso facto idem Heinricus et eius filius
predictus penam triginta marcarum denariorum Coloniensium predictam ipsis . . decano
et capitulo irremissibiliter persolvendam incidant et incurrant. Ad cuius pene solucionem
predictum Heinricum et eius filium per excommunicacionis sentenciam execucioni debite
demandandam conpellemus, omni iudiciorum strepitu quiescente. In quorum omnium
testimonium et debitam roboris firmitatem presentibus litteris sigillum nostrum ad
instancias parcium predictarum duximus appendendum. Actum anno domini m̃. c̃c̃. V̄I.,
II. kalendas ianuarii.

*Or. Pgmt. mit anhängendem Siegel. St. A. Wiesbaden. — Von Nathusius.*
*Regest: Sauer, I², 63 zu 1306 December 31.*

**869.** *Schultheiss Volrad und die Schöffen von Frankfurt beurkunden, dass der Frankfurter Bürger Ludwig von Löwenberg der Johanniterkommende in Frankfurt seinen
am Begräbnissplatz der Juden vor der Stadt gelegenen Hof samt Haus verkauft
habe. 1306 Januar 18.*

Volradus miles, scultetus, et . . scabini de Frankenford. Recognoscimus per
presentes, quod Lůdewicus // de Lewinberg, noster concivis, in nostri presencia constitutus, curiam et domum suas, apud cymitheri//um iudeorum extra muros Frankin-

a) *Von hier an andere Hand.*

fordenses sitas, rite et rationabiliter vendidit iusto vendicionis // titulo honestis viris . .
commendatori et . . fratribus domus ordinis sancti Johannis Jherosolemytani in Frankinford, nostris concivibus, pro quadraginta quatuor marcis denariorum Coloniensium
parate pecunie numerate, exceptis duobus solidis denariorum levium Frankenfordensis
monete, quos annis singulis nomine annui census solvere tenentur et solvent suo
tempore honestis viris . . commendatori et . . fratribus domus Theutonice in Sassinhusen, nostris concivibus, iure proprietario perpetuo possidendas; resignans et renuncians idem Ludewicus pro se, Gobelone et Johanne, filiis suis, omni iuri, quod ipsis
in predictis curia et domo competebat aut competere posset in futurum.  Et quia
prefati Gobelo et Johannes, filii prefati Ludewici, nondum attingerant annos etatis
sue legitimos, ipse Ludewicus pro warandia pro se et renunciacione per . . filios suos,
Gobelonem et Johannem, facienda debita et consueta hos constituit fideiussores, quemlibet eorum in solidum, videlicet Cunradum de Spira, Ludewicum de Holtzhusen,
Lutzonem de Lymburg, et Jacobum Goltstein, nostros concives, hiis condicionibus
adhibitis et adiectis, quod, si supradicti Gobelo et Johannes, cum ad annos etatis sue
legitimos pervenerint, si renunciacionem et resignacionem de supradictis curia et domo
facere recusarint, dicti fideiussores commoniti se recipient in uno hospicio in Frankenford, debitum sue fideiussionis tamdiu exoluturi, quousque prenominati[a] Gobelo et
Johannes resignacionem et renunciacionem faciant iustam, debitam et consuetam. Et
si quis prefatorum fideiussorum medio tempore, quod absit, decesserit, idem Ludewicus
a . . commendatore et . . fratribus commonitus infra mensem alium fideiussorem substituet eque bonum, alioquin superstites fideiussores commoniti fideiussionis sue debitum
exolvent, modo quo supra dicitur, donec alter fideiussor loco defuncti eque ydoneus
per ipsum Ludewicum fuerit subrogatus. Testes huius sunt: Hertwicus de Alta domo,
Cunradus de Spira, Sifridus de Gysenheim, Rudegerus et Ludewicus de Holtzhusen,
Johannes Goltstein, Markolfus de Lintheim, Johannes pellifex, Wigelo de Wanebach,
Drutwinus dictus Schrenke, scabini, et quamplures alii fidedigni.  In testimonium
premissorum nos . . scabini antedicti ad rogatum parcium prefatarum sigillum universitatis Frankenfordensis presentibus duximus appendendum. Actum et datum anno
domini millesimo tricentesimo sexto, XV̊. kalendas februarii.

Or. Pgmt. mit anhängendem Stadtsiegel (2).  St. A. Fr. Johanniter Urk. No. 12.<br>
Gedr.: B, 369 nach dem Or. .  Auszug: Thomas, Oberhof, 446.


**870.** *Schultheiss Volrad und die Schöffen von Frankfurt beurkunden, dass Synand und
Krafto von Frohnhausen dem Wigel von Wanebach und Wigel Frosch 5 Mühlwasser
im Main bei Frankfurt verkauft haben.  1306 Januar 18.*

Nos Volradus miles, scultetus, et . . scabini de Frankinford, recognoscimus, quod
Synandus et . . Craf//to de Frūnhusin, fratres, armigeri, filii quondam Otdilie dicte
Allee, nostre concivis, in nostri presencia constituti, communi//cata manu parique
consensu quinque aquas molendinorum in fluvio Mogi apud Frankinford, quas quinque
aquas pre//fata Otdilia possedit et possidere dinoscebatur, et quibus quinque aquis
molendinorum predicti Synandus et Crafto fratres ex morte prefate sue matris Otdilie
successerunt tamquam veri et legitimi heredes, ipsas quinque aquas molendinorum
vendiderunt iusto vendicionis titulo honestis viris Wigoloni de Wanebach et Wigoloni
dicto Frosh, nostris concivibus, eorumque heredibus cum omni iure, quo ipsas aquas
molendinorum possiderunt, perpetuo possidendas; resignantes et renunciantes prenominati Synandus et Crafto omni iuri, quod eisdem in sepedictis aquis molendinorum

a) „pre“ über Rasur.

competebat, promittentes nichilominus memorati Synandus et eius frater sepedictis Wigoloni et Wigoloni ac eorum heredibus de ipsis aquis quinque facere warandiam iustam, debitam et consuetam. Testes huius sunt: Hartwicus de Alta domo, Cunradus de Spyra, Syfridus de Gysinheim, Markolfus de Lintheim, Johannes Goltstein, Colomannus de Avinbach, scabini, et quamplures alii fidedigni. In testimonium premissorum sygillum universitatis Frankinfordensis ad rogatum parcium predictarum presentibus duximus appendendum. Actum anno domini m̄. c̄c̄c̄. VI., XV. kalendas februarii.

*Or. Pgmt. Das abhangende Stadtsiegel (2) ist beschädigt. St. A. Fr. Liebfrauenstift No. 1258.*

*Gedr.: Kurze Beleuchtung in Sachen Frankenstein, Beilage No. 15, B., 370 nach dem Or.*

**871.** *Die Städte Frankfurt, Friedberg, Wetzlar und Seligenstadt schliessen von 1306 Februar 20 an ein Bündniss auf 10 Jahre. 1306 Januar 20.*

Nos.. officiati,.. scabini,.. consules de Frankenford, de Frideberg, de Wetflaria et Selegenstad ceterique earundem civitatum cives, ad univer//sorum noticiam cupimus pervenire. quod nos ordinacionem sive promissionem infrascriptam, in qua serenissimum dominum nostrum Romanorum regem non in,, cludimus ullo modo, volumus et promittimus fideidacione et iuramento interposito in invicem a dominica quadragesime, qua cantatur Invocavit, nunc instante proxima ad spacium decem annorum et ad curricula eorundem stabiliter et inviolabiliter [a] observare.(1) Que talis est, quod propter nullius cause eventum sive rei ingruentiam debemus ab invicem infra terminum prenotatum aliquatenus separari.(2) Preterea, si aliqua dictarum nostrarum civitatum ab aliquibus inimicorum seu emulorum gravaminibus sive molestiis gravaretur, postquam nobis hoc [b] intimatum fuerit, nos, ipsa gravamina tamquam propria reputantes, ipsos malefactores statim diffidabimus cum civitate iniuriam sustinente. Ipsos eciam cum illis, qui ipsos castris suis sive domiciliis suis servant vel fovent quibuscunque, a qualibet(!) [c] nostre civitatis cive, ut in nullo foro sive vendicione rerum suarum eisdem subveniant, omnimode secludimus.[d] Sed si aliquis ex nostris concivibus civis qualiscunque .. malefactoribus talibus seu ipsos sic servantibus vel foventibus subsidium aliquod in foro sive vendicione iamdicta notorie prestiterit, exibit annum civitatem nostram cuique dictarum civitatum tribuendo decem marcas denariorum,[e] si eidem suppetunt[f] facultates, que si non suppetunt,[f] ipsum muros nostre civitatis cum .. pueris et .. uxore [g] extra eos manere [h] perpetualiter faciemus.(3) Addicimus itaque hoc, ut, si alicui civitatum earundem aliqua ingruerit necessitas, nos requisiti decem personis cum nostris expensis nec paucioribus, immo si necessitas tanta fuerit, nostris viribus totis eidem in auxilium veniemus.(4) Addicimus eciam, quod, si inter duas civitates seu inter duarum civitatum cives aliqua discordia, questio seu questiones oriuntur,[i] alie due civitates huiusmodi discordiam, questionem seu questiones decidere debebunt.[k] prout ipse civitates secundum iusticiam viderint expedire. Super hiis ipsis plenam damus tenore presencium potestatem.(5) Preterea volumus et statuimus, quod, si aliqua dictarum nostrarum civitatum ab aliquibus suis inimicis seu iniuriatoribus gravaretur, alie tres civitates debent convenire et causam gravaminis cognoscere et, si invenerint, quod ipsa civitas indebite est gravata vel oppressa,[l] relique civitates illi auxilium et iuvamen prestabunt secundum articulos prenotatos. Sed si invenerimus, quod aliqua dictarum nostrarum civitatum aliquem vel[m] aliquos vult aut intendit indebite opprimere vel iniuriam alicui irrogare, nos talem civitatem ab huiusmodi iniuria et opressione(!) debemus avertere, in quantum possumus bona fide.(6) Ne autem hec ordinacio sive promissio communi utilitati nostrorum profutura deleatur in aliqua parte, pro centum marcis denariorum in invicem constituimus[n] fideiussores, qui, si impetuntur[o] et quotiescunque huiusmodi ordinacio sive promissio iacturam patitur in[p] aliqua civitate predictarum, tociens .. fideiussores illius civitatis pro pecunia iamdicta obligati, ita quod in qualibet fractura pro singulis centum marcis intrabunt civitatem, cui promissio sic fracta dinoscitur, tamdiu fideiussionis debitum exoluturi,[q] quousque prenominata[r] pecunia fuerit persoluta. Nec ordinacio

a) *1285:* „indestructibiliter“.  b) *Nach* „hoc“ *ist im Or.* „nobis“ *wiederholt.*  c) *1285:* „quolibet“ d) *1285:* „omnino secludemus“.  e) „denariorum“ *fehlt 1285.*  f) *1285:* „fuerint“.  g) *1285 folgt:* „eicientes“ h) *1285:* „permanere“.  i) *1285:* „oriantur“.  k) *1285:* „decidant“.  l) *1285 fehlt:* „vel oppressa“. m) *1285:* „seu“.  n) *1285:* „dedimus“.  o) *1285:* „impetantur“.  p) *1285:* „ab“.  q) *1285:* „more fideiussorio soluturi“.  r) *1285* „huiusmodi“.

sive promissio prehabita propter talem fracturam cominus stabit per terminum prefinitum.  Sunt autem
hii fideiussores de Frankenford: Hertwicus de Alta domo,[a] Cunradus de Spira, Sifridus
de Gysenheim,[a] Markolfus de Lintheim, Rudegerus et Ludewicus de Holczhusen,
Johannes Goltstein, Drutwinus Schrenke, Cûlemannus de Ovenbach et Wigelo de Wanebach, scabini; fideiussores de Frideberg sunt hii: Gerlacus iudex,[a] Henricus de Dorheim,[a] Henricus Bern,[a] Cûno, Ditwinus frater eius, Jungo de Lympurg, Fredebertus
iuvenis, Johannes de Wûnecken, Eigelo filius Fredeberti, Hartmannus de Bredenbach;
de Wetflaria fideiussores sunt hii: Heilemannus filius olim Gerberti advocati, Cunradus
de Caczenford, Hartradus de Herlesheim,[a] Gerhardus monetarius, Cunradus dictus
Crawe, Hernestus de Nûveren, Berno de Minczenberg, Henricus filius Hernesti,
Henricus de Nûvenren, Rûlo dictus Reio; de Selegenstad fideiussores sunt hii: Wig-
nandus advocatus, Walterus sororius advocati, Ludolfus de Domo lapidea, Cunradus
gener eius, Herbordus gener Patrisse, Johannes filius Patrisse, Hertwicus Stemelere,
Hertwicus dictus Eckestein eius frater, Henricus dictus Heimburge et Cunradus filius
advocati.  Et ad huius ordinacionis et compromissionis robur ac testimonium sigillis civitatum nostrarum predictarum has litteras duximus roborandas.    Actum  et  datum  anno  domini  m̃. ccc.
sexto, in die beatorum Fabiani et Sebastiani martirum.

> *Or. Pgmt.  Die Siegel der vier Städte hängen an, nur dasjenige von Frankfurt ist ver-*
> *letzt.  St. A. Darmstadt. — Grotefend.*
> *Gedr. mit vielen Kürzungen: Baur, Hess. Urk., I, 886.*
> *Vers.: Woerner zu Scriba, No. 173.*
>
> *Dieser Vertrag ist äusserlich eine mutatis mutandis gleichlautende Erneuerung des*
> *zehnjährigen Vertrages von 1285 December 1 (vgl. oben No. 503).  Da jedoch der frühere*
> *Vertrag schon am 6. December 1295 ablief, ist damals das Bundesverhältniss vermuthlich*
> *wiederum auf 10 Jahre erneuert worden.[1]  Es ist wohl kein Zufall, dass dieser zweite*
> *erhaltene Vertrag ca. 20 Jahre nach dem von 1285 einsetzt, die eigentliche Vorurkunde*
> *desselben dürfte, wie man mit grosser Bestimmtheit annehmen kann, ein Vertrag vom Ende*
> *des Jahres 1295 oder Anfang des Jahres 1296 sein.  Jedenfalls giebt die Uebereinstimmung*
> *der hier vorliegenden Urkunde mit derjenigen von 1285 die Gewissheit, dass auch der ver-*
> *lorene Vertrag von 1295/96 wörtlich mit dem von 1285 übereinstimmte.  Eine Aenderung*
> *hat das Vertragsformular von 1285 erst durch die Erneuerung von 1316 April 14 erfahren.*

**872.** *Rucker von Liederbach und dessen Frau Adelheid verkaufen dem von Giselbert
von Sachsenhausen gestifteten Altar des Heiligen Johanns des Täufers und des
Heiligen Jodokus in der Frankfurter Bartholomaeuskirche einen Erbzins auf
Gütern in der Gemarkung von Liederbach. 1306 Februar 13.*

Nos Ruckerus de Lyderbach et Adelheidis, uxor eius legitima, tenore presencium
recognoscimus publice profiten//tes, quod unanimi voluntate parique consensu iusto
vendicionis titulo rite et racionabiliter vendidimus altari // in honore sancti Johannis
baptiste et sancti Jodoci, in ecclesia Frankenfordensi per Gyselbertum de Sassenhusen
dictum de // Frideberg constructo, ad vicariam eiusdem ecclesie super viginti septem
iugera terre arabilis et pratorum, sita in terminis ville Lyderbach, secundum quod
inferius ponuntur, proprietaria decem et octo solidos Coloniensium denariorum legalium
et bonorum census annualis .. vicario predicti altaris, qui pro tempore fuerit, annis
singulis in festo beate Walpurgis persolvendos et ministrandos nomine census annualis
quemlibet in eventum a nobis et nostris heredibus successivis pro viginti marcis
denariorum Coloniensium minus dimidia marca.  Que quidem iugera[b] in hunc modum

a) *Schon 1285 Bürge.*  b) *Ueber Rasur.*

[1] *In diesem Zusammenhange ist auch die Bei-
trittsurkunde der Stadt Seligenstadt von 1301
September 28 (vgl. oben No. 790) zu beachten.*

sunt sita, videlicet primo in campo iuxta tiliam versus Zvilvesheim unum iuger iuxta
vineam Gerhardi dicti Gasti armigeri et tangit uno fine viam, que dicitur Hosterweg,
item tria quartalia superius et tangunt uno fine viam predictam, item iuger et dimidium,
que transeunt viam Hôsterweg predictam et tangunt uno fine vineam Gerhardi dicti
Gast predicti, item unum iuger infra viam, qua itur de Maguntia versus Frideberg,
iuxta agrum Adelheidis relicte Wernheri, item in eodem campo unum iuger, quod
transit die Hinderstenlachen supra duo iugera monasterii de Schonenauwe, item
duo iugera, que tendunt se versus Rubem Hart inter agros monasterii de Reithers,
item tria iugera et dimidium, que etiam transeunt die Hinderstenlachen supra sex
iugera monasterii de Reithers, item duo iugera supra magnum fossatùm in campo
de Soltzbach, que etiam attinent campo prescripto; item in alio campo versus inferius
Lyderbach duo iugera, que tangunt uno fine viam, que dicitur Zvilvesheimerweg, item
dimidium iuger versus villam iuxta dimidium iuger Gude, sororis Rukeri predicti, item
unum iuger* ante de Oberengassen iuxta viam, qua itur Oizmanshoven, item tria
quartalia pratorum iuxta arborem dictam Pulboim; item in tercio campo iuxta salicem
versus Soltzpach quinque virge,* que tangunt uno fine viam dictam Auweg, item unum
iuger, quod tangit uno fine fossatum dictum Augrabe, item unum iuger dictum Grabemorgen iuxta Grabewisen, item unum iuger in dem Dyche iuxta agrum monasterii
de Reithers, item unum iuger iuxta agrum Mathie pannicida(!) de Frankenford, item
unum iuger an den Camermorgenen iuxta agrum Gotzonis militis de Indagine, item
duo iugera dicta Linsenmorgen iuxta Heilwicum de Lyderbach, item iuxta salicem
apud fontem dimidium iuger infra agrum monasterii de Reithers, item unum iuger* et
dimidium, que transeunt magnum fossatum in campo de Soltzpach. Recognoscimus etiam,
nos supradictas viginti marcas minus dimidia marca numeratas recepisse et in usus
nostros convertisse. Resignamus etiam et renunciamus omni iuri seu actioni, quod
vel que nobis aut heredibus nostris super huiusmodi decem et octo solidis Coloniensium
denariorum census annualis posset competere in futurum. Condictum est quoque, quod,
quandocumque nos vel nostri heredes successivi in solucione prefatorum decem et
octo solidorum denariorum negligentes suo tempore fuerimus aut remissi, ipse vicarius
altaris predicti, qui pro tempore fuerit, viginti septem iugera proprietaria a nobis
tollet et aliis locabit pro libito sue voluntatis, contradictione qualibet non obstante.
Testes huius sunt: Fridericus dictus Fûge advocatus, Theodericus faber, Heilwicus
colonus monasterii de Reithers, Henricus faber, Baldemarus dictus Zengelin colonus
monasterii de Schonenauwe, Harpo sororius Rukeri, Wigelo Petri, Henricus prevignus(!)
Petri, Harpelo campanarius, Sypelo filius campanarii, Heilmannus de Eichene, Henricus
de Soden et Cunradus dictus Hubvel de Soltzpach. In quorum omnium et singulorum
testimonium presentes litteras sigillo nobilis viri domini Sifridi de Eppenstein, domini
in cuius iurisdictione et territorio suprascripta iugera sunt sita, petivimus communiri.
Et nos Sifridus dominus de Eppenstein predictus ad rogatum Rûkeri de Lyderbach
et Adelheidis, uxoris sue, predictorum sigillum nostrum presentibus appendi iussimus
in testimonium omnium premissorum. Datum anno domini millesimo tricentesimo sexto,
in dominica Esto michi.

      *Or. Pgmt. Das Reitersiegel Siegfrieds von Eppstein hängt an grünseidenen Schnüren an.*
      *St. A. Fr. Barth. St. No. 1294.*
      *Regest: Sauer, I², 63, zu 1307 Febr. 5.*


**873.** *Die Brüder Kulmann und Johannes, Enkel des Rudolf von Grünberg, nehmen die
Hälfte eines Hauses in der Sandgasse und 1¹/₂ Morgen Weingärten in der Gemarkung
von Hain, welche beide einst ihre Grosseltern Rudolf und Gisela dem Kloster*

      a) *Ueber Rasur.*

*Schönau mit Vorbehalt der Leibzucht vermacht hatten, von diesem Kloster in Erbpacht.  1306 März 8.*

Nos Cûlemannus et Johannes fratres, cives Frankenfordenses, nepotes quondam Rûdolfi dicti de Grûninberg et Gysele, uxoris eius legitime, civium Frankenfordensium, recognoscimus presentibus publice profitentes, quod, cum religiosi viri domnus Petrus abbas et conventus monasterii de Schonenauwe, ordinis Cisterciensis, nobis nostrisque heredibus medietatem domus, curie et mansionis, sitas in Frankenford in der Santgassen, quas predicti avi nostri Rudolfus quondam inhabitabat et Gysela nunc inhabitat, et unum iugerum et dimidium vinearum, sitarum in terminis ville Hein, quas prefati Rudolfus et Gysela, nostri avi, unanimi consensu prelibatis abbati et conventui ac ipsorum monasterio Schonenauwe, ordinis Cisterciensis, pro remedio animarum suarum liberaliter contulerunt et donaverunt, reservato ipsis et alteri eorum usufructu ad tempora vite sue, concesserint pro decem et octo solidis Coloniensium denariorum usualis monete, tribus hallensibus pro quolibet Coloniensi denario conputandis, ipsis et eorum monasterio annis singulis in festo beati Martini hyemalis nomine annui census in omnem eventum et absolute, precariis, sturis seu aliis exactionibus quibuscunque non obstantibus, persolvendis et porrigendis iure hereditario perpetuo possidendas, eisdemque abbati et conventui ac ipso(!) monasterio aliam medietatem prefatarum domus, curie et mansionis, quibus nos Cûlemannus et Johannes successimus tamquam veri et legitimi heredes, ut ad ipsam partem nostram una cum ipsorum parte domus, curie et mansionis et ad vineas de ipso censu respectum habeant, pro subpignore obligamus litteras per presentes. Recognoscimus eciam, quod prefatam Gyselam, avam nostram, in ipsa domo, curia et mansione, quamdiu vixerit, nullatenus perturbare debemus, sed eam pacifice frui de eisdem permittemus ad tempora sue vite. Condictum est eciam, quod, si nos absque liberis mori contingerit, prelibate domus, curia et mansio ac vinee, hoc tamen salvo, quod uxores nostre, si nos supervixerint legitime, ea ad tempora vite ipsarum possideant et tenebunt, ad prelibatos abbatem et conventum ac ipsorum monasterium integraliter libere revertentur et deriventur contradictione qualibet non obstante. In testimonium prescriptorum presentes . litteras sigillo universitatis Frankenfordensis rogavimus conmuniri. Testes huius sunt: Hertwinus de Alta domo, Sifridus de Gysenheim, Johannes Goltstein, scabini; Cûno de Bruningesheim armiger, et quam plures alii cives Frankenfordenses fidedigni. Et nos scabini antedicti ad rogatum Cûlemanni et Johannis fratrum, concivium nostrorum prefatorum, sigillum universitatis Frankenfordensis presentibus duximus appendendum. Actum et datum anno domini m̃. ccc. sexto, feria III. proxima post dominicam Oculi.

*Or. Pgmt.  Siegel abgefallen.  Karlsruhe, General-Landesarchiv.*
*Gedr.: Oberrh. Zeitschr., XV, 78 nach dem Or. .*
*Vers.: Woerner zu Scriba, No. 174.*

**874.** *Schultheiss Volrad und die Schöffen von Frankfurt beurkunden, dass Hedwig, die Wittwe Konrad Bornflecks, ihrem Bruder Ludwig von Holzhausen und dessen mit der Kusa von Glauburg erzeugten Kindern einen Grundzins von dem Hause Wunnenberg vermacht habe.  1306 März 22.*

.. Nos Volradus miles, scultetus, et scabini de Frankenford, recognoscimus, quod honesta // matrona Hedewigis, relicta quondam Cunradi dicti Bûrneflecke, nostra [concivis], in nostri presencia constituta // huiusmodi novem marcas denariorum legalis monete in Frankenford, quas habet et habere dinos//citur, super domo et mansione nuncupatis vulgariter Vûnnenberg, predictas novem marcas census annualis post eius

obitum, et non ante, dedit, deputavit et assignavit Lûdewico de Holtzhusen, fratri
suo, et eius pueris sive liberis, quos Cusa, filia Arnoldi de Glauburg, eius uxor legitima,
ab eodem Lûdewico procreavit, si ipsam Hedewigim supervixerint, cum omni iure,
quo ipsas novem marcas denariorum census habuit et possedit. Preterea si idem
Lûdewicus ad secundas nuptias convolaverit, aliam uxorem superducendo, et proles
ab eadem procreaverit, ille proles a secunda uxore procreate in supradictis novem
marcis denariorum census nullam porcionem nec ullam partem penitus habebunt, sed
apud primos pueros ipsius Ludewici perpetuo permanebunt. Testes huius rei sunt:
Hertwicus de Alta domo, Arnoldus de Glauburg, Cunradus de Spira, Sifridus de
Gysenheim, Rudegerus de Holtzhusen, Johannes Goltstein, Markolfus de Lintheim,
Wigelo de Wanebach, Drutwinus Schrenke, Cûlmannus de Ovenbach, magister Johannes
pellifex, scabini, et quamplures alii cives Frankenfordenses fidedigni.  In testimonium
premissorum nos . . scultetus et . . scabini de Frankenford supradicti sigillum nostre
universitatis ad rogatum partium memoratarum presentibus duximus appendendum.
Actum et datum anno domini m̂. ĉĉc. sexto, feria tercia proxima post dominicam Judica.

> *Or. Pgmt.  Nur Siegeleinschnitt.  St. A. Fr. Barth. St. No. 1746.*
> *Gedr.: B., 371 nach dem Or. .*

**875.** *Konrad, Kanonikus zu Aschaffenburg, und Dietrich, Söhne des Ritters Dietrich*
*Zenechin, verkaufen dem Deutschordenshause zu Sachsenhausen eine Hufe in der*
*Gemarkung von Ginnheim* („mansum nostrum situm in marka ville Gynnenheim")
*für 57 Mark Frankfurter Währung* („pagamenti Frankinfurdensis"). *Als Bürgen*
*mit Verpflichtung zum Einlager in Frankfurt stellen sie:* „Heinricum quondam
scultetum in Frankinfûrt, nostrum awunculum, ac fratrem nostrum Wolframum,
milites". *Zeugen ausser den Bürgen:* „frater Fridericus ordinis Cysterciensis,
Marsilius sacerdos, Wigandus Traperer, Heilmannus, Gerhardus, fratres domus
predicte in Sassenhusen". *1306 Mai 12* (IIIÎ. id. maii).

> *Gedr.: Reimer, II, 65, nach dem Or. Pgmt. im St. A. Stuttgart.  Vgl. Niedermayer, 131.*

**876.** *Gernand, Propst zu Ilbenstadt, beurkundet, dass das Deutschordenshaus zu Sachsen-*
*hausen* („frater Conradus commendator") *dem Konrad Milde und dessen Frau*
*Agnes 2 Häuser, Hof und Scheune bei dem Kirchhofe in Niederwöllstadt zu*
*Colonenrecht* („iure colonatorio") *für 2 Pfund Denare und 4 Hühner jährlich*
*verliehen habe.  Die Pächter haben den Inhabern des dortigen Gerichtes* („pueri de
Beldershem") *2 Hühner jährlich und die sonstigen Abgaben zu entrichten. 1306*
*Mai 19* (XIV. kal. iunii).

> *Gedr.: Baur, Hess. Urk., I, 316 nach dem Or. Pgmt. im St. A. Darmstadt.*

**877.** *Das Mainzer geistliche Gericht beurkundet, dass Elisabeth, die Wittwe des Frank-*
*furter Bürgers Kuno, ihren Hof vor der Bockenheimer Pforte, an dem sie sich*
*bei einer früheren Schenkung ihrer Güter an das Kloster Schönau die Leibzucht*
*vorbehalten hatte, nunmehr dem Kloster übertragen habe. 1306 Mai 20.*

. . Judices sancte Maguntine sedis.  Recognoscimus, quod Elyzabeth, relicta
Cûnonis quondam ci//vis Frankenfordensis, in nostra presencia constituta curiam suam,
in qua olim habuit ovile // suum, ante Buckinheimer porten extra muros Frankenfordenses sitam, quam sibi reser//vavit possidendam ad tempora vite sue, monasterio

in Schonenauwe, ordinis Cisterciensis, libere et absolute resignavit, sicut alia bona, que eidem monasterio contulit et donavit, pro remedio anime sue et quondam mariti sui predicti sine contradictione quorumlibet perpetuo possidendam; resignans et renuncians omni iuri, quod eidem Elyzabeth in dicta curia posset competere in futurum. In testimonium premisse resignacionis ad rogatum ipsius Elyzabeth sigillum sedis nostre predicte presentibus duximus appendendum. Datum et actum anno domini m̊. ccc̊. sexto, XĬII. kalendas iunii.

*Or. Pgmt. Das Siegel ist abgefallen. St. A. Fr. Schönauer Urk.*

**878.** *Die Inclusen Osa, Rensa, Ottilie und Gertrud in Weinheim bei Alzei schenken alle ihre Besitzungen dem Deutschordenshause in Sachsenhausen, unter Vorbehalt der Leibzucht an einem Hofe in Weinheim für Osa und Rensa. Alzei, 1306 Juli 5.*

Nos Osa, Rensa, Othilia et Gertrudis, incluse in Weyenheim apud Alceyam, Moguntinensis diocesis, tenore presencium profitemur, quod de luctuosa valle seculi ad supernam illam pacis patriam mentis aciem retorquentes, iuris summa terrenis celestia et transsitoriis eterna felici commercio commutare volentes, universa bona nostra ubicunque sita, redditus, pensiones et census nostros toto iure, quo singula hactenus possedimus, concorditer damus et contulimus donacione inter vivos facta cum sollempnitate iudiciaria, donavimus religiosis et honorandis dominis commendatori et dominis fratribus domus milicie Teutonicorum in Sassenhusen apud Frankenfurdiam pure ob honorem dei et inclite virginis Marie in remedium animarum nostrarum et progenitorum nostrorum et omnium, a quibus predicta bona nobis quomodolibet obvenerunt, curia nostra in Weyenheim cum pomerio[a] dumtaxat excepta, quam diebus nostris nos Osa et Rensa predicte habere volumus et presentibus literis locamus ac locavimus cum voluntate dominorum in Franckenfordia, in Vlerssheim et in Weienheim commendatorum discreto viro domino Cunrado de Alceya, pastori ecclesie in Weienheim, diebus vite sue pro consueto censu meritis suis requirentibus, structuris tamen inibi instaurandis utcunque per nos aut ipsum Cunradum post obitum nostrum et suum ad prefatos dominos una cum eadem curia liberaliter devolvendis. Insuper equanimi voluntate promittimus et promisimus, volumus et disponimus, quod post obitum ambarum nostrarum, quicquid bonorum alma dei bonitas nobis superesse voluerit, prefatis dominis plene debebitur atque cedet et nichilominus a pensione, quam nobis presentare tenentur, extunc penitus erunt absoluti, premortua[b] vero una nostrum decem maldra siliginis et dimidia carrata vini deinceps minutatim predictis dominis decrescent et remanebunt, viventi autem alteri, quousque vixit, totam aliam pensionem solite presentabunt. In quorum omnium testimonium evidens atque robur rogavimus et obtinuimus presentes literas sigillis honorabilium dominorum, prioris fratrum heremitarum ordinis beati Augustini in Alceya, fratris Gyselberti magistri domus beati Anthonii, predicti domini Cunradi rectoris ecclesie in Wienheim, Henrici preposito in Himmelgarten, et Johannis viceplebani in Alceya, quia sigillo proprio caruimus, sigillari, supplicantes devote presencium testimonio literarum, venerabilibus dominis nostris iudicibus Moguntinensibus damus predictam ordinacionem sigillo sancte sedis communiendam,[c] cum fuerint a predictis dominis requisiti, cum debilitate sexus et etatis venire minime valeamus. Nos prior, frater Gyselbertus magister domus sancti Anthonii, Cunradus rector ecclesie Wienheim, Henricus prepositus in Himmelgarten, et Johannes viceplebanus in Alceya, predicti ad preces predictarum dominarum inclusarum sigilla nostra presentibus appendimus in testimonium

*a) Vorlage: „pomerario“. b) Vorlage: „permortua“. c) Vorlage: „communitam“.*

premissorum. Datum Alceye, anno domini millesimo tricentesimo sexto, crastino
Udalrici confessoris.

*Abschrift im Deutschordens-Dokumentenbuch f. 222. St. A. Stuttgart. — Von Nathusius.*

**879.** *König Albrecht belehnt den Frankfurter Schultheissen Volrad mit 2¹/₂ Mark jährlicher Einkünfte von dem Marktrecht in Frankfurt, mit Vorbehalt der Wiedereinlösung für 25 Mark. Frankfurt, 1306 Juli 29.*

Nos Albertus dei gracia Romanorum rex, semper augustus. Ad universorum
sacri // Romani imperii fidelium noticiam volumus pervenire, quod volentes strennuo
viro Volrado, // sculteto in Frankenfurd, fideli nostro dilecto, ob grata que nobis
impendit obsequia et impendere po//terit in futurum, munificencie nostre manum
porrigere debitricem, sibi in augmentum feodorum suorum, que a nobis et imperio
obtinere dinoscitur, duarum marcarum et dimidie redditus, percipiendos in festo beati
Martini apud Frankenfurd in redditibus, qui marketrecht dicuntur, annis singulis, et
obtinendos tamdiu, quousque dicti redditus pro viginti quinque marcis denariorum
Coloniens*ium* per nos vel nostros successores in imperio redimantur. In cuius rei
testimonium presentes litteras scribi et nostre maiestatis sigillo iussimus communiri.
Datum in Frankenfurd, IIII. kalend*as* augusti. Anno domini m̊. c̊c̊. sexto. Regni
vero nostri anno octavo.

*Or. Pgmt. Das sehr schön erhaltene Majestätssiegel hängt an Pgmtstreifen an. St. A. Fr.
Priv. No. 24.*
*Gedr.: Orth, Reichsmessen, 646, B., 371 nach dem Or..*
*Verz.: B., Reg. Alb., No. 550, Fr. Inv., III, 3.*

**880.** *Synand und Krafto, Brüder von Rüdenhausen, Burgmannen zu Giessen, und
deren Frauen verkaufen ihren von Ottilie Knoblauch ererbten Hof in Frankfurt
an das Kloster Padershausen. 1306 September 14.*

.. Nos . Synandus et Crafto fratres de Rudenhusen, castrenses in Gyzen, recognoscimus hiis // nostris li*t*teris patentibus publice protestando, quod, co*m*municatis manibus
nostrarum coniugum legittimarum, videlicet // Odyle et Elizabet, vero vendicionis titulo
vendidimus sanctimoniabus,ᵃ .. abatisse et toti conventuí in // Patdenshusen, ordinis
Cysterciensis, curiam nostram sitam in Frankenford, quam possedimus ex parte nostre
matris Odylige dicte Clobelauch pie memorie, sine omni inquietacione perpetue
possidendam; protestamur eciam, nos debitam resignacionem predicte curie coram
multis viris ydoneis atque probis fecisse, quorum nomina subsequuntur atque scribuntur,
videlicet Cûno miles dictus Halbir, Ecclo dictus Slune, Synandus iunior de Bucheseecken, Johannes de Kinzenbat, milites; Lodewicus et Gerlacus dictus Dragefleisch,
scabini,ᵇ et quam plures aliiᵇ fidedigni. Et quia sigillis propriis caremus, ideo sigillum
universitatis in Gyzen in confirmacionem atque testimonium apponi procuravimus
presentibus premissorum.ᵃ Datum anno domini m̊. ccc̊. VĪ.ᵒ, in die exaltacionis
sancte crucis.

*Or. Pgmt. Das abhangende Siegel fehlt. München, Reichsarchiv.*
*Gedr.: Guden, Cod. Dipl., III, 774 = B., 372.*
*Verz.: Scriba, I, No. 734.*

a) *So!* b) *Ueber der Zeile.*

**881.** *König Albrecht verleiht der Stadt Wertheim die Freiheiten von Frankfurt.* „Quod opidum eorum Wertheim omnibus libertatibus, immunitatibus, iuribus, honoribus, graciis ac bonis consuetudinibus, quibus civitas nostra et imperii Frankenfurt gavisa est hactenus, gaudeat inantea et fruatur." *Im Lager bei Brünn, 1306 November 13.* (id. novembr.)

*Gedr.: Aschbach, Geschichte der Grafen von Wertheim, II, 64.*
*Vers.: B., Reg. Alb., No. 639. Vgl. Thomas, Oberhof, 158.*

**882.** *Das Weissfrauenkloster in Frankfurt beurkundet, dass Heinrich von Holzhausen 6 Achtel Korn jährlichen Zinses von gewissen Aeckern in der Gemarkung von Rodheim seinen Töchtern Katharina und Hedwig und seiner Enkelin Irmentrud, sämmtlich Nonnen des Klosters, und nach deren Tode dem Kloster bedingungsweise übergeben habe. 1306 November 30.*

Nos — priorissa et — conventus sanctimonialium monasterii sancte Marie Magdalene ordinis // Penitentum in Frankenford, Maguntine diocesis, notum facimus presencium inspectoribus universis, // quod nos et monasterium nostrum sub pena subscripta ad observacionem omnium infrascriptorum presenti//bus obligamus, videlicet quod, cum honestus vir Heinricus de Holzhusen, civis Frankenfordensis, motus misericordie visceribus de bonis suis et quondam Albradis, uxoris eius legitime, comparaverit et emerit sex octalia siliginis mensure Frankenfordensis annue et perpetue pensionis super viginti iugeribus proprietariis terre arabilis, sitis in terminis ville Rodeheim, que quidem iugera iam tenet et colit Irmendrudis, filia mulieris dicte Meistren, eademque sex octalia siliginis deputaverit, contulerit et donaverit donacione inter vivos Katherine ac Hedewigi, filiabus suis et Albradis uxoris sue predicte, et Irmendrudi, nepoti eorundem coniugum, monialibus apud nos in nostro monasterio existentibus et nostri ordinis essentibus, ad vite ipsarum et cuiuslibet earundem tempora; ita, si una ipsarum moritur, per duas earum, et si due moriuntur, per terciam, annis singulis infra festa assumpcionis et nativitatis beate Marie virginis tollenda et percipienda et ad monasterium nostrum eisdem presentanda, in quo specialem locum, in quo dicta sex octalia siliginis reponant, assignabimus et assignare debemus ac in usum ipsarum trium, aut duarum, vel unius, quoad vixerint, prout ipsis aut alteri earum expedire videbitur, convertenda, contradiccione qualibet non obstante; ac dictis Katherina, Hedewigi et Irmendrudi, nostris consororibus predictis, defunctis, prelibata sex octalia siliginis annue et perpetue pensionis apud nos et nostrum monasterium extunc perpetuo debeant permanere in modum infrascriptum; videlicet, quod annis singulis in anniversario prelibati Henrici de Holzhusen duo octalia, in anniversario Albradis, quondam uxoris sue legitime supradicte, duo octalia et in anniversario Cristine, nunc uxoris sue legitime, duo octalia conventui nostro pro consolacione seu pictancia in augmentum nostrarum prebandarum(!) annis singulis ministrentur, ut huiusmodi anniversaria suis temporibus peragamus vigiliis, missis pro defunctis et aliis oracionibus et sollempnitatibus debitis et consuetis; sub hac pena, quam nobis eligimus spontanea voluntate litteras per presentes, videlicet, quod si aliquod impedimentum qualecunque per . . magistrum, seu . . prepositum, aut . . priorem monasterii nostri, vel per nos . . priorissam et conventum supradictos insurgeret, quod absit, quod antedicta sex octalia siliginis supranominatis Katherine, Hedewigi et Irmendrudi vel alteri earum ad tempora vite earum vel pro pictancia sua sive consolacione nostro conventui, ut premissum est, non ministrarentur in perpetuum singulis annis, extunc . . decano et . . capitulo ecclesie de Frankenford dicta sex octalia siliginis cedere debebunt in consimiles usus contribuenda, ut predicitur, omni reclamacione aut strepitu iudiciario quiescente. Ad observacionem et in testimonium omnium et singulorum prescriptorum et firmitatem pleniorem sigillum nostri conventus presentibus duximus appendendum. Actum et datum anno domini millesimo trecentesimo sexto, in festo beati Andree apostoli. Et nichilominus, si supradicta viginti iugera aut sex octalia siliginis prefata ab aliquibus personis, cuiuscunque condicionis sive status existant, [impeterentur], tanquam nostra propria defendere in omni parte volumus et debemus. Actum et datum anno domini et festo prenotatis.

*Or. Pgmt. mit anhängendem, beschädigten Siegel. Frankfurt, Archiv der Freiherren von Holzhausen. — Von Nathusius. Im Repertorium des Weissfrauenklosters von 1691 ist unter Lit. F. No. 2 ein jetzt fehlendes weiteres Or. verzeichnet.*
*Gedr.: B., 372 nach Kopie Fichards „ex or.".*
*Vers.: Scriba, II, No. 960.*

**883.** *Schultheiss Volrad und die Schöffen von Frankfurt beurkunden, dass Ernbrecht von Praunheim und dessen Frau Gertrud ihr Haus am Rossebühel in Frankfurt und ihre Güter in Praunheim dem Deutschordenshause zu Sachsenhausen geschenkt haben. 1307 Januar 9.*

Nos Volradus miles, scultetus, et . . scabini de Frankenford, recognoscimus et constare // cupimus presencium inspectoribus universis, quod Erinbertus de Prûmheim et Gerdrudis, // uxor eius legitima, in nostri presentia constituti communicata manu parique consensu, sponte ac // voluntarie, et non coacte domum, curiam et mansionem suas in Prûmheim, domum suam, iuxta Rossebûhel in Frankenford sitam, ac omnia et singula alia ipsorum bona proprietaria, hereditaria et mobilia, quocumque nomine censeantur, que in presenti tenent et possident et in posterum domino concedente poterunt adipisci, contulerunt et donaverunt donatione inter vivos, sicut eciam dicti Erinbertus et Gerdrudis coniuges recognoverunt, se eandem donacionem fecisse pure propter deum et in remedium animarum suarum honestis et religiosis viris . . commendatori et . . fratribus domus Theuthonice ordinis sancte Marie in Sassinhusen, nostris concivibus dilectis, ante viginti annos circa titulo et iure, quo ipsi Erinbertus et Gerdrudis coniuges ipsa bona, que in presenti tenent et in posterum adipiscenda possidere poterunt, perpetuo possidenda. Sunt autem hec bona proprietaria et hereditaria, que in agris arabilibus et pratis ipsi . . coniuges in presenti tenent et possident. *(Es folgt die nähere Lagebeschreibung der Praunheimer Güter.)* Testes huius sunt: Hertwinus de Alta domo, Cunradus de Spira, Sifridus de Gysenheim, Rudegerus et Ludewicus de Holtzhusen, Johannes Goltstein, Markolfus de Lintheim, Johannes pellifex, Wigelo de Wanebach, scabini, et quam plures alii cives Frankenfordenses fidedigni. In testimonium et firmitatem omnium premissorum nos . . scultetus et . . scabini supradicti ad rogatum partium predictarum sigillum universitatis Frankenfordensis presentibus duximus appendendum. Actum et datum anno domini millesimo tricentesimo septimo, secunda feria post epiphaniam domini.

*Or. Pgmt. mit gut erhaltenem, anhängenden Siegel. St. A. Stuttgart, Deutschorden Urk., Preussen No. 165. — Von Nathusius.*
*Gedr.: Reimer, II, 69 nach dem Or. Auszug: Lersner, IIª, 178, Niedermayer, 132.*

**884.** *Gottfried von Eppstein, Propst am Dom und St. Peter in Mainz und Archidiakon zu Trier, genehmigt als Propst von St. Peter die Schenkung der Pfarrei zu Ober-Ursel seitens des Propstes Emercho von Schöneck an das Frankfurter Stiftskapitel. 1307 Januar 24.*

Godefridus de Eppenstein, dei gratia archidiaconus in ecclesia Treverensi, necnon custos maioris // et prepositus sancti Petri, ecclesiarum Maguntinarum, viris discretis et honestis . . decano totique . . capitulo ecclesie // Frankenfordensis, Maguntine dyocesis, salutem in domino sempiternam. Cum honorabilis vir dominus Emmercho de // Schonecke, vester prepositus, ecclesiam parrochialem in monte Ursele, dicte dyocesis Maguntine, cuius collatio seu presentatio ad ipsum pertinebat, vobis in aucmentum prebendarum vestrarum donaverit et tradiderit pleno iure, vosque optinueritis per reverendum patrem ac dominum Gerhardum, dei gratia archiepiscopum Maguntinum, dictam ecclesiam parrochialem de consensu honorabilium virorum dominorum . . decani et . . capituli Maguntini vobis et ecclesie vestre uniri favorabiliter et incorporari, secundum quod in litteris prefatorum dominorum plenius vidimus contineri, necnon consensum nostrum et ratihabitionem ad huiusmodi donationem et traditionem petiveritis adhiberi, nos devotis precibus vestris annuentes, donationem et traditionem prefatam, secundum tenorem litterarum venerabilis patris et domini nostri Gerhardi, archiepiscopi Maguntini prefati, necnon . . decani et . . capituli ecclesie memorate, et domini E. prepositi supradicti, ratam habemus et gratam et eam presenti litterarum testimonio approbamus. In cuius rei testimonium presentes litteras sigillo nostri archidiaconatus Treverensis, quia sigillo prepositure sancti Petri caremus, duximus sigillandas. Datum et actum anno domini millesimo trecentesimo septimo, in vigilia conversionis sancti Pauli apostoli.

*Or. Pgmt. Das anhängende Siegel Gottfrieds, als Trierer Archidiakon, ist ziemlich gut erhalten. St. A. Fr. Barth. St. No. 4198.*

*Gedr.: Würdtwein, Dioc. Mog., II, 43, B., 374 nach dem Or. .*

*Regest: Sauër, I², 63.*

**885.** *Schultheiss Volrad und die Schöffen von Frankfurt geben eine Anleite inbetreff der Häuser zur Linde und zum Biersack für Werner von der Linde und Heinrich Feldacker. 1307 März 8.*

Nos Volradus miles, scultetus, et . . scabini de Frankenford. Recognoscimus, quod osten//sio, que vulgariter[a] dicitur anleide, per nos facta, inter Wernherum de Tylia et Hen//ricum dictum Feltacker, nostros concives, de domo ipsius Wernheri, que nuncupatur vulga//riter[a] zů der Lynden, et de domo dicti Henrici Feltackers, que vulgariter[a] nuncupatur zů dem Beirsacke, que due domus sunt contigue, huiusmodi ostensio domorum in eo statu, in quo nunc sunt, ex utraque parte debent observari, videlicet ita, quod fenestra, que tendit et vadit de doma(!) zů der Lynden versus domum zů dem Beirsacke, debet amministrare lucem dicte domui, nec per ipsum Wernherum de Tylia vel suos heredes debet obstrui ullo modo, sed in eo statu, in quo nunc est, permanebit, et illud cannale, quod est subtus ipsam fenestram versus domum zů dem Beirsacke, recipiet stillicidia pluvie, et meatus ipsius stillicidii transibit per domum zů der Lynden versus mensas, in quibus panis venditur; et quandocumque ipsum cannale putrescit et indiget emendacioni, ad reparacionem ipsius cannalis Wernherus de Tylia tenetur et sui heredes, et non Henricus Feltacker vel sui heredes. Idem eciam Wernherus medietatem tecti versus fenestram, que amministrat lucem domui zů dem Beirsacke, cum fuerit necesse, emendet suis laboribus et expensis; idem eciam Wernherus parietem sue domus versus nova[b] maccella carnificum firmum tenebit, ne ex eo aliquod periculum eveniat domui zů dem Beirsacke. Viceversa prenominatus Henricus Feltacker parietem domus sepedicti Wernheri, suam domum

a) Or. „wigariter". b) Möglich auch die Lesung „noua".

ex latere attingentem, tenebit salvum, nec in ipsum parietem aliqua edificia ponere
debebit, cum ipse paries ad domum de Tylia spectare dinoscatur. Testes huius
ostensionis sunt: Hertwinus de Alta domo, Cunradus de Spira, Sifridus de Gysenheim,
Rudegerus et Ludewicus de Holtzhusen, Johannes Goltstein, Markolfus de Lintheim
et Wigelo de Wanebach, scabini. Et nos . . scabini antedicti sigillum universitatis
Frankenfordensis ad rogatum supradictarum partium presentibus duximus appendendum
in testimonium premissorum. Actum anno domini millesimo trecentesimo septimo,
feria quarta post dominicam, qua cantatur Letare Jerusalem.

> *Or. Pgmt. Vom anhängenden Siegel nur Pergamentstreifen. In verso von einer Hand des
> XV. Jahrh.: „ein brief(?) zur linden und biersack", darunter „A". St. A. Fr. Haus-
> urkunden.*
>
> *Gedr.: Kriegk, Bürgerthum, Neue Folge, 408 nach dem Or. .*

**886.** *Ritter Heinrich von Hattstein verkauft der Frankfurter Bürgerin Bertradis, der
Wittwe des Thomas von Aachen, eine jährliche Gülte von 10 ihm gehörigen Brodtischen in Frankfurt. 1307 März 11.*

Ego Henricus miles de Hatzichinstein tenore presentium recognosco et ad universorum notitiam cupio pervenire, quod super decem mensis, in quibus panis venditur
in Frankenford, quas possedi et possidere dinoscor, accedente benevolo consensu
Heinrici militis et Wolframi, filiorum meorum, vendidi iusto venditionis titulo honeste
matrone Berteradi, relicte quondam Thome de Aquis, civi Frankenfordensi, et eius
heredibus tres marcas denariorum et unum solidum Coloniensem legalis monete in
Frankenford annui et perpetui census cum omni iure, quo ipsum censum possedi, pro
quadraginta quinque marcis denariorum et dimidia, michi per dictam Berteradim, relictam
Thome, traditis, numeratis et solutis; resignans et renuncians una cum dictis meis
filiis omni iuri, quod nobis in prefato censu competebat, qui quidem census singulis
annis cedet et cedere debebit in nativitate beati Johannis baptiste perpetuo de prelibatis decem mensis. Testes huius sunt: Hertwinus de Alta domo, Cunradus de Spira,
Syfridus de Gysenheim, Markolfus de Lintheim, Ludewicus et Rudegerus de Holzhusen, Johannes Goltstein, scabini, et quam plures alii cives Frankenfordenses. In
cuius rei testimonium nos scabini antedicti ad rogatum parcium prefatarum sigillum
universitatis Frankenfordensis presentibus duximus appendendum. Actum anno domini
m̃. cc̃c. septimo, V. idus marcii.

> *Gedr.: Fichard, Archiv, I, 221 „ex copia" = B., 374. Hier wiederholt. Auszug: Lersner,
> II ͣ, 178, Thomas, Oberhof, 446.*

**887.** *Hertwin vom Hohenhaus und seine Frau Rylindis schenken dem Kloster Padershausen bei der Einkleidung ihrer Töchter eine genannte Geldsumme, vermachen
ihm Korngülten in Holzhausen und Hauszinsen in Frankfurt als Seelgerät und
verpflichten sich, genannte weitere Zinsen, die dem Kloster von Seiten einer verstorbenen Verwandten zustehen, zu entrichten. 1307 April 3.*

Nos Hertwinus de Alta domo et Rylindis, uxor eius legitima, cives Frankenfordenses, tenore presenti//um recognoscimus publice profitentes, quod occasione
filiarum nostrarum, Margarete et Rylindis, religioni in mo//nasterio Padenshusen.
ordinis Cisterciensis, traditarum, nomine elemosine pure propter deum ac in remedium !/
animarum nostrarum et progenitorum nostrorum . . abbatisse et . . conventui sanctimonialium monasterii Padenshusen predicti liberaliter tradidimus in parata pecunia et
numerata ducentas libras hallensium legalium et bonorum in emptionem bonorum pro
utilitate dicti monasterii convertendas, item nos Hertwinus et Rylindis sana et matura

deliberacione prehabita, communicata manu parique consensu, accedente eciam benivolo
consensu . . generorum nostrorum, legavimus et deputavimus et presentibus legamus et
deputamus nomine testamenti perpetui in remedium animarum nostrarum et parentum
nostrorum monasterio Padenshusen supradicto viginti quatuor octalia siliginis mensure
Frankenfordensis super tribus et dimidio mansis, quos habemus et habere dinoscimur
in terminis ville Holtzhusen, nomine annue pensionis et quatuor marcas denariorum
legalium annui et perpetui census, quarum quatuor marcarum tres marce denariorum
cedent annis singulis de domibus et mansione dictis zů dem alden Gysenheimere, sitis
in platea inferiori apud sanctum Georgium in Frankenford, et quarta marca denariorum
cedet de domo Gotfridi dicti Beyer militis, sita iuxta domum communem pellificum
retro domum calcificum in Frankenford, tollendas et percipiendas suis temporibus
debitis et consuetis, reservato tamen nobis usufructu ad tempora vite nostre in modum
infrascriptum, videlicet quod, quandocunque unus nostrum de medio sublatus fuerit,
tunc duodecim octalia de vigintiquatuor octalibus siliginis predictis cedent ad coquinam
conventus sanctimonialium in Padenshusen pro pictancia sive consolacione in augmentum prebendarum sine diminutione qualibet earundem et due marce de predictis quatuor
marcis denariorum cedent similiter ipsi monasterio Padenshusen, quarum duarum
marcarum una distribuetur pro consolatione conventui supradicto in augmentum prebendarum in anniversario defuncti perpetuo annis singulis, et alia marca filie nostre
Rylindi, accedente voluntate domini . . abbatis de Arnsburg et . . abbatisse de Padenshusen, qui pro tempore fuerint, ab ipsa abbatissa ad sue necessitatis sublevationem,
cum indiguerit, porrigetur; qua defuncta ad infirmariam devolvetur, contradictione
superstitis non obstante. Reliqua vero duodecim octalia siliginis post obitum superstitis simili modo in coquinam . . conventus cedent pro consolatione pyctancie et due
marce de dictis quatuor marcis denariorum residue, una pro anniversario ipsius
defuncti et alia marca ad infirmariam, modo simili perpetuo devolventur. Recognoscimus eciam, quod supradicti . . abbatissa et . . conventus sanctimonialium occasione
quondam Gude, socerus nostre defuncte, de supradictis tribus mansis et dimidio annis
singulis abhinc in perpetuum tollent et percipere debent decem octalia siliginis mensure
prelibate et unam marcam denariorum annui census de domo dicta zů dem Gerunge
in Frankenford sita; preterea antedictis . . abbatisse et . . conventui de Padenshusen
assignavimus et tradidimus occasione Gude prenotate dimidiam marcam annualiter
perpetuo tollendam et percipiendam de domo Bauri militis supradicta, contigua domui
pellificum, ut predicitur, que quidem dimidia marca una cum dimidia marca denariorum
census annualis, quam coheredes nostri demonstrabunt, cedet in anniversario Gude
memorate pro pyctantia et consolacione . . conventui supradicto. Condictum est eciam,
quod, si prefata dimidia marca, cedens de domo Bauri militis predicti, et dimidia marca,
quam nostri coheredes demonstrabunt, annis singulis . . conventui pro consolacione
non ministraretur seu aliquo anno, heredes prefate Gude et nostri pro anno neglecto
tolent(!) ipsam marcam et in alios usus convertent, secundum quod ipsorum pro anno
tantum neglecto placuerit voluntati. Adiectum est eciam, quod nos antedicta bona nostra
in Holtzhusen commutare possumus pro bonis equi valoris, ita tamen quod memoratos . .
abbatissam et . . conventum de suis redditibus, videlicet de triginta quatuor octalibus
siliginis, que in nostris bonis predictis habent, reddamus in loco securo penitus certiores.
Et si quis nostrum ante commutationem horum bonorum viam universe carnis ingressus
fuerit, superstes nostrum nullam habebit vel habere debet commutationem vel alienationem
faciendi de bonis huiusmodi potestatem, et sic deinceps sepedicti . . abbatissa et . .
conventus monasterii in Padenshusen ab omni paticipio(!) hereditatis nostre, que ipsos
post nostros obitus posset contingere, penitus excludentur. Testes huius rei sunt:
Volradus miles scultetus, Cunradus de Spira, Sifridus de Gysenheim, Rudegerus et

Ludewicus de Holtzhusen, Johannes Goltstein, Markolfus de Lintheim, Johannes
pellifex, Henricus et Cfilemannus de Ovenbach, Drutwinus Schrenke, Wigelo de Wane-
bach, scabini, et quam plures alii fidedigni. Et nos .. scultetus et .. scabini de Frankenford supradicti recognoscimus, nos ad rogatum partium supradictarum sigillum universitatis Frankenfordensis presentibus appendisse. Actum et datum anno domini
millesimo trecentesimo septimo, tercio nonas aprilis.

*Or. Pgmt. mit anhängendem Stadtsiegel (2).   München, Reichsarchiv.*
*Regest: Lang, Regesta Boica, V, 115.*
*Verz.: Scriba, II, No. 966.*

**888.** *Das Mainzer geistliche Gericht beurkundet, dass Kuno, der Rektor der Pfarrkirche
in Ober-Ursel, die Einkünfte dieser Kirche dem Frankfurter Stiftskapitel auf drei
Jahre verpachtet und zugleich versprochen habe, das von diesem empfangene Darlehen in drei Jahresraten abzutragen. 1307 Juni 2.*

.. Iudices sancte Moguntine sedis, tenore presentium recognoscimus et publice
protestamur, quod Cuno, rector ecclesie parrochialis // in Ursele, in nostra constitutus
presencia recognovit et in iure fuit confessus, se fructus, redditus, proventus // et
obvenciones omnes et singulos, ad dictam suam ecclesiam spectantes, locasse sive
iuste locationis titulo concessisse // honorabilibus viris .. decano et capitulo ecclesie
Frankinvordensis, locationem huiusmodi recipientibus, ad spacium trium annorum,
incipientium currere in festo nativitatis beati Johannis proxime affuturo, tenendos,
colligendos et in suos usus pro voluntatis libito convertendos; hiis, que sequuntur,
conditionibus adiectis, ut prefati .. decanus et capitulum infra assumptionis et nativitatis beate Marie virginis duo festa proxima nonaginta octalia siliginis, boni et sicci,
Frankinvordensis mensure, in Frankinvord dicto rectori solvere et assignare debeant
ac unam marcam denariorum Coloniensium pensionis nomine, suis periculis, laboribus
et expensis. Reliquis vero duobus annis prefati .. decanus et capitulum octuaginta
et quinque octalia siliginis eiusdem mensure et quolibet termino unam marcam monete
predicte in loco et termino predictis eidem rectori, quemadmodum predicitur, presentabunt. Exacciones quoque, subventiones, contributiones et subsidia sedi apostolice,
vel legatis ipsius, episcopis, visitatoribus, seu aliis quibuscunque a clero debitas,
prefatus rector de suo solvere tenebitur et debebit. Insuper est adiectum, si aliquod
dampnum predictos dominos sustinere contigeret, ratione exercitus regis vel alterius
cuiuscumque, aut grandinis, que vulgariter dicuntur her unde hail, sepedictus rector
ipsis dominis in pensione sibi danda secundum consuetudinem patrie defalcabit. Preterea
prefatus Cuno rector publice recognovit, se teneri et obligatum esse predictis .. decano
et capitulo ex causa mutui in quindecim marcis denariorum Coloniensium dativorum,
de quibus idem rector quolibet anno dictis .. decano et capitulo quinque marcas monete
predicte de pensione predicta persolvet; obligans et constituens sepedictis .. decano
et capitulo pro solucione huiusmodi pecunie pre suis debitoribus universis annum gratie
sue in ecclesia sancti Petri Moguntini, si eum decedere contigeret, quod absit, ante
solucionem debiti suprascripti. In quorum omnium testimonium nos .. iudices predicti
sigillum nostrum ad rogatum partium predictarum duximus presentibus apponendum.
Et nos Lodewicus, .. decanus ecclesie sancti Petri predicte, recognoscimus, nos sigillum nostrum ad preces predictarum partium presentibus similiter apposuisse in evidenciam pleniorem. Actum et datum anno domini ṁ. ccc. VII., IIIĨ. nonas iunii.

*Or. Pgmt. Beide Siegel sind abgerissen. St. A. Fr. Barth. St. No. 4199.*
*Gedr.: B., 375 nach dem Or. .*
*Regest: Sauer, I³, 64.*

**889.** *König Albrecht erlaubt den Vorstehern des Heiligen Geist-Hospitals in Frankfurt,
täglich einen Wagen trocknen Brennholzes aus dem Reichswald zum Gebrauch der
Kranken herausfahren zu lassen. Vor Frankfurt im Lager, 1307 Juni 27.*

Nos Albertus dei gracia Romanorum rex, semper augustus. Ad universorum
sacri Romani imperii // fidelium noticiam volumus pervenire, quod nos divine mercedis
intuitu, quod ad incrementum salutis // nostre non ambigimus pervenire, concedimus
et motu liberalitatis regie favorabiliter indulgemus, quod homines // seu procuratores
hospitalis infirmorum in Frankenfûrt singulis diebus unam bigam lignorum aridorum
combustibilium ad usum infirmorum cum uno equo de nemore nostro ducere valeant et
habere. Presencium testimonio litterarum, nostre maiestatis sigilli robore signatarum.
Datum in castris prope Frankenfûrt, V. kalend*as* iulii, anno domini millesimo trecentesimo septimo, regni vero nostri anno nono.

> *Or. Pgmt. Das Majestätssiegel hängt an dicken rothen Schnüren an. St. A. Fr. Heil.
> Geist-Hosp., Litt. C. No. 8.*
> *Gedr.: Buri, Bannforsten, 88, Beilage No. 67, Gegeninformation, III, Beilage No. 56 =
> B., 376.*
> *Verz.: B., Reg. Alb., No. 580, Scriba, I, No. 739. Erwähnt: Lersner, I[b], 45.*


**890.** *Heinrich, ehemals Schultheiss in Frankfurt, bittet den Abt von St. Alban vor Mainz
gemeinsam mit Ritter Konrad von Sachsenhausen, genannt von Urberg, dass der
letztere auf die mit ihm vom Abt zu Lehen getragenen Güter in Urbruch seiner
Gemahlin Dyna 50 Mark als Wittum anweisen dürfe. 1307 Juli 10.*

Illustri ac reverendo domino suo, domino .. abbati monasterii sancti Albani extra
muros Maguntinos, // Henricus miles, quondam scultetus in Frankenford, paratam et
sinceram ad obsequia // voluntatem. Cum ego et Cunradus miles de Sassenhusen
dictus de Urberg a vestra gracia // et donatione in villa Ůrbruch teneamus quedam
feoda indivisa, et voluntatis sit ipsius Cunradi super partem suam ipsorum feodorum
Dyne, uxori sue legitime, quinquaginta marcas denariorum usualium in dotem propter
nupcias assignare, et hoc sit mea libera voluntas; vestre dominacioni supplico una
cum ipso Cunrado, quatenus dicte Dyne, modo quo supradicitur, concedere dignemini
feoda supradicta. Et in testimonium mei consensus sigillum meum duxi presentibus
appendendum. Datum anno domini m̃. c̃c̃. septimo, VI. idus iulii.

> *Or. Pgmt. mit etwas beschädigtem Siegel. Ullstadt.*
> *Gedr.: B., 376 nach dem Or. .*
> *Verz.: Scriba, I, No. 741.*


**891.** *Schultheiss Volrad und die Schöffen von Frankfurt beurkunden, dass die Frankfurter Bürger Konrad von Steinheim und dessen Frau sich und ihre sämmtliche
Habe, letztere mit Vorbehalt lebenslänglichen Niessbrauches, dem Kloster Haina
übergeben und von ihm eine Wohnung im Hainer Hof zu Frankfurt erhalten haben.
1307 October 18.*

Nos Volradus miles, scultetus, et .. scabini de Frankenford, recognoscimus per //
presentes, quod Conradus de Steinheim et Cunegundis, uxor eius legitima, nostri //
concives, in nostra presentia constituti animo deliberato, communicata manu parique
con//sensu corpora eorum et omnia bona eorum mobilia et immobilia, que in presenti
habent et possident et in posterum poterunt adipisci, reservato tamen ipsis et alteri
eorum usufructu ad tempora ipsorum vite contulerunt, legaverunt et donaverunt
donatione inter vivos abbati et conventui monasterii in Hegenche, Cisterciensis [ordinis],

ut dicti abbas et conventus de bonis omnibus per ipsos Conradum et Cunegundim relictis post amborum obitum possint disponere et ordinare et suis usibus applicare. prout ipsis congruentius videbitur expedire, contradictione quorumlibet non obstante. ut ipsorum coniugum in ipso monasterio Hegenehe orationibus debitis et consuetis perpetua memoria habeatur. Salvo ipsis tamen, ut ipsi Conradus et Cunegundis, in extremis constituti, possint et valeant de uno maltro aut duobus vel tribus sive ad magis de quatuor maltris siliginis mensure Frankenfordensis alias testamentum suum condere et ordinare, prout ipsorum placuerit voluntati. Vice versa vero abbas et conventus antedicti concesserunt domum ligneam retro horreum super fossatum in curia ipsorum in Frankenford sitam ad tempora vite ipsorum Conradi et Cunegundis et alterius eorum cum ipsorum familia necessaria inhabitandam sine ipsorum molestia pacifice et quiete. Testes huius sunt: Sifridus de Gysenheim, Rudegerus et Ludewicus de Holtzhusen, Johannes Goltsteyn, Theodericus notarius, et Ekehardus tabellio, et quam plures alii cives Frankenfordenses fidedigni. In testimonium premissorum nos.. scultetus et scabini predicti ad rogatum parcium prefatarum sigillum universitatis Frankenfordensis presentibus duximus appendendum. Actum anno domini m̄. c̄c̄c̄. septimo, feria quarta post diem beati Galli.

*Abschrift im Hainaer Kopialbuch f. 3ᵛ. St. A. Marburg. Das Original (Hainaer Urk. ebendort) ist nur stellenweise lesbar. — Grotefend.*
*Gedr.: Kuchenbecker, Anal. Hass., VIII, 304 = B., 377.*

**892.** *Der Frankfurter Propst Emercho[1] und sein Amtmann Siegfried von Gisenheim auf der einen, und das Stiftskapitel, sowie der Vikar und Glöckner Hermann auf der andern Seite, vergleichen sich über den zum Glöckneramt der Frankfurter Kirche gehörigen Zehnten. 1307 November 15.*

In nomine domini, amen. Noverint universi presentes et futuri, ad quorum visum vel auditum // presentes littere pervenerint, quod, cum inter nos, Emmerchonen(!). prepositum ecclesie Franken//fordensis, et Sifridum de Gysenheim, officiatum nostrum in Frankenford, ex una, et nos Ph. decanum et .. capitulum, ac Hermannum sacerdotem, vicarium et campanarium ecclesie Frankenfordensis predicte, ex parte altera, super quadam ambiguitate et dubietate cuiusdam iuris decimalis, ad officium campanacie dicte ecclesie Frankenfordensis, ut dicitur, pertinentis, que propter diuturnitatem temporis cerciori modo non poterat diffiniri, verteretur materia questionis; pro bono pacis et concordie perpetuo observande infrascripta ordinatio intercessit, videlicet, quod Sifridus de Gysenheim, presens officiatus, et quicunque officiatus, qui post ipsum pro tempore fuerit in perpetuum, annis singulis tollet et percipiet decimam omnium fructuum, qui possint conteri per molendinum, videlicet siliginis, tritici, ordei, fabarum, pisorum, viciarum, lentium et cetera, tam agrorum quam ortorum, qui .. campanario dare et solvere decimas consueverunt, et solvet annis singulis infra festa assumptionis et nativitatis Marie virginis gloriose absque preiudicio iuris .. prepositi .. campanario, qui fuerit pro tempore, decem et octo octalia siliginis mensure Frankenfordensis, ac.. campanarius in ortis, qui hactenus decimam solverunt eidem, compositi, caulium, raparum, papaveris, ceparum, allei, porri et huiusmodi tantum fructuum decimam percipiet et suis usibus libere applicabit. Et ne suprascripta ordinatio a nobis vel nostris successoribus aliqualiter infringatur, sed ut firma in perpetuum perseveret.

---

[1] *Propst Emercho war schon damals durch Papst Klemens V. zum Bischof von Worms designirt (vgl. Kaltenbrunner, Vatikanische Mittheil., I, 611, 1307 September 16). Er starb als solcher am 10. Februar 1318.*

has litteras sigillorum nostrorum, videlicet nostri E. prepositi, . . capituli et Sifridi officiati
duximus munimine roborandas.　Actum anno domini ṁ. c̊c̊c̊. septimo, XV̊II. kalendas
decembris.

*Or. Pgmt.　Anhängend 1) Siegel des Propstes (Bruchstück), 2) Siegel des Bartholomaeus-
Stiftes (beschädigt), 3) Siegel Siegfrieds von Gisenheim (schön erhalten). St. A. Fr.
Barth. St. No. 545.*

*Gedr.: Würdtwein, Dioc. Mog., II, 571, B., 377 nach dem Or. .*

**893.** *Werner von der Linde und dessen Frau Lukard vermachen dem Heiligen Geist-
Hospital in Frankfurt eine Erbgülte von ihrem im Rosenthal gelegenen Hause.
1307 December 7.*

Wernherus de Tylia et Lucardis, uxor eius, cives Frankenfordenses.　Universis
pre//sencium inspectoribus cupimus esse notum, quod nos communicata manu parique
consensu // pie propter deum et in remedium animarum nostrarum legavimus et presentibus legamus // hospitali sancti Spiritus infirmorum in Frankenford supra domum
nostram sitam apud horreum Sifridi dicti zů dem Wederhanen in dem Rosintale tres
solidos denariorum levium legalis mone[t]e* in Frankenford, singulis annis perpetuo
in cena domini de eadem domo tollendos et percipiendos, ita sane, quod quicunque
magister in ipso hospitali pro tempore fuerit, ipsos tres solidos denariorum debebit
imponere pro cibariis ad reficiendum pauperes in ipso hospitali tunc existentes, prout
ipsi magistro visum fuerit expedire.　Testes huius sunt: Cunradus de Spira, Sifridus
de Gysenheim, Johannes pellifex, scabini; Theodericus notarius, et quamplures alii
fidedigni.　In testimonium premissorum nos . . scabini Frankenfordenses ad rogatum
prefatarum parcium sigillum universitatis Frankenfordensis secretum presentibus
duximus appendendum.　Actum anno domini ṁ. c̊c̊c̊. septimo, in crastino beati Nicolai
episcopi.

*Or. Pgmt.　Anhängend das Stadtsiegel (3).　St. A. Fr. Heilig. Geist-Hosp. Lit. A. No. 12.*

*Gedr.: B., 378 nach einer Abschrift Schweickarts aus dem Or. .*

**894.** *Philipp der Aeltere und Philipp der Jüngere von Münzenberg entscheiden einen
Streit um die Güter des verstorbenen Frankfurter Bürgers Guntram von Holzheim
zwischen dessen Erben und dem Kloster Arnsburg.　1308 Januar 13.*

Nos Phylippus senior et Phylippus iunior dicti de Falkinstein, domini in Mynzinberg.　Ad universorum noticiam cupimus pervenire, // quod religiosi viri . . abbas
et . . conventus monasterii de Arnsburg, ordinis Cysterciensis, ex parte una, Guntramus,
filius Wyntheri // de Holzheym, Orto cincgravius et Wolframus, generi Wyntheri eiusdem, cum suis coheredibus universis ex parte altera, super causa, // que inter eos
ra[t]ione bonorum quondam Guntrami de Holzheym, fratris Wyntheri antedicti, de
quibus inter ipsos querimonia movebatur, in nos et in alios terre viros diverse condicionis ydoneos et discretos tamquam in arbitros conpromiserunt, ita quod quicquid
nos de eadem causa diffiniremus et ordinaremus, exigente iusticia et dictante, ambe
partes deberent tenere ratum firmiter atque gratum.　Super qua causa statuimus diem
placiti in diem epiphanie domini, anno incarnationis domini millesimo c̊c̊c̊. VIȈI., in
cymiterium et in ecclesiam ville Rockinberg, iuxta Mynzinberg opidum nostrum site,
ubi viri probi et circumspecti subscripti convenerunt et occurrerunt, ab ambabus
partibus advocati, quorum consilio et auxilio, ipsis requisitis sub iuramento dominis

a) *Loch im Pgmt.*

suis facto, diffinivimus insimul more iudiciario, quod talia bona omnino absque contra
dictione cuiuslibet hominis cum omni et meliori iure deberent esse .. abbatis et ..
conventus de Arnsburg predictorum, quam Guntrami, filii Wynt*heri* de Holzheym,
Ortonis et Wolfr[ami], generorum Wyntheri, et suorum omnium coheredum. Huic
diffinicioni interfuerünt: dominus Heynricus abba[s] pie memorie [predicti] claustri,
dominus Wylheilmus, Cûnradus de Beldirsheym cellerarius maior, Cûnradus de Grûningin,
Hartmudus de Lyndin, fratres et monachi in Arnsburg, plebanus in M[ynzi]nberg
Reynhardus, ... plebanus de Gridele, Heynricus de Geylnhusen, sacerdotes; magister
Rudûlfus de Mynzinberg, litera sculteti Fûlradi de Frankinfûrd, Johannes de Lyndin,
Heynricus de Pingistin, Johannes de Beldirsheym, Dylo frater suus, Wenzelo de Byrkelar,
Cûnradus de Musschinheym filius Wernheri, Johannes de Buckinheym et Wenzelo
frater suus, Cûnradus de Berstat, Berthous, milites; Syfridus de Gysinheym civis in
Frankinfurd, Juvenis de Lympurg, Angelus, Eyglo iuvenis, cives in Frideberg: Heyl-
mannus Gerberti, Hermannus de Olmene, Johannes Baurus gener Heylmanni, Rycholfus
filius Heyl., cives in Weytflaria, Ansheylmus senior, Heynricus dictus Qwytilin, Happelo
de Steinheym, Ansheylmus iunior, cives in Mynzinberg, et alii quam plures fidedigni.
In cuius rei testimonium nostra sigilla presentibus sunt appensa. Datum ut supra,
in octava epiphanie domini.

*Or. Pgmt. Nur das erste Siegel hängt in Bruchstücken an. Lich.*
*Gedr.: Arnsb. Urkb., 255 (gekürzt).*

**895.** *Papst Klemens V. beauftragt den Erzbischof (Heinrich) von Köln und die Dom-*
*dechanten zu Köln und Le Puy, den Petrus de Garlens, Kanonikus von Mainz,*
*seinen Familiaren, in die durch die Ernennung des Bischofs Emercho von Worms*
*frei werdende Propstei zu Frankfurt, unbeschadet der ihm anhaftenden Pluralität*
*der Pfründen, einzuführen. Poitiers, 1308 Februar 1.*

Laudabilia probitas.

*Auszug: Kaltenbrunner, Vatikanische Mittheilungen, I, 631 No. 750.*

 *Der genannte Petrus „de Carlenz", Kanonikus von Alby war am 18. October 1307*
*von Papst Klemens V., zusammen mit dem Magister Gabriel, Pfarrer zu Valleneto, zum*
*Collector des Lyoner Kreuzzugszehnten in Deutschland bestellt worden (vgl. Kaltenbrunner,*
*l. c. 631, Mon. Boica, XXXVIII, 389 ff., Reg. Clemens, II, 98, 1941), am 18. Januar*
*1308 (Mon. Boica, l. c., 401) übertrug er seine Vollmacht an seinen Kollegen Gabriel,*
*erscheint dann aber wieder als Collector in einer Urkunde des Bischofs Andreas von Würs-*
*burg vom 5. Januar 1310 (Mon. Boica, l. c. 451) und befand sich im Februar desselben*
*Jahres bei dem Bischof von Meissen (vgl. Schmidt, Urkb. des Hochstifts Halberstadt, II,*
*319 A.). Am 7. Januar 1313 quittirte er zu Avignon über den Empfang einer Summe*
*durch Bevollmächtigte des Mainzer Erzbischofs (Schunck, Cod. Dipl., 189 = B., 402). Er*
*ist vor dem 7. August 1314 gestorben (s. unten unter diesem Datum). Die Namensform*
*schwankt in den angeführten Urkunden „Carlenz, Garlenz, Garlens, Garlerix, Garlingia".*
*Den Titel Propst von Frankfurt führt er zuerst 1310 Januar 5, während er noch 1309*
*Januar 7 (Mon. Boica, XXXVIII, 419) lediglich als „canonicus Albiensis" bezeichnet wird.*

**896.** *Das Frankfurter Stiftskapitel nimmt infolge päpstlichen Mandats den Magister*
*Hermann von Giessen zum Kanonikus auf und verspricht ihm die nächste frei*
*werdende Präbende. 1308 Februar 10.*

Nos Philippus decanus totumque capitulum ecclesie Frankenvordensis, presentibus
re//cognoscimus, publice profitentes, quod nos dilectum nobis magistrum Hermannum
de Gyzen ad mandatum // apostolicum in nostrum concanonicum recepimus et confra-

trem; promittentes eidem, quod ipsi preben//dam in dicta nostra ecclesia assignabimus, cum ad id obtulerit se facultas. Datum sub sigillo nostro, quo ad causas utimur. Anno domini ṁ cĉc. VIĬI., in die beate Scolastice virginis.

Or. Pgmt. Abhangend das etwas beschädigte Stiftssiegel ad causas. St. A. Fr. Barth. St. No. 3986.

**897.** *König Albrecht giebt seine Einwilligung zur Verpfändung von 100 Mark jährlicher Einkünfte von den Frankfurter Juden seitens des Erzbischofs Peter von Mainz an Siegfried von Eppstein. Frankfurt, 1308 März 5.*

Nos Albertus dei gracia Romanorum rex, semper augustus, presentibus protestamur, quod, cum venerabilis Petrus archiepiscopus Maguntinus, princeps noster karissimus, nobili viro Syfrido de Eppenstein, fideli nostro dilecto, redditus centum marcarum denariorum Coloniensium de redditibus, quos apud iudeos nostros in Frankinfurt habere dinoscitur, duxerit obligandos, nos obligacioni huiusmodi nostrum adhibemus consensum voluntarium et expressum. In cuius nostri consensus testimonium presentes literas scribi et maiestatis nostre sigillo iussimus communiri. Datum in Frankenfurt, III. nonas marcii, anno domini millesimo trecentesimo octavo, regni vero nostri anno decimo.

Gedr.: Joannis, Spicilegium, 342 = B., 379. Regest: Sauer, I², 66.<br>Vers.: B., Reg. Alb., No. 596.

**898.** *Schultheiss Volrad und die Frankfurter Schöffen beurkunden, dass der Arzt Wigand der Gretha, Wittwe des Konrad Weiss von Dieburg, einen jährlichen Zins auf seinem Hause am Barfüsser-Kloster verkauft habe. 1308 April 19.*

Nos Volradus miles, scultetus, et . . scabini de Frankenford. Recognoscimus per presentes, // quod magister Wigandus medicus dictus de Bethinhusen, in nostri presencia constitutus, vendidit // iusto vendicionis titulo honeste matrone Grethe, relicte quondam Cunradi Albi de Dӱpurg, // supra domum suam, contiguam domui Hedewigis dicte Bûrnefleckin, sororis eiusdem Grethe, apud monasterium fratrum Minorum sitam, dimidiam marcam denariorum census annualis legalis monete Frankenford, singulis annis in festo beati Martini de ipsa domo perpetuo tollendam et percipiendam. Et ut ipsa Gretha magis sit certa de predicto censu, prefatus magister Wigandus aliam suam domum, apud predictos fratres Minores sitam, ipsi Grethe pro subpignore obligavit, ita sane, quod, quandocumque prenominatus magister Wigandus Frankenford in tuto et securo loco dimidiam marcam census annualis comparaverit, extunc predicta domus pro subpignore ipsi Grethe obligata proclamabitur penitus absoluta, et ad ipsam dimidiam marcam sic comparatam eadem Gretha respectum habebit. Preterea supradicta Gretha potest disponere et ordinare de ipsa dimidia marca census annualis, prout ipsius placuerit voluntati. Testes huius sunt: Hertwicus de Alta domo, Cunradus de Spira, Sifridus de Gysenheim, Ludewicus de Holtzhusen, Culmannus de Ovenbach, Johannes Goltstein, scabini; et quam plures alii cives Frankenfordenses fidedigni. In cuius rei testimonium nos . . scultetus et . . scabini antedicti ad rogatum parcium predictarum sigillum universitatis Frankenfordensis presentibus duximus appendendum. Actum anno domini ṁ. cĉc. octavo, feria sexta ante dominicam Quasi modo geniti.

Or. Pgmt. mit Siegelstreifen. Auf der Rückseite von einer Hand des XV. Jahrh. „littera de dimidia marca sita super domu quadam circa Minores". St. A. Fr. Hausurkunden. Eine Abschrift der Urkunde steht in Liebfrauenstift-Bücher No. 24 f. 72. St. A. Fr.

**899.** *Das Mainzer geistliche Gericht beurkundet, dass die Klöster Selbold und Meerholz auf der einen, sowie Lotz von Holzhausen und Johann von Glauburg auf der andern Seite durch ihre Bevollmächtigten behufs der Entscheidung ihrer Streitsachen auf Albrecht den Pfarrer und Volrad den Schultheissen in Frankfurt compromittirt haben. 1308 April 27.*

Judices sancte Moguntine sedis. Recognoscimus per presentes, quod Wigandus clericus de Geilnhusen, // procurator Wigandi prepositi et conventus monasterii in Selbolth ac Gude magistre et con//ventus sanctimonialium in Miroldissen, ordinis Premonstratensis, ex una, necnon Hartmannus, procurator Lut//zonis de Holzhusen et Johannis de Glauburg opidanorum in Frankenvord, ex parte altera, in nostra presencia constituti, habentes ad hoc specialia mandata, in omnibus et singulis causis inter dictos dominos suos usque in hodiernum diem habitis in Albertum, plebanum in Frankenvord, et in Volradum, scultetum ibidem, tanquam in arbitros, arbitratores seu amicabiles compositores conpromiserunt et presentibus conpromittunt, ita videlicet quod dicti arbitri, arbitratores seu amicabiles compositores plenam et liberam potestatem habeant ordinandi, statuendi et pronunciandi super huiusmodi causis inter ipsas partes, diebus feriatis vel non feriatis, partibus presentibus vel absentibus, usque ad octavam penthecostes proxime affuturam, prout ipsis arbitris, arbitratoribus seu amicabilibus conpositoribus melius videbitur expedire, promittentes dicti procuratores nomine quo supra prefatos dominos suos tenere et inviolabiliter observare debere sub pena centum librarum hallensium parti huiusmodi arbitrium servanti solvendarum per partem contravenientem, quicquid arbitri, arbitratores seu amicabiles compositores predicti infra prescriptam octavam inter dictas partes ordinaverint, statuerint seu pronunciaverint, sive in amicicia fuerit vel in iure. Actum anno domini m̄. ccc. VIII., V. kalen*das* maii.

*Or. Pgmt. mit anhängendem Siegel der Aussteller. Frankfurt, Archiv der Freiherren von Holzhausen. — Von Nathusius.*

*Gedr.: B., 379 nach Abschrift Fichards: Geschlechter-Geschichte, Glauburg, Urk. No. 3.*

**900.** *Schultheiss Volrad und die Schöffen von Frankfurt beurkunden, dass die Prokuratoren des Heiligen Geist-Hospitals einen Hof mit Zubehör in Arheiligen, den früher der Frankfurter Bürger Werner Reinesteine und Frau dem Hospital geschenkt hatten, an Menger von Arheiligen und Frau in Erbpacht gegeben haben. 1308 Mai 5.*

Nos Volradus miles, scultetus, et scabini de Frankenford, recognoscimus per presentes, quod Conradus de Spira et magister Johannes pellifex, scabini, procuratores hospitalis sancti Spiritus infirmorum in Frankenfurd, cum fratre Gerhardo, magistro dicti hospitalis, coram nobis constituti bona infrascripta, videlicet curiam unam in villa Arheilgen sitam et quadraginta iugera circa terre arabilis et pratorum in terminis ipsius ville Arheilgen sita in hunc modum: primo super campo dicto Michelvelt in via qua itur versus Messele unum iugerum, item an dem Gysensehe iuxta viam qua itur Diepurg tria iugera, item in dem Hillisbruch byme See et super Hart quatuor iugera, item quatuordecim iugera in agro dicto Crutzeacker, item in via qua itur Gebenburnen tria iugera, item zůme Wichin und zůme Erlenlouch sex iugera, item in Betzelsrode iuxta viam qua itur Royterstad decem iugera, item iugerum ibidem terre arabilis, item unum pratum situm zu den Stagen iuxta viam qua itur Frankenford, item unum pratum situm an der Heynenstrade iuxta Regelsburnen; quam quidem curiam, agros et prata Wernherus dictus Reinesteine et Alheidis, uxor eius legitima, nostri concives, cum se religioni tradiderunt in predicto hospitali, eodem(!) hospitali in remedium animarum suarum contulerunt et donaverunt liberaliter propter deum perpetuo possidenda, Mengero de Arheiligen et Damburga(!), uxori eius legitime, eorumque heredibus locaverunt et concesserunt pro octo octalibus siliginis mensure Frankinfurdensis legalis annone, dicto hospitali Frankinford infra festa assumpcionis et nativitatis beate Marie virginis annis singulis presentandis et persolvendis eorum laboribus et expensis, iure et titulo hereditario possidenda. Hac sane condicione adiecta, quod, si dictus Mengerus aut sui heredes aliquo anno in solucione pensionis octo octalium predictorum negligentes fuerint vel remissi, dictum hospitale prefatam curiam et bona universa prescripta ad se revocabit et aliis locabit, prout ipsius placuerit voluntati, contradictione qualibet non obstante. Et nos scultetus et scabini antedicti ad rogatum supradictarum parcium sigillum universitatis Frankenfordensis presentibus duximus appendendum in testimonium premissorum. Actum anno domini ṁ. c̃c̃c̃. octavo, dominica Jubilate.

*Abschrift im Kopialbuch des Wigand Vogt f. 76ᵇ. St. A. Fr. Heil. Geist-Hosp.-Bücher.*

**901.** *Erzbischof Peter von Mainz überweist an Siegfried von Eppstein 100 Mark jähr-licher Einkünfte auf die Juden in Frankfurt, mit Vorbehalt der Wiedereinlösung mit 1000 Mark. 1308 Mai 11.*

Nos P., dei gracia sancte Moguntine sedis archiepiscopus, sacri inperii[a] per Germaniam archi//cancellarius. Tenore presencium recognoscimus publice profitentes, nos nobili viro Sifrido domino // de Eppenstein centum marcas denariorum Coloniensium, tribus hallensibus pro quolibet denario conputandis, assignasse, per//cipiendas annis singulis a iudeis in Frankinvord per ipsum vel post eum per suos heredes, donec sibi et suis heredibus per nos vel aliquem successorum nostrorum mille marce denariorum predictorum integraliter fuerint persolute, perceptis seu percipiendis in sortem minime conputandis, pro serviciis, que bone memorie domino Gerhardo archiepiscopo, predecessori nostro, et ecclesie Moguntine in necessitatibus inpendisse dinoscitur atque dampnis. Si autem predictus dominus Si. vel sui heredes in predictis centum marcis percipiendis inpedirentur quoquam modo, nos vel nostri successores in aliis bonis nostris vel archiepiscopatus nostri ipsis huiusmodi centum marcas modo supradicto tenebimur resarcire. Testes huius rei sunt:.. R. cantor summe ecclesie Moguntine, Phillippus dominus de Valkenstein senior, Volradus scultetus Frankenfordensis, Hartmudus de Suscebach, Th. de Randecke, Conradus de Erlebach, Gotfridus de Derne, Merbodo, Heilmannus burcgravius, milites; Jo. Clemannus[b] scultetus Moguntinus. Et nos ad maiorem noticiam premissorum nostrum sigillum apponi fecimus huic scripto. Datum anno domini ṁ. c̃c̃c̃. VIII., V̊. idus maii.

*Or. Pgmt. mit abhangendem Siegelrest. St. A. Fr., Ugb. E. 43, B. No. 6.*
*Gedr.: B., 380 irrig zu Mai 5 nach dem Or.. Bemerkung im Ms.: „Womöglich zu collationiren."*
*Regest: Sauer, I³, 66, ebenfalls zu Mai 5.*

**902.** *Erzbischof Peter von Mainz theilt den Frankfurter Juden die in der vorigen Urkunde erwähnte Anweisung mit. 1308 Mai 11.*

Nos P., dei gracia sancte Moguntine sedis archiepiscopus, sacri inperii[c] per Germaniam // archicancellarius. Recognoscimus presentibus publice profitentes, quod nobili viro Si. de // Eppenstein, nostro dilecto, ac suis heredibus centum marcas denariorum Coloniensium, tribus hallensibus // pro quolibet conputandis, annis singulis a vobis nostris iudeis Frankenfordensibus recipiendas, dedimus ac assignavimus, quas si dederitis, vos presentibus litteris ab huiusmodi centum marcis solutos dicimus atque quitos. Datum anno domini ṁ. c̃c̃c̃. VIII., V. idus maii.

---

a) *So!*   b) *Die Worte „milites—Clemannus" über Rasur.*   c) *So!*

*Or. Pgmt. Das abhangende Siegel des Erzbischofs ist zerbrochen. St. A. Fr. Priv.No. 25.
Gedr.: B., 380 nach dem Or. . Regest: Sauer, I², 66.
Verz.: Fr. Inv., III, 3.*

**903.** *Siegfried von Eppstein und seine Gemahlin Isengard beurkunden, dass der Knappe
Dietrich Schelm 1¹/₂ Hufen und einen Hof zu Nieder-Erlenbach, die bisher von
ihnen zu Lehen rührten, mit ihrer Zustimmung als Eigengut an den Frankfurter
Bürger Hermann Finke und dessen Frau Kusa verkauft habe. 1308 Mai 15.*

Nos Sifridus dictus de Eppinstein et Ẏsengardis, eius collateralis legitima,
recognoscimus et // ad universorum noticiam cupimus pervenire, quod Theodericus
Schelmo armiger de Bomersheim unum // mansum et dimidium terre arabilis et unam
curiam in villa inferiori Erlebach et terminis ipsius // ville sitos, quos a nobis idem
Theodericus titulo et iure feodali tenuit et possedit, in manus nostras de plano et
precise resignavit. Resignatione huiusmodi ipsorum mansi et dimidii ac curie facta,
prefatus Theodericus ex permissione et libera nostra voluntate ipsos mansum cum
dimidio et curiam vendidit iusto vendicionis titulo Hermanno dicto Finken et Cuse,
uxori eius legitime, civibus Frankenfordensibus, et eorum heredibus pro quinquaginta
et septem marcis denariorum legalis monete in Frankenford, ipso(!) Theoderico ab
eodem Hermanno Finken traditis, numeratis et solutis, prenominatos mansum cum
dimidio et curiam iure proprietario perpetuo possidendos; resignans et renuncians
supradictus Theodericus armiger, accedente nostro consensu, ut est pretactum, omni
iuri, quod eidem in predictis manso et dimidio ac curia competebat; promittens nichilominus antedictus Theodericus armiger prelibatis Hermanno Finkoni et suis heredibus
de prenominatis manso et dimidio ac curia facere iuxta consuetudinem patrie warandiam
iustam, debitam et consuetam. In cuius rei evidens testimonium nos Sifridus dictus
de Eppinstein et Ysengardis, eius collateralis, predicti, sigilla nostra presentibus
duximus appendenda. Actum anno domini millesimo trecentesimo octavo, feria quarta
proxima post dominicam Cantate.

*Or. Pgmt. mit den an grünen Hanffäden anhängenden Siegeln der Aussteller: 1) Reitersiegel
(stark verletzt), 2) Frauensiegel (stehende Figur mit Schild rechts und links, sehr
beschädigt). St. A. Wiesbaden.
Gedr.: B., 380 zu Mai 16 nach Kopie in Johanniter-Bücher No. 15 f. XI ᵇ. St. A. Fr.*

**904.** *Die Johanniterkommende in Frankfurt verkauft an Wigel von Wanebach und seine
Frau Katharina ein Viertel des Hauses auf dem Rossebühel, welches dem Orden
aus dem Nachlass des Volkwin von Wetzlar und dessen Frau Gertrud zugefallen
war. 1308 Mai 30.*

Nos frater Hermannus de Maguntia, commendator domus sancti Johannis Irosolemytani in Frankenford, gerentes // vices per Alemaniam summi magistri hospitalis
sancti Johannis Irosolemytani in partibus transmarinis, ceterique . . fratres // prefate
domus in Frankenford. Recognoscimus per presentes, nos iusto vendicionis titulo
vendidisse // Wigloni dicto de Wanebach et Katherine, uxori eius legitime, civibus
Frankenfordensibus, eorumque heredibus quartam partem domus, curie et mansionis,
sitarum apud Rossebühele, que domus, curia et mansio fuerunt quondam Volgwini
de Wetflaria, et quibus successimus ex obitu dicti Volgwini et Gerdrudis, sue coniugis,
occasione filiorum eorumdem, nostrorum confratrum, pro sexaginta tribus marcis
denariorum legalium in Frankenford, quam pecuniam ab eisdem Wiglone et eius coniuge

recipimus in pecunia numerata et in utiliores usus domus nostre convertimus supradicte; resignantes et renunciantes omnis iuris auxilio canonici vel civilis, quod nobis vel fratribus nostris successoribus super ipsis domo, curia et mansione posset competere in futurum, promittentes etiam dictis coniugibus de dictis domo, curia et mansione facere per annum et diem warandiam debitam et consuetam; dantes eisdem Wigloni et suis heredibus has litteras nostri fratris Hermanni commendatoris sigillo sigillatas in firmitatem et testimonium premissorum. Actum anno domini m̅. c̅c̅c̅. octavo, feria quinta ante festum penthecostes.

> *Or. Pgmt. Abhangend das etwas beschädigte Siegel des Komthurs Hermann. St. A. Fr.*
> *Liebfrauenstift No. 603.*
> *Gedr.: B., 381 nach dem Or. .*


**905.** *Der Frankfurter Pfarrer Albrecht und der Schultheiss Volrad entscheiden einen Streit zwischen den Klöstern Meerholz und Selbold einerseits, und den Frankfurter Bürgern Lotz von Holzhausen und Johann von Glauburg andererseits über den Nachlass Arnolds von Glauburg in folgender Weise: 1) Lotz und Johann sollen dem Kloster Selbold 64 Mark kölnisch vom St. Michaelstage an auf ein Jahr leihen, die nach Jahresfrist zum gleichen Termin von dem Kloster zurückzuerstatten sind. 2) Die beiden Genannten haben dem Kloster Meerholz 20 Mark kölnisch auszuzahlen. 3) Die beiden Klöster haben dafür auf alle Ansprüche auf den Nachlass Arnolds, die sie für den Klosterbruder Lambert in Selbold und die Nonne Hedwig in Meerholz, beide Kinder Arnolds, erhoben haben, zu verzichten. Es siegeln die Schiedsrichter und die beiden Klöster. 1308 Juni 15. (sabbato post octavas penthecostes.)*

> *Or. Pgmt. mit den anhängenden 4 Siegeln. Frankfurt, Archiv der Freiherren von Holzhausen.*
> *Gedr.: Reimer, II, 74 nach dem Or. .*


**906.** *Hedwig, die Wittwe Friedrich Kachilharts, schenkt ihr ehemals dem Bäcker Wasmud gehöriges, neben ihrem Wohnhaus dem Arnsburger Hof in Frankfurt gegenüber gelegenes Haus dem Kloster Arnsburg und empfängt es gegen einen Wachszins zu lebenslänglichem Besitz zurück. 1308 Juli 13.*

Ego Hedewigis, relicta quondam Frederici dicti Kachilhart, civis Frankenfordensis. Tenore pre//sentium recognosco publice profitendo, quod coram .. sculteto et .. scabinis Frankenfordensibus consti//tuta sana deliberacione prehabita ex instinctu divino ob spem divine remunerationis et pro // salute anime mee domum meam per me comparatam, que quondam fuit Wasmûdi pistoris, civis Frankenfordensis, domui mee, quam nunc inhabito, contiguam, sitam in cornu ex oposito[a] curie monasterii de Arnesburg, ordinis Cisterciensis, cum omnibus suis attinentiis legavi, tradidi et donavi donatione inter vivos, lego, trado et dono litteras per presentes religiosis viris domino .. abbati et .. conventui monasterii Arnesburg supradicti perpetuis temporibus cum omni onere atque iure,[b] sicut eandem domum et attinentia tenui et possedi, liberaliter possidendam. Recognosco insuper, quod prefati .. abbas et .. conventus michi predictam domum cum suis pertinenciis reconcesserunt et relocaverunt ad vite mee tempora possidendam pro dimidia libra cere supradicto monasterio in purificatione Marie virginis gloriose annis singulis nomine annui census, quoad vixero, persolvendam, et cum ego de medio

---

a) So! b) „atque iure“ mit anderer Tinte über Rasur.

sublata fuero, domino id volente, eadem domus cum suis pertinenciis ad prelibatum monasterium Arnesburg libere revertetur, et . . abbas et . . conventus antedicti de eadem disponent et ordinent, prout ipsorum placuerit voluntati, contradictione quorumlibet non obstante. Testes huius sunt: Volradus miles scultetus, Hertwicus de Alta domo, Cunradus de Spira, Sifridus de Gysenheim, Johannes Goltstein, Cůlmannus de Ovenbach, Drutwinus Schrenke, Markolfus de Lyntheim, Johannes pellifex, Wiglo de Wanebach, scabini; Hertwicus de Vite, Hermannus de Ovenbach, et quam plures alii cives Frankenfordenses fidedigni. Et nos . . scultetus et . . scabini de Frankenford antedicti recognoscimus ad rogatum Hedewigis relicte, nostre concivis prenominate, sigillum universitatis Frankenfordensis presentibus appendisse in firmitatem et testimonium omnium premissorum. Actum et datum anno domini m̃. c̃c̃c. octavo, III. idus iulii.

*Or. Pgmt. mit anhängendem wohlerhaltenen Stadtsiegel (2). Lich.*
*Gedr.: B., 382 nach dem Or. .*

**907.** *Heinrich von Hachenberg, Frankfurter Bürger, vermacht mit Einwilligung seiner Frau Christine dem Weissfrauenkloster zu Frankfurt, in welchem sich zwei seiner Töchter befinden, eine Mark jährlichen Zinses von seinem Hause zum Bockshorn, unter näheren Bestimmungen. 1308 Juli 19.*

In nomine domini, amen. Noverint universi presentium inspectores. Cum nil sit morte certius nichilque incertius hora mortis, hinc est, quod ego Henricus dictus de Hachinberg, civis Frankinvordensis, compos mentis mee, licet debilis corpore, accedente benivolo consensu Cristine, uxoris mee legitime, pie propter // deum ac ad remedium anime mee contuli, donavi[a] et legavi religiosis dominabus . . priorisse et conventui sanctimonialium monasterii sancte Marie Mag//dalene ordinis Penitentum in Frankinvort super domum meam nuncupatam vulgariter zu demi[b] alden unde demi iungin Bockeshorne unam marcam denariorum legalis monete in Frankinvort census annualis singulis annis in festo beati Martini de ipsa domo perpetuo tollendam et recipiendam; resignans et renuntians[c] omni iuri, quod in dicta marca denariorum census annualis michi et mee uxori predicte conpetebat, ea sane protestacione et conditione apposita, quod Katherina et Hedewigis, mee filie, in predictis monasterio et ordine existentes, singulis annis in ipso festo beati Martini, quamdiu vixerint, debebunt tollere et accipere ad manus suas ipsam marcam denariorum et peragere anniversarium mei Henrici de Hachinberg, tam in vita mea quam post mortem meam, bis in anno, videlicet infra octavas beati Martini predicti et infra octavas sancte Trinitatis, cum vigiliis, missis et oracionibus solitis et consuetis, et de illa marca denariorum in quolibet anniversario meo peragendo dicte mee filie[d] dimidiam marcam denariorum pro consolatione ipsi conventui in refectionem administrabunt, ut ipsis diebus eo melius in cibariis procurentur. Nec ipsa marca denariorum ipsi conventui per me donata et legata quacunque necessitate incumbente numquam debet vendi, distrahi aut alienari, sed perpetuo remanere debebit aput ipsum conventum modis[e] et conditionibus supradictis; est etiam adiectum, quod nec priorissa, nec suppriorissa ipsam marcam denariorum nec tollent nec potestatem ullam habeant in eadem. Preterea est adiectum, quod, si una ex dictis meis filiabus ante alteram decesserit, Irmindrudis, nepos mea, in ipso monasterio existens, associabitur superstiti[f] mee filie loco defuncte ad disponendum et faciendum cum dicta marca denariorum suis temporibus, prout superius est expressum. Postquam supradicte mee filie et nepos mea ambe ab hac luce emigraverint, supradicti . . priorissa et conventus unanimiter personas, quas

a) *Or.:* „danovi". b) *So, wohl für beabsichtigtes* „deim". c) *Or.:* „renunctians". d) *Or.:* „filici". e) *Rasur.* f) *Or.:* „superstite".

maluerint, loco memoratarum mearum filiarum inter se eligent ad disponendum et faciendum cum ipsa marca denariorum suis temporibus in omnem eventum, quemadmodum superius est expressum. Testes huius sunt: dominus Volradus miles, ipsius opidi tunc scultetus, Cunradus de Spyra, Sifridus de Gisinheim, Johannes Goltstein, Markolfus de Lintheim, Culmannus de Ovenbach, Johannes pellifex, Drutwinus Schrenke, Wigelo de Wanebach, et Henricus de Ovenbach, scabini. Et nos . . scabini de Frankinvort antedicti ad rogatum supradictarum parcium sigillum universitatis Frankinvordensis una cum sigillo conventus antedicti appendi iussimus huic scripto in firmitatem et testimonium omnium premissorum. Actum anno domini millesimo trecentesimo octavo, feria sexta ante festum beati Jacobi apostoli.

*Or. Pgmt. Anhängend 1) Stadtsiegel (2), 2) Klostersiegel (leicht beschädigt). St. A. Fr. Weissfrauenkloster, Gült-, Wehr- und Erbleihbriefe, Lade III No. 1b.*

*Gedr.: B., 382 nach dem Or. .*

**908.** *Papst Klemens V. beauftragt einige Geistliche der Mainzer Diöcese, die von dem Frankfurter Pfarrer Siegfried gegen die Dominikaner und Minoriten in dieser Stadt wegen Umgehung seiner Rechte bei Beerdigungen in den Klöstern erhobene Klage zu untersuchen und zu entscheiden. Poitiers, 1308 August 5.*

Clemens episcopus, servus servorum dei, dilectis filiis . . Moguntino et . . Northunensi, Moguntine diocesis, decanis ac . . cantori eiusdem, // Moguntinarum ecclesiarum, salutem et apostolicam benedictionem. Sua nobis Sifridus, rector ecclesie Frankenfordensis, Moguntine diocesis, petitione monstravit, quod licet in // ipsa ecclesia de antiqua et approbata et hactenus pacifice observata consuetudine sit obtentum, ut corpora parrochianorum dicte ecclesie defunc//torum, qui apud fratres ordinum Predicatorum et Minorum in voluntate ultima elegerant sepulturam, prius ad ipsam ecclesiam deferantur et pro ipsis ibidem fiant exequie* et missarum solennia celebrentur, quibus peractis ad loca dictorum fratrum sepelienda portari debent, tamen . . prior et fratres Predicatorum et . . guardianus et fratres Minorum ordinum dicti loci Frankenfordensis contra huiusmodi consuetudinem temere[b] venientes,[b] corpora parrochianorum dicte ecclesie defunctorum apud locum ipsorum eligentium sepeliri, huiusmodi exequiis et missarum solenniis non peractis, ad dictum locum ipsorum sepelienda deferre presumunt, in ipsius rectoris preiudicium et gravamen. Quocirca discretioni vestre per apostolica scripta mandamus, quatinus vocatis, qui fuerint evocandi, et auditis hincinde propositis, quod iustum fuerit, appellatione remota decernatis, facientes, quod decreveritis, per censuram ecclesiasticam firmiter observari. Testes autem, qui fuerint nominati, si se gratia, odio, vel timore subtraxerint, censura simili appellatione cessante cogatis veritati testimonium perhibere. Quod si non omnes hiis exequendis potueritis interesse, duo vestrum ea nichilominus exequantur. Datum Pictavis, non*is* augusti, pontificatus nostri anno tertio.

*Or. Pgmt. Vermerk auf dem oberen Bug auf der Rückseite: „Taverninus Novariensis", auf dem unteren Bug in der rechten Ecke: „Registrata N. Bein". Die Bulle hängt an Hanf-Bindfaden an. St. A. Fr. Barth. St. No. 164.*

*Gedr.: B., 384 nach Abschrift in Barth. Bücher, Serie I, No. 22b f. 72b.*

*Verz.: B., Regesten Päpste No. 320.*

**909.** *Reinhard von Petterweil, Kanonikus des Frankfurter Stiftes, verkündet seine schiedsrichterliche Entscheidung in dem Streite um die fahrende Habe des verstorbenen Frankfurter Bürgers Guntram von Holzheim zwischen dessen Verwandten und dem Kloster Arnsburg. 1308 August 23.*

a) *Das letzte „o" in „exequie" und* b) *die Worte „temere venientes" sind von anderer Hand, die beiden Worte über Rasur verbessert.*

Noverint universi presencium inspectores, quod, cum inter religiosos viros dominos
.. abbatem et .. con//ventum monasterii in Arnspurch, ordinis Cisterciensis, ex una,
et .. cognatos ac .. affines proximiores quon//dam Guntrami de Holtzheim, opidani
Frankenfordensis, super bonis ipsius quondam Guntrami mobilibus // ex parte altera
questio verteretur, ac per dictos dominos .. abbatem et .. conventum in Johannem
de Beldersheym militem et in me Reynhardum de Petterwilre, canonicum ecclesie
Frankenfordensis, pro parte vero cognatorum et .. affinium predictorum in Gernandum,
filium Gysonis dicti Hûnt militis armigerum, ac Henricum dictum Geszenere tamquam
in arbitros seu arbitratores in causa seu questione prescripta extiterit conpromissum,
nos .. arbitri predicti testes, quos partes prescripte super iure suo quead(!) bona
prenotata hincinde producere voluerunt, recepimus et examinavimus diligenter, examinatis itaque testibus huiusmodi ac aliis probationibus receptis, quas dicte partes
facere voluerunt in causa predicta, habito quoque super premissis per me R. predictum
iurisperitorum, militum, scabinorum et aliorum prudentum consilio et tractatu, ac
etiam deliberatione penes me diligenti, consideratis etiam omnibus, que in dicta causa
ad pronunciandum movere poterant et debebant, quia ego R. prefatus inveni pro parte
dictorum .. cognatorum et affinium probatum esse, dictum quondam Guntramum primo
ipsis cognatis bona sua suprascripta post mortem suam, si sibi superessent in morte,
donasse, pro parte vero .. abbatis et .. conventus predictorum probatum esse sufficienter,
quod idem quondam Guntramus post donacionem huiusmodi causa mortis factam eadem
bona sua simpliciter donatione inter vivos donavit et tradidit .. abbati et conventui
prenotatis, eadem bona libere resignando in manus ipsius .. abbatis nomine monasterii
antedicti, ideo dei nomine invocato dico et arbitrando pronuncio, donacionem factam
per quondam Guntramum predictum dicto monasterio in Arnspurch de bonis suis predictis esse pociorem, ac eadem bona ad ipsos .. abbatem et .. conventum debere
pertinere de iure, ipsis cognatis et affinibus super eisdem bonis perpetuum silencium
inponendo. Et hec dictis meis coarbitris et partibus suprascriptis et omnibus aliis,
quorum interest, significo per presentes sigillo dominorum .. iudicum sancte Maguntine
sedis munitas, quod ad preces meas presentibus est appensum. Et nos .. iudices
sancte Maguntine sedis predicti recognoscimus sigillum nostrum ad preces predicti
Reynhardi presentibus appendisse. Datum anno domini ıɧ. ccc. VIII., X. kalendas
septembris.

> *Or. Pgmt. mit abhangendem Siegel. Lich.*
> *Gedr.: Arnsb. Urkb., 253 mit starken Kürzungen zu 1307.*
> *Verz.: Scriba, IV², No. 3751.*


**910.** *Graf Heinrich von Luxemburg verspricht dem Erzbischof Peter von Mainz u. a. für
den Fall seiner Wahl zum Könige die durch König Albrecht der Mainzer Kirche
entzogenen 1000 Mark „in ungelto et iudeis in Franckenford" zu ersetzen und
die darüber von seinen Vorgängern ausgestellten Urkunden zu erneuern. Rhense.
1308 October 28.* (V. kal. nov.)

> *Gedr.: Würdtwein, Subsid. Dipl., IV, 352 und XII, 348, Bodmann, Cod. ep., 315.*
> *Verz.: B., Reg. Reichssachen No. 277.*


**911.** *Das Deutschordenshaus zu Mainz verkauft dem Deutschordenshause in Sachsenhausen ein Drittel der ihm durch den Mainzer Deutschordensbruder Johannes, Sohn
des Baldung (Baldund) Walpodo, zugefallenen Güter bei Mörlen („in campis ville
Morle") für 13 Mark. 1308 December 4.* (in die s. Barbare virg.)

> *Gedr.: Baur, Hess. Urk., 1, 318 nach dem Or. Pgmt. im St. A. Darmstadt.*

**912.** *Schultheiss Volrad und die Frankfurter Schöffen beurkunden, dass Rüdiger von Holzhausen und seine Frau Mechtild einen ewigen Zins von 2¹/₂ Mark auf ihrem Wohnhaus an Wicker vom Wedel und dessen Frau Katharina verkauft haben. 1308 December 25.*

Volradus miles, scultetus, et . . scabini de Frankenvord, recognoscimus, quod Rûdegerus dictus de Holzhusin et Met//hildis, uxor eius legittima, nostri concives, coram nobis constituti communicata manu parique consensu vendiderunt // iusto vendicionis titulo Wikero de Ariete et Katherine, uxori eius legittime, nostris concivibus, eorumque heredi//bus super domum et curiam suam totalem, quam inhabitant, tam ante quam retro duas marcas et dimidiam denariorum legalis monete Frankenvord census annualis, quem quidem censum prefati Rudegerus aut sui heredes successivi predictis Wikero de Ariete suisque heredibus de ipsis domo et curia singulis annis in festo beati Martini perpetuo porrigent annuatim et solvent; resignantes et renunciantes prefati Rudegerus de Holzhusin et eius uxor omni iuri, quod eisdem in prenominatis duabus marcis et dimidia denariorum competebat. Testes huius rei sunt: Conradus de Spira, Sifridus de Gisinheim, Johannes Goltstein, Markolfus de Lintheim, Drutwinus Srenke, Culmannus de Ovinbach, scabini; Hertwicus de Vite, et quam plures alii fidedigni. In testimonium premissorum nos . . scultetus et . . scabini antedicti ad rogatum parcium predictarum sigillum universitatis Frankenvordensis presentibus duximus appendendum. Actum anno domini ṁ. ccc. nono, in festo nativitatis domini.

Or. Pgmt. Das abhangende Siegel ist abgefallen. Frankfurt. Archiv der Freiherren von Holzhausen. — Von Nathusius.

**913.** *Das Kloster Thron verkauft den Frankfurter Bürgern Wigel Frosch und Wigel von Wanebach 9 Mark jährlichen Zinses von dem Haus genannt das Kaufhaus in Frankfurt. Thron, 1308.*

Nos soror Agnes dicta abbatissa et conventus Throni sancte Marie, publice profitemur // litteras per presentes, quod vendidimus iuste et racionabiliter novem marcas censuum annuorum, // quas habuimus infra muros civitatis Frankinvurdensis super domo, quod dicitur daz kauf//hus, cuius domus dimidietas ad nos pertinebat ex successione hereditaria filiarum bone memorie Volckvini, quondam civis Frankinvurdensis, monialium nostrarum, viris discretis, Wigloni dicto Rana et Wigeloni de Wanebach, civibus Frankinvurdensibus, pro summa pecunie data nobis et numerata. Renunciamus eciam absolute in hiis scriptis omni iuri, quod habuimus in censibus prenotatis, promittentes, quod nulli ingenio[a] iuris[b] canonici vel civilis insistemus, nec aliquibus subtilitatibus aut adinvencionibus innitemur, quibus eadem bona ab eis heredibusque ipsorum nunc aut in posterum avellamus. Et in huius rei evidens testimonium tradidimus eisdem civibus has litteras sigilli nostri munimine roboratas. Datum in Throno, anno domini ṁ. ccc. VIII.

Or. Pgmt. Das abhangende Siegel der Aebtissin von Thron (dunkelgrün) ist wohl erhalten.<br>St. A. Fr. Liebfrauenstift No. 693.<br>Gedr.: B., 384 nach dem Or. .

**914.** *Das Kloster Arnsburg bekennt, für eine von dem Frankfurter Bürger Giselbert von Wetzlar erhaltene Geldsumme näher bezeichnete Kornrenten erworben zu haben, und verpflichtet sich dafür, täglich je 4 Arme im Klosterhospital zu verpflegen. 1309 März 2.*

a) Ueber der Zeile. b) Das „s" ist nachgetragen.

Nos frater Wylhelmus dictus abbas et .. conventus monasterii in Arnsburg recognoscimus in hiis scriptis publice profitentes, // nos a discreto viro Gisilberto, civi(!) Frankinvordensi, dicto de Wetflaria, ducentas decem et octo marcas denariorum Coloniensium // bonorum et legalium recepisse et cum eisdem annuos redditus infranotatos conparasse, videlicet in Holzhusin in strata Mo//guntina XX. octalia siliginis, item in Eschebach superiori IIII. octalia siliginis, item in Rodeheim apud Pettirwile XXIIII. octalia siliginis, item in Steynvort XII. octalia siliginis de molendino sub monte, item in Morle inferiori XVIII. octalia siliginis, de quibus quidem redditibus .. magister hospitalis nostri, qui pro tempore fuerit, in remedium animarum predicti Gil. ac omnium parentum suorum in sero festi beati Michahelis archangeli proxime nunc venturi quatuor pauperes ultra numerum egentium, quem hactenus in nostro hospitali habere conswevimus, recipiet et eosdem in cena pascet, mane quoque, cum ipsos in prandio paverit, eosdem dimittet, alios quoque quatuor pauperes ad consimilem graciam recipiet et sic faciet singulis diebus in posterum perpetuis temporibus duraturam(!). Promittimus etiam, quod predicti pauperes singulis dominicis diebus, tertiis et quintis feriis, carnibus, vino et non buccellis sive fragmentis, sed pane integro, quo .. conventus noster vesci conswevit, vescantur, reliquis vero diebus pane ac aliis in nostro .. conventu conswetis cibariis recreentur. Est etiam hoc adiectum, quod, si in prenotatis aut eorum aliquo inventi fuerimus desides vel remissi, .. scabini in Mincenberg prefatos redditus per unum annum solummodo in penam nostram usibus sui hospitalis ibidem applicandi habebunt liberam potestatem, quo anno elapso, dicti redditus ad nostrum monasterium libere revertentur, modis et condicionibus suprascriptis. Ut autem premissa et premissorum singula a nobis et nostris .. successoribus rata et inconvulsa irrevocabiliter observentur, supradicto Gysilberto damus has litteras sigillo nostro fideliter communitas. Actum et datum anno domini m̃. cc̃c. nono, in dominica, qua cantatur: Oculi mei semper.

*Or. Pgmt. mit Siegel. Lich.*

*Gedr.: Arnsb. Urkb., 260 (gekürzt).*

*Verz.: Scriba, IV², No. 3767 zu März 9.*

**915.** *König Heinrich VII. belehnt den Wolfram mit allen Reichslehen, welche dessen Vater Heinrich, ehemals Schultheiss von Frankfurt, besessen hat. Speyer, 1309 März 11.*

Nos Heinricus dei gracia Romanorum rex, semper augustus. Ad universorum noticiam cupimus per//venire, quod nos fidelitatem strennui viri Wolframi, filii quondam Heinrici sculteti de // Frankenfûrt, fidelis nostri dilecti, attencius attendentes, sibi omnia feoda, que idem suus pater // rite et racionabiliter ab imperio tenuit, de benignitate regia duximus concedenda. Presencium testimonio litterarum nostri sigilli robore signatarum. Datum Spire, V̊. idus marcii, anno domini millesimo trecentesimo nono. Regni vero nostri anno primo.

*Or. Pgmt. Siegelrest anhängend. St. A. Fr. Frankenstein. Urk.*

*Gedr.: Tabor, Vertheidigtes kais. Eigenthum, 85, B., 385 nach dem Or. .*

*Verz.: B., Reg. Heinr., No. 50.*

**916.** *König Heinrich VII. bekennt, dem Erzbischof Peter von Mainz 3950 Pfund Heller für Auslagen bei seiner Wahl und Krönung und 585 Pfund Heller von dem Judenzehnten zu Frankfurt, Oppenheim, Boppard, Oberwesel, Worms und im Elsass zu schulden, und verspricht die Erstattung dieser Summen. Konstanz, 1309 Mai 28.*

Nos Heinricus dei gracia Romanorum rex, semper augustus. Recognoscimus tenore presencium // publice profitentes, quod venerabili Petro, archiepiscopo Maguntino, archicancellario et principi nostro // karissimo, tenemur et obligati sumus in quatuor milibus, exceptis quinquaginta librarum hallen*sium*, // pro expensis, quas fecit ob sollempnitatem electionis et coronacionis nostre, necnon in quingentis octoginta et quinque libris hallen*sium* racione decime sibi debite de perceptis et exactis per nos a iudeis in Frankenfort, Oppinheim, Bopardia, Wesalia, Wormacia et per Alsaciam, quas summas pecuniarum promittimus ipsi exsolvere bona fide, quando et ubi per eundem principem nostrum vel alium ex parte sui fuerimus requisiti. Datum Constancie, anno domini millesimo trecentesimo nono, quinto kalen*das* iunii.

*Or. Pgmt. mit anhängendem Siegelstreifen. München, Reichsarchiv.*
*Gedr.: Guden, Cod. Dipl., III, 55.*
*Verz.: B., Reg. Heinr., No. 77, Lang, Reg. Boica, V, 152, Scriba, III, No. 2339.*

**917.** *Heinrich, Abt von Fulda, verpfändet seinem Wirth in Frankfurt* (hospiti nostro in Frankinford) *Eckehard von Frauenrode* (Frowenrode) *und dessen Erben alle Einkünfte seines Gutes in Dörnigheim* (Durenheim) *bis zur Rückerstattung eines ihm von Eckehard gemachten Darlehens von 105 Mark.* (VIII. ydus iunii.) *1309 Juni 6.*

*Gedr. B., 385 nach: Fulda, libr. dicaster. cop. No. 1158 [mitgetheilt durch ?] „Herr Spurck“.*
*Verz.: Zeitschr. für hess. Gesch., II. Folge, 9, 188.*

**918.** *Das St. Klara-Kloster bei Speyer bestätigt den Verkauf jährlicher Gülten auf den Häusern zur Hangenden Hand und zum Rothen Kopf seitens seiner Klosterfrau Mechtild, der Wittwe des Frankfurter Bürgers Leo, an den Frankfurter Metzger Gerlach Versene und Frau.* *1309 Juni 17.*

Nos Ermengardis abbatissa totusque .. conventus sanctimonialium monasterii sancte // Clare apud Spiram. Tenore presentium recognoscimus et ad universorum tam pre//sentium quam futurorum noticiam cupimus pervenire, quod, cum Methildis, re//licta quondam Leonis civis Frankenfordensis, cui Methildi, duabus suis filiabus et // uni filie sororis eiusdem in nostro monasterio prebendas pure contulimus propter deum, tres marcas denariorum Frankenfordensis monete annui census, quas habuit super proprietate domus dicte zu der Hangenden Hant, et unam marcam denariorum monete prefate, quam habuit super domo dicta zûme Rodencoppe census annualis, infra muros Frankenfordenses, de nostro scitu et voluntate iusto vendicionis titulo vendiderit Gerlaco dicto Versene carnifici et Ortrune, uxori eius legitime, eorumque heredibus, civibus Frankenfordensibus, pro certa summa pecunie, et ipsam pecuniam ab eisdem Gerlaco et Ortruna receperit numeratam, cum omni iure, prout ipsas quatuor marcas denariorum annui census possedit et percepit, percipiendas et perpetuo possidendas; nos ipsam vendicionem sic rationabiliter factam ratam habemus atque gratam et eam presentibus approbamus; renunciantes omni iuri, quod nobis et monasterio nostro occasione prelibate Methildis vel suarum filiarum in supradictis quatuor marcis denariorum census annui posset competere in futurum. Litteras eciam civitatis Frankenfordensis, si que sunt date, vel adhuc dandas super vendicione et renunciacione huiusmodi presencium testimonio approbamus. Dantes has li*tt*eras Gerlaco, Ortrune et eorum heredibus antedictis sigillo nostri .. conventus sigillatas in testimonium et firmitatem omnium prescriptorum. Actum anno domini ṁ. c̄c̄c. nono, X̌V. kalen*das* iulii.

*Or. Pgmt. Das abhangende Siegel ist vollständig erhalten. St. A. Fr. Hausurkunden.*

**919.** *Graf Eberhard von Katzenelnbogen genehmigt, dass Konrad von Urberg seine Gemahlin Christine auf einer von ihm zu Lehen rührenden halben Hufe bei Frankfurt mit 30 Mark bewidmet hat. 1309 Juni 19.*

Nos Eberhardus comes de Kazinellenbogen. Tenore presencium recognoscimus // et publice profitemur, quod, cum strenuus vir Cunradus de Urberg Cristinam, suam le//gitimam, super dimidiam hubam sive mansum apud Frankenvort et in terminis dicte // civitatis sitam, quam a nobis tenet et possidet titulo feodali, cum triginta marcis Coloniensi*um* denariorum, tribus hallensibus pro denario quolibet conputatis, dotarit et in donacionem propter nupcias assignarit, ad preces dicti Cunradi nostri fedelis[a] eandem donacionem et assignacionem ratam habere volumus omnimodis atque gratam ipsamque presentibus confirmamus. In cuius rei testimonium atque robur has nostras li*tt*eras nostro sigillo signatas tradimus communitas. Actum et datum anno domini m̊. c̊c̊. VIĬII., quinta feria proxima ante festum beati Albani martiris.

*Or. Pgmt. Das abhangende Siegel fehlt. St. A. Fr. Johanniter-Urk. No. 13.*
*Gedr.: B., 385 nach dem Or. .*
*Verz.: Scriba, IV[1], No. 2683.*

**920.** *Der Scholaster von St. Stephan in Mainz hebt die über das Frankfurter Stiftskapitel wegen Nichtzahlung des erzbischöflichen Subsidiums verhängte Suspension bis zur nächsten Synode auf. 1309 August 14.*

.. Scolasticus ecclesie sancti Stephani Moguntini, collector antiqui subsidii a reverendo in Christo patre, domino P., archiepiscopo Moguntino, depu//tatus, discreto viro .. custodi ecclesie Frankenvordensis, salutem. Sententias suspensionis in honorabiles viros .. decanum et capitulum ecclesie vestre // predicte occasione antiqui subsidii per nos prolatas usque in proximam synodum presentibus relaxamus. Datum anno domini m̊. c̊c̊. IX̊., vigilia // assumptionis beatissime Marie virginis.

*Or. Pgmt. Das abhangende Siegel ist etwas beschädigt. St. A. Fr. Barth. St. No. 3471.*
*Gedr.: B., 386 nach dem Or. .*

**921.** *Das Kloster Retters verkauft den Frankfurter Bürgern Wigel von Wanebach und Wigel Frosch einen Hauszins von 6 Mark auf zwei Häusern gegenüber dem Minoritenkloster in Frankfurt. 1309 September 14.*

Noverint universi tam presentes quam futuri, quod nos Elisabecht magistra totusque conventus ecclesie sancte Marie in Rethers, ordinis Primonstratensis, bona deliberacione et unanimi consensu vendidimus honorabilibus viris Wigeloni de Wanebach et Wigeloni Rane sex marcas annui census, qui nobis de duabus domibus oppositis fratribus Minoribus in Franckenford, quas Fridericus de Ezziglingen et Elizabecht, uxor sua, inhabitant, solvebatur, ex resignacione Friderici presbiteri dicti Ysinmengere et Fredeburgis, matris sue, tamquam primum et principalem censum, nisi quod fundus antea quinque solidos levium denariorum et duos pullos solvere videbatur, dumtaxat Lodewicus sutor singulis annis ad tempora vite sue XXII. solidos Coloniensi*um* denariorum in festo penthecosten percipiat et non alter, post mortem vero dicti Lodewici predicta pensio, videlicet XXII. solidorum Coloniensi*um* denariorum, ad nos et nostrum claustrum tamquam ultimus census libere revertetur. In cuius rei testimonium predictis civibus Franckefordensibus presentes litteras nostri sigilli munimine dedimus

a) *Sol*

roboratas. Et solvitur medietas census in festo beati Johannis baptiste in eius nativitate
et medietas in festo nativitatis domini nostri Jhesu Christi. Datum anno domini
millesimo ccc. IX., XVIII. kalendas octobris.

*Abschrift in Liebfrauenstiftsbücher No. 24 f. 245.  St. A. Fr.*


**922.** *König Heinrich VII. gestattet den Weissfrauen in Frankfurt, sich aus den benach-
barten Reichswäldern mit Brennholz zu versehen.  Frankfurt, 1309 September 29.*

Heinricus dei gracia Romanorum rex, semper augustus.  Honorabilibus ac
religiosis personis . . priorisse // et . . conventui monasterii sanctimonialium ordinis
Penitentum in Frankenfůrd, devotis suis dilectis, graciam // suam et omne bonum.
Volentes vos veluti benedictionis eterne filias, que spretis fallacibus seculi huius //
nequam illecebris per celebis vite fragranciam, laudabilium operum sectatricem, ad
celicas nupcias meruistis, ut opinamur firmiter, accensis lampadibus introire, vobis
hanc motu liberalitatis regie graciam duximus faciendam, quod de nostris et imperii
nemoribus vobis vicinis ligna arida et combustilia vestris cottidianis applicanda ignibus,
quantum cum uno equo potestis adducere, recipiatis, contradictione aliqua non obstante;
universis forestariis dictorum nemorum districtius inhibentes, ne a vobis aut vestris
nunciis aliquid racione eductionis lignorum huiusmodi exigere aut vos contra tenorem
gracie nostre huiusmodi vobis facte impedire* audeant vel aliqualiter molestare.  In
cuius rei testimonium presentes litteras nostre maiestatis sigillo iussimus communiri.
Datum in Frankenfůrd, III. kalendas octobris, anno domini millesimo trecentesimo
nono, regni vero nostri anno primo.

*Or. Pgmt.  Das Majestätssiegel hängt leichtbeschädigt an.  St. A. Fr. Weissfrauenkloster,
Freiheitsbriefe etc. No. 14.*
*Gedr.: Buri, Bannforsten, 87, Gegeninformation, III, Urk. 18, Beil No. 63, B., 386 nach
dem Or. .*
*Verz.: B., Reg. Heinr., No. 176, Scriba, I, No. 749.*


**923.** *Das Karmeliterkloster in Frankfurt verkauft an Wortwin von Eschbach und seine
Frau Elisabeth einen Zins von 12 leichten Denaren von einem Hause in der Ziegelgasse.  1309 October 21.*

In nomine domini, amen.  Universis presentem litteram inspecturis tam presentibus
quam futuris publice // declaramus, quod nos frater Hartlevus, prior domus Frankenfordensis, ordinis fratrum beate Marie de Car//melo, totusque conventus predicte domus
Wortwino filio Cůnradi de Eszbach, civi Frankenvordensi, ac Eliza//beth, sue collaterali,
cum suis liberis vendidimus et in hiis scriptis vendimus reditus duodecim denariorum
levium de domo et area sita in vico, qui dicitur Zegelgassen, in civitate prenominata
pro duodecim solidis denariorum levium, quos nos recepisse et ad nostros usus fideliter
exposuisse, presentibus publice protestamur.  Ne autem aliquis in posterum cadat in
errorem seu dubium, presentem cedulam ipsis tradidimus sigilli nostri officii ac communitatis munimine roboratam.  Actum et datum anno domini m̂. cĉc. nono, in die
beatarum undecim milium virginum.

*Or. Pgmt.  Das anhängende Klostersiegel ist ziemlich erhalten, vom zweiten nur Rest, beide
dunkelgrůn.  St. A. Fr. Liebfrauenstift No. 711.*
*Gedr.: B., 387 nach dem Or. .*


a) *Verbessert aus „inpedire".*

**924.** *Der Scholaster von St. Stephan in Mainz hebt die gegen das Frankfurter Stiftskapitel wegen des alten Subsidiums verhängte Suspension bis zum 5. November auf.
1309 October 22.*

Scolasticus ecclesie sancti Stephani Maguntini, collector antiqui subsidii a
reverendo in Christo patre // domino P., dei gracia archiepiscopo Maguntino, specialiter
deputatus, discreto viro, . . custodi ecclesie // Frankinfordensis, salutem in domino.
Sentenciam suspensionis, in honorabiles viros . . decanum et . . // capitulum ecclesie
vestre predicte occasione antiqui subsidii per nos prolatam, usque in feriam quartam
post festum omnium sanctorum proxime affuturum presentibus relaxamus.    Datum
anno domini ṁ. cċc. IX., XI. kalendas novembris.

*Or. Pgmt.    Abhangend Siegelrest.    St. A. Fr. Barth. St. No. 3376ᵇ.*

**925.** *Der Scholaster von St. Stephan in Mainz bekennt, von dem Frankfurter Stiftskapitel 21 Mark weniger 2 Schillinge für das alte Subsidium empfangen zu haben.
1309 November 9.*

Nos Heinricus, scolasticus ecclesie sancti Stephani Moguntini, collector an//tiqui
subsidii a reverendo patre domino P., archiepiscopo Moguntino, specia//liter deputatus.
Recognoscimus per presentes, quod ab honorabilibus viris // et discretis . . decano et
capitulo ecclesie Frankenvordensis racione et nomine antiqui subsidii recepimus in
pecunia numerata viginti et unam marcas denariorum Coloniens*ium* minus duobus
solidis Coloniensibus, tribus hallensibus pro uno denario computatis.    In cuius rei
testimonium eisdem . . decano et capitulo dedimus nostri sigilli has litteras robore
communitas.    Datum anno domini ṁ. cċc. IX̌., dominica proxima ante festum beati
Martini episcopi.

*Or. Pgmt.    Das abhangende Siegel ist beschädigt.    Auf der Rückseite (Hand: erstes Viertel
14. Jahrh.): „Quitancia subsidii minoris pro archiepiscopo“.    St. A. Fr. Barth. St.
No. 3376ᵃ.*

**926.** *Schultheiss Volrad und die Schöffen von Frankfurt beurkunden, dass Mechthild
Furmennen, Wittwe des Hertwich von Rosbach, auf ihrem Hause und Stall auf
dem Kornmarkt an Wigel von Wanebach und dessen Frau Katharina und Wigel
Frosch einen Erbzins von 3 Mark verkauft hat.    1310 März 30.*

Nos Volradus miles, scultetus, et . . scabini de Frankinford, tenore presencium
recognoscimus, quod Mechildis dicta Fûrmennennen, relicta quondâm Hertwici de Rosbach, nostra concivis, una cum suis pueris utriusque sexus et generis suis coram nobis
constituti communicata manu parique consensu vendiderunt iusto vendicionis titulo
Wigiloni de Wanebach et Katherine, uxori eius legittime, necnon Wigeloni dicto Frosch,
nostris concivibus, eorumque heredibus[a] supra domum suam et stabulum ipsi domui
attinens, quam inhabitant, in foro Frumenti sitam, tres marcas denariorum Coloniens*ium*
legalis monete Frankinfordensis census annualis, singulis annis in festo beati Martini
de propriis domo et stabulo dictum censum perpetuo tollendum et percipiendum:
resignantes et renunciantes prefati Methildis et eius pueri omni iuri, quod eisdem in
prefatis tribus marcis denariorum census annualis conpetebat, et cum unus puerorum
dictorum ad annos etatis legittimos non pervenerit, prelibata Methildis una cum
aliis suis pueris ipsis Wigilonibus se constituerunt fideiussores, ita sane, quod cum
ipse puer ad annos suos legittimos pervenerit, quod vendicionem premissam tenere
debebit inviolabiliter ratam atque gratam.    Testes huius sunt: Conradus de Spira,

a) *Vorlage:* „hereditibus“.

Sifridus de Gysinheim, Morkolfûs(!) de Lintheim, Johannes Gûltstein, Drutwinus Srenke, Culmannus de Ovenbach, scabini, et quam plures alii cives Frankenfordenses fidedigni. In testimonium premissorum nos . . scultetus . . et scabini antedicti ad rogatum parcium predictarum sigillum universitatis Frankenfordensis presentibus duximus appendendum. Actum anno domini m̄. cc̄c. X̊., feria secunda proxima post dominicam quadragesime, qua cantatur Letare.

*Abschrift in Liebfrauenstiftsbücher No. 24 f. 61. St. A. Fr.*

**927.** *Die Stadt Gelnhausen bezeugt, dass der Streit zwischen dem Kloster Marienborn und Frau Kusa, Wittwe des Gelnhäuser Bürgers Hartmann von Breidenbach (de Breytinbach), um Güter in Marköbel, Langen-Bergheim, Himbach und Enzheim, die einst der Frankfurter Bürger Thilmann Capman (Dilmannus dictus Capman) besessen hat, durch den Spruch benannter Schiedsrichter (darunter Wortwin von der Ecke, Bürger in Gelnhausen, später in Frankfurt) ausgeglichen ist. 1310 April 9. (quinto yd. april.)*

*Gedr.: Reimer, II, 93 nach dem Marienborner Kopiar in Büdingen. Das Or. Pgmt. befindet sich im St. A. Fr., Familiensachen Breidenbach.*

**928.** *Schultheiss Volrad und die Schöffen von Frankfurt beurkunden, dass Kulmann Rodenstein und seine Frau Mechthild der Wittwe Gertrud auf ihrem Haus am Eingang der Ziegelgasse einen Erbzins von 8 Schilling kölnisch verkauft haben. 1310 Mai 22.*

Nos Volradus miles, scultetus, et . . scabini de Frankenvord, presentibus recognoscimus, quod Cûlmannus dictus Roden//stein sutor et Methildis, eius uxor legittima, nostri concives, coram nobis constituti, communicata manu // parique consensu vendiderunt iusto vendicionis titulo honeste matrone Gerdrudi, relicte quondam // Reynekini tinctoris, nostre concivi, et eius heredibus supra domum, quam inhabitant, in capite vici nuncupati Zigergaze sitam, octo sollidos[a] denariorum Colloniens*ium*[a] census annualis, prefatos octo sollidos[a] denariorum Colloniensium[a] census de predicta domo singulis annis in die palmarum prefatis . . relicte et eius heredibus perpetuo dandos, solvendos et porrigendos; resignantes et renunciantes prefati Cûlmannus sutor et eius uxor omni iuri, quod eisdem in prefatis octo sollidis[a] denariorum Colloniensium[a] census competebat. Testes huius rei sunt: Conradus de Spira, Sifridus de Gisinheim, Johannes Goltstein, Markolfus de Lintheim, Drutwinus Srenko, Cûlmannus de Ovinbach, scabini, et quam plures alii cives Frankenvordenses fidedigni. In testimonium premissorum nos . . scultetus et . . scabini supradicti ad rogatum partium predictarum sigillum universitatis Frankenvordensis presentibus duximus appendendum. Actum anno domini m̄. cc̄c. X̊., feria sex[a] proxima post dominicam Cantate.

*Or. Pgmt. Das abhangende Stadtsiegel (2) ist zerbrochen. Rückaufschrift (14. Jahrh., 1. Hälfte): „Super XXIIII. solidis sancte Dorothee“, etwas spätere Hand: „Ad vicariam beate Dorothee virginis“. St. A. Fr. Barth. St. No. 1150. Gedr.: B., 387 nach dem Or. .*

**929.** *Hertwich zum Rebstock und seine Frau Adelheid weisen dem Dominikanerkloster in Frankfurt einen Erbzins von 1 Mark auf zwei Häusern in der Kruchengasse an, unter der Bedingung, das Jahresgedächtniss ihres verstorbenen Sohnes Johannes jedes Jahr feierlich zu begehen. 1310 Mai 29.*

a) *Sol*

Nos Hertwicus dictus de Vite et Adelheidis, uxor eius legittima, cives Franckenfordenses. ad universorum noticiam cupimus pervenire, quod communicata manu parique consensu pie propter deum et ob remedium anime quondam Johannis, filii nostri pie memorie, deputavimus, deputamus et presentibus assignamus de plano et precise religiosis viris priori et conventui domus Predicatorum Frankenford super duabus domibus in vico vulgariter[a] nuncupato Kruchengassze sitis et sub uno tecto locatis, quas domos Erwinus et Hartmudus dictus Stollechin textores laneorum pannorum[b] a nobis iure et titulo hereditario possident, unam marcam denariorum legalium monete Franckenfordensis census perpetui et annualis, predictam marcam denariorum singulis annis in festo beati Georii martiris de ipsis duabus domibus perpetuo tollendam et percipiendam; resignantes omni iuri, quod in ipsa marca denariorum census annualis nobis competebat, ita sane, quod prefati prior et conventus, qui pro tempore fuerint, anniversarium prefati Johannis, filii nostri, singulis annis perpetuo peragent et peragere debebunt vigiliis, missis et oracionibus solitis et consuetis, et de predicta marca denariorum census in ipso anniversario dicti Johannis, filii nostri, pitanciam et consolacionem prefati prior et conventus utiliter in refectorio ipsorum in cibo et potu habere debebunt.   Addicimus eciam, quod prelibata marca denariorum census annualis quacunque necessitate incumbente ab ipsis priore et conventu, qui pro tempore fuerint, non debet vendi, distrahi aut alienari, sed in suo statu, ut est pretactum, firmiter permanebit; quod si secus fieret ab ipsis fratribus, quod absit, memorata marca denariorum census annualis ad nos sive nostros heredes successivos devolvetur et devolvi debebit, contradictione sepedictorum prioris et conventus non obstante.  Testes huius sunt: Wolframus de Sassenhusen, Gerlacus dictus Schelmo, milites; Theodericus notarius Franckenfordensis, et quam plures alii cives Franckenfordenses fidedigni.  In cuius rei testimonium nos Hertwicus et Adelheidis coniuges supradicti sepedictis priori et conventui domus Predicatorum presentes litteras sigillo universitatis Franckenfordensis tradimus communitas, quod ad preces nostras per Volradum scultetum militem et scabinos presentibus est appensum.  Et nos prior et conventus Predicatorum memorati sigillum nostri conventus una cum sigillo predicte universitatis Franckenfordensis recognoscimus presentibus appendisse.   Actum et datum anno domini 1310.[c] in crastino ascensionis domini.

*Abschrift in Dominikaner-Bücher, No. 2, f. 58ᵇ ff.   St. A. Fr.*
*Gedr.: B., 388 nach derselben Vorlage.*


**930.** *König Heinrich VII. transsumirt die Urkunde König Adolfs d. d. Oppenheim. 1297 Juli 7, betr. die Anweisung von 500 Mark jährlich vom Ungelt und den Juden zu Frankfurt an den Mainzer Erzbischof Gerhard, und bestätigt dieselbe. Luxemburg, 1310 Juni 10.*

Nos Henricus dei gracia Romanorum rex, semper augustus, tenore presentium publice recognoscimus. nos vidisse et coram nobis lectas esse litteras dive recordacionis quondam Adolfi Romanorum regis, predecessoris nostri, non cancellatas, nec abrasas. sed omni vicio et suspicione carentes, continencie infrascripte: Adolfus dei gracia. *Es folgt die Urkunde von 1297 Juli 7. (Vgl. oben No. 712.)* Nos igitur supradictas litteras ratificamus et approbamus in nomine domini per presentes.  In quorum testimonium et robur maiestatis nostre sigillo has litteras mandavimus communiri. Datum in Lutzelemberg, IIII. idus iunii.  Anno domini millesimo trecentesimo decimo. Regni vero nostri anno secundo.

a) *Hs.* „wlgariter“.  b) *Hs.* „per amorem“.  c) *So*

*Nach Transsumpt und Bestätigung König Ludwigs d. d. 1314 Dec. 20. St. A. Fr. Priv.
No. 27.*
*Gedr.: Würdtwein, Dipl. Mog., II, 82.*
*Verz.: B., Reg. Heinr., No. 234, Scriba, III, No. 2346.*

**931.** *Schultheiss Volrad[1] und die Schöffen von Frankfurt sprechen für Recht, dass
Metze zu dem Butschue für den Wiederaufbau ihres abgebrannten Hauses zu dem
Butschue einen Grundzins darauf verkaufen dürfe, und beurkunden, dass sie einen
solchen an Hermann von Offenbach verkauft habe. 1310 Juni.*

Nos Volradus miles, scultetus, et .. scabini de Frankinford, recognoscimus per
pre//sentes, quod Metza dicta zů dem Bůtschue, nostra concivis, coram nobis in figura
nostri indi//cii constituta, proponens, quod, cum domus sua dicta zů dem Butschue
esset per concrema//tionem et incendium ignis consumpta penitus et destructa, nec
ad edificandum et construendum aliam domum et ad solvendum unam marcam denariorum
usualium annui census, quam annis singulis solvere consuevit et solvit ecclesie sancti
Bartholomei Frankinfordensi, eidem proprie non suppetent facultates, petivit cum
instantia, per nos .. scabinos sentenciam sibi dari, si super aream ipsius domus zů
dem Bůtschue et edificia eius ante et retro posset vendere annuum censum pro edificatione alterius domus et solucione marce census predicti, .. liberorum suorum et
Volgwini, mariti sui legitimi, per multa tempora absentis et profugi, contradictione
qualibet non obstante. Hiis itaque propositis et per nos .. scabinos plenius intellectis,
quia nobis constabat, premissa omnia esse vera, nos per diffinitivam nostram sentenciam
pronunciavimus et presentibus pronunciamus, predictam Metzam pro edificatione alterius
domus et solutione marce census annualis posse et debere licite vendere et alienare
super dictis area et edificiis aliquem censum annuum contradictione .. liberorum, ..
mariti et aliorum quorumlibet non obstante. Sentencia vero huiusmodi sic per nos
lata, antedicta Metza zů dem Butschue coram nobis constituta vendidit iusto vendicionis titulo Hermanno dicto de Avenbach,[a] genero quondam Cunradi dicti Clobelouch,
et Methildi, uxori eius legitime, nostris concivibus, eorumque heredibus super predictis
area et domibus, videlicet anteriori domui[b] zů dem Butschue et posteriori domui,[b]
que se extendit in die Bendirgassin, quindecim solidos denariorum Coloniensium
usualium singulis annis nomine annui census in festo beati Martini de premissis area
et domibus tollendas et percipiendas; resignans et renuncians eadem Metza omni
iuri, quod ipsi vel suis heredibus in supradictis quindecim solidis Coloniensium
denariorum annui census competebat de plano et precise. Testes huius sunt: Hertwicus de Alta domo, Cunradus de Spira, Sifridus de Gysinheim, Johannes Goltstein,
Markolfus de Lyntheim, Drutwinus Schrenke, Hertwicus de Vite, Wiglo de Wanebach,
Wiglo Rana, Adolfus Clobelouch, scabini, et quamplures alii cives Frankinfordenses
fidedigni. Et nos .. scabini antedicti recognoscimus, ad requisitionem supradictarum
partium nos sigillum universitatis nostre in Frankinford presentibus appendisse in
testimonium omnium premissorum. Actum et datum anno domini millesimo trecentesimo
decimo, mense iunii.

*Or. Pgmt. Das schön erhaltene Stadtsiegel (2) hängt an rothen Schnüren an. St. A. Fr.
Barth. St. No. 2334.*
*Gedr.: B., 389 nach dem Or. . Auszug: Thomas, Oberhof, 446.*

a) *So! für „Ovenbach".* b) *So!*

[1] *Derselbe ist Bürge in Urkunde Philipps von*    Margarethe). *Vgl. Guden, Cod. Dipl., III, 61,*
*Falkenstein, d. d. 1310 Juli 13 (in die b. virg.*    *Würdtwein, Ilbenstadt, 74.*

**932.** *König Heinrich VII. bestätigt und erneuert den Frankfurter Bürgern alle Rechte.*
*Freiheiten und Gnaden, welche ihnen seine Vorfahren am Reich verliehen haben.*
*Frankfurt, 1310 Juli 27.*

Heinricus dei gracia Romanorum rex, semper augustus. Universis sacri Romani imperii fidelibus presentes litteras inspecturis. graciam suam ., et omne bonum. Dignum iudicat nostra serenitas et decernit, quod fidelium nostrorum commodis tanto gratiosius intendamus, quanto iidem sacrosanc;,to Romano imperio et nobis, ipsius atque rei publice curam gerentibus, fidelius coniunguntur. Cum enim subditorum bonum et commoditatis , augmentum nostra procurat serenitas, dilatacionem honoris regii et dignitatis imperii promovemus. Quapropter inherentes divorum imperatorum et regum Romanorum, inclite recordacionis antecessorum nostrorum, vestigiis et exemplis,[a] illos, quos ad nos et nostra tempora predictorum imperatorum et regum in conservacione iuris, libertatis et honoris perduxit posteritas, cupientes in eadem, qua et ipsi, gracia confovere: dilectis fidelibus nostris civibus Frankenfordensibus omnia iura, libertates et gracias, a magne recordacionis inclito Friderico imperatore Romanorum, antecessore nostro, et aliis ante ipsum Fridericum, prout ipsis civibus iuste ac rite sunt tradite et concesse, de benignitate maiestatis regie concedimus et concessas presentis decreti munimine auctoritate regia confirmamus. Nulli ergo omnino hominum huic nostre concessionis et confirmationis privilegio liceat contradicere vel eidem ausu temerario contraire. Quod qui facere presumpserit, gravem nostre celsitudinis indignacionem se noverit incurrisse. In cuius rei testimonium presentem litteram dictis civibus tradimus, sigilli nostre maiestatis munimine communitam. Datum apud Frankenfürt. VI. kalendas augusti. Indictione octava. Anno domini millesimo trecentesimo decimo. Regni vero nostri anno secundo.

> *Or. Pgmt.    Anhängend das schön erhaltene Majestätssiegel an roth-gelben Schnüren.*
> *St. A. Fr. Priv. No. 26.*
>
> *Gedr.: P. et P., I, 15, II, 12 = Lünig, R. A., XIII, 563, B. 390 nach dem Or. .*
> *Verz.: B., Reg. Heinr., No. 268, Fr. Inv., III, 3. Wiederholung des Pricilegs König*
> *Albrechts von 1299 Februar 13. (Vgl. oben No. 736.)*

**933.** *König Heinrich VII. verleiht dem Frankfurter Schultheissen Volrad drei Mark*
*jährlicher Einkünfte von dem Reichszoll am Thor der Brücke über den Main zu*
*Erblehen. mit Vorbehalt der Wiederlösung. Frankfurt, 1310 Juli 28.*

Nos Heinricus dei gracia Romanorum rex, semper augustus. Ad universorum noticiam volumus // pervenire, quod grata et fidelia, que strennuus vir Volradus scultetus in Frankenfurd, fidelis // noster dilectus, nobis et imperio impendit servicia et gratiora in futurum impendere poterit, diligen//tius attendentes, sibi trium marcarum redditus. percipiendos annis singulis in nativitate beate Marie virginis de theloneo nostro et imperii apud portam, que ducit ultra pontem Mogi, concedimus tytulo feodali per ipsum et suos heredes tamdiu percipiendos et tenendos, quousque sibi vel dictis heredibus suis triginta marce denariorum Coloniensium per nos vel nostros successores in imperio integraliter persolvantur. In cuius rei testimonium presentes litteras nostre maiestatis sigillo iussimus communiri. Datum in Frankenfurd, V. kalendas augusti. anno domini millesimo trecentesimo decimo, regni vero nostri anno secundo.

> *Or. Pgmt. mit anhängendem Majestätssiegel.    St. A. Fr. Ugb. A. 56, 9.*
> *Gedr.: B., 390 nach dem Or. .*
> *Verz.: B., Reg. Heinr., No. 269.*

**934.** *Erzbischof Peter von Mainz verpfändet dem Mainzer Domkapitel zur Deckung*
*eines früher für den Rückerwerb der Burg Beckelnheim geleisteten Vorschusses u. a.:*

---

[a] *Von hier mit dunklerer Tinte.*

„ducentarum marcarum redditus, quos iudei de Frankenfurt iure cancellarie
nobis annis singulis solvere tenentur." *Mainz, 1310 September 9.* (V. id. sept.)

*Regest: Sauer, I², 73 nach dem Or. Pgmt. München, Reichsarchiv.*

**935.** *Erzbischof Peter von Mainz gebietet den Kaplänen von St. Georg und St. Nikolaus
in Frankfurt, die von dem Frankfurter Pfarrer Siegfried in gewissen hier genannten
Fällen ausgesprochenen Excommunicationen, so weit es sie betrifft, zum Vollzug
zu bringen. Mainz, 1310 September 24.*

Petrus, dei gratia sancte Moguntine sedis archiepiscopus, sacri imperii per Germaniam archicancellarius, dilectis in Christo, // sanctorum Georgii et Nycolai cappellariis
Frankenvordensibus, salutem in domino.   Discretioni vestre sub pena suspensionis
iam late // sententie districte precipiendo mandamus, quatinus excommunicationum
sententias, quas Syfridus, plebanus ecclesie Frankenvordensis, in genere vel // in specie
promulgaverit in suos subditos, iure parrochiali sibi subiectos, qui diebus dominicis
sive temporibus debitis ad parrochiam venire contempnunt ad divinum officium, vel
qui ipsum defraudant in suis oblationibus debitis et consuetis, vel qui apud alios licet
etiam religiosos, eo invito et non consentiente, percipiunt ecclesiastica sacramenta, —
nos enim, si forte aliquibus indulsimus, ut alibi quam in parrochia communicent,
vel alia recipiant ecclesiastica sacramenta, cum id vergat in ipsius . . plebani grave
dispendium, presentibus revocamus, — seu aliquos inducunt et alliciunt verbis, nutibus
aut signis, ut apud religiosos eligant ecclesiasticam sepulturam, seu qui festa violant
celebranda, quandocumque et quocienscumque ab eodem . . plebano requisiti fueritis,
executioni debite demandetis et in ambonibus parrochie et vestris eos excommunicatos
publice nuntietis, exequentesque sententias, quas idem plebanus propter hoc tulerit,
quod alique parrochiales ipsius, eo invito et non consentiente, alibi quam in parrochia
sua assumunt habitum beckinarum.   Super quibus omnibus premissis et singulis prefato . .
plebano promulgandi excommunicationum sententias damus et concedimus tenore presencium potestatem.   In hiis exequendis alter alterum non exspectet.   Datum Moguntie,
VIII. kalendas octobris, anno domini m̄. c̄c̄c̄. X̆.

*Or. Pgmt. Das abhangende Siegel fehlt.   St. A. Fr. Barth. St. No. 430.*
*Gedr.: Würdtwein, Dioc. Mog., II, 532, B., 391 nach dem Or. .*

**936.** *Irmgard, die Tochter des Reinhard Storkelin, eine Beghine und Frankfurter
Bürgerin, macht ihr Testament, hauptsächlich zu Gunsten der Dominikaner. 1310
September 25.*

Cum mors sit certa et nil incercius hora mortis, hinc est, quod ego Irmegardis
beggina, filia quondam Reyn//hardi dicti Storkelin, civis Frankenvordensis, conpos
mee mentis pie propter deum et ob remedium anime mee meorumque // parentum
defunctorum, ut perpetua memoria habeatur et anniversaria eorum[a] peragantur perpetuo
vigiliis, missis et oracionibus solitis // et consuetis, religiosis viris . . priori et . . conventui domus Predicatorum in Frankenvord, qui pro tempore fuerint, nomine et titulo
mei testamenti lego, deputo et presentibus assigno in uno officio, quod vulgariter[b]
nuncupatur schroytammet, quod Hermannus et sui . . heredes de Velewile possident,
quatuordecim solidos denariorum Coloniensium annui census, ipsos quatuordecim solidos
Colonienses singulis annis post obitum meum et non ante in festo beati Martini et in
festo nativitatis domini de dicto officio tollendos perpetuo et recipiendos.   Item ego

a) *Or. „earum".*  b) *Or. „wlgariter".*

Irmegardis predicta recognosco, me legasse et assignasse post meum obitum in uno officio, quod dicitur schroytammit, quod Johannes, famulus olim Wikeri de Ariete, a me possidet, Mechthildi, cognate mee, unam marcam denariorum Coloniens*ium* singulis annis, quoad vixerit, in festo beati Martini tollendam et percipiendam. Postquam vero ab hac luce migraverit, dicta marca denariorum Coloniens*ium* cum suo [iure et onere ad] prefatos . . priorem et conventum Predicatorum devolvetur. Item recognosco, me legasse et deputasse post meum ob[itum] Lûchardi, ancille mee, tredecim solidos denariorum Coloniens*ium* super una domo, quam dictus Slûderkop inhabitat, singulis annis in festo beati Martini, quo ipsa Lûchardis advixerit, tollendos et percipiendos. Postquam autem ab hac luce migraverit, dicti tre[decim] solidi denariorum Coloniens*ium* ad predictos . . priorem et conventum Predicatorum cum suo iure et onere devolventur. Preterea [recognosco, me legasse et deputasse] prefatis Mechthildi et Lûchardi medietatem unius domus apud curiam Schelmonis militis [sitam ad] inhabitandum eandem insimul, quoad vixerint. Postquam autem de medio fuerint sublate, ipsa medietas domus ad sepedictos priorem et conventum cum suo iure et onere transibit. Item deputo et assigno prefate Lûchardi specialiter post [meum] obitum duos solidos denariorum Coloniens*ium* census annualis super alia medietate domus antedicte et unum solidum Coloniens*em* census annualis super domo Gerkine apud Predicatores ad tempora sue[a] vite annuatim tollendos et percipiendos. Postquam autem ipsa Lûchardis ab hac [vita] decesserit, prefati tres solidi Coloniens*es* ad sepedictos fratres . . priorem et conventum Predicatorum devolventur. Omnia vero[b] premissa et singula bona per me Irmegardim supradictam memoratis personis legata et deputata pie propter deum, ut est pretactum, non debent vendi, distrahi aut alienari per ipsas personas ullo modo. Ceterum ego Irmegardis predicta excipio, quod si evidens et urgens necessitas michi, quod absit, ingruerit, quod ego possim et valeam omnia bona superius expressa et per me legata pro mea necessitate vendere et alienare, contradictione quorumlibet non obstante. Preterea statuo et ordino, quod omnia bona mobilia, quocu*n*que nomine censeantur, que in morte mea reliquero, quod frater Ditwinus ordinis Predicatorum, meus confessor, cum eisdem disponat et ordinet, prout anime mee remedio salubrius viderit expedire. In hiis sibi presentibus do plenariam potestatem. Testes omnium premissorum hii sunt: Volradus miles sculthetus in Frankenvord, Hertwicus de Vite, Cûnemannus de Ovenbach, Henricus de Haggenberg, et quamplures alii cives Frankenvordenses fidedigni. In cuius rei testimonium nos . . sculthetus et . . . scabini de Frankenvord ad peticionem sepedictorum Irmegardis, . . prioris et conventus Predicatorum sigillum universitatis Frankenvordensis presentibus duximus appendendum. Actum anno domini m̂. cĉc. X̊., feria sexta ante festum beati Mychahelis.

*Or. Pgmt. Das abhangende Siegel*[1] *ist abgerissen. St. A. Fr. Dominikaner Urk. No. 33. Die Schrift der Urkunde ist stark verblichen und z. Th. unleserlich. Die betr. Stellen sind ergänzt nach der Abschrift in Dominikaner-Bücher, No. II, f. 3*[b].

*Gedr.: B., 393 nach „Jacquin, Cod Probationum". (Dominikaner-Bücher 16*[d], *S. 40.)*

**937.** *Das Kloster St. Alban bei Mainz verzichtet auf seine gegen den Frankfurter Bürger Hans von Glaubury wegen eines Grundzinses auf einem Haus in Frankfurt erhobene Klage. 1310 October 1.*

a) *Or.:* „sua".   b) *Or.:* „vera".

[1] *Nach Jacquin, Cod. Probat.:* „sigillum de cera rubra cum circumscriptione solita".

Nos Syboldus, divina bonitate monasterii montis sancti Albani prope Moguntiam abbas, Cun//radus prior, totusque conventus ibidem, dilecto sibi Anzoni dicto de Globorg, opidano // Frankenvordensi, salutem in domino sempiternam. Conventioni seu citationi, immo tocius consecucionis // actioni, quam super unius marce redditibus, super quadam domo Frankenvord sita per te emptis, tibi per honestos coniuges Craftonem, iudicem secularem Moguntinum, et Juttam, eius collateralem, venditis, nobis hactenus contra te competentibus, renunciavimus et presentibus renunciamus simpliciter et in totum pro nobis et nostri monasterii successoribus universis, presentibus nos firmiter obligantes, quod tibi vel tuis heredibus super predicte marce reditibus nunquam movebimus aliquam questionem. Dantes presentem cartam sigillis nostris sigillatam in testimonium premissorum. Actum et datum anno domini ṁ. cċc. X̊., ipso die beati Remigii.

Or. Pgmt. mit Siegelrest. Frankfurt, Archiv der Freiherren von Holzhausen. — Von Nathusius.<br>
Gedr.: B., 393 nach Abschrift Fichards, Geschlechter-Geschichte, Glauburg No. 4. St. A. Fr.

**938.** *Das Weissfrauenkloster in Frankfurt vererbpachtet dem Konrad von Rendel eine in der Gemarkung dieses Dorfes gelegene Hufe für 9 Achtel Roggen und 4 Gänse jährlichen Zinses. 1310 October 8.*

Noverint universi presentium inspectores, quod nos Gûda priorissa totusque conventus sanctimonialium cenobii // ordinis Penitentum in Frankenvord concessimus et presentibus concedimus Conrado dicto de Rendele, genero Ernesti, // mansum unum terre arabilis in terminis dicte ville situm, nostro cenobio attinentem, iure hereditario ad eundem // Conradum perpetuo pertinendum, tali condicione interposita, quod idem Conradus nobis et nostro conventui prenotato de dicto manso novem octalia siliginis et quatuor aucas infra assumptionis et nativitatis beate et gloriose Marie virginis duo festa, quoad vixerit, presentabit. Postquam autem prefatus Conradus viam universe carnis fuerit ingressus, semper senior . . heres de progenie ipsius Conradi dictum mansum obtinebit eodem iure et onere, prout superius est expressum, ita quod sepedictus mansus apud unum . . heredem seniorem, ut predicitur, integer et perpetuo maneat indivisus. In testimonium premissorum sepedicto Conrado et suis . . heredibus tradimus has litteras sigilli nostri cenobii munimine roboratas. Datum anno domini ṁ. cċc. X̊., in die beati Luce ewangeliste.

Or. Pgmt. Das abhangende Klostersiegel ist beschädigt. Rückaufschrift (15. Jahrh.):<br>
„Dŷ gense sin dez cloysters, daz korn horet uff sente Magdelen altar". St. A. Fr.,<br>
Weissfrauenkloster, Lade 8, G. No. 1.<br>
Gedr.: B., 393 nach Abschrift im Korngültregister von 1488 f. 148. St. A. Fr.<br>
Verz.: Scriba, II, No. 995.

**939.** *Schultheiss Volrad und die Schöffen von Frankfurt beurkunden, dass die Frankfurter Bürgerin Gisela, die Wittwe des Rudolf von Grünberg, dem Kloster Schönau genannte Zinsen auf zwei Schrodämtern angewiesen hat. 1310 November 13.*

Nos Volradus miles, sculthetus de Frankenford, et . . scabini recognoscimus, quod Gysela, relicta quondam Rûdolfi // de Grunenberg, nostra concivis, coram nobis constituta, occasione quorundam bonorum, que ipsa relicta et Rudolfus, eius maritus, dum adhuc viveret, communicata manu post ipsorum obitum pie propter deum et remedium animarum suarum deputa//verant et assignaverant, prefata relicta post obitum dicti sui mariti racione debitorum suorum nepotum contractorum, pro quibus ipsa fuerat obligata fideiussorie, opportuit necessario, quod ipsa bona monasterio de Schonowia deputata et assignata venderet et alienaret ad solvendum debita, pro quibus ipsa

relicta exstitit obligata racione dictorum suorum nepotum. Nunc sepedicta relicta
Gisela occasione ipsorum bonorum venditorum prenominato monasterio Schonowe
deputavit et assignavit super uno officio nuncupato scrodambet Frankenford, quod
Heinricus de Aldenstad possidet, unam marcam denariorum census annualis, cum suo
iure et onere, que marca denariorum cedet perpetuo singulis annis in decollacione
beati Johannis baptiste. Item deputavit et assignavit eadem relicta in alio officio
eciam nuncupato scrodambet, quod Conradus dictus Nûbelere possidet, cum omni suo
iure et onere dimidiam marcam denariorum census annualis, que perpetuo cedet in
festo beati Martini: resignans et renuncians sepedicta Gisela relicta omni iuri, quod
eidem in predicto censu conpetebat. Testes huius sunt: Conradus de Spira, Syfridus
de Gysenheim, Johannes Golstein, Marcolfus de Lintheim, Culmannus de Ovenbach,
Trutwinus Screnke, Wigelo de Wanebach, Wigelo Froiz, Hermannus de Ovenbach,
Adolfus Knûbeloch, scabini, et quamplures alii fidedigni. In testimonium premissorum
nos sculthetus et .. scabini antedicti ad peticionem parcium predictarum sigillum
universitatis Frankenfordensis presentibus duximus appendendum. Actum anno domini
m̄. ccc. decimo, feria sexta proxima post festum beati Martini.

Or. Pgmt. Das abhangende Siegel fehlt. St. A. Fr. Glauburg Urk. Im Archiv des<br>
Heil. Geist-Hospitals (Litt. H. No. 24 a) befindet sich ein Vidimus des Frankfurter<br>
Rathes von 1468 März 14.<br>
Gedr.: Fichard, Archiv, I, 222 = B., 394.

**940.** *Gisela, die Wittwe des Rudolf von Grünberg, eine Frankfurter Bürgerin, testiert
über die nach dem Tode ihres Ehegatten mit ihrem eigenen Gelde erkauften Grundzinsen. 1311 Juni 4.*

In nomine domini, amen. Noverint universi presencium inspectores, quod, cum
nichil sit morte cercius nilque in//cercius hora mortis, hinc est, quod ego Gysela.
relicta quondam Rudolfi dicti de Grûninberg. civis Fran//kinfordensis, licet aliquan-
tulum debilis corpore, compos tamen per dei graciam mee mentis, testamentum //
meum et legatum condidi, statui et ordinavi, condo, ordino in hunc modum, et hoc
de censibus meis, quos post obitum Rudolfi, mariti mei predicti, mea pecunia comparavi. Primo lego et statuo .. decano, .. canonicis et .. vicariis ecclesie sancti
Bartholomei Frankinfordensis tres solidos denariorum levium, quos dat .. gener Syboldi
carpentarii de domo sua sita in Rosingassin, pro presenciis in meo anniversario dividendis; item de tredecim solidis denariorum levium, quos dat Fritzo[a] dictus Moir
ortulanus de quibusdam agris et ortis annui et perpetui census, cuilibet altari vica-
riarum predicte ecclesie subscriptarum, videlicet hospitalis sancti Spiritus infirmorum.
sancte Crucis, sancte Marie, sancti Michaelis, sancti Johannis baptiste, beatorum
Petri et Pauli, sancti Johannis ewangeliste, sancti Andree, sancti Jacobi, apostolorum.
sanctorum Cosme et Damiani martyrum, beate Marie Magdalene, sancte Katherine
et omnium sanctorum, unum solidum denariorum levium annui et perpetui census, ut
mei memoria in perpetuum habeatur. Et executores suprascripti mei testamenti ..
decanum et .. capitulum ecclesie supradicte eligo et ordino litteras per presentes:
salvo michi tamen, si evidens necessitas ingruerit, quod pro necessitate mei corporis
huiusmodi legatum valeam inmutare. In cuius rei evidens testimonium presentes
litteras sigillis .. officialium domini .. prepositi et plebanatus supradicte ecclesie petii
conmuniri. Et nos .. officiales predicti sigillum[b] nostri officialatus et ego Henricus,
gerens vices .. plebani Frankinfordensis in hac parte, sigillum plebanatus Frankin-

<hr>

a) *Undeutlich, vielleicht nur „Fritz“ oder „Fritzo“.* b) *Ueber Rasur.*

fordensis presentibus ad rogatum antedicte Gysele duximus appendendum. Actum anno domini m̃. ccc. XI., pridie nonas iunii.

*Or. Pgmt. Das Siegel der Officialen und das Pfarrsiegel (beide gut erhalten) abhangend. St. A. Fr. Barth. St. No. 2297.*

*Gedr.: B., 394 nach dem Or. . Auszug: Thomas, Oberhof, 446.*

**941.** *Ritter Friedrich von Delkenheim verkauft dem Frankfurter Bürger Johann Gleser eine Hufe Ackerland zu Rendel. 1311 Juni 12.*

Universi presentes litteras inspecturi scire debent et coram ipsis publice profiteor. quod ego // Fridericus miles dictus de Delkelheim vendidi unum mansum terre arabilis situm apud villam // dictam Rendele Johanni Gleser dicto, civi Frankenvordensi, et eidem warandiam debitam // feci, dans ipsi in maiorem evidenciam warandie presentes litteras meo sigillo communitas. Datum anno domini m̃. c̃c̃c. XI., Nazarii martiris die.

*Or. Pgmt. Abhangend das schön erhaltene Siegel. Rückaufschrift 14. Jahrh.: „Pertinet ad vicariam“. St. A. Fr. Barth. St. No. 4613.*

*Gedr.: B., 395 nach dem Or. .*

*Vers.: Scriba, II, No. 1000.*

**942.** *Die Burgmannen und Schöffen zu Giessen zeigen dem Deutschordenshause zu Sachsenhausen und den Burgmannen, Schöffen und Rathsherren zu Friedberg den Verzicht Richards von Göns („de Gunse“) und seiner genannten sechs Brüder auf Güter in Langgöns („Lungengunse“) zu Gunsten des Deutschordens an. Es · siegelt die Stadt Giessen. 1311 Juli 5 (crast. Udalrici conf. atque pontif.).*

*Or. Pgmt. im St. A. Darmstadt, danach irriges Regest bei Baur, Hess. Urk., I, 300, Anm. .*

*Am 10. Juli 1311 (sexto idus iulii) stellen auch genannte Ritter, Schöffen und Bürger von Friedberg über den gleichen Verzicht eine Urkunde unter dem Siegel der Stadt Fried- berg aus.*

*Or. Pgmt. im St. A. Darmstadt, danach Regest bei Baur, l. c. Abschriften beider Urkunden stehen im Deutschordens-Dokumentenbuch, f. 230, f. 231. St. A. Stuttgart.*

**943.** *Philipp von Falkenstein der Aeltere und Philipp von Falkenstein der Jüngere von Münzenberg geben den Hof bei Niederrad, welchen die Frankfurter Bürger Kul- mann und Hermann von Offenbach bisher als Münzenbergisches Mannlehen besassen, in Ermangelung von männlichen Erben an deren Töchter zu Lehen. 1311 Juli 27.*

In nomine domini, amen. Nos Philippus de Falkensten senior ac Philippus de Falkensten iunior, domini de Mincenberg. // Recognoscimus omnibus presentes literas audituris seu visuris, quod serviciorum meritis, quibus validi et discreti // viri Culmannus et Hermannus dicti de Ovenbach, cives Frankenvordenses, nobis et progenito- ribus nostris con//placuerunt et conplacent incessanter, favorabiliter inclinati, moti etiam eorum precibus nobis de hoc specialiter et summa instancia porrectis atque factis, curiam sive allodium eorundem, sita in villa Roden prope Frankenvort iuxta Moganum, cum omnibus attinentiis eorundem, agris cultis et incultis, quesitis et inquirendis, que hiidem Culmannus et Hermannus a nobis et a progenitoribus nostris tytulo et nomine feodi possidebant ac tenent et possident in presenti, deficientibus ipsis heredibus masculis, filiabus eorum puellulis sive feminis, natis seu nascendis, graciose porrigimus ac ipsas de eisdem presentibus litteris investimus ac investitas per nos publice et sollempniter profitemur. Si vero Hermannus de Ovenbach pre- dictus, deo propicio, per nativitatem futuram heredem masculum vel masculos habuerit, per nativitatem masculi seu masculorum vitam continuancium porrectura sive investitura feodi bonorum prescriptorum filiabus facta penitus evanescit et ius et usus possidendi et percipiendi feodum prescriptum in heredem masculum vel heredes masculos, filiarum contradictione cessante, penitus residebit. Ipsi insuper Hermanno herede vel heredibus masculis non extantibus, vel si extant sine herede vel heredibus decedentibus, ius, usus et commodum possidendi et percipiendi feodum bonorum prescriptorum in filiam seu filias Hermanni legitimas ac earum heredes et posteros legitimos libere et vacue retransibit. Preterea, si Wickerus, nunc filius legitimus Culmanni de Ovenbach, vel si plures per nativitatem futuram habuerit idem Culmannus filios, deo dante, sine legitimis decesserint heredibus, ius, usus et commodum percipiendi feodum et possidendi bonorum prescriptorum in filiam seu filias Culmanni legitimas ac earum heredes et posteros legitimos libere et vacue perpetuo remanebit. Et renunciamus publice et expresse constitutioni et legi, que feminas a successione et possessione feodi prohibet, ac generaliter omni iuri canonico et civili, omni exceptionis et defensionis ope iuris et facti, que nobis aut successoribus nostris possent viam seu materiam generare predictis oppositione ac contradictione iuris et facti aliqualiter resistendi. In huius investiture et porrectionis permanenciam et perpetui roboris firmitatem damus presentes litteras sigillis nostris fideliter communitas. Datum et actum<sup>a</sup> anno domini millesimo cĉc. XI., sexto kalendas augusti. Presentibus testibus infrascriptis, videlicet: Volrado sclutheto Frankenvordensi, Conrado de Erlebach, Tilone de Beltersem, Craftone iuniori de Beltersem, Siffrido et Siffrido fratribus dictis de sancto Elbino, militibus; Siffrido de Gisenhem, Wigelone de Wanebach, Wigelone dicto vanme Vrosche, Adolfo dicto Knobelloych, magistro Ebirhardo, notario civitatis Frankenvordensis, et aliis quam pluribus fidedignis.

*Or. Pgmt. An grünen Seidenfäden hängen die grossen Reitersiegel der beiden Aussteller an. Frankfurt, Archiv der Freiherren von Hölzhausen. — Grotefend. Im Geheimen Staatsarchiv zu Berlin befindet sich ein vom Frankfurter Rathe ausgestelltes Vidimus von 1525 Januar 20 (auff frytag nach Anthonii) mit dem kleinen Stadtsiegel.*
*Gedr.: Guden, Cod. Dipl., V, 1008, Senckenberg, Sammlung rarer und ungedr. Schriften, IV, 241 „ab origine" (fehlerhaft), B., 395 „nach Abschrift Johann Ernsts von Glauburg". Auszug: Lersner, II<sup>a</sup>, 186.*
*Verz.: Scriba, I, No. 765 auf „Roden" bezogen.*

**944.** *Hedwig, die Wittwe Friedrich Kachelharts, erneuert ihre Schenkung von 1308 Juli 13[1] an das Kloster Arnsburg, unter Abänderung einiger Bestimmungen. 1311 August 29.*

Ego Hedewigis, relicta quondam Frederici dicti Kachilhart, civis Frankenvordensis, omnibus //presentes litteras audituris seu visuris publice recognosco, quod mentis conpos, sane de//liberata, spe salutis et memorie eterne, domum meam, que quondam fuit Wasmûdi pis//toris, nunc lapidibus, laboribus, sumptibus et expensis conventus ac monasterii in Arnesbûrg laute constructam, cum domo lignea contigua et cum area annexa et generaliter cum omnibus attinenciis et cum omni onere suo, sitam in cornu ex opposito curie monasterii Arnespûrg, donacione inter vivos donavi et dedi et presentibus liberaliter do et dono et possessionem trado, mere liberalitatis officio, corporalem, presentibus testibus subscriptis et adesse rogatis, religiosis et devotis viris .. abbati ac .. conventui ac ipso<sup>b</sup> monasterio in Arnespûrg iure proprietatis et dominii perpetuo possidendam. Item recognosco, quod, donacione inter vivos per corporalem tradicionem domus donate legaliter completa, titulo et nomine conductionis domum donatam conduxi pro dimidia libra cere singulis annis nomine

a) Von hier ab andere Hand.  b) So!

1 Vgl. oben No. 906.

pensionis et annui census danda et solvenda in festo purificacionis virginis gloriose.
Me autem Hedewigi de medio sublata, census solucio dimidie libre cere facta monasterio
in Arnespûrg penitus evanescit ac predicti . . abbas et . . conventus ac monasterium
in Arnespûrg domum donatam cum attinenciis suis universis et in omni suo iure,
onere et honore, ut prescribitur, possidebunt perpetuo, contradictione qualibet quiescente. Et promitto ego Hedewigis prescripta contra predicta non venire arte, dolo,
verbo, ingenio, opere, neque facto. Et renuncio publice et expresse omni iuri canonico
et civili, omni excepcioni iuris et facti ac generaliter omni legis suffragio ac
nominatim excepcioni metus causa ac doli mali ac omnibus defensionibus iuris et
facti, per que presens donacio posset inposterum infirmari. Testes huius sunt: magister
Reinhardus canonicus Frankenvordensis, Johannes dictus Goltstein, Culmannus de
Ovenbach, Wigelo de Wanbach, Wigelo dictus Rana, Hermannus Knobeloych, scabini
Frankenvordenses; Adolfus magister civium, magister Ebirhardus civitatis Frankenvordensis notarius, et alii quam plures fidedigni. In horum omnium permanenciam
et perpetui roboris firmitatem do presentes litteras maiori sigillo civitatis Frankenvordensis fideliter communitas. Et nos . . sculthetus, . . scabini ac . . consules Frankenvordenses ad preces instantes Hedewigis prescripte et ad firmitatem et memoriam
perpetuam prescriptorum maius sigillum nostre civitatis recognoscimus presentibus
appendisse. Actum et datum anno domini millesimo trecentesimo undecimo, quarto
kalendas septembris.

> *Or. Pgmt. mit beschädigtem Stadtsiegel (2). Rückaufschrift: „cella Frankenvordensis". Lich.*
> *Gedr.: B., 397 nach dem Or. .*
> *Verz.: Scriba, II, No. 975.*

**945.** *Propst Wigand von Selbold beurkundet, dass die Beghine Kunigunde, Tochter des
Bäckers Rudolf in der Haizergasse, dem Deutschordenshause zu Sachsenhausen ihr
Haus mit Hofstatt und alle ihre beweglichen und unbeweglichen Güter in und
ausserhalb Gelnhausen geschenkt und gegen eine jährliche Recognition von 6 wetterauischen Denaren auf ihre Lebenszeit zurückerhalten hat.   1311 October 9.*
(nono die octobr.)

> *Gedr.: Reimer, II, 106 nach dem Deutschordens-Dokumentenbuch f. 56ᶜ. St. A. Stuttgart.*
> *Am gleichen Tage beurkundet Propst Wigand dasselbe für die Beghine Elisabeth,*
> *Tochter des verstorbenen Gerhard Schele. (nono die oct.) Abschrift ebenda. Völlig —*
> *mutatis mutandis — gleichlautend mit der vorigen Urkunde. Auszug: Reimer, II, 107,*
> *Anm., Niedermayer, 159.*

**946.** *Papst Klemens V. beauftragt den Domdechanten in Mainz und die Dechanten in
Aschaffenburg und Mockstadt einen Streit zwischen dem Stadtrath von Frankfurt
und den Johannitern daselbst zu entscheiden, mit der Bemerkung, dass der von
letzteren unter falschem Vorgeben zu Hülfe gerufene Kustos von St. Guido in Speyer
sich Rechtswidrigkeiten erlaubt habe.   Avignon, 1311 November 10.*

Clemens episcopus, servus servorum dei. Dilectis filiis . . maioris Maguntine et . .
in Ascaffenburch ac . . in Mocstat, Maguntine // diocesis, ecclesiarum decanis, salutem
et apostolicam benedictionem. Sua nobis . . scultetus, scabini, consules et iurati oppidi
Franchefordensis, Maguntine diocesis, // peticione monstrarunt, quod . . commendatore
et fratribus hospitalis sancti Johannis Jerosolimitani in Frankenvort dicte diocesis
suggerentibus menda//citer . . custodi ecclesie sancti Guidonis Spirensis, quem conser-
vatorem privilegiorum magistro et fratribus dicti hospitalis a sede apostolica con-

cessorum per ipsius sedis sub certa forma litteras in Alamania eis fore asserunt
deputatum, quod iidem scultetus, scabini, consules et iurati eosdem commendatorem
et fratres quibusdam vini et bladi quantitatibus temeritate propria spoliarunt ipsisque
tallias et collectas indebitas imponere et ab eis exigere indebite presumebant et alias
eisdem commendatori et fratribus gravamina et iniurias inferebant, idem custos dictos
scultetum, scabinos, consules et iuratos ad instantiam dictorum commendatoris et
fratrum moneri fecit, ut infra certi temporis spatium vinum et bladum predicta eisdem
commendatori et fratribus restituerent et ab impositione talliarum et collectarum
ipsarum desisterent in futurum et de pecunia, ratione talliarum et collectarum predictarum ab ipsis recepta, necnon de iniuriis et gravaminibus huiusmodi satisfacerent
competenter, alioquin comparerent coram eo causam rationabilem ostensuri, quare ad
id minime tenerentur; dicti vero scultetus, scabini, consules et iurati, de predictis
litteris merito hesitantes, earum copiam, quam numquam habuerant, sibi ab eodem
custode fieri humiliter postularunt.  Et quia dictus custos eis huiusmodi copiam facere
contra iustitiam denegavit, ipsi sentientes ex hoc indebite se gravari, ad sedem
apostolicam appellarunt.  Quocirca discretioni vestre per apostolica scripta mandamus,
quatinus vocatis, qui fuerint evocandi, et auditis hincinde propositis, quod iustum
fuerit, appellatione postposita decernatis; facientes, quod decreveritis, per censuram
ecclesiasticam firmiter observari.  Testes autem, qui fuerint nominati, si se gratia,
odio vel timore subtraxerint, censura simili, appellatione cessante, cogatis veritati
testimonium perhibere.  Quod si non omnes hiis exequendis potueritis interesse, duo
vestrum ea nichilominus exequatur.[a]  Datum Avinion*ie*, IIII. idus novembris, pontificatus nostri anno septimo.

Or. Pgmt.  Bulle an Hanfbindfaden anhängend.  Auf der Rückseite oben: „Henricus de<br>
Herberen".  St. A. Fr. Barth. St. No. 160.<br>
Gedr.: B., 398 nach dem Or. .

**947.** *Schultheiss Volrad, Schöffen und Rath zu Frankfurt erklären, dass die Löherzunft
unter näher ausgeführten Bedingungen das Haus Löwenberg für ihre Zwecke von
Jakob von Nied gemiethet hat. 1311 November 15.*

In nomine domini, amen.  Cerciora sunt placita contrahencium et[b] sine metu
calumpnie longum conservant in evum, que scripture testimonio perhannantur.[c]  Nos
igitur // Volradus miles, scultetus, . . scabini ac . . consules Frankenvordenses, recognoscimus omnibus presentes lit*t*eras audituris seu visuris, quod anno domini millesimo
trecentesimo // undecimo, secunda feria post festum beati Martini confessoris, constituti
coram nobis discreti viri Hartmannus et Johannes de Erlebach et Gotzo de Liderbach,
cerdones // Frankenvordenses, universaliter nomine omnium cerdonum Frankenvordensium
et ex parte societatis ac fraternitatis eoru*n*dem erga discretum virum Jacobum dictum
de Nydehe, civem Frankenvordensem, titulo conductionis et locacionis in emphiteosim
conduxerunt et conduxisse recognoverunt presentibusque recognoscunt pro quatuor
marcis Coloniens*ium* denariorum legalium et bonorum, [tribus] hallens*ibus* pro denario
quolibet conputatis, nomine annue pensionis in festo beati Martini confessoris hyemalis
annis singulis predicto Jacobo de Nydehe et eius leg[itimis] heredibus, non divisis
singulorum porcionibus, sed insolidum persolvendis, domum dictam Lewenberg perpetuo
utendam, tenendam et fruendam sub formis, pactis [et condicion]ibus infrascriptis:
hiidem cerdones pavimento seu balkamento solum proximo post cellarium intra muros

a) So!  b) Im Or. steht „et" sinnwidrig vor „placita".  c) So

quatuor, stallo domus dumtaxat excepto, [quod . . . . . Jacob]us[a] locator suo
usui reservabit, utentur pro libito duobus diebus in septimana, videlicet tercia
feria et die sabbati, ab ortu solis usque ad occasum [eius; item cerdones] bancas
facient, quas vendicioni sui corii magis noverint expedire; item per totas nundinas Frankenvordenses utentur domo predicta pro suo libito, [cum vero domo] in nundinis uti noluerint,
aliis quibuscumque ipsam locandi habent liberam potestatem;[b] item secreto loco domus,
qui dicitur cloaca, nullus extraneus nisi [Jacobi l]ocatoris familia domestica utetur, nec
hospites vini, quod ibidem contingit propinari, ad locum secretum accedent; item
Jacobus locator aut sui heredes suo ho[stio in] summitate introitus cellarii tam diebus
fori quam aliis diebus pro libito utetur et fruetur. Si vero cerdones conductores
cancellas constructas super int[roi]tum cellarii deponere decreverint, hoc facere poterunt,
modo tali videlicet, quod ibi stacionem seu bancam mobilem situent atque ponant,
que Jacobo locatori aut suis heredibus in propinando vina, vel in immittendo vel
extrahendo vina, nullum penitus inferat nocumentum; item Jacobus locator aut sui
heredes vina sua iuxta libitum propinabunt, diebus autem fori, scilicet tercia feria et
sabbato prescriptis, hospites ad domum non reponent, qui ipsos cerdones inpediant
suo foro, ianua cellarii dumtaxat excepta, ubi diebus fori et aliis diebus instrumenta
ad propinandum necessaria, que vulgo[c] dicuntur hauecoph, ponet pro libito voluntatis,
extra dies vero fori Jacobus locator aut sui heredes sua vina licite propinabunt
hospitesque ponent in domo et extra, ita quod nullum preiudicium seu periculum
cerdonum structuris, bancis et stacionibus inferatur; item, quod absit, domo incendio
seu alio casu destructo Jacobus locator et sui heredes cerdonibus in tegmine providebunt: item tegmen in summitate hostii cellarii constructum Jacobus et sui heredes,
quando cerdones requisierint, diruet et deponet; item fenestram dantem lucem cerdonibus ex opposito domus inferni, si ipsis cerdonibus placuerit, Jacobus struet suis
sumptibus et expensis, ceteris omnibus fenestris, que lucem ducunt per tectum, in suo
statu permanentibus; nec Jacobus aut sui heredes quidquam alterabit, mutabit, struet,
reficiat vel deponat, quod ipsis cerdonibus in luce possit preiudicium gravare; item
diebus fori et extra Jacobus locator et sui heredes exitum et regressum per domum
sibi liberum reservarunt: item cerdones omnes aut singuli poterunt sibi cist[a]s construere sub suis stacionibus sive bancis aut retro ad reservandum coria, quas cistas
singulis diebus fori et extra accedere poterunt, cum emptores habu[erint], et coria
ipsis vendere statimque corio vendito recedere sine mora. Acta sunt hec anno domini
et die quo supra, presentibus testibus infrascriptis: Volrado sculteto milite, Conrado
de Spira, Syfrido de Gysenheim, Johanne dicto Goltstein, Markolfo de Lintheim,
Wigelone dicto Rana, Wigelone de Wanebach, Culmanno de Ovinbach, Adolfo et Hermanno dictis Klobelouch, . . scabinis Frankenvordensibus; et aliis civibus quampluribus
fidedignis. In horum omnium stabilem permanenciam et perpetui roboris firmitatem
nos scultetus, . . scabini ac . . consules Frankenvordenses prescripti celebrato et con-
fessato coram nobis contractu predicto ad preces instantes contrahencium damus
presentes litteras maiori sigillo nostre universitatis fideliter communitas. Datum anno
et die ut supra, XVII.° kalendas decembris.

*Or. Pgmt. Vom abhangenden Siegel nur Bruchstück am Pergamentstreifen. In verso von
gleichzeitiger Hand „cerdones produxerunt“; links darunter „C“. An den mit [ ] eingeklammerten und ergänzten Stellen sind Löcher in der Urkunde. St. A. Fr. Hausurkunden.*

*Gedr.: Kriegk, Bürgerthum, Neue Folge, 409 nach dem Or. .*

a) *Diese Lücke lässt sich mit Sicherheit nicht ergänzen, wahrscheinlich stand vor „Jacobus“ noch
ein weiteres Wort.* b) *Or. „potestetatem“.* c) *Or. „wlgo“.*

**948.** *Das Deutschordenshaus zu Sachsenhausen kauft eine Korngült zu Somborn (Sonneburnen). 1311.*

*Angeführt bei Niedermayer, 158, nach dem Deutschordens-Saalbuch.*

**949.** *Papst Klemens V. beauftragt den Scholaster von St. Mariengreden zu Mainz, die Juden zu Frankfurt zur Entrichtung des dem dortigen Pfarrer Siegfried schuldigen Zehntens und sonstiger Abgaben anzuhalten. Vienne, 1312 März 14.*

Clemens episcopus, servus servorum dei. Dilecto filio . . scolastico ecclesie sancte Marie ad Gradus Maguntine, // salutem et apostolicam benedictionem. Sua nobis Siffridus, rector ecclesie Frankenvordensis,[a] Maguntine diocesis, petitione monstravit, // quod nonnulli iudei et iudee, in parrochia sua ipsius ecclesie habitantes, decimas[b] sive census et // res alias de proventibus domorum et possessionum ac aliarum rerum, que a christianis in eadem parrochia devenerunt ad ipsos, prout a christianis ipsis antea solvebantur predicte ecclesie, solvere indebite contradicunt, in eorundem ecclesie et rectoris preiuditium non modicum et gravamen. Quare idem rector nobis humiliter supplicavit, ut providere sibi super hoc paterna sollicitudine curaremus. Quocirca discretioni tue per apostolica scripta mandamus, quatinus, si est ita, dictos iudeos et iudeas ad debitam satisfactionem predictorum eidem ecclesie exhibendam, vel domos, vineas et possessiones dimittendas eisdem, monitione premissa, per subtractionem comunionis fidelium, appellatione remota, compellas. Testes autem, qui fuerint nominati, si se gratia, odio, vel timore subtraxerint, per censuram ecclesiasticam, appellatione cessante, compellas veritati testimonium perhibere. Datum Vienne, II idus martii, pontificatus nostri anno septimo.

> *Or. Pgmt. Die Bulle hängt an Hanfbindfaden an. Auf der Rückseite oben: „Henricus de(?) . . . . de". St. A. Fr. Barth. St. No. 369.*
> *Gedr.: Würdtwein, Dioc. Mog., II, 489, B, 399 nach dem Or..*
> *Verz.: B., Reg. Päpste, No. 334.*

**950.** *Kaiser Heinrich VII. überweist der Stadt Esslingen 3000 Pfund Heller, woron die Frankfurter Bürger 913 Pfund, die Juden daselbst 200 Pfund aus der 1311 November 11 fällig gewesenen Reichssteuer zahlen sollen. Pisa, 1312 März 31.* (II. kal. apr.)

> *Gedr.: Knipschild, Tractatus de civitatum imperialium iuribus et privilegiis (1740), 503.*
> *Regest: Diehl-Pfaff, Urkb. der Stadt Esslingen, I, 186.*
> *Verz.: B., Reg. Heinr, No. 472.*

**951.** *Die Stadt Friedberg befreit das Haus, welches das Deutschordenshaus zu Sachsenhausen daselbst gekauft hat, von allen Steuern. 1312 April 4.*

Nos . . scabini, . . consules ceterique . . opidani in Fryde//berg, ad cunctorum presencium inspectorum noticiam volumus // pervenire, quod nos sana deliberacione prehabita ob promocionis // efficaciam, qua religiosi viri . . commendator et . . fratres domus Theutonice in Sassinhusin prope Frankinvort nos et nostrum opidum apud aures regias et alibi, quod de ipsis confidimus et presumimus, de facili poterunt promovere, . . ipsis curiam suam, sitam in nostro opido super vico dicto **Hankgasze,**

*a) „ens" über Rasur verbessert. b) Hinter „decimas" sind mehrere oder ein langes Wort durch Rasur getilgt.*

emptamque pro Johanne, filio Dytwini de Oscheym, ab omni onere sturarum, precariarum, exaccionum et contributionum libertamus et eximimus ac liberam et exemptam esse dicimus, harum literarum testimonio, sigilli nostri robore munitarum. Datum anno domini millesimo trecentesimo duodecimo, II. nonas aprilis.

*Or. Pgmt. mit anhängendem, wenig beschädigten Siegel. Wien, Deutschordens-Centralarchiv.*
*Gedr.: B., 399 nach dem Or. .*
*Vers.: Scriba, II, No. 1011, Pettenegg, No. 900.*


**952.** *Schultheiss, Schöffen und Rath von Frankfurt beurkunden, dass Kulmann seinem Bruder Hermann Fincke und dessen Frau Kusa 6 Achtel Roggen jährlicher Einkünfte in Haarheim, welche dem Kulmann von seiner Mutter Jutta Melpoden dereinst anfallen werden, für 15 Mark verkauft hat. 1312 Mai 8.*

Scultetus, scabini ac cons*u*les Franckfurden*ses*, cunctos Christi fideles scire volumus per presentes, quod constitutus coram nobis Culmannus, filius Jutte dicte Melpoden, noster concivis, Guda et Jutta,[a] sororibus suis legittimis, presentibus ac expresse consencientibus, vendidit et se vendidisse recognovit redditus sex octalium pure siliginis sibi pro sua portione virili ex successione hereditaria post mortem Jutte, matris sue prescripte, cedentes, sitos in villa Harheym, Hermanno dicto Wincken, fratri[b] suo, et Cuse, uxori sue legittime, eorumque veris et legittimis heredibus possidendos perpetim et tenendos pro quindecim marcis Coloniens*ium* denariorum bonorum ac legalium, tribus hallensibus pro denario conputatis, quas quindecim marcas plene numeratas, traditas et assignatas ab eodem He. emptore se recognovit recepisse et in suos usus necessarios convertisse. Insuper Guda et Jutta, sorores Culmanni ac Hermanni fratrum predictorum, sponte elegerunt, quodsi[c] Culmannus venditor, frater eorum, ante mortem matris sue decederet, ipsam emptionem ratam habere atque firmam et contra ipsam nunquam venire verbo, opere neque facto. Testes huius rei sunt: dominus Volradus scultetus miles, Conradus de Spira, Markolfus de Lyntheym, Siffridus de Gysenheym, Johannes dictus Goltsteyn, Culmannus de Ovenbach, Wigelo de Wanbach, Adolffus dictus Knobelauch, scabini Franckfurdenses, et quam plures alii fidedigni. In huius rei stabilem permanenciam et perpetui[d] roboris firmitatem ad preces parcium prescriptarum damus presentes li*tt*eras maiori sigillo civitatis Franckfurdensis fideliter co*m*munitas. Datum et actum anno domini m̃. c̃c̃c̃. XII., VIII. ydus maii.

*Abschrift in Johanniter-Bücher No. 15 f. XXXII. St. A. Fr.*
*Gedr.: B., 400 nach derselben Vorlage. Auszug: Thomas, Oberhof, 447.*


**953.** *Schultheiss, Schöffen und Rath von Frankfurt beurkunden, dass Demudis, die Wittwe des Merkelin Sensenschmidt, gerichtlich ermächtigt worden ist, dessen hinterlassenes Erbe nach Massgabe seiner Schulden zu veräussern, und dass sie demgemäss an Hertwich vom Hohenhaus und dessen Frau Rilindis das Haus zum Sensenschmidt verkauft hat. 1312 Juni 5.*

Scultetus, scabini ac consules Frankenvordenses. Universis et singulis presentes litteras audituris seu visuris recognoscimus publice et aperte, quod constituta coram nobis in seculari iudicio Frankenvord Deymudis, relicta bone memorie quondam Merkelini dicti Seysnensmeit, civis Frankenvordensis, exquisitis sentenciis obtinuit legaliter et evicit, quod causa et ratione debitorum per quondam Merkelinum, suum maritum,

<hr>

*a) Vorlage: „Guda et Jutte". b) Vorlage: „fratre". c) Vorlage: „se". d) Vorlage: „perpetini".*

cum viveret, contractorum, domum et hereditatem relictam distrahere et vendere posset pro modo contracti debiti et mensura. Sicque Deymudis, relicta prescripta, auctoritate iudiciaria et iudice auctoritatem prestante, vendidit et vendidisse presentibus recognoscit discreto viro Hertwico dicto de Alta domo et Reylendi coniugibus, civibus Frankenvordensibus, eorumque veris ac legittimis heredibus pro precio quadraginta marcarum Coloniens*ium* denariorum bonorum et legalium, tribus hallensibus pro denario quolibet computatis; quas quadraginta marcas plene numeratas, assignatas et traditas se recognovit recepisse et in solutionem debitorum per Merkelinum, quondam suum maritum, contractorum plenarie convertisse, domum dictam zume Seysnensmeyde ex opposito domus dicte ad Rufum Leonem sitam, ab eodem* Hertwico et Reylendi coniugibus et eorum heredibus possidendam perpetue et tenendam. Acta sunt hec presentibus testibus subscriptis, videlicet: Sifrido de Gysenheim, Johanne dicto Goltstein, Culemanno de Ovenbach, Wigelone de Wanebach, Wigando dicto Rana, et Hermanno dicto Knobeloich, scabinis et consulibus Frankenvordensibus, ac aliis quam pluribus fidedignis. In horum omnium stabilem permanenciam et perpetui roboris firmitatem ad instantes preces contrahencium prescriptorum has damus litteras, maiori sigillo civitatis Frankenvordensis fideliter communitas. Datum anno domini millesimo trecentesimo duodecimo, nonis iunii.

*Abschrift in „Fichards Geschlechtergeschichte", Hohenhaus. St. A. Fr.*
*Gedr.: B., 400 nach dieser Vorlage. Auszug: Thomas, Oberhof, 447 zu Juni 10.*

**954.** *Kaiser Heinrich VII. ernennt den Jungo von Dieburg zum Unterforstmeister des Königsforstes bei Frankfurt, neben dem Forstmeister, dem Frankfurter Schultheissen Wigand von Buches, und gebietet allen Getreuen, ihm als solchem gehorsam zu sein. Tivoli, 1312 Juli 16.*

Henricus dei gracia Romanorum imperator, semper augustus. Universis sacri Romani imperii fidelibus presentes // litteras inspecturis, graciam suam et omne bonum. Cum nos strennuum virum Wigandum[b] de Buches, scul // tetum Frankenfordensem, magistrum forestarium foreste nostre ibidem, que vulgariter dicitur Kunigesforst, duxerimus // statuendum, eidem pro subforestario et custode foreste predicte providum virum Jungonem de Dyepurg, fidelem nostrum dilectum, de cuius fide et legalitate fiduciam gerimus, tenore presencium deputamus. Universitati vestre firmiter iniungentes, quatenus eundem subforestarium in officio custodie foreste predicte aut in iuribus vel pertinenciis ipsius, que ad officium huiusmodi pertinent, impedire nullatenus presumatis, sed eidem tanquam subforestario et custodi[c] dicte foreste nostre in omnibus pareatis, sicut indignacionem nostram et penam condignam volueritis evitare. In cuius rei testimonium presentes litteras nostre maiestatis sigillo iussimus communiri. Datum Tybur*ie*, XVII. kaleud*as* augusti. Indictione X.ᵃ Anno domini millesimo trecentesimo duodecimo. Regni nostri anno quarto, imperii vero primo.

*Or. Pgmt. Siegeleinschnitt. St. A. Fr. Mgb. E. 19 No. 1. (Forstamt.)*
*Gedr.: Gegeninformation, III, Beilage No. 68, Buri, Bannforsten, 88, B., 401 nach*
 *dem Or. .*
*Verz.: B., Reg. Heinr., No. 499 (vgl. die Anm. dort), Scriba, I, No. 772.*

**955.** *Johannes der Scholaster und das Kapitel der Frankfurter Kirche verordnen, weil die allzugeringen Einkünfte des Dekanats dessen Besetzung mit einer geeigneten Person unthunlich machen, dass künftig der Dechant an den Einkünften der Chorpräsenz doppelten Antheil haben soll. 1312 August 1.*

a) *Vorlage: „eidem". b) Or. „Wigangandum". c) Or. „custo".*

Johannes scolasticus totumque capitulum ecclesie Frankinvordensis. Universis presencium inspectoribus volumus esse notum, quod, cum // vacante decanatu in ecclesia nostra predicta per resignacionem honesti viri domini Philippi, rectoris ecclesie in Mersevelt, nostri // concanonici, primo magister Ernestus, notarius[a] de Molhusin, notarius reverendi patris domini archiepiscopi Maguntini, // deinde dominus Gerhardus de Wertheim, vicarius ecclesie Erbipolensis, ipso magistro Er. resignante, in decanos nostre ecclesie successive electi essent, ac similiter ipse Gerhardus sic electus, per modicum tempus decanatum huiusmodi nostre ecclesie tenens, resignaverit pure et simpliciter, pretendens redditus minus esse competentes pro onere et regimine decanatus eiusdem: nos considerantes fructus et proventus decanatus prescripti adeo esse tenues et exiles, quod propter defectum huiusmodi proventuum seu fructuum persona ydonea inveniri non poterat, que decanatum prescriptum eciam ad sollertem nostram requisicionem acceptare curaret, pluribus tractatibus in nostro capitulo prehabitis ac utilitate et summa necessitate ecclesie nostre predicte inspectis, redditus huiusmodi decanatus pro uberiori sustentacione decani,[b] qui pro tempore fuerit in ecclesia nostra, in hunc modum duximus augmentandos, volentes videlicet et ordinantes, quod decanus nostre ecclesie duplum eius, quod alter canonicorum ibidem recipit, in pane, presenciis et funeralibus quibuscumque, que presentibus in choro distribuuntur, percipiat et habeat in futurum. In huius rei evidenciam ac perpetuam roboracionem sigillo nostre ecclesie sepedicte has litteras fecimus firmiter communiri. Datum et actum anno domini millesimo ccc. XII., ad vincula sancti Petri apostoli.

*Or. Pgmt. mit abhangendem Siegel. St. A. Fr. Barth. St. No. 186.*
*Gedr.: B., 402 nach Abschrift in Barth.-Bücher, Serie 1, No. 22 b f. 123 b.*


**956.** *Rupert von Karben, Sohn des verstorbenen Burggrafen von Friedberg Ritter Ruperts, und seine Frau Gisela verkaufen dem Deutschordenshause zu Sachsenhausen Eigen-güter (*„curiam, unum iugerum cum dimidio et IV mansos agrorum arabilium“*) zu Oberwöllstadt für 227 Mark. Von weiteren 10 Morgen hat der Deutschorden jährlich 7 Scheffel Weizen an Rupert und dessen Erben zu entrichten. Es siegeln Rupert und sein Vetter (patruelis) Rupert von Karben. 1312 November 7. (VII. id. novembr.)*

*Gedr.: Baur, Hess. Urk., I, 327 „nach alter Abschrift“ gekürzt. Hier regestirt nach Abschrift im Deutschordens-Dokumentenbuch f. 207, St. A. Stuttgart. — Von Nathusius.*


**957.** *Dem Deutschordenshause zu Sachsenhausen wird der dritte Theil des Zehnten zu Lieblos durch Geschworene zugesprochen. 1312.*

*Regest bei Niedermayer, 159 nach dem Deutschordens-Saalbuch.*


**958.** *Das Deutschordenshaus zu Sachsenhausen giebt in Gegenwart des Propstes von Ilbenstadt dem Wigand von Oberwöllstadt 1½ Hufen und 3 Morgen Ackerland und Wiesen in Bieber für 19 Achtel Korn, 2 Gänse und 2 Hühner jährlich in Erbbestand. 1312.*

*Regest bei Niedermayer, 112 nach dem Deutschordens-Saalbuch.*

a) *Mit blasser Tinte in einer frei gelassenen Lücke nachgetragen.* b) *Or. „deani“.*

**959.** *Johannes Zurckere und seine Frau Willekůme verkaufen an Wigel von Wanebach und Wigel Frosch für 102 Mark genannte jährliche Zinsen auf ihrem Haus zum Hohenberger und anderwärts. Frankfurt, 1313 Januar 31.*

Johannes dictus Zurckere ac Willekůme, coniuges, cives Frankenvordenses, recognoscimus tenore presencium publice profitendo, quod communicata manu parique con//sensu, accedente quoque benivolo consensu omnium heredum nostrorum, vendidimus et vendimus per presentes discretis viris et honestis Wigeloni de Wanebach et Wige//loni dicto Rana, civibus Frankenvordensibus, eorumque veris et legitimis heredibus pro precio centum et duarum marcarum Coloniensium denariorum, tribus hallensibus pro quolibet denario computatis, // quamlibet marcam reddituum subscriptorum pro decem et septem marcis denariorum Coloniensium conputandis, quas centum et duas marcas in pecunia numerata plene assignatas et traditas recognoscimus recepisse et in usus nostros necessarios convertisse, redditus sex marcarum Coloniensium denariorum, tribus hallensibus pro denario quolibet conputandis, de domo nostra, quam nunc inhabitamus, sitam in opido Frankenvort, dictam zůme Hohenbergere, ipsis Wigeloni et Wigeloni predictis aut eorum heredibus dandos in solidum in festo beati Martini confessoris hyemalis perpetim et solvendos  Per effectualem vero demonstracionem et assignacionem reddituum quatuor marcarum denariorum Coloniensium intra muros Frankenvordenses, cum ex proxima futura successione Elizabet, matris mei Johannis Zurckers predicti, ad nos pervenerint, in locis idoneis infra dimidium annum a die mortis mee matris Johannis predicti conputandum ipsis Wigeloni et Wigeloni emptoribus faciendam et conplendam, redditus quatuor marcarum denariorum Coloniensium in domo Hohenbergere predicta venditas liberare poterimus et liberandi in convencione contractus reservavimus potestatem. Nec in aliquo loco Wigeloni et Wigeloni, emptoribus prescriptis, redditus citra fertonem debemus vel poterimus assignare; proviso tamen per nos Johannem et Willekůme, coniuges predictos, semper et in omnem eventum, quod redditus duarum marcarum Wigeloni et Wigeloni, emptoribus antescriptis, in domo Hohenbergere prefata salvi permaneant et subsistant. Item Johannes et Willekůme, coniuges antescripti, predictam domum Hohenbergere a quibuscunque censibus et redditibus vacuam et liberam extra censum et redditus venditos reddere, ordinare et facere nos presentibus obligamus. Acta sunt Frankenvort, presentibus testibus subscriptis, videlicet domino Volrado milite scultheto, Siffrido de Gysenheim, Johanne Goltstein, Cůlmanno de Ovenbach, Conrado dicto Rintfleyz, Hermanno Knobeloych, scabinis ac .. consulibus Frankenvordensibus, et aliis quam plurimis fidedignis. In horum omnium permanenciam et perpetui roboris firmitatem nos Johannes ac Willekůme, coniuges predicti, has damus litteras sigillo civitatis Frankenvordensis maiori fideliter communitas. Et nos .. sculthetus, .. scabini ac .. consules Frankenvordenses antescripti ad preces instantes contrahencium predictorum maius sigillum civitatis Frankenvordensis recognoscimus litteris presentibus appendisse. Datum anno domini millesimo ccc. XIIỉ., pridie kalendas februarii.

*Or. Pgmt. Das abhangende Stadtsiegel (2) ist beschädigt. St. A. Fr. Liebfrauenstift No 604. Gedr.: B., 403 nach dem Or. Auszug: Thomas, Oberhof, 447, mit Druckfehler Januar 21.*

**960.** *König Johann von Böhmen, Reichsvikar „citra montes", verleiht auf Bitte Philipps von Falkenstein an Königstein Frankfurter Recht. Augsburg, 1313 Februar 27.* (III. kal. marcii.)

*Regest: Sauer, I², 82 nach Abschriften in den Königsteiner Kopiaren zu Ortenberg und Wiesbaden.*

**961.** *Hertwin vom Hohenhaus, Wortwin von der Ecke und Hedwig, die Wittwe Johanns von Glauburg, räumen Ulrich II. von Hanau das Rückkaufsrecht von Korngülten in Kesselstadt, Bruchköbel, Issigheim, Mittelbuchen und Wachenbuchen ein.* *1313 April 20.*

Nos Hertwinus de Alta domo, Wortwinus dictus von der Ecken, gener, necnon Hadewigis, filia eiusdem, relicta quondam Johannis de Glouburg, cives in Frankenvord, recognoscimus pro nobis et nostris .. heredibus, constare volumus presentium inspectoribus universis, quod, cum nobilis vir dominus Ulricus dominus de Haynouwe ac domina Agnes, conthoralis eius legitima, manu communicata nobis nostrisque .. heredibus super curiis et mansis in Ketzelstadt, in Brûchkebel, in Ussenkeym, in Mittelbûchen et in Wachenbûchen trecentarum et trium octalium siliginis redditus annue pensionis, maldro quolibet dato et conputato pro novem libris et decem solidis hallensium, iusto venditionis titulo vendiderint, prout in litteris super eo nobis datis plenius continetur, nos volentes affectum benivolentie dicti domini de Haynowe captare, sibi suisque .. liberis seu .. heredibus legitimis utriusque sexus, non coacti, nec inducti, sed ex mera liberalitate dictos redditus cum curiis prefatis reemendi, maldrum quodlibet cum novem libris et decem solidis hallensium, plenam et liberam damus et concedimus potestatem. Hoc adiecto, quod facultate se eis offerente redditus centum octalium, ducentorum vel trecentorum, ubicumque ipsis magis placuerit, reemere poterunt communiter vel divisim, ita quod talis reemptio infra festa beati Mychahelis et nativitatis domini conpleatur, quandocumque ipsis visum fuerit expedire. Preterea si evidenti necessitate conpulsi curias cum redditibus huiusmodi, fraude et dolo semotis, vendere cogeremur vel nostri .. heredes ad id faciendum notorie cogerentur, extunc ante omnia prefato domino de Haynowe vel suis .. heredibus dictas cum redditibus curias tenebimur exhibere ad reemendum ad tres menses, quibus transactis, si in reemendo negligentes extiterint, ipsos redditus, ut premittitur, vendere, obligare seu in alias personas quocumque titulo transferre tamquam alia nostra bona propria poterimus pleno iure. Acta sunt hec Gyselberto Leone, Johanne de Rûdenkeym, Wynthero de Haynouwe, Henrico de Langete, Eberhardo Wamboldo, militibus; Wigelone de Rana, Wigelone de Wanebach, civibus Frankenvordensibus, et aliis pluribus presentibus fidedignis. Nos vero Hertwinus et Wortwinus predicti in testimonium evidens premissorum sigilla nostra presentibus nostro et .. heredum nostrorum nomine, quos ad observantiam prescriptorum obligatos esse volumus, duximus appendenda. Et ego Hedewigis prenominata, quia sigillo proprio careo, pro me et meis .. heredibus sigillis .. patris et sororii mei predictorum me contentam presentibus recognosco. Datum anno domini ṁ. ccĉ. XIIĺ., XIĺ. kalendas maii.

> *Or. Pgmt. mit den beiden gut erhaltenen Siegeln. St. A. Marburg.*
> *Gedr.: Reimer, II, 118 nach dem Or. . Hier wiederholt.*

**962.** *Ulrich II. von Hanau genehmigt, dass Ritter Wigand Fraz und dessen Frau Beatrix eine von ihm lehnrührige halbe Hufe zu Rumpenheim an Gudα von Frankfurt, die Wittwe des Heinrich Henhusere, verkaufen.* *1313 Juni 18.*

Nos Ulricus dominus de Haynowe recognoscimus presentium inspectoribus universis, quod, // cum Wigandus dictus Fraz miles et Beatrix, uxor eius legittima, manu communicata // Gûde de Frankenfort, relicte quondam Heinrici dicti Henhusere, dimidium mansum // terre arabilis situm aput Rumphenheim, a nobis in feodo descendentem, proprietatis tytulo vendiderunt possidendum, petentes dicte vendicioni consensum nostrum benivolum adhiberi, nos ipsorum peticioni favorabiliter annuere cupientes dicte vendicioni consensum nostrum adhibemus benivolum et expressum; dantes presentem lit*t*eram nostri sigilli robore communitam in testimonium super eo. Anno domini ṁ. cĉc. XIII., XIIII. kalend*as* iulii.

*Or. Pgmt. Das abhangende Reitersiegel des Ausstellers ist stark beschädigt. St. A. Fr. Liebfrauenstift No. 38.*

*Gedr.: B., 404 nach dem Or., Reimer, II, 121, ebenso.*

**963.** *Schultheiss, Schöffen und Rath von Frankfurt beurkunden, dass die Frankfurter Bürgerin Irmgard, die Wittwe des Heinrich Monich, jetzige Frau des Konrad Münzer, dem Karmeliterkloster in Frankfurt ihr Haus bei den Dominikanern und einen Kornzins zu Weisel mit Vorbehalt des lebenslänglichen Niessbrauches geschenkt hat. 1313 August 20.*

. . Nos scultetus, scabini ac consules oppidi Franckenfordensis. Tenore presencium publice recongnoscimus et ad universorum noticiam // cupimus pervenire, quod in nostra constituti presencia Irmengardis, relicta quondam magistri Henrici carpentarii dicti Monich // de Wizele, nostra concivis, et prior ordinis sancte Marie de monte Carmeli domus in Franckenford pro se et suo conventu ibidem, // dicta Irmengardis publice recongnovit, se domum suam, quam inhabitat, apud fratres Predicatores in nostra civitate predicta sitam, et quinque octalia cum dimidio siliginis annue pensionis, que habere dinoscitur in terminis ville Wizele de bonis quondam Henrici carpentarii prenotati, pia consideracione prehabita ob salutem anime sue et remedium animarum parentum suorum domum et pensionem predictas donasse et legasse prefatis fratribus, usufructu sibi, quo advixerit, retento, et quod interim, si necessitas ipsam urgeret ex causa racionabili, predictam domum vendere possit et medietatem precii sibi retinere, ac aliam medietatem frater Cul*mannus*, filius dicte Irmengardis, nomine monasterii predicti pro conparacione librorum ac melioracione vestium recipiet et habebit. Si vero dicta domus vendita non fuerit per predictam Irmengard*im*, ea mortua predictus frater Cul*mannus*, eius filius, usufructum prefate domus pro causis supradictis, quo advixerit, retinebit. Et tunc predicti fratres de pensione octalium predictorum dabunt Cûnrado Monetario, marito suo, quem postea superduxit, octo libras hall*ensium* et apud eosdem tunc dicta pensio totaliter remanebit; sed si predictus frater Cul*mannus* premortuus fuerit matre sua predicta, tunc medietas usufructus domus et pensionis predictorum apud ipsam matrem et maritum suum supradictum permanebit, eaque defuncta datis octo libris predictis, domus et pensio sepedicte apud prefatum monasterium cum omni iure integraliter permanebunt. Datum anno domini ṁ. cĉc. XIIÎ., feria secunda ante Bartholomei proxima.

*Or. Pgmt. Anhängend Siegelrest. St. A. Fr. Karmeliter-Urk. No. 109.*

*Gedr.: B., 404 nach dem Or. .*

*Vers.: Scriba, II, No. 1024.*

**964.** *Das Kloster Ilbenstadt verkauft dem Frankfurter Bürger Ludwig von Messel den Vierling, welchen er dem Kloster jährlich von einer Fleischbank zu Frankfurt zu entrichten hatte. 1313 August 30.*

Jo. dei providencia prepositus necnon totus conventus in Elwenstadt, ordinis Premonstratensis, universis hanc literam visuris oraciones devotas in domino. Quoniam ad instar aque fluentis tempus labitur, ne ea, que fiunt in tempore, simul cum ipsius inconstancia evanescant, prudentis est consilium, ut acta digna memorie scripturarum elucidatione sic serventur integra, que usque ad occursum futuri temporis gesta veritatis evidencia pateant incorrupta. Noverint igitur tam presentes quam futuri, quod de provido consilio et communi consensu vendidimus Ludewico dicto de Messele, civi Frankenvordensi, necnon suis heredibus in perpetuum titulo proprietatis fertonem denariorum, quem singulis annis de quodam macello nostro plebano seu nobis hactenus contulit seu presentavit circa festum Martini census nomine. Pro quo vero fertone prefatus Ludewicus tres marcas denariorum levium nobis dedit. In cuius rei testimonium presens scriptum sibi dedimus sigilli conventus appensione fideliter roboratum. Datum anno domini m̃. c̃c̃c. XIII., III. kalendas septembris.

*Das Or. Pgmt., verzeichnet im Repertorium des Weissfrauenklosters von 1691: Lade 3, No. 2, ist nicht vorhanden, im St. A. Fr. war nur eine sehr schlechte Abschrift (18. Jahrh.) in Weissfrauenbücher II No. 4ᵇ f. 122ᵇ aufzufinden. Der Druck B's, 405, der auf eine Abschrift Schweickarts aus dem Or. zurückgeht, ist daher wiederholt.*
*Verz.: Scriba, II, No. 1025.*

**965.** *Ulrich II. von Hanau und seine Frau verkaufen an Hertwin vom Hohenhaus, Wortwin von der Ecke und deren Frauen, sowie an Hedwig, Wittwe des Johann von Glauburg, ihren Hof in Rossdorf mit Zubehör. 1313 September 7.*[1]

Nos Ulricus dominus de Haynowe et Agnes, conthoralis eius legittima, recognoscimus presencium inspectoribus universis, quod manu communicata et pari concur//rente consensu honestis viris Hertwino de Alta domo, Rylindi uxori sue legittime, Wortwino dicto von der Ecken, Guthe uxori sue legittime, necnon He//dewigi relicte quondam Johannis de Glouburg, ac eorum liberis et . . heredibus utriusque sexus curiam nostram in Rostorf cum sex et dimidio mansis, // pratis ac aliis suis pertinenciis pro trecentis minus quindecim libris hallensium, quam pecuniam in numerata pecunia recepimus ab eis nostrisque usibus recognoscimus applicatam, iusto vendicionis titulo vendidimus et vendimus iure proprietario perpetuis temporibus possidendam et tenendam, cum omnibus condicionibus et utilitatibus, quibus ipsam curiam cum suis pertinenciis noscimur hactenus possedisse, mittentes ipsos in possessionem dicte curie ac renunciantes omni iuris auxilio statuti vel statuendi, canonici vel civilis, omnibusque excepcionibus seu subtilitatibus, per quod vel per quas dicta nostra vendicio de iure vel de facto posset vel deberet a quoquam imposterum impugnari vel aliqualiter infirmari. Hoc adiecto, quod, si emptores predicti vel eorum . . heredes, fraude et dolo exclusis, evidenti necessitate compulsi predictam curiam cum suis pertinenciis vendere cogerentur, extunc nobis vel nostris . . heredibus pre omnibus aliis ad tres menses exhibere tenentur, quibus transactis, si in reemendo negligentes extiterimus, predictam curiam cum suis pertinenciis, non obstante nostra vel . . heredum nostrorum reclamacione, vendere, obligare, donare seu in alias personas transferre tanquam alia bona sua propria poterunt pro sue beneplacito voluntatis. Hac eciam protestacione nobis salva, quod nobis nostrisque . . heredibus sepedictam curiam cum suis pertinenciis infra festa beati Michahelis et nativitatis domini oportunitate se nobis offerente, prout in litteris dictorum emptorum super eo nobis traditis plenius continetur, reemendi pro supradicte pecunie quantitate libera sit facultas. Preterea adicimus, quod . . colonum ipsam curiam inhabitantem[a] indebitis fatigacionibus non debemus

Or.: „inhabitatem“.

---

[1] *Die von B., 405 zu 1313 September 16 nach einer Abschrift in Dominikaner-Bücher No. 2 f. 9ᵇ (St. A. Fr.) wiedergegebene Urkunde ist im Datum korrumpirt, was sich schon daraus ergiebt, dass der als Zeuge genannte Gipel von Holzhausen vor 1296 März 1 bereits gestorben war (vgl. oben No. 690); vielleicht ist die Urkunde zu 1293 September 16 anzusetzen, wozu auch die anderen Zeugen passen würden.*

plus quam alios nostros homines fatigare nec illicite perturbare. Insuper pro warandia
debita iuxta terre consuetudinem et consueta ipsis emptoribus hos constituimus fideiussores: Gysilbertum dictum Lewen, Johannem de Rûdinkeim, Wintherum de Buchen.
Heinricum de Lancten, Ebirhardum Wonbolt, Hartmodum de Cronenberg, Conradum
dictum Trebote, Aplonem Coquinarium, Johannem de Clen, milites; Wortwinum de
Babenhusin, Aplonem de Eychen et Marquardum dictum Nutsher, qui, si infra annum
presentem in dicta curia instancias iuris vel alias impedimentum legittimum sustinuerint.
ab ipsis emptoribus moniti in Frankenvord more fideiussorio expensas facient, donec
impedimentum huiusmodi plenarie fuerit reformatum. Testes sunt milites et fideiussores
prenotati. In quorum fidem et perpetue firmitatis evidenciam damus prefatis emptoribus
et eorum .. heredibus presentes li*tt*eras nostrorum sigillorum appensionibus roboratas.
Anno domini m̄. cc̄c. XIIĬ., VIĬ. idus septembris.

*Or. Pgmt. mit den anhängenden beschädigten Siegeln. Frankfurt, Archiv der Freiherren
von Holzhausen. — Von Nathusius.*
*Gedr.: Reimer, II, 124 nach dem Or. .*

**966.** *Erzbischof Peter von Mainz verpachtet die Güter zu Weilbach und Wicker, welche
er von Wolfram von Eberstein, Ulrich von Bickenbach und Elisabeth, Wittwe
Gottfrieds von Hohenlohe, gekauft hat, dem Deutschordenshause zu Sachsenhausen.
Aschaffenburg, 1313 October 9. (Transsumpt von 1318 März 28.)*

Iudices sancte Mogunt*ine* sedis. Datum per copiam sub anno domini m̄. cc̄c.
XVIIĬ., // V̇. kalend*as* aprilis. Nos P. dei gracia sancte Moguntine sedis archiepiscopus, sacri // imperii per Germaniam archicancellarius, recognoscimus in hiis scriptis.
quod nos // bona nostra in villis Wylebach et Wickere, que a nobilibus viris Wolframo
de Eberstein, Ulrico de Byckenbach et nobili domina Elizabeth, relicta quondam nobilis
viri Gotfridi de Hohenloch, com*p*aravimus, cum omnibus eorum attinenciis, locavimus
et locamus per presentes religiosis viris .. com*m*endatori et fratribus ordinis domus
Theutonice in Frankenfûrt, que wolgo Sassenhusen dicitur, perpetue locacionis tytulo
in hunc modum, quod ipsi centum triginta et unum maldra siliginis cum tribus
sumerinis, duo maldra pisorum, viginti quatuor saccos avene mensure Moguntine, tres
libras hallensium et tres carratas vini de cremento et decima dictorum bonorum nobis
dabunt annis singulis et persolvent, exclusis decem maldris siliginis monasterio in
Blidenstad de predictis bonis debitis, que ipsi specialiter expedient dicto monasterio,
sicut hucusque est consuetum, hoc expresso, quod predictam siliginem, avenam et
pisam(!) cum hallensibus nobis in civitate Moguntina eorum periculo, laboribus et
expensis debeant presentare in domum, quam eisdem ad hoc duxerimus deputandam.
Vinum quoque nobis ad vasa nostra in torculari presentabunt. Actum est eciam, si
in predictis bonis per casum grandinis vel exercitus fieri contigerit defectum, quod
in hoc ipsis secundum com*m*unem terre consuetudinem in solucione vini, census, sive
pensionis predicte condescendere debeamus. Item est adiectum, si predictis conmendatori et fratribus in prefatis bonis ex parte nostra aliquod inpedimentum sive impe-
ticio fieret, quod pro illis nos respondere teneamur. Si vero ex parte ipsorum hoc
fieret, ex hoc nobis nostra pensio nullatenus minuetur. Item est actum, si nos dicta
bona ecclesiis, monasteriis, vel aliis piis locis quibuscum*m*que legare aut donare contingat, quod illis secundum formam donacionis vel legati per nos facti de predicta
pensione sive censu sicut nobis respondere et satisfacere tenebuntur. Item est actum,
quod predicta bona * nostra locata conmendatori et fratribus predictis, ut predicitur,
cum omnibus suis edificiis et melioracionibus, quas ipsi fecerint et inpenderint in

eisdem, nobis pro subpignore, quod underpant vulgariter dicitur, predicti[a] conmendator
et fratres assignarunt, si forte in solucione nostre pensionis predicte quocumque casu
defectus fieret, quod ad eadem bona edificata[b] et melioraciones factas in eisdem de
ipsa nostra pensione respectum habere debeamus. In cuius rei testimonium et robur
perpetue firmitatis litteris presentibus sygillum nostrum duximus appendendum. Actum
et datum Aschaffenbûrg, anno domini m̄. ccc̄. XIIÍ., VIÍ. idus octobris.

*Niederschrift auf Pgmt., ohne Spur von Besiegelung. St. A. Wiesbaden.*
*Regest: Sauer, I², 85.*


**967.** *Die Stadt Friedberg beurkundet, dass ihr Mitbürger Fridebert von der Rusen dem
Deutschordenshause zu Sachsenhausen jährlich 1 Mark* „denariorum in Frankenvord et Frideberg communiter currencium et legalium", *4 Achtel Roggen und
3 Achtel Weizen Frankfurter Masses von näher bezeichneten, bei Friedberg (Vur-
bach, Gerburgeheim, Strazheim) gelegenen Ländereien als Erbpachtabgabe in
Frankfurt zu entrichten hat. 1314 Januar 13. (in oct. epiph. domini.)*

*Gedr.: Baur, Hess. Urk., I, 328 nach dem Or. Pgmt., St. A. Darmstadt, gekürzt (Abschrift
von Nathusius'), Wyss, Hess. Urkb., II, 173, nach der von Seiten des Deutschordens
dem Pächter zugestellten, beglaubigten Ausfertigung mit dem Siegel des Komthurs.
St. A. Marburg.*


**968.** *Friedrich Hartrad und seine Frau Lukard, Bürger in Dieburg, verkaufen dem
Deutschordenshause zu Sachsenhausen 6 Pfund Heller jährlich von ihren Gütern
in der Gemarkung von Dieburg, zahlbar in Sachsenhausen. Es siegeln die Stadt
Dieburg und der Knappe Kreiss. 1314 März 26. (feria tercia post dominicam,
qua cantatur Judica.)*

*Abschrift im Deutschordens-Dokumentenbuch, f. 66. St. A. Stuttgart. — Von Nathusius.*
*Auszug: Steiner, Bachgau, III, 177.*
*Verz.: Scriba, I, No. 788.*


**969.** *Das Mainzer geistliche Gericht verurtheilt den Friedberger Bürger Fridebert
Kemerere zum Ersatz von 10 Pfund Heller Processkosten an das Deutschordenshaus zu Sachsenhausen. 1314 Mai 16. (XVII. kal. iunii.)*

*Or. Pgmt. Das Siegel hängt an. St. A. Darmstadt. — Von Nathusius.*


**970.** *Schultheiss, Schöffen und Rath von Frankfurt beurkunden, dass Demudis zum
Rothen Löwen und ihr Sohn Walther der Hedwig von Glauburg 4 Mark ewiger
Gülte auf dem Haus zum Rothen Löwen verkauft haben. 1314 Juni 5.*

Nos . . scultetus, . . scabini et . . consules Frankinvordenses, tenore presencium
publice recognoscimus et ad // universorum noticiam cupimus pervenire, quod constituti
in nostra presencia honesta matrona Demudis et Walterus, filius // suus, dicti zume
Rodin Lewin, necnon discreta matrona Hedewigis dicta de Globork, pro se suisque
heredibus, // nostri[c] concives existentes, Demudis et Walterus predicti recognoverunt
publice, se vendidisse, tradidisse et assignasse Hedewigi suisque heredibus predictis

<hr>

a) *Ueber Rasur.* b) *Vorlage:* „edificta". c) *Or.:* „nostre".

quatuor marcarum redditus denariorum Coloniens*ium*, tribus hallensibus pro quolibet denario computandis, super domo dicta zume Rodin Lewin, quam Demudis et Walterus predicti inhabitant, dandos et solvendos singulis annis in festo pentecostes Hedewigi suisque heredibus memoratis inmediate et sine intervallo post censum quinque solidorum denariorum levium, qui ad canonicos ecclesie Frankinvordensis dinoscitur pertinere, pure et simpliciter iusto vendicionis titulo pro sexaginta et octo marcis denariorum levium cum omni iure ipsis in eisdem quatuor marcarum redditibus[a] competenti futuris temporibus Hedewigim suosque heredes predictos, ad habendos, recipiendos et perpetuo possidendos. Quam quidem pecuniam pro dictis redditibus datam recognoverunt se Demudis et Walterus predicti a dicta emptrice recepisse integraliter et eisdem numeratam et traditam esse ac in usus eorum necessarios convertisse. Quem eciam contractum empcionis et vendicionis Demudis et Walterus, necnon Hedewigis predicti pro se et suis heredibus promiserunt adinvicem stipulacione solempni ratum, firmum et inviolabiliter observare, nec ullo umquam ingenio seu aliquo colore quesito pro se vel per interpositas personas de iure vel de facto contravenire in parte[a] aliqua[a] vel[a] in[a] toto;[a] renunciantes[a] hincinde actioni in factum, excepcioni doli mali, non numerate, non solute, non tradite pecunie et omni alii iuris auxilio legis et canonis, quod posset cuilibet eorum in parte vel in toto, directe vel indirecte, contravenienti aliqualiter opem ferre. In quorum omnium testimonium et certitudinem firmiorem[b] maius sigillum civitatis Frankinvordensis ad ipsorum[a] peticionem presentibus est appensum. Actum anno domini m̃. cc̃c̃. XIIII., in die beati Bonifacii et sociorum eius. Rasuram factam in duodecima linea in hoc vocabulo: redditibus, necnon in sexta linea in hiis vocabulis: in parte aliqua vel in toto renunciantes, presentibus approbamus.

*Or. Pgmt.   Anhängend das Stadtsiegel (2), etwas beschädigt.   St. A. Fr. Hausurkunden.*
*Gedr.: B., 407, nach Abschrift Fichards, Geschlechtergeschichte, Glauburg, Urk. No. 5.*
*St. A. Fr.   Auszug: Thomas, Oberhof, 447.*

**971.** *Erzbischof Peter von Mainz beauftragt den Propst von Höchst, dem Stiftskapitel zu Frankfurt unter Strafe der Suspension aufzugeben, dass es binnen sechs Tagen seinem neuen Propst Wilhelm von Aspelt eine Kanonikatspräbende anweise. Mainz, 1314 August 7.*

P., dei gracia sancte Moguntine sedis archiepiscopus, sacri imperii per Germaniam archicancellarius, // devoto in Christo .. preposito in Hoeste, ordinis sancti Benedicti, salutem in domino. In vir//tute sancte obediencie et sub pena suspensionis late sententie tibi committimus et mandamus, quatinus // .. decanum et capitulum ecclesie Frankenfordensis accedas personaliter et ipsos moneas, quos et nos presentibus ammonemus, ut infra sex dies, quorum duos pro primo, duos pro secundo, reliquos duos pro tercio et peremptorio termino eis et eorum cuilibet assignamus, Wilhelmo de Aspelt, preposito Frankenfordensis ecclesie predicte, canonico Moguntino, vel procuratori suo eius nomine, prebendam sibi de iure debitam et vacantem ex morte quondam magistri Petri de Gerlingis, Frankenfordensis prepositi, assignare non obmittant, in cuius prebende possessione duo prepositi ante predictum Wilhelmum extiterunt. Alioquin tu ipsos extunc, si monicioni nostre et tue huiusmodi non paruerint cum effectu, ipsos .. decanum et capitulum universaliter et quemlibet eorum singulariter suspendas ab officiis divinorum, quos et nos ab eisdem extunc suspendimus

a) *Ueber Rasur.*   b) *Or.: „firmorem".*

in hiis scriptis, ulterius contra eos, prout eorum protervitas exegerit, processuri. Dat*um* Mogunt*ie*, anno domini ƀ. ccc. quarto decimo, VII. idus augusti. Redde li*tt*eras sigillo tuo signatas in signum execucionis facte.

*Or. Pgmt. Das Siegel ist abgefallen. München, Reichsarchiv.*
*Gedr.: Würdtwein, Subsid. Dipl., I, 426 = B., 407.*
*Regest: Würdtwein, Nov. Subs., V, Vorrede, XXXI. Erwähnt: Lersner, I*b*, 110 zu 1299. (!)*

**972.** *Das Augustinerkloster zu Friedberg beurkundet, dass der Laienbruder Berthold seine früher dem Kloster geschenkten Besitzungen in Wöllstadt an die Frankfurter Bürgerin Kachelhart verkauft hat. 1314 September 16.*

Ut ea, que aguntur in tempore, oblivioni non readantur,[a] necesse est, ut scripturarum testimonio roborentur. Hinc est, quod nos prior et pro//curator totusque conventus fratrum Heremitarum ordinis sancti Augustini domus in Frideberg publice profitemur in hiis scriptis, quod frater Bertoldus laicus // spiritu sancto inspirante personam et res, scilicet in Wullenstat sitas, nostro conventui contulit et donavit, donatas, nostro accedente consensu, ut pecu//niam pro eisdem bonis receptam in alios usus nostri conventus convertere possemus, vendidit et coram scabinis et aliis quam pluribus fidedignis ville predicte civisse in Franckenfurt dicte Kachelhetten, que eadem bona pro XXXII. marcis denariorum Coloniens*ium*, quolibet denario pro tribus hallensibus computato, comparavit, publice resignavit; nos igitur prior et procurator totusque conventus ordinis prelibati predictam vendicionem approbamus et resignacionem eor*un*dem bonorum coram civibus Fridebergensibus, scilicet dicto Engel et H. dicto Rule et Linunt de Reidelshofen, irrevocabiliter ratificamus. Et ut predicta resignacio irrevocabiliter rata et firma permaneat, predicte relicte presentes li*tt*eras sigillo . . prioris et conventus tradimus communitas. Datum anno domini ƀ. ccc. XIIII., XVI. kalend*as* octobris.

*Or. Pgmt. Von den anhängenden Siegeln ist das erste beschädigt, das zweite nur noch in Bruchstücken vorhanden. Lich.*
*Gedr.: Arnsb. Urkb., 292 (gekürzt).*

a) *Sol*

# REGISTER.[1]

(Abkürzungen: Flrn. = Flurname, Fr. = Frankfurt, Hessen-N. = Hessen-Nassau.)

## A.

**Aachen** (Aquis) — 203 — v. A.: Thomas zu Fr. 1290, † 1307, Frau Berthrad 1307: 570, 886.

**Aaro** (Aaron) — zu Nierstein † 880: 7, 8, 101.

**Abbas** vgl. **Abt.**

**v. Abenrode** — Heinrich Ritter 1250: 156.

**Abt** (Abbas) — Heinrich Antoniter 1287: 521.

**Acarben** vgl. **Ocarben.**

**Acerno,** Unter-Italien — Bischof: Jakob (Acernensis).

**v. Acryberahe** — Herbord zu Fr. 1302: 799.

**Adam** — Kaplan zu Eppstein 1280: 430.

**Adelger** — Höriger zu Fr. 817: 4.

**Adelheid** (Adilheid, Alheid, Alhed) — v. Altenstadt — Blassenberg — Bockeshorn — Bresto — v. Kinzheim — v. Köln — Darender — v. Dornberg — v. Trais — Vögtin zu Trebur 1278: 406 — Eber — v. Else — v. Fechenheim — Frau Bertholds zu Fr. 1259: 225 — Schwester Konrads daselbst 1299: 745 — Wittwe des Fassbinders Giselbert daselbst 1304: 843 — Frau Hezelins daselbst 1219: 38 Zus., 52 — Tochter Irmgards daselbst 1295: 670 — Frau Ludwigs daselbst 1274: 331 — Goldstein — v. Heusenstamm — v. Liederbach — von der Alten Münze — v. Münzenberg — v. Ossenheim — v. Praunheim — vom Rebstock — Reinesteine — v. Rossbach — v. Sachsenhausen — v. Steina — v. Wetzlar — Wingarthern — Wobelin vgl. v. Offenbach.

**Adelind** — v. Königstein — Palmistorfer.

**Ademar** — Bischof v. Ostuni 1297: 722.

**Adinulf** — Erzbischof v. Conza 1300: 773.

**Adolf** (Adolph, Adulf) — König 1292—1297: 617, 618 (sig.), 619 (sig.), 622, 624, 625, 633 (sig.), 635 (sig.), 636, 637, 638 (sig.), 639 (sig.), 640, 646 (sig.), 648, 654 (sig.), 655 (sig.), 668, 669, 674, 675 (sig.), 676, 686, 697, 699, 712 (sig.), 713, 718, 720, † 750, 794, 800, 930 — Knoblauch — v. Nassau — v. Waldeck.

**Adrianopel,** Türkei — Erzbischof: Theoctistus (Adria-Andria-Andrio-nopolensis).

**Aelsvelt** vgl. **Alsfeld.**

**Affaldere** — Flrn. bei Bockenheim — 833, S. 425.

**Affenstein** — Flrn. bei Fr. 706 Zus.

**Agnes** — in Atrio — v. Köln — Äbtissin zu Thron 1308: 913 — zu Fr. 1284: 485 — v. Hanau — v. Heusenstamm — Milde — v. Schöneberg — Sperber — v. Wickstadt.

**Aymard** — Bischof v. Luceria 1297: 722.

**Aymo** — Hochmeister der Antoniter 1273: 310 Zus.

**Alatri,** Mittel-Italien — Bischof: Raynald (Alatrinus).

**v. Albecho** — Emmerich 1212: 38.

**Albero** — zu Fr. 1219: 50 — v. Seckbach.

**Albert** (Albracht, Albrecht) — König 1298—1308: 448 Zus., 686 Zus., 733, 735, 736 (sig.), 737, 738 (sig.), 739, 740, 744 (sig.), 746, 750 (sig.), 764 (sig.), 772, 793 (sig.), 797 (sig.), 800, 816, 817, 833 S. 424, 845, 879 (sig.), 881, 889 (sig.), 897, † 910 — Abt zu Arnsburg 1234—1236: 102, 106 (sig.), 111 — Blassenberg — v. Karben, Kantor zu Fr. — v. Königstein — v. Kugelnberg — v. Dernbach, Pfarrer zu Fr. — v. Dieburg — Erwählter Bischof v. Trient 1221: 55 — zu Fr. 1284: 485 — desgl. 1301: 784 — Prior der Dominikaner zu Fr. 1283: 476, außer Amt 1290—93: 577, 644 (sig.), — Einsiedler (solitarius) zu Fr. 1245: 138 — Graf v. Hohenberg — Pfarrer zu Mothern 1258: 221 — Münzenberger — ehemaliger Bischof von Regensburg 1263—1275: 247, 532 — v. Rüdigheim — Vicepleban in Ursel 1275: 360.

**Alby,** Frankreich — Kanonikus: Petrus v. Garlens (Albiensis).

**Albrad** (Alberad) — v. Heddernheim — v. Heusenstamm — v. Holzhausen.

**Albus** vgl. — v. Hagen — Weiss.

**Aldebrand** — Bischof v. Sutri 1289: 569 (sig.).

**Aldenburg** vgl. **Altenburg** — **Oldenburg.**

**Aldendorph** vgl. **Altendorf.**

**Aldenstadt, Aldinstad** vgl. **Altenstadt.**

**Alemania, Allemannia** vgl. **Deutschland.**

**Alexander** — IV Papst 1259, 1260: 226 (bulla), 228.

**Alleciator** — Johannes Vikar an St. Bartholomaeus in Fr. 1305, 864.

---

[1] Vgl. Vorwort.

**Allerstedt**, Provinz Sachsen wsw. Merseburg (Alrestete) — Lud. v., Kämmerer zu Naumburg 1273: 318.

**Alleum** vgl. **Knoblauch.**

**Almar** — zu Fr. 1293: 627.

**Alrestete** vgl. **Allerstedt.**

**Alsacia** vgl. **Elsass.**

**Alsfeld**, Hessen (Alsvelt, Aelsvelt) 400 — v. A.: Konrad zu Fr. 1275—77. 354, 379, † 754 — Frau desselben: Mechtild 1277: 379.

**Alsheim**, Hessen nö. Osthofen, vgl. Schyndebog.

**Alstat** vgl. **Altenstadt.**

De Alta domo vgl. **vom Hohenhaus.**

**Altenberg** — Cistercienser - Abtei, Rheinprovinz s. Schlebusch — 41.

**Altenberg** (Alden-Aldin-burg) — Prämonstratenser-Nonnenkloster, w. Wetzlar — 168, 218, 511, 590, 637. Nonne: Kunigunde Wingarther.

**Altenburg** bei Arnsburg — 22.

**Altenburg** i. Sachsen — 686*.

**Altendorf**, Niederhessen, ssö. Naumburg? oder Allendorf wnw. Wetzlar? (Aldendorph) — v. A.: Konrad zu Fr. 1291: 601 — Frau: Petrissa 601 — Brüder K.'s: Heinrich, Hermann, Johanniter zu Mainz, Lutzo: 601, vgl. v. Katzenelnbogen.

**Altenstadt**, Hessen, w. Büdingen (Alstat, minor Aldinstad) 101, 105, 269, 806 — v. A.: Heinrich zu Fr. 1310: 939 — Wigand zu Fr. †1278, 405 — Frau: Adelheid 405.

Alte Rote vgl. **Oberrad.**

**Altrud** — v. Lorch.

**Alzei**, Hessen, ssw. Mainz (Alceia, Alceya, Altzeya) 316, 470, 522, 878 — Antoniter - Meister: Berthold, Giselbert — Augustiner 878 — stellvertretender Pfarrer: Johannes — v. A.: Konrad Pfarrer zu Weinheim bei Alzei 1306, 878 — Philipp Deutschordensbruder zu Sachsenhausen 1273: 316, 325, vgl. v. Weinheim.

**Amberg**, Bayern, nnw. Regensburg — 25

**Amelia**, Italien, sw. Spoleto — Bischof: Maurus. (Ameliensis, Amiliensis).

**Amöneburg**, Hessen-N., ö. Marburg (Ameneburg) — v. A.: Heinrich Hospitalmeister zu Haina 1219: 50.

**Anagni**, Italien, osö. Rom (Anagnia) 114*, 226*, 228*.

**Andernach**, Rheinprovinz — 303.

**Andreas** — Ritter (zu Arheiligen?) 1270: 295 — Bischof v. Venafro 1299: 748 (sig.) — v. Vilmar — Bischof v. Montefeltro 1300: 775 — zu Münzenberg 1232: 98. — Bischof v. Würzburg 1310: 895 Zus.

**Andwil**, Schweiz, Kanton St. Gallen (Annenwilre) — v. A.: Marquard Kaiserlicher Truchsess 1193: 31.

**Angelus** — zu Friedberg 1308: 894 — zu Grünberg 1284: 489 — Bischof v. Molfetta 1285: 499 — Bischof v. Nepi 1299—1300: 748 (sig.), 775.

**Angere**, Angeren vgl. **Engers.**

**Anna** — (v. d. Alten Münze?) zu Fr. 1290: 577.

**Annenwilre** vgl. **Andwil.**

**Anno** — v. Sangerhausen.

**Anselm** (Anselm - shelm - sheylm) — Cygelen — Bischof v. Ermland 1260: 231 — Judenmeister (magister iudeorum) zu Fr. 1288: 556 — Ineptus — v. Justingen Kaiserlicher Marschall — v. Mörlen — zu Münzenberg 1253: 175 — desgl. (2) 1308: 894 — Münzer — Antoniter zu Rossdorf 1287: 521 — Weideler — v. Witzelbach, Deutschordenskomthur zu Sachsenhausen.

**Antonia** — Frosch.

**Antoniter** — Niederlassungen: Alzei, Frankfurt, Rossdorf — Hochmeister: Aymo.

**Antonius** — Bischof v. Czanad 1300: 773 — Bischof v. Montefeltro 1299: 748 (sig.).

**Anzo** — v. Glauburg — Deutschordensbruder zu Mainz 1287: 534.

**Aplo** — Küchenmeister — v. Eichen.

**Apolonius** (Appollimus) — Mönch zu Arnsburg 1256 — 1257: 205, 211.

**v. Aquamunda** — Thomas Päpstlicher Schreiber 1296: 689 Zus.

**Aquino**, Unteritalien — Bischof: Lambert (Aquinatis).

**Arborea** vgl. **Oristano.**

**Arheiligen**, Hessen, nö. Darmstadt (Arheilgen) 295, 900 — v. A: Menger, Frau: Damburga 1308: 900.

**Arnesburg** vgl. **Arnsburg.**

**Arnold** — Baumeister — v. Boenstadt — v. Bommersheim — zu Bornheim 1281: 451 — v. Dernbach — Kellermeister zu Eberbach 1212: 38 — v. Erlenbach — Vogt v. Eschbach — Kanonikus v. St. Bartholomaeus zu Fr. 1251: 167 — Kustos daselbst 1239: 119 — Sohn des Guntram zu Fr. 1267: 276 — erster Mann der Katharina v. Holzhausen zu Fr. †1300: 754 — zu Fr. 1287: 533 — v. Glauburg — Institor — v. Mainz — Propst v. St. Mariengreden zu Mainz 1239: 116 (sig.), 117 (sig.) — Magister, Kantor daselbst 1248: 147, 148 — Scholaster v. St. Stephan zu Mainz 1255, 189 — zu Mainz 1194: 32 — Plugere — zum Pule — v. Rödelheim — v. Rossbach — Deutschordenspriester in Sachsenhausen 1270—1273: 296, 310, 324, 325 — Wirth (hospes) daselbst 1294: 661 — Wernchen — Wiselo.

**Arnolf** — Kaiserlicher Kanzler 880: 7.

**Arnsburg**, Hessen, s. Lich (Arns- -nes -Arnis -burc, -burg, -purg) Kloster 67, 68, 71, 76, 77, 79, 80, 84, 87 u. Anm., 88, 90, 91, 93, 97, 102, 105, 111, 121, 128, 129, 131, 138, 146, 150, 162 Anm. 166, 170, 190 Anm., 211, 219, 224, 248, 257. 265, 267, 280, 284, 291, 360, 388 (sig), 390, 392, 399, 419, 420, 424, 425, 432, 495, 497, 502, 509. 514, 515, 533, 540, 544, 552, 564, 565, 599, 612. 620, 632, 642, 653 (sig.), 657, 688, 691, 707, 708. 753, 767, 774, 785, 802, 807, 811, 829*, 834. 839 Anm., 856, 887, 894, 906, 909, 914 (sig.), 944. Äbte: 388, 887, Albert, Konrad, Erkenbert, Friedrich, Heinrich, Heinrich, Werner, Wilhelm, Wilhelm, Witbod — Notar des Abtes: Wicker — Prioren: Gebeno, Heinrich, Wicker — Subprior: Peregrin — Kantoren: Rudolph, Wilher — Kellermeister: v. Bellersheim, Hartmann, Heinrich, Hermann, R. — Unter-Kellermeister: Heinrich. — Mönche: Apollonius, v. Bellersheim, Berthold, Bresto, Kraft, v. Eschbach, v. Grüningen, Herold, Hertwin, Jakob, v. Linden, Richolf, Rudolf — Laienbrüder: v. Katzenfurt, Ciprian, Dietrich, Giselbert, v. Weilburg, Werner, Wilher.

**Asceburne** vgl. **Eschborn.**

**Aschaffenburg,** Bayern (Ascaffem- Ascaffen- Aschafen- Aschafin- burc) — 23, 254, 368, 443*, 540, 575*, 678*, 745, 831*, 966*. — Stiftskapitel: 474 — Pröpste: Burkard, v. Solms — Dechanten: 209, 946, Hermann v. Karben — Scholaster: 209, Gerlach, Or. — Kustos: R. — Kantor: 452, G. — Cellerarius: Richwin — Kanoniker: Brisinc, v. Tolderlin, v. Mümlingen, v. Rossbach, Zenechin — Synode: 673 — Vitztum: Konrad — v. A.: Hildeburg Begghine zu Fr. 1295, 671, vgl. auch Sezepant.

**Ascebac** vgl. **Eschbach.**

**Ascoli,** Italien (Esculi) 122*.

**Aspelt,** Luxemburg — v. A.: Wilhelm Propst zu Fr., Kanonikus zu Mainz 1314: 971.

**Asschebac** vgl. **Eschbach.**

**Assisi,** Italien, osö. Perugia (Asisium) — 86*, 171*.

**Astheim,** Hessen, w. Grossgerau — 259.

**in Atrio** — Konrad zu Fr. †715 — Töchter: Agnes, Elisabeth, Begghinen 1297, ib.

**Augrabe** — Flrn. bei Liederbach 872.

**Augsburg** (Augusta) — 960* — Bischöfe: Siboto, Siegfried, Siegfried.

**Auheim** (Grossauheim), Hessen-N., ssö. Hanau (Ouheim) — v. A.: Konrad 1263: 246 — Merbodo Ritter 1261: 233.

**Aulisburg** vgl. **Haina.**

**Aulon** (Auluna), Griechenland — Bischof: Waldebrun (Avelo- Avello- -nensis).

**Aumann** — Brüder zu Dieburg 1288: 549.

**Auweg** — bei Liederbach 872.

**Avellino,** Italien, onö. Neapel (Avelinus) — Bischof: Johann.

**Avelonensis, Avellonensis** vgl. **Aulon.**

**Avignon,** Frankreich (Avinionia) — 946*.

**Avinbach** vgl. **Offenbach.**

**Azo** — Bischof v. Caserta 1297: 722.

# B.

**Babaria** — H. de, 1283: 476.

**Babenberg** vgl. **Bamberg.**

**Babenhausen,** Hessen, nön. Darmstadt — 240, 669 — Schultheiss: Heinrich — v. B.: Wortwin 1313: 965.

**Bacharach am Rhein** (Bacheracensis) — 187, 188 — Pfarrer: Heinrich v. Krombach.

**Baden** — Markgraf Hermann.

**Baderichisgassen** — Flrn. bei Enkheim 497.

**Bayern** (Bavaria, Bawaria, Bauwaria, Bowaria) — Herzog Ludwig 1227: 82 — vgl. Pfalzgrafen.

**Bayeux,** Frankreich — Bischof: Peter (Baiocensis).

**Baldemar** - vom Frohnhof — Deutschordensbruder zu Sachsenhausen †1268: 280 — Zengelin.

**Balderszheim** vgl. **Bellersheim.**

**Baldung** — Sohn des Bascho — Walpodo.

**Bamberg** (Baben- Babin- -berg, -berc, -berch) — 23, 25 — Domstift, Dechanten: Marquard, Peter, Wilhelm — v. B.: Konrad Deutschordenskomthur zu Sachsenhausen 1292—1306: 610, 769, 876 — Heinrich zu Fr.: 1290: 570.

**v. Barbei** (ob Barby, ssö. Magdeburg?) — Walther Lektor der Dominikaner zu Fr. 1295: 666.

**Barcisrode** — Flrn. bei Trebur 827.

**Bargeseile** — Werner 1221: 56.

**Bartenhausen** — Wüstung, Oberhessen a. d. Wohra n. Kirchhain, jetzt Bartenhäuser Mühle (Barthenhausen) — v. B.: Dietrich Ritter, vor 1258: 212.

**Bartholomaeus** (— meus) — Bischof v. Castello 1285: 499 — Bischof v. Gaeta 1288: 547 (sig.), 548 (sig.).

**Bartholus** — Bischof v. Orte 1297: 722.

**Bascho** — Baldung, Sohn des Bascho, zu Mainz 1284: 489, 490.

**Basel** (Basilea, Basiliensis) — 187, 188, 402, 551, 567*, 593* — Bischof: 187, 188, Heinrich.

**Basilius** — Erzbischof v. Jerusalem 1297—1300: 722, 773.

**Bathgarten** — Flrn. bei Nieder-Eschbach 558.

**Battenberg a. d. Eder,** Hessen-N., wsw. Frankenberg (Bathin-) — v. B.: Werner Deutschordensbruder 1273: 310.

**Baumeister** (Buimeistir, Bumeister, Bumester, Burmeyster, magister operis) — Arnold Schöffe zu Fr. 1265—1273: 258, 268—70, 286, 304, 315, 325, †811.

**Baurus** — zu Fr. 1305: 859 — Johannes zu Wetzlar 1308: 894 — Rüdiger zu Fr. und Frau Hedwig 1286: 508, vgl. auch Beyer.

**Bawaria** vgl. **Bayern.**

**Beatrix** — v. Königstein — Priorin der Weissfrauen zu Fr. 1302: 804 — Fraz — zu Wetzlar 1240: 124.

**Beckelnheim** vgl. **Böckelheim.**

**Beckenhube** — Rudolf Vogt zu Dieburg und Frau Gertrud 1297: 717 (sig.).

**Beienheim,** Hessen, onö. Friedberg (Bienhem) — v. B.: Johann Ritter und Sohn Otwin 1278: 404.

**Beyer** (Beier, Beyere, Beigere, Baurus) — Friedrich zu Fr. 1298: 727 — Gottfried (Gotzo, Gotze) Ritter zu Fr. 1291: 599, Schultheiss zu Fr. 1303—1305, 824, 830, 832, 833 S. 424, 841—843, 851, 852, 854, 855 Anm., 856, ausser Amt 1305—1307, 867, 887.

**Bein** — N., Päpstlicher Kanzlist 1308: 908 Zus.

**Bellersheim,** Hessen, ö. Münzenberg (Balderszheim, Beldersheim, Beldirsheym, Beltersem) — Pfarrer: Heinrich — v. B.: Konrad 1221: 56 — Konrad Kellermeister zu Arnsburg 1308: 894 — Konrad Kolbindensel v. B. Ritter 1303: 825 (sig.) — Kraft Ritter 1303: 824 — Kraft der Jüngere Ritter 1311: 943 — Dylo (Tilo) Ritter 1308—1311:

894, 943 — Hermann Gehülfe (socius) des Pfarrers
zu Fr. 1287—1290: 531, 574, 615 — Johannes
Ritter 1308: 894, 909 — Werner Ritter (zwei)
1265: 255 — Werner Mönch zu Arnsburg?
1248: 146 — pueri de B. 1306, 876.

**Beltoldus** vgl. **Berthold.**

**Bender** — Siegfried zu Fr. 1297: 721.

**Benedict** — XI Papst 1304: 839 Anm.

**Benigna** — 1232: 98 — v. Bischofsheim — v. Erlenbach — Schwarz.

**Bensheim,** Hessen, s. Darmstadt (Besinsheim) — 205.

**Benstat** vgl. **Bönstadt.**

**Bercheim** vgl. **Bergheim.**

**Berchersheim** vgl. **Berkersheim.**

**Bere** (Bern) — Heinrich zu Friedberg 1285—1306:
498 Anm., 503, 871 — Peter zu Fr. 1280—88:
423, 552.

**Berengar** — Stellvertreter des Johanniterpriors
für Allemannien 1258: 220.

**Bergele** vgl. **Bürgel.**

**Bergen,** Hessen-N., nö. Frankfurt (Berge, Bergin)
— 22, 57, 68, 71, 76, 79, 80, 101, 219, 235, 267,
269, 338, 339, 377, 391, 418, 491, 539 — Pfarrer:
Erenfried, Heinrich v. Heldenbergen — Schultheiss: Wigand — v. B.: Konrad (I) 1223, Söhne
desselben: Konrad, Gerhard, Ortwin 1223: 66
— Hermann Ritter 1245: 138 — Marquard,
Bruder Konrads (I) 1223, Söhne desselben: Gerhard, Gottfried, Hellfrich, Hermann, Marquard,
Walter, Werner 1223: 66 — Konrad 1234: 101
— Konrad, Wortwin, Schöffen zu Bischofsheim
1302: 798, vgl. Bergo, Schelm.

**Bergheim,** Hessen-N., Wüstung bei Wölfersheim
sö. Butzbach (Berckeim, Bercheim) 68, 79,80, 219.

**Bergo** =? Bergen — v. B.: Dietrich zu Fr. 1215: 42
— Eberhard Kanonikus an St. Bartholomaeus
zu Fr. 1215: 42 — Gerlach zu Fr. 1215: 42.

**Berhardus** vgl. **Bernhard.**

**v. Berhtolfesheim** — Peter und Sohn Peter, Reichsministerialen 1275: 358.

**Berkersheim,** Hessen-N. n. Frankfurt (Berchers-
Berkirsheim) — v. B.: Peter und Frau Irmgard
zu Kahlbach 1303: 826.

**Berlewin** — v. Weinheim — Zorn.

**Bern,** Schweiz (Berna) 546*.

**Bern** vgl. **Bere, Berno.**

**Bernagger** — Flrn. bei Heusenstamm 54.

**Bernhard** (Berhardus, Bernardus) — Herzog v.
Kärnthen — Romanus — Bischof v. Vicenza
1285: 499.

**Bernheida** — v. Kahlbach.

**Bernhelm** — 1248: 156 — v. Grevenrot — Magister,
Advocat zu Mainz 1291: 601.

**Berno** (Berne) — v. Münzenberg — Schöffe zu
Wetzlar (2?) 1255—1286: 200, 507.

**Bernold** — v. Ursel.

**Berstadt,** Hessen-N., w. Nidda (Berstat) — v. B.:
Konrad Ritter 1308: 894 — Volpert Ritter
1250: 156.

**Bersvelt** — 546.

**Bertha** (Berhtha, Berta) — Bockeshorn — v. Holzhausen — v. Limburg.

**Berthold** (Bel- Ber- Berb- -told -dold) — Antonitermeister zu Alzei 1287, 521 (sig.) — Mönch
zu Arnsburg 1223: 68 — Blassenberg — Bockeshorn — v. Bonames — Bresto (drei) — Schwiegersohn Brestos zu Fr. 1232: 98 — v. Dörnigheim
— v. Eisenach — Schultheiss zu Erlenbach 1304: 851
— v. Flomborn — Kanonikus an St. Bartholomaeus,
Notar zu Fr. 1219—1232: 45, 97 — Pfarrer zu
Fr. 1239: 119, vielleicht identisch mit dem Vorigen
— zu Fr. 1259: 225 — Sohn des Rulemann zu
Fr. 1292: 605 — zu Fr. 1287: 523 — zu Fr.
1297: 715 — Augustiner-Laienbruder zu Friedberg 1314: 972 — v. Gisenheim — v. Heddernheim — v. Heldenbergen — Herzog — Lede-
becher — v. Lissberg — Lugener — v. Mörlen
— Morhaid — v. Münzenberg — v. Preungesheim — Deutschordensbruder zu Sachsenhausen
1290: 579 — Schwab — v. Seligenstadt — v.
Ursel — Bischof v. Würzburg 1279—1288: 414
(sig.), 474 — Bischof v. Zeitz (Naumburg) 1193: 30
— Graf v. Ziegenhain.

**Berthous** — Ritter 1308: 894 — v. Ehringshausen.

**Berthrad** (Berteradis, Bertradis) — v. Aachen —
zu Fr. 1300: 771.

**Bertram** — Laienbruder zu Eberbach 1225: 73.

**Besançon,** Frankreich — 31 Anm.

**Besinsheim** vgl. **Bensheim.**

**Bessingesawe** — Flrn. bei Rendel 363.

**Bettenhausen,** Hessen, nö. Münzenberg (Betdyn-
Beten- Bethin- Betten- husen) — v. B.: Hein-
rich Schöffe zu Friedberg 1256—58: 204, 219 —
— Heinrich Kanonikus an St. Bartholomaeus in
Fr. 1215: 42 — Johannes Kanonikus daselbst
1281: 450 (sig.) und Scholaster 1285—1312: 497,
666, 810, 855 Anm., 955 — Magister Wigand
Arzt zu Fr. 1308: 898.

**Betzelo** — Laienbruder des Klosters Eberbach zu
Gehaborn 1225: 73.

**Betzelsrode** — Flrn. bei Arheilgen 900.

**Bibeliz** — Flrn. bei Offenbach 262.

**Biberah, Byberahe,** vgl. **Bieber.**

**Bichelin** (Bicgelinus, Bychelin) — Heinrich zu Fr.
1278: 399 — Herbord zu Fr. 1253—1254: 170,
183? — Hermann zu Fr., Bruder Heinrichs,
1273—1278: 319, 381, 399, Schöffe daselbst
1278—1288: 401, 408, 493, 498, 514, 544 —
Bichelina 1269: 289.

**Bickenbach,** Hessen, ssw. Darmstadt (Byckenbach)
— v. B.: Otto 1274: 834 — Ulrich 1313: 966.

**Bieber,** Hessen, sö. Offenbach (Byberahe, Biberah)
— 296, 958 — v. B.: Konrad zu Fr. 1294—1299:
658, 751.

**Bienhem** vgl. **Beienheim.**

**Biersack** (Birsac, Birsake) — von dem B.: Gebhard
zu Fr., nach 1284: 495 — Werner desgl. 1294: 650.

**Bierstadt,** Hessen-N., ö. Wiesbaden (Birgestat) —
Pfarrer: Gerwin — v. B.: Hermann 1278: 398.

**Bigen** bei Nied — 336.

**Bingen,** Hessen (Pinguia, Pinguensis) 78, 133*, 187, 188, 266*, 359*, 361*, 402 — Dechant an St. Martin: Dietrich.

**Binthamer** — Heinrich Ritter, Burgmann zu Eppstein 1280: 430.

Birgele vgl. **Bürgel.**

Birgestat vgl. **Bierstadt.**

**Birklar,** Hessen, südl. Lich (Birkelar, Byrke- lar -lor, Birchenlar, Birkenlar) — v. B.: Heinrich 1221: 56 — Rucker Ritter 1223—1232: 66, 70, 91, 98 — Wenzelo Ritter 1308: 894 — Werner 1280: 430 — Werner Laienbruder zu Thron 1295: 666.

**Birnkheim,** Hessen, Wüstung w. Grüningen (Birnkeim) — v. B.: Werner 1276: 364.

Birsac (Birsake) vgl. **Biersack.**

**Bischofsheim,** Hessen-N., onö. Fr. (Bischovesvis- Bischoffes- Biscofes- -fis- Bishoves- -visBijscovis- Biscofs- Biscoss- Bissoves- Bisscofes- Piscofes- -heim -seim) — 7, 8, 10, 59—65, 69, 112, 113, 116, 117, 120*, 129, 147, 148, 173, 295, 396, 495, 509, 564, 598, 798 — Schultheissen: Friedrich, Wortwin — Pfarrer: Nikolaus — Schöffen: von Bergen, Bode, Bruchwihe, Budil, Folzo, Giselbert, Heimburge, Rusticus — v. B.: Gottfried Schöffe zu Fr. 1267—1273: 267—270, 300, 325, †396 — Frau: Benigna 1278: 396.

Bischoveskirchen vgl. **Biskirchen.**

**Bisewise** — Flrn. bei Wachenbuchen 634.

**Biskirchen,** Rheinprovinz, wnw. Braunfels, (Bischoveskirchen) — 254.

Biscoves- Bissovesheim vgl. **Bischofsheim.**

**Blasbach,** Rheinprovinz, onö. Wetzlar — v. B.: Siegfried Ritter 1240: 124.

**Blassenberg** (Blassinberch, Blassenbergere, Blasenbergere) — Albert Dominikaner zu Fr. 1289: 561. — Berthold zu Fr. 1215: 42, †476 — Konrad zu Fr. 1245—47: 137, 146 Anm., †225 — Wittwe desselben: Adelheid 1259—1292: 225, 620.

**Bleichenbach,** Hessen, nw. Büdingen — v. Bl: Friedrich Ritter, vor 1258: 222.

**Bleidenstadt,** Hessen-N., ö. Langenschwalbach (Blidenstadt) — St. Ferrutius-Kloster 15, 640, 966.

**Bleseberg,** Hessen-N., Berg mit Kirche bei Frickhofen nnw. Hadamar — 534.

**Blic** — Rudolf Schöffe zu Fr. 1227: 81.

**Blide** (Blyde, Blido) — zu Wetzlar: Hartmann †? 1281: 444 — Hartrad und Frau Elisabeth 1255: 200 — Hartrad Schöffe zu Wetzlar 1285—1300: 503, 758.

Blidenstadt vgl. **Bleidenstadt.**

**Blinelder** — Heinrich Steinmetz zu Fr. 1297—1300: 721, 759 — Frau desselben: Gela 1300: 759.

**Bluel** (Bluwel) — Marquard zu Sachsenhausen 1273—1284: 325, 487.

**Blumechin** (Blumekin, Blumichin) — Hartmud Bäcker zu Fr. 1288—1302: 559, 666, 799 — Frau desselben: Herlaug 1302: 799 — vgl. v. Heusenstamm.

Bluwel vgl. **Bluel.**

Bobardia vgl. **Boppard.**

**Bock** — Gozzo, „filius B.", Ritter zu Alzei 1273: 316.

**Bockenheim** (Bocken- Bockin- Buchen- BuckenBuckin- Bukin- -heim) — 183, 209, 229, 249, 283, 650, 787, 833 (S. 424, 425), 849 — v. B.: Friedrich 1301: 787 — Heinrich Schöffe des Frohnhofs zu Fr. 1242: 129 — Johannes und Wenzel Ritter 1308: 894.

**Bockenheimer** — Heinrich zu Fr. 1219: 50.

**Bockeshorn** (Bockis-) — zu Fr.: Berthold und Frau Bertha 1304: 843 — Wolfram 1273: 319 — Kinder desselben: Adelheid, Richwin 319.

Bodderstat vgl. **Butterstadt.**

**Bode** — Friedrich Schöffe zu Bischofsheim 1289: 564.

**Boeckelheim,** Gau-, Rheinhessen w. Wörrstadt (Beckelnheim) — Burg 934 — Burggraf: Dietrich Randecke.

**Böhm** (Bohemus) — Ritter, Burgmann zu Friedberg 1266: 260.

**Böhmen** (Bohemia) — 247 — Könige: Johann, Ottokar.

**Boemund** — Erzbischof v. Trier 1292—1294: 617, 660 (sig.).

**Bönstadt,** Hessen, sö. Friedberg (Benstat) — v. B.: Arnold 1232: 98.

Bohemia vgl. **Böhmen.**

Bohemus vgl. **Böhm.**

**Bolanden,** Pfalzbayern s. Kirchheim-Bolanden (Boinlandin, Bolandia, Bollandia, Bonlandia) — v. B.: Philipp 1215—1234: 40, 43, 47, 48, 102 — Werner Reichstruchsess 1219: 47, 48 — Werner 1282: 465.

**Bolso** — Schöffe zu Dieburg 1253: 175.

**Bomgart** — Theil der Dreieich 403.

**Bommersheim,** Hessen-N., s. Homburg (Bomersheim, -hem) — v. B.: Arnold zu Fr. 1242: 129 — Emmerich Domkanonikus zu Mainz 1256: 209 — Gerlach Ritter 1226: 75 — Gerlach Ritter 1272: 307 — vgl. Niederbommersheim, Schelm, Zenechin.

**Bonames,** Hessen-N., n. Frankfurt (Bonemesa, Bonemese, Bonemesen) — 162, 612 — Erzpriester 707 — v. B.: Berthold Ritter 1240: 128 — Heinrich Ritter 1194—1227: 32, 49, 66, 75, 81.

**Bonaventura** — Erzbischof v. Ragusa 1288—1297: 547 (sig.), 722.

**Bonheim,** jetzt Bonheimer Hof bei Wöllstein, Rheinhessen (Bunna) — 7, 8, 10.

**Bonifaz** (Bonifacius) — VIII. Papst 1296—1300: 689 (bulla), 722, 748, 773, 775 — Bischof v. Parenzo 1289: 569 (sig.).

Bonlandia vgl. **Bolanden.**

Bonus vgl. **v. Sachsenhausen.**

Bopelinus vgl. **Boppo.**

**Boppard,** Rheinprovinz (Bobardiensis, Bopardia, Bopardiensis, Bopardin, Boparten) 17, 18, 27, 34, 99, 104*, 187, 188, 203, 402, 635*, 746*, 772, 916 — Schultheiss: 198 — Juden: 916.

**Boppo** (Bopelinus) — Dompropst zu Mainz 1222:
60 (sig.), 61 — Graf v. Wertheim (2).

**Bornfleck** (Bornflecke, Burnfleck, Burne- -flecka,
-flecken, -fleckin, -fleke, -vlech) — Konrad zu
Fr. 1278—1291: 399, 483, 498, 515, 516, 560, 566,
574, 577, 584, Schöffe 1291—1305: 590, 606,
629, 632, 642, 647, 649, 661, 662, 670, 690, 692,
695, 696, 705, 710, 715, 724, 732, 745, 751, 754,
762, 776, 777, 782, 785, 796, 799, 801, 802, 805,
814, 830, 832, 849, 853, 855, † 874. — Hedwig
Frau desselben, Tochter Gipels v. Holzhausen
1296—1308: 690, 695, 696, 849, 853, 855, 874, 898
— Vgl. auch Frankfurt, Hausnamen: Bornfleck.

**Bornheim**, Hessen-N., nnö. Fr. (Born- Burn-
-heim, -heym, Burencheim) — 433, 451, 458, 702,
724, 771, 856 — Steingazze 451 — v. B.: Konrad 1232: 98 — Heinrich 1194: 32 — Heinrich
1242: 129, vgl. Arnold.

**Bornheimer Berg** (Burnheimer berge) — 833.

**Brandenburg** a. d. Havel, Provinz Brandenburg —
Bischof: Volrad (Brandeburgensis).

**Braubach**, Hessen-N., nww. Wiesbaden (Briubahc,
Brubach) — 6 — v. B.: Heinrich Kustos zu
Wetzlar 1286: 507.

**Brauneck**, Württemberg, nnö. Creglingen — v. Br.
Gottfried 1284—1295: 480, 668 Anm.

Bredenbach, Breidenbach, vgl. **Breitenbach.**

**Breidewise** — Flrn. zu Kelkheim 495.

**Breisach** a. Rh., Baden (Bricasensis) — 187, 188.

**Breisich**, Rheinprovinz, soö. Ahrweiler (Briseche)
— Templer-Haus (domus milicie Templi) 277,
482, 484 — Komthur: Konrad — Meister: Hildebrand — Brüder: Gerlach v. Hohingen, Rudolf
v. Holzhausen.

**Breitenbach**, Hessen-N., nw. Schlüchtern (Breden-
Breyden- Breydin- Breytin- -bach) — v. B.:
zu Friedberg: Hartmann 1306: 871 — zu Gelnhausen: Hartmann † 1310: 927 — Frau Kusa 1310,
ib. — Hartmann Bruder Siegfrieds 1285: 503
— Hartmann Sohn Siegfrieds 1285: 503 —
Heilmann 1277: 394 — Siegfried 1277—1285:
324, 503.

**Breitenloere** — Konrad zu Fr., nach 1284: 485.

**Brendelin** — Burkard Ritter 1273: 311 (sig.).

**Brenden**, Baden, ssw. Bonndorf — v. B.: Iring
1283: 474.

**Bresto** (Bresta, Bresten, Brestro, Presto) — zu Fr.:
Adelheid Tochter Bertholds 1259: 224 — Berthold
(I) Sohn Harperns (I) Schöffe zu Fr. 1223—1248:
67, 68, 71, 79, 80, 90, 91, 97, 105, 109, 111,
137, 150, 183, † 219, 224, 283 — Bertold (II)
Sohn(?) des Vorigen, Schöffe zu Fr. 1258—1263: 219,
234, 249 — Christine Frau Harperns (II) 1223: 68,
† 219 — Gerhild Frau Bertholds (I) (1226)—1236:
80, 109, † (?) 219 — Harpern (I) † 1223, 68, 79,
80 — Harpern (II) Sohn des Vorigen, später
Mönch zu Arnsburg 1223 —(1226): 67, 70, 71,
79, 80, † 219, 224 — Hartmud Schöffe zu Fr.
1215—1228, 42, 45, 49—51, 57, 58, 68, 70—73,
75, 76, 79—81, 87 — Heidendrud Tochter Har-

perns (I), Frau des Hermann Schwarz vgl. Schwarz
— Heinrich Sohn Hartmuds 1215—1230: 42, 71,
91 — Petrissa Frau Harperns (I) † 1223: 68 —
Reinheid Tochter Harperns (I) 1223, † 1258: 68,
219 — Ohne Vornamen 159 — zu Friedberg:
Berthold 1258: 219 — zu Gelnhausen: Wortwin
1258: 219.

**Bretzenheim**, Hessen, sw. Mainz (Bricenheim) —
v. B.: Wolfwin (2 verschiedene) 1194: 32.

**Breuberg**, Hessen, ö. Neustadt (Bruberg, Bruberch)
— Herren v. B.: Gerlach Justiciar des Königs
Rudolf 1284—1305: 480, 596, 600 (sig.), 797,
829, 855 — Reyz 1239: 119.

Bricenheim vgl. **Bretzenheim.**

Brisacensis vgl. **Breisach.**

Brisecne vgl. **Breisich.**

**Brisinc** (Brizinc) — H., Kanonikus zu Aschaffenburg 1276: 364 — Heinrich, Ordo zu Dieburg
1219: 45.

Briubahc vgl. **Braubach.**

**Brixen**, Tyrol — Bischof: Landulf (Brixinensis).

Brizinc vgl. **Brisinc.**

**Bronnbach**, Baden, ssö. Wertheim (Brunnebach) —
Kloster 99 — Abt 103.

Brubach vgl. **Braubach.**

Bruberg vgl. **Breuberg.**

**Bruchhausen**, Baden, ssw. Heidelberg — 286.

**Bruchköbel**, Hessen-N., n. Hanau (Brüchkebel)
— 961.

**v. Bruchselde** (Bruchsal?) — Isaak Jude zu Fr.
1288: 556.

**Bruchwihe** (Brüchwyhe) — Hermann Schöffe zu
Bischofsheim 1289—1302: 564, 798. Kinder desselben: Hermann, Mechtild, Petrissa, Volrad 798.

von der Brücke vgl. **v. Offenbach.**

**Bruel** (Brule) — Flrn. bei Praunheim 365, 441.

**Brünn** in Mähren — 881*.

**Brunesbergen** — Flrn. bei Wachenbuchen 634.

Brunigis-, Bruningisheim vgl. **Preungesheim.**

Brunnebach vgl. **Bronnbach.**

**Bruno** — v. Köln — Dechant von St. Peter in
Mainz 1242: 130.

**Buchehes** — Flrn. bei Erzhausen 315.

Buchehes vgl. **Büches.**

**Buchen**, Hessen-N, Mittelbuchen und Wachenbuchen nw. Hanau (Buche, Buchin) 59, 119, 134,
162 Anm. — Erzpriester 598 (sig.) — Frank
und Frau Gudela 1301: 792 — Heinrich der
Rothe (Rufus) Ritter 1240—1262: 124, 243 —
Marquard (Silvestris) Ritter zu Sachsenhausen
1194—1232: 32, 57, 66, 68, 76, 97 — Winter
Ritter 1313: 965, vgl. Wachenbuchen.

Bucheseeken vgl. **Buseck.**

Buchenheim, Buckenheim, vgl. **Bockenheim.**

**Budil** — Heinrich Schöffe zu Bischofsheim 1289: 564.

Budingen vgl. **Büdingen.**

**Budua**, Dalmatien — Bischof: Inzelerius (Buduensis).

**Büches**, Hessen, w. Büdingen (Buches, Buchees,
Buchehes, Buchehees) — v. B.: Konrad Ritter
1265—1275: 255, 353 (sig.) — Engelhart Ritter

vor 1258: 222 — Richard Ritter 1234—1258: 101, 105, 222 — Richard der Jüngere Ritter, vor 1258: 222 — Rupert Ritter 1280: 437 — Wigand zu Heldenbergen 1303: 822 — Wigand Schultheiss zu Fr. 1312: 954.

**Büdesheim,** Hessen, sö. Friedberg (Butensheim) — v. B.: Heinrich Ritter 1242: 129.

**Büdingen,** Hessen (Budingen, Bütengin, Butingen, Bûtingin, Bûttingin) — v. B.: Konrad 1258: 223 — Gerlach Edelherr 1216—1239: 43, 46, 47, 81, 82, 100, 102, 119 — Büdinger Wald (Budingerwalt) 254.

**Bürgel,** Hessen, nö. Offenbach (Bergele, Birgele, Pargilla) — 7, 8, 10, 296, 335, 587, 791 — Schultheiss: Rupert.

Buimeistir vgl. **Baumeister.**

**Bulgerin** — Sybold Ritter 1303: 824.

Bumeister vgl. **Baumeister.**

Bunna vgl. **Bonheim.**

**Bunra** — Hartlieb 1261: 233.

Burencheim vgl. **Bornheim.**

**Burgund** — Pfalzgraf Otto 1193: 30.

**Burkard** (Burcard, Burchard, Burkard) — Propst zu Aschaffenburg, Kaplan Heinrichs VII 1231: 92 — Brendelin — Kanonikus an St. Bartholomaeus in Fr. 1223—1232: 70, 71, 75, 79, 80, 91, 97 — Propst zu Lorsch 1265: 256 (sig.) — Pfarrer zu Ober-Eschbach 1219: 45 — v. Schwanden — Bürger zu Seligenstadt 1261: 233 — v. Seulberg — Pfarrer zu Sprendlingen 1219: 45 — v. Ursel.

**Burlachin** — 664.

Burmeyster vgl. **Baumeister.**

Burnfleck vgl. **Bornfleck.**

Burnheim vgl. **Bornheim.**

**Buseck,** Hessen, ö. Giessen (Bucheseecken) — v. B.: Synand der Jüngere Ritter 1308: 880.

Butengin vgl. **Büdingen.**

Butensheim vgl. **Büdesheim.**

**zu dem Butschuh** — Volkwin und Frau Metza zu Fr. 1310: 931.

**Butterstadt,** Hessen-N., Butterstädter Höfe nö. Hanau (Bodderstat) — 132.

Buttingin vgl. **Büdingen.**

# C. K.

**C.** — Pfarrer an St. Bartholomaeus zu Fr. 1232: 97 — v. Rüdesheim — Schwab — v. Stophe — Witze.

**Cachelhart** (Cachilhart, Kachelhardus, Kachelhett) — Friedrich zu Fr. 1288: 544, 552, †825, 906, 944, 972 — Wittwe desselben: Hedwig 1303—1314: 825, 906, 944, 972 — Friedrich zu Fr., Diener des Kantors Albert v. Karben 1301: 789.

Kaczinelnbogen vgl. **Katzenelnbogen.**

Kadelcamf -camph, Cadelcamp, Cadercamp vgl. **Kelkheim.**

**Caecilie** (Cecilia) — Frau des Wetzelo zu Fr. 1299: 745.

**Kälberau,** Bayern, ö. Alzenau (Kelberowa) — v. K.: Friedrich 1221: 56.

**Kämmerer** (Camerarius, Kemerere) — Fridebert Schöffe zu Friedberg 1256: 204 — Fridebert zu Friedberg 1314: 969.

**Kärnthen** (Carinthia) — Herzog Bernhard 1219: 48.

**Cagliari,** Sardinien — Bischof: Rainuccius (Callatertanus).

**Kahlbach,** Hessen-N., sö. Homburg (Kaldebach) — 826 — Schöffen: v. Eckenheim, v. Kahlbach, Metzeler, v. Mörlen — v. K.: Folzo zu Fr. 1274—1303: 331, 378, 710, 732, 754, 826 — Hartmann und Frau: Engilreiz 1303: 826 — Hartung zu Fr. 1280—1303: 439, 826, 843 — Heinrich zu Fr. (Kaldebechere), Bruder Folzos 1274—1303: 331, 378, 586, 590, 634, 732, 826 — Stiefkinder des Vorigen: Bernheida, Hermann 1290: 586 — Wolfram zu Fr. 1274: 331.

**Kalchen,** Hessen, sö. Friedberg (Cochina, Coichin, Kouchene, Coychene, Koycheno) — 151, 162, |334, 463, 553* — v. K.: Heinrich Ritter 1256: 204 — Richwin Ritter 1232: 98.

**Kaiserslautern,** Bayern, Pfalz (Lutera, Luthara, Luittra, Lutra, Luttera) 8, 10, 13, 33*, 341*, 648*.

**Kaiserswerth,** Rheinprovinz, nw. Düsseldorf (Werde) — 34.

**Kalcburner** — Dietrich zu Sachsenhausen 1305: 859.

Calcedonia vgl. **Chalcedon.**

Kaldebach vgl. **Kahlbach.**

**Kalentin,** Ruine, Bayern, Bez. Monheim (Callendin) — v. K.: Heinrich Reichsmarschall 1193: 30.

Callatertanus vgl. **Cagliari.**

**Kalsmund,** Reichsburg bei Wetzlar (Cals- Kalsmunt) — 622 — v. K.: Heinrich Kanonikus zu Wetzlar 1286: 507.

**Camberg,** Hessen-N., n. Wiesbaden — 448.

Camerarius vgl. **Kämmerer.**

**Camerino,** Mittel-Italien — Bischof: Rambuttus (Camerinensis).

**Camermorgenen** — Flrn. bei Liederbach 872.

Campanarius vgl. **Glöckner.**

**Canosa,** Unter-Italien — Bischof: Theobald (Canensis).

**Capeedoniensis** (!) vgl. **Chalcedon.**

Capellarius vgl. **Keppler.**

**Capman** — Tilmann zu Fr. † 1310: 927.

**Capri** — Bischof: Nikolaus (Capretanus).

Caput vgl. **Haupt.**

**Karben** — Gross- und Klein-, Hessen, s. Friedberg (Carben, Carbin) 464, 764. 789, 835 — v. K.: Albert Kanonikus an St. Bartholomaeus zu Fr. 1275 — ca. 1290, Kantor daselbst 1300, 1301 und Pfarrer zu Steinheim 1300: 352, 450 (sig.), 531, 537, 615 (S. 304), 760, 788, 789 — Konrad Tügel Ritter 1225—1226: 72, 75 — Konrad zu Fr.? 1275: 354 — Friedrich Tügel Ritter 1284 — 1305, Burggraf zu Friedberg 1300: 491, 765, 825, 866 — Friedrich Ritter † 1298: 725 — Gertrud Frau des Ritters Hartmud 1282: 471 — Gisela Frau des Ritters Richwin 1280: 425 —

**Kistelberg,** Mühle bei Dieburg (Kistilbergh, Kystilberg) — 175, 510, 549, 550, 644, 672, 681.

**Citta di Castello,** Mittel-Italien — Bischof: Jakob (Castellanus).

**Civita Castellana,** Mittel-Italien — Bischof: Monaldus (Civitatis Castellani).

**Cleeberg,** Rheinprovinz, ssö. Wetzlar (Cleberg) — Gräfin Euphemia 1220: 39 Zus., vgl. Halber.

**Cleen,** Rheinprovinz, sö. Wetzlar (Clen) — 400 — v. C.: Konrad Ritter 1308: 824 — Johann Ritter: 1313: 965.

**Cleinesmide** — Konrad und Wilhelm, Gärtner zu Fr. 1215: 42.

**Clemann** (Clemannus) — Johannes Schultheiss zu Mainz 1308: 901.

**Clemens** — IV. Papst 1266—1268: 272 (bull.), 280 (bull.), 285 (bull.), 376, † 595 — V. Papst 1308—1312: 895, 908 (bull.), 946 (bull.), 949 (bull.).

Clen vgl. **Cleen.**

**Klingenberg,** Bayern, s. Aschaffenburg (Clinginburc) — v. K.: Konrad Schenk 1233: 100.

**Klingenfels** (Clingenvels) — v. K.: Gottfried Hochmeister der Johanniter für Alemannien 1293: 629.

Clobeloch, Clobelouch vgl. **Knoblauch.**

**Kloppenheim,** Hessen, s. Friedberg (Clopheim) — 294, 441, 462, 861.

Cloveloch vgl. **Knoblauch.**

**Clusenbach** — Flrn. bei Glauberg 211.

**Knoblauch** (Alleum, Allium, Clobeloch, Clobelochus, K(C)lobelouch, Clove- -loch, -loug, Knûbe- louh, -loch) — zu Fr.: Adolf, Schöffe 1310—1312, Bürgermeister 1311: 931, 939, 943, 944, 947, 952 — Konrad 1286?, 1293, Schöffe 1296—1300: 516?, 627, 647, 657, 692, 708, 724, 729, 751, 754, † 931 — Guda Frau Heinrichs 1254: 183, 283 — Guda Tochter Heinrichs, Nonne zu Thron 1254: 183, 283 — Heinrich 1223, Schöffe 1227—1263, 1268?: 68, 70, 79—81, 91, 111, 119, 134, 135?, 137, 138, 141, 146, 151, 162, 168, 170, 177, 183, 190, 205, 211, 219, 224, 243, 248, 249, 277?, 283, † ? 287, 289 — Hermann vgl. v. Offenbach — Jutta Frau Konrads 1293: 627, † 647, — Ottilie, vermählt mit N. N. v. Fronhausen † 1306: 870, 880.

**Cnuftinc** — Hermann Kaiserlicher Marschall 1222: 57.

**Coblenz** (Confluencia) — 718* — Stift St. Florin 106 Anm. — Deutschordenskommende 530 — vgl. de Cimiterio.

**Kobold** (Coboldus) — Heinrich Ritter 1250: 156.

Cochina vgl. **Kalchen.**

**Köbel,** Hessen-N., Bruchköbel n Hanau oder Marköbel nnö. Hanau (Kebele) — v. K.: Lukard zu Fr. 1238: 115.

**Cöln** (Colonia) — 187, 188 (sig.), 203, 604, 617*, 721 — Sondergemeinde St. Kolumba 604 — Einwohner: Agnes, Heinrich v. d. Pforte, Johannes v. d. Pforte (de Porta) — Johanniter: Komthur Hermann Jude — Erzbischöfe: Konrad, Heinrich — Domdechant 895 — v. C.: zu Fr.: Adelheid Frau Brunos 1294: 661 — Bruno

1290—1294: 570, 661 — Engilradis Mutter Brunos 1294: 661 — Gerung 1212: 38 — Hermann [v. d. Mühlengasse] 1286—1297: 516, 537, 604, 721, † 724 — Tilmann 1285—1294: 498, 503, 656, † 796.

**Könige und Kaiser:** Adolf, Albrecht, Karl der Grosse, Karl der Dicke, Konrad II, Konrad V, Theophano, Friedrich I, Friedrich II, Lothar I, Lothar III, Ludwig der Fromme, Ludwig der Deutsche, Ludwig III, Otto I †, Otto II, Otto III, Otto IV, Philipp, Richard, Rudolf, Wilhelm. Kaiserliche bezw. königliche Beamte: Kämmerer: v. Falkenstein — Kaplan: Burkard — Erzkaplan: Liutbert — Kanzler bezw. Erzkanzler: Arnolf, Egbert, Volmar, Fridugisus, Hebarhard, Hildebold, Waldo, Willigis — Küchenmeister: v. Rothenburg — Marschälle: v. Calentin, Cnuftinc, v. Justingen — Ministerialen: v. Berhtolvesheim — Notar: Werner — Protonotar: Degenhard — Schenk: Walter — Truchsess: v. Andwil.

**Königsbach** (Cuningesbach) — in der Dreieich 19.

Königsforst (Kunigesforst) vgl. **Dreieich.**

**Königstädten,** Hessen, nw. Darmstadt (Stede, Stedin, Steti, Stetin) 7, 8, 10, 406, 827.

**Königstein,** Hessen-N., nw. Fr. (Konig- Kunige- Kunigis- Küninge-stein) — 960 — Pfarrer: Gottschalk, Philipp — v. K.: Adelind Frau des Volvold zu Fr. 1294: 664 — Albert Ritter 1225—1236: 72, 91, 111 — Beatrix Tochter des Volvold, Nonne im Weissfrauenkloster zu Fr. 1294: 664 — Gottschalk Pfarrer zu Gronau 1290: 574, † 742, 747 — Hedwig Tochter des Volvold, Nonne im Weissfrauenkloster zu Fr. 1294: 664 — Volvold zu Fr. † 1294: 664 vgl. v. Erchenstein.

Coichin vgl. **Kalchen.**

**Kolbe** (Colbe, Kolbo) — Konrad aus Hochheim Bürger zu Mainz, später zu Fr. 1270—1284: 299, 454, 461, 478, 486, † 526 — Elisabeth Frau Konrads 1270—1287: 299, 478, 526 — Henlide Schwester Konrads 1270: 299.

Colbindensel vgl. v. **Bellersheim.**

**Colbe** — Burgmann zu Dornberg 1236: 111.

Colenhusen vgl. **Kolnhausen.**

**Colman** — Konrad Schöffe zu Dieburg 1253: 175.

**Colmar,** Elsass (Columbaria) — 187, 188, 402, 624*, 625* — Schultheiss 198.

**Colnerere** — Heinrich 1276: 363 zu Unter-Dorfelden.

**Colnerman** — Krämerin (institrix) zu Fr. 1283: 476.

**Kolnhausen,** Wüstung, Hessen bei Lich (Coln- Colen- -husen) — v. K.: Johannes Kanonikus an St. Bartholomaeus zu Fr. 1263—1267: 246, 268—270 — Markelo 1253: 175 — Werner Ritter 1232—1255: 98, 175, 186, 191, 192.

**Konrad** (Chun-Con--radus, Conraidus, Cunradus, Culemannus, Culmannus, Kylmannus) — Könige und Kaiser: II. 1034: 15 — IV. 1240—1251: 120, 126 (sig.), 127 (sig.), 142 (sig.), 144, 161, 163, 164 (sig.), 167 — v. Alsfeld — v. Altendorf — v. Alzei — Abt zu Arnsburg 1226: 75, 80 — Vitztum zu

Aschaffenburg 1303: 829 — in Atrio — v. Auheim — v. Bamberg — v. Bellersheim — v. Bergen (4) v. Berstadt — v. Bieber — Blassenberg — Bonus vgl. v. Sachsenhausen — Bornfleck — v. Bornheim — Komthur der Templer zu Breisich 1284: 482, 484 — Breitenloere — auf der Brücke = v. Offenbach — v. Büches — v. Büdingen — v. Karben — Karpho — v. Katzenfurt (2) — v. Kelsterbach — de Cespite vgl. v. Wasen — v. Cleen — Cleinesmide — v. Klingenberg — Knoblauch — Erzbischof v. Köln 1249—1254: 153, 157, 187, 188 — Colbe — Colbindensel vgl. v. Bellersheim — Colman — Kummer — v. Dietzenbach — Dirolf — v. Dornberg — Dortchenbois — Bischof v. Toul 1289: 569 — v. Trais — Trebote — Duchmecher — Dugel — Mönch und Notar zu Eberbach 1219: 51 — v. Eglingen — Archidiakon zu Eichstätt und Kanonikus zu Regensburg, pfalzgräflicher Notar 1292: 610 — v. Eltvil — zu Erfurt 1261: 232 — v. Erlenbach — v. Eschbach — v. Fechenheim — v. Feuchtwang — Vinitor — Pfarrer zu Flörsheim 1273: 316 — Propst zu St. Bartholomaeus zu Fr. und Dompropst zu Mainz 1186—1215: 42, 59 Anm. — Dechant zu Fr. und Pfarrer zu Fechenheim 1230—1243, ausser Amt 1251: 91, 97, 119, 121, 135, 167 — desgl. 1280—1290: 432 (sig.), 450 (sig.), 471, 531, 537, 554, 574 — Kanonikus zu Fr. 1194—1219: 32, 42, 45 — desgl. 1219: 45 — Kleriker zu Fr., Kellermeister des Dechanten Ditmar 1301: 779 — Prior der Dominikaner zu Fr. 1270: 296 (sig.) — Lektor derselben 1292: 620 — Vogt zu Fr. 1194—1219: 32, 37, 52 — Schultheiss zu Fr. 1263—1268 vgl. v. Sachsenhausen — 2 Schöffen zu Fr. 1243: 135 — zu Fr. unbestimmt: 1219: 50 — † 1258: 221 — Sohn des Herold 1263: 248 — in den Gärten (in ortis) 1271: 300 — 1271: 301 — 1273: 314 — Barbier zu Fr. † 1292: 605, 813 — Brauer zu Fr. † 1288: 544, 552 — Goldschmidt zu Fr. 1298 —1299: 727, 742, 747 — Steinmetz zu Fr. 1294: 657 — Ritter zu Fr. 1280: 427 — 1295: 670 — 1299: 745 — Abt von St. Gallen 1234: 102 — v. Gattenhofen — Geilinhuser — v. Gisenheim — Glöckner — v. Godelau — Propst zu Goslar 1193: 30 — iuxta Graburnen — v. Grünberg, Enkel Rudolfs zu Fr. 1306: 873 — v. Grüningen — Gysubel — v. Haarheim — v. Hagen — Kellermeister zu Haina 1230: 90 — v. Hallstadt — v. Hattstein (2) — Haupt — v. Heldenbergen — Herzog — v. Heusenstamm — Hilde — Propst zu Höchst 1286: 519 — v. Hofheim — vom Hohenhaus — v. Hohenstein — v. Holzhausen — Hubvel — v. Hüftersheim — v. Idstein — zu Langenselbold 1300: 761 — v. Lissberg — v. Lützelhard — v. Luppurch — Erzbischof v. Mainz 1189— 1193: 31, 32 Anm. — desgl. 1250: 154 — Dompropst vgl. Propst zu Fr. — Kantor an St. Peter zu Mainz 1243: 130 — Abt v. St. Alban daselbst 1281—1293: 451, 458, 628 — Prior v. St. Alban

daselbst 1310: 937 — v. Mainz — Stiefsohn Friedrichs v. Marburg 1240: 124 — Medebruwere (Medenmechere) — Meisenbug — Melpoden — Bischof v. Metz und Speyer 1219—1221: 47, 48, 56 (sig.) — Milde — v. Mörlen — v. Momberg — Monich — v. Mühlbach — Münzer — v. Muschenheim — Abt zu Neustadt und Seligenstadt 1273: 320 — Nubeler — Burggraf zu Nürnberg — v. Offenbach — v. Olm — Pampelun — v. Petterweil — v. Praunheim — zu Praunheim 1281: 441 — v. Preungesheim — Raugraf 1254: 187, 188 — Reio — v. Rendel — Rindfleisch — v. Rodde — v. Rodenstein — v. Ronneburg — Rossdorfer — Roth — v. Rüdigheim — Rueser — v. Sachsenhausen (5) — Deutschordens-Komthur zu Sachsenhausen 1257: 211 Anm. — zu Sachsenhausen 1294: 661 — Bruder des Reichsschenken Walter 1216: 43 — Schlechtorn — Schnabel — Mönch zu Schönau 1225: 73 — Laienbruder zu Schönau 1277: 388—390 — v. Schöneberg — Schwab — Herzog v. Schwaben — Vogt zu Schwalbach 1287: 533 — Schwarz — von dem Schwerte — v. Seckbach — Abt v. Seligenstadt vgl. Neustadt — Sohn des Vogtes Wignand v. Seligenstadt 1306: 871 — Schwiegersohn des Ludolf v. Steinhaus zu Seligenstadt 1306: 871 — Bischof v. Speyer = Bischof v. Metz — Bischof v. Speyer 1235: 107 — Dompropst daselbst 1221: 56 — v. Speyer — Starkerat — v. Steinach — Steinbok — v. Steinheim — Bischof v. Strassburg 1280: 435 — v. Sulzbach — Ulner — v. Wachenheim — Wanman — v. Wasen — Weczil — v. Weinsberg — v. Weisskirchen — v. Wetter — Erzpriester zu Wetzlar 1240: 124 — v. Wiena — v. Wilnsdorf (2) — Wise — Wobelin vgl. v. Offenbach — v. Wöllstadt — Kanonikus zu Worms, Schreiber des Erzbischofs v. Mainz 1303: 829 — Wurzeler — Zenechin — Zurcher.

**Konradsdorf,** Hessen, Hof sw. Ortenberg — Kloster 453.

**Consanus** vgl. **Conza.**

**Konstanz,** Baden — 916*.

**Conza,** Unter-Italien — Erzbischof: Adinulf (Consanus).

**Coquinarius** vgl. **Küchenmeister.**

**Coron,** Griechenland — Bischof: Thomas (Coronensis).

**Kostheim** ö. Mainz (Cuf- Kuf- Kuff- -stein) — 7, 8, 10.

**Kouchene** vgl. **Kalchen.**

**Coychene, Koycheno** vgl. **Kalchen.**

**Kraft** (Crafto, Craftho) — Mönch zu Arnsburg 1278: 399 — v. Bellersheim (2) — Beichtvater im Kloster Thron 1295: 666 — Deutschordens-Komthur zu Flörsheim 1273: 316 — zu Fr. 1290: 579 — desgl. 1300: 771 — v. Fronhausen — v. Greifenstein — Weltlicher Richter zu Mainz 1310: 937 — Reio — v. Rüdenhausen.

**Kranich** (Grus) — Erwin Burgmann zu Friedberg und Sohn 1234: 101 — Erwin Ritter, Schultheiss zu Fr. 1298: 724, 727, 729.

**Cransberg,** Hessen-N., ö. Usingen (Cranichisberg)

— Erwin Kranich (Grus) v. Cr. der Jüngere Ritter und Frau Lukard zu Fr. 1293: 642, wohl identisch mit dem Schultheissen Erwin Kranich.

**Crawe** — Konrad zu Wetzlar 1306: 871.

**Krebs** (Krebiz) — Johannes zu Schwalbach 1287: 533.

**Creyenbruch** — Wald bei Rendel 734.

**Kreiss** — Knappe zu Dieburg 1314: 968.

**Kreuznach,** Rheinprovinz (Crucenacum. Krucinacha, Crutci- -nacha ,-nacho) — 8, 10 — Karmeliter zu Kr. 575.

**Cribel** — Johannes zu Fr. 1284: 483.

**Kriftel,** Hessen-N., ö. Wiesbaden (Crüftele, Cruftil) — 374, 733.

**Cristantia** — vom Frohnhof.

**Cristina** vgl. **Christine.**

**Croja,** Epirus — Bischof: Romanus (Crohensis).

**Krombach,** Bayern, nnö. Aschaffenburg (Crum- Krum- -bach, -pach) — v. Kr.: Heinrich Pfarrer zu Bacharach 1288: 549 — Rucker zu Fr.: 1219: 49.

**Cronberg,** Hessen-N., sw. Homburg (Cron- Cronen- Cronin- Kronnen- -berc, -berch, -berg) — Pfarrer: 309 — v. Cr.: Kuno Ritter 1279: 408 — Frank Ritter, Bruder des Vorigen 1279: 408 — Hartmann ca. 1234—1250: 159 — Hartmud Ritter 1235—1242: 106, 115, 129 — Hartmud Deutschordensbruder zu Sachsenhausen 1273: 324, 325 — Hartmud Ritter 1276—1313: 366, 433, 471, 965, vielleicht zwei verschiedene — Otto 1238: 115 — Brüder 309, vgl. auch v. Rohrbach.

**Crop** — Volmar zu Fr. 1275: 354.

**Crucenacum** vgl. **Kreuznach.**

**Cruftele, Cruftil** vgl. **Kriftel.**

**Crumbach** vgl. **Krombach.**

**Crutzeacker** — Flrn. bei Arheiligen 900.

**Küchenmeister** (Coquinarius) — Aplo Ritter 1313: 965.

**Külsheim,** Baden, nw. Tauber-Bischofsheim (Kulscheym) — 624.

**Cuf- Kuf- Kuff- -stein** vgl. **Kestheim.**

**Kugelnberg,** Ruine in Bayern onö. Aschaffenburg (Kuglenberc) — v. K.: Albert Domkanonikus zu Mainz 1222: 60.

**Kulesrot** — Flrn. bei Rendel 363.

**Kullyne** — Hartmud Ritter 1256: 204.

**Kulm,** Westpreussen — Bischof: Friedrich.

**Kummer** (Cumer) — Konrad 1245—1259: 137, 224.

**Kummerinna** — zu Fr. † 1284: 485.

**Kunigesforst** vgl. **Dreieich.**

**Kunigestein** vgl. **Königstein.**

**Kunigunde** (Kunegunde, Cusa, Kusa) — v. Breitenbach — v. Driedorf — v. Fechenheim — Finke — zu Fr. 1270: 296 — Beghine zu Fr. 1301: 787 — Beghine zu Gelnhausen 1311: 945 — v. Glauburg — v. Hachenburg — v. Heusenstamm — v. Holzhausen — zu Lich 1298: 731 — v. Limburg — Frau des Baldung zu Mainz 1284: 490 — von der Alten Münze — v. Offenbach — v. Preungesheim — Rindfleisch — v. Sachsenhausen — v. Seckbach — v. Seulberg — Smizcekil

— v. Steinheim — v. Weinheim — zu Wetzlar 1274: 337 — v. Wickstadt — Wingarter.

**Cuningesbach** vgl. **Königsbach.**

**Kuningestein** vgl. **Königstein.**

**Kuno** (Cono, Cuno) — v. Cronberg — Abt zu Ellwangen 1219: 47 — zu Fr. † 1306: 877 — Schultheiss zu Friedberg 1285, ausser Amt 1306: 498 Anm., 503, 871 — Abt zu Fulda = Abt zu Ellwangen — Halber — v. Hattstein — v. Mainz — v. Münzenberg (3) — Pfarrer zu Oberursel 1307: 888 v. Preungesheim — v. Reifenberg — v. Sachsenhausen — v. Wöllstadt.

**in Curia** — Werner zu Fr. 1290: 570.

**Kurland** — Bischof: Edmund.

**Kusa** = Kunigunde.

**Kylmann** vgl. **Konrad.**

**Czanad,** Ungarn — Bischof: Antonius (Cenodiensis).

# D. T.

**Talanweck** — Flrn. 5.

**Dalheim** — Wüstung w. Wetzlar — v. D.: Siegfried Kanonikus zu Wetzlar 1286: 507.

**Damburga** — v. Arheiligen.

**Daniel** — Kantor an St. Stephan in Mainz 1292: 614 (sig.).

**Dankmod** — v. Mainz vgl. v. Offenbach.

**Darender** (Tharender) — zu Fr.: Heinrich † 1296, Frau: Hilla, Kinder: Adelheid, Elisabeth, Hartmann, Heilmann 1296: 692 — Wigand Bäcker zu Ursel 1284: 494.

**Darnacensis** vgl. **Tournay.**

**Dauhunt** — Walter zu Fr. 1267—1276: 267, 878.

**Daverin?** — 413.

**Degenhard** (Degenardus, Degen- Deigen- Tegen- Thegen- -hardus) — Schöffe zu Fr. 1222—1223: 58, 66, 70 — Propst zu St. Johann in Hauge, Protonotar König Heinrichs (VII) 1234—1235: 102, 107.

**Deidesheim,** Bayern, nww. Speyer (Didensheim) — 652.

**Deigenhardus** vgl. **Degenhard.**

**Delemanus** vgl. **Tilmann.**

**Delkenheim,** Hessen-N., osö. Wiesbaden (Delkelnheim) — v. D.: Friedrich Ritter 1311: 941 (sig.).

**Demarus** vgl. **Ditmar.**

**Templer** — im Allgemeinen 139 — Haus zu Breisich.

**Demut** (Demodis, Demudis) — v. Erlenbach — vom Hohenhaus — zum Rothen Löwen — Sensenschmidt.

**Derbach** — bei Dieburg 644.

**Tercibulensis** (!) vgl. **Tortiboli.**

**Dern,** Hessen-N., nnö. Limburg (Derne) — v. D.: Gottfried Ritter 1308: 901.

**Dernbach,** Hessen-N., Ruine onö. Herborn (Derenbach) — v. D.: Albert Stellvertreter (socius) des Pfarrers zu Fr.: 1298—1304, Pfarrer 1308: 723, 847, 848, 899, 905 (sig.) — Arnold Kanonikus zu Wetzlar 1286—1290: 507, 578 — Giselbert Bruder des Vorigen 1286—1290: 507, 578.

**Terracina,** Mittel-Italien — Bischof: Franciscus
(Terracinensis).

**zum Destbaum** — Flrn. bei Hochstadt 495.

**Deutschland** (Ale- Ali- Alle- -mania, -mannia) —
86, 92, 149, 196, 220, 247, 318, 410, 433, 525,
526, 532, 580, 630, 778, 835, 904, 946.

**Deutschorden** — im Allgemeinen: 244 — in der
Mainzer Diözese: 172, 562 — Deutschmeister
und Hochmeister: Konrad v. Feuchtwang, Hartmann, Hermann, Gerhard v. Hirzberg, Konrad
v. Nürnberg, Anno v. Sangerhausen, Burkard
v. Schwanden, Winrich, 433 — Kommenden:
Coblenz, Flörsheim, Mainz, Marburg, Nürnberg,
Sachsenhausen, Weinheim.

Dezelnheim vgl. **Windecken.**

**Theobald** — Bischof v. Canosa 1285—1289: 499,
569 — Abt zu Eberbach 1212: 38.

**Theoctistus** — Erzbischof v. Adrianopel 1288—
1289: 547, 548.

Theodericus vgl. **Dietrich.**

**Theophano** (Theophania) — Kaiserin 979, 11, † 14.

Thidericus vgl. **Dietrich.**

Thyertero vgl. **Ditherco.**

Thilemannus, Thylemannus vgl. **Tilmann.**

Tholomeus vgl. **Ptolomäus.**

**Thomas** — v. Aachen — v. Aquamunda — Bischof
v. Coron 1299: 748 — Bischof v. Eti 1300: 775 —
Magister, Kanonikus zu Wetzlar 1286: 507.

Thrieych vgl. **Dreieich.**

**Thron,** Hessen - N., nnw. Homburg — Kloster
(Tronum, Thronum s. Marie) 151, 152, 162,
183, 193, 205, 283, 301, 380, 381, 404, 483,
484, 594, 636, 650, 666, 667, 690, 725, 735, 739,
768, 787, 833 (S. 424), 839 Anm., 913 (sig.) —
Äbtissinnen: Agnes, Mechtild — Beichtvater:
Kraft — Laienbrüder: Wenzel v. Birklar, Eppert
— Nonnen: Guda Knoblauch, Adelheid v. Offen-
bach (Wobelin), Adelheid v. Praunheim, Adelheid,
Katharina, Jutta und Margaretha v. Wetzlar.

Thudelnsheim vgl. **Düdelsheim.**

**Thüringen** (Turingia) — Landgraf Hermann
1216: 43.

Dyboldus vgl. **Diepold.**

Tyburia vgl. **Tivoli.**

Dicenbach vgl. **Dietzenbach.**

**In dem Dyche,** — Flrn. bei Liederbach 872.

Didensheim vgl. **Deidesheim.**

**Dydinkeim,** vielleicht Dietesheim, Hessen, nnw.
Seligenstadt — 284.

**Diebach,** Rheinprovinz, ssö. Bacharach (Dietpach)
— 187, 188.

Diebach vgl. **Langendiebach.**

**Dieburg,** Hessen, onö. Darmstadt (Dei- Deypurg,
Diburg, Dieppurg, Dieppurch, Dipburg, Dippurg,
Dipurg, Ditburc, Dyburg, Dyeburg,) — 510, 537,
549, 550, 644 (sig.), 651, 672, 681, 703, 717, 900, 968
— Vogt: Rudolf Beckenhube — Minoriten 644
(sig.) — v. D.: Albert Minorit zu Fr. 1257: 215 — H.
zu Fr. 1274: 331 — Heinrich Dominikaner zu
Fr. 1295: 666 — Jungo zu Fr. 1312: 954 —

Ludwig zu Fr. 1215: 42 — Wilhelm Ritter
1296: 703 (sig.) vgl. Aumann, Brisinc, Groschlag,
Speculum, Weiss.

Diedericus vgl. **Dietrich.**

**Tiefenthal,** Hessen-N., wsw. Wiesbaden (Diffendal, Difindal) — Kloster 299, 310, 454, 461, 526.

Diemar vgl. **Ditmar.**

**Diepold** (Diobuldus) — Abt zu Eberbach 1219: 51
— Markgraf v. Vohburg — zu Offenbach 1284: 495.

**Diether** (Dietherus, Ditherus, Dytherus, Dittherus)
— Erzbischof v. Trier 1301: 781. — Graf v.
Katzenelnbogen — v. Herbordisheim — zu Ober-
stetten 1303: 832.

**Dietho** — v. Ravensburg.

Dietpach vgl. **Diebach.**

**Dietrich** (Didericus, Diedericus, Diethericus, Didricus, Theodericus, Theodoricus, Tidericus) —
Laienbruder zu Arnsburg 1245: 138 — v. Bartenhausen — v. Bergen (Bergo) — Dechant an
St. Martin in Bingen 1264—1268: 274 (sig.),
275 (sig.), 281 — Kalcburner — Erzbischof v. Trier
1219—1233: 47, 56 (sig.), 82, 100 — Laienbruder zu
Eberbach 1225: 73 — Eisenmenger — v. Eschbach — Kanonikus an St. Bartholomaeus zu Fr.
1215—1223: 42, 70 — Städtischer Notar zu
Fr. 1288—1310: 552, 590, 606, 620, 632, 659,
667, 690, 865, 891, 893, 929 — Scholar zu Fr.
1215: 42 — Kellermeister zu Haina 1219: 50
— v. Hallgarten — Graf v. Hochstaden — zu
Lich 1298: 731 — zu Liederbach 1306: 872 —
Propst an St. Mariengreden in Mainz 1222: 60, 61
— v. Massenheim — Melwer — Stiefsohn des
Ritters Gernand v. Mörlen 1272: 308 —
Johanniter - Komthur zu Nidda 1289: 566 —
— Preco — v. Preungesheim — Pungir — Randecke — Propst zu Rassdorf 1251: 167 (sig.) —
— v. Rohrbach (2) — Abt zu Rommersdorf
1277: 387 — Roth — Deutschordensbruder zu
Sachsenhausen 1273: 324 — zu Sachsenhausen
1292: 615 — Schelm (2) — Burggraf zu
Starkenburg — v. Wickstadt — Bischof v. Wierland (Vironensis) 1259—1270: 226 Zus., 228,
298 — Zenechin.

**Dietzenbach,** Hessen, s. Offenbach (Dicen- Diezen-
Ditcen- -bach) — Schultheiss: Hildebrand — v. D.:
Konrad zu Fr. 1270: 296 — Heinrich zu Okarben
1284: 494.

**Diez a. d. Lahn** (Dietis, Diets, Dietz, Dits, Ditse) —
v. D.: Graf Gerhard 1219—1221: 47, 56 — Graf
ohne Namensnennung 1281—1282: 448, 465 —
Heinrich Kanonikus an St. Bartholomaeus in Fr.
1223: 60, 70, 71 — Heinrich Kanonikus an St
Mariengreden in Mainz 1281: 447 — Philipp
Propst an St. Bartholomaeus in Fr. 1222: 59
(sig.), 60, † 63, 64, 69, 112, 113.

Diffen- Difin- -dal vgl. **Tiefenthal.**

**Dillingen,** Hessen-N., nön. Homburg (Dilingen,
Düllingen) — 311 — v. D.: Graf H. 1227: 82.

**Tilmann** (Dele- Dil- Dile- Dyle- Thyle- Tile- -mannus)
— Capman — Keppler — v. Köln — Bendeler.

**Tilo** (Dylo) — v. Bellersheim.

Dimar vgl. **Ditmar.**

**Dimo** — Jäger 1232 : 98.

**Dina** (Dyna) — Hebamme zu Fr.: (obstetrix) 1302 : 812 — v. Ossenheim — v. Sachsenhausen (Urberg) — v. Wöllstadt.

Diobuldus vgl. **Diepold.**

**Dirolf** — Konrad Schöffe zu Dieburg 1253 : 175.

**Ditdinkelmer** (Dietesheimer ?) Hecke bei Steden 832.

**Ditherco** (Thyerthero) — Wigand Schöffe zu Wetzlar 1285—1286 : 503, 507.

**Ditmar** (Demarus, Diemarus, Ditmarus) — v. Frankenberg — zu Fr. 1295 : 666 — zu Friedberg 1258 : 219 — v. Massenheim — zu Sachsenhausen † 1305 : 859.

**Ditwin** — Dominikaner zu Fr. 1310 : 936 — zu Friedberg, Bruder des Schultheissen Kuno 1285—1306 : 498 Anm., 503, 871 — Schultheiss zu Langen 1303 : 827 — v. Ostheim (Oscheym).

**Tivoli**, Mittel-Italien (Tyburia) — 954*.

**Dörnigheim**, Hessen-N., w. Hanau (Dorenkeim, Durenhelm, Durengheim, Duringheim, Durinkeym) — 220, 278, 782, 917 — v. D.: Folzo Schöffe des Frohnhofes zu Fr. 1288—1289 : 542, 564 — Berthold, Heilmann Brüder 1301 : 782 — Helfrich zu Fr. 1263 : 246.

**Tolderlin** — H. v., Kanonikus zu Aschaffenburg 1276 : 364.

**Toledo**, Spanien — Bischof: Elipandus (Toletanus).

**Dominikaner** — im Allgemeinen 139, 140 — Niederlassungen vgl. Frankfurt.

**Donauwörth**, Bayern (Werde) — 83.

**Donechelo** — Flrn. bei Bockenheim 833 (S. 425).

**Tongern** — v. T.: Wilhelm (Tongrensis) Mönch zu Eberbach 1225 : 73.

Dorenburg vgl. **Dornberg.**

Dorenkeim vgl. **Dörnigheim.**

**Dorfelden**, Ober- und Nieder-, Hessen-N., nw. Hanau (Dor- -felden, -feldin, Dornvelden) — 363, 634. 834 — Dorfelder Weg bei Wachenbuchen 634.

**Dorfgüll**, Hessen, wnw. Hungen (Gulle) — 68, 219.

**Dorheim**, Hessen, onö. Friedberg — v. D.: Heinrich zu Fr. 1285—1306 : 498 Anm., 503, 871.

Dorinburg vgl. **Dornberg.**

**Dorla**, Provinz Sachsen, s. Mühlhausen — Propst: Emmerich (Dorlonensis).

Tornacum vgl. **Tournay.**

**Dornberg**, Hessen, s. Grossgerau (Doren- Dorin- Dorn- -burg) — 111, 261 — v. D.: Adelheid Schwester Konrads 1236 : 111 — Konrad 1236—1255 : 111, 190 Anm. — Eberhard 1219 : 49, 51 — Jutta Frau Konrads 1236 : 111 — Truchsess: Hermann.

**v. Dorne** — Peter Ritter 1265 : 255.

Dornvelden vgl. **Dorfelden.**

**Torres**, Sardinien — Bischof: Johann (Turritanus).

**Dortchenbois** (Durchenbus, Durrenbosche) — Konrad zu Fr. 1281 : 451, † 813 — Kinder desselben: Heinrich 1291—1302 : 588, 813 — Mechtild Beghine 1302 : 813.

**Dortelweil**, Hessen, s. Friedberg (Durkel- -wila -wile, Turkelwile) — 720, 753, 764, 861.

**Tortiboli**, Unter-Italien — Bischöfe: Marsilius, Nikolaus (Turri- Turti- Terci- (!) -bulensis).

**Dortmund** (Tramonia, Drut- -munde,-munne,-munni) — 17, 18, 27, 34.

**Dottenfeld**, Hessen-N., Hof w. Gronau nw. Hanau (Dudinfelt) — 542.

**Toul**, Frankreich — Bischof: Konrad (Tullensis).

**Tournay**, Frankreich (Tornacum) - 89* — Bischof: Stephan (Darnacensis!)

Dra vgl. **Trohe.**

**Drabodo** (Draboto, Dragebodo, Dragbotus) — 1253, 175 — Mönch zu Fr. ? 1302 : 801 — v. Hagen — Kanonikus zu Mainz und Propst zu Heiligenstadt 1282 : 467.

**Dragefleisch** — Gerlach, Ludwig Schöffen zu Giessen 1306 : 880.

Traguriensis vgl. **Traù.**

Tragusinus verderbt für Ragusinus vgl. **Ragusa.**

Draha vgl. **Trohe.**

**Trais**, Hessen, nö. Münzenberg (Treisa, Treyse) — v. Tr.: Konrad zu Fr. 1221 : 56 — Hermann und Frau Adelheid zu Fr. 1301 : 782.

Tramonia vgl. **Dortmund.**

**Trantibulensis?** = Turtibulensis? — Bischof: Marcellinus.

**Traù**, Dalmatien — Bischof: Gregor (Traguriensis).

**Trebote** — Konrad Ritter 1318 : 965.

**Trebur**, Hessen, wnw. Darmstadt (Triburia, Triburias, Triburium, Dribure) — 6*, 8, 10, 12*, 70, 174, 325, 406, 827 — Vögte: Giso, Werner — Vögtin: Adelheid — Schultheiss: C., Werner — Schöffen: 406.

**Dreieich**, Königsforst bei Fr. (Driech, Dryeich, Dryeyche, Drieich, Drieihc, Drieych, Thrieich, Trieich) — 10, 19, 30, (55), (107), (242), 255, 292, 318, 381, 403, (455), 589, 593, 600, 636, (639), (675), 698, 735, (740), 746, (889), (922). — In den eingeklammerten Nummern wird nur der „Reichswald" schlechtweg genannt, als „Königsforst" in Nr. 954.

Treisa, Treyse vgl. **Trais.**

Treveri vgl. **Trier.**

Triburia vgl. **Trebur.**

Tridentinus vgl. **Trient.**

Driech vgl. **Dreieich.**

**Driedorf**, Hessen-N., nw. Dillenburg (Dridorf) — 254 — v. D. zu Wetzlar: Kunigunde † 1286 : 506, 541 — Gottfried 1255 : 200 — Rupert und Frau Gudela 1281 : 440.

Trieich, Drieich vgl. **Dreieich.**

**Trient** a. d. Etsch — Bischöfe (Tridentinus): Albert, Heinrich.

**Trier** (Treveri) — Diöcese 519, 781 — Erzbischöfe: Boemund, Diether, Dietrich, Heinrich — Archidiakon: Gottfried v. Eppstein.

**Trohe**, Hessen, onö. Giessen (Dra, Draha) — v. Tr.: Erwin Ritter 1253—1255 : 175, 190, 191.

**Troja**, Unter-Italien (Troia) — Bischof: Walter.
**Tronum** vgl. **Thron.**
**Druckint** — Rudolf zu Sachsenhausen 1288: 543.
**Drunkelen** — Werner Schöffe zu Dieburg 1253: 175.
**Drutlieb** (Druthlibus) — zu Langenselbold 1300: 761.
**Drutlind** — Beghine zu Fr. 1300: 767 — Segelo
  — v. Umstadt — v. Weinheim.
Drutmunde, Drutmunne vgl. **Dortmund.**
**Drutwin** (Trutwin) — v. Frankfurt — Schrenke.
**Dubenbornen** — Flrn. bei Wachenbuchen 634.
**Tuch** — Heinrich Burgmann zu Dornberg 1236: 111.
**Duchmecher** (Duchmechere, pannifex) — Erwin
  zu Fr. † 1294: 656, 796 — Ludwig zu Fr. 1267,
  Schöffe daselbst 1276—1287: 267, 366, 378, 379,
  401, 408, 413, 427, 471?, 493, 503, 509, 521,
  523, † 629 — Konrad Sohn desselben 1276: 378.
Dudinfelt vgl. **Dottenfeld.**
**Dudo** — 1253: 175 — zu Seckbach 1281: 451 —
  v. Weinheim.
**Düdelsheim**, Hessen, n. Büdingen (Dudels- Dudelns-
  Thudelns- -heim) — 178 — v. D.: Godebold und
  Frau Hildeburg zu Glauberg 1253, † 1257: 178,
  211, 222, 223 — Johann Schöffe zu Glauberg
  ca. 1257: 222 — Wigand 1253: 175.
**Duvel** — Heilmann zu Fr. 1300: 771.
Dugel, Dugelo, Tugil vgl. v. **Karben.**
**sub Tuguriis** — Wigand zu Wetzlar 1240: 124.
**Duimus** — Bischof v. Hvar (Lesina) 1289: 569.
**Duisburg** (Dus- -purc, -burc) — 27, 34.
Tullensis vgl. **Toul.**
Düllingen vgl. **Dillingen.**
**Durandus** — Diakon 823: 5.
Durchenbus vgl. **Dortchenbois.**
Durenheim, Duringheim, Durinkeym vgl. **Dörnig-
  heim.**
Turingia vgl. **Thüringen.**
**Duringus** — Gerhard Ritter 1257: 211.
Durkelwile, Turkelwile vgl. **Dortelweil.**
v. **Durne** — Ruprecht 1193: 30, 31.
Durrenbosche vgl. **Dortchenbois.**
Turribulensis vgl. **Tortiboli.**
Turritanus vgl. **Torres.**
Turtibulensis vgl. **Tortiboli.**
Dusburc vgl. **Duisburg.**
**Tusculum**, Italien — Bischof: Johann.
**Dutchenvelt** — Flrn. bei Fr. 627.
**Dux** vgl. **Herzog.**

# E.

**E.** — v. Dra = Erwin v. Trohe — E. Prior der
  Dominikaner zu Fr. = Eberhard — E. Dechant
  an St. Bartholomaeus zu Fr. 1209: 42 Anm.
Ebberbac vgl. **Eberbach.**
Ebberwin vgl. **Erwin.**
**Ebelin** — Abt zu Eberbach 1267: 265.
**Eber** — Heinrich und Frau Adelheid zu Fr.
  1296: 688.
**Eberbach**, Hessen-N., w. Wiesbaden (Ebberbac,

Everbach) — Kloster 21, 31 Anm., 37, 45 Anm.,
  49, 51, 52, 308, 337. — Äbte: Theobald, Diepold,
  Ebelin, Erkenbert — Prior: Erkenbert —
  Supprior: Nibelung — Kellermeister: Arnold,
  Erkenbert, Gerhard — Kantor: Gerhard —
  Sacrista: Gerhard — Mönche: Karl, Konrad,
  Eberhard, v. Tongern, v. Eltville, Frank, Heinrich,
  Helfrich, Simon — Laienbrüder: Bertram, Betzelo
  zu Gehaborn, Dietrich, Emmerich, Meinhard zu
  Leeheim, Reiner, Rudolf zu Osterspai, Wigand
  zu Hassloch.
**Eberhard** (Eber- Ebir- Ever- hardus) — ca.
  1234—1250: 159 — v. Bergo — Graf v. Katzeneln-
  bogen — zu Kilianstädten 1302: 810 — v. Dorn-
  berg — Magister E. Mönch zu Eberbach 1212: 38
  — v. Eberstein — v. Echzell — v. Fauerbach —
  Prior der Dominikaner zu Fr. 1262: 242, 244
  — Schultheiss zu Fr. 1242—1244: 131, 134, 136
  — Magister E. Stadtnotar zu Fr. 1311: 943, 944
  — Kaufmann zu Fr. (mercator) ca. 1210—1220:
  54 — v. Hagen — Graf v. Helfenstein — v. Hütten-
  gesäss — v. Lautern — Kustos von St. Marien-
  greden zu Mainz 1288: 403 — v. Meielsheim —
  v. Radekopf — Erzbischof v. Salzburg 1219: 48
  — Wambold — Waro — Weiso.
**Eberhardes - Waren - vorst** — bei Hassloch 37, 49.
**Ebernand** — Burgmann zu Dornberg 1236: 111
  — v. Rumpenheim.
v. **Eberstein** (Ebirstein) — Eberhard 1234: 102
  — Friedrich Domkanonikus zu Mainz 1222: 60
  — Wolfram 1313: 966.
Eberwin, Ebirwin, Everwin vgl. **Erwin.**
Ecclo vgl. **Eckelo.**
**Echzell**, Hessen, nö. Friedberg (Echezile) — 156
  — v. E.: Eberhard 1254: 182.
**Eekard** (Eckardus, Ekkardus, Eke- Ecge- Ecke-
  hardus) — Schöffe zu Trebur 1278: 406 —
  Magister E. Kanonikus an St. Bartholomaeus zu
  Fr. 1281: 452 — Geistlicher und Notar (tabellio)
  zu Fr. 1297—1307: 721, 723, 891 — Sohn des
  Emmerich zu Fr. 1271: 300 — Krämer (institor)
  zu Fr. 1290: 574 Zus. — v. Frauenrode —
  Schöffe zu Friedberg 1256: 204 — Schultheiss
  zu Gelnhausen 1276: 369 — v. Göns — zu Gross-
  linden 1257: 218 — v. Linden — Meun.
**Eckelo** (Ecclo, Eklo) — de Inferno — Slune —
  Wingarther.
v. d. **Ecken** (an der Ecken, von der Eckin) —
  Friedrich, Hartmann zu Gelnhausen 1285: 503
  — Wortwin zu Gelnhausen, später zu Fr., ver-
  mählt mit Guda vom Hohenhaus 1310—1313:
  927, 961 (sig.), 965.
**Eckenheim**, Hessen-N., n. Fr. (Ecgen- Ecken- Eckin-
  Ekin- -heim, -heym) — 524—526, 612, 632, 641,
  691 — v. E.: Friedrich 1232: 98 — Hildemar
  1292—1295: 612, 691 — Ulrich Schöffe zu Kahl-
  bach 1303: 826.
**Eckestein** — Hartwig zu Seligenstadt 1306: 871.
**Edelind** — Frau des Goldschmidt Gottschalk zu
  Fr. † 1299: 742, 747.

Edmund — Bischof v. Kurland 1272: 308.

Egbert — Kanzler Ottos II. 977: 10.

Egelo vgl. Eigel.

Egidius — Bischof v. Urbino 1288: 548.

Eginolf — Supprior zu Haina 1230: 90.

Eglingen (3 Dörfer in Bayern) — v. E.: Konrad 1292: 610.

Ehringshausen, Hessen, s. Kirtorf (Yringishusen) — v. E.: Berthous Ritter 1278: 400.

Eichen, Hessen-N., n. Hanau (Eichen, Eychen, Eychene) 621 — v. E.: Aplo 1313: 965 — Heilmann zu Liederbach 1306: 872.

Eichstätt, Bayern (Eystatten, Eysteten)— Bischöfe: Heinrich, Reimbott — Archidiakon: Konrad.

Eigel (Egelo, Eigelo, Eygelo, Eyglo) — zu Friedberg: Heinrich Vogt zu Fechenheim 1266—1285: 260, 498 Anm, 502, 503 — Sohn des Münzers 1300: 763 — Sohn des Fridebert 1306: 871 — der Junge (iuvenis) 1308: 894.

Eischersheym vgl. Eschersheim.

Eisenach (Ysinnach) — v. E.: Berthold Dominikaner zu Fr. 1292: 620.

Eisenmenger (Ysinmengere, Ferrarius) — zu Fr.: Dietrich 1302: 806 — Frau desselben: Fredeburg 1309: 921 — Sohn derselben: Friedrich 1298—1309 Priester, Vikar an St. Bartholomaeus, Kaplan des Heiligen-Geist-Hospitals 1301: 723, 788, 806, 921.

Eissenman — Heinrich zu Fr. 1290: 570.

Eystatten, Eysteten vgl. Eichstätt.

Ekehardus vgl. Eckard.

Elbenstat, Elewenstadt vgl. Ilbenstadt.

de sancto Elbino — Siegfried, Siegfried Ritter 1311: 943.

Elias (Elia, Elya, Elyas, Helias) — Schultheiss zu Fr. 1288—1291: 552, 556, 559 Zus., 560, 570, 577, 584, 590, 592, 594, 599.

Ellpandus — Bischof v. Toledo 794: 2.

Elisa vgl. Elisabeth.

Elisabeth (Elisa, Elisabecht, Elisabet, Elizabet, Elyzabeth, Elsibedis, Lisa, Lysa) — Blide — Colbe — Darender — v. Eppstein — v. Eschbach — v. Esslingen — zu Fr.: Beghine 1297: 715 — Wittwe Kunos 1306: 877 — Tochter des Gärtners Friedrich 1302: 805 — Frau des Schusters Hermann 1300: 757 — Frau des Kürschners Wortwin 1302: 808 — v. Fronhausen — v. Hachenburg — v. Hagen — v. Hanau — v. Hohenlohe — v. Issigheim — zu Mainz 1297: 721 — Morhaid — Gräfin v. Nassau — zu Oberstetten 1303: 832 — v. Offenbach — v. Ossenheim — v. Preungesheim — zu Preungesheim 1283: 478 — Meisterin zu Retters 1309: 921 — Gräfin v. Rieneck — Ruesere — v. Sachsenhausen — Schele — v. Strassburg — v. Waldertheim — Wobelin — v. Wöllstadt — Zurcher.

Ellwangen, Württemberg—Abt: Kuno (Elwacensis).

Elsass (Alsacia) — 916.

Else = Elsen? bei Grevenbroich, Rheinprovinz — v. E.: Heinrich Tuchmacher zu Fr. † 1301 und Frau Adelheid 784.

Elsibedis vgl. Elisabeth.

Eltville, Hessen-N., sw. Wiesbaden (Eltevile -vila) — v. E.: Konrad Ritter 1289—1295: 559, 664 — Werner Mönch zu Eberbach 1212: 38.

Elvestat vgl. Ilbenstadt.

Elwinsteder — Wigand zu Okarben 1303: 825.

Embrico, Embricho, Embrio vgl. Emmerich.

Emercho vgl. Emmerich.

Emich (Emicho) — Gaugraf 985: 13 — Graf v. Leiningen — Wildgraf.

Emmerich (Embrico, Embricho, Embrio, Emercho, Emmercho, Emericus, Emmericus) — v. Albecho — v. Bommersheim — Propst zu Dorla 1281: 451 — Laienbruder zu Eberbach 1225, 73 — v. Erlenbach — Gehülfe des Pfarrers Eppert zu Fr. 1277: 379 — Unterschultheiss (subscultetus) zu Fr. 1230: 91 — zu Fr. ca. 1210—20: 54 — desgl. 1223: 68 — desgl. 1271: 300 — Augustiner-Prior zu Friedberg 1301: 786 — Fuchs vgl. v. Rüdesheim — v. Grimmelo — Prior zu Retters 1273: 328 — v. Rossenbusch — v. Schöneck.

Enaco — Ritter zu Arheiligen 1270: 295.

Engel — zu Friedberg 1314: 972 vgl. Angelus.

Engela — zu Trebur 1303: 827.

Engelbert — v. Hohenfels.

Engelhart (Engel- Engil- -hardus) — v. Büches — Bischof von Naumburg 1219: 48 — v. Weinsberg.

Engelrat (Engel- Engil- -radis, Engilreiz) — v. Kahlbach — v. Köln — Ferwere.

Engelthal in Mittelfranken (Engel- Engil- -dail -tal -tail) — Kloster 331, 378, 734, 814. Nonne: Adelheid v. Sachsenhausen.

Engers, Rheinprovinz, ö. Neuwied (Angere, Angeren) — 17, 18, 27, 34.

Enkheim, Hessen-N., nö. Fr. (Ennen- -keim -keym, Ennicheim) — 22, 265, 390, 497, 727.

Enkir — Heinrich zu Sachsenhausen 1294: 661.

Ennenkeim, Ennicheim vgl. Enkheim.

Ensfrid — Schultheiss zu Osterspai 1272: 308.

Enzheim, Hessen, w. Büdingen — 927.

Eppelein — Webermeister zu Fr. 1290: 570.

Eppert (Eppertus, Epprath, Erprehtus, Erpertus) — Laienbruder zu Thron, Vater des Folgenden 1256—1278: 205, 399 — Notar Reinhards v. Hanau, Kanonikus 1260 und Pfarrer zu Fr. 1267, resignirt 1284: 275, 281, 288—290, 295 (sig.), 301, 305 (sig.), 306, 329, 379, 396, 399 (sig.), 405, 428, 432 (sig.), (433), 447, (452), 459, 471, 473 (sig.), 488, † 642, 653 — v. Petterweil.

Eppo — zu Fr. 1302: 805.

Epprath vgl. Eppert.

Eppstein, Hessen-N., onö. Wiesbaden (Eppen- Eppin- -stein) — Herren v. E.: 301 Anm. 3 — Elisa Gemahlin Gottfrieds III. 1268: 284 (sig.), 286 — Gerhard III. 1265: 254 — Gerhard Propst an St. Bartholomaeus zu Fr. 1253 —1288, Propst an St. Peter zu Mainz 1286: 171, 199 (sig.), 207 (sig.), 208 (sig.), 213, 214, 253 (sig.), 284 (sig.), 379, 488, 517, 519, 542 — derselbe als Erzbischof v. Mainz 1289—

1305: 569, 575, 580, 582, 595, 603 (sig.), 614,
615, 618, 624, 625, 644 (sig.), 673 (sig.), 678,
711 (sig.), 712, 743, 749, 750, 767, 800, 829
(sig.), 831, 855 (sig.), † 884, 901 — Gottfried I.
(II. ?) 1193: 31 — Gottfried II. 1219: 46, 47 —
Gottfried III. 1253—1278: 171, 254 (sig.), 255,
286, 335, 367 (sig.), 407 — Gottfried IV. 1268—
1293: 284, 335, 419, 430, 587 (sig.), 619, 633 —
Gottfried Propst an St. Peter und Domkustos
zu Mainz, Archidiakon zu Trier 1307: 884 (sig.)
— Isengard geb. v. Falkenstein, Gemahlin Siegfrieds 1303—1308: 823, 903 (sig.) — Siegfried II.
Erzbischof v. Mainz 1215—1227: 39 Zus., 42,
45 Anm., 47, 48, 56 (sig.), 60(sig.)—62 und Anm.,
69, 78, 82 — Siegfried Domkanonikus zu Mainz
1222: 60 — Derselbe als Erzbischof v. Mainz 1234
—1243: 102, 103, 113, 116, 133 (sig.), † 167, 171
— Siegfried 1303—1308: 829, 831, 855, 872
(sig.), 897, 901, 902, 903 (sig.) — Werner Dompropst und Propst an St. Mariengreden zu Mainz
1255—1257: 194, 195, 214 — Derselbe als Erzbischof v. Mainz 1260—1282: 227 (sig.), 230,
231, 237, 238, 241, 250, 254 (sig.), 255, 274,
275, 281 (sig.), 295, 297, 305, 344, 345, 348,
357, 359, 361, 362, 364, 395, 403 (sig.), 411 (sig.),
437, 443 (sig.), 450, 452, 467 (sig.), 468 ?, † 615,
693 — Kaplan: Adam.

**Eradeshusen** vgl. **Erzhausen.**

**Erbipolis** vgl. **Würzburg.**

**v. Erchenstein** — Ruprecht Ritter, vermählt mit
Gertrud v. Königstein 1294: 666.

**Ercmar** — zu Fr. 1290: 586.

**Erembrechtus** vgl. **Ermbrecht.**

**Erenbrat** vgl. **Ermbrecht.**

**Erenfrid** (Erenfridus, Ernvridus) — Pfarrer zu
Bergen 1265: 258 — Scholaster an St. Viktor
in Mainz 1256: 209.

**Erfurt** (Erfordia) — 232, 576*, 581*, 583* — Stift
St. Severus: Propst Rainald v. Puzallia — v. E.:
Johannes Dominikaner zu Fr. 1295: 666.

**Erhartshusen** = **Erzhausen?** — 315.

**Erkenbert** (Erckenberthus, Erken- Erkin- -bertus)
— Abt zu Arnsburg 1219: 49 — Prior zu Eberbach 1212: 38 — Kellermeister daselbst 1219:
51 — Abt daselbst 1225: 73.

**Erkenbold** — v. Heldenbergen.

**Eriehe** — Flrn. bei Vilbel 861.

**Erlekin** — zu Mainz 1298: 724.

**Erlenbach,** Ober- und Nieder-, Hessen, w. Friedberg
(Erl- Erle- Erlen- Erlin- Irle- Irlen- -bac,
-bach, Ober-Erlenbach = Hanen- Haven- Hof-
Hofin- Erlenbach) — ohne nähere Bezeichnung:
141, 151, 277, 401, 483, 484, 851, 861 — Nieder-E.:
349, 351, 823, 854, 903 — Ober-E.: 584, 594,
667, 690 — Schultheissen: Berthold, Wicker —
v. E.: Arnold und Frau Benigna zu Fr. 1287: 533.
Konrad Ritter 1219: 51 — Konrad Ritter, Schultheiss zu Fr. 1298—1300, ausser Amt 1303—
1311: 726, 734, 744, 745, 747, 754, 762, 766,
768, 770, 825, 901, 943 — Frau desselben: Ida

v. Ursel 1299: 744 — Emmerich Sohn Jakobs
und Frau Guderadis 1291: 594 — Gottschalk
1273: 328 — Hartmann zu Fr. 1311: 947 —
Heinrich Vogt v. E. Ritter 1273—1303: 310,
825 — Johannes 1303: 826 — Johannes zu Fr.
1311: 947 — Reinheid und deren Sohn Siegfried
Vikar an St. Bartholomaeus zu Fr. 1300: 753 —
Ulrich und Frau Demut 1304: 851. vgl. von
Eschersheim, Pungir.

**Zume Erlenlouch** — Fln. bei Arheiligen 900.

**Ermbrecht** (Erenbrat, Erembrecht) — v. Praunheim
— Vitztum im Rheingau 1305: 855.

**Ermland** — Bischof: Anselm (Warmiensis).

**Ernst** (Ernestus, Hernestus) — zu Trebur 1253:
174 — zu Fr. 1219: 50 — v. Mühlhausen (Molhusin) — v. Nauborn — zu Rendel 1310: 938.

**Ernvridus** vgl. **Erenfrid.**

**Erpho** — v. Castel.

**Erwin** (Ebber- Eber- Ebir- Ever- Er- -win) —
Kranich — v. Kransberg — v Trohe — Duchmecher — Schultheiss zu Fr.: im Amte 1227—
1228: 81 (sig.), 82, 87 (sig.) und Anm., 88, zweite
Amtszeit: 1243: 135, ausser Amt: 1244: 136,
dritte Amtszeit 1245: 137 (sig.), 138 und Anm.,
141 — v. Garbenheim — v. Hüftersheim — Scholaster am Dom zu Mainz 1282: 470 — v.Preunges-
heim (2) — v. Rohrbach — Stollechin — Ritter
zu Wetzlar 1240: 124 — Vogt zu Wetzlar
1258—1265: 219, 255.

**Erzhausen,** Hessen n. Darmstadt (Eradeshusen) 457.

**Eschbach,** Ober- und Nieder-, Hessen, ssw. Friedberg (Asce- Assche- -bac, Askebach, Esce- Essce-
Esse- Esshe- Essche- Esz- Esze- -bach) — ohne
nähere Bezeichnung 51, 304, 820, 861 — Nieder-
E.: 558. 851 — Ober-E.: 45, 857, 914 — Pfarrer
zu Ober-E.: Burkard — Vogt Arnold v. Eschbach
— Söhne desselben: Arnold, Heilmann 1304:
851 — v. E.: Dietrich Kanonikus zu Ilbenstadt
1300: 769 — Friedrich und Frau Gisela zu Fr.
1282—1284, †1303: 472, 487, 820 — Gerlach
Priester 1219: 45 — Gerlach und Frau Guda
1219: 51 — Gernod Ritter und Frau Gertrud,
Johann Sohn derselben, Mönch zu Arnsburg 1302:
802 — Goswin zu Fr. 1290: 570 — Heinrich
Ritter † und Frau Irmgard zu Fr. 1291: 599 —
Heinrich Sohn Heinrichs zu Fr. 1272: 304 —
Peter Schöffe zu Fr. 1284—1291: 493, 498, 503,
514, 544, 570, 574, 586, 590 — Ulbracht (Volpert)
zu Fr. 1297—1298: 716, 728 — Wortwin Sohn
Konrads und Frau Elisabeth zu Fr. 1309: 923
vgl. Nibelung.

**Eschborn,** Hessen-N., wnw. Fr. (Asceburnen, Asenburnen, Ascenborne, Ascheburne, Asche- -burnin
-burnun -brunnin, Askeburnen, Asseburne, Assabe-
burnen, Eschburne, Esche- -burne -burnen, Esscheborn) — 331, 515, 868 — v. E.: Hartmud 1219:
49 — Otto 1239: 119 — Walter Pfarrer zu
Langendiebach 1232—1236: 95, 110 — Walter
Domkanonikus zu Mainz, 1235: 106 (sig.) —
Wigand Schöffe zu Fr. 1219—1236: 52, 57, 58,

66—68, 70, 71, 79, 80, 87, 90, 91, 97, 105, 109, 111.

**Eschersheim,** Hessen-N., n. Fr. (Eischers- Escherss- Eschirs- Escherss- -heim -heym) 227*, 268, 787 — Vicepleban: Friedrich — v. E.: Guda, Heinrich, Johann, Johann zu Erlenbach 1304: 854.

**Esculi** vgl. **Ascoli.**

**Essenheim,** Hessen, sw. Mainz (Escinhayn) — v. E.: Johann 1287: 533.

**Esslingen,** Württemberg (Etze- Ezze- Ezzig- -lingen) — v. E.: Friedrich † und Frau Irmgard zu Fr. 1298: 726 — Friedrich und Frau Elisabeth daselbst 1309: 921 vgl. auch Frankfurt, Hausnamen.

**Etchen-** Etichen- -stein vgl. **Idstein.**

**Etl** — Bischof: Thomas (Etisinus).

**Euphemia** — Gräfin von Cleeberg.

**Eutelsheim?** verderbt aus Dutelnsheim (Düdelsheim) — v. E.: Hartmud 1276: 370.

# F. V.

**Vaihingen a. d. Enz,** Württemberg (Veingen) — Graf Gottfried 1193: 30.

**Valdebrun** vgl. **Waldebrun.**

**Falke** (Falkin, Falko, Valko) — Werner zu Fr. 1288—1296, † 1300: 544, 574, 606, 634, 690, 691, † 766 — Richmud Frau desselben 1300—1302: 766, 801. Bruder desselben: Markelo v. Ossenheim vgl. 801.

**Falkenstein,** Burgen, Bayern, sö. Rockenhausen, und Hessen-N., w. Cronberg (Falken- Falkin- Valken- -stein) — Herren v. F.-Münzenberg — Isengard geb. v. Münzenberg, Gemahlin Philipps I. 1253: 176 — Isengard Tochter Werners I. vgl. v. Eppstein — Philipp I. Reichskämmerer 1253—1265: 176 (sig.), 202, 206, 230, 252, 254, 255 — Philipp II. Reichskämmerer 1256—1291: 206, 254, 255, 307, 316, 346, 408, 416, 465?, 469, 475, 527, 533, 555, 573, 591 — Philipp III. 1304—1311: 837, 866, 894 (sig.), 901, 931 Anm., 943 (sig.) — Philipp IV. 1304—1313: 837, 894, 943 (sig.), 960 — Werner I. 1260—1298, † 1303: 230, 254 (sig.), 307, 319 Anm., 344—351, 357, 363, 408, 416, 477, 496, 524, 553, 555, 559 (sig.), 565, 573, 664, 730, † 823 — Werner Sohn Philipps III. 1304—1305: 837, 866.

**Vallaneto,** Mittel-Italien, Diöcese Pisa — Pfarrer: Gabriel.

**Valve-Sulmona,** Unter-Italien — Bischof: Friedrich (Valvensis).

**Fauerbach,** Hessen, sö. Friedberg (For- Fur- Vur- -bach) 68, 80, 219, 967 — v. F.: Eberhard Kanonikus an St. Bartholomaeus zu Fr. 1287, Kantor daselbst 1302: 531, 810 Zus.

**Fechenheim,** Hessen-N., ö. Fr. (Vechen- Vechin- Uuechen- Fegen- -heim) 1011, 111, 126, 199, 213, 214, 257, 320, 502, 785 — Vogt: Heinrich Eigel — Schultheiss: Hertwin — Pfarrer: Konrad — v. F.: Adelheid Beghine, Kunigunde 1301: 785 — Konrad Kanonikus an St. Bartholomaeus zu Fr. 1223: 71.

**Vehewege** vgl. **Viehweg.**

**Veingen** vgl. **Vaihingen.**

**Feistenburnen** bei Neuenhain — 559.

**Felix** — Gerhard und Frau Christine zu Fr. 1292: 605.

**Feltacker** — Heinrich zu Fr. 1307: 885.

**Venafro,** Unter-Italien — Bischof: Andreas (Venefretanensis).

**Vende** — Heinrich Johanniter zu Fr. 1303: 815.

**Vendersheim,** Hessen, nw. Wörrstadt 835.

**Venefretanensis** vgl. **Venafro.**

**Feretranus** vgl. **Montefeltro.**

**Veroli,** Mittel-Italien — Bischof: Leotherius (Verulanus).

**Veronensis,** Vironensis vgl. **Wierland.**

**Ferrarius** vgl. **Eisenmenger.**

**Fersburne** (Versburne) Brunnen bei Sachsenhausen 543.

**Versene** — Gerlach Metzger zu Fr. und Frau Ortrun 1309: 918.

**Ferwere** — Wigmann zu Fr. und Frau Engelrat 1290: 586.

**Fesulanus** vgl. **Fiesole.**

**Vetere** — Sackträger zu Fr. 1300: 766.

**Vetus Moneta,** de Vetere Moneta vgl. **Zur alten Münze** und **Frankfurt, Hausnamen.**

**Vetzberg,** Ruine nw. Giessen (Voytisberg) — v. V.: Johann Ritter 1290: 578.

**Vetzzenburg,** vielleicht Vetzberg, Rheinprovinz, nö. Wetzlar — v. V.: Heinrich Dominikaner zu Fr. 1257: 215.

**Feuchtwang,** Bayern, sw. Nürnberg (Futhe- Vuth- -wang -wange) — v. F.: Konrad Deutschmeister 1287—1295: 525, 526, 683.

**Fezetburnen,** Quelle bei Preungesheim 404.

**Vicenza,** Ober-Italien — Bischof: Bernhard (Vincentinus).

**Viehweg** (Vehewege) bei Bockenheim 787.

**Vienne,** Frankreich, 949*.

**Viernheim,** Hessen, s. Lorsch (Virnheim) — Pfarrer: Johann.

**Fiesole,** Mittel-Italien — Bischof: Philipp (Fesulanus).

**Vilbel,** Hessen, s. Friedberg (Felbile, Fel- Vel- Vele- -wila, -wile, Velwilre) 420, 451, 542, 559, 723, 861 — St. Nikolaus-Kapelle 723 — v. V.: Heinrich und Hermann Schöffen des Frohnhofes zu Fr. 1288—1289: 542, 564 — Hermann Weinschröter zu Fr. 1310: 936 — Rudolf 1235: 106 — Walter und gleichnamiger Sohn 1235: 106 (sig.) — Walter Ritter 1242—1265: 129, 258, † ? 289.

**Villicus** vgl. **Schultheiss.**

**Vilmar,** Hessen-N., ö. Runkel (Vilmere) — v. V.: Andreas Ritter 1295: 667.

**Vincentinus** vgl. **Vicenza.**

**Vinitor** vgl. **Winzer.**

**Finke** (Finke, Finko, Wincke) — Hermann und Frau Kusa zu Fr. 1308—1312: 903, 952 — Geschwister desselben: Konrad (Kulmann), Guda, Jutta 1312: 952 vgl. **Melpoden.**

**Fiol** (Viol, Viola) — Heinrich (wahrscheinlich Schöffe) zu Fr. 1215—1219: 42, 45, 49, 50 — Heinrich zu Fr. 1279: 420.

**Virnheim** vgl. **Viernheim.**

de **Vite** vgl. **v. Rebstock.**

**Viterbo,** Italien, nnw. Rom (Viterbium) 240*, 272*, 280*, 285*, 421*, 839 Anm.

**Vivarium** vgl. **Weiberhof.**

**Flaenstadt** vgl. **Flanstat.**

**Flanburnen** vgl. **Flomborn.**

**Flanstat,** alter Name für Florstadt (Flaenstadt) — v. Fl.: Gernod Schöffe zu Fr. 1273—1290: 319, 331, 401, 408, 586 — Werner Schöffe daselbst 1290: 570, der Vorname ist wahrscheinlich in der Abschrift aus Gernod verderbt.

**Flersheim** vgl. **Flörsheim.**

**Flörsheim,** Ober-, Hessen ssö. Alzei (Flers- Vlerss- -heim) — Deutschordenskommende 878 — Komthur: Kraft — Pfarrer: Konrad.

**Flomborn,** Hessen, ssö. Alzei (Flanburnen) — v. Fl.: Berthold Ritter 1273, 316.

**Florenz** — Bürger: Rayner Johannis.

**Florstadt,** Hessen, ö. Friedberg (Plagestat) — 7, 8, 10 vgl. **Flanstat.**

**Flougen** — Jutta 1288—1295: 550, 672, 681 — Tochter derselben Ymma 1295: 681.

**Vohburg,** Bayern, ö. Ingolstadt (Voburch) — v. V.: Markgraf Diepold 1221: 55.

**Voytisberg** vgl. **Vetzberg.**

**Volbrecht** vgl. **Volpert.**

**Folcart** — zu Fr. 1215: 42.

**Volcmar** vgl. **Volmar.**

**Folcnand** — v. Offenbach.

**Folgmar** vgl. **Volmar.**

**Volgwin** vgl. **Volkwin.**

**Volkwin** (Volgwin) — zu dem Butschue — Jung — v. Wetzlar (2).

**Volmar** (Fol- Folc- Vol- Volc- Folg- -mar) — Kaiserlicher Kanzler 975: 9 — zu Bornheim 1281: 451 — Crop — zu Fr. 1151: 22 — Töpfer (patellator) zu Fr. †1295: 650 — Scholaster an St. Viktor in Mainz 1291: 598 — v. Nied — v. Offenbach.

**Folnand** — v. Offenbach.

**Volpert** (Uolbreht, Ulbert, Ulbrath) — v. Berstat — v. Eschbach — zu Fr. 1272: 304 — v. Saasen.

**Volrad** (Fol- Vol- Wol- -rad) — Ritter 1219: 45 — Bischof v. Brandenburg 1297: 722 — Bruchwyhe — Cisich — Schultheiss zu Fr. vgl. v. Seligenstadt.

**Folzo** (Volze, Volzo, Fultzo, Fulzo) — v. Kahlbach — v. Dörnigheim — zu Fr.: Schmidt 1294: 650 — 1302: 805 — 1304: 854.

**Forbach** vgl. **Fauerbach.**

**Forchtlib** (Forhteliebus, Verhtliobus) — Goldschmied zu Fr. 1247: 145 Anm., † 858.

**Forosinfroniensis** vgl. **Fossombrone.**

**Vorwerk** (-werc) bei Fr. 57.

**Vosagum, Vosaum** vgl. **Wasganforst.**

**Fossombrone,** Mittel-Italien — Bischof: Jakob (Forosinfroniensis).

**Francia orientalis** vgl. **Ostfranken.**

**Franciscus** — Bischof v. Soliwri 1289: 562 Zus. — Bischof v. Terracina 1288: 547.

**Frank** (Franco, Franko) — v. Buchen — v. Cronberg — Mönch zu Eberbach 1212—1219: 38, 51 — v. Mörlen — Deutschordensbruder zu Sachsenhausen 1270: 296.

**Franken** (Francia) 6, 16.

**Frankenberg,** Hessen, n. Marburg — v. Fr.: Magister Ditmar Advocat zu Mainz, Kanonikus und Pfarrer zu Fr. 1284—1298, Dechant daselbst 1292—1303, als Pfarrer: 441 (das Datum der Urkunde ist verderbt), 488, 514, 519, 531 (sig.), 564, 568 (sig.), 574, 577, 603, 615, 630, 647, 723, als Dechant: 612, 620 (sig.), 626, 628, 665 (sig.), 666, (668), 672, 674, 677, (678), 693 (sig.), 694, 702, 721, 724, 726, 753, 763 (sig.), 767 (sig.), 779 (sig.), 788, 801, (803), 808, 812, (820), 827

**Frankfurt am Main** (Franchenfurt, Franchene- -vort -vurt, Franchennevort, Franchon- -furt, Franchonofurt, Franconevurt, Francono- -furd -furt, Franken- -ford -furt -furth -vord -vurd -vurt -wrt -word, Frank- -fort -word, Frankin- -ford -vord -furt -vurt).

Übersicht: I. Weltliche Behörden: A. Gerichtsbehörden. B. Verwaltungsbehörden.

      II. Kirchen und Klöster.

      III. Hospitäler.

      IV. Frankfurter Judengemeinde.

      V. Topographisches: A. Thore und Befestigungen. B. Strassen und Plätze, Brunnen, Brücke. C. Kirchhöfe. D. Häuser.

I. Weltliche Behörden.

     A. *Gerichts-Behörden:*

1. Von Schultheiss, Schöffen und Bürgern ausgestellte oder besiegelte Urkunden [1]): 49—52, 57, 58, 66—68, 70—73, 76, 79—81, 87, 91, 105, 109, 115, 119, 123, 128, 129, 131, 132, 134, 135, 137, 138, 141, 151, 162, 169, 170, 183, 187, 190, 203, 205, 218, 219, 224, 232, 248, 249, 252, 254, 255, 263, 267, 312, 313, 377, 378, 382, 389, 392, 399, 427, 556, 570, (572), 574, 577, 579, 584, 592, 594, 599, 604—606, 611, 612, 621, 627, 629—632, 634, 641—643, 647, 650, 656, 658, 659, 661—663, 667, 670, (671), 690, 692, 693, 695, 696, 701, 705, 706— 708, 710, 714, 715, (721), 724, 726, 727, (728), 729, 732, 734, 745, 747, 753, 754, 757, 759, 762, 766, 768, 770, 782, 783, 785, 795, 798, 799, 801, 802, 805—807, 810, 813, 814, 822, 825, (828), 830, 832, 834, 841—843, 851—854, 861, 863, 865, 869, 870,

[1]) Es wäre meines Erachtens von geringem Nutzen gewesen, das allgemeine Stichwort „Frankfurt" in das Register aufzunehmen, ich habe deshalb versucht, die von den städtischen Behörden ausgestellten Urkunden nach sachlichen Gesichtspunkten zu gruppiren, da es nur durch strenge Scheidung der von Schultheiss und Schöffen ausgestellten Urkunden von denjenigen, in welchen auch der Rath neben ihnen erscheint, möglich sein wird, sich ein genaues Urtheil über die Competenzen und Functionen dieser concurrirenden Behörden zu bilden.

873, 874, 883, 885—887, 891, 893, 898, 900, 906, 907, 912, 926, 928, 931, 936, 938, 939.

2. Gerichtsbeamte:

a) Vögte: 217, Konrad, Rüdiger.[1]

b) Schultheissen[2]): 44, 84, 136 und Anm., 155, 169, 197, 198, 217, 242, 292, 293, 340, 341, 380, 381, 383, 384, 391, 492, 495, 538, 583, 637, 704, 735, 739, 954 — Namen der Schultheissen: Gottfried Beyer, Wigand v. Büches, Erwin Kranich, Eberhard, Elias, Konrad v. Erlenbach, Erwin, Johannes, Ludolf, Heinrich v. Praunheim (drei), Wolfram v. Praunheim (zwei), Konrad v. Sachsenhausen, Ripert v. Sachsenhausen, Volrad v. Seligenstadt.

c) Viceschultheissen (vicesculteti, subsculteti, vicarii sculteti): Dietrich Keppler, Emmerich, Heinrich v. Praunheim, Volrad v. Seligenstadt.

d) Richter (iudices): Gottfried, Heinrich, Konrad zum Schwerte.

e) Schöffen (scabini): Arnold Baumeister, Hermann Bichelin, Gottfried v. Bischofsheim, Konrad Bornfleck, Berthold Bresto (zwei), Hartmud Bresto, Adolf Knoblauch, Konrad Knoblauch, Heinrich Knoblauch, Konrad, Konrad, Degenhard, Ludwig Duchmecher, Peter v. Eschbach, Wigand v. Eschborn, Heinrich Viol, Gernod (Werner?) v. Flanstat, Baldemar vom Frohnhof, Wigel Frosch, Konrad v. Gisenheim (zwei), Siegfried v. Gisenheim (zwei), Arnold v. Glauburg, Johannes Goldstein (vier oder fünf?), Harpern, Konrad Haupt, Berthold v. Heldenbergen, Giselbert v. Holzhausen, Heinrich v. Holzhausen, Ludwig v. Holzhausen, Rüdiger v. Holzhausen, Guntram Hunger, Jacob, Ulrich Lange, Heinrich v. Langstadt, Heinrich v. Limburg, Markolf v. Lindheim, Heinrich v. Meielsheim, Rudolf Mertin, Walter v. Mörfelden, Guntram Münzer, Nidung, Hartmud v. Nied, Konrad (Wobelin) v. Offenbach, Konrad (auch Kulmann) v. Offenbach, Volmar v. Offenbach, Harpern v. Offenbach (?), Heinrich v. Offenbach, Herbord v. Offenbach, Hermann (Knoblauch) v. Offenbach, Wicker v. Offenbach, Johannes pellifex, Eppert v. Petterweil, Hartwig vom Rebstock, Konrad Rueser, Drutwin Schrenke, Hermann Schwarz, Konrad v. Speyer, Heinrich Storkelin (?), Swiker, Friedrich v. Umstadt, Werner v. Wanebach, Wigel v. Wanebach, Johannes v. Wetter, Heinrich v. Wetzlar, Volkwin v. Wetzlar, Wigand, Konrad v. Wöllstadt.

B. *Städtische Verwaltungsbehörden*:

1. Von Schultheiss, Schöffen, Rath und Bürgern ausgestellte Urkunden: 263, 276, 282, 308, 312,

313, 319, 386, 401, 404, 409, 416, 424, 426, 428, 434, 435, 466, 485, 492, 493, 498, 503, 506, 508, 518, 521, 523, 532, 540, 590, 597, 602, 623, 649, 654, 674, 685, 704, 738, 774, 776, 784, 792, 793, 796, 799, 824, 833, 858, 871, 944, 947, 952, 953, 959, 963, 970.

2. Städtische Verwaltungsbeamten:

a) Bürgermeister: Adolf Knoblauch.

b) Rathsherren: Wigel Frosch, Konrad v. Heldenbergen, Hartwig vom Rebstock, Konrad Rindfleisch, Wigel v. Wanebach, Konrad Zurcher.

c) Städtische Notare: Dietrich, Eberhard.

3. Urkunden, in welchen die Ritter neben den übrigen Stadtbehörden als beurkundende Behörde genannt werden: 154, 190, 205, 282, 301, 312, 313.

II. Kirchen und Klöster.

A. *Bartholomaeus-Kirche, St. Salvators-Kapelle, Königliche Kapelle*: 6—8, 10, 12—14, 495, 748, 749, 778 (zugleich Pfarrkirche, siehe unten II. A. 13).

1. Kapellen in derselben:

a) Katharinen-Kapelle (und Altar): 231, 237, 238, 241, 253, 272, 295.

b) Michaels-Kapelle, Cosmas- und Damians-Kapelle: 548, 674, 719, 723, 753, 846, 858. — Kirchenfabrik dieser Kapelle 721. — Kaplan: Gerlach.

c) Altäre und Vikariate: 138, 289, 295, 495, 627, 721, 753, 806 Zus., 872, 928 Zus., 940.

2. Äbte: Obbert, Williher.

3. Stiftkapitel (decanus et capitulum): 40, 45 (sig.), 57 (sig.), 59—67 (sig.), 68 (sig.)—70 (sig.), 71 (sig.), 72 (sig.), 75 (sig.), 76 (sig.), 79 (sig.), 80 (sig.), 85, 112—114, 116—118, 147, 148, 160, 167, 173—175, 184, 199, 202, 209, 213—215, 220, 221, 224 (sig.), 227, 229, 230, 239, 250—253 (sig.), 256, 257, 259 (sig.), 264, 272, 274, 275 (sig.), 276 (sig.), 281, 285, 288—290 (sig.), 292, 295 (sig.), 305, 306, 311, 318 (sig.), 320, 338 (sig.), 339, 353, 355 (sig.), 356, 359, 361, 362, 364, 368, 377, 379, 385, 395, 406, 439 (sig.), 440, 445 (sig.), 450 (sig.), 452, 465, 467, 473, 497 (sig.), 510, 531, 537, 554 (sig.), 561 (sig.), 574, 595, 596, 598, 600, 614, 616, 618, 627, 630 (sig.), 635, 673, 677, 678, 687, 693 (sig.), 698 (sig.), 702 (sig.), 706, 709, 711, 721, 723, 742, 743, 747, 783, 789, 812, 827, 839 (sig.), 840 (sig.), 846, 850, 857, 858 Zus., 861, 872, 882, 888, 892 (sig.), 896 (sig.), 920, 924, 925, 931, 940, 955 (sig.), 970, 971.

4. Pröpste (prepositi) und Propstei: 67, 199, 207, 208, Wilhelm v. Aspelt, Konrad, Philipp v. Diez, Gerhard v. Eppstein, Peter v. Garlens, Giselbert, Gottfried, Heinrich, Ludwig, Reinald v. Puzallia, Emmerich v. Schöneck, Siegfried. — Officialen des Propstes: 281 Zus., 723, 771, 810 Zus., 811 (sig.), 850, 864, 940 (sig.). — Propstei-Gericht im Frohnhof (Vronehob, Fronhove, summa curia): 129, 542, 564. Amtleute (officiati) des

---

[1]) Die Amtszeit dieser und der folgenden Beamten ist bei den betr. Stellen im allgemeinen Register zu finden.

[2]) Es sind nur diejenigen Urkunden angeführt, aus denen sich die Functionen der Schultheissen als kaiserliche, bezw. städtische Verwaltungsbeamte und ihre Amtsgefälle ergeben, für ihre Stellung als Vorsitzende des Schöffengerichts, bezw. des Rathes kommen die bei I. A. 1 und B. 1 und 3 angegebenen Urkunden in Frage.

Propstes: Siegfried v.Gisenheim, KonradWobelin
v. Offenbach.

5. Dechanten (decani): 421. 437. 678. Konrad.
Konrad, E., Ditmar v. Frankenberg, Friedrich,
Gottschalk, Gozwin, Heinrich. Heinrich, Hermann,
Ernst v. Molhusen, Philipp, Siegfried, Werner,
Gerhard v. Wertheim. — Dechaneihof: 184.

6. Kustoden (custodes): Arnold, Nikolaus. Peter,
Ruprecht, Hartmann v. Sachsenhausen.

7. Scholaster (scolastici): 421, Johannes v. Bettenhausen, Heidenrich, Heinrich v. Hanau, Reinhard.
Johannes v. Rodahe, Siegfried.

8. Rektor der Stiftschule (rector scolarium): Gerhard.

9. Kantoren (cantores): 421, 437, 678, 687, Albert
v. Karben, Christian, Eberhard v. Fauerbach.

10. Kämmerer (camerarii): Siegfried v. Wetter.

11. Kanoniker (canonici): Arnold. Peter Dechant
v. Bamberg, Eberhard v. Bergen (Bergo), Berthold
Notar, Heinrich und Johannes v. Bettenhausen.
Burkard, Albert und Hermann v. Karben,
Christian, Johannes v. Kolnhausen, Konrad.
Konrad, Dietrich, Heinrich v. Diez, Eckard.
Eberhard v. Fauerbach, Konrad v. Fechenheim,
Ditmar v. Frankenberg, Friedrich, Wigand v.
Fulda, Hermann v. Giessen, Giselbert, Gottfried,
Bernhelm v. Grevenroth, Heinrich v. Hanau,
Harpern, Hartmann, Heinrich, Hermann, Konrad
v. Idstein, Peter v. Ingelheim, Johannes, Johannes
Leo, Gerlach Lesche, Johannes und Peter v.
Mainz, Eckard Meun, Berthold v. Münzenberg,
Nikolaus, Otto, Peter, Reinhard v. Petterweil,
Reinhold, Gerlach Reschoven, Arnold v. Rödel-
heim, Konrad Roth (v. Fechenheim), Rüdiger,
Siegfried, Siegfried, Heinrich v. Sindlingen,
Konrad von Wachenheim (Fechenheim), Siegfried
v. Wetter.

12. Vikare (vicarii): Johannes Alleciator, Friedrich
Eisenmenger, Siegfried v. Erlenbach, Heilmann
v. Gisenheim, Hermann, Ludolf, Jakob v. Sprendlingen, Berthold Zurucher.

13. St. Bartholomaeus-Kirche als Pfarrkirche (ecclesia
parrochialis) 723, 935 — Pfarr-Altar (altare
parrochie) 275, 289, 290 — Kirchenfabrik der
Pfarre (fabrica parrochie) 288, 290 S. 144, 405,
721 — Meister: Rudolf — Hof des Pfarrers
(curia plebani, plebanatus, parrochie) 252, 275,
290 S. 144, 531, 574, 742, 747 — Pfarrer (plebani, parrochiani) 253, 272, 275, 288—290,
Berthold, C., Christian, Albert v. Dernbach,
Ditmar von Frankenberg, Eppert, Gottfried,
Hermann, Ruprecht, Siegfried, Siegfried, Wicker
— Pfarrer-Gehülfen (socii plebani): Hermann
v. Bellersheim, Albert v. Dernbach, Emmerich,
Heinrich. Johannes v. Strassburg.

B. *Karmeliter* (fratres beate Marie de monte
Carmeli):
Kirche und Kloster: 298, 443, 582 — Konvent
und Mönche: 296, 504, 575, 721, 923 (sig.), 963 —
Prior: Hartlib — Mönch: Kulmann Monich —
apud mansionem Carmelitarum 856.

Deutschorden vgl. unter „Sachsenhausen".

C. *Dominikaner* (fratres Predicatores):
Kirche und Kloster: 133, 143, 150, 153, 157, 160,
179, 185, 226, 228, 411, 412, 414, 415, 476, 485,
499, 591 — Konvent und Mönche: 215, 242,
721, 756, 781. 786, 813, 908, 936 — Prioren:
201, 433, 462, 473 (sig.), Albert, Konrad. Eberhard, Hermann, Marquard, Otto, Peter — Sub-
prioren: Hartmud, Hermann — Lektoren: Walter
v. Barbei, Konrad, Gerlach, Heinrich — Mönche:
Albert Blassenberg, Heinrich v. Dieburg, Ditwin,
Berthold v. Eisenach, Johannes v. Erfurt, Heinrich v. Vetzzenburg, Hermann, Johannes Hilde,
Gerlach v. Preungesheim, Hermann v. Wetzlar,
Wigand — Nur als Ortsbezeichnung (iuxta,
apud Predicatores): 265, 267, 360, 495, 721, 759,
767, 963.

D. *Johanniter* (fratres domus ordinis hospitalis
sancti Johannis Jherosolemitani):
560, 653, 778, 810 Zus., 815, 826, 833 S. 424, 841,
858, 869, 904, 946 — Komthure: Hermann Jude
(v. Mainz), Hezekin, Herbord v. Lorch. — Brüder:
Heinrich Vende, Berthold v. Gisenheim, Kulman
und Heilmann Hilde, ungenannte Söhne Volkwins
v. Wetzlar.

E. *St. Marien- und Georgs-Kapelle* (capella
beate Marie et sancti Georgii):
47, 296, 489, 722 — Kirchenfabrik 721 — Kapläne:
935, Peter, Reinhold.

F. *Minoriten* (Barfüsser, fratres Minores):
296, 317, 473 (sig.), 721, 908 — Kirchenfabrik
331 — Guardiane: 201 (sig.), Heinrich, Ludwig
— Mönche: Albert v. Dieburg, Johannes v. Wetzlar
— Nur als Ortsbezeichnung (apud fratres Minores,
apud monasterium fr. M., exopposito etc.): 423,
670, 806, 898, 921.

G. *St. Nikolaus-Kapelle* (capella s. Nicolai):
296, 352, 618 — Kirchenfabrik 721 — Kapläne:
935, Gottschalk v. Königstein, Peter, Reinhold.

H. *Weissfrauen, Reuerinnen* (sorores ordinis
beate Marie Magdalene ad Penitentes, ge-
wöhnlich nur Penitentes):
Kloster: 149, 569 — Konvent und Nonnen: 86.
89, 96, 108, 130, 165, 249, 296, 300, 304, 423.
445 (sig.), 455, 518, 519, 523, 528, 568 (sig.).
585, 639, 656, 664, 675, 680, 721, 731 (sig.).
740, 766, 796, 801, 804 (sig.), 833 S. 424, 847,
863, 882, 907, 922, 938 (sig.) — Priorinnen:
Beatrix, Guda, Petrissa — Nonnen: Beatrix und
Hedwig v. Königstein, Katharina und Hedwig
v. Hachenburg (= v. Holzhausen), Irmtrud.
Kunigunde von der Alten Münze, Lisa v. Ossenheim, Immecha und Lukard Schwarz, Gertrud
und Irmtrud v. Wetzlar.

III. Hospitäler.

A. *Gutleuthof* (domus Leprosorum):
473, 798, 821 — Meister: Rudolf.

B. *Heilig-Geist-Hospital* (hospitale, hospitale
infirmorum, pauperum, hospitale sancti
Spiritus):

276, 296, 328, 396, 447, 456 (sig.), 457, 473, 494, 496, 509 (sig.), 535 (sig.), 547, 565, 627, 630, 721, 777, 784, 849, 864, 889, 893, 900, 940 — Kapelle daselbst: 630 — Vikarie: 535, 940 — Kapläne: 535, Friedrich Eisenmenger, Hildebrand, Hermann Rorici — Prokuratoren bezw. Provisoren: Pfarrer Eppert, Volmar v. Offenbach, Johannes pellifex, Konrad v. Speyer, Volkwin v. Wetzlar — Meister: Gerhard, Rosa — Meisterin: Mechtild Rosa.

IV. Frankfurter Judengemeinde.

*Juden* — (universitas iudeorum): 556 — 142, 442, 513, 532, 544, 552, 619, 622, 633, 684, 688, 712, 750, 755, 800, 829, 831, 897, 901, 902, 910, 916, 930, 934, 949, 950 — Meister (magister): Anselm 556 — Synagoge (scola): 556 — Kirchhof: 771, 869.

V. Topographisches.

A. *Thore und Befestigungen:*

Bockenheimer Pforte (porta Bukenheim, Buckinheimer porten): 495, 877.

Bornheimer Pforte (porta Burnheimensis, Burnheimere porten): 267, 627.

Graben (fossatum): 729, 839, 840, 891.

B. *Strassen und Plätze, Brunnen, Brücke:*

iuxta sanctum Antonium, vicus Antonii vgl. Töngesgasse.

Bendergasse (Bendirgassin): 931.

Borngasse (Luprandisgazze): 858.

Brücke über den Main (pons): 58, 67, 107, 217, 296, 410, 521, 602, 775, 933.

Dumpilborn (-burnen): 766.

Kornmarkt (forum grani, frumenti, Kornmerkede): 47, 54, 315, 483, 926.

Kruggasse (Kruchengassze): 929.

Fahrgasse (Vargazze): 560, 812.

Fischergasse (inter piscatores): 658.

in den Gärten (in ortis, apud ortos): 300, 485, 514, 724, 771.

Gelnhäuser Gasse (Geilinhusersgazse): 811.

Gemeindeweide: 50.

St. Georgsgasse (platea inferior apud s. Georgium): 887.

fons Nigri Hermanni vgl. Schwarzen Hermanns-Brunnen.

forum grani vgl. Kornmarkt.

Judengasse (inter iudeos): 296, 439.

Leinwebergasse (inter linistas): 757.

Lintheimergasse (vicus Markolfi de Lyntheim): 856.

Luprandisgazze vgl. Borngasse.

Luprandsborn (Luprandes- -dis- burnen, Luprants fons): 225, 642, 729, 815.

Markt (forum): 115, 252.

Neugasse (novus vicus): 586.

Pûl: 476.

Rosengasse (Rosingassin): 940.

Rosenthal (Rosintal): 893.

Rossbühel (Rossebubel, mons R.): 439, 495, 723, 863, 883, 904.

Sack: 858 Zus.

Sandgasse (Sant-): 873.

Schlachtberg (Slaheberg): 808.

Schnurgasse (Snargazze): 390, 439, 495, 784.

Schuhgasse (vicus sutorum, inter calcifices, Schuchgaszin): 627, 757 Zus.

Schwarzen Hermanns-Brunnen (fons Nigri Hermanni): 771.

Töngesgasse (iuxta, apud s. Antonium, bi sancte Anthonien, vicus s. Anthonii): 296, 439, 495, 792, 856.

Ziegelgasse (Zegel- Ziger- -gaze): 757, 923, 928.

C. *Kirchhöfe:*

Pfarrkirchhof (cimiterium parrochie): 124, 276, 290 s. 144, 379, 439, 473, 495, 721, 753.

D. *Häuser:*

Antoniter-Hof: 521, 805.

Arnsburger Hof: 93, 284, 286, 906, 944.

Badstuben (estuarium): 586, 715.

zu dem Biersack (Beirsacke): 885.

zum Blicke: 780.

Blidenhaus (domus machinarum, blydenhus): 439.

zum Bockshorn (domus Bockeshornes, zu dem alden und jungen B.): 423, 907.

Bornfleck (domus Cunradi Burneflecke, Burnefleckin): 423, 523.

Brottische (mense panis, in quibus panis venditur): 283, 849, 853, 885, 886.

zum alten Burggrafen (ad antiquum Burggravium): 858.

zu dem Butschuh (Butschue): 931.

Kaufhaus (-hus): 858, 913.

Cigelgarthe: 319.

zum Kranich (ad Gruem): 858.

zu der widin Dure vgl. zur weiten Thür.

Haus der Kürschner (domus pellificum): 887.

Eckenheimer Hof (curia Eckenheimere, Eckinheimerenhof): 296, 523.

zum Eygenberg: 688.

Esslingen (Etzelingen): 729.

zum Frasskeller (Vrazkelre): 495.

(Frauenrode.) [1]

zu dem Gerunge: 887.

ad Gigantem vgl. zum Riesen.

zum alten Gisenheimer (Gysenheimere): 887.

ad Gruem vgl. zum Kranich.

zum Gurrengibel (Durrengibel?): 252.

Hainerhof (curia monachorum de Hegenehe): 124, 134, 135, 268, 273*, 839, 840.

zu der hangenden Hand: 918.

zum schwarzen Hermann (ad Nigrum Hermannum, zu deme Swartzen Hermanne): 283, 621, 659, 682.

zur alten Hölle (Hellen): 852.

zum Hohenberger: 959.

zu Landeck: 780.

zum Langhaus (Langhuss, Langinhûs, -huzsh): 570, 828, 830.

zu der Linde (Lynden): 885.

---

[1] Die eingeklammerten Hausnamen kommen nur als Beinamen ihrer Besitzer vor, die betr. Stellen sind im allgemeinen Register zu finden.

zum rothen Löwen (zum Rodin Lewin, ad Rufum
Leonem): 953, 970.
Löwenberg (Lewenberg): 947 (Haus der Löherzunft.)
(Löwenstein.)
zum alten Martin (ad antiquum Martinum): 490.
Meinberg: 688 Zus.
alte Münze (Vetus Moneta): 329, 570.
(Neuhaus, Nova domus.)
ad Nigrum Hermannum vgl. zum schwarzen Her-
mann.
Rathaus (Rathoff, domus consilii, communitatis):
252, 544, 591.
zum Rebstock (ad Vitem): 865.
zum Riesen (ad Gigantem): 592.
(Rosenbusch?)
(Rothes Haus.)
zum Rothkopf (Rodencoppe): 918.
Saalhof (palatium, curia regis): 2, 11, 391.
Schelmenhof (curia Schelmonis militis): 936.
Schlachthaus (Slahehus carnificum): 808.
Schmaleck (Smalinecken): 485.
Schönau (Schonenow): 695.
Schönauer Hof (curia monachorum monasterii
Schonaugiensis): 489, 490 — Rektoren: Friedrich, Gumpert.
Schuchhus: 557 Zus.
zu der Schuren: 606, 695, 696.
Haus der Schuster (domus calcificum): 887.
zum Schwert (Swerthe): 439.
zum Sensenschmidt (Seysnensmeide): 953.
(Steinhaus.)
zum Stern (ad Stellam): 493.
zur weiten Thür (zu der widin Dure): 426, 439,
554, 557.
(zum Wedel.)
zum Wobelin (domus Wobelini, zu dem alden W.):
570, 853.
Wolkenburg (Wolkinburg): 570, 830.
Wonnenberg (Wunnenberg): 601, 874.
zu dem Würzgarten (Vurcegarten): 605.
v. Frankfurt — Agnes Beghine 1284: 485 —
Trutwin Laienbruder zu Thron 1298: 725 —
Lukard, Beghine 1273: 314 — Werner 1272:
304.
Frauenrode (Frowenrode), Hausname zu Fr. —
v. Fr.: Eckard zu Fr. 1309: 917.
Frauenweg (Frowen- Vrowin- -weg) bei Sachsen-
hausen 30, 100, 318.
Fraz — Wigand Ritter und Frau Beatrix 1313:
962.
Frecht vgl. **Freicht.**
**Fredeburg** — Eisenmenger.
**Fredericus** vgl. **Friedrich.**
**Freicht** (Frecht, Vrich, Vrigt) — Flrn. bei Preunges-
heim 333, 370, 373, 478.
**Freimersheim,** Hessen, sws. Alzei 844.
**Freising,** Bayern — Bischof: Otto (Frisingensis).
**Frideberg** vgl. **Friedberg.**
**Fridebertus** vgl. **Friedebert.**
**Fridericus** vgl. **Friedrich.**

**Friderun** vgl. **Friederun.**
**Fridugisus** — Kaiserlicher Kanzler 823: 5.
**Friedberg,** Hessen (Vredeberg, Fredeberg, Frideberc, Fridberg, Frideberg, Fridiberc, Friedeberg, Frideburg, -berch, Vrideberg, -berch, Wridburc) 46, 78, 84*, 94, 101, 120 Zus., 127 Zus.,
161 Zus., 166*, 187, 188, 204 (sig.), 216 Zus.,
217 und Zus., 219, 254 (sig.), 255, 260, 307, 312
(sig.), 313 (sig.), 322 Zus., 365, 371 Anm., 397,
402, 412*, 416, 453, 465*, 489, 490, 498, 503,
511, 572, 617, 636*, 637*, 756, 772, 786, 790,
793, 794, 854, 871, 872, 894, 942, 951 (sig.).
967, 969 — Schultheiss: Kuno — Richter: Gerlach — Bürger und Schöffen: Angelus, Bere, v.
Bettenhausen, v. Breitenbach, Bresto, Kämmerer,
Ditmar, Eckard, Engel, Friedebert, Guntram,
Halber, v. Limburg, v. Reidelshofen, Roth, Rule,
v. Strassheim, Weideler, v. Wetzlar, v. Windecken,
Wingarter, Zimmermann — Pfarrer: Gerhard,
Heinrich — Augustiner: 296, 972 — Prior derselben: Emmerich — Hankgasse 951 — Burggraf: 84, 341, 538, 739, Friedrich (Tagel)
v. Karben, Ruprecht v. Karben, Giselbert,
Ludolf, Ruprecht, Winter — Burgmannen 44,
101, 232 (sig.), 365, 874, 733.
**v. Friedberg** — Giselbert zu Sachsenhausen 1296
—1306: 702, 856, 865, 872 — vgl. Wingarthern.
**Friedebert** (Fridbertus, Fridebertus) — Kämmerer
— Junge — zwei Schöffen zu Friedberg 1266
(1256)—1285: 204, 260, 498 Anm., 503 — v.
Limburg — v. d. Rusen.
**Friederun** (Friderun) — zu Fr. 1268: 283.
**Friedrich** (Frede- Fride- Friede- -ricus) — 1232: 98
— †1258: 221 — Könige und Kaiser: Friedrich I.
1157—1186: 23—28, †31, 55, 73 — Friedrich II.
1213—1246: 39 und Zus. — 42, 43 (sig.), 44 (sig.),
46, 47 (sig.), 48 (sig.), 50, 55 (sig.), 56, 82, 122
(sig.), 126, 127, 142, 144, †161, 167, 201, 217,
244, 293, 322, 655, 736, 737, 932 — Abt zu
Arnsburg 1258—1268: 219, 239, 265, 284 —
Beyer — Schultheiss zu Bischofsheim 1289: 564 —
v. Bleichenbach — v. Bockenheim — Bode —
Cachelhart — v. Kälberau — v. Karben —
Keissilstader — Bischof v. Culm 1273: 310 —
v. Delkelheim — zu Trebur 1303: 827 — Dugel
— v. Eberstein — v. der Ecken — v. Eckenheim — v. Eschbach — Vicepleban zu Escher-
heim 1275: 360 — v. Esslingen (2) — Bischof
zu Valve-Sulmona 1300: 775 — Kanonikus
an St. Bartholomaeus zu Fr. 1194—1223: 32, 42,
57, 70 — desgl. 1243: 135 — Dechant an St.
Bartholomaeus, wohl identisch mit dem Vorigen
1251—1261: 160, 184 (sig.), 215, 224, 238 —
Verwalter des Schoenauer Klosterhofes zu Fr.
1295—1303: 666, 825 — Cistercienser-Mönch zu
Fr. 1306: 875 — Augustiner-Mönch zu Fr.
1278: 405 — Gärtner zu Fr. 1242: 129, †805
— Enkel des Vorigen 1302: 805 — zu Fr. 1283:
478 — Fuge — Griez — Hartrad — Ineptus —
Graf von Leiningen — Pfarrer v. St. Quintin und

Kanonikus v. St. Stephan in Mainz 1251: 165
(sig.) — v. Marburg — Münzer — Burggraf v.
Nürnberg — Ocalp — v. Preungesheim — v.
Ronnenberg — zum Schlüssel — v. Schwalheim —
v. Seckbach — v. Seligenstadt — Bischof v.
Speyer 1294: 652 — v. Umstadt — v. Wartenberg.
**Vrigt** vgl. **Freicht.**
**Fritze** — Moir.
**Friz** — Heinrich Ritter 1280: 430.
**Frohnhof** zu Fr. (vgl. unter Frankfurt II A 4)
— v. d. Frohnhof: Baldemar Schöffe zu Fr. 1219—
1249: 50, 52, 57, 58, 66—68, 70, 71, 73, 75,
76, 79—81, 87, 90, 91, 97, 98, 105, 111, 119,
128, 129. 131, 134, 135, 137, 138. 141, 151 —
Frau desselben: Cristantia 1223: 67.
**Fronhausen**, Hessen, ssw. Marburg (Frûnhusin)
— v. F.: Kraft 1280: 430 und Sigenand Knap-
pen, auch genannt v. Radenhausen, Burgmannen
zu Giessen 1306: 870, 880 — Frauen derselben:
Elisabeth und Ottilie 880 vgl. Knoblauch.
**Frosch** (Froesch, Froiz, Frosh, Frosz, von dem
Vroyshe, vanme Vrosche, Rana, de Rana) —
Heinrich zu Fr. 1295, † 1302: 668 Anm., 799 —
Frau desselben: Antonie 1302: 799 — Heinrich
zu Fr. 1305: 868 — Wigel (Wigand) zu Fr.
1296—1313, Rathsherr 1303, Schöffe 1310:
690, 734, 754, 824, 832, 836, 853, 870, 913,
921, 926, 931, 939, 943, 944; 947, 953, 959, 961
— Frau desselben: Katharina v. Holzhausen
1296—1310: 690, 696, 754, 770, 926.
**Frowenrode** vgl. **Frauenrode.**
**Frowenwege** vgl. **Frauenweg.**
**Fûge** — Friedrich Vogt zu Liederbach 1306: 872.
**Fulda** (Volda) — Kloster 3, 491 — Abt 1219:
46, Kuno, Heinrich, Heinrich — v. F.: Wigand
Notar des Abts v. Fulda, Kanonikus an St.
Bartholomaeus in Fr. und Pfarrer zu Hersfeld
1264—1282: 251, 352, 395, 471.
**Vulpes** vgl. **v. Rüdesheim.**
**v. Vûnemberg** — Rudolf 1235: 107.
**Fur- Vur- -bach** vgl. **Fauerbach.**
**Furhulze** — Heinrich, Herbord 1253: 175.
**Furmennen** vgl. **Rossbach.**
**zu dem Vurwere** — Flrn. bei Bornheim 451.
**Fuzechin** (Fûzekin, Unyzeichen) — Hermann
Schultheiss zu Gelnhausen 1261—1265: 232
(sig.), 245, 255 — Wezelo zu Gelnhausen 1285:
503.
**Fuzslocheren** — Flrn. bei Trebur 827.


# G.

**G.** — Kantor zu Aschaffenburg 1276: 364 — Kan-
tor an St. Stephan in Mainz 1255: 189.
**Gabriel** — Pfarrer v. Vallaneto 1307: 895 Zus.
**Gaeta**, Unter-Italien — Bischof: Bartholomaeus
(Gaytanus).
**Galle** — Hartmann Schöffe zu Trebur 1278: 406.
**St. Gallen**, Kloster — Abt: Konrad.

**Gallicien** (Gallicia), Spanien — 2.
**Gansara** vgl. **Steinheim.**
**Garbenheim**, Rheinprovinz, ö. Wetzlar — v. G.:
Erwin und Sohn Erwin Ritter 1240: 124.
**Garlens** (Carlens, Carlenx, Garlerix, Garlingia,
Gerlingis) — v. G.: Peter Kanonikus zu Alby
und Mainz, Propst an St. Bartholomaeus in Fr.
1308 (1307)—1313, † 1314: 895 und Zus., † 971.
**Gast** — Gerhard Knappe zu Liederbach 1306: 872.
**Gattenhofen**, Bayern, n. Rothenburg (Gattinhofen)
— Konrad Schöffe des Frohnhofes zu Fr. 1288: 542.
**Gebehard** — zu dem Biersack — Domkanonikus
zu Mainz 1273: 318, † als Dechant 1292: 614.
**Gebena** — zu Fr. 1294: 657.
**Gebenbrunne** vgl. **Gehaborn.**
**Gebennensis** vgl. **Genf.**
**Gebeno** — Prior zu Arnsburg 1226: 75, 80.
**Gegere** — Werner Schöffe zu Trebur 1278: 406.
**Gehaborn**, Hessen, nw. Darmstadt (Geben- -brunne,
-burnen) — 900 vgl. Betzelo.
**Geilinc** — 1253: 175.
**Geilinhuser** — Konrad zu Fr. 1302: 811.
**Geinsheim**, Hessen, sw. Grossgerau (Gensen) — 32.
**Gela** — Blineldere — v. Sachsenhausen.
**Gelnhausen** (Geilen- Geylen- Geilin- Geylin- Geiln-
Geyln- Geln- Gheylen- -husen, -husin, -housen)
— 26*, 28*, 29, 43*, 46, 78, 82*, 90* Anm., 92*,
93*, 94, 99*, 102, 161 Zus., 181 Zus., 187, 188,
193*, 212, 216 Zus., 217 und Zus., 219(sig.), 232(sig.),
254 (sig.), 307, 312 (sig.), 313 (sig.), 317, 322
Zus., 323, 324, 330*, 342*, 343, 379, 394, 397,
402, 479, 503(sig.), 511, 520, 576, 772, 790, 794,
797, 809, 818, 819, 838, 927, 943, 945 und Zus.
— Schultheiss 102, 341 vgl. Eckard, Hermann
Fuzechin — Bürger und Schöffen: v. Breitenbach,
Bresto, v. d. Ecke, Gross, Ineptus, v. Lengfeld,
vom Neuhaus, v. Orb, Schele, v. Urbar, Wiradis
— Haizergasse 945 — Juden 520, 576 — v. G.:
Heinrich Priester 1308: 894 — Wigand Kleriker
1308: 899.
**Gelstrebah** vgl. **Kelsterbach.**
**Genf** — Diöcese (Gebennensis) — 616.
**Gensen** vgl. **Geinsheim.**
**Georg** — Bischof v. Sardoniki 1299: 748 (Sarde-
nensis).
**Gepheridus** vgl. **Gottfried.**
**Geraha** vgl. **Grossgerau.**
**Gerard** vgl. **Gerhard.**
**Gerbert** — v. Limburg — zu Wetzlar 1240: 124,
† 1255: 200 — desgl. 1274: 337 — ehemaliger
Vogt zu Wetzlar 1285—1286, † 1306: 503, 507,
871 — Heilmann (Gerberti) Sohn desselben
1306—1308: 871, 894.
**Gerbodo** — Dompropst zu Mainz 1223: 69 —
Propst an St. Peter daselbst 1219—1222: 45 (sig.),
61 (sig.) — Fischer zu Sachsenhausen 1294: 661.
**Gerburgeheim** (Gerburgisheim), Wüstung, Hessen,
bei Friedberg — 708, 967.
**Gerhard** (Gerardus, Gerhardus) — v. Bergen (2)
— Graf v. Diez — Duringus — Kellermeister

zu Eberbach 1225: 73 — Sacrista daselbst 1212:
38 — Kantor daselbst 1212: 38 — v. Eppstein
— Felix — Rektor der Stiftsschule zu Fr. 1268: 279
— Meister im Heilig - Geist - Hospital zu Fr.
1308: 900 — Fischer zu Fr. 1295: 666 —
Pfarrer zu Friedberg 1266: 260 — Gast —
v. Heusenstamm — v. Hirzberg — v. Hüftersheim — Erzbischof zu Mainz 1253—1257: 172,
179 (sig.), 187 (fälschlich Gerlach), 188, 194, 199,
213 (sig.), 214 vgl. auch v. Eppstein — Kustos
an St. Peter daselbst 1242—1248: 130, 149 —
v. Mörlen — Münzer — v. Praunheim — v.
Rüdigheim — Richter daselbst 1299: 751 —
Deutschordenskomthur zu Sachsenhausen 1257:
211 (sig.) — Deutschordensbruder daselbst 1306:
875 — Schele — Schultheiss (villicus) zu Schwalbach 1287: 533 — v. Schwalbach — de Sesyriaco
— Archidiakon zu Trier vgl. v. Eppstein —
Graf v. Wertheim — Windranc — v. Wolfskehlen.

**Gerhild** (Gerildis) — zu Fr. 1219: 50 — Bresto.

**an dem Gerlu** — Flrn. bei Steden 832.

**Gerinsheim** vgl. **Gernsheim.**

**Gerkina** — zu Fr. 1310: 936.

**Gerkinus** — Schuster zu Fr. 1267: 267.

**Gerlach** (Gerlacus, Girlacus, Gyrlach) — Scholaster
zu Aschaffenburg 1308: 829 — v. Bergen —
v. Bommersheim — v. Breuberg — v. Büdingen
— Dragefleisch — v. Eschbach — Priester daselbst
1219: 45 — Versene — Richter zu Friedberg
1285—1306: 498 Anm., 503, 871 — Lektor der
Dominikaner zu Fr. 1257: 215 — Kaplan des
St. Michaels-Altars daselbst, nach 1305: 858 Zus.
— zu Fr. †1300 und gleichnamiger Sohn 771
— v. Hohingen — Notar Ludwigs von Isenburg
1258: 223 — Lesche — Graf von Limburg —
Erzbischof v. Mainz 187 = Gerhard — v. Praunheim — v. Preungesheim — Reschoven — v. Rohrbach — Ruszo — Schelm — Schotter — Pfarrer
zu Wachenbuchen 1293: 634 — v. Wöllstadt.

**Gerlib** — zu Fechenheim 1285: 502 — Bäcker
zu Fr. 1280: 424.

**Gerlind** — v. Niederrad.

**Gernand** — Hünt — Propst zu Ilbenstadt 1306:
876 — Lye — v. Mörlen.

**Gernod** — v. Eschbach — v. Flanstat — v. Höchst
— Schyndebog — v. Steinhack — Schultheiss zu
Weinheim bei Alzei 1273: 316.

**Gernsheim,** Hessen, ssw. Darmstadt (Gerines-
Gerins- Kerines- -heim) — 8, 10, 40, 256.

**Gerold** (Gheroldus) — Kaiserlicher Fiskalbeamter
zu Fr. 823: 5.

**Geroldisphad** — 5.

**Gerricus** — 975: 9.

**Gertrud** (Gerdrudis, Gertrudis) — 1270: 314 —
Beckenhube — v. Bürgel — v. Karben — v. Erchen-
stein — zu Erfurt 1261: 232 — v. Eschbach —
zu Fr. und gleichnamige Verwandte 1242: 129
— Wittwe des Herold zu Fr. 1263: 248 —
Wittwe des Färbers Beinekin daselbst 1310: 928

— Lange — Meisinbug — v. Praunheim —
v. Reifenberg — v. Rendel — v. Rüdigheim —
Aebtissin zu Schmerlenbach 1273: 320 — v. Sprendlingen — Ulner — v. Weinheim — Incluse zu
Weinheim 1306: 878 — v. Wetzlar (2).

**Gerung** — v. Köln

**Gervalko** — Deutschordensbruder zu Sachsenhausen
1273: 325.

**Gerwich** (Gerwicus) — zu Langenselbold 1300: 761

**Gerwin** — Pfarrer zu Bierstadt 1248: 147, 148.

**Geszenere** — Heinrich 1308: 909.

**Gicheburg** vgl. **Jechaburg.**

**Giessen** (Giezen, Gyzen, Gyezen) — 404, 880, 942
— Burgmannen: v. Fronhausen — Schöffen:
Dragefleisch — v. G.: Hermann Kanonikus an
St. Bartholomaeus zu Fr. 1308: 896 — Sigenand
1290: 578.

**Gilbert** (Gilebertus) — Ritter zu Grosslinden
1257: 218.

**Ginnheim,** Hessen-N., n. Bockenheim (Gynnen-
Gynnin- Gynnyn- -heim) — 714, 726, 787, 801,
863, 875 — v. G.: Nikolaus Schöffe des Frohnhofs
zu Fr. 1289: 564.

**Gipel** (Gipelo, Gypelo, Giplo, Gyplo) — zu Fr.
1304: 843 — Gurner — v. Hofheim — v. Holzhausen.

**Gisela** (Gysela, Gissela, Gusel) — von der Brücke
(= v. Offenbach) — v. Karben — v. Eschbach —
v. Grünberg — v. Limburg — v. Preungesheim
— Rusher — Wittwe des Harpern zu Wetzlar
1274: 337.

**Giselbert** (Gilbert, Gisilbert) — Antonitermeister
zu Alzei 1306: 878 — Mönch zu Arnsburg
1226: 80 — Schöffe zu Bischofsheim 1289: 564
— Caupo — v. Dernbach — Mönch zu Eberbach
1219: 51 — Propst an St. Bartholomaeus zu Fr.
1151 und Weilburg 1147: 59 Anm. — Kanonikus
zu Fr. ca. 1210—1220: 54 — Fassbinder zu
Fr. †1304: 843 — Burggraf zu Friedberg 1216:
44 — v. Friedberg — v. Herborn — v. Hofheim
— Lewe — v. Münsterliederbach — v. Preungesheim — v. Wetzlar — Priester daselbst 1278:
399 — v Wöllstadt.

**Giseler** — Schöffe zu Dieburg 1253: 175.

**Giselmar** — Kellermeister an St. Peter zu Mainz
1219: 45.

**Gisenheim** (Gisen- Gisin- Gysen- Gysin- -heim,
-hem) (wohl abzuleiten von Geisenheim a. Rhein,
Hessen-N.) — v. G : 1. Berthold Johanniter zu Fr.
1305: 867 — 2. Konrad Schöffe zu Fr. 1222—1227:
58, 70, 81 — 3. Konrad Schöffe zu Fr. 1242—1255
†1273: 131, 134, 137, 141, 151, 162, 170, 183,
190, †315, 346 — 4. Konrad zu Fr. 1297—1303:
707, 732, 734, 815 — 5. Heilmann Vikar an St.
Bartholomaeus zu Fr. 1290: 574 — 6. Heinrich
zu Fr. 1273—1274: 310, 333 — 7. Heinrich
Pfarrer zu Massenheim 1274: 336 — 8. Siegfried
zu Fr. Sohn von 3, Schöffe 1245—1255, †?1274:
137, 151, 162, 170, 183, 190, †?346 — 9. Siegfried (Siplo) 1280—1313, Schöffe seit 1292, Amt-

mann des Frankfurter Propstes 1307: 430,
483, 484, 498, 503, 515, 605, 611, 620, 629, 631,
634, 642, 643, 649, 659, 662, 670, 685, 690—692,
694—696, 701, 705, 707, 715, 721, 724, 727, 751,
753, 754, 757, 759, 762, 768, 774, 776, 777, 782,
785, 795, 796, 798, 799, 801, 802, 805—807,
813—815, 822, 824—826 (sig.), 830, 832, 841,
842, 849, 851, 854, 863, 865, 869—871, 873, 874,
883, 885—887, 891, 892 (sig.), 893, 894, 898,
906, 907, 912, 926, 928, 931, 939, 947, 952,
953, 959.

**Gysensehe** — bei Arheiligen 900.

**Gyso**, (Giso) — Vogt zu Trebur 1278: 406 —
Hund — Magister G. Kanonikus zu St. Mariengreden in Mainz 1281—1282: 451, 470 —
Magister G. Antoniter zu Rossdorf 1287: 521
(sig.) — v. Weilbach.

**Gysubel** — Konrad zu Fr. 1305: 856.

**de Gladio** vgl. **von dem Schwerte.**

**Glasofen**, Bayern, nön. Kreuz-Wertheim (Glasoven)
— v. G.: Werner 1275: 354.

**Glauberg**, Hessen, nnw. Büdingen (Glouberg. Glouburg), 211, 222.

**Glauburg**, Ruine bei Glauberg (Glau- Glou- -burch,
-purch, Globorg, Globork) — v. Gl.: Anzo =
Johann — 1. Arnold Schöffe zu Fr. 1276—1306,
† 1308: 366, 408, 409, 476, 493, 509, 521, 529,
544, 552, 570, 584, 591, 599, 605, 606, 615
S. 304, 629, 631, 634, 643, 647, 656, 661, 662,
670, 685, 690, 692, 695, 696, 701, 705, 710, 714,
715, 724, 729, 751, 754, 759, 762, 766, 768, 774,
776, 777, 782, 785, 795, 796, 798, 799, 801, 802,
805—807, 809, 813, 814, 818, 819, 824, 830,
832, 858, 874, † 905 — 2. Kusa, Tochter von 1,
vermählt mit Ludwig v. Holzhausen 874 vgl.
unter v. Holzhausen — Hanzelo = Johann —
3. Hedwig Nonne zu Meerholz, Tochter von 1,
1308: 905 — 4. Johann 1267: 267 — 5. Johann
(Anzo, Hanzelo) Sohn von 1, 1298—1300, † 1313,
vermählt mit Hedwig vom Hohenhaus: 729, 899,
905, 937, † 961, 965, 970 — 6. Lambert Mönch
zu Selbold, Sohn von 1, 1308: 905.

**Glawinitza** — Bischof: Waldebrun (Clavennacensis,
Glavenicensis.)

**Gleser** — Johannes zu Fr. 1311: 941.

**Glöckner** (Campanarius) — Konrad zu Fr. † 1270:
295.

**Glouburg** vgl. **Glauberg, Glauburg.**

**Gnadenthal**, Hessen-N., Hof bei Dauborn sö. Limburg (Gnadendail) — Kloster 413, 849 — Äbtissin:
Lukard v. Weilnau.

**Gobelo** — v. Löwenberg.

**Goda** vgl. **Guda.**

**Goddelau**, Hessen, wsw. Darmstadt (Godele, Gotdele,
Godeloch, Godelouch, Godtenloche) — v. G.:
Konrad Ritter 1272—1274: 307, 338 — Hein-
rich Ritter 1255—1262: 190, 212, 224, 243.

**Godebold** (Godebolt) — 1253: 175 — v. Düdelsheim — zu Fr. 1211: 37 — v. Hausen.

**Godefridus** vgl. **Gottfried.**

**Godele, Godeloch, Godelouch** vgl. **Goddelau.**

**Godelind** — zu Fr. 1302: 811 — v. d. alten Münze.

**Godescalcus** vgl. **Gottschalk.**

**Göns**, welches? (Gunse, Gunsse) 758 — v. G.:
Eckard Ritter und Frau Mechtild 1256: 204 —
Gottfried (Gotzo) Höriger 1286—1290: 507, 578
— Otwin 1232: 98 — Richard Ritter 1300—
1311: 758 (sig.), 942 vgl. Langgöns.

**Goldstein** (Golstein, Golt- -stein -steyn -sten -ten
Guldenstein, Gültstein), nur zu Fr.: 1. Adelheid
Frau Johanns 1297: 715 — 2. Heidendrud Frau
Jakobs vgl. 3, 1305: 862 — 3. Jakob 1303—1306:
834, 862, 869 — 4. Johannes Schöffe 1222 bis
ca. 1245: 57, 58, 66, 68, 70—73, 76, 79—81, 87,
90, 91, 94, 97, 98, 105, 109, 111, 119, 126, 128,
131, 134, 135, 137, 138, 141 — 5. Johannes
Schöffe[1] ca. 1253—ca. 1259: 170, 183, 190,
205, 219, 224 — 6. Johannes Schöffe 1268—1275:
267—270, 283, 287, 315, 328, 329, 331, 352 —
7. Johannes Schöffe 1284 bis ca. 1292: 485, 493,
540, 543, 544, 570, 574, 577, 586, 605, 611, 615
— 8. Johannes Sohn des Vorigen 1290: 574, Frau
Adelheid vgl. 1, Schöffe 1293—1313: 629, 632,
642, 650, 656, 662, 692, 695, 696, 701, 715, 721,
724, 727, 754, 757, 759, 762, 768, 774, 776, 777,
782, 796, 798, 799, 801, 802, 805—807, 814, 815,
822, 824, 830, 832, 834, 842, 849, 851—853,
863, 869—871, 873, 874, 883, 885—887, 891,
898, 906, 907, 912, 926, 928, 931, 939, 944, 947,
952, 953, 959.

**Gondsroth**, Hessen-N. sw. Gelnhausen 271.

**Guntershausen**, Hessen, wnw. Homberg (Guntershausen) 101 — v. G.: Richwin Ritter und Wigand
Kleriker 1234: 101.

**Goslar** (Goslaria) 17, 18, 27, 34 — Propst: Konrad.

**v. Gotenburg** — Hermann zu Hammelburg 1295:
679.

**Gottesthal**, Hessen-N., w. Eltville — Kloster 28.

**Gottfried** (Gepheridus, God- Gode- Got- -fridus) —
Baurus — Beyer — v. Bergen — v. Bischofsheim — v. Brauneck — v. Klingenfels —
v. Dern — v. Driedorf — v. Eppstein — Graf v.
Vaihingen — Propst an St. Bartholomaeus zu Fr.
1151—1181: 59 Anm. — Kanonikus daselbst
1215—1219: 42, 45 — Pfarrer daselbst (wohl
identisch mit dem Vorigen) 1223—1230: 66,
70—72, 75, 76, 79, 80, 87, 91 — Richter daselbst
1286: 516 — v. Göns — v. Grünberg — v. Hohenlohe — v. Liederbach — v. Linden — Scholaster
an St. Johann in Mainz 1291: 601 — Deutschordenskomthur daselbst 1287: 534 — v. Merenberg — v. Mörlen — Rusher — Pfarrer zu
Schwalbach 1300: 775 — v. Stockheim — Schultheiss zu Wetzlar 1255: 200 — v. Ziegenhain.

**Gottschalk** (God- Gode- Got- -scalcus -schalkus,
Gotzhalcus, Gotdesalcus) — Pfarrer zu Königstein 1277—1289: 379, 559 — v. Königstein,

---

[1] Diese gleichnamigen Personen lassen sich nicht
mit Bestimmtheit unterscheiden.

Kaplan der Kirche St. Nikolaus zu Fr. 1264—1275:
252, 352 (sig.), — v. Erlenbach — Dechant
an St. Bartholomaeus zu Fr. 1215—1226: 42 (sig.),
57, 66, 67, 70, 71, 72 und Anm., 73, 75, 76, 79,
80 — Jude zu Fr. 1288: 556 — v. Praunheim.

**Gozwin** (Gotzwin) — v. Eschbach — Dechant an
St. Bartholomaeus zu Fr. 1189: 32 Anm.

**Gozzo** (Gotzo) — Sohn des Bock (filius Bockes),
Ritter zu Alzei 1273: 316 — v. Göns — v. Hain
— Levite — v. Liederbach — Kanonikus an
St. Johann in Mainz 1282: 470 — Wisze vgl.
auch Gottfried.

**Grabemorgen** — Flrn. bei Liederbach 872.

**Grabewisen** — Flrn. bei Liederbach 872.

iuxta **Graburnen** — Konrad zu Fr.? 1257: 218.

**Graloc** vgl. **Groschlag.**

**Gramuzere** — Heinrich Ritter 1299: 734.

**Graschaf** — Herr v. 1290: 572.

**Grasloc** vgl. **Groschlag.**

**Grasochs** (Grasohsen) — Hartmud Ritter 1270: 295.

**Grawesloc** vgl. **Groschlag.**

**Grazze** — Heinrich zu Fr. 1305: 859.

**Greber** — Werner Schöffe zu Trebur 1278: 406.

**Greda** vgl. **Margarethe.**

**Gregor** — Päpste: IX. 1228—1238: 86 (bulla),
96 (bulla), 103 (bulla), 106 Anm., 108 (bulla),
112 (bulla), 114 (bulla), — X. 1274: 532, †595
— Bischof v. Traù 1288: 548.

**Greifenstein,** Rheinprovinz, nw. Wetzlar (Grifen-
-stein -steine) — v. G.: Kraft Ritter 1290—1301:
572, 794 (sig.).

**Greiz** — Heinrich zu Fr. †1297: 706.

**Gremeser** — Heinrich Schöffe zu Dieburg 1253:
175.

**Gretha** vgl. **Margarethe.**

**Grevenrot,** vielleicht Greverath, Rheinprovinz. sw.
Wittlich — v. Gr.: Magister Bernhelm Kanonikus
an St. Bartholomaeus zu Fr. 1292: 616.

**Griben** — Wigand zu Kelkheim 1284: 495.

**Griedel,** Hessen, ö. Butzbach (Gridele, Gridelo) —
Pfarrer 1308: 894 — v. Gr.: Hezechin 1253: 175.

**Griesheim,** Hessen-N., osö. Höchst (Gries- Gris-
Grisz- Griz- -heym) 314, 346, 447, 519, 559,
674, 676, 777, 804 — v. Gr.: Werner und Söhne
Heinrich, Johann 1301: 777.

**Griez** — Heinrich und Sohn Friedrich zu Fr.
1276: 378.

**Grifenstein** vgl. **Greifenstein.**

**Grimmelo** — Emmerich zu Fr. 1259: 225.

**Grinda, Grindahe** vgl. **Gründau.**

**Grindlach, Grindellahe** vgl. **Gründlach.**

**Grizheim** vgl. **Griesheim.**

**Gronau,** Hessen-N., nw. Hanau (Grûna, Grunnaw)
789 Anm. — Pfarrer: Gottschalk v. Königstein
— v. Gr.: Hermann zu Fr. 1290: 574.

**Groschlag** (Graloc, Grasloc, Grawesloc) zu Dieburg
— 1253: 175 — Rudolf Ritter 1253: 175 —
Rudolf Ritter 1288—1295: 549, 681 vgl. Owemann.

**Gross** (Groze, Magnus) — zu Kelkheim 1276: 364
— Wortwin zu Gelnhausen 1285: 503.

**Grossgerau,** Hessen, nww. Darmstadt (Geraha) 158.

**Groze** vgl. **Gross.**

zu der **grozen buchen** — Flrn. bei Bornheim 451.

**Grünberg,** Hessen (Grunen- Grunin- Gruen- -berc.
-berg) 101 Zus., 332*, 489 — Bürger: Angelus,
v. Saasen — v. Gr.: Gisela Wittwe Rudolfs zu
Fr. 1306—1311: 873, 939, 940 — Gottfried
Fassbinder zu Fr. †1302: 811 — Guntram Schenk
Ritter 1250: 156 — Hartmann zu Fr. 1288:
439 Anm. — Rudolf Schuster zu Fr. 1280—1290,
†1306: 427, 428, 570, †873, 939, 940 — Werner
zu Fr. 1289: 566.

**Gründau,** Hessen-N., wnw. Gelnhausen (Grinda,
Grindahe) — Gericht 797 — v. Gr.: Hermann
zu Fr. 1292: 615 — Philipp Ritter 1263: 245 —
Mutter desselben, eine v. Sachsenhausen 1262:
243.

**Gründlach,** Bayern, s. Erlangen (Grindellaha,
Grindlach) — v. Gr.: E. und L. Brüder 1231:
92 — Herdan 1292: 610.

**Grüningen,** Hessen, ssö. Giessen (Grüningin) —
v. Gr.: Konrad Mönch zu Arnsburg 1308: 894.

**Grumenerlehesweg** bei Offenbach 262.

**Gruna, Grunnaw** vgl. **Gronau.**

**Grundelosenborn** bei Wachenbuchen 634.

**Grus** vgl. **Kranich.**

v. **Guarano** — J., Päpstlicher Kanzleibeamter
1285: 504 Zus.

**Guda** (Goda, Gusa, Gutda) — Knoblauch (2) —
v. d. Ecken — v. Erlenbach — v. Eschbach —
v. Eschersheim — Priorin im Weissfrauenkloster
z. Fr. 1286—1310: 519, 938 — Beghine zu Fr.
1261: 234 — desgl. 1283: 476 — desgl. 1304:
843 — Frau Arnolds zu Fr. 1267: 276 — Wittwe
des Barbiers Konrad zu Fr. 1292, †1297: 605.
715 — Schwiegermutter des Hertwin v. Hohenhaus zu Fr. 1307: 887 — Magd des Hermann
v. Köln zu Fr. 1297: 721 — Henhuser — vom
Hohenhaus — v. Holzhausen — v. Liederbach —
v. Limburg — Lower — Meisterin zu Meerholz
1308: 899 — Melpoden — v. Mörlen — v. Rohrbach — vom rothen Haus — v. Schwalbach —
Schwarz — Sekeren.

**Gudela** — v. Buchen — v. Driedorf — zu Fr. 1302:
805 — v. Preungesheim.

**Guderad** — v. Erlenbach.

**Günther** (Guntherus) — Sensenschmidt.

**Guginsheim** vgl. **Jügesheim.**

**Gulle** vgl. **Dorfgüll.**

**Gumpert** (Gumbert) — Verwalter des Schönauer
Hofes zu Fr. 1277—1284: 388—390, 490.

**Guntershausen** vgl. **Gontershausen.**

**Guntram** (Guntramus, Guntrammus) — zu Fr.
†1267: 276 — Bäcker zu Fr. 1280: 439 —
Schöffe zu Friedberg 1256: 204 — v. Grünberg
— v. Holzheim (2) — Hunger — Münzer — Sperber
— v. Strassheim.

**Gurner** — Gipel 1290: 570.

**Gusenheim,** 182.

Guta vgl. Guda.

Gutelmann — Pfälzischer Lehnsmann 1292: 609.

Gzroggo — Wasmud zu Fr. 1215: 42.

# H.

H. — v. Dieburg — Graf v. Dillingen — v.
Tolderlin — Pfarrer zu Igstadt † 1305: 857 —
Meister des Riederhofes 1286: 284 — Rule —
v. Weydas.

Haarhausen, Hessen, wnw. Homberg 101.

Haarheim, Hessen, n. Frankfurt (Har- Hor- Hoir-
-heim, -heym) 3, 248, 390, 861, 862, 952 — v. H.:
Konrad zu Fr. 1277: 388—390.

Habercorn — Johannes zu Fr. 1304: 854.

Hachechenstein vgl. Hattstein.

Hachenburg, Hessen-N. (Hachen- Hachin- Haggen-
-berg) — v. H.: Kunigunde 1290: 578 — zu Fr.:
Heinrich 1288—1310 (identisch mit Heinrich v.
Holzhausen): 552, 574, 586, 710, 813, 863, 907,
936 — zweite Frau desselben: Christine 1290—
1308: 586, 907 — Töchter erster Ehe: Elisabeth,
Hedwig Nonne bei den Weissfrauen, Hellenburgis
1290—1308: 586, 907 — Tochter zweiter Ehe:
Katharina Nonne bei den Weissfrauen 1308: 907.

Hadewigis vgl. Hedwig.

Hagen vgl. Hain.

v. Hagen (Hagin) — Drabodo ca. 1150: 21 —
Konrad 1128—1151: 19, 21, 22 — Frau desselben: Lukard 1128—1151: 19, 22 — Konrad
Ritter 1219, † 1221: 46, † 49 — Wittwe Elisabeth v. Hohenberg 1221—1226: 57 (sig.), 71
(sig.), 72 (sig.), 74, 76 (sig.) — Eberhard (Albus)
ca. 1150: 21 vgl. Waro.

Hagenau, Elsass (Hagenowe, Hagenoye) 187, 188,
323*, 365*, 402, 501, 622 — Schultheiss 198.

Hagenauwe vgl. Hanau.

Hagenehe vgl. Haina.

Hagenowa vgl. Hanau.

Hain in der Dreieich, Dreieichenhain, Hessen,
sws. Offenbach (Hagen, Hein) — 98, 873.

Hain, wüst, Bayern sw. Aschaffenburg (Hagen,
Indago) — v. H.: Brüder 1284: 487 — Gotzo
Ritter 1306: 872 — Jakob und Ruprecht Ritter
1289: 559.

Haina, Hessen-N., nö. Marburg (Aulis- -burch -burg,
Hagenehe, Hanehe, Hegene, Hege- -nehe -nehes
-nehi, Hegeneh) 43, 46, 50 (sig.), 75, 81, 82, 90,
91, 101, 115, 119, 124, 134, 135, 212, 234, 243,
245, 258, 268—270, 273, 391, 471, 495, 647,
714, 721, 726, 839, 840, 854, 856, 865, 891, vgl.
auch Frankfurt V D: Hainerhof — Äbte: Heinrich,
Wigand, Wilhelm, Wilhelm — Prior: Johann
— Subprior: Eginolf — Kellermeister: Konrad,
Dietrich — Hospitalmeister: Heinrich v. Amöneburg — Grangiarius: Ortwin — Mönche: Konrad v. Momberg, Widerold — Laienbrüder:
Heidenrich, Ortwin (grangyarius).

Hainbuchenthal, Bayern, sww. Rothenburg (-tale)
467*.

Haitz, Hessen-N., nwn. Gelnhausen (Hayzes) 529.

Hakenrode — Wenzel zu Fr. 1304: 854.

Halber (Hal- -beir -bir) — Kuno Ritter 1306:
880 — Hermann Ritter 1236—1242: 111, 128 —
Hermann H. v. Cleeberg Ritter 1300: 765 —
Hermann zu Friedberg 1300: 764.

Hallgarten, Hessen-N., w. Eltville (Halgarten) —
v. H.: Dietrich zu Fr. 1305: 864.

Hallstadt, Bayern, n. Bamberg (Halstat) — v. H.:
Konrad Deutschordenskomthur zu Sachsenhausen
1293: 628.

Halstein — Ritter 1265: 255.

Hamerstein vgl. Hammerstein.

Hammelburg, Bayern, nww. Schweinfurt 679.

Hammerstein, Rheinprovinz, nw. Neuwied (Hamer-
Hamir- -stein) 17, 18, 27, 34.

Hanau, Hessen-N., (Hage- -nauwa -nauwe -nogya
-nowa -nowe, Han- -auwe -owe -owia, Haynouwe,
Henouwe) 817 — Edelherrn v. H.: Agnes, Gemahlin
Ulrichs II. 1313: 961, 965 (sig.) — Elisabeth
v. Rieneck Gemahlin Ulrichs I. 1272—1290: 310
Anm., 576 — Heinrich Domherr zu Mainz 1222:
60 — Heinrich II. 1234—1235: 102, 106, 132 —
Reinhard II. 1251—1279: 167, 202, 230, 254, 255,
263, 310 Anm., 369, 383, 413, 418 — Ulrich I.
1272—1303: 310 Anm., 465, 502 (sig.), 520, 551,
553, 571 (sig.), 576, 644 (sig.), 645, 649, 669,
716, 772, 797, 816, 817, 824, 829, 833 (S. 424,
425) — Ulrich II. 1313: 961, 962 (sig.), 965
(sig.) — Benannte v. H.: Heinrich Kanonikus
an St. Bartholomaeus zu Fr. 1259, Scholaster
daselbst 1261—1263: 234, 236, 246 — Winter
Ritter 1313: 961.

Hanbach — Wald 56.

Hanenbuto — Rucker 1232: 98.

Hannemann — zu Fr. 1295: 670.

Hantzelo (Hanzelo) — v. Glauburg.

Hapershoven vgl. Oppershoven.

Happelo — v. Steinheim.

Harbern vgl. Harpern.

Hardung vgl. Hartung.

Harheim vgl. Haarheim.

Harpelo (Harpo) — zwei zu Liederbach 1306: 872.

Harpern (Harbern, Hartbern, Hartpern) — Bresto
(2) — Kanonikus an St. Bartholomaeus zu Fr.
1223: 71 — Schöffe zu Fr. 1222—1223: 58, 67
— zu Fr. ca. 1210—1220: 54 — zu Fr. 1215:
42 — Brauer zu Fr. 1291: 602 — zu Fr. nach
1284: 495 — zu Fr. 1300: 767 — v. Limburg —
v. Offenbach — zu Wetzlar † 1274: 337.

Hart — Flrn. bei Arheiligen 900.

Hartlib (Hartlevus) — Bunra — Karmeliterprior zu
Fr. 1309: 923 — Brauer zu Fr. 1273: 314 —
v. Limburg — Villicus.

Hartmann — Kellermeister zu Arnsburg 1248:
150 — Blide — v. Breitenbach — v. Kahlbach —
Darender — Hochmeister des Deutschordens
1280: 431 — von der Ecken — v. Erlenbach —

Kustos an St. Bartholomaeus zu Fr. vgl. v. Sachsenhausen — Sohn Ruprechts Kanonikus daselbst
1243: 153 — Procurator zu Fr. 1308: 899 —
Galle — v. Grünberg — v. Heldenbergen —
Meiden — Metzeler — v. Michelbach — zu Oberoldeshusen 1281: 456 — v. Übernthal.

**Hartmud** (Harmud, Hardmut, Hartmut) —
Blumechin — zu Bornheim 1281: 451 — Bresto
— v. Karben — v. Cronberg — Kullyne — v.
Eschborn — v. Eutelsheim — Subprior der
Dominikaner zu Fr. 1257: 215 — Vogt des Frohn-
hofs zu Fr. 1288—1289: 542, 564 — Grasochs
— v. Hofheim — v. Linden — v. Nied — v.
Sachsenhausen — v. Schiltigheim — v. Schwalbach
— Stollechin — v. Suscebach — v. Wöllstadt.

**Hartrad** (Hartrat) — Blide — Schöffe zu Dieburg
1253: 175 — v. Hörnsheim — v. Wetzlar.

**Hartrad** (Hartdrat) — Friedrich und Frau Lukard
zu Dieburg 1296—1314: 703, 968.

**Hartradisbusz** — Flrn. bei Bockenheim 787.

**Hartung** (Hardung, Hartdung) — v. Kahlbach —
Sackträger zu Fr. 1280: 424.

**Hartwig** — 1232: 98 — Ritter 1265: 255 —
Eckestein — Schiffer zu Fr. 1273: 319 — v.
Otzberg — v. Seckbach.

**Hasela** vgl. Schlechtorn.

**Haselach** vgl. Hassloch.

**Haselberg,** vielleicht Hasselbach bei Usingen,
37 Zus.

**v. Hasele,** Alten- oder Neuen-Hasslau bei Gelnhausen — Starkerad Ritter 1294: 664.

**Haseusela** — Ruprecht 1232: 98.

**Hassloch,** Hessen, nw. Grossgerau (Haselach, Haslach), Hof des Klosters Eberbach 21, 49, 73,
136, 145, 190 Zus.

**Hattstein,** Ruine sw. Usingen (Hachechen- Hatzegen-
Hatzichen- Hatzichin- Hazgen- Hazich- Hazichen-
-stein) — v. H.: Agnes Frau Heinrichs, ver-
wittwete v. Heusenstamm 1296: 701 — Konrad
Ritter 1226: 75 — Konrad Ritter 1303: 825 —
Kuno Ritter 1226: 75 — Guda Tochter Heinrichs, vermählte v. Rohrbach 1302: 806 — Heinrich Ritter 1272—1307: 307, 559, 664, 701, 741,
776, 806, 866, 886 — Heinrich Sohn des Vorigen
1302—1307: 806, 886 — Wolfram Bruder des
Vorigen 1302—1307: 806, 886.

**Haug,** Bayern, bei Würzburg (Houge) 786 — Stift
St. Johann: Propst Degenhard — Dechant 103.

**Haupt** (Caput, Houbet) — Konrad zu Fr. 1263,
Schöffe daselbst 1273—1281: 248, 319, 331, 451.

**Hausen,** Hessen-N., nw. Frankfurt (Husen) 106,
224, 787.

**Hausen,** Hessen-N., sws. Ober-Aula (Husen) —
v. H.: Ludwig Ritter 1250: 156.

**Hausen,** unbestimmbar (Husen) — v. H.: Godebold Schöffe zu Glauberg ca. 1258: 222.

**Hazichstein** vgl. Hattstein.

**Hebarhard** — Kaiserlicher Kanzler 874: 6.

**Heddernheim,** Hessen-N., nnw. Fr. (Hedern- Heiders-
Heyders- -heim) 377, 407 — v. H.: Albradis Frau

Ruprechts 1248: 150 — Berthold zu Sachsenhausen 1290: 579 — Ruprecht Ritter zu Fr.
1242—1262: 129, 146, 150, 239.

**Hedwig** (Hade- Hede- -wigis) — Baurus — Bornfleck — Kachelhart — v. Königstein — Beghine?
zu Fr. 1259: 225 — Tochter Arnolds zu Fr. 1300:
754 — v. Glauburg — v. Hachenburg — v. Holzhausen — v. Massenheim — v. d. alten Münze
— Roth — v. Strassburg — zu Wetzlar 1273: 327.

**Hegenehe** vgl. **Haina.**

**Heidelberg,** Baden (-bergk) 860*.

**Heidendrud** — Bresto — Goldstein — Schwarz.

**Heidenrich** — Scholaster an St. Bartholomaeus zu
Fr.: 1228—1230: 87, 91 — Laienbruder zu
Haina 1219: 50.

**Heidersheim** vgl. **Heddernheim.**

**Heildebergen** vgl. **Heldenbergen.**

**Heiligenstadt,** Prov. Sachsen, ssö. Göttingen (-stad)
— Propst: Drabodo.

**Heilmann** (Heile- Heyle- -mann) — v. Bommersheim — v. Breitenbach — Burggraf Ritter 1308:
901 — Darender — v. Dörnigheim — Duvel —
v. Eichen — v. Eschbach — zu Fr. 1288: 552 —
Priester, Sohn der Fischerin (filius piscatricis) zu
Fr. 1302: 811 — Knecht des Kantors Albert
v. Karben zu Fr. 1301: 789 — Sohn des Fassbinders Giselbert zu Fr. 1304: 843 — Gerberti —
v. Gisenheim — Hilde — v. Holzhausen — v.
Lengsfeld — Deutschordensbruder zu Sachsenhausen 1306: 875 — Selege — Starkerat — zu
Wetzlar Sohn des Vogtes Gerbert 1306—1308:
871, 894. — Zenechin.

**Heilwigis** (Helwigis) — v. Isenburg — v. Liederbach — v. Münzenberg.

**Heimburge** — Heinrich Schöffe des Frohnhofes
zu Fr. 1289: 564 — Heinrich zu Seligenstadt
1306: 871.

**Heyme** — Jakob Schmidt zu Fr. 1291: 588.

**Hein** vgl. **Hain.**

**Heynenstrade** bei Arheiligen 900.

**Heinrich** (Hein- Heyn- Hen- -ricus) — Kaiser und
Könige: Heinrich IV. 1074: 17, †18, 27, 34 —
Heinrich V. 1112: 18 — Heinrich VI. 1190—1194:
29, 30, 31 (sig.) und Anm., 32, 33, †43, 55 —
Heinrich (VII.) Sohn Friedrichs II. 1226—1235:
78, 82 (sig.), 83—85 (sig.), 90 Anm., 91, 92 (sig.),
93, 94 (sig.), 99, 100 (sig.), 102, 104 (sig.), 107
(sig.), †293 — Heinrich (Raspe) 1246: 144 —
Heinrich VII. 1309—1312: 915 (sig.), 916, 922
(sig.), 930, 932 (sig.), 933 (sig.), 950, 954 —
v. Abenrode — v. Altendorf — v. Altenstadt —
v. Alzei — v. Amöneburg — Abt zu Arnsburg
† 1245: 138 — desgl. 1301, † 1308: 786 (sig.),
894 — Prior daselbst 1248: 146 — Kellermeister daselbst 1275: 360 — ehemaliger
Kellermeister daselbst 1257: 211 — Unterkeller-
meister daselbst 1226: 80 — Schultheiss zu
Babenhausen 1258—1263: 175, 246 — v. Bamberg — Bischof v. Basel 1282: 465 — Pfarrer
zu Bellersheim 1300: 756 — Berno — v. Betten-

hausen — Bichelin — Binthamer — v. Birklar —
Blinelder — v. Bockenheim — Bokkenheimer —
v. Bonames — v. Bornheim — v. Braubach —
Bresto — v. Buchen — Budil — v. Büdesheim
v. Kaichen — v. Kahlbach — v. Kalentin —
v. Kalsmund — v. Katzenelnbogen — v. Katzenfurt — de Cimiterio — v. Kindhausen — v.
Kinzheim — Knoblauch — Kobold — Erzbischof
v. Köln 1308: 895 — v. Köln — Colnerer —
v. Krombach — Darender — v. Dieburg — v.
Dietesheim — v. Dietzenbach — v. Diez —
v. Dorheim — Dortchenbois — zu Trebur 1253:
174 — Bischof v. Trient 1289: 569 — Erzbischof
v. Trier 1281: 446 (sig.) — Tuchen — Eber —
Magister H. Mönch zu Eberbach 1212: 38 —
Syndicus desselben Klosters 1272: 308 — Bischof
v. Eichstätt 1227: 82 — Eigel — Eissenman —
v. Else — Enkir — zu Erfurt 1261: 233 —
Vogt v. Erlenbach — v. Eschbach — v. Eschersheim — Kaplan Philipps v. Falkenstein 1282:
469 — Feltacker — Vende — v. Vetzenburg —
v. Vilbel — Fiol — Propst ? an St. Bartholomaeus zu Fr. 1273: 329 — Dechant daselbst
ca. 1210—1220: 54 — desgl. 1264—1277: 251—
253 (sig.), 257, 268—270, 273, 276, 284, 288,
295 (sig.), 311, 318, 320, 328, 329, 338, 339,
352, 353, 379, 393 — Kanonikus daselbst 1223:
66, 70 — Gehülfe des Pfarrers daselbst 1311:
940 — Notar des Dechanten Heinrich daselbst
1267: 268—270 — Lektor der Dominikaner daselbst 1279: 410 — Guardian der Minoriten daselbst 1276—1277: 376 (sig.), 393 — Schultheiss
daselbst vgl. v. Praunheim — Richter daselbst
1273: 319 — Ackerer (aratror) daselbst 1215:
42 — Bäcker daselbst 1254: 183 — Baumeister
daselbst (edituus) 1215: 42 — Barbier daselbst
1280: 424 — Krämer (institor) daselbst 1290:
570 — Sackträger daselbst 1298—1304: 726, 854
— Schmied daselbst 1304: 854 — Schuster
daselbst 1291: 588 — Schwiegersohn Helfrichs
daselbst 1215: 42 — Grossoheim Wickers von der
Brücke daselbst 1270: 296 — Bruder des Kantors
Christian 1273: 311 — verschiedene, unbestimmbar 1222: 57, 1271: 300, 1286: 508, 1305: 856
— Pfarrer zu Friedberg 1300: 756 — Friz —
Frosch — Abt zu Fulda 1193: 31 Anm. —
desgl. 1296: 697 — desgl. 1309: 917 — Fur-
hulze — Gansara (v. Steinheim) — v. Gelnhausen
— Geszener — v. Gisenheim — zu Glauberg
ca. 1258: 222 — v. Goddelau — Gramuzer —
Grazze — Greiz — Gremeser — v. Griesheim —
Griez — v. Hachenburg — Abt zu Haina 1276:
377 — Laienbruder daselbst 1219: 50 — v.
Hanau — v. Hattstein — Heimburge — v.
Heldenbergen — Henhuser — v. Herborn —
Herregot — Landgraf v. Hessen — v. Heusen-
stamm — Propst zu Himmelgarten 1306: 878 —
v. Hörnsheim — v. Holzburg — v. Holzhausen —
Bischof v. Jachroesien 1261: 238 — v. Ybach —
Propst zu Ilbenstadt 1240: 123 — v. Ilbenstadt

— v. Isenburg — v. Langd — Lange — v. Langsdorf — v. Langstadt — v. Lautern — Leber —
Lechelin — zu Liederbach 1306: 872 — v. Limburg — v. Lissberg — Herzog v. Löwen —
Lower — Lule — Graf von Luxemburg —
Markgraf v. Mähren — Vogt zu Mailand 1246:
144 — Erzbischof v. Mainz 1151: 22 — Dechant
an St. Peter in Mainz 1248: 149 (sig.) — Vikar
daselbst 1290: 577 — Scholaster an St. Stephan
daselbst 1309: 920 (sig.), 924 (sig.), 925 (sig.)
— v. Meielsheim — v. Merenberg — Meun —
v. Mörlen — Mol — Monich — v. Münchhausen
— von der alten Münze — Graf v. Nassau — v.
Nauborn — v. Neiffen — v. Neukastel — Bischof
— v. Oesel 1254: 185 — v. Offenbach — v. Orb
— Palmistorfer — Paternoster — v. Phingestein
— Pinguis — de Platea — Pluger — de Porta —
v. Praunheim — v. Preungesheim — Qwytilin —
Rinwade — v. Rödelheim — Roth — v. Rothenburg — v. Rüdigheim — v. Rüsselsheim — von
der Rusen — Deutschordenspräceptor zu Sachsenhausen 1221—1237: 57 Anm. — Bäcker daselbst
1271: 300 — Graf von Sayn — Schelm —
Schilder — v. Seckbach — v. Sindlingen —
v. Soden — v. Sprendlingen — Bischof v. Speyer
1267—1279: 266 (sig.), 415 (sig.) — Steinhäuser
— Erzpriester zu Steinheim 1261: 233 — v.
Steinheim — v. Stierstadt — Storkelin — v.
Strassburg — Ulner — v. Urberach — v. Ursel
— Wassach — Wato v. Geckenpeunt — v. Weilburg — v. Weilnau — v. Weinheim — Weiss —
v. Weiterstadt — v. Wetzlar — zu Wetzlar 1240:
124 — desgl. 1306: 871 — v. Wickstadt — v.
Wilberg — v. Wildenstein — Windilsteher —
Wise — Wobelin — v. Wöllstadt — Schultheiss
zu (Ober-)Wöllstadt 1303: 825 — Wolf —
Bischof v. Worms 1227: 82 — Erzbischof v. Zara
1299: 748.

**Heirzbach** vgl. **Hirzbach.**

**Helda** — Frau Wolframs zu Fr. 1289: 561.

**Heldenbergen,** Hessen, ssö. Friedberg (Helde-
Heilde- Hilde- -berg, -berge, -bergen, -bergin)
101, 294, 702, 822 — v. H.: Berthold (1) (Bechtold)
Schöffe zu Fr. 1234—1273: 105, 131, 135?, 137,
141, 151, 162, 170, 177, 183, 190, 218, 219, 248,
249, 276, 319, 325, 379 — Berthold (2) Sohn
des Vorigen 1268—1286: 277, 451, 514 — Konrad
Bruder des Vorigen 1286—1303: Rathsherr zu
Fr. 1303: 495, 514, 605, 667, 734, 755, 770, 799,
824, 825 — Erkenbold Ritter zu Fr. 1230—1238:
90, 91, 115 — Hartmann zu Fr. 1286: 514 —
Heinrich Pfarrer zu Bergen 1286: 514 — Ida
Frau Bertholds 1249—1251: 151, 162 — Johannes
1286: 514 — Sibold Ritter 1285—1303: 502,
822 — Wigand 1219: 53 — Wigand 1276—1293
(wohl zwei Personen): 363, 382, 634.

**Helfenstein,** Ruine nnw. Ulm bei Geislingen
(Elphen- Helfin- -stein) — Graf Eberhard v. H.
1219—1221: 48, 55.

**Helfrich** (Helphricus, Helfricus) — v. Bergen —
v. Dörnigheim — Mönch zu Eberbach 1212: 38
— zu Fr. 1215: 42 — zu Fr. 1261: 236 — v.
Rüdigheim.

**Helias** vgl. **Elias.**

**Hellenburgis** — v. Hachenburg.

**Helwig** (Helwicus) — zu Dieburg † 1296: 703 —
v. Praunheim.

**Helwigis** vgl. **Hellwigis.**

**Henehes** vgl. **Haina.**

**Henhuser** — Heinrich zu Fr. † 1313 und Frau
Guda, 962.

**Henlidis** — Kolbe.

**Herberen** vgl. **Herborn.**

**Herbord** (Herbordus, Herburdus, Herburtus) —
v. Acryberahe — Bichelin — Gärtner zu Fr.
1288: 540 — Furhulze — in Horreo — Yserenhut — v. Lissberg — v. Lorch — v. Offenbach —
Rosa — Schele — Schwiegersohn der Petrissa
zu Seligenstadt 1306: 871.

**v. Herbordisheim,** vielleicht Herbolzheim, Baden,
ssw. Neudenau — Diether 1219: 49.

**Herborn,** Hessen-N., s. Dillenburg (Herbern,
Herberen) 578 — v. H.: Konrad zu Wetzlar 1278:
401 — Giselbert desgl. 1285: 503 — Heinrich
Päpstlicher Kanzleibeamter? 1311: 946 Zus.

**Herburgis** — zu Fr. 1270: 296.

**Herdan** (Herdenus, Herdegnus) — v. Gründlach —
v. Ruhlkirchen.

**Herirlh,** Herrih † 880: 7, 8, 10 I.

**Herlaug** — Blumechin.

**Herlisheim** vgl. **Hörnsheim.**

**Hermann** (Herimann) — v. Altendorf — Kellermeister zu Arnsburg 1226—1245: 79, 80, 111,
138 — Arzt König Heinrichs VII. 1231: 92 —
Markgraf v. Baden 1219—1231: 47, 48, 55,
82, 92 — v. Bellersheim, Gehülfe des Pfarrers
zu Fr. — v. Bergen — Bichelin — v. Bierstadt — Bruchwihe — v. Kahlbach — Kilian
— Knoblauch = v. Offenbach — Cnuftinc —
Hochmeister des Deutschordens 1221: 55 —
Landgraf v. Thüringen — Truchsess zu Dornberg 1265: 255 — v. Trais — v. Vilbel — Finke
— Dechant an St. Bartholomaeus zu Fr. 1278:
406 — Vikar und Glöckner daselbst 1307: 892 —
Pfarrer und Kanonikus daselbst 1263: 246 —
Prior der Dominikaner zu Fr. 1273—1277: 321,
393 (sig.) — Subprior der Dominikaner daselbst
1289: 560 — Dominikaner daselbst 1284: 481 —
Schuster zu Fr. 1302: 808 — Weber zu Fr.
1268—1284: 277, 423, 493 — Bruder des Wetzelo
zu Fr. 1299: 745 — Fuzechin — v. Giessen —
v. Gotenburg — v. Gronau — v. Gründau —
Halber — v. Hohenstein — früherer Propst zu
Ilbenstadt 1266: 260 — Johanniter-Prior für
Deutschland 1301: 778 — Jude = v. Mainz —
Schultheiss zu Langenselbold 1300: 761 — v.
Limburg — v. Mainz — von der alten Münze
— Münzer — v. Offenbach — v. Olm — Graf
v. Ravensberg — v. Rickel — Rorici — Deutsch-

ordenspriester zu Sachsenhausen 1273—1288:
310, 324, 325, 550 — v. Scharzfeld — Schelm
— Schrantz — zu Schwalbach 1287: 533 —
Schwarz (2) — v. Selbold — Abt zu Seligen-
stadt 1268: 278 — Shike — v. Steckelberg —
Ufstozer — zu Weinheim 1273: 316 — v. Wetzlar
— Bischof v. Würzburg 1227—1235: 83, 102, 107.

**Heveheim** vgl. **Hofheim.**

**Hernestus** vgl. **Ernst.**

**Herold** — zu Fr. † 1263 und gleichnamiger Sohn
Mönch zu Arnsburg 248 — zu Fr. 1293: 627
— v. Ludenbrach.

**Herpelo** — zu Fr. 1298: 732.

**Herregot** — Heinrich zu Fr. 1284: 483.

**Hersfeld,** Hessen, nwn. Fulda 77* — Abt: Ludwig — Pfarrer: Wigand v. Fulda.

**Herterich** — Schöffe zu Trebur 1278: 406.

**Hertnid** — zu Trebur 1253: 174.

**Hertwicus** vgl. **Hertwin.**

**Hertwin** (Hart- Hert- -wicus -winus) — Mönch
zu Arnsburg 1236: 111 — Schuster zu Born-
heim 1281: 451 — v. Bürgel — Eckestein —
Schultheiss zu Fechenheim 1285: 502 — vom
Hohenhaus — Lubenheimere — Oůgelin — vom
Rebstock — v. Rossbach — Stemeler — v.
Weinheim.

**Herzog** (Dux) — Berthold, Konrad zu Fechenheim
1285: 502.

**Hessen** (Hassia) — Landgraf Heinrich I. 1274—
1282: 332, 465.

**Hettengesesze** vgl. **Hüttengesäss.**

**Hetzefure** (-vore) — Magister (Meister) zu Sachsenhausen 1288 — ca. 1292: 539, 615.

**zu den Heugen** — Flrn. bei Fr. 724.

**Heusenstamm,** Hessen, ssö. Offenbach (Husen-
Husin- -staim -stam) 54, 591 — Pfarrer 836 —
v. H.: 1. Adelheid Wittwe Konrads 1305: 867.
wahrscheinlich eine geb. v. Karben vgl. 471 —
2. Agnes Gemahlin Siegfrieds 1292—1296, wieder-
vermählt mit Heinrich v. Hattstein, 611, 701 —
3. Konrad 1232—1261: 98, 233 — 4. Konrad
Ritter 1280—1296 † 1305: 433, 451, 458, 701,
867 — 5. Konrad gen. v. Wiena Ritter, vielleicht
identisch mit dem vorigen 1299: 734 — 6. Konrad Sohn der Albradis, Verwandter der v. H.
1280—1282: 433, 451, 458 — 7. Kunigunde
Gemahlin Siegfrieds 1299—1304: 734, 751, 836 —
8. Gerhard Ritter 1280—1296: 433, 451, 458.
701 — 9. Heinrich Ritter 1280—1288, † 1292:
433 (sig.), 451 (sig.), 458 (sig.), 502, 543, 611
— Kebsweib desselben: Blumechin vgl. 611 —
10. Johannes 1232—1255: 98 (sig.), 175, 191,
192 — 11. Siegfried 1232: 98 — 12. Siegfried
1277—1292, † 1296: 384, 417, 433, 451 (sig.).
458 (sig.), 471, 611, † 701 — 13. Siegfried 1296
—1304: 701, 734 (sig.), 751, 764, 836 — 14.
Werner gen. v. Wiena 1304: 836.

**Hezechin** (Hezecho, Hezegin) — Johanniter-Kom-
thur zu Fr. 1294: 653 — v. Griedel — Abt v.
St. Jakob in Mainz 1194: 32 (sig.).

priester zu Sachsenhausen 1283—1295: 478, 550?, 634, 685.

**Holzhausen**, Hessen, sw. Friedberg (Holcz- Holtz- Holz-, Holze- Hult- Hultz- Hulz- -hausen -husen -husin, Holzusen) 141, 887, 941 — Heinrich Centgreve zu Holzhausen † ca. 1245, Frau Guda und Tochter Nonne zu Marienhagen 141 — v. H., sämmtlich zu Fr.: 1. Albradis, zweite Frau Giselberts 1296: 885 — 2. Albradis, erste Frau Heinrichs † 1306: 882 — 3. Bertha 1286: 506 — 4. Katharina Tochter Giselberts erster Ehe, vermählt 1. mit Arnold, 2. mit Wigel Frosch vgl. 695, 754 und Frosch — 5. Katharina Tochter Giselberts zweiter Ehe, vermählt mit Albrecht Münzenberger 1294: 658 — 6. Katharina Tochter Heinrichs erster Ehe, Nonne bei den Weissfrauen 1306: 882 — 7. Christine zweite Frau Heinrichs 1306: 882 — 8. Konrad 1286: 506 — 9. Kunigunde erste Frau Giselberts, wahrscheinlich geb. v. Offenbach 1278: 401 vgl. 277, 483 — 10. Kusa geb. v. Glauburg, Frau Ludwigs 1293—1306: 629, 695, 874 — 11. Giselbert (Gilbert, Gipel) 1268, Schöffe 1279—1295, † 1296: 277, 319, 366, 369, 399, 401, 408, 409, 413, 425, 483, 484, 493, 498, 509, 516, 524, 537, 552, 566, 570, 577, 584, 586, 590, 591, 605, 606, 620, 621, 629, 631, 632, 634, 642, 643, 647, 658, 661, 662, 670, † 690, 695, 696 — 12. Hedwig Tochter Giselberts, vermählt mit Konrad Bornfleck 1296: 695, vgl. Bornfleck — 13 Hedwig Tochter Heinrichs erster Ehe, Nonne bei den Weissfrauen 1306: 882 — 14. Heilmann 1295—1304: 667, 852 — 15. Heinrich 1245, Schöffe 1255—1259: 137, 141, 151, 162, 170, 183, 190, 219, 224 — 16. Heinrich 1286—1306: 506, 620, 882 — 17. Hilla Tochter Giselberts, Nonne in Marienborn 1290: 584 — 18. Johannes Sohn Giselberts 1296—1304: 690, 695, 696, 853 — 19. Irmtrud Frau des Vorigen 1304: 853 — 20. Ludwig (Lutzo) Sohn Giselberts 1290, Schöffe 1292—1308: 584, 606, 629, 631, 656, 658, 662, 690, 692, 695, 696, 701, 705, 710, 715, 724, 729, 745, 751, 754, 759, 762, 766, 768, 774, 776, 777, 782, 785. 795, 796, 799, 801, 802, 805—807, 814, 815, 824, 830, 832, 842, 849, 851—853, 855, 863, 869, 871. 874, 883, 885—887, 891, 898, 899, 905 — 21. Margaretha Tochter Giselberts, vermählt mit Konrad Weiss v. Dieburg 1296: 695, vgl. Weiss — 22. Mechtild Frau Rüdigers, geb. v. Esslingen 1298—1308: (726), 852, 912 — 23. Rudolf Templer zu Breisich, Bruder Giselberts 1268: 277 — 24. Rüdiger, Bruder Giselberts 1286, Schöffe 1292—1308: 506, 605, 611, 620, 621, 629, 631, 634, 659, 662, 670, 690, 692, 695, 696, 701, 708, 715, 724, 726, 751, 754, 759, 762, 768, 774, 776, 777, 782, 785, 795, 796, 799, 801, 802, 805—807, 814, 824, 830, 832, 841—843, 849, 851, 852, 856, 869, 871, 874. 883, 885—887, 891, 912 — 25. Wigel 1286: 506 — 26. N. N. Tochter Heinrichs, Nonne zu Marienhagen ca. 1245: 141.

**Holzheim**, Hessen, ssö. Giessen (Holtz- -heim -heym) — v. H. zu Fr.: Guntram † 1308: 894, 909 — Guntram 1308: 894 — Winter 1308: 894.

**Homberg a. d. Ohm**, Hessen, nnö. Grünberg 101 Zus.

**Homburg vor der Höhe**, Hessen-N., nnw. Frankfurt (Hoinberg) 832 — Hoinberger Weg bei Ober-Stetten ib.

**Honorius** — Päpste: III. 1219—1223: 63 (bulla). 64 (bulla), 65 (bulla), 77, 244 — IV. 1285: 499, 504 (bulla) † 626.

**Honstadt** vgl. **Hochstadt.**

**Hopenheim**, ob Appenheim oder Oppenheim? — Schultheiss: Marquard.

**Hopershoven** vgl. **Oppershofen.**

**Horheim** vgl. **Haarheim.**

**Hornau**, Hessen-N., s. Königstein (Hurnowa) 6.

**Hornbach**, Bayern, sö. Zweibrücken: Kloster (Orombach) 5 — Abt: Wyrund.

**in Horreo** — Herbord zu Fr. 1290: 570.

**Hoste** vgl. **Höchst.**

**Hostensis** vgl. **Ostuni.**

**Hostere** vgl. **Niederkirchen.**

**Hovegarto** — Flrn. bei Bergen 71.

**Hoverfelde** — Flrn. bei Nieder-Erlenbach 854.

**Hruotbert** — Graf 823: 5.

**Hubscheryn** — Frau zu Fr. 1284: 485.

**Hubvel** — Konrad zu Sulzbach 1306: 872.

**Hüftersheim**, wüst bei Obermörlen, nnö. Friedberg (Hofters- Hufters- Huftirs- -heim) — Kirche 330 — v. H.: Konrad, Erwin, Gerhard Ritter 1266: 260.

**Hülshofen** vgl. **Hulshofen.**

**Hüttengesäss**, Hessen-N., wnw. Gelnhausen (Hetten- Hettin- Hithen- Hitten- Hittin- -geseze -gesese) 679 — v. H.: Eberhard Deutschordensbruder zu Sachsenhausen 1282—1294: 471, 550, 579, 591, 656 — Peter 1219—1232: 49, 98.

**Huftirsheim** vgl. **Hüftersheim.**

**Hugo** — Kardinal-Presbyter, Päpstlicher Legat 1251—1260: 165, 228 — Deutschordensbruder zu Sachsenhausen 1282: 471 — v. Starkenburg.

**Hulshofen**, wüst bei Ocarben, Hessen, s. Friedberg 95, 110, 842.

**Hulzburg** vgl. **Holzburg.**

**Hulzhusen** vgl. **Holzhausen.**

**Hund** (Hunt) — Gernand Knappe 1308 und Vater desselben Gyso Ritter 1308: 909.

**Hunermenger** — zu Fr. † 1277: 390.

**Hunger** (Hunger) — Guntram Schöffe zu Fr. 1222—1236: 57, 58, 67, 70, 71?, 73?, 79—81, 87, 90, 91, 97, 105, 111.

**Hunold** — zu Nieder-Ursel 1284: 494.

**Hunt** vgl. **Hund.**

**Hurnowa** vgl. **Hornau.**

**Hurruzh** — zu Seckbach † 1305: 856.

**Hurste** vgl. **Hörstein.**

**Husen** vgl. **Hausen.**

**Husenstam** vgl. **Heusenstamm.**

**Huserbrucke** — Flrn. bei Hassloch 136.

**Huserholtz** bei Praunheim 441.

**Hvar**, Dalmatien — Bischof: Duimus (Pharensis).

# I. J. Y.

**Jachroesien**, Theil v. Livland — Bischof: Heinrich.
**Jadrensis** vgl. **Zara.**

**Jakob** — ca. 1234—50: 159 — Bischof v. Acerno
1297: 722 — Mönch zu Arnsburg 1253: 170
— zu Bornheim 1281: 451 — Bischof v. Chalcedon
1299—1300: 748, 773, 775 — Bischof v. Città di
Castello 1288—1300: 548, 775 — v. Erlenbach —
Bischof v. Fossombrone 1288: 547, 548 — Arzt
und Kleriker zu Fr. 1280: 432 — Glockengiesser
zu Fr. 1305: 865 — Schöffe zu Fr. 1255—1258:
190, 219 — unbestimmt zu Fr. 1245: 137 — 1253:
170 — Goldstein — v. Hain — Heyme — von der
alten Münze — v. Nied — Schwarz — v. Sonnenberg — v. Sprendlingen — v. Waldertheim.

**Ybach**, vielleicht Eibach, Hessen-N., nö. Dillenburg
oder Ibach, Rheinprovinz bei Remscheid — v. Y.:
Heinrich Deutschordensbruder zu Sachsenhausen
1238: 115.

**Iberdal** vgl. **Übernthal.**

**Ida** — v. Heldenbergen — v. Ursel.

**Idstein**, Hessen-N., n. Wiesbaden (Etchen- Etichen-
-stein) 640 — v. I.: Konrad Kanonikus an
St. Bartholomaeus zu Fr. 1248: 148.

**Jechaburg**, Schwarzburg, nww. Sondershausen
(Gicheburg) — Propst: Werner.

**Jerusalem** — Erzbischof: Basilius (Jerosolomitanus).

**Ignebild** — Stieftochter Friedrichs v. Marburg
1240: 124.

**Igstadt**, Hessen-N., n. Hochheim (Ygestat) —
Pfarrer: H.

**Ilbenstadt**, Hessen, ssö. Friedberg (Elben- Elve-
Elvin- Elewen- Elwen- -stadt, -stat, -statt) 20,
24, 123, 154, 155, 542, 769, 964 — Propst: 958,
Gernand, Heinrich, Hermann, Johann, Walter —
Kanonikus: Dietrich v. Eschbach — v. I.: Hein-
rich Ritter zu Sachsenhausen 1226: 76.

**Yldebrand** vgl. **Hildebrand.**

**Ymma** — Flougen.

**Immecha** (Ymicha) — zu Dieburg 1253: 175 —
Schwarz.

**de Indagine** vgl. **v. Hain.**

**Ineptus** — zu Gelnhausen: Anselm † 1287: 529 —
Friedrich 1285: 503.

**de Inferno**, wohl Hausname: „zur Hölle" — Eckelo
zu Fr. 1283: 476.

**Ingelheim**, Hessen, w. Mainz (Ingelen- Ingeln-
Ingilen- Inggelen- Ingiln- -heim) 3, 8, 10, 40,
359 — v. I.: Peter Kanonikus an St. Bartholomaeus zu Fr. 1281 bis ca. 1291: 450 (sig.), 531
Anm., 574, 615 S. 305.

**Innocenz** — Päpste: II. 1139: 20 — IV. 1245—1253:
139 (bulla), 140 (bulla), 143 (bulla), 149, 161,
167, 171, 532.

**Institor** — Arnold zu Fr. 1288: 540, 544, 552.

**Inzelerius** — Bischof v. Budua 1279: 412 (sig.).

**Johannes** — Alleciator — Hülfspfarrer zu Alzei
1306: 878 — Bischof v. Avellino 1285: 499 —
Baurus — v. Beyenheim — v. Bellersheim —
v. Bettenhausen — v. Bockenheim — König v.
Böhmen 1313: 960 — v. Kinzenbach — v. Cleen
— Clemann — v. Kolnhausen — Krebs — Cribel
— Burgmann zu Dornberg 1236: 111 — Bischof
v. Torres 1300: 775 — v. Düdelsheim — Bischof
v. Tusculum, Päpstlicher Legat 1287: 626 —
v. Erfurt — v. Erlenbach — v. Eschbach —
v. Eschersheim — v. Essenheim — zu Fechenheim 1285: 502 — v. Vetzberg — Kanonikus
zu Fr. und Pfarrer zu Viernheim 1280: 438 —
Schultheiss zu Fr. 1211: 37 — Sohn des Frankfurter Vogtes, Ritter 1219—1226: 45, 50, 57, 58,
66—68, 70—73, 75, 76, 79, 80 — Johannes
Ritter? zu Fr. † 1222: 57, 71 — zu Fr. 1297—
1301: 710, 783 — desgl. 1301: 782 — Knecht des
Wicker vom Wedel zu Fr. 1310: 936 — Antoniter
zu Fr. 1287: 521 — Ritter zu Glauberg vor
1258: 222 — v. Glauburg — Gleser — Goldstein — v. Griesheim — Enkel des Rudolf v.
Grünberg 1306: 873 — Haberkorn — Prior zu
Haina 1230: 90 — v. Heldenbergen — v. Heusenstamm — Hilde — v. Holzhausen — Propst zu
Ilbenstadt 1300—1313: 769, 964 — Leo — Lycher
— Herr v. Limburg — v. Limburg — v. Linden
— Bischof v. Litthauen 1276—1279: 366, 411 —
v. Löwenberg — Domdechant zu Mainz 1257:
214 — Dechant an St. Gingolf daselbst 1294—
1295: 659, 682 — v. Mainz — Erzbischof v.
Mocesus (auch Johannicius) 1288—1289: 547
548, 569 — v. Mörlen — von der alten Münze
— Notar zu Münzenberg vgl. Leo — Mufel —
v. Offenbach — Oleier — v. Ossenheim — v.
Ostheim — Abt zu Otterburg 1267: 265 — Papst:
XXI. 1277: 385 Anm. — pellifex — von der
Pforte — Bischof v. Prag 1261: 237 — v. Praunheim — vom Rebstock — v. Rendel — v. Rodahe
— v. Rohrbach — Rosenlacher — Pfarrer zu
Rossdorf 1287—1295: 537, 550, 672, 681 —
Roth — v. Rüdigheim — v. Rumpenheim —
Deutschordensbruder zu Sachsenhausen 1281: 462
— v. Sachsenhausen — v. Schwalbach — Vogt
daselbst? 1287, 533 — Propst zu Selbold 1300:
761 — zu Seligenstadt 1306: 871 — Spor —
v. Strassburg — Bischof v. Strongoli 1285: 499
— Bischof v. Ugento 1288: 547 — v. Umstadt —
Walpod — v. Wetter — Dechant zu Wetzlar 1286:
507 — v. Wetzlar — v. Windecken — Zurchere.

**Johannicius** — Erzbischof v. Mocesus, vgl. unter
Johannes.

**Johannis** — Rayner, Bürger v. Florenz zu Mainz
1292: 616.

**Johanniter** — im Allgemeinen 139 — Hoch-
meister für Deutschland: Heinrich v. Kindhausen
— Prioren: Berengar, Gottfried v. Klingenfels,
Hermann — Häuser zu: Köln, Frankfurt, Mainz,
Mosbach, Nidda, Rüdigheim.

**Ippingeshusen** wüst, Hessen, bei Sprendlingen 54.

**Iring** — v. Brenden.

**Irlenbach** vgl. **Erlenbach.**

**Yringishusen** vgl. **Ehringshausen.**

**Irmgard** (Ermen- Hirmen- Irmen- Yrmen- -gard)
— v. Berkersheim — v. Eschbach — v. Esslingen
— Wittwe Hildebrands zu Fr. 1270: 296 —
Beghine zu Fr. 1273: 314 — zu Fr. 1295: 670
— Monich — Münzer — v. Ostheim — v. Rosbach — Äbtissin v. St. Klara bei Speyer 1309:
918 — Storkelen — v. Wilnsdorf.

**Irmtrud** (Irmen- Irmin- -drud -trud) — Enkelin
Heinrichs v. Hachenburg, Nonne bei den Weissfrauen zu Fr. 1308: 901 — Enkelin Heinrichs
v. Holzhausen desgl. 1306: 882 — v. Holzhausen
— Meistren — Preco — v. Wetzlar.

**Ysaak** — v. Bruchsal.

**Isal** — zu Fr. nach 1284: 495.

**Isenburg**, Rheinprovinz, nö. Neuwied (Isenberg)
— Herren v. I.: Gerlach 1255: 190 Anm. —
Heinrich 1220: 39 Zus. — Heilwig Gemahlin
Ludwigs 1258: 223 — Ludwig 1258—1274:
223, 330 — Notar: Gerlach.

**Isengard** (Isingard) — v. Eppstein — v. Falkenstein — Meisterin zu Meerholz 1253: 177.

**Yserenhut** — Herbord zu Bornheim 1281: 451.

**Ysinmenger** vgl. **Eisenmenger.**

**Ysinnacho** vgl. **Eisenach.**

**Issigheim**, Hessen-N., n. Hanau (Ussincheim, Ussenkeym) 123, 961 — v. I.: Ulrich † zu Fr. und
Frau Elsbeth, geb. v. Offenbach 1240: 123.

**Itter**, Hessen, nnö. Frankenberg bei Vöhl (Itere) —
Herr v. I. 1290: 572.

**Judda** vgl. **Jutta.**

**Jude** (Judeus = v. Mainz, v. Megenze, de Moguntia)
— Hermann Johanniter zu Nidda 1289, Komthur
zu Köln 1291—1293 und Mosbach 1291, Komthur
zu Fr. 1302—1308, zugleich Stellvertreter des
Hochmeisters in der Wetterau und im Niederland, später auch für Deutschland, 566, 588,
629, 810 Zus., 841, 867, 904 (sig.).

**Juden** — im Allgemeinen 254 — in der Wetterau
125 — im Elsass 916 — zu Boppard, Frankfurt,
Gelnhausen, Oberwesel, Oppenheim, Rödelheim,
Worms.

**Judex** zu Fr. vgl. unter **Frankfurt I. A. 2d.**

**Jügesheim**, Hessen, wsw. Seligenstadt (Guginsheim)
233.

**Jung** (Juvenis) — Volkwin zu Fr. 1290: 570 —
Friedebert zu Friedberg 1285: 498 Anm., 503
vgl. auch v. Limburg.

**Jungo** — v. Dieburg — v. Limburg.

**Justingen**, Württemberg, w. Ulm bei Schelklingen
(Justingin) — v. J.: Anselm Kaiserlicher Marschall
1216—1221: 43, 47, 48, 55.

**Jutta** (Judda, Jutda, Juttha) — Knoblauch — v.
Dornberg — Flougen — Beghine zu Fr. 1280:
426 — zu Mainz, Frau des Richters Kraft 1310:
937 — Melpoden — v. Münsterliederbach —
Münzer — v. Preungesheim — v. Rohrbach —
— v. Rüsselsheim — v. Wetzlar.

**Juvenis** vgl. **Jung.**

## K. vgl. C.

## L.

**Lachen**, Pfalzbayern, sö. Neustadt a. H. 164*.

**ad Lacum** vgl. **Weiberhof.**

**Lahn**, Fluss (Logena) 254.

**Lahngau** (Logenahe pagus) 9 — Gaugraf: Hildilin.

**Lambert** (Lampert) — Bischof v. Aquino 1299:
748 — v. Glauburg — Kanonikus und Pfarrer
zu Münstermaifeld 1286: 519.

**Lancten** vgl. **Langd.**

**Landau**, Bayern (Landauw) 33*?, 699*.

**Landulf** (Landulphus) — Bischof v. Brixen 1300:
775.

**Langd**, Hessen, nw. Nidda (Lancten, Langete) —
v. L.: Heinrich Ritter 1313: 961, 965.

**Lange** (Longus) — zu Dorfelden: Heinrich 1276:
363 — zu Fr.: Gertrud Frau Ulrichs 1238,
† 1245: 115, † 138, 189, 190 — Heinrich Sackträger zu Fr. 1305: 865 — Ulrich (auch Carnifex
genannt) Schöffe 1222—1239, † 1242: 57, 58, 66,
67, 70, 71, 75, 76, 79—81, 87, 90, 91, 97, 98,
105, 109, 111, 115, 119, † 126, 138, 189, 190.

**Langehecke** — Flrn. bei Bockenheim 833 8. 425.

**Langen**, Hessen, n. Darmstadt (Langena) —
Maiding: 255 — Schultheiss: Ditwin.

**Langenbergheim**, Hessen, sw. Büdingen 927.

**Langendiebach**, Hessen-N., nö. Hanau (Diepach,
Dyppach, Langendiepach) 333, 370, 373 — Pfarrer:
Walther v. Eschborn.

**Langengunse** vgl. **Langgöns.**

**Langenselbold**, Hessen-N., nö. Hanau (Selbolt) 761
— Schultheiss: Hermann vgl. Selbold.

**Langenstriche** — Flrn. bei Bockenheim 787.

**Langestad** vgl. **Langstadt.**

**Langete** vgl. **Langd.**

**Langgöns**, Hessen, s. Giessen (Gunse, Langen-
Lungen- -gunse) 128, 200, 204, 330, 444, 765, 942.

**Langinhecke** — Flrn. zu Eckenheim 612.

**Langsdorf**, Hessen, nnw. Hungen (Langestorf) —
v. L.: Heinrich 1232: 98.

**Langstadt**, Hessen, onö. Dieburg (Lange- Langen-
Langhen- -stad, -stat) — v. L.: Heinrich Schöffe
zu Fr. 1222—1225: 58, 66, 67, 70—73.

**Lantbert** — Graf 825: 5.

**Lanze** — Schöffe zu Dieburg 1253: 175.

**de Lapide** vgl. **vom Stein.**

**de domo lapidea** vgl. **vom Steinhaus.**

**Larhoybeten** vgl. **Lohrhaupten.**

**Larino**, Unter-Italien — Bischof: Peronus (Larinensis)

**Laubach**, Hessen, nö. Hungen (Loupach) 254.

**Laurissa** vgl. **Lorsch.**

**Lauterburg**, Elsass, Kr. Weissenburg (Luterburch)
512*, 513*.

**Lautern**, Hessen, ö. Zwingenberg, ob dieses?
(Lutera) — v. L.: Eberhard, auch gen. v. Radekopf 1221: 56 und Anm.

**Lazaristen** (fratres de s. Lazaro) 159.

**Lebere** — Heinrich zu Fr. 1301: 782

Lebista — Leinweberin (linista) zu Fr. 1301: 779.

Lechelin — Heinrich Bäcker zu Fr. 1299: 741.

Lederbecher — Berthold zu Fr. 1294: 650.

Leeheim, Hessen, sws. Grossgerau (Leheim) 73.

Leyden, Holland (Leyda) 180*, 181*.

Leiningen, Pfalzbayern, sw. Grünstadt (Linin- -gen -gin) — Grafen v. L.: Emicho 1275: 388 — Friedrich 1275—1278: 358, 402.

Leipzig (Lipizk) 44*.

Lengsfeld, Sachsen-Weimar, sö. Vacha (Lengeswelt) — v. L.: Heilmann zu Gelnhausen 1285: 503.

Leo — Bürger zu Fr. † 1309: 918 — Bischof v. Retymo 1285: 499 — Johannes, Notar zu Münzenberg 1253—1255, Kanonikus an St. Bartholomaeus zu Fr. 1259—1281, † 1284: 175, 191, 192, 224, 233, 236, 268—270, 420, 450 (sig.).

Leopold (Liupold) — Herzog von Oesterreich und Steiermark 1219: 48.

Leotherius — Bischof v. Veroli 1289: 569.

Lesche — Gerlach Ritter zu Wetzlar 1240: 124 — Gerlach Kanonikus an St. Bartholomaeus zu Fr. 1287: 537.

Levite — Gotzo 1282: 469.

Lewe vgl. Löwe.

Lewenberg vgl. Löwenberg.

Lewenstein vgl. Löwenstein.

Libesberg vgl. Lissberg.

Lich, Hessen, sö. Giessen (Lychen) 731.

Lichen, wüst, bei Rodheim, Hessen, sw. Friedberg (Liche) 36, 392, 431, 436, 453.

Lycher — Johannes zu Fr. † nach 1284: 495.

Lye — Gernand Schöffe zu Wetzlar 1285—1286: 503, 507.

Liebbesberc vgl. Lissberg.

Lieber — zu Fr. 1274: 331.

Lieblos, Hessen-N., wnw. Gelnhausen 342, 343, 957.

Liederbach, Hessen, ssw. Alsfeld, ob dieses? (Lider- Lieder- -bach) — v. L.: Gottfried Ritter 1236—1245: 111, 138.

Liederbach, Ober- und Unter-, Hessen-N., nnw. Höchst (Lyderbach) 872 — Vogt: Friedrich Fuge — v. L.: Adelheid Frau Ruckers 1306: 872 — Adelheid Wittwe Werners 1306: 872 — Gotzo Löher zu Fr. 1311: 947 — Guda, Heilwig, Rucker 1306: 872.

Limburg, Bayern, w. Dürkheim (Lymburg) — Kloster 464.

Limburg a. d. Lahn, Hessen-N. (Linn- Lim- Lym- -burg, -porch, -purg) 337, 422 — Herren v. L.: Gerlach 1254—1282: 186—188, 302, 422, 465 — Johannes 1304: 845.

v. Limburg zu Fr.: Heinrich 1259, Schöffe 1273—1278: 224, 277, 319, 331, 337, 401 — Hermann Bruder des Vorigen 1268—1274: 277, 337 — Ludwig (Lutzo) 1300—1306: 754, 834, 869 — Werner 1302: 810.

v. Limburg zu Friedberg: Bertha Tochter Wigands 1284: 489 — Friedebert (Juvenis) Sohn Wigands 1284—1285: 489, 498 Anm., 503 — Johannes Sohn Wigands 1284: 489 — Jungo (Juvenis) 1306—1308: 871, 894 — Wigand 1256—1284, † 1286: 204, 260, 489, 490, † 511 — Wigand Sohn des Vorigen 1284: 489.

v. Limburg zu Limburg — Guda Frau Heinrichs, † Hartlieb, Heinrich Sohn der Vorigen 1277: 337.

v. Limburg zu Wetzlar — Kunigunde Frau Gerberts; Gisela Wittwe Harperns 1277: 337.

Limonensis? episcopus: Paganus.

Lindau, Reichswald, später Rodung bei Fr. (Lindach Lindee, Lin- Lyn- -dehe) 164, 193, 207, 208, 267, 287, 483, 484, 545, 650, 692, 724, 726.

von der Linde (de Tylia, Lynden): Werner und Frau Lukard zu Fr. 1307: 885, 893 vgl. Frankfurt V D, Hausnamen.

Lindehe — Flrn. bei Offenbach 262, vgl. Lindau.

Linden, Grossen-, Hessen, s. Giessen (Linden maius, Lyndin) 218 — v. L.: Eckard, Gottfried, beide Ritter 1240: 124 — Hartmud Mönch zu Arnsburg, Johannes Ritter 1308: 894 — Willer zu Fr.? 1283: 476.

Lindheim, Hessen, w. Büdingen (Lint- Lynt- -heim, -heym) 269, 437 — v. L.: Markolf Schöffe zu Fr. 1292—1311: 611, 707, 708, 732, 751, 754, 757, 762, 774, 776, 777, 782, 796, 799, 801, 807, 813, 832, 841, 842, 856, 869—871, 874, 883, 885—887, 906, 907, 912, 926, 928, 931, 939, 947, 952.

Lindhelmer (Linthemer) Weg bei Glauberg 211.

Liningen vgl. Leiningen.

Linnpurg vgl. Limburg.

Linsenmorgen — Flrn. bei Liederbach 872.

Lintheim vgl. Lindheim.

Linunt — v. Reidelshofen.

Linza — Ludwig zu Fr. nach 1284: 495.

Lipizk vgl. Leipzig.

Lissberg, Hessen, sö. Nidda (Libes- Liebbes- -berc, -berg) — v. L.: Berthold und Konrad, Ritter 1274: 342, 343 — Heinrich Domherr zu Mainz 1303: 829 — Herbord zu Fr. 1280: 439 — Werner Domherr zu Mainz 1222: 60.

Litthauen (Litowia, Littowiensis, Lotowiensis) — Bischöfe: Christian, Johannes.

Liudolf vgl. Ludolf.

Liupold vgl. Leopold.

Liutbert — Kaiserlicher Erzkaplan 874—880: 6, 7.

Liutfrid — Gaugraf im Niddagau 874: 6.

Liutgart vgl. Lukard.

Liutward — Kaiserlicher Erzkanzler 882: 8.

Livland (Livoniensis) 185.

Löwe (Leo, Lewe) — Giselbert Ritter 1313: 961, 965, vgl. auch Leo.

Löwen, Brabant (Lovania) — Herzog Heinrich 1193: 31.

zum rothen Löwen, Hausname zu Fr.: Demut und Sohn Walter 1314: 970.

Löwenberg, Hausname zu Fr. (Lewen- Lewin- -berg) — v. L.: Gobelo, Johannes, Söhne Ludwigs 1306: 869 — Ludwig 1299—1306: 745, 869.

**Löwenstein,** Württemberg, sö. Heilbronn (Lewenstein) — Edelherr v. L. 1290: 572.

**Löwenstein,** Hausname zu Fr. (Lewenstein) — Walter zu L. 1300: 755.

**Logena** vgl. **Lahn.**

**Logenahe** pagus vgl. **Lahngau.**

**zum Lohe** — Flrn. zu Kelkheim 495.

**Lohrhaupten,** Hessen-N., sö. Bieber (Larhoybeten) 254.

**Longus** vgl. **Lange.**

**Lorch,** Hessen-N., w. Wiesbaden (Lorche, Loricha) 254 — v. L.: Altrud Wittwe des Ritters Rutschard, Herbord Johanniterkomthur zu Fr. 1301: 778.

**Lorsch,** Hessen, wsw. Bensheim (Laurissa) — Kloster 256 — Propst: Burkard.

**Lothar** (Hlothar) — Deutsche Kaiser und Könige: I. 825: 5 — III. 1128: 19, † 20.

**Lotoviensis** vgl. **Litthauen.**

**Loupach** vgl. **Laubach.**

**Lower** — Guda, Heinrich Bäcker zu Fr. 1304: 843.

**Lubenhelmer** — Hertwin zu Seckbach 1305: 856.

**Luce** — Hartdrat.

**Luceria,** Unter-Italien — Bischof: Aymardus (Lucerinus).

**Lud.** — v. Allerstedt.

**v. Ludenbrach** — Herold 1219: 49.

**Ludolf** (Liudolf, Ludold, Ludolph, Lutolf) — a) Schultheiss zu Fr. 1230—1236, zugleich b) Burggraf zu Friedberg 1227—1235, a) 90, 91 und Anm., 97, 98, 105, 109, 111, b) 82, 90 Anm., 101, 102, 107 — Vikar an St. Bartholomaeus zu Fr. 1277—1290: 379, 388—390, 531, 574 — Bischof v. Ratzeburg 1239: 118 — vom Steinhaus.

**Ludwig** (Hludo- Lode- Lude- Ludo- -wicus) — Deutsche Kaiser und Könige: Ludwig der Fromme: 817—823: 3—5 — Ludwig der Deutsche 874: 6 (sig.), † 7, 8, 465 — Ludwig III. 880: 7, † 10 — Herzog v. Bayern — Hirte zu Bornheim 1281: 451 — v. Dieburg — Drageleisch — Duchmecher — Propst zu Fr. 1127—1146: 59 Anm. — Guardian der Minoriten zu Fr. 1282: 462 — Priester daselbst 1279: 420 — Fleischer daselbst 1215: 42 — desgl. 1268: 277 — desgl. 1270: 295 — Löher daselbst 1301: 782 — Schneider daselbst 1295—1309: 670, 921 — unbestimmbar 1215: 42 — 1219: 52 — 1270: 296 — 1273: 314 — 1274: 331 — 1297—1301: 710, 783 — Höriger zu Fr. 817: 4 — v. Hausen — Abt zu Hersfeld 1266: 77 (sig.) — v. Holzhausen — v. Isenburg — v. Limburg — Linza — v. Löwenberg — Magister, Domdechant zu Mainz 1264: 250 — Dechant an St. Peter daselbst 1307: 888 — v. Messel — Monich — Münzer — Magister, Pfarrer zu Nurings 1289: 559 — Graf v. Oettingen — Pfalzgraf — v. Rendel — zu Sachsenhausen 1293: 627 — v. Schwalbach — v. Urbar — v. Ursel — Schultheiss zu Wetzlar 1240, ausser Amt 1252—1268, † 1272: 124, 168 und Anm., 200 — v.

Wedersheim — Graf v. Württemberg. — Graf v. Ziegenhain.

**Luetza** — domina zu Alzei † 1287: 532.

**Lützelhard,** Ruine, Baden, Amt Lahr bei Seebach (Luzelenhart) — v. L.: Konrad 1193: 31.

**Lützellinden,** Rheinprovinz, osö. Wetzlar 332.

**Lugard** vgl. **Lukard.**

**Lugdunum** vgl. **Lyon.**

**Lugener** — Berthold Schmidt zu Fr. 1293: 631.

**Lukard** (Liutgard, Lucard, Luchard, Lukkard) — 1287: 533 — v. Katzenelnbogen — v. Köbel — v. Cransberg — v. Frankfurt — Magd der Irmgard Storkelin zu Fr. 1310: 936 — v. Hagen — zu Hammelburg 1295: 679 — Hartrad — Äbtissin zu Himmelkron 1261: 233 — von der Linde — Rabenger — Rendeler — Schwarz — v. Sprendlingen — v. Weilnau — Wobelin (v. Offenbach) — Zangelin.

**Lule** — Heinrich zu Dieburg 1290—1294: 573, 645, 651.

**Lungen-Gunse** vgl. **Langgöns.**

**Luppurg,** Bayern, ö. Parsberg (-purch) — Konrad Edler v. L.: 1292: 610.

**Lupus** vgl. **Wolf.**

**Luscus, Luschus** vgl. **Schele.**

**Lutera** vgl. **Lautern und Kaiserslautern.**

**Luterburch** vgl. **Lauterburg.**

**Luther** (Luetter) — Deutschordenskomthur zu Sachsenhausen = v. Pirmont.

**v. Lutra,** Lautern, welches? — Heinrich Schenk 1193: 30, 31.

**Lutzo** (Luzo) — v. Altendorf — v. Holzhausen — Graf v. Rieneck — Rueser vgl. auch Ludwig.

**Luxemburg** (Lutzelemberg) 930 — Graf Heinrich 1308: 910 vgl. unter „Heinrich" VII.

**Luzelenbart** vgl. **Lützelhard.**

**Luzo** vgl. **Lutzo.**

**Lyon,** Frankreich (Lugdunum) 139*, 140*, 143*, 161*, 167*, 532* — Concil: 385 Anm., 595.


# M.

**Mähren** (Moravia) — Markgraf: Heinrich 1193: 31.

**Magnus** vgl. **Gross.**

**Mailand** (Mediolanum) 144. — Vogt: Heinrich.

**Main** (Menus, Moganus, Mogonus, Mogius, Mogus, Moin, Moyn, Moynus) 1, 14, 15, 19, 23, 28, 30, 35, 41, 54, 99, 144, 323, 366, 602, 658, 791, 870, 933, 943.

**Mainz** (Magun- -cia -tia, Megence, Mogun- -cia -tia -tiacum) 2, 23, 37*, 39* Zus., 60*, 78, 95*, 110*, 116*, 117*, 130*, 147*—149*, 165*, 172*—174*, 179*, 187, 188, 190* Anm., 194*, 196, 203, 209*, 213*, 214*, 216*, 217*, 227, 241*, 250, 279*, 293*, 297, 302*, 306*, 312 (sig.), 313 (sig.), 336*, 350*, 351*, 385, 398*, 402, 436*, 447*, 451*, 470*, 486, 488*, 517*, 526, 563*, 601, 614*, 616*, 628*, 649, 669*, 673*, 680, 711*, 721, 724,

780, 872, 935*, 937, 966, 971* — Schultheissen: Johannes Clemann, Jakob v. Waldertheim — weltlicher Richter: Kraft — Bürger: v. Altenstadt, Arnold, Baldung, Bascho, Kolbe, Erlekin, vom Rosenbaum, vom Schlüssel, Winzo, Wisze — Notar: de Sesyriaco — Kirchenprovinz: 96, 114, 179 — Diöcese: 86, 89, 103, 108, 111, 116, 124, 133, 165, 167. 172, 213, 214, 226, 228, 231, 234, 238, 241, 272, 280, 285, 320, 385, 411, 412, 415, 426, 443, 445, 450, 499, 504, 517, 539, 540, 547, 548, 562—564, 569, 580, 584, 595, 599, 610, 616, 620, 626, 632, 642, 653, 700, 719, 722, 735, 743, 773, 775, 802, 844, 866, 878, 882, 884, 908, — Erzbischöfe: Konrad I., Konrad II., Gerhard I., Gerhard II. (vgl. v. Eppstein), Siegfried, Siegfried (vgl. v. Eppstein). Peter, Werner, Willigis — Protonotar: Hildebrand — Hofschreiber (scriptor curie): Konrad Schwab — Notare: Christian, Ernst v. Molhusin, Johannes v. Rodahe. — Synoden: 130, 149, 603, 673 — Geistliche Richter (iudices sancte sedis Moguntine): 110, 116 (sig.), 174 (sig.), 227 Zus., 230, 259 (sig.), 279, 281 Zus., 288, 306 (sig.), 316, 336, 338 (sig.), 339 (sig.), 385 (sig.), 395, 398, 447, 451 (sig.), 458 (sig.), 461, 470 (sig.), 519, 560 (sig.), 563, 595 Zus., 601 (sig.), 683 (sig.), 778, 804, 820 Zus., 868 (sig.), 877, 878, 888, 899 (sig.), 909 (sig.), 966, 969 — Stifter und Klöster: 250 — 1. St. Alban: 21, 296, 665, 803, 937 (sig.) — Abt: 433, 890, Konrad, Sibold — Prior: Konrad — 2. Altenmünster: 810 — 3. St. Clara: 606, 648 — 4. Karmeliter: 575 — 5. Deutschordenshaus: 299, 454, 534, 835, 911 — Komthure: Gottfried, Marquard, Peter — Brüder: Anzo, Johannes Walpod, Wigand — 6. Dominikaner 857 (sig.) — 7. Domstift und Kapitel 69 (sig.), 112, 113, 116, 194, 199, 214 (sig.), 250, 743 (sig.), 884, 934 — Domkloster (claustrum maioris ecclesie) 116, 117 — Pröpste: Boppo, Konrad, Gerbodo, Werner v. Eppstein — Dechanten: 433, 908, 916, Erwin, Johannes, Ludwig, Emmerich .v. Schöneck — Kantor: 908, R., Werner — Kustos: Gottfried v. Eppstein — Stiftsherren: v. Aspelt, Berhard, v. Bommersheim, v. Kugelnberg, Drabodo, v. Eberstein, v. Eppstein, v. Eschborn, v. Garlens, Gebehard, v. Hanau, v. Hohenfels, v. Lissberg, Philipp, v. Puzallia, Romanus, v. Rüdesheim, v. Scharzfeld, v. Solms, v. Stein — 8. St. Gingolf 621, 659 — Dechant: Johannes — 9. St. Jakob 278 — Abt: Hezechin — 10. St. Johann — Dechant: 519, 601 — Scholaster: 601. Gottfried — Stiftsherr: Gotzo — 11. Johanniter 601 — Brüder: v. Altenstadt — 12. St. Mariengreden (ad Gradus) 36, 66, 259, 336, 346, 431, 436, 447, 668, 674, 694, 699, 777, 804 (sig.) — Pröpste: 39, Arnold, Dietrich, Werner v. Eppstein, Gerbodo, Werner — Dechant: 433 — Scholaster: 359, 803, 949 — Kantor: Arnold — Kustos: Eberhard — Stiftsherren: v. Diez, Giso — 13. St. Peter 262, 329,

335, 379, 563, 577, 587, 888 — Pröpste: 477, 488, Gerhard v. Eppstein, Gottfried v. Eppstein, Gerbodo — Dechanten: Bruno, Heinrich, Ludwig, Walter — Kantoren: Konrad, Richard — Kustoden: Gerhard, Werner — Kellermeister: Giselmar — Stiftsherren: Peter, Secler, Wilhelm — Vikar: Heinrich — 14. St. Quintin — Pfarrer: Friedrich — 15. St. Stephan 421, 868 — Scholaster: 626, Arnold, Heinrich — Kantoren: 257, Daniel, G. — Stiftsherren: Friedrich, Schwab — 16. St. Victor — Scholaster: Erenfrid, Volmar.

**v. Mainz zu Fr.:** Konrad 1270: 296 — Kuno 1273: 310 — Dankmod vgl. v. Offenbach — Hermann vgl. Jude — Johannes Kanonikus an St. Bartholomaeus 1259—1290: 225, 234, 236, 246, 311, 352, 368, 531, 537, 574, 577, 615 — Peter desgl. 1273—1287: 311, 368?, 450 (sig.), 452, 497, 531 Anm.

**Manfred** (Mantfredus, Mathfridus) — Bischof v. S. Marco (s. Marci) 1300: 773 — 823: 5.

**Mangold** (Manegold) — v. Wasen — Bischof v. Würzburg 1297: 719 (sig.).

**Marburg a. d. Lahn,** Hessen-N. (Marpurg) — Deutschordenshaus 541 — v. M.: Friedrich Ritter 1240—1255: 124, 175, 191, 192 — Mechtild Frau des Vorigen 1240: 124.

**Marcellin** — Bischof v. Tortiboli 1289: 569.

**San Marco,** Unter-Italien — Bischof: Manfred.

**Margaretha** (Greda, Greta) — v. Karben — getaufte Jüdin zu Fr. 1288, † 1295: 544, 552, † 688 — Kammerzofe (pedissequa) daselbst 1259: 225 — vom Hohenhaus — v. Selbold — Weiss = v. Holzhausen — v. Wetzlar.

**Marienborn,** Hessen, sw. Büdingen (fons beate, sancte Marie) — Nonnenkloster 401, 483, 484, 584, 667, 927 — Nonne: Hilla v. Holzhausen — v. M.: Richwin Ritter 1290: 571.

**Marienhagen,** wohl identisch mit Marienborn — Nonnenkloster: 141 — Nonnen: zwei von Holzhausen.

**St. Marien wingarthen** — Flrn. bei Enkheim 497.

**Markebach** — Flrn. bei Fr. 787.

**Markelo** — v. Kolnhausen — v. Ossenheim.

**Marköbel,** Hessen-N., nnö. Hanau (Kebel, Kebela, Markebele) 577, 927 — Landkapitel 598.

**Markolf** (Marckolf, Morkolf) — v. Lindheim — v. Ulishofen.

**Marquard** (Marc- March- ward) — v. Andwil — Dechant am Marienstift zu Bamberg 1294: 657, 658 — v. Bergen (2) — Bluel — v. Buchen zu Trebur † 1278: 406, 827 — Prior der Dominikaner zu Fr. 1279: 410 (sig.) — Ritter zu Fr. 1236—1239: 111, 119 — zu Fr. 1223: 70 — desgl. Sohn der Sewira 1288: 545 — desgl. 1300: 753 — Schwager Rudolfs v. Hochweisel 1276: 377 — v. Hofheim — Schultheiss v. Hopenheim ca. 1224—1250: 159 — Deutschordenskomthur zu Mainz 1303: 835 — v. Nauborn — Nutsher — v. Preungesheim — v. Rödelheim — v. Sachsenhausen — Schelm — v. Wöllstadt.

Mockstadt, Hessen, nw. Büdingen (Moc- Mox- -stat)
— Stift: Dechant 946 — Kanonikus: Heinrich
Meun.

Mörfelden, Hessen, nnw. Darmstadt (Mers- Merse-
Mersen- -felt, -velt, -veld) — Pfarrer: Philipp —
v. M.: 1. Walter zu Fr. 1215—1223: 43, 70 —
2. Walter Schöffe zu Fr. 1243—1251: 134, 135,
137, 138, 141, 151, 162 — 3. Walter Sohn des
Vorigen 1284: 495 — Werner Kleriker, Sohn
Walters (2) 1253: 174 — Werner Kanonikus zu
Wetzlar 1281—1286: 440, 507.

Mörlen, Ober- und Nieder-, Hessen, nw. Friedberg (Moirle, Morle, Morlin, Morlle) 39 und
Zus., 195, 260, 302, 330, 431*, 453, 590, 911,
914 — v. M.: Anselm Ritter 1256—1266: 204,
260 — Berthold Ritter, Sohn Gerhards 1269—
1305: 294, 866 — Konrad Mönch 1297: 721 —
Konrad Ritter 1305: 866 — Frank Ritter 1255—
1272: 191, 192, 232 (sig.), 255, 260, 308 —
Frank Deutschordensbruder zu Sachsenhausen
1270—1273: 296, 324, 325 — Gerhard Ritter
† 1269: 294 — Gernand Ritter 1265—1276:
255, 308, 370? — Gottfried Deutschordenspriester
zu Sachsenhausen 1270—1282: 296, 324, 382,
462 — Guda Frau Gerhards 1266-1269: 260,
294 — Heinrich Sohn Gerhards 1269: 294 —
Johannes Schöffe zu Kahlbach 1303: 826.

Moin vgl. Meun.

Moir — Fritzo zu Fr. 1311: 940.

Moirle vgl. Mörlen.

Mol — Heinrich und Werner zu Fr. 1263: 246.

Molfetta, Unter-Italien — Bischof: Angelus (Melfictensis).

v. Molhusin — Magister Ernst Notar des Erzbischofs v. Mainz und Dechant an St. Bartholomaeus zu Fr. 1312: 965.

Momberg, Hessen-N., sw. Treysa (Mumenberg) —
v. M.: Konrad Mönch zu Haina 1262—1265:
243, 258.

Monachus vgl. Monich.

Monaldus — Bischof v. Civita Castellana 1299—
1300: 748, 775.

Monasterium vgl. Münster.

Mondonnedo, Spanien — Bischof: Roderich
(Mindonensis).

Monich (Monachus) zu Fr. — Kulmann Karmeliter,
Sohn Heinrichs 1313: 963 — Heinrich Drechsler
† 1313 und Frau Irmgard 963 — Ludwig 1211: 37.

Monster vgl. Münster.

Montefeltro, Mittel-Italien — Bischöfe: Andreas,
Anton (Feretranus).

Morhaid — Berthold und Elisabeth zu Fr. 1298:
732.

Morle vgl. Mörlen.

Mosbach, Hessen, ö. Umstadt (Mosebach) 588 —
Johanniter - Commende: Komthur Hermann v.
Mainz.

Mothern, Elsass, Kreis Weissenburg (Matren) —
Pfarrer: Albert.

Mühlbach, Hessen-N., nw. Hersfeld (Melebach) —
v. M.: Konrad Knappe 1282: 471.

Mühlhausen i. Th., Prov. Sachsen — 13* vgl. Molhusin.

Münchhausen, Hessen-N., ssw. Herborn (Munichusen)
— v. M.: Heinrich Schöffe zu Wetzlar 1255: 200.

Münster in Westfalen (Monasterium) 203.

Münster, Hessen, nö. Dieburg (Monster) 573, 645,
651.

Münsterliederbach, jetzt Münster, Hessen-N., nw.
Höchst (Munster-) 707 — v. M.: Giselbert und
Frau Jutta zu Fr. 1297: 707.

Münstermalfeld, Rheinprovinz, sö. Mayen (Munster-
meinevelt), — Kanonikus und Pfarrer: Lambert.

von der alten Münze (de Veteri Moneta) zu Fr. —
Adelheid 1273—1284: 329, 495 — Anna erste
Frau Hermanns 1290: 577 — Kunigunde Tochter
Hermanns, Nonne bei den Weissfrauen 1294—
1301: 656, 796 — Godelind zweite Frau Her-
manns 1298—1301: 729, 796 — Hedwig Tochter
Hermanns 1298—1301: 729, 796 — Heinrich
Sohn Adelheids 1273: 329 — Hermann desgl.
1273—1301: 329, 577, 584, 656, 710, 729, 796 —
Jakob desgl. 1273: 329 — Johannes Kleriker
Sohn Hermanns 1298—1301: 729, 796 — Werner
Sohn Adelheids 1273: 329.

Münzenberg, Hessen, ö. Butzbach (Mincen-
Mincin- Myncen- Mynzin- Myntzem- Muntzen-
berg) 186*, 837, 894, 914 — Hospital 914 —
Schultheiss: Werner — Herren v. M.: Adelheid
Gemahlin Ulrichs I. † 1253: 175 — Kuno I. 1193—
1194: 30, 31, 33 — Kuno II. 1193: 31, † 56,
176, 192, 524—526 — Kuno III. † 1255: 192 —
Heilwig Gemahlin Ulrichs II. 1255: 192 —
Ruprecht 1193: 30 — Ulrich I. 1216—1221:
43—45, 55, 56, † 175, 176, 202 — Ulrich II.
1251—1255: 167, 175, 186, 187, 191 (sig.), 192,
† 202, 206, 295, 307 vgl. v. Falkenstein — Notare:
Johannes Leo, Rüdiger — v. M., nicht Adelige:
Berno zu Wetzlar 1306: 871 — Berthold
Kanonikus an St. Bartholomaeus zu Fr. 1215:
42 — Magister Rudolf 1308: 894 — Werner
Kanonikus zu Wetzlar 1286: 507.

Münzenberger zu Fr. (Mintzenberger) — Albert
1294—1300: 658, 754 — Frau desselben:
Katharina v. Holzhausen 1294: 658.

Münzer (Monetarius) a) zu Fr.: Konrad 1290—1313:
570, 708, 963 — Konrad Sohn des Vorigen 1297:
708 — Friedrich 1230—1232: 91, 97 — Guntram
Schöffe 1223—1236: 67, 81, 91, 97, 111 — Irmgard Frau Konrads 1313: 963 — Jutta Tochter
Konrads (1) 1297: 708 — b) zu Limburg: Anselm
Kanonikus zu Wetzlar, Ludwig 1278: 399 —
c) zu Wetzlar: Gerhard 1306: 871 — Hermann
Schöffe 1285—1286: 503, 507.

Mufel — Johannes Ritter 1276: 369.

Mulbergen — Flrn. bei Wachenbuchen 634.

Mumenberg vgl. Momberg.

Munke — Rudolf zu Fr. 1219: 50.

Muntzenberg vgl. Münzenberg.

Murrhardt, Württemberg, nö. Stuttgart — Kloster 4.

Muschenheim, Hessen, nö. Butzbach (Musschinheym) — v. M.: Konrad, Sohn Werners, Ritter 1308: 894.

# N.

Nachgowe vgl. **Nahegau.**

Nahegau (Nachgowe) 13.

Nantcharius — Actor dominicus 823: 5.

Nassau (Nass- -auwia -owe) — Grafen v. N. 1290: 572 — Adolf 1286: 513 — Elisabeth 1275: 354 — Heinrich 1290: 578 — Otto 1287: 534.

Nauborn, Rheinprovinz, s. Wetzlar (Nuvefere, Nûveren, Nuvenren) — v. N. zu Wetzlar: Ernst, Heinrich, Heinrich 1306: 871 — Marquard 1285: 503.

Nauheim, Hessen, nnw. Friedberg, dieses? (Neu- Nu- -heim) — v. N. zu Fr.: Wigand Ritter 1222—1236: 57, 72, 73, 111.

Naumburg, Provinz Sachsen (Niven- Nuem- -burg) — Bischof: Engelhart — Kämmerer: Lud. v. Allerstedt.

Naumburg, Hessen-N., wnw. Hanau (Newenburg) — Propst 260.

Necretorvesbrechin (!) — unbekannter Ort, wahrscheinlich in der Dreieich 255.

Neda vgl. **Nied.**

Nedehe vgl. **Nidda.**

Neiffen, Ruine, Württemberg bei Nürtingen (Nipha) — v. N.: Heinrich 1234: 102.

Neirstein vgl. **Nierstein.**

Nepi, Mittel-Italien — Bischof: Angelus (Nepe- Nepi- -tinus).

Nero — Bischof v. Pontus? (Pontanus) 1300: 775

Nerstein vgl. **Nierstein.**

Neuburg, an der Donau? (Nuwenburch) 613*.

Neucastrensis vgl. **Nicastro.**

Neuenhain, Hessen-N., sö. Königstein (Nova Indago, Nuwenhain) 559, 820.

Neuhaus, Ruine im Rheingau, nw. Eltville (Nova domus) 580*.

Neuhaus, Hausname in Fr. (Nova domus) — vom N.: C. 1277: 379 — desgl. zu Wetzlar: Gerlach 1285: 503.

Neuhausen, Hessen, ö. Pfeddersheim (Nuenhusen) — Propst: Berlewin v. Weinheim.

Neukastel, Pfalzbayern, n. Landau (Nicastel) — v. N.: Heinrich Kanonikus von St. German in Speyer 1268: 280.

Neuss, Rheinprovinz 41*.

Neustadt am Main, Bayern (Nuenstat, Nuwestat) 23 — Abt: Konrad.

Newenburg vgl. **Naumburg.**

Nibelung — Burgmann zu Dornberg 1236: 111 — Subprior zu Eberbach 1212: 38 — zu Eschbach 1272: 304.

Nicastel vgl. **Neukastel.**

Nicastro, Unter-Italien — Bischof: Nikolaus (Neucastrensis).

Nikolaus (Nicholaus) — III. Papst 1279: 421 — IV. Papst 1288—1292: 547, 548, 569, 595, 616 — Pfarrer von Bischofsheim 1289: 116, 117, 119? — Bischof v. Capri 1300: 775 — Bischof v. Tortiboli 1300: 773, 775 — Magister N. Kanonikus an St. Bartholomaeus zu Fr. 1215, Kustos daselbst 1223—1232: 42, 45, 57, 58, 67, 68, 70, 71, 72 und Anm., 73, 75, 76, 79, 80, 87, 91, 97 — zu Fr. 1295: 670 — v. Ginnheim — Bischof v. Nicastro 1300: 773 — Rosa — Deutschordenspriester zu Sachsenhausen 1273: 310 — Schyndebog — v. Steinbach.

Nidda, Fluss (Nita) 3.

Nidda, Hessen (Nedehe) — Johanniterkommende 566 — Komthur: Dietrich.

Niddagau (Niticherve, Nithegou) 3, 6 — Gaugraf: Liutfried.

Nidung (Niduuc, Nudung) — Schöffe zu Fr. 1222—1230: 57, 58, 66, 70, 73, 91 — v. Sachsenhausen.

Nied, Hessen-N., w. Frankfurt (Neda, Nieda, Nyda, Nydehe, Nyede, Nithe, Nitde) 66, 336, 694 — Pfarrer: H. 1286: 519 — v. N. zu Fr.: Hartmud Schöffe 1234—1249: 105, 111, 135?, 137, 141, 151 — Hartmud der Jüngere 1305: 856 — Jakob 1311: 947 — Volmar 1293: 631.

Niederbommersheim, Hessen-N., bei Hausen (Bomersheim inferior) 106, 725.

Niedergründau, Hessen-N., nö. Hanau (Grinda inferius) 177.

Niederlahnstein, Hessen-N., nnw. Braubach am Rhein 279.

Niederland (Nydirlant) — Stellvertreter des Johanniter-Hochmeisters für N.: Hermann Jude (v. Mainz).

Niedernberg, Bayern (Unterfranken), n. Obernburg (Nedernburg) 745.

Niederkirchen, Pfalzbayern, ö. St. Wendel (Hosterenaha, Osterenaha, Osternaha) 7, 8, 10.

Niederofleiden, Hessen, nnw. Homberg 101.

Niederrad, Hessen-N., in Frankfurt eingemeindet (Rode inferius, Rotaha inferius, Roden, Rodin, Roide) 54, 100, 408, 766, 943 — v. N.: Gerlind ca. 1210—1220: 54.

Niederwiesen — Flrn. bei Praunheim 425.

Nierstein, Hessen, n. Oppenheim (Neir- Ner- Nere- Neren- Neri- Nerin- -stein) 7, 8, 10, 40, 159.

Niger vgl. **Schwarz.**

Nipha vgl. **Neiffen.**

Nitard — ca. 1210—1220: 54.

Nithe vgl. **Nied.**

Nitichewe vgl. **Niddagau.**

Nivenburg vgl. **Naumburg.**

Nörten, Provinz Hannover, n. Göttingen (Northunensis) — Dechant 908.

Nolvisheim 377.

Nova domus vgl. **Neuhaus.**

Nova indago vgl. **Neuenhain.**

Nübeler — Konrad zu Fr. 1310: 939.

Nudung vgl. **Nidung.**

Nuehausen vgl. **Neuhausen.**

Nuemburg vgl. **Naumburg.**

Nuenstat vgl. **Neustadt.**

**Nürnberg** (Nuoren- Nurem- Nûren-' Nurin- -berc, -berch, -berg) 18, 25, 48*, 94*, 372*—375*, 448*, 449*, 633*, 733* — Deutschordenskommende 530 — Burggrafen v. N.: Konrad 1219—1231: 48, 82, 92 — Konrad Deutschmeister 1261: 235 — Friedrich 1292: 610.

Numage vgl. **Nymwegen.**

**Nurings,** frühere Burg bei Falkenstein (Nûringes) — Pfarrer: Ludwig.

**Nutsher** — Marquard 1313: 965.

Nuvefere vgl. **Nauborn.**

Nuveren vgl. **Nauborn.**

Nuwenburch vgl. **Neuburg.**

Nuwenhain vgl. **Neuenhain.**

Nyda vgl. **Nied.**

**Nymwegen,** Holland (Numage) 27.

# O.

**Obbert** — Abt an St. Salvator zu Fr. 994: 14.

**Oberau,** Hessen, w. Büdingen (Oberahe) 269.

**Oberdorfelden,** Hessen-N., sw. Windecken (superior villa Dorvelden) 776.

**Oberengasse** bei Liederbach 872.

**Oberoldeshusen** 456.

**Oberrad,** Hessen-N., jetzt Stadttheil von Frankfurt — Rode 296 — Klause 850 — Mechtild Beghine zu Fr. 1305: 850 — Hohenrad, früher auf dem Mühlberg bei Oberrad gelegen (Alte Rote, Hohen- -rade -raht) 579, 581 — Wicker zum Hohenrade zu Fr. nach 1284: 495.

**zu dem Obersande** — Flrn. bei Offenbach 262.

**Oberstetten,** Hessen-N., w. Homburg (Obirsteittin, Stedin superior) 304, 832.

**Oberwesel am Rhein,** Rheinprovinz (Wesalia, Wisalia) 187, 188, 402, 772, 916 — Juden: 916.

Obinbach vgl. **Offenbach.**

**Ocalp** — Friedrich zu Dieburg 1286: 510.

**Ocarben,** Hessen, s. Friedberg (Acar- -ben -bin) 36, 494, 825.

Odesberg vgl. **Otzberg.**

Odyla vgl. **Ottilie.**

**Oesel,** Insel in der Ostsee bei Livland — Bischof: Heinrich (Osiliensis).

**Oesterreich** (Austria) — Herzog Leopold 1219: 48.

**Oettingen,** Bayern, nö. Nördlingen (Oetingen) — Graf: Ludwig 1292: 610.

**Offenbach a. Main,** Hessen (Aven- Avin- Oben- Obin- Oven- Ovin- Owen- Owin- -bac, -bach) 10 II, 262, 296, 495 — v. O. zu Fr. (Nebennamen: von der Brücke, Knoblauch, Wobelin) — 1. Adelheid Wobelin, Tochter Konrads, Nonne in Thron 1295: 666 — 2. Katharina, Frau Konrads v. d. Brücke 1295: 667 — 3. Konrad ca. 1210—1220: 54 — 4. Konrad Wobelin (Webel, Webelin, Weppelin), Sohn Wickers (vgl. 151) 1245?, Schöffe 1249— 1295, Amtmann des Frankfurter Frohnhofes 1288, 1289: 137, 151, 162, 170, 183, 190, 202, 218, 219, 224, 248, 262, 277, 283, 286, 287, 319, 325, 328, 331, 366, 369, 382, 392, 399, 401, 404, 408, 410, 413, 420, 423—425, 427, 428, 432, 471, 483, 487, 493, 509, 515, 521, 524, 540, 542, 543, 552, 560, 564, 566, 570, 577, 586, 590, 591, 599, 605, 612, 615, 666 — 5. Konrad 1253: 174, vielleicht identisch mit dem Vorigen — 6. Konrad (Kulmann) Wobelin, Sohn Konrads (vgl. 4) † 1295: 666 — 6. Konrad (Kulmann), Sohn Volmars, 1284, Schöffe 1292—1313: 487, 498, 620, 621, 757, 843, 851, 853, 855 Anm., 870, 871, 874, 887, 898, 906, 907, 912, 926, 928, 936, 939, 943, 944, 947, 953, 959 — 7. Konrad (auf der Brücke), Sohn Wickers, 1295: 667 — 8. Kunigunde, Frau Hermanns, ca. 1210—1220: 54 — 9. Dankmod, geb. v. Mainz, zweite Frau Wickers auf der Brücke, 1279: 410 — 10. Elisabeth Wobelin, Frau Kulmanns (vgl. 6), 1295: 666 — 11. Elsbeth, Tochter Herbords, vermählte v. Issigheim, 1240: 123 — 12. Volmar, Sohn Wickers, 1248?, Schöffe 1255— 1292, Provisor des Heilig - Geist - Hospitals 1278—1286: 146?, 170, 183, 190, 218, 224, 248, 262, 267, 277, 283, 286, 287, 319, 328, 331, 366, 382, 392, 396, 399, 401, 404, 408, 410, 413, 424, 425, 427, 428, 432, 433, 485, 493, 498, 503, 509, 515, 521, 524, 537, 539, 540, 543, 552, 566, 570, 586, 590, 591, 599, 605, 612 — 13. Folnand 1219: 45 — 14. Gertrud, Frau Konrad Wobelins, † 1295: 666 — 15. Gisela, erste Frau Wickers auf der Brücke, 1270, † 1279: 296, 410 — 16. Harpern, Schöffe? 1236—1239, †1270: 111, 119, † 296 — 17. Heinrich 1267: 265 — 18. Heinrich Schöffe 1307—1308: 887, 907 — 19. Herbord 1232, Schöffe 1236—1267: 98, 111, 119, 123, 150, 183, 190, 211, 230, 233, 267—270 — 20. Hermann 1219: 45 = ? ca. 1210—1220: 54 — 21. Hermann, auch genannt Knoblauch, nach dem Namen seiner Frau, 1308, Schöffe 1310—1313: 906, 931, 939, 943, 944, 947, 953, 959 — 22. Johannes 1275: 354 — 23. Lukard, Tochter Kulmann Wobelins 1295: 666 — 24. Mechtild geb. Knoblauch, Frau Hermanns, 1310: 931 — 25. Wicker Schöffe 1236—1259, † 1266: 111, 128, 131, 134, 135, 137, 138, 141, 150, 151, 162, 170, 183, 190, 205, 211, 218, 219, 224, † 262 — 26. Wicker, Sohn des Vorigen, 1262—1292: 262, 277, 366, 379, 382, 392, 399, 404, 410, 424, 425, 483, 484, 539, 540, 552, 612 — 27. Wicker, Sohn Volmars, 1268: 277 — 28. Wicker, Sohn Harperns, gen. auf der Brücke (in [de] ponte, super pontem) 1270—1279: 296, 315, 360, 366, 410 — 29. Wicker, Sohn des Vorigen? 1290—1291, †1295: 570, 599, 667 — 30. Wicker, Sohn Kulmanns, 1311: 943 — 31. Wigand 1221: 56.

Ogentinus vgl. **Ugento.**

Oistheim vgl. **Ostheim.**

**Oizmanshoven** bei Liederbach 872.

**Oldenburg** (Aldenburc) — Graf Mauritius 1193: 30.

**Oleiagkir** — Flrn. bei Stetten 832.

**Oleier** — Johannes zu Fr. 1291: 588.

Peregrin — Subprior zu Arnsburg 1226: 80.

Peremunt vgl. **Pirmont**.

**Peronus** — Bischof v. Larino 1288—1289: 547, 548, 569.

**Perugia**, Italien, n. Rom (Perusium) 108*, 376*.

**Peter** (Petrus) — Erzbischof v. Arborea 1285: 499 — Dechant zu Bamberg und Kanonikus zu Fr. 1260—1281: 230, 450 — Bischof v. Bayeux 1285: 499 — Bere — v. Berkersheim — v. Bertolfsheim — v. Dorne — zu Eckenheim 1292: 612 — v. Eschbach — Kustos an St. Bartholomaeus zu Fr. 1286—1302: 519, 531 Anm., 537, 574, 577, 810 — Prior der Dominikaner daselbst 1257: 215 — Rektor der Kapelle St. Georg daselbst und Kanonikus an St. Bartholomaeus 1275—1278: 361, 362, 395 — Priester v. St. Nikolaus daselbst und gleichnamiger Sohn 1289: 564 — Schüler daselbst 1215: 42 — Schuster daselbst 1297: 710 — 1270: 296 — v. Garlens — v. Hüttengesäss — v. Ingelheim — Erzbischof v. Mainz 1308—1313: 897, 901 (sig.), 902 (sig.), 910, 916, 920, 924, 925, 934, 935, 966, 971 — Deutschordenskomthur zu Mainz 1293—1294: 628, 665 — Magister, Kanonikus an St. Peter daselbst 1266: 262 — v. Mainz — inter Piscatores — v. Ranstadt — Antonitermeister zu Rossdorf 1290—1302: 577, 805 — Secler — Smizcekil — Bischof v. Stagno (Stoni) 1288: 547, 548.

Peterwile vgl. **Petterweil**.

**Petri** — Wigel zu Liederbach 1306: 872.

**Petrissa** (Patrissa) — v. Altendorf — Bresto — Bruchwybe — Priorin im Weissfrauenkloster zu Fr. 1281: 445 — zu Seligenstadt 1306: 871.

**Petterweil**, Hessen, n. Vilbel (Peter- Petter- Pettir- Pheter- -wila, -wile, wilre) 283, 508, 732, 774, 841, 914 — v. P.: Konrad 1286: 508 — Eppert (Epprath) Schöffe zu Fr. 1245—1251: 137, 138, 162 — Magister Reinhard Kanonikus an St. Bartholomaeus zu Fr. 1308—1311: 909, 944.

**Pfalzgrafen bei Rhein**: Heinrich? 1282: 468 — Ludwig 1221: 55 — Ludwig 1256: 206 — Ludwig 1278—1292: 402, 475, 527, 607, 608, 609 (sig.), 610 (sig.), 613, †700, 860 — Ludwig 1296—1305: 700, 860 — Mechtild Gemahlin Ludwigs 1292—1296: 610, 613, 700 — Rudolf 1296—1305: 700, 860.

**Pfingstweide** (Pingestweide) — Flrn. bei Fr. 771.

Pharensis vgl. **Hvar**.

Phatenshusen vgl. **Padershausen**.

Pheterwile vgl. **Petterweil**.

**Philipp** (Phylippus) — König 1207: 31 Anm., †39 — v. Alzei — v. Bolanden — v. Diez, Propst an St. Bartholomaeus zu Fr. — Pfarrer zu Königstein 1301: 792 — v. Falkenstein — Bischof v. Fiesole 1289: 569 — Dechant an St. Bartholomaeus zu Fr. und Pfarrer zu Mörfelden 1304—1308, ausser Amt 1312: 839, 840 (sig.), 850, 866, 892, 896, 955 — zu Fr. 1295: 670 — v. Gründau — v. Hohenfels (2) — Magister Dr. decret. Dom-

kanonikus zu Mainz 1239: 117 (sig.) — Erzbischof v. Salerno 1297: 722 — Schwab — Sensenschmidt.

**v. Phingestein** (Pingistin) — Heinrich Ritter 1282—1308: 469, 894.

Phrumheim vgl. **Praunheim**.

**v. Phumberg** — Wetzel zu Wetzlar 1245: 138.

Pictavi vgl. **Poitiers**.

Pingestweide vgl. **Pfingstweide**.

Pingistin vgl. **Phingestein**.

Pinguia vgl. **Bingen**.

**Pinguis** — Berthold vgl. Schwab — Heinrich, Siboto zu Fr. 1277: 382.

**Pirmont**, Ruine, Rheinprovinz, Kreis Cochem (Peremunt) — Luther Deutschordensbruder zu Sachsenhausen 1279—1282, Komthur daselbst 1284—1288: 410, 451, 462, 470, 487, 522, 525 (sig.), 526, 543, 545, 550.

**Pisa**, Italien 950* — Erzbischof: Roger.

**Piscatores, inter** — zu Fr.: Peter 1294: 658.

Piscofesheim vgl. **Bischofsheim**.

Plagestat vgl. **Florstadt**.

**de Platea** — Heinrich zu Wetzlar †1252: 168 Zus.

**Plugere** — Arnold, Heinrich zu Fr. 1280: 439.

**Poespart** — H. zu Alzei 1287: 522.

**Pohlgöns**, Hessen nwn. Butzbach (Pailgunse) 330.

**Poitiers**, Frankreich (Pictavi) 895*, 908.

de Ponte vgl. **v. Offenbach**.

**Pontus?** — Bischof: Nero (Pontanus).

**de Porta** zu Köln, Hausname daselbst — Heinrich 1298: 724 — Johann 1291: 604.

**Prag**, Böhmen (Praga) 237*, 238* — Bischof: Johannes.

**Praunheim**, Hessen-N., nw. Fr. (Phrum- Prhum- Prun- -heim, Prumen) 163, 365, 425, 441, 462, 477, 517, 650, 787, 883 — Pfarrer: Berthold v. Seligenstadt, Keppler, Wolfram — v. Pr.: a) Ritterfamilie: Adelheid Mutter des Schultheissen Wolfram 1254: 182 — Adelheid Tochter Rudolfs, Nonne in Thron 1268: 283 — Konrad Sohn Rudolfs, Ritter 1268—1293: 283, 334, 539, 634 — Gottschalk Bruder des Schultheissen Wolfram, Ritter 1254—1292: 183, 190, 218, 224, 252, 277, 283, 325, 408, 441, 591, 621 — Heinrich Ritter, Schultheiss zu Fr. 1216—1223: 45 und Anm., 46, 49—52, 56, 58, 66—68, 70, 71 — Heinrich 1225: 73 — Heinrich Ritter, Bruder des Schultheissen Wolfram und Helwigs 1243—1256: 135, 205 — Heinrich Sohn Rudolfs 1264—1294: 252, 283, 328? 334, 382, 483, 521, 579, 581, 621, 659 — Heinrich Ritter, Sohn des Schultheissen Wolfram 1266, Schultheiss zu Fr. 1273—1282, ausser Amt 1284—1297: 261, 287, 310, 319 und Anm., 328, 331, 333, 334, 340, 354, 363, 365, 367, 369 (sig.), 374, 375, 378, 382—384, 386, 391, 401, 403, 404 (sig.), 407—409, 417, 418, 420 (sig.), 423(sig.)—428, 430, 433—435, 442, 466, 467, 482, 501, 539, 543, 555, 571, 579, 581, 583, 591, 634, 720 — Heinrich, Sohn des Vorigen, Ritter, Unterschultheiss zu Fr. 1279, 1280, 1282. Schultheiss 1292, ausser Amt 1292 Juli — 1298, im Amt 1300—1303, ausser Amt 1303—1307, † 1309: 420, 425, 463, 464, 605, 606, 608, 609, 642, 643, 652, 660, 663, 668, 674, 684, 693 (sig.), 698, 701, 716, 720, 732, 733, 759, 774, 776, 782, 783, 785, 791 (sig.), 792, 796, 798, 799, 802, 805—807, 814, 815, 824, 866, 867, 875, 890 (sig.), † 915 — Helwig Ritter, Bruder Wolframs 1243—1268, † 1291: 135, 146, 183, 190, 218, 224, 246, 283, † 602 — Johannes Sohn Wolframs 1207—1216: 31 Anm., 43 — Paulina Frau Wolframs 1193—1216: 31, 43 — Richwin Ritter, Bruder Wolframs 1264—1274: 252, 283, 334 — Richwin Sohn Wolframs 1268: 287 — Sophia Frau Heinrichs 1292: 621 — Rudolf Ritter 1254—1268, † 1274: 183, 190, 218, 249, 252, 264, 283, 334, 521, 579, 615? — Udelindis Frau Wolframs 1268: 287 — Wolfram I. Schultheiss zu Fr. 1189—1196, †1216: 31 und Anm., 32, † 43 — Wolfram II. Ritter 1243, Schultheiss zu Fr. 1248—1261, ausser Amt 1263—1268, im Amt 1269—1273, † 1277: 135, 146, 151, 156, 162 und Anm., 164, 169 und Anm., 170, 177, 182, 183, 186, 190 und Anm., 205, 207, 208, 218, 219, 224, 232 (sig.) und Anm., 249 und Anm., 252, 255, 261, 266, 268— 270, 283, 284, 287, 293, 295 (sig.), 301 (sig.) und Anm., 308, 310 und Anm., 311, 325, † 334, 365, 374, 501 — Wolfram III. Sohn Rudolfs 1268: 283 — Wolfram IV. Ritter, Sohn des Schultheissen Heinrich 1302—1309: 806, 915 — b) Bürgerliche v. P. zu Fr.: Konrad Kleriker 1230: 91 — Ermbrecht 1281—1307: 441, 462, 883 — Gerhard † 1280: 423 — Gerhard Drechsler †1281: 441 — Gerlach Kleriker 1290: 574 — Gertrud 1281—1307: 441, 883 — Mechtild 1282: 462.

**Preco** — Dietrich 1273: 315 zu Sachsenhausen — Rüdiger 1259—1267: 224, 248, 267 und Irmtrud zu Fr. 1267: 267 — Siegfried zu Fr. 1215: 42.

Predicatores vgl. **Dominikaner.**

Presto vgl. **Bresto.**

**Preungesheim,** Hessen-N., n. Frankfurt (Breunges- Brunickes- Brunigs- Brunigs- Brunin- -ges- -gis- Brunyngs- -heim, -heym) 57, 74, 109, 186, 268, 326, 333, 344, 345, 347—351, 355, 356, 370, 373, 410, 451, 472, 478, 505, 677, 728 — v. P.: a) adelige Familie: Anselm 1194: 32 — Berthold 1194—1219: 32, 45, 49, 51, 52 — Konrad Ritter 1226: 75 — Konrad Ritter 1253— 1277: 175, 379 — Kunigunde 1226: 75 — Kunigunde Frau Winters 1274: 333 — Kuno Knappe, Sohn Erwins 1295—1306: 666, 728, 832, 847 (sig.), 848, 873 — Dietrich Sohn Winters 1305: 862 — Erwin Ritter 1256— 1285, † 1303: 209, 229 (sig.), 333, 375, 505, † 833 S. 424, 847, 848 — Friedrich Ritter 1227—1274, † 1278: 81, 218, 333, † 404 — Friedrich Ritter 1297: 720 — Gisela Frau Erwins 1285: 505 — Gudela Tochter Winters

1305: 862 — Heinrich Ritter, Sohn Winters 1274—1303: 333, 787 (sig.), 832, 833 S. 424 — Jutta Frau Bertholds 1219: 52 — Lisa Tochter Winters 1305: 862 — Marquard Ritter 1194— 1227: 32, 81 — Marquard Ritter, Sohn Winters 1274—1303: 333, 787 (sig.), 832, 833 S. 424 — Winter Ritter 1248: 146 — Winter Ritter 1256— 1276: 209, 224, 307, 315 (sig.), 325, 326, 333, 370, 373, 375, † 833 — Winter Ritter, Sohn Erwins 1296—1305, Frau: eine v. Bommersheim 701, 728, 833 S. 424, 862 — b) Bürgerliche: Berthold † 1275: 356 — Gerlach Dominikaner zu Fr. 1297: 721 — Giselbert 1275: 355 — Magister Marquard 1301: 787 — Mechtild Wittwe Bertholds 1275: 356.

**Prumheim** vgl. **Praunheim.**

**Ptolomaeus** (Tholomeus) — Bischof v. Sarda (Sardanensis) 1285: 499.

**Pulbolm** — Flrn. bei Liederbach 872.

**zum Pule** — Arnold zu Fr. 1284: 483.

**Pungir** — Dietrich v. Erlenbach Ritter 1288: 544.

**Le Puy,** Frankreich — Domdechant 895.

**v. Puzallia** (Puzall)—Reinald, Päpstlicher Subdiakon, Domkanonikus zu Mainz, Propst an St. Severus in Erfurt 1222 und St. Bartholomaeus zu Fr. 1233—1240: 60, 106 und Anm., 113 (sig.), 114, 116, 121.


# Q.

**Qwytilin** — Heinrich zu Münzenberg 1308: 894.


# R.

**R.** — Kellermeister zu Arnsburg 1268: 284 — Kustos zu Aschaffenburg 1281: 452 — Domkantor zu Mainz 1308: 901.

**Rabenger** — Wasmud und Frau Lukard zu Fr. 1276: 378.

**Radekopf** vgl. **Lautern.**

**Radenhausen** vgl. **Fronhausen.**

**Ragusa,** Italien — Erzbischof: Bonaventura (Ragusinus, Tragusinus!).

**Raynald** vgl. **Reinald.**

**Raimund** (Raymund) — v. Hohenstein.

**Rayner** vgl. **Reiner.**

**Rainuclus** — Bischof v. Cagliari 1300: 773.

**Rambuttus** — Bischof v. Camerino 1300: 773.

**Ramstat** vgl. **Ranstadt.**

**Rana,** de Rana vgl. **Frosch.**

**Randecke** (Rand- -eckere -eckern) — Dietrich Ritter, Burggraf zu Böckelheim 1292—1308: 829, 855, 901.

**Ranstadt,** Hessen, w. Ortenberg (Ramstat) — v. R.: Peter Ritter 1265: 255.

**Ranwoldeshusen** vgl. **Ravolzhausen.**

**Rassdorf,** Hessen-N., nö. Hünfeld (Rosdorf) — Propst: Dietrich.

Ratispona vgl. **Regensburg.**

**Ratzeburg,** Lauenburg — Bischof: Ludolf (Razzeburgensis).

**Raugraf** — Konrad 1254: 187, 188.

**v. Ravensberg** (-berc) — Graf Hermann 1193: 30.

**Ravensburg,** welches? (Ravinsburc) — **v. R.:**
Dietho 1233: 100.

**Ravolzhausen,** Hessen-N., nö. Hanau (Ranwoldeshusen) 246.

Reate vgl. **Rieti.**

**vom Rebstock** (Reybestoc, Rebenstoc, Rebestock,
de Vite) Hausname zu Fr. — Adelheid Frau Hartwigs 1305—1310: 865, 929 — Hartwig (Hertwin) 1279, Rathsherr 1303, Schöffe 1310 (1282?):
420, 471, 498, 514, 515, 544, 586, 621, 759, 774,
813, 824, 865, 906, 929, 931, 936 — Johannes
Sohn Hartwigs † 1310: 929.

Redelenheim vgl. **Rödelheim.**

Rederen vgl. **Riederhof.**

**Regel** — Rudolf Schöffe zu Wetzlar 1255: 200.

**Regelsburnen** — bei Arheiligen 900.

Regenhard vgl. **Reinhard.**

Regenold vgl. **Reinhold.**

**Regensburg,** Bayern (Ratispona) 83. 527* —
Kloster St. Emmeram 1 — Bischof: Albert
(Magnus) — Kanonikus: Konrad.

**Reginbald** — Höriger zu Hornau 874: 6.

Regio vgl. **Reio.**

**Reichweg** — bei Vilbel 861.

**v. Reidelshofen** — Linunt zu Friedberg 1314:
972.

**Reifenberg,** Hessen-N., ssw. Usingen (Rifen-
Ryffen- -berg) 814 — v. R.: Kuno 1274: 333 —
Gertrud Frau Winters 1267: 268—270 — Winter
Ritter 1248—1267:· 146, 268—270.

Reige vgl. **Reio.**

**Reimbolt** — Bischof v. Eichstätt 1287: 528.

**Reinald** (Raynaldus) — Bischof v. Alatri 1297:
722 — v. Puzallia Propst zu Fr.

**Reinbold** — Priester zu Fr. 1261: 234.

**Reinekin** — Färber zu Fr. 1298: 729 † ?, 858, 928.

**Reiner** (Rayner, Reyner) — Mönch von Eberbach
zu Fr. 1256: 205 — Bäcker daselbst 1291: 592
— Johannis.

**Reinesteine** — Werner und Frau Adelheid zu Fr.
1308: 900.

**Reinhard** (Regen- Rein- -hard, Reinard) —
Scholaster an St. Bartholomaeus zu Fr. 1215:
42 — Kaplan an St. Nikolaus daselbst 1267:
268—270 — Priester daselbst 1284: 495 —
v. Hanau — Pfarrer? zu Münzenberg 1308: 894
— Schultheiss zu Oberursel 1303: 832 — v.
Petterweil — Storkelen.

**Reinheid** (Reinhedis) — Bresto — v. Erlenbach.

**Reinhold** (Regenold, Reynold) — Kanonikus (Diakon)
an St. Bartholomaeus zu Fr. 1194—1226: 32,
42, 57, 66, 70, 71, 75, 79 — Kaplan an St. Georg
daselbst 1259: 225 — Fischer daselbst 1288:
540 — v. Ursel.

**Reiningshausen,** Hessen, Hof bei Bieber (Rendingeshusen) 54.

**Reio** (Reige, Regio) zu Wetzlar — Konrad Schöffe
1255—1258: 200, 219 — Konrad 1285: 503 —
Kraft 1255: 200 — Rulo 1306: 871.

**Reiskirchen,** Hessen, ö. Giessen (Richolveschiricha) 9.

**Reyz** — v. Brenberg.

**Rendel,** Hessen, sös. Friedberg (Rende- -la -le
-len -lin -lo, Wilchemishusen) 71, 76, 204, 568,
710, 734, 751, 783, 836, 938, 941 — Frohnhof
568 — v. R.: Adilhild Frau Siegfrieds † 1297:
710 — Konrad Ritter zu Sachsenhausen 1225—
1226: 72, 76 — Konrad zu Rendel 1310: 938 —
Gertrud Tochter Siegfrieds 1297: 710 — Johannes
zu Fr. 1301: 784 — Ludwig Sohn Siegfrieds
1297: 710 — Werner Vogt v. R. 1276: 363.

**Rendeler** — Tilmann Schuhmacher zu Fr. und Frau
Lukard 1304: 841.

Rendingeshusen vgl. **Reiningshausen.**

**Rensa** — Incluse zu Weinheim 1306: 878.

Renus vgl. **Rhein.**

**Reschoven** — Gerlach Kanonikus an St. Bartholomaeus in Fr. 1301: 788.

Retelnheim vgl. **Rödelheim.**

**Retters,** jetzt Hof Röders, Hessen-N., wsw. Königs-
stein (Reithers, Rethers, Retthers) Kloster: 319
Anm., 328, 421, 426, 839 Anm., 872, 921 —
Prior: Embrico — Meisterin: Elisabeth.

**Retymo,** Kreta — Bischof: Leo (Chalamonensis).

Reuerinnen vgl. **Weissfrauen.**

**Rhein** (Renus, Rhenus) 15, 16, 28, 35, 41, 99,
254, 368, 402, auch im Titel der Pfalzgrafen.

**Rheinberg,** 437*.

**Rheinfels,** Schloss bei St. Goar (Rinvelz) 261*.

**Rheingau** (Rynckouwe) — Vicedom: Ermbrecht.

**Rhens,** Rheinprovinz, s. Koblenz 910*.

**Richard** (Ricard) — König: 1257—1269: 216 (sig.),
217 (sig.), 242 (sig.), 291, 292 (sig.), 293 —
v. Büches — zwei Ritter zu Glauberg vor 1258:
222 — v. Göns — Kantor an St. Peter zu Mainz
1248: 149 — Antonitermeister zu Rossdorf ca.
1243: 132.

**Richartis wingarthen** — Flrn. bei Enkheim 497.

**Richer** — Höriger zu Fr. 817: 4 — Schöffe zu
Wetzlar, Sohn Gerberts 1255: 200 — daselbst
1308: 894.

**Richmud** — Falke.

**Richolf** — Mönch zu Arnsburg 1257: 211.

Richolvischiricha vgl. **Reiskirchen.**

**Richwin** (Ricwin, Richwin) — Kellermeister zu
Aschaffenburg 1276: 364 — Bockeshorn — v.
Kaichen — v. Karben — zu Fr. 1248: 146 —
Weber zu Fr. 1287: 476 — v. Gontershausen —
zu Hammelburg † 1295: 679 — v. Marienborn —
v. Praunheim (2) — Ritter zu Sachsenhausen
(v. Praunheim?) 1230—1236: 90, 91, 97, 101,
111 — v. Seligenstadt.

**Richza** — v. Sonnenberg.

**v. Rickel** (Rickele) — Hermann Deutschordensbruder zu Sachsenhausen 1273—1277: 310, 382.

Rideren vgl. **Riederhof.**

**Riederhof,** Hessen - N., ö. Frankfurt (Rederen, Ridern, Rideren, Riderin, Riederen, Riederin, Ridrin, Ryderen) 31, 43, 46, 50, 75, 81, 82, 90, 91, 502, 576 — Hofmeister des Klosters Arnsburg: Konrad 1262: 239 — Heinrich 1257: 211.

**Riedhausen,** Hessen, Hof bei Dornheim, s. Grossgerau (Rithusen) 154, 155, 169.

**Rieneck,** Bayern, nnw. Gemünden — Grafen v.: 1260: 232 Anm. — Elisabeth 1272: 310 Anm. — Lutzo 1297: 716.

**Rieti,** Italien, nnö. Rom (Reate) 103*, 244*, 547*, 548*.

Rieweser vgl. **Rueser.**

**Rilind** (Rylind) — zu Fr. 1280—1288: 439, 554 — vom Hohenhaus (2).

Rynckouwe vgl. **Rheingau.**

**Rindfleisch** (Rint- -fleisch, -fleis, -fleyz) — Konrad zu Fr. 1295, Rathsherr 1303: 670, 725, 780, 959 — Kunigunde Frau Konrads 1301: 780.

Rinvelz vgl. **Rheinfels.**

**Rinwade** — Heinrich zu Eckenheim 1293: 632, 641.

**Ripert** (Rypert, Rippert) — zu Fechenheim 1285: 502 — v. Sachsenhausen (2).

**Rysechin** — Ritter 1267: 255.

**Ritberg** — Flrn. zu Bornheim 451.

Rithusen vgl. **Riedhausen.**

**Robacherveld** — Flrn. bei Glauberg 211.

**Rockenberg,** Hessen, ö. Butzbach (Rochen- Rockin- Roken- -berc, -berg) 68, 79, 219, 894.

**v. Rodaha** (Rodahe) = ? Roden, nö. Darmstadt — Johannes Kanonikus an St. Bartholomaeus zu Fr. 1253, Scholaster daselbst 1264—1284, Notar des Erzbischofs Werner v. Mainz: 174, 227, 253, (272), 274, 295 (sig.), 329, 352, 379, 420, 450, 495.

**v. Rodde** — Konrad zu Präunheim 1281: 441.

**zu dem Rode** — Hof 501, ob Niederrad?

**Rode?** 72, 330 vgl. Niederrad, Oberrad, Roth.

**Rodenstein** — Kulmann Schneider und Frau Mechtild zu Fr. 1310: 928.

Roderbroch vgl. **Röderbruch.**

**in den Roderen** — Flrn. bei Rendel 734.

**Roderich** — Bischof v. Mondonnedo 1299: 748.

**Rodewise** — Flrn. bei Eckenheim 612.

**Rodheim,** Hessen, sw. Friedberg 453, 914, — 882 dieses?

Rodinburc vgl. **Rothenburg.**

**Rödelheim,** Hessen-N., wnw. Frankfurt (Reddeln- Redelen- Redelin- Redeln- Rediln- Retel- Reteln- Rethiln- Rutiln- -heim, -hem, Redilnem) 48, 183, 189, 190, 224, 344, 347, 348, 350, 398, 441, 496, 518, 565, 668, 674, 676, 699, 755, 777, 847 — Dorfrichter: Gerlach Schelm 755 — Juden: 583 — Reichsburg, Burglehen, Burgmannen: 365, 374, 375, 383, 418, 583, 643, 733, 848 — v. R.: Arnold Kanonikus an St. Bartholomaeus zu Fr. 1243: 135 — Heinrich Deutschordenspriester zu Sachsenhausen 1278—1295: 398, 556, 659, 683 —

**Marquard** Ritter 1305: 855 Anm. — **Mechtild** 1288: 545.

**Röderbruch** — bei Sachsenhausen (Roderbroch, Rotebruch, Rubea palus) 100, 293, 318.

**Roger** — Erzbischof v. Pisa 1285: 499.

**Rohrbach,** Hessen, wsw. Büdingen (Rorbach) — v. R.: Dietrich Ritter, vor 1258: 222 — Dietrich Sohn Gerlachs 1301—1302: 776, 810 — Erwin Sohn Gerlachs 1301: 776 — Gerlach Ritter 1275—1302: 353, 591, 776, 806, 810 — Gerlach Sohn des Vorigen 1301—1302: 776, 806 — Guda geb. v. Hattstein, Frau Johanns 1302: 806 — Johannes Ritter, vor 1258: 222 — Johannes Ritter † 1302: 806 — Jutta geb. v. Cronberg, Frau Gerlachs † 1301: 776 — Rucker Ritter, vor 1258: 222.

**Roir** — Wilhelm 1194: 32.

**Rom** (Roma) — 385, 499*, 504*, 569*, 595*, 616*, 689*, 722*, 748*, 773*, 775* — Lateran 20*, 63*— 65*, 77*, 112* — Maria Maggiore 595*, 616* — S. Sabina 504* vgl. „Päpste“.

**Romanus** — Berhard Erzpriester und Domkanonikus zu Mainz 1239—1253: 117 (sig.), 121, 147, 148, 173 (sig.) vgl. v. Seligenstadt.

**Romanus** — Bischof v. Croja 1289—1300: 569, 775.

**Rommersdorf,** Rheinprovinz wnw. Neuwied: Kloster 35 — Abt: Dietrich.

**Ronneburg,** Hessen, ssw. Büdingen (Roneburg) — v. R.: Konrad Ritter, Sohn Helfrichs v. Rüdigheim 1258: 220.

**v. Ronnenberg** (Ronneburg oder Rannenberg?) — Friedrich zu Fr. 1268: 286.

**Rorich** — zu Fr. 1288: 552.

**Rorici** — Hermann Vikar am Heilig-Geist-Hospital zu Fr. 1305: 864.

**Rosa zu Fr.** (Roesza) — Herbord Meister des Heilig-Geist-Hospitals 1273—1293: 328, 627 — Mechtild Frau Herbords 1273: 328 — Nikolaus 1302: 810 — Frau ohne Vornamen 1283: 476.

Rosbach vgl. **Rossbach.**

Rosdorfer vgl. **Rossdorfer.**

Rosdorf vgl. **Rassdorf, Rossdorf.**

**vom Rosenbaum** (de arbore rosarum) — Ulrich zu Mainz 1270: 297.

**Rosenlacher** — Johannes zu Fr. 1277—1278: 390, 401.

**Rosenphus** — Walter zu Fr. 1280: 439.

**Rossbach,** Hessen, sw. Friedberg (Ros- -bac, -bach, -pach) — Nieder-R. 131 — v. R.: Adelheid, Arnold zu Fr. 1242: 131 — Hertwig zu Fr. 1310: 926 — Irmgard † 1242: 131 — Rucker Kanonikus zu Aschaffenburg 1276: 364 — Werner zu Fr. 1280: 428.

**Rossdorf,** Hessen-N., n. Hanau (Ros- -dorf, -torf) 459*, 965 — Pfarrer: Johannes — Antoniter 109, 132, 296, 310 Zus., 433, 449, 459, 521, 577, 593, 746, 805 — Hochmeister: Aymo — Meister: Giso, Peter, Richard vgl. **Frankfurt** — Bruder: Anselm.

**Rossdorfer** (Rosdorfer) — Konrad zu Bornheim 1281: 451.

**vom Rossenbusch** (wohl Rosenbusch) — Emmerich zu Fr. 1290: 570.

Rotaha inferius vgl. **Niederrad.**

Rotebruch vgl. **Röderbruch.**

**Roth,** Hessen-N., w. Gelnhausen (Rode) 212, 245.

**Roth** (Rufus) — Konrad (auch gen. v. Fechenheim) Kanonikus an St. Bartholomaeus zu Fr. 1223—1226: 66, 70, 71, 75, 79, 80 — Konrad Ritter zu Friedberg 1266: 260 — Dietrich Schöffe zu Wetzlar 1255: 200 — Heinrich Ritter 1257: 212 — Heinrich zu Fr. 1900: 574 Zus. — Heinrich Krämer zu Fr. und Frau Hedwig 1304: 842 — 1290: 570 = Heinrich Krämer? — Heinrich zu Schwalbach 1287: 533 — Johannes Deutschordensbruder zu Sachsenhausen 1273—1288: 325, 550 —vgl. v. Buchen.

**Rothenburg ob der Tauber,** Bayern (Rodin- Roten- Rotin- -burc) 127*, 142* — v. R.: Heinrich Kaiserlicher Küchenmeister 1222: 57.

**vom rothen Haus** (de rufa domo) Hausname zu Fr. — Guda, Mechtild zu Fr. nach 1305: 858 Zus.

Rubea palus vgl. **Röderbruch.**

**Rubernhart** — Flrn. bei Liederbach 872.

Rubert vgl. **Ruprecht.**

Rucelensheim vgl. **Rüsselsheim.**

**Ruchern** — zu Fr. 1289: 570.

Rucker vgl. **Rüdiger.**

Rudenkeim vgl. **Rüdigheim.**

**v. Ruderhusen** — Kraft — vgl. v. Fronhausen.

Rudinsheim vgl. **Rüdesheim.**

**Rudolf** (Rodolf, Rudolph) — I. König 1273—1291: 322 (sig.), 323, 330 Zus., 340 (sig.), 341, 348—351, 358 (sig.), 365, 366, 369—371 und Anm., 372 (sig.), 373 (sig.), 374 (sig.), 375 (sig.), 380, 381, 383 (sig.), 384, 395, 397, (403), 416(sig.)—418 (sig.), 429, 434, 435, 442, 448, 449, 455 (sig.), 465 (sig.), 500, 501, 512 (sig.), 513, 517 (sig.), 520, 521, 538, 546, 551, 567, 576 (sig.), 579, 581 (sig.), 583 (sig.), 589 (sig.), 593 (sig.), 596 (sig.), 597 (sig.), 600, † 615, 636, 820 Zus. — Kantor zu Arnsburg 1294: 657 — Mönch daselbst 1223—1226: 68, 80 — Beckenhube — Blic — Ciske — Vogt zu Dieburg 1253: 175, 1295: 681 — Druckint — v. Vilbel — Meister der Kirchenfabrik von St. Bartholomaeus zu Fr. † 1303: 821 — Leprosenmeister zu Fr. 1303: 821 — zu Fr. 1280: 428 — Leinenweber zu Fr. 1301: 779 — v. Vünemberg — zu Gelnhausen 1311: 945 — Groschlag — v. Grünberg — v. Hochweisel — v. Hollar — v. Holzhausen — Mertin — v. Münzenberg — Munke — Eberbacher Hofmeister zu Osterspai 1272: 308 — Oweman — Pfalzgraf — v. Praunheim — Regel — Pfarrer zu Ruhlkirchen 1278: 400 — v. Sachsenhausen — v. Seckbach — v. Selbold — Propst der Weissfrauen für Allemannien 1228—1232: 86, 92, 96 Zus. — Graf v. Wertheim — Wingarter — Graf v. Ziegenhain.

**Rüdesheim am Rhein,** Hessen-N., (Rudens- Rudinsheim) — v. R.: C., Emmerich Fuchs Ritter 1235: 106 (sig.) — Otto Domkanonikus zu Mainz 1282: 470.

**Rüdiger** (Rudeger, Rudiger, Ruotker, Rutger, Rucker, Rucger, Rugger, Rugker, Ruker) — Kustos zu Aschaffenburg 1276: 364 (sig.) — Baurus — v. Birklar — zu Karlstadt 1277: 394 — v. Krombach — v. Dorfelden — Kanonikus an St. Bartholomaeus zu Fr. 1259—1268, † 1275: 224, 236, 268—270, 284, † 361, 395, 419 — Vogt zu Fr. 1219, 1222?: 49—51, 58? — Sohn Herolds zu Fr 1263: 248 — unbestimmte zu Fr.: 1211: 37 — 1223: 71 — 1267: 265 — 1277: 382 — † 1280: 439 — Hanenbuto — v. Holzhausen — v. Liederbach — Notar zu Münzenberg 1232—1254: 98, 138, 186 — v. Offenbach — Perdian — Preco — v. Rohrbach — v. Rossbach — Deutschordensbruder zu Sachsenhausen 1257: 211 — zu Seckbach 880: 7, 8, 10 I.

**Rüdigheim,** Hessen-N., nnö. Hanau (Ruedickheim, Ruden- Rudin- keim, -keym) 215, 236, 571* — Richter: Gerhard — Johanniter 215, 236 — v. R.: Albert Sohn Heinrichs, Antoniter ca. 1243: 132 — Konrad Ritter Sohn Helfrichs 1257: 215 vgl. v. Ronneburg — Gerhard Kleriker Sohn Helfrichs 1257: 215 — Gertrud Tochter Helfrichs 1257: 215 — Heinrich Ritter ca. 1243: 132 — Heinrich (Longus) Sohn Helfrichs 1256—1261: 205, 215, 236 — Helfrich Ritter 1256—1261: 205, 215, 220, 236 — Johannes Ritter 1313: 961, 965 — Ottilie Tochter Helfrichs 1257: 215.

**Rueser** (Rieweser, Ruiser, Ruser, Ruweser) zu Fr. — Konrad Schöffe 1222—1236: 57, 66, 81, 91, 97, 105, 111 — Konrad 1259: 224 — Elisabeth und deren Mann Lutzo 1280: 427.

**Rüsselsheim,** Hessen, nwn. Grossgerau (Rucelensheim) — v. R.: Heinrich, Jutta zu Fr. ca. 1150: 21.

de Rufa domo vgl. **vom rothen Haus.**

Rufus vgl. **Roth.**

**Ruhlkirchen,** Hessen, sö. Neustadt (Rulskirchen) — Pfarrer: Rudolf — v. R.: Herdan Ritter 1278: 400.

Ruiser vgl. **Rueser.**

**Rule** — H. zu Friedberg 1314: 972.

**Rulemann** — zu Fr. 1263: 246 — 1292: 605.

**Rulo** — Reio.

Rulskirchen vgl. **Ruhlkirchen.**

**Rumpenheim,** Hessen-N., w. Hanau (Rumphen--heim, heym 962 — v. R.: Ebernand, Johannes, Winter 1232: 98.

**Ruodlind** (Ruotlint) — 874: 6, † 7, 8, 10.

Ruotker vgl. **Rüdiger.**

**Ruprecht** (Rubert, Rupert, Ruprecht, Rupreht) — Ritter: 1222: 57 — 1239: 119 — 1243: 135 — v. Büches — Schultheiss zu Bürgel 1289—1306?, 563, 751?, 836? — v. Karben — Graf v. Kastell — v. Driedorf — v. Durne — v. Erchenstein —

Pfarrer und Kustos zu Fr. 1215: 42 — Schuhmacher zu Fr. 1280—1288: 439, 554 — zu Fr.
1299: 745 — Burggraf zu Friedberg 1276: 369,
370 — Neffe des Vorigen 1276: 370 — v. Hain
— Hasensela — v. Heddernheim — v. Hochstadt
— v. Münzenberg — Ritter zu Praunheim 1281:
441 — v. Wetzlar.

**von der Rusen** (de Rusa) — Friedebert zu Friedberg 1314: 967 — Heinrich zu Fr. 1295: 668 Anm.

**Rusher** — Gisela Wittwe Gottfrieds zu Fr. 1271: 301.

**Rusticus** — Wortwin Schöffe zu Bischofsheim
1289: 564.

**Ruszo** — Gerlach zu Wöllstadt 1303: 825.

**Rutilnheim** vgl. **Rödelheim.**

**Rutschard** — v. Lorch.


# S.

**Sassen,** Hessen, w. Grünberg (Sassen) — v. S.:
Volpert zu Grünberg 1300: 755.

**Sabbas** — Bischof v. Mileto 1297: 722.

**Sabulum** — Firn. bei dem Riederhof 75.

**Sachsenhausen** gegenüber Frankfurt (Sachsen-
Sahsen- Sahssin- Sasen- Sasin- Sassen- Sassein-
Sazhsen- -hausen, -husen, -husin) —
A) Ort: 30, 35 und Zus., 56, 76, 176, 191, 192,
300, 310*, 315, 318, 325, 335, 366, 369, 372, 495,
559, 579, 608, 609, 615, 661, 782, 791, 859.
B) Deutschorden: 30, 36, 39, 48, 53, 55 und Zus.,
56, 57, 72, 95, 100, 108, 110, 176, 178, 191, 192, 194,
195, 200, 201, 204, 211, 222, 223, 235, 247, 260,
271, 280, 287, 293, 294, 296, 302, 315—318,
324—327, 330, 332, 333, 341—345, 347—351,
355—357, 366, 369, 370, 372, 373, 382, 394, 398,
400, 403, 408, 410, 431, 433, 436, 439, 441, 444,
451, 453, 454, 458, 460—462, 468—470, 472,
475, 478, 479, 486, 500, 501, 505, 507, 510, 522,
524—527, 530, 534, 537, 541, 543, 545, 546, 549,
550, 554, 556—558, 561, 573, 578, 602, 607, 610,
613, 615, 628, 631, 634, 638, 644, 645—651, 659,
665, 672, 677, 679—683, 685, 700, 702, 703, 705,
714, 716, 717, 752, 758, 761—763, 765, 769,
770, 779, 791, 803, 812, 818—820, 833 S. 424,
835, 838, 842, 844, 847, 859, 860, 866, 869, 875,
876, 878, 883, 911, 942, 945 und Zus., 948, 951,
956—958, 966—969 — Hospital 30, 55, 56, 296
— Kirche 247 — Neue Kapelle 296 — Elisabeth-
Kapelle 526.
*Komthure* (commendatores): Konrad v. Bamberg,
Konrad, Gerhard, Konrad v. Hallstadt, Heinrich,
Luther v. Pirmont, Ludwig v. Schwalbach, Winrich, Anselm v. Witzelbach.
*Trapperier* (trapperer): Wigand.
*Deutschordenspriester* (sacerdotes): Arnold, Her-
mann, Heinrich v. Holzburg, Marsilius, Gottfried
v. Mörlen, Nikolaus, Heinrich v. Rödelheim.
*Deutschordensbrüder* (fratres): Philipp v. Alzei,
Baldemar, Berthold, Hartmud v. Cronberg, Dietrich,

Frank, Gerhard, Gervalko, Heilmann, Berthold v.
Heddernheim, Eberhard v. Hüttengesäss, Hugo,
Heinrich v. Ybach, Johannes, Frank v. Mörlen,
Paulus, Hermann v. Rickel, Johannes Roth,
Rüdiger, Siegfried, Johannes Spor, Heinrich v.
Weiterstadt, Werner (Schmied), Wigand, Konrad
Wingarter, Winrich, Heinrich v. Wöllstadt.

**v. Sachsenhausen:** a) Ritterfamilie (Nebennamen:
Bonus, Sapiens, v. Urberg, Wise): — Adelheid Gemahlin Hartmuds 1273—1276: 309, 315, 366 —
Adelheid, Tochter Hardmuds, Nonne in Engelthal
1302: 814 — Christine zweite Gemahlin Konrads
v. Urberg 1309: 919 — Christine Gemahlin
Hartmuds 1305: 859 — Konrad Ritter, Sohn
Riperts 1243, Schultheiss zu Fr. 1263—1268,
† 1280: 135, 183, 190, 212, 218, 243, 245, 248,
249, 252, 255, 267, 276, 282 (sig.), 283, 284,
287, 307, 310, 315 (sig.), 325, 328, 375, 408,
† 430, 539, 579, 581, 643 — Konrad Sohn Hartmuds 1284: 487, 495? — Konrad Sohn des
Schultheissen Konrad 1274—1276, † 1288: 335?,
366, † 543 — Konrad gen. v. Urberg Ritter,
Sohn des Vorigen 1288—1309: 543, 591, 890,
919 — Konrad Wise (Bonus) Ritter 1290—1297:
579, 589, 621, 674, 720 — Kunigunde Gemahlin
Riperts 1288—1290: 539, 579 — Kuno Sohn
Hartmuds 1279—1288: 408, 457, 543 — Elisabeth (Lisa) Tochter Heinrichs 1273—1276: 315,
366 — Gela Gemahlin Marquards 1305: 859 —
Gottschalk vgl. v. Praunheim — Hartmann
Kustos an St. Bartholomaeus, Sohn Riperts
1261—1275: 234, 243, 246, 310, 352 — Hartmud Ritter 1194—1215: 32, 42 — Hartmud
Ritter 1272—1290, † 1302: 307, 309, 315, 318,
333, 335, 354, 366, 369, 379, 408, 457, 471,
487, 495, 539, 543, 587, 615, † 814, 859 —
Hartmud Sohn des Vorigen 1302—1305: 814,
859 — Heinrich Ritter, Bruder Hartmuds 1268,
† 1273: 268, 315 vgl. auch v. Praunheim —
Heinrich Wise (Wihse, Sapiens) 1291—1305: 589,
666, 674, 859 — Johannes 1276, † 1288: 366,
543 — Johannes Sohn des Vorigen 1288: 543
— Marquard Sohn Hartmuds 1302—1305: 814,
859 — Mechtild vermählte v. Gründau 1257—
1262: 212, 243 — Mechtild geb. v. Urberg,
Wittwe Johanns 1288: 543 — Ripert (Ruprecht)
Ritter 1219, Schultheiss zu Fr. 1225—1226: ausser
Amt — 1243: 45, 50, 66, 68, 72, 73 (sig.), 75,
76, 79, 80 und Anm., 81, 87, 90, 91, 97, 135 —
Ripert Sohn des Schultheissen Konrad 1276—
1293: 366, 430, 539, 543, 546, 581, 587, 643 —
Sophia geb. v. Urberg, Wittwe Konrads 1288:
543 — Wolfram Ritter 1305—1310: 859, 929 —
b) andere Benannte: Nidung 1215: 42.

**Sachsenhausen,** ein Ort in Bayern (Sachsenhausen) — v. S.: Heinrich, Pfalzgräflicher Vicedom am Rhein (in Reni partibus) 1292: 610.

**Sachsenheim** vgl. **Hohensachsen.**

**Sayn,** Rheinprovinz, n. Coblenz (Seyne) — Graf
Heinrich 1234: 102.

Salerno, Italien, sö. Neapel — Erzbischof: Philipp (Salernitanus).

Salzböde, Nebenfluss der Lahn 254.

Salzburg, Oesterreich (Salseburg) — Erzbischof: Eberhard.

Salzsoden (Saltzsoden) bei Wisselsheim, Hessen 260.

Samland (Sambia) — Bischof: Christian.

Sangerhausen, Provinz Sachsen, nww. Merseburg (Sangerhusen) — v. S.: Anno Deutschhochmeister 1272—1273: 303, 310.

Sapiens vgl. v. Sachsenhausen.

Sarda, Sardoniki, Epirus — Bischöfe: Georg, Ptolomaeus (Sarda- Sarde- -nensis).

Sartinus — Siegfried Priester zu Fr., nach 1284: 495.

Sassen vgl. Saasen.

Sassenhusen vgl. Sachsenhausen.

Scared — Abt zu Seligenstadt 1253: 178.

Scelme vgl. Schelm.

Schakin de Meyinberg — Wigel zu Fr. 1302: 799.

Scharfenstein, Provinz Sachsen sw. Worbis (Scharphenstein) — 408*.

Scharzfeld, Hannover, nww. Nordhausen (Schartvelt) — v. Sch.: Hermann Domkanonikus zu Mainz 1301: 780.

Schele (Luscus) — Elisabeth Tochter Gerhards 1302—1311: 809, 945 — Gerhard zu Gelnhausen † 1302: 809, 818, 838, 945 — Herbord zu Fr. 1300: 757.

Schelm (Scelme, Scelmo, Schelme, Schelmo) — a) v. Bergen: Gerlach Ritter, Dorfrichter zu Rödelheim 1300, 1272—1310: 307, 755, 929 — Hermann Ritter 1274—1300: 333, 430, 591, 701, 764 — Marquard Ritter 1226: 75 — Werner 1194: 32 — Werner Ritter 1272—1282: 307, 310, 333, 338, 339 (sig.), 365, 375, 433, 471 — b) v. Bommersheim: Dietrich Ritter 1275—1291: 375, 591 — Dietrich Knappe 1308: 903 — Gerlach 1255: 189, 190 — Werner Ritter 1255— 1268: 189, 190, 284 — c) Heinrich, bürgerlich, zu Fr. 1294: 657.

Schelterwald — Wald ö. Dillenburg 254.

Schierstein, Hessen-N., ssw. Wiesbaden — 676*.

Schiffenberg, Hessen, s. Giessen (Schiffenburg) — Kloster: 254, 332.

Schilder — Heinrich zu Fr. 1288: 552.

Schiltigheim, Elsass, bei Strassburg (Schiltenkeim) — Hartmud Meister zu Strassburg 1280: 435.

Schyndebog v. Alsheim — Gernod, Sohn des Nikolaus, zu Fr. 1305: 855 Anm.

Schlechtorn — Konrad zu Altenhasslau 1274: 342.

Schlettstadt, Elsass (Slet- Sleze- -stad) — 187, 188, 402.

Schlüchtern, Hessen-N., nö. Hanau — Kloster 459.

zum Schlüssel (Sluzele) — Friedrich zu Mainz 1291: 601.

Schlüsselstück (Sluzselstuke) — Flrn. bei Nieder-Erlenbach 854.

Schmerlenbach, Bayern, ö. Aschaffenburg (Smerlibach) — Kloster 320, 487, 745 — Äbtissin: Gertrud — Propst: Wigand.

Schnabel (Snabel) — Konrad zu Fr. 1300: 757.

Schobelen (Sco- Scou- -belin) vgl. v. Kinzheim.

Schobinruke — Flrn. bei Fr. 771.

Schönau, Bayern nö. Gemünden (Schon- -augia, -auwe, -auwia, -owia, Schonenauwe) — Kloster: 31 Anm., 314, 352, 396, 405, 427, 428, 438, 489, 490, 650, 848, 870, 872, 873, 877, 939 — Abt: Otto — Mönch: Konrad — vgl. Frankfurt: Häuser V D.

Schöneberg, Hessen-N., bei Hofgeismar, nnw. Kassel (Schonberg) — v. Sch.: Agnes Wittwe des Edelherren Konrad 1272: 307.

Schöneck, Rheinprovinz, bei St. Goar (Schonecken, Schonenecken) — v. Sch.: Emmerich (Emercho) Pfarrer zu Weisel, päpstlicher Kaplan, Domscholaster zu Mainz, Propst an St. Bartholomaeus zu Fr. 1289—1307, Bischof v. Worms 1307—1318: 595 (sig.), 630 (sig.), 687, 709 (sig.), 711, 742 (sig.), 743, 747, 829, 884, 892 (sig.) und Anm., 895.

Schotter — Gerlach zu Enkheim 1298: 727.

Schrantz — Hermann zu Sachsenhausen 1305: 864.

Schrenke (Screnke, Srenke, Srenko) — Drutwin Schöffe zu Fr. 1300—1310: 757, 852, 856, 869, 871, 874, 887, 906, 907, 912, 926, 928, 931, 939.

Schultheiss (Villicus) — Hartlieb 1287: 533.

Schwab (Suevus, Sweve, Swevus, Schwap, Svab, Swap) — Berthold (Pinguis) Ritter, Sohn Konrads 1288—1303: 544, 734, 822 — Konrad Ritter (v. Preungesheim, v. Sachsenhausen) 1273—1303: 315, 333, 366, 408, 433, 487, 537, 543, 544, 579, 620, 634, 666, 691, 701, 705, 732, 762, 765, 822 — Konrad Kanonikus an St. Stephan zu Mainz 1295: 674 — Konrad Kanonikus zu Worms, Hofschreiber des Erzbischofs Gerhard v. Mainz 1303—1305: 829, 855 — C. Schmied zu Fr. 1283: 476 — Philipp Ritter, Sohn Konrads 1292: 620.

Schwaben — Herzog Konrad 1193: 30 (dux Swevorum).

Schwalbach, Hessen-N., sö. Königstein (Sval- Svale- Swal- -bach) 533, 769 — Pfarrer: Gottfried — Vogt: Konrad, Johannes? — Schultheiss (villicus): Gerhard — v. Sch.: Konrad zu Fr. 1290: 570 — Hartmud Sohn der Guda 1287: 533 — Johannes Ritter 1242—1255: 128, 255 — Ludwig Deutschordenskomthur zu Sachsenhausen 1270—1280: 296, 310, 316—318, 324, 325, 347, 355—357, 376, 382 und Anm., 404 (sig.), 410 (sig.), 436, 820 Zus.

Schwalheim, Hessen-N., ö. Nauheim — v. Sch.: Friedrich 1276: 370.

Schwanden, welches? — v. Sch.: Burkhard Deutschmeister 1287: 530.

Schwanheim, Hessen-N., ö. Höchst am Main (Suein-Suin- -hagen, -heim) 7, 8, 10, 19.

Schwarz (Niger) a) zu Fr.: Benigna Frau Konrads 1263: 249 — Konrad Sohn Jakobs 1263: 249 — Guda Frau Herrmanns I. † ? 1226: 79 — Heidendrud Frau Herrmanns II. geb. Bresto 1223—1226: 68, 79, † 219 — Hermann I. † ? 1226: 79 — Hermann II. Schöffe 1215—1239: 42, 45, 50, 52, 54, 57, 58,

66—68, 70—72, 75, 76, 79, 81, 87, 90, 91, 97, 98, 105, 109, 111, 119, †?219 — Hermann III. 1268: 277 — Jakob 1249—1254, †?1263: 151, 162?, 183?, 249 — Immecha, Lukard, Töchter Konrads, Weissfrauen 1263: 249 — b) zu Heldenbergen: Guda, Wigand, Wigand 1293: 634.

**vom Schwerte** (de Gladio) Hausname zu Fr. — Adelheid Frau Konrads 1290—1301: 577, 795 — Konrad Richter (iudex) zu Fr. 1290—1305: 577, 599, 795, 858 vgl. Frankfurt: Häuser V D.

**Scobelin,** Scoubelin vgl. **Schobelen.**

**Screnke** vgl. **Schrenke.**

**Seckbach,** Hessen-N., nö. Frankfurt (Secki- Seckin- Seggi- -bah, Secke- Sek- Seke- Siccen- -bach) 7, 8, 10, 90, 115, 585, 807, 856 — v. S.: Albero 1194: 32 — Konrad 1302: 807 — Kunigunde, Friedrich, Hartwig, Hildegunde zu Fr. 1302—1305: 807, 856 — Heinrich Laienbruder (v. Arnsburg?) 1284—1291: 493, 592 — Heinrich 1290?, 585 — Rudolf 1290: 570 — Wolfram 1290?: 585 — unbenannte Beghine 1281: 451.

**Secler** — Peter Kanonikus an St. Peter in Mainz 1292: 616.

**Seddeler** — Walter zu Fr. 1303: 830.

**Seggibah** vgl. **Seckbach.**

**Seginhilt** — Hörige zu Hornau 874: 6.

**Seilgenstat** vgl. **Seligenstadt.**

**Seyne** vgl. **Sayn.**

**Sekbach** vgl. **Seckbach.**

**Sekeren** — Guda zu Fr. 1277: 379.

**Selbold** (Sel- -bolt, -bolth) Gericht: 797 — Kloster: 146 Anm., 899, 905 (sig.) — Pröpste: 1253: 177 (sig.), Johannes, Wigand — Mönch: Lambert v. Glauburg — v. S.: Margaretha Wittwe des Ritters Hermann 1267: 271 — Rudolf Ritter 1253: 177 vgl. Langenselbold.

**Selege** — Heilmann zu Fr. 1302: 811.

**Selhube** — Flrn. bei Trebur 406.

**Seligenstadt,** Hessen (Seilgen- Seiligen- Selgen- Selegen- Selinge- Selingi- -stad, -stat) 233, 286, 344*, 345*, 790 (sig.), 871 (sig.) — Vogt: Wignand — Kloster: 178, 568 (sig.), 760 — Äbte: Konrad, Hermann, Scared — Kapelle v. St. Marcellin und Peter 12 — v. S.: Berthold Pfarrer zu Praunheim, Sohn Volrads 1286: 517 — Volrad Ritter 1268, Viceschultheiss zu Fr. 1276—1279, Schultheiss daselbst, erste Amtszeit 1284—1288, zweite Amtszeit 1292—1297, dritte Amtszeit 1300, vierte Amtszeit 1306—1313: 278, 366, 401, 403, 404, 408, 413, 427, 428, 456, 480, 484, 485, 493, 498, 508, 517, 518 (sig.), 521, 523, 524, 539, 540, 543, 544 (sig.), 553, 568 (sig.), 570, 588, 591, 612, 615, 621, 632, 641—643, 646, 649, 656, 658, 659, 661—663, 670, 674, 685, 690—693, 695, 696, 698, 701, 705, 706, 710, 718, 729, 745, 757, 762, 776, 801, 806, 824, 826 (sig.), 829, 855, 865, 866, 869, 870, 874, 879, 883, 885, 887, 891, 894, 898—901, 905 (sig.)—907, 912, 926, 928, 929, 931 und Anm., 933, 936, 939, 943, 947, 952, 959 — Friedrich gen. Romanus Ritter 1222: 58 — Friedrich zu Fr. 1249—1251: 151, 162 — Johannes Bruder Volrads 1268: 278 — Johannes Sohn Volrads, Ritter 1298: 727 — Richwin, Wortwin 1268: 278.

**Seligenstädter** (Selegenstader, Selginsteder) — unbenannte Frau zu Fr. 1254—1268: 183, 283.

**Seltzer** — Werner zu Fr. 1300: 770.

**Senand** vgl. **Sigenand.**

**Sensenschmidt** (Sensen- -smid, -smit, Seysanensmeit) zu Fr.: Demut Wittwe Merkelins 1312: 953 — Günther 1290—1294: 586, 650 — Philipp 1290: 586.

**de Sesyriaco** — Gerhard Notar zu Mainz 1292: 616.

**Sethzepant** vgl. **Sezepant.**

**Seulberg,** Hessen-N., nö. Homburg (Suleburg) 311, 594 — v. S.: Burkard, Kunigunde 1273: 311.

**Sewira** — zu Fr. 1288: 545.

**Sezepant** (Sethzepant) — zu Fr. 1288: 540 — Mengezo Ritter 1305: 855.

**Shiko** — Hermann 1260: 230.

**Sibold** (Sybold, Sigebold) — v. Bergen — Bulgerin — zu Fr. 1311: 940 — zu Glauberg vor 1258: 222 — v. Heldenbergen — Abt von St. Alban zu Mainz 1310: 937.

**Siboto** — Bischof v. Augsburg 96 Anm. — Opilio — Pinguis.

**Siccenbach** vgl. **Seckbach.**

**Sicilien** — Im Titel König Friedrichs II.

**Sicko** — Ritter zu Echzell † 1250: 156.

**Siegfried** (Sifred, Sifrid, Syfrid, Sigefrid, Siplo, Sypelo) — Bischof v. Augsburg 1219: 48 — desgl. 1287: 536 — Bender — v. Blasbach — v. Breitenbach — de s. Elbino (zwei) — v. Eppstein — v. Erlenbach — Propst an St. Bartholomaeus zu Fr. 1222: 62 (sig.) und Anm., † 113 — Pfarrer daselbst 1245—1259: 138, 212, 224 — desgl. 1308—1312: 908, 935, 949 — Dechant daselbst 1259—1263: 225, 234, 243, 244 (sig.), 246 — Scholaster daselbst 1251: 167 — Kanonikus daselbst 1258: 219 — desgl. 1284: 495 — Goldschmied daselbst 1290: 574 Zus. — v. Gisenheim — v. Heusenstamm — Bischof v. Hildesheim 1289: 562 Zus. — vom Hohenhaus — zu Liederbach 1306: 872 — II. Erzbischof v. Mainz vgl. v. Eppstein — III. Erzbischof v. Mainz vgl. v. Eppstein — Pfarrer zu Massenheim 1289: 560 — Preco — v. Rendel — Deutschordensbruder zu Sachsenhausen 1288: 550 — Sartinus — Sigelo — v. Solms — v. Westerburg — v. Wetter — zum Wetterhahn.

**Sigelo** (Sigele, Sigelous) a) als Vorname: zu Fr. 1259: 224 — † 1289: 560 — Magister, Arzt zu Fr. 1302—1303: 810, 815 — Protonotar Heinrichs VI. 1193: 30 — b) als Zuname (Segelo, Segelen): Mechtild, Tochter Walters zu Fr. 1289—1291: 566, 588 — deren Kinder: Drutlind, Siegfried Walter 1291: 588 — Walter 1284, † 1289: 494, † 566, 588.

Sigenand (Sygenand, Synand, Senand) — v. Buseck
— v. Fronhausen — v. Giessen — v. Steinheim.

Sygenandes morgen — Flrn. bei Hochstadt 495.

Silvestris vgl. v. Buchen.

Simon (Symon) — Mönch zu Eberbach 1256: 205
— Domdechant zu Mainz 1278: 395 — erwählter
Bischof v. Worms, Pfarrer zu Praunheim 1283:
477.

Sindlingen, Hessen-N., sw. Höchst (Sundelingen)
— v. S.: Heinrich Kanonikus an St. Bartholomaeus zu Fr. 1237: 167.

Sletstat, Slezestat vgl. Schlettstadt.

Sluctere — Wald bei Hassloch 136.

Sluderkop — zu Fr. 1310: 936.

Slune — Eckelo Ritter 1306: 880.

Sluszele vgl. Schlüssel.

Sluzselstuke vgl. Schlüsselstück.

Smerlibach vgl. Schmerlenbach.

Smizcekil — Peter und Frau Kusa zu Fr. 1301:
779.

Snabel vgl. Schnabel.

Sobernheim, Rheinprovinz, sww. Kreuznach 625.

Soden am Taunus, Hessen-N. (Soten) 353, 647 —
v. S.: Heinrich zu Liederbach 1306: 872.

Soest, Westfalen (Susacenses) 203.

Soliwri, Türkei — Bischof: Franciscus (Solumbriensis).

Solms, Rheinprovinz, nö. Wetzlar (Sol- -mesze,
-meze) — v. S.: Siegfried Domkanonikus zu
Mainz 1303: 829 — derselbe?: Propst zu Aschaffenburg 1305: 855.

Solumbriensis vgl. Soliwri.

Solzbach vgl. Sulzbach.

Somborn, Hessen-N., ssw. Gelnhausen (Sonneburnen)
948.

Sonnenberg, wohl Hessen-N., nnö. Wiesbaden? —
v. S.: Richza Wittwe Jakobs zu Mainz 1295:
680.

Sophia (Sophya) — Frau des Eberhard zu Fr. ca.
1210—1220: 54 — v. Praunheim — v. Sachsenhausen.

Sossenheim, Hessen-N., nön. Höchst (Sosinheim,
Sozinhaim) 660, 823.

Soten vgl. Soden.

Spanien (Spania) 2.

Sparwer vgl. Sperber.

Speculum — von Dieburg zu Fr. 1305: 858.

Speyer (Spirea, Spira, Spyra, Spire) 30*, 34*, 35*,
78, 187, 188, 203, 402, 415*, 500*, 520*, 797*,
800*, 816*, 817*, 915* — Diöcese 221, 385 —
Bischöfe: Konrad, Konrad, Friedrich, Heinrich
— Dompropst: Konrad — Stift St. German:
Kanonikus Heinrich v. Neukastel — Stift St. Guido:
Kustos 1311: 946 — Kloster St. Klara 918 (sig.)
Äbtissin: Irmgard — v. Sp.: Konrad Schöffe zu
Fr. 1293—1312: Provisor des Heilig - Geist-
Hospitals 1301—1308: 629, 642, 661, 662, 670,
685, 690, 692, 695, 696, 705, 707, 714, 715, 724,
745, 751, 754, 757, 759, 762, 768, 776, 777, 782,
785, 795, 796, 798, 799, 801, 802, 805—807,

810, 814, 815, 830, 832, 834, 841—843, 849, 851,
852, 854, 863, 869—871, 874, 883, 885—887, 893,
898, 900, 906, 907, 912, 926, 928, 931, 939, 947, 952.

Sperber (Sparwere, Sperwere, Sperewerinna, Sper-
weesa) — zu Fr.: Agnes 1273—1284: 328, 495
— Guntram 1242: 129 — Mechtild † 1273: 328
— Merhud † 1284: 485.

Spetel — Werner 1258: 223.

Spoleto, Mittel-Italien (Spoletum) 96*.

Spor — Johannes Deutschordensbruder zu Sachsenhausen 1277: 382.

Sprendlingen, Hessen, n. Darmstadt (Sprende-
Sprendi- lincon, -lingen, -lingin, -lingun) — 7, 8,
10, 591, 611, 666 — Pfarrer: Burkard — v. Spr.:
Gertrud Frau Heinrichs 1289: 559 — Heinrich
ca. 1210—1220: 54 — Heinrich 1276: 364 —
Heinrich 1289: 559 — Jakob Vikar an St. Bartholomaeus zu Fr. und dessen Schwester Lukard
1300: 759.

Staden, Hessen, nnw. Büdingen 190* Anm., 845
(dieses?).

zu den Stagen — Flrn. bei Arheiligen 900.

Stagno (Stoni), Dalmatien — Bischof: Peter
(Stanensis).

Starkenburg, Hessen, Burgruine bei Heppenheim
(Starkinberc, Starchen- Starken- berch, -berg)
— Burg: 254 — v. St.: Hugo 1215: 40 —
Burggraf: Dietrich 1292—1305: 609, 829, 855.

Starkerat (Starcgerad, Starkerad) — a) als Vorname:
v. Hasele — v. Sulzbach — b) als Zuname: Kulmann, Heilmann zu Fr. 1287: 523.

Steckelberg, Hessen-N., Burgruine bei Ramholz ö.
Schlüchtern (Stekelinberg) — v. St.: Hermann
1219: 49.

Steden, welches? — 221 vgl. Königstädten und
Oberstetten.

Steiermark (Stiria) — Herzog Leopold vgl. Öster-
reich.

vom Stein (de Lapide) — Propst? Kanonikus zu
Mainz 1292: 614.

Steinach am Neckar, Hessen (Steina, Steinaha)
— v. St.: Konrad und Frau Adelheid 1219—1226:
49, 74.

Steinbach, Hessen, nö. Rödelheim (Steynbach) —
378, 441 — v. St.: Nikolaus Schöffe des Frohnhofes zu Fr. 1288: 542 — Wasmud desgl.
1242: 129.

Steinbock — Konrad zu Fr. 1294: 650.

Steinfurt, Hessen, ssö. Butzbach (Steynvort) — 914.

Steingrubin — Flrn. bei Bockenheim 787.

v. Steinhack — Gernod 1258: 223.

vom Steinhaus (de domo lapidea) — Ludolf zu
Seligenstadt 1306: 871.

Steinhäuser (Steinhusere) — Heinrich und Frau
Mergard zu Ginnheim 1297: 714.

Steinheim, Hessen, nnw. Seligenstadt (Sthein- -heim)
195* (dieses?) — Pfarrer: Albert v. Karben —
Erzpriester: Heinrich — v. St. (ob von diesem?):
Konrad und Frau Kunigunde zu Fr.: 1307: 891
— Happelo zu Münzenberg 1308: 894 — Hein-

rich Gansara Ritter 1285: 502 — Sigenand zu Hochstadt 1284: 495.

**Stemeler** — Hartwig zu Seligenstadt 1306: 871.

**Stephan** — 1248: 146 — Knecht zu Fr. 1222—1223: 57, 71 — Bischof v. Oppido 1300: 775 — Bischof v. Tournay 1299: 748 (Darnacensis!)

**Sterrenbach**, wüst, Hessen, bei Ossenheim — 97.

**Stetl** (Stetine) — 3 vgl. **Königstädten.**

**Stierstadt**, Hessen-N., ö. Königstein (Stir- -stad, -stat) — v. St.: Heinrich zu Fr. 1288—1290: 542, 570.

**Stiria** vgl. **Steiermark.**

**zume Stochee** — Flrn. zu Kelkheim 495.

**Stockheim**, Hessen, nnw. Büdingen — v. St.: Gottfried 1254: 183.

**Stollechin** — Erwin, Hartmud, Wollweber zu Fr. 1310: 929.

**Stollo** — zu Weinheim 1273: 316.

**Stolzenberg**, wüst, Hessen-N., nö. Salmünster — 697.

**Stolzenthal** — ebenda, wüst — 697.

**de Stophe** (Staufen?) — C. 1231: 92.

**Storkelen** (Storkelin) — zu Fr.: Heinrich, wohl Schöffe 1219—1228: 45, 68, 71, 73, 87 — Irmgard Beghine, Tochter Reinhards 1310: 936 — Reinhard 1298, † 1310: 727, 936.

**Strassburg im Elsass** (Argentina) — 27*, 187: 188, 203, 402, 429, 434, 435 (sig.) — Schultheiss: Hartmud v. Schiltigheim — ungenannter Bürger 1296: 692 — Diöcese 385 — Bischof: Konrad — v. Str. zu Fr.: Elisabeth 1290: 577 — Hedwig Nonne bei den Weissfrauen 1280: 423 — Heinrich Priester 1280, † 1290: 423 (sig.), † 577, 729, — Johannes Gehülfe des Pfarrers zu Fr. 1290: 574 Zus., 615 S. 305.

**Strassheim**, wüst, Hessen sw. Friedberg (Strazheim) 967 — v. Str.: Guntram zu Friedberg 1258: 219.

**Strongoli**, Unter-Italien — Bischof: Johannes (Strogolensis).

**Struphane** — zu Oberoldeshusen 1281: 456.

**Suinhagen, Suinheim** vgl. **Schwanheim.**

**Suleburg** vgl. **Seulberg.**

**Sulzbach**, Hessen-N., nw. Fr. (Soltz- Solz- -bach, pach) — 354, 466, 660, 858 Zus., 872 — v. S. Konrad Ritter 1254—1289: 186, 255, 260, 307, 559 — Starkerad 1232: 98.

**Sundelingen** vgl. **Sindlingen.**

**Susacenses** vgl. **Soest.**

**v. Suscebach** — Hartmud Ritter 1308: 901.

**Sutri**, Mittel-Italien — Bischof: Aldebrand (Sutrinus).

**Svalebach** vgl. **Schwalbach.**

**Swevus** vgl. **Schwab.**

**Swiker** (Svicger, Sviger, Sviker, Swiger) — Schöffe zu Fr. 1227—1236: 81, 90, 91, 97, 105, 111 — Priester zu Fr. † 1258: 221 — zu Lich 1277: 392.

# U.

**Ubenhusen**, wüst, Hessen-N., ö. Gelnhausen — 529.

**Uda** — zu Fr. 1295: 670 — v. Weinheim — v. Wöllstadt.

**Udelgard** — † 1258: 221.

**Udo** — zu Sachsenhausen 1292: 615 — zu Weinheim 1273: 316.

**Übernthal**, Hessen-N., bei Herborn (Iberdal). — v. Ü.: Hartmann zu Wetzlar 1240: 124.

**Ufstozer** — Hermann zu Fr. 1277: 388—390.

**Ugento**, Unter-Italien — Bischof: Johannes (Ogentinus).

**v. Uilshoven** — Markolf Ritter zu Sachsenhausen 1226: 76.

**Ulbracht** (-braht) — v. Eschbach.

**Ulm**, Württemberg (Ulma) — 589*.

**Ulner** — Konrad Schöffe zu Dieburg 1253: 175 — Gertrud Frau Heinrichs 1291: 592 — Heinrich zu Fr. 1291—1305: 592, 856 — Wilhelm Ritter zu Heldenbergen 1303: 822.

**Ulrich** (Ulricus) — Sohn der Benigna 1232: 98 — v. Bickenbach — carnifex vgl. Lange — v. Eckenheim — v. Erlenbach — Bäcker zu Fr. 1304: 854 — Weinschröter daselbst 1290: 570 — v. Hanau — v. Issigheim — Lange — v. Münzenberg — Bischof v. Passau 1221: 55 — vom Rosenbaum.

**Umstadt**, Hessen, ö. Darmstadt (Om- Ome- Omenstad, -stat) — v. U. zu Fr.: Drutlind Frau Friedrichs † 1300: 774 — Friedrich Kürschner (pellifex), Schöffe 1267—1276: 267, 319, 331 336, † 774 — Johannes Sohn Friedrichs Kürschner (pellifex) 1300: 774.

**Urbahe** vgl. **Orb.**

**Urban** — IV. Papst 1262: 240.

**Urbar**, zwei Orte im Reg.-Bez. Coblenz — v. U.: Ludwig zu Gelnhausen 1285: 503.

**Urberach**, Hessen, s. Offenbach (Urbruch) 430, 890 — v. U.: Heinrich zu Sachsenhausen 1305: 859.

**v. Urberg** vgl. **v. Sachsenhausen.**

**Urbino**, Mittel-Italien — Bischof: Egidius (Urbinas).

**Urbruch** vgl. **Urberach.**

**Ursel** — (Ursela, Ursele, Ursella) — 7, 8, 10, 744 — Nieder-Ursel, Hessen-N., nw. Frankfurt: 494, 741 — Wargaze 494 — Ober-Ursel, ebenda, sw. Homburg (Ursela in monte) — Kirche 709, 711, 743, 884, 888 — Pfarrer: Kuno — Vicepleban: Albert — Schultheiss: Reinhard — v. U.: Bernold zu Fr. 1242: 129 — Berthold Vogt v. U. Knappe 1299—1303: 744, 832 — Burkard Vogt v. U. Ritter 1272—1299: 307, 333, 744 — Heinrich (zwei) 1242: 129 — Heinrich, Ludwig 1288: 542 — Ortwin, Reinhold 1242: 129.

**Ussenkeym, Ussincheim** vgl. **Issigheim.**

**Utphe**, Hessen, ssw. Laubach (Odephe) — 471.

**T.** vgl. **D.**

**V.** vgl. **F.**

# W.

**W.** — Generalpropst des Ordens der Weißfrauen (Reuerinnen) für Allemannien 1271—1281: 300 (sig.), 304 (sig.), 445 (sig.).

**Wachenbuchen,** Hessen-N., nw. Hanau (Buchen, Wachenbůchen) — 634, 961 — Pfarrer: Gerlach.

**Wachenheim,** Hessen, w. Pfeddersheim — v. W.: Konrad Kanonikus an St. Bartholomaeus zu Fr. 1222: 57.

**Waldebrun** (Walbrun, Valdebrun) — Bischof v. Aulona und Glawinitza 1288—1289: 547, 548, 569 — Burgmann zu Dornberg 1236: 111.

**Waldeck,** ssö. Arolsen (Wal- -dechen, deke) — Graf Adolf 1255: 190 = ? A. 1255: 196, 198.

**v. Waldertheim** — Jakob Schultheiss zu Mainz und Frau Elisabeth 1284: 489, 490.

**Waldo** (Uualto) — Kaiserlicher Kanzler 882: 8.

**in dem Walkune** — Flrn. bei Soden 647.

**Walpert** — Wergot.

**Walpod** — Johannes Sohn des Baldung W., Deutschordensbruder zu Mainz 1308: 911.

**Walter** (Gualter, Walther, Waltherich) — v̇. Barbei — v. Bergen — v. Cronberg — Dauhunt — Bischof v. Troja 1193: 31 — v. Eschborn (2) — v. Vilbel — Schöffe zu Fr. vgl. v. Mörfelden — Schuster zu Fr. 1270: 296 — Propst zu Ilbenstadt 1250: 155 — zum rothen Löwen — zu Löwenstein — Dechant v. St. Peter in Mainz 1219—1235: 45 (sig.), 106 — v. Mörfelden — Rosenphus — Kaiserlicher Schenk 1216: 43 — Seddeler — Bruder des Vogtes Wignand v. Seligenstadt 1306: 871 — Sigelo — ehemaliger Pfarrer zu Wetzlar 1286—1300: 507, 758.

**Wambold** (Wonbold) — Eberhard Ritter 1313: 961, 965.

**v. Wanebach zu Fr.** (Wane- -bahc, -bach, Wanbach) (vielleicht nach Wambach sös. Langenschwalbach benannt) — Katharina Frau Wigels 1303—1310: 830, 904, 926 — Werner Schöffe 1273—1295: 325, 331, 366, 369, 388—390, 399, 401, 408, 427, 484, 493, 503, 523, 544, 570, 586, 592, 605, 629, 631, 642, 643, 647, 650, 659, 661, 662, 670, 685 — Wigand 1263—1277: 249, 277, 388—390 — Wigel 1299, Rathsherr 1303, Schöffe 1304—1313: 734, 824, 830, 836, 851—854, 869—871, 874, 883, 885, 887, 904, 906, 907, 913, 921, 926, 931, 939, 943, 944, 947, 952, 953, 959, 961.

**Wanman** — Konrad Schöffe des Frohnhofs zu Fr. 1288: 542.

**Wanzo** — Schultheiss zu Oppenheim 1279: 413.

**Warmiensis** vgl. **Ermland.**

**Waro v. Hagen** (Waren) — Adelheid Tochter Eberhards, vermählt mit Konrad v. Steinach 1219: 45, 49 — Eberhard 1194—1219: 32, 37, 45, 49.

**v. Wartenberg** (Wartinberg) — Friedrich zu Sulzbach †1294: 660.

**v. Wasen** (de Cespite) — Konrad, Manegold 1263: 246.

**Wasgauforst** (Vosagum, Vosaum, Uuasago, Uuosagum) — 8, 10, 13.

**Wasmud** (Wahsmut, Wasmut) — Bäcker zu Fr. †1308: 906, 944 — Gzroggo — Rabenger — v. Steinbach.

**Wassach** — Heinrich zu Weinheim 1273: 316.

**Wato v. Geckenpeunt** — Heinrich 1292: 610.

**Webel, Webelin** vgl. **v. Offenbach.**

**Wecel** vgl. **Wetzel.**

**Weczil** — Konrad Schöffe zu Bischofsheim 1302: 798.

**vom Wedel** (de Ariete, fon deme Wedere) — zu Fr.: Katharina Frau Wickers 1298—1308: 724, 776, 823, 834, 912 — Wicker 1298—1310: 724, 776, 823, 834, 855 Anm., 912, 936.

**v. Weddera, Wedera, Weter** vgl. **v. Wetter.**

**vom Wederhane** vgl. **vom Wetterhahn.**

**v. Wedersheim** — Ludwig Ritter 1250: 156.

**Wedrebia** vgl. **Wetterau.**

**Weiberhof,** Bayern, bei Fronhofen, onö. Aschaffenburg (ad Lacum, Vivarium) — 281*, 411*.

**v. Weydas** — H. zu Alzei 1287: 522.

**Weideler** — Anselm zu Friedberg 1285: 499 Anm., 503.

**Weidemann** — zu Wetzlar 1240: 124.

**Weil,** Nebenfluss der Lahn (Wilne) — 254.

**Weilbach,** Hessen-N , nö. Hochheim (Wil-, Wyle-, -bach) — 966 — v. W.: Giso 1278: 310.

**Weilburg a. d. Lahn,** Hessen-N., (Wil- -burcg, -burg) — 686, 704 Zus. — Propst: Giselbert — v. W.: Heinrich Laienbruder zu Arnsburg 1248: 150 — Otto zu Wetzlar 1285: 503.

**Weilnau,** Hessen-N., w. Usingen (Weilnawe, Wilnauwe, Wilenowe) — Grafen v. W. 1282: 465 — Heinrich 1265: 254, 255 — Lukard Äbtissin zu Gnadenthal 1304: 849.

**Weinheim,** Hessen, sw. Alzei (Weien- Weyen- Wien- -heim, Wigen- Winhen- -heim) — 316, 460, 468, (469), 475, 527, 607, 752, 860, 878 — Schultheiss: Gernod — Pfarrer: Konrad v. Alzei — v. W.: Berlewin Kanonikus zu Worms 1282, Scholaster daselbst und Propst zu Neuhausen 1300: 752 — Kunigunde, Drutlind Schwestern Werners 1273: 316 — Gertrud 1304: 844 — Heinrich Ritter gen. v. Alzei †1273: 316 — Werner Sohn Heinrichs und der Uda 1273—1292, †1300: 316, 468—470, 475, 607, †752, 844.

**Weinheim a. d. Bergstrasse,** Baden (Weienheim, Weinneheim) — 609 — Deutschordenskomthur 878 — v. W.: Hartwig Sohn Dudos 1292: 609.

**Weinsberg,** Württemberg (Winesberg) — v. W.: Konrad, Engelhard 1256: 202, 206.

**Weisel,** Hessen-N., sö. St. Goarshausen (Wizele) — Pfarrer: Emmerich v. Schöneck.

**Weiso** — Eberhard Ritter 1266: 260.

**Weiss** (Albus) zu Fr.: Heinrich 1223: 68 — Weiss v. Dieburg: Konrad 1284—1297, †1303: 483, 690, 695, 715, †832, 843, 852, 898 — Margaretha geb. v. Holzhausen, Frau Konrads 1296—1308: 690, 695, 696, 832, 843, 852, 898.

**Weissenburg,** Elsass (Wizenburg) — 402 — Stift

St. Stephan 221 (sig.) — Kloster St. Peter 221 (sig.).

**Weissfrauen** (sorores Penitentes) — im Allgemeinen 92, 108 — Generalpröpste: Rudolf, W. — Niederlassungen in Frankfurt, Worms.

**Weisskirchen,** Hessen, ö. Seligenstadt (Wizsenkirchen — v. W.: Konrad 1305: 856.

**Weiterstadt,** Hessen, nw. Darmstadt (Witer- -stad, stat) — 611, 900 — v. W.: Heinrich Deutschordensbruder zu Sachsenhausen 1257: 211.

**Wenzel** (Wenczelo) — v. Birklar — v. Bockenheim — Barbier zu Fr. 1304: 854 — Hakenrode.

**Weppelin** vgl. **v. Offenbach.**

Werde vgl. **Donauwörth und Kaiserswerth.**

**Wergot** — Walpert Schöffe des Frohnhofs zu Fr. 1242: 129.

**Wernchen** — Arnold zu Langenselbold 1300: 761.

**Werner** (Werenher, Wernher, Wirnher) — Abt zu Arnsburg 1248—1257: 150, 205, 211 — Rektor des Arnsburger Hofes zu Fr. 1275—1303: 360, 424, 666, 690, 708, 825 — Bargeselle — v. Battenberg — v. Bellersheim — v. Bergen — von dem Biersack — v. Birklar — v. Birnkheim — v. Bolanden — v. Kolnhausen — in Curia — Centgreve zu Dieburg 1253: 175 — Vogt zu Trebur 1253: 174 — zu Trebur 1253: 174 — Drunkelen — v. Eltville — v. Eppstein — Falke — v. Falkenstein-Münzenberg — v. Flanstat — v. Frankfurt — Dechant an St. Bartholomaeus zu Fr. 1194: 32 — Priester zu Fr. 1219: 45 — Schwiegersohn Hartwigs vom Hohenhaus daselbst 1300: 766 — Goldschmied daselbst 1276—1281: 378, 415 — Gegere — v. Glasofen — Greber — v. Griesheim — v. Grünberg — Notar König Heinrichs (VII) 1231: 92 — Propst zu Jechaburg 1234: 102 — zu Liederbach † 1306: 872 — von Limburg — von der Linde — v. Lissberg — Dompropst, später Erzbischof v. Mainz vgl. v. Eppstein — Kustos an St. Peter daselbst 1292: 616 — Domkantor und Propst an St. Mariengreden daselbst 1248: 147 (sig.), 148 (sig.) — Minzeler — v. Mörfelden — Moir — Mol — von der alten Münze — v. Münzenberg — Schultheiss zu Münzenberg 1253: 175 — v. Muschenheim — Schultheiss zu Oppenheim 1286: 512 — Oweman — Reinesteine — Vogt v. Rendel — v. Rossbach — Schmied und Deutschordensbruder zu Sachsenhausen 1273— 1292: 325, 382, 550, 615 S. 303 — Schelm — Seltzer — Spetel — v. Wanebach — v. Weinheim — Pfarrer zu Wetzlar 1240: 124 — zu Wetzlar (Sanna) 1286: 516 — v. Wiena vgl. v. Heusenstamm.

**Wertheim am Main,** Baden (Werthem) — 99, 881 — Grafen v. W.: 301 Anm. — Boppo 1193: 30 — Boppo, Mathilde seine Gemahlin (sig.), Rudolf 1275: 354 — v. W.: Gerhard, Vikar zu Würzburg und früherer Dechant an St. Bartholomaeus in Fr. 1312: 955.

**Wesalia** vgl. **Oberwesel.**

**Westenholz,** wo? — 405.

**Westerburg,** Hessen-N., nnw. Hadamar — v. W.: Siegfried 1297: 713.

**Weter** vgl. **Wetter.**

Wetflaria vgl. **Wetzlar.**

**Wetter,** Hessen-N., nnw. Marburg (Wedera, Wedere Wedero, Werdere, Wetdere, Weter) — v. W.: Konrad 1232: 98 — Johannes zu Fr. 1259—1294, Schöffe? 1282: 224, 319, 331, 366, 388—390, 401, 428, 451, 471, 483, 657, 658 — Reinbold Priester zu Fr., Bruder Siegfrieds 1261: 234 — Siegfried Kanonikus an St. Bartholomaeus zu Fr. 1251, Kämmerer daselbst 1261—?, ausser Amt 1277—1279, † 1280: 167, 224, 234, 236, 243, 246, 258 (sig.), 268—270, 273, 284, 311, 328, 360 (sig.), 388—390, 420, † 426. Die hier genannten gehören vielleicht auch zur Familie vom Wedel (vom Widder),

**Wetterau** (Wedrebia, Weitterebia, Weidireibe, Weteravia, Wedireibe, Wetreibia) — 44, 596. 789, 815, 816, 824 — Grafschaft: 206 — Juden: 125 — Kaiserlicher Justiciar: Gerlach v. Breuberg — Landvogt: Ulrich v. Hanau.

**Wetzel** (Wecelo, Wetzelo, Wezelo) — zu Bockenheim † 1301: 787 — zu Fr. 1299: 745 — Fuzechin — v. Pemberg — v. Phumberg — Ritter zu Wetzlar 1240: 124.

**Wetzlar,** Rheinprovinz (Wechflar, Wepflar, Wetphlar, Wetflar, Wetflor, Wetslorg, Wetzelar) — 26, 84, 87 Anm., 94, 102, 124, 127 Zus., 137 (sig.), 168, 187, 188, 190* Anm., 200 (sig.), 216 Zus., 217 und Zus., 219, 254 (sig.), 255, 307, 312 (sig.), 313 (sig.), 327, 337, 386, 397, 399, 402, 416, 440 (sig.), 444, 481, 498, 503, 511, 516, 541*, 572, 617, 623, 637, 758 (sig.), 772, 790, 793, 794, 871 — Langengasse 327 — Vögte 341, Erwin, Gerbert — Schultheissen: Gottfried, Ludwig — Stift: 440 (sig.), 444, 481, 507 (sig.) — Dechanten: Johannes, Wigand — Kustos: Heinrich v. Braubach — Kanoniker: Heinrich v. Kalsmund, Siegfried v. Dalheim, Arnold v. Dernbach, Thomas, Werner v. Mörfelden, Werner v. Münzenberg, Anselm Münzer, Wolfram — Marienkirche 481 — Pfarrer: Walter, Werner — Erzpriester: Konrad — Deutschordenskommende 530 — Bürger und Einwohner: Baurus, Beatrix, Berno, Blide, v. Katzenfurt, Ditherco, v. Driedorf, sub Tuguriis, Gerbert, Harpern, Hedwig, Heilmann, v. Herborn, Hilla, v. Hörnsheim, Lye, v. Limburg, v. Münchhausen, v. Münzenberg, Münzer, v. Nauborn, vom Neuhaus, v. Olm, Ortolf, Pampelun, v. Pemberg, v. Phumberg, de Platea, Regel, Reio, Richer, Roth, v. Übernthal, Weidemann.

**v. Wetzlar zu Fr.:** Adelheid, Katharina, Töchter Volkwins, Nonnen in Thron 1300: 768 — Gertrud Frau Volkwins 1286—1305, † 1308: 516, 570, 692, 768, 782, 828, 830, 863, † 904 — Gertrud Tochter Volkwin des Jüngern, Nonne bei den Weißfrauen 1305: 863 — Giselbert 1309: 914 — Hartrad 1270: 296 — Heinrich 1253, Schöffe

1255—1268: 170, 183, 190, 219, 224, 277 —
Hermann Dominikaner 1270—1279: 296, 410 —
Johannes Mönch 1267: 268—270 — Johannes
Minorit 1257: 215 — Johannes Dominikaner
1295: 666 — Irmtrud Tochter Volkwin des Jüngern, Nonne bei den Weissfrauen 1305: 863 —
Jutta, Margaretha, Töchter Volkwins, Nonnen in
Thron 1300: 768 — Ruprecht Sohn Volkwins
1295: 667 — Volkwin (auch Wolfwin) 1285,
Provisor des Heilig-Geist-Hospitals 1301, Schöffe
1304—1305, † 1308: 498, 516, 560, 570, 666,
667, 692, 706, 732, 768, 774, 777, 782, 787, 828,
830, 851—853, 863, † 904, 913.

**v. Wetzlar zu Friedberg** — Wigand 1266: 260.

**Wicbald** — Hörige zu Hornau 874: 6.

**zume Wichin** — Flrn. bei Arheiligen 900.

**Wichmeren** — Metza Beghine zu Fr. 1261: 234.

**Wicker,** Hessen-N., nö. Hochheim (Wickere) — 966.

**Wicker** (Wicger, Wiger, Wiker) — Notar des
Abtes v. Arnsburg 1248: 150 — Prior daselbst
1256: 205 — von der Brücke — Schultheiss zu
Erlenbach 1304: 854 — Magister, Pfarrer zu
Fr. 1304: 847, 848 — Bürger daselbst 1284:
489 — Centgreve zu Glauberg ca. 1258: 212 —
zum Hohenrade — Meinloher — v. Offenbach —
vom Wedel.

**Wickstadt,** Hessen, sö. Friedberg (Wiken- Wikken-
-stat) 97, 105, 265* — v. W.: Dietrich Ritter
und Frau Agnes 1234: 105 — Heinrich Ritter
und Frau Kunigunde 1232: 97.

**uff dem Wide** — Flrn. bei Nieder-Erlenbach 854.

**Widerold** (Wyderold) — Mönch zu Haina 1298—
1304: 726, 854.

**Wien** (Wienna) 380*, 381*, 383*, 384*, 397*,
416*—418*, 429*, 442*.

**v. Wiena** vgl. **v. Heusenstamm.**

**Wienheim** vgl. **Weinheim.**

**Wierland** — Bischof: Dietrich (Veronensis).

**Wiesbaden,** Hessen-N. 640*.

**Wieschebure** vgl. **Wisper.**

**Wigand** — v. Altenstadt — Schultheiss zu Bergen
1245: 138 — Sohn Bernhelms Ritter 1250: 156
— v. Bettenhausen — v. Büches — Darender —
Ditherco — v. Düdelsheim — sub Tuguriis —
Laienbruder des Klosters Eberbach zu Hassloch
1225: 73 — Elwinsteder — v. Eschborn — Bäcker
zu Fr. (v. Eschborn?) 1219—1225: 50, 73 — desgl.
Schöffe? 1282: 471 — Fleischer zu Fr. 1261:
236 — Dominikaner zu Fr.? 1300: 756 — Fraz
— v. Fulda — v. Gelnhausen — v. Gontershausen — Griben — Abt v. Haina 1230: 90 —
v. Heldenbergen — v. Hochstadt — zu Langenselbold 1300: 761 — v. Limburg — Deutschordensbruder zu Mainz 1287: 534 — v. Nauheim
— zu Oberwöllstadt 1312: 958 — v. Offenbach —
Deutschordensbruder zu Sachsenhausen 1292:
621 — Deutschordens-Trapperir daselbst 1306:
875 — Sohn Diemars daselbst 1295—1305: 666,
859 — Propst zu Schmerlenbach 1263: 246 —
zwei zu Schwalbach 1287: 533 — Schwarz —

Propst zu Selbold 1308—1311: 899, 945 und
Zus. — v. Wanebach — Dechant zu Wetzlar
1300: 758 (sig.) — v. Wetzlar — Ziegler.

**Wigel** (Wigelo, Wiglo, Wigolo) — Frosch — v.
Holzhausen — Petri — Schakin — v. Wanebach.

**Wigenheim** vgl. **Weinheim.**

**Wigmann** — Fervere.

**Wignand** — Vogt zu Seligenstadt 1306: 871.

**Wilbach,** Wylebach vgl. **Weilbach.**

**v. Wilberg** — Heinrich 1257: 211.

**Wilburcg,** Wileburg vgl. **Weilburg.**

**Wilchelmishusen** vgl. **Rendel.**

**Wildenstein,** Bayern, welches? — v. W.: Heinrich
1292: 610.

**Wildgraf** — Emicho 1254: 187, 188.

**Wilenowe** vgl. **Weilnau.**

**Wilhelm** (Wilelmus, Wilhelmus, Willelmus, Willehelmus, Wylheilmus, Wylhelmus, Willemmus) —
König 1249—1255: 152, 161, 166, 180 (sig.),
181 (sig.), 188, 193 (sig.), 196—198, † 380 —
Abt v. Arnsburg 1245—1248: 138, 146 — desgl.
1308: 894, 914 — v. Aspelt, Propst an St. Bartholomaeus zu Fr. — Dechant zu Bamberg † 1194:
32 — Cleinesmid — v. Dieburg — v. Tongern
— Abt v. Haina 1216—1219: 43, 50 — desgl.
1304: 840 — Kanonikus an St. Peter in Mainz
1248: 147, 148 — Roir — Ulnere — Zorn.

**Wilher** (Willer) — Laienbruder zu Arnsburg 1294:
657 — v. Linden.

**Willandeszdorf** vgl. **Wilnsdorf.**

**Wille** — zu Weinheim 1273: 316.

**Willekume** — Zurcher.

**Willelmus** vgl. **Wilhelm.**

**Willigis** (Uuilligis) — Erzbischof v. Mainz 977—994:
9, 10—12, 14.

**Williher** (Uulliheri, Williheri) — Abt an St. Salvator zu Fr. 880—882: 7 und Anm., 8.

**Wilnauwe** vgl. **Weilnau.**

**Wilne** vgl. **Weil.**

**Wilnsdorf,** Westfalen, ssö. Siegen (Willandeszdorff)
— v. W.: Konrad, Frau Irmgard und Sohn Konrad 1240: 124.

**Wimpfen am Neckar,** Hessen, — 83*.

**Windecken,** Hessen-N., nwn. Hanau (Wůnecke,
Wůneken, Dezelnheim) — 101, 551 — v. W.:
Johannes zu Friedberg 1306: 871.

**Windilsteher** — Heinrich Sohn des W. zu Langenselbold 1300: 761.

**Windranc** — Gerhard zu Sachsenhausen 1305: 859.

**Winesberg** vgl. **Weinsberg.**

**Wingarter** (-garther, -gerter) zu Friedberg und
Fr.: Adelheid, Frau Rudolfs 1291—1300: 590,
762, 763 — Konrad Deutschordensbruder zu
Sachsenhausen Sohn Adelheids 1300: 762, Kuni-
gunde Nonne zu Altenberg, Eckelo Priester,
Kinder Adelheids 1291: 590 — Rudolf 1300: 763.

**Winheim** vgl. **Weinheim.**

**Winrich** (Wenricus, Winricus) — Deutschmeister
1303: 835 — Deutschordensbruder zu Sachsen-

# Y. vgl. I.

# Z.

**Ziegenhain a. d. Schwalm,** Hessen-N., onö. Marburg (Cigen- Cygen- hagen, Cigenahe) — Grafen: Berthold 1250—1255: 156 (sig.), 158, 191, 192 — Gottfried † 1250: 158 — Ludwig 1216—1227: 43, 82 — Rudolf? Verwandter Bertholds † 1250: 158.

**Ziegler** (Zigeler) — Wigand zu Fr. 1290: 570.

**Zimmermann** (Zymmermann) — Mechtild zu Friedberg † 1300: 756, 786.

**Zorn** (Zurn) — zu Alzei: Berlewin Ritter † 1282: 470 — Wilhelm Ritter 1273: 316.

**Zurcher** (Zurgher, Zurcker) zu Fr.: Konrad 1290, Rathsherr 1303: 574 Zus., 824 — Elisabeth, deren Sohn Johannes und Frau Willekume 1313: 959.

**Zurn** vgl. **Zorn.**

**Zurcher** — Berthold Vikar an St. Bartholomaeus zu Fr. 1303: 808.

**Zvilvesheim** vgl. **Zeilsheim.**

# Druckfehler und Berichtigungen.

S. 1 No. 1 l. „Emmeram" st. „Emmeran".

S. 6 No. 8 Z. 15 v. o. „Grotefend, Festgabe etc." ist = „Frankfurter Neujahrsblatt 1884".

S. 9 No. 10 II. Das Siegel ist auch bei dieser Ausfertigung gut erhalten.

S. 15 No. 31 im Reg r .: Der Ausstellungsort ist „Frankfurt".

S. 16 No. 32 bei den Litteraturangaben: l. B., 20 st. 10.

S. 17 No. 33 „ „ „ l. Frankf. Arch. Neue Folge VI, 196 st. 6ᵇ 196.

S. 19 No. 42 im Regest: l. „einen anderen Garten" st. „aus einem anderen Garten".

S. 23 No. 46 Stückbeschreibung: l. „domino de Fischard" st. „Dr . . . de Fiscard".

S. 26 No. 51 im Regest: l. „Gerlach" st. „Gerhard".

S. 32 No. 60 im Regest: Der Ausstellungsort ist „Mainz".

S. 39 No. 73 im Context Z. 9: l. „quidquid" st. „quitquid".

S. 49 No. 96 im Context Z. 9: l. „Christo" st. „Christi".

S. 51 No. 99 l. „Januar 9" st. „Januar 19".

S. 54 Anm. l. „zwei" st. „zweite".

S. 56 No. 107 bei den Litteraturangaben: l. „Deductio" st. „Reductio".

S. 60 No. 118 „ „ „ Die Urkunde ist bei Wolff l. c. „gedruckt".

S. 61 No. 120 „ „ „ Auch gedruckt: Frankf. Arch., III. Folge, II, 141.

S. 72 No. 143 „ „ „ l. „Jacquin" st. „Jaquin".

S. 88 No. 184 im Regest: l. „October 29" st. „October 28".

S. 97 l. No. 202 st. No. 200.

S. 106 No. 220 im Regest: l. „Roggen" st. „Weizen". Dasselbe gilt für folgende Regesten: S. 118 No 249; S. 252 No. 525; S. 258 No. 535; S. 345 No. 698; S. 365 No. 731; S. 389 No. 776; S. 416 No. 827.

S. 110 No. 227 Zus. letzte Z.: ist vor „munimine" „sigilli" einzuschieben.

S. 117 No. 246 Context Z. 6: ist hinter „custos" ein „Komma" zu setzen.

S. 136 No. 277 im Context dritte Z. v. u.: l. „huiusmodi" st. „huismodi".

S. 138 No. 282 „ „ vorletzte Z.: l. „XIIII" st. „XIII".

S. 146 No. 295 „ „ Z. 23: l. „Quia" st. „Qia".

S. 148 No. 298 im Regest: „Verona" ist = „Wierland".

S. 153 No. 308 im Context Z. 2: tilge das Komma nach „presencium".

S. 172 No. 354 „ „ Z. 5: l. „proprietario" st. propietario".

S. 174 No. 359 „ „ letzte Zeile: l. „Pinguie" st. „Piguie".

S. 205 Anm. l. „1290 März 16".

S. 212 No. 441. Das Datum der Vorlage muss verderbt sein, da Ditmar erst „1284" Pfarrer zu Frankfurt wurde.

S. 218 Z. 11 v. u.: l. „obedientie" st. „obediente".

S. 226 No. 469 im Regest: l. „October 8" st. „October 7".

S. 231 No. 482 Stückbeschreibung: l. „erhaltenen" st. „erhaltenem".

S. 236 No. 494 im Regest: l. „August 12" st. „August 13".

S. 264 No. 548 letzte Zeile: tilge das Komma nach „habundancia".

S. 265 No. 548 Z. 10: l. „patroni" st. „patrone".

S. 270 No. 560 im Regest: l. „Februar 13" st. „Februar 14".

S. 275 No. 569 im Context Z. 5 l.: „Turtibulensis" st. „Trantibulensis".

S. 295 No. 605 „ „ Z. 7: setze ein Komma nach „inhabitat".

S. 342 No. 693 „ Regest: l. „20 Achtel" st. „26 Achtel".

S. 361 No. 723 „ „ l. „Februar 24" st. „Februar 25".

S. 427 No. 839 in den Litteraturangaben: l. „B., 359" st. 259.

S. 443 No. 864. Die Datirung der Urkunde nach der Vorlage scheint mir nicht unbedenklich, da als Aussteller der Urkunde „der Official der Frankfurter Propstei" und nicht „die Officialen", wie sonst immer in dieser Zeit, genannt wird. Wahrscheinlich ist die Urkunde erst später anzusetzen.

S. 456 No. 884 im Regest: l. „Domkustos und Propst an St. Peter" st. „Propst am Dom und St. Peter".

S. 466 No. 900 im Context Z. 11: l. „Wyterstad" st. „Royterstad".